/ichel HERON

n graphique et mise en pages :
(Promotion Arts & Culture), John GELDER
a collaboration de Cécile COLLADANT

ue éditoriale : Karol GOSKRZYNSKI
ue HÉBRARD, Claude SELLIN

at : Pascale KOUADIO

: Michel HERON

ion éditoriale : Danièle MORVAN

es complètes des citations figurant dans le dictionnaire se
ns la bibliographie en fin d'ouvrage (page 691 et suivantes).

le France, 75013 Paris
t.com

-32100-678-7

primer en janvier 2021 en Italie par Grafica Veneta S.p.A.
: 10270786 – Dépôt légal : août 2015

DICTIONNAIRE DE

R I M E S

&

ASSONANCES

Édition :

Concep
PARC
Avec

Informa
Moni

Secréta

Révision

Coordin

Les référe
trouvent d

92, avenue
www.lerob

ISBN : 978-

Achevé d'i
N° d'édite

DICTIONNAIRE DES RIMES & ASSONANCES

illustrées par 3 000 citations
de poèmes et chansons

ARMEL LOUIS

QU'EST-CE QU'UNE RIME ?

« *Ça a l'air de rimer* »
Guillaume Apollinaire.

Les mots sont ainsi faits que tantôt tu t'attaches à leur sens, tantôt à leur sonorité. Il en va pareillement de la rime qui recouvre des notions souvent mêlées parce que liées à un même processus :

• soit la rime désigne une **finale sonore** isolée, comme par exemple une rime en -A, en -ARME : tu découvriras ainsi 588 finales numérotées dans ce dictionnaire ;

• soit la rime désigne les **vocables** du lexique ayant une finale en commun : *gendarme*, *charme* et *vacarme* constituent des rimes que tu tires du vocabulaire ;

• soit la rime désigne la **combinaison** des mots en fin de vers : tu associes les mots à la rime par l'action des vers, de la strophe, du poème.

En réunissant ces trois notions distinctes, la rime désigne couramment les **vocables ayant en commun une finale sonore combinée en fin de vers**.

I. FINALES

Qu'est-ce qu'une finale sonore ? Une rime vocalique, consonantique ? Une sous-rime ?

Comment définir phonétiquement la finale d'un mot ? Sache qu'il s'agit de la **dernière voyelle prononcée d'un vocable, suivie ou non de consonnes sonores**. Tu as ainsi pour le mot *verglas* la rime en -A puisque c'est sa dernière voyelle prononcée ; pour *vacarme*, tu as la rime en -ARME constituée d'une voyelle et de deux consonnes sonores (plus un e muet). Ce qui te permet alors de différencier deux types de finales :

– la **rime vocalique** composée d'une voyelle sonore, c'est-à-dire l'une des 11 finales suivantes : rimes en -A, -AN, -È, -É, -EÛ, -I, -IN, -Ô, -ON, -OU, -U ;

– la **rime consonantique**, composée d'une voyelle suivie au moins d'une consonne sonore, c'est-à-dire l'une des 577 autres finales de ce dictionnaire : des rimes -ABE, -ABRE... aux rimes -UVE, -UXE (cf. tableaux des rimes consonantiques).

Remarque la disproportion quantitative entre rimes vocaliques (11) et rimes consonantiques (577), ainsi que la moindre qualité sonore des premières – constituées d'une seule voyelle – par rapport aux secondes – voyelle + consonne(s). Aussi, en t'imposant une **lettre d'appui** – c'est-à-dire un phonème commun – avant la voyelle sonore d'une rime vocalique, afin de l'étoffer, tu as autant de **sous-rimes** différentes (-AA, -BA, -CA, -DA...) et tu multiplies par là même les finales vocaliques (plus de 250, cf. tableau des rimes vocaliques). Enfin, tu as une **sous-rime voisine** lorsque la lettre d'appui de la rime vocalique est proche phonétiquement : -BI et -PI, -CHI et -GI.

Ce dictionnaire est organisé sur cette opposition entre rime vocalique et rime consonantique, autour d'une voyelle commune, à l'intérieur des treize sections correspondant aux treize voyelles retenues de la langue française, que tu retrouves sur le curseur en haut de chaque page. Dans chacune de ces sections, la rime vocalique, lorsqu'elle existe, et l'ensemble de ses sous-rimes, précèdent la ribambelle des rimes consonantiques classées par ordre alphabétique : 1.0 A, 1.1 AA, 1.2 BA... 2. ABE, 3. ABLE, 4. ABRE, etc.

Qu'est-ce qu'une rime masculine, féminine ? Une rime androgyne, intersexuée ?

Une autre façon pour toi d'utiliser les rimes consiste à distinguer la **rime féminine** (avec e muet final) de la **rime masculine** (sans e muet) : ainsi les rimes -ABE et -AB°, ou -IE° et -I, sont bien distinctes (et opposées dans ce dictionnaire par le signe **°**, mis généralement à la moins fréquente des deux). Cela augmente d'autant le nombre de rimes et de sous-rimes, de telle sorte que tu as dans ce système près de 870 rimes et 350 sous-rimes masculines ou féminines, c'est-à-dire plus de 1200 finales différentes. D'où l'usage de l'**alternance** des rimes masculines et féminines dans le déroulement des vers, qui permet de répartir cette grande variété de finales.

Tu peux ajouter à cette classification la **rime androgyne**, comprenant les mots à double genre, à commencer par les monosyllabes *de, je, le, me, ne, que, ce, te*, traités tantôt comme rime masculine, c'est-à-dire en syllabe pleine *(je/jeu ; ne/ruineux)*, tantôt en rime féminine, c'est-à-dire élidés *(si je/ vertige ; je ne/jeune)* [1] ; ou bien les mots à finale féminine, normalement élidés à la rime, mais comptés pour une syllabe pleine, comme une rime masculine *(agréaBLE/bleu ; tchécoslovAQUE/à queue)* [2] ; ou encore ces mots à graphie étrangère d'apparence féminine (terminés par un e muet) mais traités comme une rime masculine *(Poe/frappe au ; reggae/prodiguer)* [3].

1- 244.6 Norge ; 225 Wouters.
2- 244.10 Neuhuys ; 244.15 Cocteau.
3- 435.19 Mallarmé ; 214.9 Gainsbourg.

Enfin, l'élision toujours possible du e muet d'un vocable *(queu's/queux ; langu's/mustang)*[4] et plus rarement son rajout *(Mallarmé…e ; juke-box[e])*[5] montrent plus clairement encore l'ambivalence du genre de la rime : dans ces deux cas de transformation, tu parleras de **rime intersexuée**.

QU'EST-CE QU'UNE ASSONANCE, UNE CONTRE-ASSONANCE ?

Par ailleurs, tu peux élargir la notion de rime en ne recherchant pas une homophonie exacte, mais une simple concordance de voyelle finale (avec une discordance des consonnes qui la suivent) appelée **assonance**, ou au contraire une concordance des consonnes finales (avec une discordance de la voyelle qui les précède – ou qui les suit) appelée **contre-assonance** : par exemple la rime en -ABRE assone en -ABE, -ARBRE… ou contre-assone en -ÈBRE, -IBRE…et à *macabre*, tu peux associer *sabre* (rime), *arbre* (assonance) ou encore *vertèbre* (contre-assonance). Lorsqu'une finale n'a pas de contre-assonance, tu choisis l'une des plus proches (pour -ARBRE : -OURBE, -ÈBRE, etc., cf. 47 Cocteau et Aragon).

Cependant, le statut culturel et la pratique de l'assonance et de la contre-assonance sont très différents.

Historiquement, l'assonance est antérieure à la rime ou, si tu préfères, **la rime est une assonance spécialisée** : à l'origine, le barde médiéval chante de longues séries de vers nommées *laisses* assonançant sur une même voyelle : ainsi dans la laisse XIII de *La Chanson de Roland*, tu trouves associés: *CArles/messAges/mAsse/ caeignAbles/muAbles/ArAbe* : tu y remarques une *assonance lointaine*, avec seulement la voyelle finale en commun *(CArles/messAges)* ; une *assonance proche* avec une voyelle finale et une consonne communes (*muABles/arABe*) ; une *assonance identique*, c'est-à-dire une rime *(caeignABLEs/muABLEs)*. La rime supplante petit à petit, en des combinaisons courtes et variées, l'assonance, au point que cette dernière disparaît presque complètement. À partir de la fin du XIXe siècle, tu la retrouves fréquemment, calquant la pratique de la rime sous forme de combinaisons variées et non plus en laisses univocaliques. Tu distingueras, enfin, l'*assonance semi-vocalique* (-AN/-ANte)[6] de l'*assonance consonantique* (-ANce/-ANte).

La contre-assonance reste très exceptionnelle. On la trouve dans la *baguenaude* médiévale, poème sans rime ni raison mais assonancé et contre-assonancé ; dans la *sotie*, comme un jeu de rimes à partir de variations sur les voyelles A E I O U, d'après le principe du *ba be bi bo bu* des rudiments de lecture. Ainsi, dans la ballade *Du jour de Noël*, Clément Marot rime – et contre-assone – en -AC, -EC, -IC, -OC, -UC[7]. La contre-assonance devient par la suite autonome[8], mais il faudra attendre la fin du XIXe et le XXe siècle pour que son usage – et sa dénomination même, attribuée à Francis Carco – rentre dans la pratique[9]. Tu distingueras, enfin, la *contre-assonance vocalique* (-Tan/-Tin) de la *contre-assonance consonantique* (-anTE/-inTE).

QU'EST-CE QU'UNE RIME BERRYCHONNE ? UNE RIME SYLLABIQUE ? UNE ANTÉRIME ?

L'association assonance/contre-assonance te donne la **rime « berrychonne »** : le premier mot fournit la consonne finale de la contre-assonance (avec ou sans lettre d'appui) ; le deuxième mot fournit la voyelle de l'assonance ; la finale du troisième mot est la résultante des deux premières :

Tu les as crus jusqu'à l'éclat dernier des ***braises***
Tu les as crus jusqu'à tes membres ***équarris***
Tu les as crus jusqu'où même croire se ***brise***
(Louis Aragon, « Ô mon torrent », *Le Fou d'Elsa*)
BRaiSEs + équarrIs = BRISE
(cf. Jacques Jouet : 110/120/258.17 etc.)

La **rime syllabique** se décompose également sur plusieurs niveaux : la finale du premier mot te fournit la première syllabe ; celle du deuxième (et nième) mot te fournit la deuxième (et nième) syllabe. Le dernier vers (ou le titre du poème) donne le mot complet de cette rime-charade, réitérée de strophe en strophe :

Va chez le turc et le ***sophi***
Muse, et dis, de Tyr à ***Calis***
Que, malgré la ligue d'***Augsbourg***,
Monseigneur a pris **PHILISBOURG.**
(Jean de La Fontaine) (cf. 510)[10].

Tu peux trouver la rime syllabique à l'intérieur des vers (cf. 224 Roubaud) ou en début de vers (en acrostiche, cf. 435.19 Collectif).

L'**antérime** (ou rime senée)[11] est l'inverse de la rime, et peut faire système : le son commun se trouve au début des mots, au début des vers (et au-delà) :

Nerfs de vent **nerfs** de ciel **Nerval** en vain est mort
Néréïdes nerpruns nerfs de bœufs **nerfs** perclus
Nervosisme ô **nerfs** !
Louis Calaferte (cf. 177 et 535.8)[12].

4- 244.15 Brassens ; 108 Gainsbourg.

5- 1.23 Cazals ; 432 Caussimon.

6- Cette sorte d'assonance (finale vocalique avec finale consonantique) est appelée *rime augmentée* : cf. 333.18 Jammes où « ricin » assone avec « sainte ».

7- *trac* et *bissac* riment entre eux et contre-assonent avec *rebec/ric à ric/Enoc/Duc* : la rime babebine.

8- cf. « rime ronflante à gros grain » 46 Papillon de Lasphrise.

9- ANGE/-IGE/-ONGE/ -OUGE/-UGE : 105 Thiry ; -UDE/-ODE/ -ADE/-ÈDE/-IDE : 119 Queneau.

10- 214.12 et 481.11 Neufgermain ; 1.5 Voiture ; également 121.13 Molinet, rime syllabique et antérime.

11- La rime senée désigne aussi un vers où tous les mots commencent par la même lettre : *Mon mal meurt mais mes mains miment*, cf. 295 Desnos.

12- 464 Allais ; 430 Aragon; 435.15 Jacob ; 91.3 et 481.14 Guillevic. Tu antérimes, quelle que soit l'orthographe des vocables : *hanter/antenne/ enterrement/en t'aimant…Le Robert oral-écrit* est un dictionnaire d'antérimes qui s'ignore…

Tu as une **antérime rimée** si le début d'un vers rime avec la fin d'un autre vers (ou du même) :

Mai s'enroule au ciel des **fontaines**
Fleur enfant des troubles *sommets*
Vaine allusion d'une lueur
Maison où temps et vent s'**égrènent**
(Georges-Emmanuel Clancier) [13]

(Tu repères les rimes *fontaines/s'égrènent* et l'antérime *vaine* : la rime *sommets* et les antérimes *mai/maison* ; la rime *lueur* et l'antérime *fleur.*)

QU'EST-CE QU'UNE RIME PAUVRE, SUFFISANTE, RICHE, ENRICHIE ?

Deux mots qui riment ont en commun leur finale sonore :
• cette finale a un seul son identique, la dernière voyelle prononcée : tu as une **rime pauvre** ; ce sont exclusivement des rimes vocaliques (voyelle seule) : déjÀ et repAs ; pOU et rOUx ;
• cette finale a deux sons identiques (dont la dernière voyelle prononcée) : tu as une **rime suffisante** :
- une rime vocalique a besoin d'une lettre d'appui : comBAt et taBAc ; nOUER et avOUER ;
- une rime consonantique *simple* est par nature suffisante (1 voyelle + 1 consonne) : syllABE et arABE ;
• cette finale a trois sons identiques (dont la dernière voyelle prononcée) : tu as une **rime riche** :
- une rime vocalique a besoin de deux lettres d'appui : BRAs et coBRA ; tABAc et rABAt ;
- une rime consonantique *simple* (1 voyelle + 1 consonne) a besoin d'une lettre d'appui : cRABE et aRABE ; idÉAL et florÉAL ;
- une rime consonantique *complexe* (1 voyelle + 2 consonnes) est riche par nature, la lettre d'appui est surnuméraire : éTABLE et lamenTABLE ;
• cette finale a des sons identiques mais contient un son intercalaire entre la lettre d'appui et la rime *(ébloui et bleui ; affiche et haschisch)* [14] ou bien possède une lettre d'appui proche phonétiquement *(fibre et vibre)* : tu as une **rime enrichie**.

QU'EST-CE QU'UNE RIME HOMONYME, PARONYMIQUE, ANAGRAMMATIQUE, INVERSÉE, INCLUSE, CACOPHONIQUE, IMITATIVE, ONOMATOPÉIQUE ?

Retiens encore la **rime homonyme** où les mots rimants et la rime sont confondus : *(un à un/les Huns ; orange/Orange ; incarnat/il incarna)* [15] ; la **rime paronymique** composée de vocables voisins phonétiquement *(scaphandre/Scamandre)* ou brodant autour d'un mot *(mica/maki/mal acquis)* [16] ; la **rime anagrammatique** classique *(violette/voilette ; merveille/vermeille)* ou phonétique *(abbaye/ébahie)* [17] ; la **rime inversée** permutant les consonnes sonores autour de la voyelle commune *(syrte/thyrse ; tempe/pente)* [18] ; la **rime incluse** *(PRovINCE/PRINCE)* [19] ; la **rime cacophonique**, envahissant le poème *(Fourbissez votre ferraille,/Coquinaille, quetinaille...)* [20] ; la **rime imitative** *(Et s'ébrouant/Rouets rouant)* [21] ; la **rime onomatopéique** *(han !/ halant/han !/ahan !)* [22].

QU'EST-CE QU'UNE RIME MILLIONNAIRE, ÉQUIVOQUÉE, EN ÉCHO ? UN VERS HOLORIME ?

Au-delà de la rime riche, l'homophonie repose sur plusieurs syllabes sonores et la rime se révèle jeu de mots :
• tu as une **rime millionnaire** (ou dissyllabique) si elle s'étend sur deux syllabes (quatre sons identiques dont les deux voyelles finales) :
- une rime vocalique a besoin de deux syllabes pleines (avec lettre d'appui) : *kangourou/ gourou* [23] ;
- une rime consonantique se suffit de deux syllabes simples : *caravane/pavane* [24] ;
• tu as une **rime équivoquée** lorsqu'elle repose sur un à-peu-près de plusieurs mots : *on s'aime en semant/Ensemencement* ; *grasse matinée/mars en Gâtinais* [25] ;
• tu as une **rime en écho** (ou rime couronnée) si la ou les syllabes rimantes sont répétées deux fois à la finale du même vers : *Qu'est-ce qu'un veau vaut* ; *Léna je veux te dédier un poème « ème »* [26] ;
- un **vers en écho** si cet écho s'étend sur deux vers, un long, un court :

Connaissez-vous Dreux, Laon, Bourg, Digne, Auch, Dax, **Trévoux**,
Vous ?
(Amédée Pommier) (cf. 481.19)

- une **rime en écho triple** (ou rime emperière), si la syllabe rimante est répétée trois fois :

Alors la branche au vent qui **balance lance en ce**
Jardin la première mésange
(Jacques Charpentreau) (cf. 105)

13- 166 Clancier ; 121.2 Bodard.
14- 258.6 Mérat ; 263 Salmon.
15- 333.0 Desnos ; 121.4 Noailles ; 1.14 Montesquiou.
16- 435 Aragon ; 258.17 Noguez.
17- 258.5 Montesquiou et aussi 578 Queneau.
18- 316 Salmon ; il s'agit en fait d'une forme particulière d'assonance.
19- 340 Rostand.
20- 24 Molinet et aussi 81 Vigny ; 186 Queneau ; 1.18 Lescure.
21- 91.18 Elskamp et aussi 91.25 Richepin ; 115 Aragon.
22- 91.0 Prigent et aussi 91.13 Roubaud ; 91.19 Piis.
23- 481.15 Houellebecq.
24- 38 Foulc.
25- 91.15 Jacob ; 121.13 Lapointe.
26- 435.25 Trenet ; 162 Lapointe.

- une **rime en écho quadruple**, si la syllabe rimante est répétée quatre fois :

    L'eau rend l'orang laurant Laurent !!!
    (Raoul Monnier)[27]

- tu as un **vers holorime** (ou olorime) lorsque l'homophonie s'étend sur le vers entier :

    Jeune, petit, raillé, cœur âgé, cœur usé,
    Je ne peux, tiraillé, que rager, que ruser.
    (Daniel Marmié)[28] .

Ces analogies sonores sont révélatrices du mécanisme interne qui les génère : **la nature profonde de la rime est le calembour** – inavouable ou avoué. Tout l'art consiste à la fois à exhiber et camoufler cette apparente incongruité où le son fait sens et le sens est son.

II. VOCABLES

À partir des principales classes de rimes – vocalique, consonantique, masculine ou féminine – le vocabulaire se fragmente en groupes de mots rimants plus ou moins importants à l'intérieur desquels tu puises tes vocables : chacune des rubriques numérotées de ce dictionnaire.

Ces groupes à finale commune comptent de... zéro à plusieurs milliers de termes :

- la finale n'existe pas, puisqu'il n'y a aucun mot français répertorié : tu ne trouveras pas de rimes en -AGLE, - ONCRE ou -GNU (cf. tableaux des rimes) : la **rime inconnue** (ou la rime sans mot)[29] ;
- la finale est représentée par un vocable isolé, ce que l'on appelle un **mot sans rime**, c'est-à-dire sans répondant à même terminaison : *goinfre, monstre, stupre...*
- la finale possède plusieurs unités ou plusieurs dizaines, centaines, milliers de vocables : la rime proprement dite.

QU'EST-CE QU'UN MOT-CLÉ ? UNE RIME-CLICHÉ, UNE RIME-PROVERBE, UNE RIME NOUVELLE, UN MONORIME, UN BOUT-RIMÉ ?

La rime se constitue autour d'un vocabulaire qui, à travers des siècles de pratiques et de poétiques, se décompose statistiquement sur trois niveaux concentriques (cf. exemple graphique page XIV) :

- le ou les **mots-clés** (en capitales dans le lexique), c'est-à-dire les **mots-thèmes** qui constituent le noyau central et caractéristique de la rime ;
- les **vocables fréquents** (en gras) associés autour de ces mots-clés, qui forment le vocabulaire courant et le premier cercle autour du noyau ;
- les autres vocables (en maigre), rares à la rime, formant le dernier cercle.

Les mots-thèmes véhiculent en quelque sorte les poncifs poétiques, anciens *(combat, soldat, nymphéa, lilas)* ou intemporels *(mal, étoile, charme, extase)*. Ils constituent des couples célèbres devenus **rimes-clichés** *(campagne/montagne, gloire/mémoire)* ou **rimes-proverbes** *(songe, mensonge)*. Plus la finale est courante, plus les mots-clés sont courts : monosyllabiques *(noir, soir, voir)*, quand ils ne se confondent pas avec la finale elle-même *(chat, âne, ange)*, dissyllabiques *(image, visage)*, rarement au-delà *(délicat, enthousiasme)*. Les mots-clés demeurent avant tout des substantifs, puis des adjectifs *(chaste, vaste)*, des verbes *(il va, il passe)*, des outils de la langue *(il y a, déjà)*, des noms propres *(Naples, Hugo)*. Lorsque le mot-thème est fédérateur, la finale correspondante peut être très utilisée, quel que soit le nombre de mots de la rime ; à l'inverse, une longue série de mots n'implique pas une forte fréquence si le mot-thème est peu porteur : ainsi la rime en -ISTE (mot-thème : *triste*) surutilisée par rapport à la rime comparable en -ISME *(schisme)*.

Les vocables fréquents forment l'humus de la rime : ils s'associent et s'opposent à la fois aux mots-clés, tout en formant entre eux le fond classique et actif de la rime, bien que ne comptant que pour un quart du lexique total : le vocabulaire central, très stable.

Les vocables rares à la rime constituent en fait les trois quarts du lexique et sont donc d'un emploi très dispersé et circonstanciel : ils proviennent des vocabulaires familiers, argotiques, régionaux ou techniques, des noms propres, des verbes conjugués (autres qu'au présent de l'indicatif), des mots récents, à rallonge, étrangers... De là sont issus les **rimes nouvelles**, c'est-à-dire les associations inédites et peu banales de mots[30] ou de finales[31].

Le **monorime**[32] (poème à finale unique) et la **ballade**[33] (qui réclame jusqu'à quatorze fois la même finale) nient cette hiérarchie en mettant mots-clés, vocables fréquents ou rares au même niveau associatif et semblent épuiser la rime. Le **sonnet**[33] a tendance, au contraire, à exacerber cette hiérarchie (par exemple un mot-clé entouré de trois termes

27- 91.20 Monnier et aussi 258.18 Lapointe.

28- 214.20 Marmié (+91.25, 121.11, 355 et aussi 258.18 Goudezki) ; 214.21 Allais.

29- rime « lettriste » en -URTBLE /-URTPLE, 292 Dufrêne.

30- *ananas/ipécacuanha*, 1.14 Jacob ; *tapa/Monotapa*, 1.17 Toulet.

31- rimes 82 à 90 : -EICH **[ajc]**, -EIM **[ajm]**, -EIN **[ajn]**, etc.

32- 271 Cyrano de Bergerac et Lefranc de Pompignan ; 258.19 Pottier ; 456.20 Gautier.

33- Définition, page XII.

rares), même lorsqu'on a un **bout-rimé** [34] où des finales communes servent à plusieurs sonnets [35].

Qu'est-ce qu'une rime interjective, narcissique, acrostiche ?

La **rime interjective** repose sur le vocabulaire familier : il s'agit d'une formulette associée à un nom de personne : *Relax Marx* [...] *Tu parles Karl* (66 Delanoë) ; *Tout est clean, chère Marilyn, /Je m'sens très cool mon vieux Raoul*, (320 Beaucarne).

La **rime narcissique** repose sur le nom propre du...rimeur, cité explicitement à la rime : *Norge/gorge* ; *Jammes/âme* [36]; ou bien suggéré : *gourmand* (Saint-Amant), *perte* (Calaferte), *cochon/nichon* (Ponchon) [37] .

La **rime acrostiche** repose sur le nom du dédicataire (ou du rimeur). Les lettres initiales des vers lues verticalement fournissent le nom propre, lequel donne sa rime au poème [38].

Qu'est-ce qu'une rime archaïque, provinciale, normande ? Une rime hétérophone, intervocalique ?

Tu as une **rime archaïque** (ou d'époque) si elle repose sur une prononciation ancienne (du type *tertre/Montmartre* prononcée « Montmertre » [39]), une **rime provinciale** sur une prononciation régionale *(gueusse/malheureusse ; moué/pourquoué ; vingince)* [40].

La **rime normande**, à la fois archaïque, provinciale et précieuse, joue sur l'homographie des finales infinitives et des mots en -ER [r] : les rimes normandes, du type *boucher/chair* ou *mêler/l'air* [41] , indiqueraient une prononciation en -ÈRE de toutes les formes en -ER *(bouchère/mêlèrent)*. Pour que cette rime soit valable, compte tenu du grand nombre de verbes et de noms, une lettre d'appui t'est demandée : *enfer* et *étouffer* ; *fiers* et *altiers* ; *Wagner* et *stagner*... [42] .

D'autres homographies suscitent des **rimes hétérophones**, en particulier en neutralisant les *s* terminaux : *hélas* et *glas* ; *Zeus* et *ceux* ; *rubis* et *Anubis*... [43]

Les **rimes intervocaliques** font fi des distinctions phonétiques en associant *a* et *â* ([a]/[ɑ]) comme *épithalame* et *âme* [44], è et é ([ɛ]/[e]) comme *épais/épée* [45], *eu* et *eû* ([œ]/[ø]) comme *jeune/jeûne* [46], *in* et *un* ([ɛ̃]/[œ̃]) comme *main/commun* [47], *o* et *ô* ([ɔ]/[o]) comme *Hérode/émeraude* [48].

De même, tu nasaliseras *an* ([an] ➜ [ã]) : *Manhattan/temps* [49], *en* ([ɛn] ➜ [ɛ̃]) : *éden/dédain* [50], *on* ([ɔn] ➜ [ɔ̃]) : *Charleston/feuilleton* [51].

Comme tu le constates, **la rime est une approximation phonétique** qui se nourrit de toutes les prononciations, anciennes ou modernes, générales ou particulières.

Qu'est-ce qu'une rime babélienne ?

Tu te confrontes au vocabulaire étranger avec la **rime babélienne**, non sans humour :

- en francisant la prononciation : la finale -ING est écrite et prononcée « INGUE » [ɛ̃g] *(métingue* pour *meeting)* ou « INGE » [ɛ̃j] *(campinge* pour *camping)* ou encore « IGNE » *(liftigne/parkigne* pour *lifting/parking)* [52] ;
- en francisant l'orthographe : *Webre* pour *Weber* [53] ;
- en transcrivant la prononciation étrangère sur des mots français : *expioulcheune* pour *expulsion* ; *fromédje/pétiourédge* pour *fromage/pâturage* [54] ;
- en rimant en bilingue (français – langue étrangère) : allemand *(postich's/ich liebe dich)*, anglais *(biche/son of a bitch)* ou sabir anglais *(you have/you are bien brave)*, latin *(nid/Eli, lamma sabacthani)*, italien *(conquis/Ma chi sei ? Ma chi)* [55], flamand, wallon, espagnol, aztèque... [56] Le vers rimant peut être entièrement en langue étrangère [57] ;
- en rimant les deux vers en langue étrangère ou en langue inconnue : allemand *(Fraülein/Nein)*, anglais *(wharf/homewards ; night/all right)*, allemand/anglais *(Fahrenheit/copyright)* [58], en « robot classique », en « maharadjah », « Paracelse », « lettrisme »... [59]

Qu'est-ce qu'un mot sans rime ? Une rime schtroumpf ?

Quant aux **mots sans rimes**, ils t'intrigueront peut-être parce que ces vocables sans répondants paraissent défier l'ensemble du système. Pourtant, ils ont varié au gré des époques et des métriques, comme des dictionnaires de rimes... Ainsi, *cèdre* (cf. 135 Scarron), *siècle* (cf. 128 Rambouillet), *propre, poil* (cf. 396, Saint-Amant) furent longtemps considérés comme d'irréductibles célibataires.

Si tu considères les mots sans rimes comme des vocables esseulés par leur finale sonore, tu trouves alors : *(il) stagne, chanvre, welche, quelque, selve, klephte, sceptre, zeugme, fichtre, birbe, syrphe, kirsch, cincle, goinfre, (il) iodle, dogme, (il) morfle, bortsch, (il se) claustre, pauvre, (il) disjoncte, monstre, stupre, (il) incurve,* auxquels tu adjoins : *saint Edme, Boisdeffre, Gueldre, Arkhangelsk, Polyeucte, Charybde, Sherlock Holmes, Bronx, Ulm...*

34- Poème où les rimes, souvent insolites ou grotesques, ont été préchoisies : 496 Molière.
35-121.13 Vian [2 ex] ; 435.2 et 435.12 Queneau ; 435.10 et 435.12 Foulc.
36- 408 Norge ; 36 Jammes.
37- 362 Saint-Amant ; 194 Calaferte ; 456.3 Ponchon.
38- 258.10 Maërl ; 500 Louis.
39- 195 Villon.
40- 253 Desbordes-Valmore ; 214.15/225/ 435.12 Couté ; 340 Richepin.
41- 177 Lamartine et d'Aubigné.
42- 214.6 Bulteau ; 214.10 Boileau. ; 214.13 Montesquiou.
43- 1.12 Cros ; 224.17 Donnay ; 258.2 Mallarmé.
44- 36 Godoy.
45- 121.15 Alyn.
46- 225 Banville.
47- 333.11 Saint-Amand.
48- 367 Guérin.
49- 91.23 Delvaille.
50- 333.4 Baudelaire et 333.12 Delille, Hugo.
51- 33 Bens.
52- 351 Mac-Nab ; 348 Bens ; 278 Leclerc.
53- 124 Hugo.
54- 251 Hugo ; 13 Mac-Nab.
55- 263 Brassens ; 324 Mouloudji ; 79 Renaud ; 258.14 Godoy, 258.17 Noguez.
56- 394 Neuhuys ; 488 Beaucarne ; 423 Caussimon ; 76 Neuhuys ; 206 Obaldia ; 428 Noguez.
57- anglais : 435.14 Calaferte ; 298 Pauwels ; 524 Ferrer ; latin : 435.23 Mac-Nab ; 444 Mélot du Dy.
58- 84 Neuhuys ; 52 Levet ; 86 Ferré et Gainsbourg.
59- 113 Cocteau ; 16 Guitry ; 281 Cocteau ; 291 Dufrêne et 41 Isou.

Si tu ajoutes les vocables ne rimant qu'avec un proche dérivé, tu as les mots sans rimes : *drachme, pampre, belge, ménechme, tertre, dextre, peuple, pourpre, (il) jouxte, bulbe, sépulcre* ou encore *Marx, Delft, Lincoln...*

Si des vocables isolés ont été exclus de ce dictionnaire comme *tridacne, karst, (il) démascle, asple, aspre, mile, sarcoramphe, zancle, æschne, tenesme, drums, putt, hydne, astilbe, hypne, bordj, panorpe, horst, faucre, coach, (il) puddle, günz...* ou encore *Pabst, Bactres, Haydn, Kleist, Ernst, Seudre, Leuctres, Klimt, Minsk, Eumolpe, Mordves, Sauldre, Coubre, Brooks...* leur excentricité même aurait pu suffire à inclure ces **rimes Schtroumpfs**...

Certains vocables, enfin, pour lesquels tu trouveras pour la première fois un répondant dans ce dictionnaire, ont été considérés jusqu'ici sans rimes, tels Agde, *algue, camphre, (il) enfle, genre, meurtre, cirque, sylphe, sylve, humble, quinze, lorsque, quatorze, Hanovre, triomphe, fourche, Ourcq, sourdre, (il) ourle, (il) usurpe, muscle...*

En revanche, tu rimeras des vocables faussement réputés sans rimes comme *soif, poil, poivre (piaf ; cheval ; cadavre)* ou encore *docte, amorphe, propre, fenouil, soulte, turc...*

QU'EST-CE QU'UNE RIME ORPHELINE, AUTORÉFÉRENTIELLE, DU MÊME AU MÊME, DÉRIVATIVE, SAUVAGE, À RALLONGE ?

Face aux irréductibles, tu rimeras les mots sans rimes à l'instar de certains poètes :
- avec rien, ou **rime orpheline** : *On me dit qu'elle enseigne Marx,/Je chercherai longtemps la rime*[60] ;
- avec leur propre finale, ou **rime autoréférentielle** : *pampre* et *ampre* ; *quinze* et *inze*[61] ;
- avec eux-mêmes, ou **rime du même au même :** *klephte* et *klephte* ; *Delft* et *Delft*[62] ;
- avec un dérivé, ou **rime dérivative** : *peuple* et *dépeuple* ; *claustre, claustrale* et *claustration*[63] ;
- avec une anagramme, ou **rime anagrammatique** : *sceptre* et *spectre*[64] ;
- avec un archaïsme, ou **rime archaïque** : un *monstre* et il *monstre* (montrer)[65] ;
- avec un mot forgé, ou **rime sauvage** : *sépulcre* et *pulchre*[66] ;
- avec une rallonge au mot rimant, ou **rime à rallonge** : *welsche* et *Marcelche*[67] ;
- avec une coupure du mot sans rime ou bien du répondant, ou **rime coupée** : *gen- [re* et *gens* ; *triomphe* et *on fe- [Ermera*[68] ;
- avec une **rime équivoquée** : *belge* et *lequel je* ; *cirque* et *pire que*[69] ;
- avec une **rime enjambée** : *l'Ourcq* et <u>*lourds*</u> *[*<u>*C*</u>*asques*[70].

Le plus simple, généralement, est que tu assones et contre-assones ces mots afin de les découvrir à la rime : *humble* et *simple* ; *fourche* et *cherche...*[71].

QU'EST-CE QU'UNE RIME ENJAMBÉE, COUPÉE ?

La **rime enjambée** enchaîne la finale sonore sur la fin du vers et le début du suivant :

Saison des couleurs avenir
Sans force encore au jour **naiss<u>ant</u>**
<u>Bl</u>ème blessé que l'aube **assemble**
Quel songe dans le ciel **enj<u>ambe</u>**
<u>L</u>a nuit qui ne veut plus finir
(Louis Aragon) (cf. 93).

Tu as ainsi une décomposition des différents sons de la finale en une rime partielle, avec un rejet sur le vers suivant :
assEMBLE = enjAMBE + La (rime partielle + rejet)
asSEMBLE = naisSANT + BLême (rime partielle + rejet).

Tu peux pratiquer la rime enjambée sur une finale vocalique *(Pierrot/ pierre [aux)*[72], mais tu la trouveras le plus souvent sur un mot difficile à rimer ordinairement, à finale consonantique : *sépulcre/* <u>*pull*</u> *[*<u>*C*</u>*revette/cra*<u>*pule*</u> *[*<u>*C*</u>*reux*[73]. Si le rejet de la rime enjambée du second vers était placé à la fin du premier vers, tu aurais une rime coupée :

Sans force encore au jour nai**<u>ssant</u> <u>bl</u>**
Ème blessé que l'aube **assemble**

La **rime coupée** situe la rime à l'intérieur du mot rimant et non point exclusivement à sa finale. Son aspect funambulesque et ostentatoire la rend plus courante que la rime enjambée, souvent mal perçue voire incomprise. Elle est composée de la partie rimante avec un rejet sur le vers suivant : les deux tronçons du mot coupé :

Vous allez voir comm' quoi dix-huit mat'lots et **<u>l'of</u>**-
<u>Ficier</u> qui commandait pétèr'nt leur dernier **loff**.
(Tristan Corbière) (cf. 370).

60- 66 Thomas, aussi 369 Caussimon.
61-99 Nerval ; 358 Lafon.
62- 171 Moréas ; 154 Eslkamp.
63- 227 Habrekorn ; 451 Métail.
64- 175 Cocteau.
65- 476 Fourest.
66- 551 Hugo.
67- 150 Proust.
68- 120 Brassens ; 461 Gilbert-Lecomte.
69- 155 Rostand ; 313 Trenet.
70- 521 Réda.
71- 359 Carême ; 512 Romains.
72- cf. 435.20 Laforgue : rime enjambée associée dans le poème à la rime classique *pierre/jarretière*.
73 - 551 Réda ; 33 Charpentreau ; 285 et 115 Aragon ; 446 Roubaud ; 405 Carfort.

Le premier tronçon, c'est-à-dire la partie rimante, est généralement suivi d'un trait d'union, parfois d'un vide, d'une apostrophe ou de points de suspension ; le second tronçon commence par une minuscule ou une majuscule. La coupure est majoritairement syllabique *(réno- [vation ; roucou- [Lant)*[74], exceptionnellement non-syllabique, et donc sans trait d'union (*alv [Éole ; loqu [Et*) [75].

La **rime coupée** est **double** si chacun des deux tronçons riment :

> Continuez sans moi jusqu'à **sati-**
> **été**
> Ce ravissant petit jeu de **soci-**
> **été**
> (Louis Aragon) (cf. 258.19)[76]

ou bien si le mot tronçonné rime avec lui-même *(Am- [Sterdam)*[77]. La rime coupée peut être l'objet d'un jeu de mots *(Fi- [Dèle/ Fi/D'elle ; géant/J'ai en…[J'ai envie)*[78], ou d'une glose *(Du lilas j'ai pris le LI[…] Reste un LA pour ma guitare)*[79].

Tu peux obtenir de même une **contre-assonance coupée** *(Bronx/anx [ieux)*[80] ou bien une **antérime coupée** : ce sera alors le second tronçon du mot qui rimera :

> ON SE les calera bien, foi d'Alf
> ONSE Allais. (cf. 464).

III. COMBINAISONS

Qu'est-ce qu'un vers blanc, des rimes suivies, croisées, embrassées, redoublées, parallèles, en miroir, combinées ? Une rime disjointe ?

Les mots terminaux des vers s'associent entre eux à partir de différentes combinaisons consacrées ou non par l'usage. Ainsi, d'un ensemble de quatre vers différents, tu recences :

• sur zéro rime : le quatrain non rimé (à **vers blancs**) : *abcd efgh…*[81]
• sur une seule rime : le quatrain **monorime** *aaaa*[82] ;
• sur deux rimes :
- le quatrain à **rimes suivies**, *aabb* : parallèles, *aabb aabb*[83], inverses, *aabb bbaa* ;
- le quatrain à **rimes croisées**, *abab* ; parallèles, *abab abab*[84], inverses, *abab baba*[85] ;
- le quatrain à **rimes embrassées**, *abba* : parallèles, *abba abba*[86], inverses, *abba baab*[87] ;
- le quatrain à **rimes redoublées** (rime répétée plus de deux fois) : *aaab* ou *aaba* ou *abaa* ou *baaa* ;
si la rime *b* est isolée, tu as une **rime orpheline** : *aaab cccd…*
si la rime *b* s'associe au quatrain suivant, tu as une **rime disjointe** : *aaab cccb…*[88]
• sur trois rimes :
- le quatrain à rimes embrassées : *abca defd* ou *abca dbcd…* (avec rimes *bc* orphelines ou disjointes) ;
- le quatrain à rimes croisées *abac dedf* ou *abac bdcd* (avec rimes *bc* orphelines ou disjointes) ;
• sur quatre rimes :
- les quatrains à **rimes parallèles** : *abcd abcd…*
- les quatrains à **rimes en miroir** : *abcd dcba*[89] ;
- les quatrains à **rimes combinées** : *abcd dabc cadb…*

Resterait à faire un recencement théorique et pratique des combinaisons en fin de vers pour chaque type de strophe, ainsi que des poèmes à forme fixe, retenues par la tradition ou non, et des répercussions sur la rime à travers ces différentes combinaisons.

Qu'est-ce qu'un virelai, une villanelle, un rondel, un rondeau, un triolet, une ballade, un sonnet ?

Note, parmi les formes fixes que tu trouves dans ce dictionnaire :
- le **virelai**, poème sur deux rimes et un refrain de deux vers, repris alternativement à la fin de chaque strophe de longueur irrégulière (cf. Le Petit, 284 et 456.18) ;
- la **villanelle**, sur le même principe de rimes et de refrain alternatif, mais avec des tercets et un quatrain final (cf. 355 Rollinat) ;
- le **rondel**, sur deux rimes et trois strophes (4, 4 et 5 vers)[90] avec reprise des deux vers initiaux comme refrain ;
- le **rondeau simple** (dix vers rimés : 4-2-4)[91] ou le **rondeau double** (treize vers rimés : 5-3-5)[92] sur deux rimes et trois strophes, mais avec reprise seulement des premiers mots du premier vers comme refrain ;
- le **rondeau parfait,** sur deux rimes, avec reprise de chaque vers du premier quatrain à la fin des quatre quatrains suivants (cf. 448 Leconte de Lisle)[93] ;

74- 435.16 Cazals ; 481.4 Verlaine.
75- 35 Belleto ; 44 Gainsbourg.
76- 258.4 Derème.
77- 37 Allais.
78- 214.0 Flan ; 91.6 Trenet.
79- 1.12 Duteil.
80- 479 Gainsbourg.
81- 396 Saint-Amant.
82- 435.15 Noël.
83- 301 Béart ; 401 Godoy.
84- 435.2 Queneau et Jarry.
85- 91.4 Carfort ; 91.6 Lamarche.
86- 435.3 Pellerin et Vian.
87- 258.11 Fondane ; 258.16 Muselli.
88- 263 Norge, 2e et 3e quatrain ; 34 Queneau.
89- 214.13 Dierx, dizain à rimes en miroir.
90- 91.6 Évrard des Millières ; 91.19 Rollinat ; 367 et 585 Salmon ; 57 et 84 Gripari qui nomme par erreur *rondeaux* ses *rondels*.
91- 258.20 Marot.
92- 214.18 Banville, 104 et 121.16 Mary ; autre forme 481.8 Monselet.
93- 214.15 Marot avec une strophe en plus.

- le **triolet**, sur deux rimes et huit vers, avec reprise du premier vers au vers 4, puis des deux premiers vers aux vers 7 et 8 (cf. 121.14 Rostand), ou le **triolet monorime**, à même finale, en rimes masculines et féminines (cf. 258.14/488/526 Fourest) ;
- la **petite ballade**, sur trois rimes, trois huitains identiques (*ababbcbc*) [94] et un demi-huitain final (*bcbc*), avec reprise du même vers à la fin de chaque strophe (la rime *b* revient 14 fois) ;
- la **grande ballade**, sur quatre rimes, trois dizains identiques (*ababbccdcd*) et un demi-dizain final (*ccdcd*), avec reprise du même vers à la fin de chaque strophe (la rime *c* revient 12 fois) ;
- le **sonnet**, sur deux quatrains à deux rimes et deux tercets à trois rimes, ou encore le **sonnet sur deux rimes** [95], le **sonnet monorime** (cf. 214.12 Nouveau), le sonnet sur trois quatrains et deux tercets (cf. 444 Le Dantec), etc.
- le **pantoum**, en quatrains sur deux mêmes rimes croisées avec reprise des vers 2 et 4 de chaque strophe aux vers 1 et 3 de la suivante (cf. 535.12 Laforgue).

QU'EST-CE QU'UNE RIME INTÉRIEURE, UN VERS LÉONIN, UNE RIME BRISÉE, BATELÉE, VOYAGEUSE, CACHÉE, CRYPTÉE ?

Cependant, toutes ces combinaisons et toutes ces formes fixes reposent sur le principe de la rime exclusivement en fin de vers. D'autres associations sont possibles, dans le vers, à partir des **rimes intérieures** :

• tu as un **vers léonin** si l'hémistiche et la fin du vers riment ensemble :

> Ah quel **boucan** a fait ici son **camp**
> (Louis Aragon) [96]

et plus généralement si l'intérieur et la fin du vers riment pareillement :

> Tu leur dis que tu vas **mal** c'est **général**
> Tu parles du **général** c'est un **scandale**
> (Jacques Brel) [97]

- tu as un **vers léonin multiple** lorsque le vers rime plusieurs fois à l'intérieur et à la fin du vers :

> **obstacle, oracle** et **débâcle** en **miracles**
> **Sacre, massacre, nacre** des **simulacres**
> (Henry Bauchau) [98]

• tu as une **rime brisée** si les hémistiches riment entre eux (avec rimes différentes en fin de vers) :

> Mettez le coq dans l'**abreuvoir** et le cheval sur le noyer
> les pendus à sécher en **Loire**, la ficelle au cou des noyés,
> mettez les impôts dans l'**armoire** et les écus dans le fumier.
> (Paul Fort) [99]

et plus généralement si les vers riment entre eux à l'intérieur (avec des rimes différentes en fin de vers) :

> Est-elle almée ?... aux premières **heures** bleues
> Se détruira-t-elle comme les **fleurs** feues ?
> (Arthur Rimbaud) [100]

- tu as une **rime brisée multiple** si les vers riment entre eux avec plusieurs rimes intérieures :

> **Magazines** *gazettes* revues
> **Ma voisine** *guette* l'imprévu
> (Guy Béart) [101]

• tu as une **rime batelée** si la fin du vers rime avec l'hémistiche du suivant (ou du précédent) :

> Je rêve en mon *dortoir* des lumières **sereines**,
> Une éclatante **reine** en un pompeux *manoir*,
> Mais dans le profond *noir* s'envolent des **phalènes**,
> Mille flocons de **laine** en un sombre *miroir*...
> (Marcel Schwob) [102]

et plus généralement si la fin du vers rime à l'intérieur du suivant (ou du précédent) :

> tes creux *marins* dans le **salpêtre**
> tes **trompettes** de *romarin*
> tes *marins* qui vont à la **paître**
> tes **prêtres** doux tes loups *romains*
> et ta paix où les *mains* s'**empêtrent**
> (Jean Lescure) [103]

• tu as une **rime voyageuse** lorsque la rime n'a pas de place particulière (intérieure ou finale) mais repérable à l'oreille :

> **Limace** pure et sans tache
> dont la bave **trace** dans le dédale des bourraches
> son **espace** tout en **surface**
> (Raymond Queneau) [104]

94- 333.18 Anonyme ; 376 Fourest ; 392 Richepin ; 228 Charles d'Orléans avec strophe finale en 5 vers.

95- sonnets à rimes croisées ou suivies 91.20 et 401 Godoy ; à quatrains à rimes embrassées : 10 Gilbert-Lecomte ; 36 Ernoult ; 307 Dubois ; 325 Baudelaire ; à quatrains à rimes croisées : 91 Verne ; 281 Imhauser.

96- 91.4 Aragon ; 267 Kipling.

97- 25 Brel ; 1.18 Boujut ; 199 Aragon.

98- 7 Bauchau ; 91.13 Rostand ; 103 Roubaud.

99- 214.10 Fort ; 177 Ferrer et d'Aubigné ; 400 Wouters.

100- 244.5 Rimbaud ; 23 Queneau.

101- 535.19 Béart.

102- 166 Schwob : 435.11 Rabelais.

103- 207 Lescure.

104- 71 Queneau.

• tu as une **rime cachée** lorsque la rime intérieure n'est pas répérable à l'oreille :

Statue *assez* ! La boue, le crime des **ruelles** ;
Elle *écrit* le *passé* qui tue l'âme,
En ocre : clairons du *camp*.
Et *quand* s'est tu le *cri* des **sentinelles**,
Quitte son socle, descente vers la mer.
(Jean Cocteau, « Souvenir des souvenirs », *Opéra* (Stock).

(Tu repères les rimes *statue/tue/tu* ; *assez/passé* ; *ruelle/elle/sentinelle* ; *camp/quand* ; *cri/écrit* avec l'assonance *crime* ; l'assonance *ocre/socle* ; la contre-assonance *crime/âme* ; la rime coupée *qui t-ue/quitte*.)

Tu ne confondras pas la rime cachée avec la **rime cryptée**, tout à fait classique, mais dont l'un des mots est escamoté sous la forme de points de suspension (avec ou sans initiale) [105] ou remplacé par un synonyme qui ne rime pas [106], parce qu'il s'agit d'un mot tabou ; ou bien encore lorsque le mot escamoté est simplement suggéré par la rime : ballade en -ERDE sans le mot tabou [107]; poème en -ÈME sans le mot « aime » [108] ; assonance au lieu de la rime attendue pour ne pas révéler un prénom [109] ; jeu de mots [110], etc.

QU'EST-CE QU'UN QUATRAIN, UN ALEXANDRIN OU UNE RIME COMBINATOIRE ?

Note, pour terminer, le **quatrain combinatoire** :

Saint Honoré
Dans sa chapelle
Est honoré
Avec sa pelle.
(Anonyme, cf. 214.18)

dans lequel tu intervertis chaque vers à ta guise ;

• l'**alexandrin combinatoire** :

Un, deux, troués, quat', cinq, six, sept, huit, neuf, dix, onz', douze !
(Gaston Couté, cf. 524)

ou encore

Haydn, Strauss, Schütz, Volf, Hahn, Schmitt, Franck, Glück, Brahms, Liszt, Grieg, Bach.
(Henri-René Lafon, cf. 306)

dans lequel tu intervertis chaque vocable à ta guise ;

• enfin la **rime combinatoire** :

Blé, clé, dlé, flé, glé, klé, mlé, nlé, plé, rlé, slé ;
Bac, cac, dac, fac, gac, hac, jac, kac, lac, mac, nac, pac, rac.
(Réjean Ducharme, cf. 214.11)

avec laquelle tu te passes définitivement de dictionnaire de rimes…

En conclusion, tu as compris que la rime est une dévoration à la fois fervente et savante, dans la mesure où tu veux te laisser dévorer. Et pour peu que l'art de rimer s'unisse à l'art d'aimer, que le savoir ne s'éloigne jamais de la ferveur, que ton ingénuité te préserve de l'érudition la plus précieuse, ou bien que cette préciosité même te transporte dans l'enthousiasme ou la mélancolie, alors sache aussi que l'enseignement artisanal que tu tireras de la rime sera d'autant plus troublant que tu uniras la chimie du vocable au frémissement de la poésie.

ARMEL LOUIS
à Tholet, commune de Gabriac.

Remerciements à John Gelder.

105- 181 Verlaine ; 190 et 214.10 Fort ; 575 Rictus.
106- 527 Saint-Amant : *déroute* associé à *berne* (au lieu de… *foute*).
107- 181 Bastia.
108- 162 Lapointe.
109- 290 Delvaille : *tulipe* assone avec… *rime* (au lieu de *Philippe* ?)
110- 113 et 571 Lapointe.

Seules onze parmi les treize « voyelles » retenues dans ce dictionnaire (voir le curseur en haut de chaque page) sont susceptibles de fournir des rimes vocaliques : dans la langue française, O [ɔ] (*o* ouvert) et EU [œ] ne peuvent se trouver en finale absolue dans un mot.

	A	B	C	CH	D	É	F	G	GN	GU	I	L	M	N	OU	P	R	SS	S(Z)	T	U	V
A	1.0 a	1.1 aa	1.2 BA	1.3 **ca**	1.4 **cha**	1.5 **da**	1.6 éa	1.7 fa	1.11 ja	1.9 gna	1.8 ga	1.10 **ia**	1.12 LA	1.13 **ma**	1.14 **na**	1.16 OI	1.17 PA	1.18 RA	1.19 **ssa**	1.20 s(z)a	1.21 **ta**	1.22 ua	1.23 **va**
AN	91.0 an	91.1 aan	91.2 **ban**	91.3 **can**	91.4 **chan**	91.5 **dan**	91.6 **éan**	91.8 **fan**	91.10 **gean**	91.11 gnan	91.9 **gan**	91.12 **ian**	91.14 LAN	91.15 MAN	91.16 **nan**	91.18 ouan	91.19 **pan**	91.20 RAN	91.21 SSAN	91.22 **s(z)an**	91.23 TAN	91.24 uan	91.25 VAN
È	121.0 **ait**	121.1 ahaie	121.2 bet	121.16 **quet**	121.3 chet	121.4 det		121.6 **fet**	121.7 **get**	121.8 gnet	121.9 **guet**	121.10 **iet**	121.11 LET	121.12 **met**	121.13 **net**	121.14 ouet	121.15 **pet**	121.17 RET	121.18 **sset**	121.19 s(z)et	121.20 **tet**	121.21 **uet**	121.22 **vet**
É	214.0 é	214.1 aé	214.2 **bé**	214.17 **qué**	214.3 CHÉ	214.4 **dé**	214.5 éé	214.6 **fé**	214.7 GÉ	214.8 **gné**	214.9 **gué**	214.10 IÉ	214.11 LÉ	214.12 MÉ	214.13 NÉ	214.15 **oué**	214.16 **pé**	214.18 RÉ	214.19 SSÉ	214.20 S(Z)É	214.21 TÉ	214.22 **ué**	214.23 **vé**
EÛ	244.0 eux		244.1 beux	244.15 **queux**	244.2 cheux	244.3 **deux**	244.4 éeux	244.5 **feu**	244.6 **geux**	244.7 gneux	244.8 gueux	244.9 IEUX	244.10 **leux**	244.11 **meux**	244.12 **neux**	244.13 oueux	244.14 **peux**	244.16 REUX	244.17 sseux	244.18 s(z)eux	244.19 **teux**	244.20 **ueux**	244.21 **veux**
I	258.0 i	258.1 **aï**	258.2 **bi**	258.17 **qui**	258.3 chi	258.4 DI	258.5 **éi**	258.7 **fi**	258.8 **gi**	258.9 gni	258.10 gui	258.12 lli	258.11 LI	258.13 MI	258.14 NI	258.15 **oui**	258.16 **pi**	258.18 RI	258.19 SSI	258.20 S(Z)I	258.21 **ti**	258.22 UI	258.23 VI
IN	333.0 in	333.1 aïn	333.2 **bin**	333.16 **quin**	333.3 chin	333.4 **din**	333.5 éen	333.6 FIN	333.7 gin		333.8 guin	333.9 IEN	333.10 LIN	333.11 MIN	333.12 NIN	333.14 **ouin**	333.15 PIN	333.17 RIN	333.18 SSIN	333.19 s(z)in	333.20 TIN	333.21 **uin**	333.22 VIN
Ô	435.0 **o**	435.1 ao	435.2 BO	435.4 **co**	435.3 **cho**	435.5 **do**	435.6 éo	435.8 **fo**	435.9 geo	435.10 gno	435.11 **go**	435.12 **io**	435.14 LO	435.15 MO	435.16 **no**	435.18 ouo	435.19 PO	435.20 RO	435.21 SSO	435.22 S(Z)O	435.23 TO	435.24 uo	435.25 VO
ON	456.0 on	456.1 aon	456.2 BON	456.4 **con**	456.3 **chon**	456.5 **don**	456.6 **éon**	456.7 **fon**	456.8 **geon**	456.9 **gnon**	456.10 **gon**	456.11 ION	456.12 LON	456.13 **mon**	456.14 NON		456.16 **pon**	456.17 RON	456.18 SSON	456.19 S(Z)ON	456.20 **ton**	456.21 uon	456.22 **von**
OU	481.0 **ou**	481.1 aou	481.2 **bou**	481.4 **cou**	481.3 chou	481.5 **dou**	481.6 éou	481.7 **fou**	481.10 **jou**		481.8 **gou**	481.9 iou	481.11 LOU	481.12 **mou**	481.13 **nou**		481.14 **pou**	481.15 **rou**	481.16 **ssou**	481.17 s(z)ou	481.18 **tou**		481.19 **vou**
U	535.0 u	535.1 ahu	535.2 **bu**	535.4 **cu**	535.3 chu	535.5 **du**		535.6 **fu**	535.8 ju		535.7 gu	535.10 llu	535.9 LU	535.11 mu	535.12 NU	535.13 ohu	535.14 **pu**	535.15 RU	535.16 **ssu**	535.17 s(z)u	535.18 **tu**		535.19 **vu**

TABLEAU DES RIMES VOCALIQUES : sous-rimes en horizontale, contre-assonances en verticale.

Capitales : RIMES PRINCIPALES. Caractères gras : **rimes fréquentes.** Caractères maigres : rimes rares.

Autres rimes vocaliques : 1.15 oa, 91.7 ehan, 91.13 ihan, 91.17 oan, 121.5 euet, 214.14 oé, 258.6 eui, 333.13 oïn [ɔɛ̃], 435.7 ehau, 435.13 jo [χo], 435.17 oo, 456.15 oon.

TABLEAU DES RIMES CONSONANTIQUES (1)

Seules douze parmi les treize « voyelles » retenues dans ce dictionnaire (voir le curseur en haut de chaque page) sont susceptibles de fournir des rimes vocaliques : dans la langue française, É [e] ne peut être suivi de consonne(s) en finale d'un mot.

	B	BL	BR	CH	CL	CR	CT	D	DG	DR	F	FL	FR	FT	G	GL	GM	GN	GR
A	2 **abe**	3 ABLE	4 **abre**	5 **ache**	7 **acle**	8 **acre**	9 **acte**	10 ADE	11 adge	12 adre	13 **afe**	14 afle	15 afre	16 afte	18 AGE		19 agme	20 **agne**	22 agre
AN	92 **ambe**	93 **amble**	94 **ambre**	101 ANCHE		102 **ancre**		103 **ande**		104 ANDRE		119 enfle	97 amphre		105 ANGE	106 angle			107 angre
È	122 **èbe**	123 èble	124 **èbre**	125 **èche**	128 ècle	129 ècre	130 **ecte**	132 **ède**	133 edj	135 èdre	136 **ef**	138 èfle	137 effre	171 ephte	139 **ège**	140 **ègle**	141 egme	142 **ègne**	143 **ègre**
EU	215 eube	216 euble		217 euche							218 **euf**					220 **eugle**		221 eugne	
EÛ							245 eucte	246 eude							247 euge		248 eugme		
I	260 ibe	261 IBLE	262 **ibre**	263 **iche**	266 icle		267 icte	268 IDE	269 idge	270 idre	271 **if**	272 ifle	273 ifre	274 ifte	275 **ige**	276 igle	277 igme	278 **igne**	279 igre
IN	335 imbe	359 umble	336 imbre	341 inche	342 incle	343 incre	344 incte	345 **inde**		346 **indre**	338 imphe		347 infre		348 **inge**	349 ingle			350 ingre
O	360 **obe**	361 **oble**	362 **obre**	363 **oche**	364 ocle	365 ocre	366 octe	367 ODE	368 odge		370 **ofe**	371 ofle	372 ofre	373 oft	374 **oge**		375 ogme	376 **ogne**	377 ogre
Ô	436 aube			437 **auche**				438 **aude**			439 auffe		440 aufre		441 auge				
ON	457 ombe	458 omble	459 OMBRE	465 onche	466 oncle		467 oncte	468 ONDE		469 **ondre**	461 omphe	470 onfle			471 **onge**	472 ongle			473 ongre
OU	482 oube	483 **ouble**		484 OUCHE	485 oucle			486 oude		487 **oudre**	488 oufe	489 **oufle**	490 **oufre**	491 oufte	492 **ouge**			493 ougne	494 ougre
U	536 ube	537 uble	538 **ubre**	539 **uche**		540 ucre	541 ucte	542 UDE			543 ufe	544 ufle			545 **uge**	546 ugle		547 ugne	

TABLEAU DES RIMES CONSONANTIQUES : assonances en horizontale, contre-assonances en verticale. Capitales : RIMES PRINCIPALES. Caractères gras : **rimes fréquentes**. Caractères maigres : rimes rares.

	GU	ILL	L	LB	LD	LF	LM	LQ	LS	LT	LV	M	N	P	PL	PR	PS	PT	Q
A	23 **ague**	24 AILLE	25 ALE	26 albe	27 alde	28 alfe	30 **alme**	32 **alque**	33 alse	34 **alte**	35 alve	36 AME	38 ANE	39 **ape**	40 aple	41 apre	42 apse	43 apte	44 **aque**
AN	108 **angue**		110 anle											95 **ampe**	98 **ample**	99 ampre			111 anque
È	144 ègue	145 EILLE	148 ÈLE	149 elbe	151 elde	153 elfe	156 elme	157 elque	158 else	160 elte	161 elve	162 ÈME	166 ÈNE	170 **èpe**		172 **èpre**	173 epse	174 epte	176 **èque**
EU	219 eugue	222 EUILLE	223 **eule**						236 les			224 eume	225 **eune**	226 eupe	227 euple				
EÛ			249 eule									250 eume	251 eûne						252 euque
I	280 **igue**	284 ILLE	281 ILE		282 ilde	286 ilphe	285 ilme	283 ilke		287 ilt	289 ilve	290 IME	295 INE	301 **ipe**	302 iple	303 ipre	304 ipse	305 ipte	306 IQUE
IN	351 **ingue**											352 inme		337 impe	339 imple				353 inque
O	378 **ogue**	379 oï	381 OLE		382 olde	383 olfe	385 olm	384 olke	388 ols	390 **olte**	391 olve	392 OME	393 ONE	394 **ope**	395 ople	396 opre	397 opse	398 opte	400 **oque**
Ô			442 **aule**									444 **aume**	445 **aune**	446 aupe					447 auque
ON	474 ongue													460 **ompe**		462 ompre		463 ompte	475 **onque**
OU	495 ougue	496 **ouille**	498 **oule**		497 ould	533 ulf		500 oulque		501 oulte		502 oume	503 oune	507 **oupe**	508 ouple				509 ouque
U	548 ugue		549 ULE	550 ulbe			553 ulm	555 ulque	556 ulse	557 **ulte**	558 ulve	559 UME	561 UNE	562 **upe**	563 uple	564 upre		565 upte	566 uque

TABLEAU DES RIMES CONSONANTIQUES : assonances en horizontale, contre-assonances en verticale.
Capitales : RIMES PRINCIPALES. Caractères gras : **rimes fréquentes**. Caractères maigres : rimes rares.

	R	RB	RCH	RD	RDR	RF	RG	RGN	RGU	RL	RM	RN	RP	RQ	RS	RT	RV	S(Z)	SM
A	45 ARE	46 arbe	48 **arche**	50 **arde**	51 ardre	52 arf	53 **arge**	54 argne	55 argue	56 **arle**	57 **arme**	58 **arne**	59 **arpe**	60 **arque**	61 **arse**	62 **arte**	65 arve	67 **ase**	68 asme
AN	120 enre																	118 anze	
È	177 ÈRE	178 **erbe**	179 erche	181 **erde**	182 erdre	183 erf	184 **erge**	185 ergne	186 ergue	187 **erle**	188 **erme**	189 **erne**	190 erpe	191 erque	192 **erse**	194 **erte**	197 **erve**	199 ÈSE	
EU	228 EURE					240 urfe				230 eurle		241 urne		229 eurk	231 eurse	232 eurte			
EÛ																		254 EUSE	
I	307 IRE	308 irbe	314 irsch			312 irphe					309 irme	310 irne	311 irpe	313 irque	315 irse	316 irte		317 ISE	318 **isme**
IN	354 inre																	358 inze	
O	401 ORE	402 orbe	403 orche	404 **orde**	405 **ordre**	406 orphe	408 **orge**	409 orgne	410 orgue	411 orle	412 **orme**	413 **orne**		414 orque	415 **orse**	417 **orte**	419 orve		421 osme
Ô																		448 AUSE	
ON																		480 onze	
OU	510 OUR	511 ourbe	512 ourche	513 **ourde**	514 ourdre		515 ourge		516 ourgue	517 ourle	518 ourme	519 **ourne**		521 ourque	522 **ourse**	523 **ourte**		524 **ouse**	
U	567 URE	568 urbe		569 urde		570 urfe	571 urge		572 urgue	573 **urle**	574 urme	575 **urne**	576 urpe	577 urque	578 urse		579 urve	581 **use**	

TABLEAU DES RIMES CONSONANTIQUES : assonances en horizontale, contre-assonances en verticale.
Capitales : RIMES PRINCIPALES. Caractères gras : **rimes fréquentes**. Caractères maigres : rimes rares.

	SQ	SS	ST	STR	T	TCH	TR	V	VR	X	XT	autres rimes consonantiques
A	70 **asque**	71 ASSE	72 **aste**	73 **astre**	75 ATE	74 atche	77 **atre**	79 **ave**	80 **avre**	81 **axe**		6 achme – 17 agde – 21 agne [agn] - 29 algue – 31 alpe – 37 amse – 47 **arbre** – 49 arcle – 63 artre – 64 artz – 66 arx – 69 aspe – 76 athle – 78 atze – 82 eich [aiʃ] – 83 eim [ajm] – 84 ein [ajn] – 85 eiss [ajs] – 86 eit [ajt] – 87 ife [ajf] – 88 ilde [ajld] – 89 îve [ajv] – 90 yde [ajd]
AN		100 ANCE			113 ANTE	112 antche	114 **antre**	115 anve	116 anvre	109 anks		96 ampf – 117 anz [ɑ̃ts] –
È	200 **esque**	201 ESSE	202 ESTE	203 **estre**	205 ÈTE	204 etche	207 ÈTRE	209 ÈVE	210 **èvre**	211 **exe**	212 exte	126 echme – 127 echt – 131 ectre – 134 edme – 146 ein [ɛjn] – 147 eït [ɛjt] –150 elche – 152 eldre –154 elft – 155 elge – 159 elsk – 163 emne – 164 ems – 165 end [ɛnd] – 167 eng [ɛŋ] – 168 ense [ɛns] – 169 ente [ɛnt] – 175 eptre – 180 ercle – 193 erste – 195 ertre – 196 ertz – 198 erx – 206 etl – 208 ets – 213 extre
EU			242 uste					234 **euve**	235 **euvre**			233 eurtre – 237 unch [œntʃ] – 238 und [œnd] – 239 unk [œnk] – 243 uzzle [œzl]
EÛ		253 eusse			255 **eute**		256 **eutre**			257 euxe		
I	320 isque	321 ISSE	322 ISTE	323 **istre**	325 ITE	324 itch	327 **itre**	329 IVE	330 IVRE	331 **ixe**	332 ixte	259 ibde – 264 ichte – 265 ichtre – 288 iltre – 291 imne – 292 ims – 293 inch [intʃ] – 294 ind [ind] – 296 **ing** [iŋ] – 297 ink [ink] – 298 ins – 299 int – 300 intz – 319 ispe – 326 ithme – 328 itz
IN		340 INCE			355 **inte**		356 intre			357 inx		
O	422 osque	423 **osse**	424 oste	425 ostre	427 OTE	426 otch	429 otre	430 ove	431 ovre	432 oxe		369 odle –379 oïl – 386 olmes – 387 oln – 389 olsque – 399 optre – 407 orfle – 416 orsque – 417 ortsch – 420 orze – 428 otl – 433 oyce – 434 oyd
Ô		449 **ausse**	450 auste	451 austre	452 **aute**		453 AUTRE	454 **auve**	455 auvre			443 aulne [oln]
ON		464 **once**		476 onstre	477 **onte**		478 **ontre**			479 onx		
OU		525 **ousse**	526 ouste		527 OUTE	534 utsch	528 **outre**	530 **ouve**	531 **ouvre**		532 ouxte	499 oulpe – 504 ound – 505 oung – 506 ount – 520 ourpre – 529 outse
U	582 usque	583 **usse**	584 **uste**	585 **ustre**	586 **ute**			587 uve		588 uxe		551 ulcre – 552 ulgue – 554 ulpe – 560 umne – 580 uscle

TABLEAU DES RIMES CONSONANTIQUES : assonances en horizontale, contre-assonances en verticale.
Capitales : RIMES PRINCIPALES. Caractères gras : **rimes fréquentes**. Caractères maigres : rimes rares.

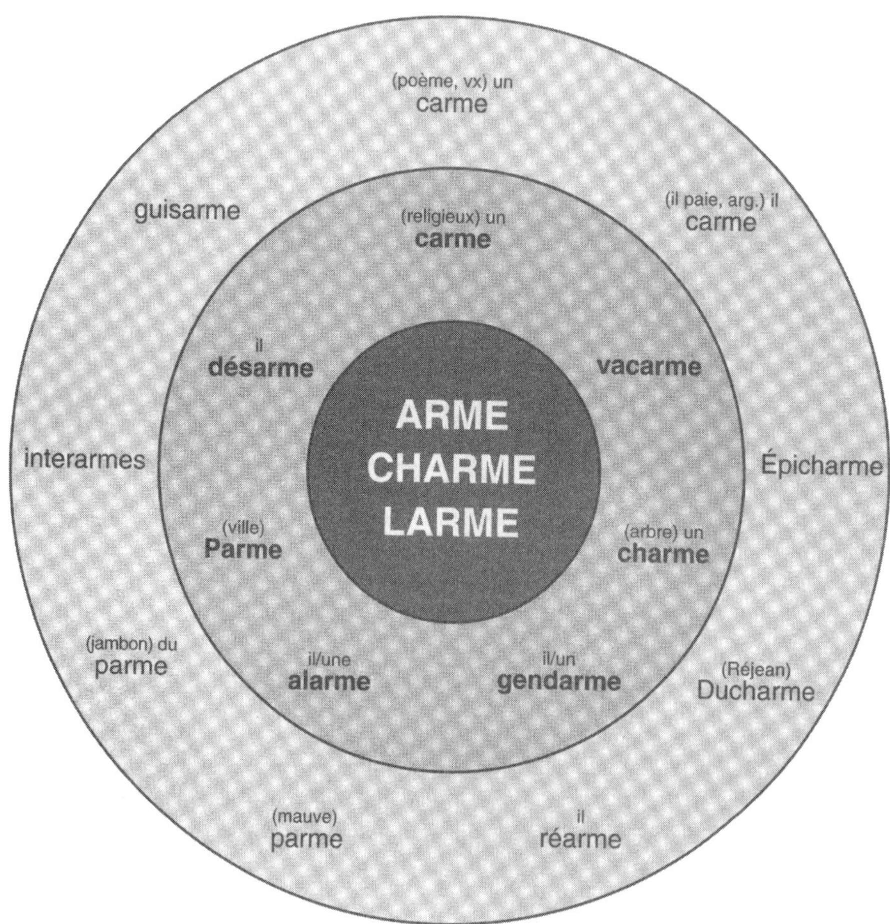

Les vocables se répartissent selon trois niveaux de fréquence :
en MAJUSCULES : mots-clés ou principaux
en minuscules **grasses** : mots fréquents
en minuscules normales : mots peu fréquents ou rares

N.B. Tous les vocables qui n'appartiennent pas aux nomenclatures du Petit Larousse ou du Petit Robert sont précédés d'une courte définition, avec parfois une provenance (régional, argot...). Les homonymes sont différenciés grammaticalement et sémantiquement (les noms de personnes sont distingués si possible des noms de lieux par leur prénom).

ABRÉVIATIONS :

abrév. *abréviation ;* adj. *adjectif ;* adv. *adverbe ;* agric. *agriculture ;* Alg. *Algérie ;* angl. *anglais, anglicisme ;* arch. *archaïque ;* arg. *argot ;* arithm. *arithmétique ;* Belg. *Belgique, belgicisme ;* Can. *Canada ;* comp. *composé ;* conj. *conjonction ;* dém. *démonstratif ;* dép. *déposé ;* dépt. ou départ. *département ;* Esp. *Espagne ;* fam. *familier ;* franç. *français ;* géogr. *géographie ;* impér. *impératif ;* inj. *injurieux ;* inj. rac. *injurieux et raciste ;* interj. *interjection ;* iran. *iranien,enne ;* lat. *latin ;* math. *mathématique ;* myth. *mythologie ;* n. *nom ;* nat. *national ;* péj. *péjoratif ;* poss. *possessif ;* prép. *préposition ;* pron. *pronom ;* rég. *régional ;* techn. *technique ; technologie ;* télécom. *télécommunications ;* v. *verbe ;* verl. *verlan ;* vx *vieux.*

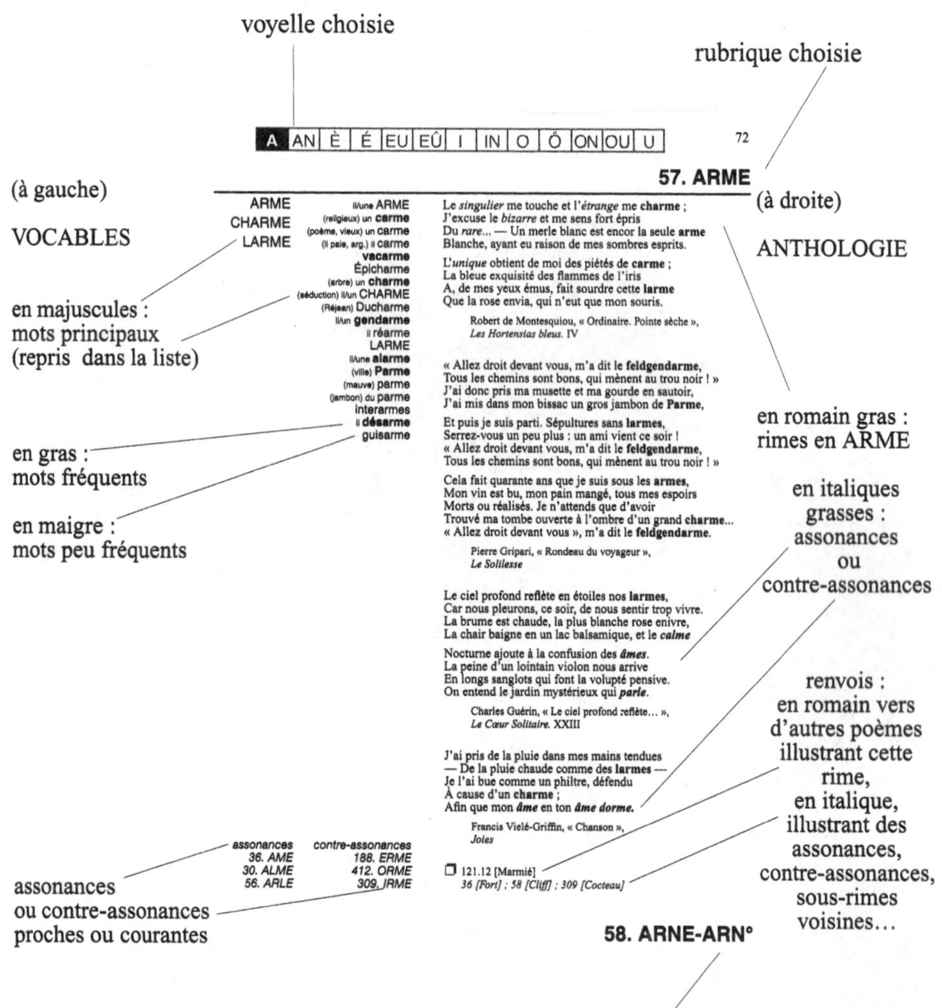

N.B. 1. L'ordre des citations est descriptif : d'abord celles illustrant les rimes proprement dites dans l'emploi des mots-clés ou des mots fréquents, puis des mots secondaires ; ensuite celles contenant des assonances, des contre-assonances ou des sous-rimes voisines. Les renvois vers d'autres citations en fin d'anthologie sont classés selon le même principe.

2. Les renvois vers des assonances ou des contre-assonances en fin de nomenclature sont d'ordre phonétique ou statistique. Aux renvois vers des assonances pour les rimes consonantiques correspondent des renvois vers des sous-rimes voisines pour les rimes vocaliques.

DICTIONNAIRE
DES
RIMES
ET ASSONANCES

1. A

1.0 A

(lettre) un A
(prép.) à
(avoir) tu as/il a
ah!
ha!

... le rapide rêve se ***carapata***,
la langue lente derrière ***haleta***.
Ah !
Ah !

Christian Prigent, « Curriculum » 2,
Écrit au Couteau

Le bon Dieu lui troussa la cotte
Et dessus ses fesses plaqua
Un grand coup, qui bien fort claqua.
Les Auteurs s'en mirent à rire,
Et Clément Marot osa dire :
« Vieille, hou-hou ! vieille, ***ha-ha**** !
« Votre chien de fessier en **a** ! »

Paul Scarron, « Voici la Relation véritable… »,
Poésies diverses

* femme laide

sous-rime voisine
1.1 AA

contre-assonance
91.0 AN

❐

1.1 AA

AH! AH!
HA! HA!

(fleuve) l'Aa
AH! AH!
HA! HA!
(femme laide, vx)
une haha
la Bekaa
Nausicaa
cahin-caha
Faaa
(n.dép.) une Yamaha
djamaa/djemaa
Omaha
brouhaha
(merci, Alg.) saha!

Ah ah
L'univers est un ***fracas***
Ah ah
Entre ***cahin*** et **caha**

Guy Béart, « Tohu-bohu »,
Couleurs et Colères du temps

Tous les sens tombent de leur haut
par pesanteur utilitaire
et vaguent dans le **brouhaha**.
De quel exil reviennent ces nomades
où le poème d'eau s'**ébroua** ?
Ah !
même les choses sont malades.

Luc Estang, « Un homme à la terre » III,
Les Quatre Éléments

Fatigué, seul, meurtri, je vais **cahin-caha**
Dans ce pays désert devenu ma patrie.
Neige, soleil ou pluie, c'est ton nom que je crie :
Nausicaa ! **Nausicaa** ! **Nausicaa** !

Jacques Charpentreau, « Solitude du monde »,
La Poésie dans tous ses états

Quand toucherai-je, **hi** ! **ha** ! **ha** !
Les flamboyants d'**Hitiaa** !
[…]
Quand toucherai-je, **ha** ! **ha** ! **ha** !
Les cocotiers de **Faaa** !

André Berry, « Chanson de bord »,
L'Amant de la Terre

Ah ! **Ah** ! **Ah** ! **Ah** ! **Ah** ! **Ah** ! **Ah** ! **Ah** !
Votre esprit va **cahin-caha** !

Guillaume Apollinaire,
Casanova, acte I, scène X

sous-rimes voisines
1.6 ÉA
1.15 OA
1.0 A

contre-assonances
214.1 AÉ
258.1 AÏ
91.1 AAN

❐ *1.0 [Scarron]*

1.2 BA

1. A

BAS
COMBAT

bah!
être/le/en BAS
(vêtement) un **bas**
il **bat**
(harnais) un bât
(île de) Batz
à bas
il **abat**
pluie d'abat
(d'animaux) des abats
la Kaaba
(étonné) être **baba**
(cul,arg.) le baba
(gâteau) un baba
(hippie) un baba
Ali-Baba
cabas
b.a.-ba
là-bas
djellaba
(ville) Rabat
(vêtement) un **rabat**
il rabat
Barabbas/Barrabas
marquis de Carabas
grabat
reine de Saba
(Umberto) Saba
un **sabbat**
tabac
antitabac
mastaba
il s'ébat
des **ébats**
Addis-Abeba
il/un **débat**
protège-bas

branle-bas
il rebat
en/un contrebas
ici-bas
les Pays-Bas
(vulve ; cul, arg.)
les pays-bas
célibat
(de)mi-bas
Galba
pêche Melba
gamba
mamba
caramba!
samba
marimba
macumba
rumba
(monnaie) le cordoba
(ville) Cordoba
Manitoba
il/un COMBAT
close-combat
Colomba
wombat
koubba
nouba
sous-bas
Djerba
Casbah/casbah
isba
Cuba
aucuba
simaruba
tuba

+verbes en -ber
2e et 3e pers. sing.
passé simple
3e pers. sing.
imparf. subj.

La bise geint, la porte **bat**,
Un Ange emporte sa capture.
Noël, sur la pauvre toiture,
Comme un *De Profondis*, s'**abat**.

L'artiste est mort en plein **combat**,
Les yeux rivés à sa sculpture.
La bise geint, la porte **bat**,
Un Ange emporte sa capture.

Ô Paradis ! puisqu'il **tomba**,
Tu pris pitié de sa torture.
Qu'il dorme en bonne couverture,
Il eut si froid sur son **grabat** !

La bise geint, la porte **bat**...

Émile Nelligan, « Noël de vieil artiste »,
Poésies complètes

Plus criminel que **Barrabas**
Cornu comme les mauvais anges
Quel Belzébuth es-tu **là-bas**
Nourri d'immondice et de fange
Nous n'irons ***pas*** à tes **sabbats**

Guillaume Apollinaire, « Réponse des cosaques zaporogues… »,
in « La Chanson du Mal-Aimé »,
Alcools

Là, pétauristes, potourous,
ornithorynques et **wombats**,
phascolomes prompts au **combat**,
près d'elle prennent leurs **ébats** !

Georges Fourest, « La Négresse blonde » II,
La Négresse blonde

Quand la reine de **Saba**
S'acharne sur saint Antoine,
Et cherche dans son **caba**
De quoi mieux tenter le moine…
[...]
Morgiane, **Ali-Baba**
Et les voleurs dans les jarres ;
Le marquis de **Caraba**
Et les cent chansons bizarres.

Robert de Montesquiou, « Rhapsodies »,
Les Hortensias bleus. XLV

Oui !
    Hurle, Maman, hurle !
Expectore-moi par ton poumon d'en **bas** ! [...]
Mets-moi **bas**,
        beau,
        be,
        bi !

Jean-Pierre Verheggen, « Stabête Mater ! »,
Stabat Mater

sous-rime voisine
1.17 PA

contre-assonance
214.2 BÉ

❒ *223 [Verlaine]*

1.3 CA

1.A

CAS
DÉLICAT

(lettre) un K
un CAS
qu'à
abaca
un caca
il caqua
lac Titicaca
(maquerelle,arg.)
mère maqua
(alpaga) alpaca
crier raca
(chance, arg.) la baraka
maraca
fracas
un **tracas**
il traqua
Osaka
moussaka
un tacca
il taqua
un ataca
il attaqua
y-a-qu'à/yaka
en-cas
Bianca
Casablanca
Sri Lanka
panca/panka
lingua franca
tanka
matriochka
(vieille) une babouchka
Petrouchka
vodka
(prénom) Rebecca
(plainte,arg.) du rébecca
(décaféiné) déca
(café, verl.) un féca
(drogué, verl.) un/e méca
ipéca
eurêka!
karatéka
(drogue,verl.) la meca
(Franz) Kafka
nahaïka/nagaïka
laïcat
balalaïka
arabica
prédicat
syndicat
mélodica
pontificat
certificat
Malika
un/être DÉLICAT
indélicat
Angelica
reliquat
(calibre, verl.) un brelica
mica
(n. déposé) formica
Anika
lac Tanganyika
Monica

harmonica
canonicat
Veronica
arnica
Guernica
troïka
perestroïka
le pica
il piqua
(prénom) Rika
Costa Rica
Erika
paprika
Jessica
swastika/svastika
(art) inca
les **Incas**
(quinquagénaire) quinqua
polka
(n. déposé) une Simca
(danse) la flamenca
Treblinka
un/la **coca**
judoka
tapioca
carioca
du **moka**
il (se) moqua
atoca
(défenseur) **avocat**
(fruit) avocat
tonca/tonka
houka
darbouka/derbouka
choucas
(ratatouille, Alg.)
une tchouktchouka
bazooka
stuka
yucca
chapka
nebk(h)a
sebk(h)a
(assez, arg.) barca!
Calderon de la Barca
matriarcat
patriarcat
(marché, arg.) un marca
(supermarché, arg.)
un supermarca
(journal, verl.) un narca
un parka
il parqua
gutta-percha
(dispute) un altercat
(Federico) Garcia Lorca
mazurka
ska
l'Alaska
le Nebraska
Francesca
Piero Della Francesca
briska
(prénom) Prisca
la Tosca
chapska
jusqu'à
muscat
nazca/Nazca

Tu peins en bleu des chameaux **délicats**
Sur le fond bleu d'un souvenir d'Asie,
Car tu vois bleu grâce aux bleutés **micas**
Du souvenir et de la fantaisie.

Tendres joueurs de bleus **harmonicas**
Pour enchanter mes soirs de bourgeoisie,
Bleus tons sur tons d'Asie et **délicats**
Dessins de seins d'azur en Malaisie...

Marcel Thiry, « Épilogues sages » I,
L'Enfant prodigue

Oiseaux basques cassés comme des **swastikas**
Noires de suie dans le drapeau des beaux nuages,
Noël épouvantail en plumes de **choucas**
Posé sur les roseaux du lac abencérage,
Voici la lande indienne où passent les rois mages.
Les gerfauts de service ont des lenteurs d'**Incas**
Sur la lande droguée de myrrhe et de **coca**
Où tournoient au couchant leurs voiliers en rodage.

Guy d'Arcangues, « Misa criolla »,
Madame, petit soldat

Qu'est-ce que ce bonheur dont on parle ?— L'avare
Au fond d'un coffre-fort empile des **ducats**,
Des piastres, des doublons, et plus d'or qu'aux **Incas**
Jadis avec leur sang n'en fit suer Pizarre.

Il ne voit rien de plus. – Le far-niente, un cigare,
Voilà pour l'indolent. – Le songeur ne fait **cas**
Que d'un coin retiré du monde et du **fracas,**
Où l'on puisse à loisir suivre un rêve bizarre.

Théophile Gautier, « Sonnet »,
Premières poésies

Mes chers enfants, je voudrais **qu'à-**
près ma mort on me **disséquât**
soigneusement puis que, sans perdre un os,
on reconstituât mon squelette homogène [...]

Georges Fourest, « Dernières volontés »,
Le Géranium ovipare

Que le monde se fende,
se fende avec **fracas**,
vous ne verrez **Siska**,
la perle de Zélande,
ne s'intéresser **qu'à**
ce qui vise son **cas**.

Paul Neuhuys, « Siska »,
Septentrion

En passant rue Sainte-Apolline
(Pas plus qu'une autre **flamenca**)
Pourquoi pensé-je à toi, **Lorca** ?
– La mémoire a de ces **en-cas**
Dont la raison mal se devine…

Jean Rousselot, « Rencontre avec Federico
Garcia Lorca et quelques autres »,
Odes à quelques-uns

❒ 320 [Audiberti] ; 480 [Mallarmé]
258.17 [Noguez]

Kamtchatka
ducat
(caporal, arg.)
un nabo-du-ca
Lucas

+ *verbes en* -quer
2e et 3e pers. sing.
passé simple
3e pers. sing.
imparf. subj.

sous-rime voisine
1.8 GA

contre-assonance
214.17 QUÉ

1.4 CHA

CHAT
(aiguille) chas
(titre) (**s**)**chah**
CHAT
un **achat**
il hacha
kacha
cha-cha-cha
pacha
rachat
crachat
Sacha
Natacha
(les parties, rég.) le chéchat
geisha
prêchi-prêcha
langue-de-chat
œil-de-chat
entrechat
Aïcha

Bichat
il bicha
(haschish, verl.) le chicha
padi(s)cha(h)
herbe-aux-chats
poisson-chat
(poursuite) un **pourchas**
(des manières, Belg.)
faire des ratchatchas
(fillette, arg.)
une mouchacha
datcha
la Mancha
(coup, Alg.) une botcha
cachucha
galuchat

+ *verbes en* -cher
2e et 3e pers. sing.
passé simple
3e pers. sing.
imparf. subj.

Il n'avait ni parents, ni guenon, ni maîtresse.
Rien d'ordinaire en lui, — rien qui le **rattachât**
Au commun des martyrs, — pas un chien, pas un **chat**.
Il faut cependant bien que je vous intéresse
À mon pauvre héros. — Dire qu'il est **pacha**,
C'est un moyen usé, c'est une maladresse.

Alfred de Musset, « Namouna » Chant 1. XXVII,
Premières poésies

Tour à tour elle s'**enticha**
D'un prince charmant d'un **pacha**
Du nouveau roi de l'**entrechat**

Guy Béart, « Magazines »,
Couleurs et Colères du temps

Si je ne puis, malgré tout mon art diligent,
Pour Marchepied tailler une Lune d'argent,
Je mettrai le Serpent qui me mord les entrailles
Sous tes talons, afin que tu foules et railles,
Reine victorieuse et féconde en **rachats**,
Ce monstre tout gonflé de haine et de **crachats**.

Charles Baudelaire, « À une madone »,
Les Fleurs du mal

sous-rimes voisines
1.19 SSA
1.11 JA

contre-assonances
214.3 CHÉ
91.4 CHAN

❐ *265 [Franc-Nohain]*

1.5 DA

SOLDAT
(oui, en russe) da
(prénom) Ada
(informatique) Ada
(chapeau, arg.) un bada
lambada
(cheval) **dada**
(littérature) Dada
(coïter, arg.)
aller au radada
fada
intifada
flagada
(galop) tagada!
jangada
(fête musulmane)
Aïd-el-Adha
pignada
hamada

Torquemada
l'Armada/armada
(rien, arg.) nada
le **Canada**
pomme canada
espada
posada
le Nevada
la Sierra Nevada
l'Ouganda
mandat
(prénom) Amanda
il amenda
panda
jacaranda
véranda
le Ruanda/Rwanda
(plante) une vanda
(prénom) Wanda
lambda
l'Edda

Comment croire comment croire
Au pas pesant des **soldats**
Quand j'entends la chanson noire
De Don Pablo **Neruda**

Louis Aragon, « Complainte de Pablo Neruda » I,
Le Nouveau Crève-cœur

– Où **résida** le **réséda** ?
Résida-t-il au **Canada** ?
Dans les campagnes de **Juda** ?
Ou sur les flancs du Mont **Ida** ?
– Pour l'instant, sur la **véranda**
Se trouve bien le **réséda**.
Oui-da !

Robert Desnos, « Le Réséda »,
Chantefables et Chantefleurs

☞

DA

Léda
Velléda
(Jacques) Réda
Breda
réséda
Veda/véda
(vite) bredi-breda
(haricot,arg.) un flagda
(prénom) Ida
(montagne) l'Ida
Aïda
(autorité, arg.) un caïdat
Saïda
(levure) candida
(postulant) **candidat**
Brigida
(Gina) Lollobrigida
Alida
Dalida
oui-da
(marier, arg.) se marida
(mariage, arg.) le marida
olla-podrida
(Jacques) Derrida
il se dérida
Lérida
Frida
corrida
sida
qasida
assa-fœtida
(Julien) Benda
addenda
agenda
Esméralda
(projectile,arg.) une valda
(n. déposé) pastilles Valda

Gildas
un SOLDAT
il solda
hacienda
Brenda
fazenda
Linda
une coda
il coda
Fachoda
soda
voïvodat
(n. déposé) une Honda
anaconda
(Henry) Fonda
il fonda
bouddha/Bouddha
il bouda
Gouda/gouda
(Pablo) Neruda
un barda
ça barda
concordat
barracuda
(royaume de) Juda
(apôtre) **Judas**
(traître) un judas
bermuda
la Pravda
(n. déposé) Mazda

+ verbes en -der
2e et 3e pers. sing.
passé simple
3e pers. sing.
imparf. subj.

Minerve dit, **oui-da**, **oui-*da***,
Je l'estime sicut et *vos*,
De Paris jusqu'à **Cana*da***,
Rien n'est égal au grand *d'Avaux*.

Les peuples d'au-delà **Bré*da***,
Il rendit contrits et dé*vôts*,
Et l'Empereur **appréhen*da***
Toujours l'esprit du grand *d'Avaux*.

En Danemark il **déci*da***,
Qu'il ne souffrait point de ri*vaux*,
Car l'Espagnol il **nazar*da***,
Tant il est fier, ce grand *d'Avaux !* *

Vincent Voiture, « Vers à la mode de Neufgermain »,
Poésies. II

* rime syllabique : déciDA + riVAUX = D'AVAUX

cf. 214.12 et 481.11 [Neufgermain],
510 [La Fontaine], 224 [Roubaud], 435.19 [Collectif]

L'Oncle Tom avec Miss **Ada**
C'est un spectacle dont on rêve.
Quel photographe fou **souda**
L'Oncle Tom avec Miss **Ada** ?

Ada peut rester **à dada**,
Mais Tom chevauche-t-il sans trêve ?
L'Oncle Tom avec Miss **Ada**,
C'est un spectacle dont on rêve ?

Paul Verlaine, « Fragments » I,
Poèmes contemporains des Fêtes galantes

sous-rime voisine
1.21 TA

contre-assonance
214.4 DÉ

❒

1.6 ÉA

NYMPHÉA

une B.A.
(Béatrice) Béa
(béer) il béa
être **béat**
cobæa/cobéa
NYMPHÉA
Léa
aléa
El-Goléa
soleá
méat
Nouméa
miscellanea
alinéa
une O.P.A.
la S.P.A.
(roue) un réa

(il brama) il réa
(myth.) Rhéa
il **créa**
Andréa
lauréat
baccalauréat
la D.C.A.
épicéa
althæa
hévéa
la T.V.A.
(n. déposé) crème Nivéa
fovéa
Ouvéa

+ verbes en -éer
2e et 3e pers. sing.
passé simple
3e pers. sing.
imparf. subj.

Tes pas mystérieux d'amante virginale
Erraient près de l'étang que l'Artémis **créa**.
Le couchant, glorieux comme un cri de cymbale,
Ensanglantait les flots où dort le **nymphéa**.

Renée Vivien, « Couchant sur l'Hellas »,
Poèmes retrouvés in *Œuvre poétique complète*

Nous ne sommes rien. Dieu, c'est tout. Dieu nous **créa**,
Dieu nous sauve. Voilà ! Voici mon **aléa** :

Prier obstinément. Plonger dans la prière,
C'est se tremper aux flots d'une bonne rivière [...]

Paul Verlaine, *Bonheur*. XXIV

Le barège des nymphées
Où flottent les **nymphæas** ;
Les organdis les plus fées,
Les nansoucks les plus **béats** [...]

Robert de Montesquiou, « Les toilettes des étoiles »,
Les Chauves-souris. I

☞

ÉA

Eûtes-vous un chignon blond, comme poudré d'or,
Des yeux d'un bleu de **cobæa**
Ou de matin printanier de l'extrême Nord ? –
Sous le grèbe de brume argentée du ***boa***
Votre col fut-il une aurore sous la neige ?

John-Antoine Nau, « Lily Dale »,
Hiers bleus

sous-rimes voisines *1.1 AA* *1.15 OA*

contre-assonances *214.5 ÉÉ* *91.6 ÉAN*

❐

1.7 FA

(note) le **fa**
(vaniteux) (un) fat
Jaffa
vallée de Josaphat
falsafa
Moustapha
(saucisson, Suisse) un boutefas
franc C.F.A.
(n. déposé) Agfa
Haïfa
(camelot, rég.) un caïffa
diffa
khalifat/califat
typha
(plante) alfa

(lettre) **alpha**
calfat
sofa
(ivre, Alg.) être de bouffa
il bouffa
(échouer, Alg.) faire tchoufa
luffa
(dispute, Alg.) une barou(f)fa
(ragoût, rég.) une estou(f)fat
saint Cucufat

+ verbes en -fer 2e et 3e pers. sing. passé simple 3e pers. sing. imparf. subj.

Puisque dans cette chambre où l'amour **triompha**
Des guirlandes de fleurs meurent sur le **sofa**
Et que ton pauvre cœur jaunit avec les roses,
Épargne à ta douleur les visions moroses
De tout ce qui se fane et passe comme toi...

Tristan Derème, « Puisque dans cette chambre… »,
La Verdure dorée. XCI

Gagnons donc sans bruit le Marais,
Et gardons pour là nos bons traits ;
Car enfin si nous voulions braire
Sur tout ce qui nous semble **fat**,
Le bon Dieu n'aurait rien à faire
Dans les vallons de **Josaphat**.

Claude Le Petit, « Les Deux Bras de Seine »,
La Chronique scandaleuse ou Paris ridicule. LXXVIII

Ce bras, qu'il a tant fait le salut militaire,
Ce bras, qu'il a lévé des sacs de pons de terre,
Ce bras, qu'il a gagné des tas des **baroufas**,
Ce bras, ce bras d'honneur, oilà qu'y fait **tchoufa** !

Edmond Brua,
La Parodie du Cid, acte I, scène IV

– Do, mi, sol, mi, **fa**, –
Tout ce monde ***va***,
    Rit, chante
Et danse devant
Une belle enfant
    Méchante

Paul Verlaine, « Colombine »,
Fêtes galantes

sous-rime voisine *1.23 VA*

contre-assonance *214.23 VÉ*

❐ 365 [Vivien]

1.8 GA

gars
ag(h)a
rutabaga
(projectile, arg.) une valdaga
gaga
(s'agiter pour rien, arg.) faire du ragaga
(là, arg.) laga
Malaga/malaga
fellag(h)a
(policier, arg.) un poulaga
(ruiné, arg.) à plaga
(fromage, arg.) un fromaga
(fermé, arg.) fermaga

(beau, arg.) chouaga
(animal ; tissu) l'alpaga
(arrêté, arg.) être alpaga
(espadrilles, arg.) des espagas
raga
(cela, arg.) çaga
(récit) une saga
(pastis, arg.) un pastaga
ganga
manga
soui-manga
le Katanga
dégât

Or l'estourneau se perfectionnait en sagesse.
Il savait Confucius et la vie des **yogas**,
Le Shintô, Mohammed, et les Saints **Agrégats**
Qui concentrent en eux tant de lourde richesse.

Il guérissait les morts, soulageait la détresse,
Et rendait la justice au pied d'un **seringa**.
Le vol de l'oiseau-mouche et du **bécabunga***
Cernaient sa tête d'or d'un nimbe de tendresse.

Boris Vian, « Légende du sansonnet et de l'estourneau » IV,
Cent Sonnets

* plante aquatique prise, ici, pour un oiseau

☞

GA 1.A

un **légat**
il légua
ablégat
téléga
oméga
renégat
agrégat
Lope de Vega
Degas
saïga
taïga
(rater son coup, Alg.) faire figa
Riga
(plante) bécabunga
linga
seringa(t)
churinga

cotinga
Olga
la Volga
yoga
conga
milonga
Tonga
bel(o)uga
(confiserie) du **nougat**
(pieds, arg.) les nougats
rouergat
(recéleur, arg.) un fourgat

+ verbes en -guer
2e et 3e pers. sing.
passé simple
3e pers. sing.
imparf. subj.

Couvent mal gardé. Ronce et broussaille. **Dégât**
Que fait dans les lieux saints le temps, vieux **renégat**.

Victor Hugo,
Torquemada, 1re partie, acte I

l'écriture ça va l'écriture bonsoir l'écriture **gaga**
l'écriture navet l'écriture retour aux **rutabagas**
l'écriture cheminée chaude des mal compris
l'écriture talonnette du petit l'écriture sans prix

Jean Pérol, « Qui engloutit la demeure »,
Pouvoir de l'ombre

Rue, au 23, Ballu
J'exprime
Sitôt Juin à Monsieur **Degas**
La satisfaction qu'il rime
Avec la fleur des **syringas**.

Stéphane Mallarmé, « Les Loisirs de la poste » XVI,
Vers de circonstance

sous-rime voisine
1.3 CA

contre-assonance
214.9 GUÉ

❒ 25 [Hugo]

1.9 GNA

(marmaille, rég.) la gnia
pan-bagnat
(abri, arg.) une cagna
(rage) gnagnagna!
(menstrues, arg.) les arcagnats
Orcagna
(menstrues, arg.) les ragnagnas
un magnat
il se magna
(bon à rien, rég.) un caramagna
(Espagne) España
(voyou, rég.) un garagnat
piranha
(chant andalou) une malagueña

(courbatures, rég.) avoir les quégnats
(Andrea) Mantegna
(paysan, rég.) un feûgna
(fillette, Esp.) une niña
(coup, Alg.) une pigna
assignat
doña
bougnat
Tristan da Cunha
(un) **auvergnat**

+ verbes en -gner
2e et 3e pers. sing.
passé simple
3e pers. sing.
imparf. subj.

Tous les kilomètres on doublait
Un chariot rempli de boulets
Destinés à un **auvergnat**
Autrement dit, à un **bougnat**
Et pour tirer leur chargement
Les chevaux suaient eau et sang.

Pierre Delanoë, « La Bastille-Nation »,
in *Les Transports poétiques*

Qu'une femme de sens sache vieillir sans faste !
La fleur n'est pas toujours la fleur ; le temps dévaste
La beauté que jamais ce voleur n'**épargna**.
Hélas ! quand la **doña** devient la **dueña**,
À quoi bon ces chiffons galants, cette dentelle
Et ces bijoux, les yeux étant sans clientèle ?

Victor Hugo, « Le Spleen »,
Théâtre en liberté

Avez-vous adoré les vierges ascétiques,
Les saintes de Memling, d'Holbein ou d'**Orcagna**,
Ces corps impollués dont l'âme **regagna**
Dans toute sa candeur le ciel d'or des triptyques ?

Laurent Tailhade, « Vers pour miss Lilian »,
Poèmes élégiaques

Le nez est courbe et court comme le bec des cailles.
Elle est dure, dorée, ronde comme une grenade.
Elle s'appelle aussi ***Rosita-Maria***,
mais elle appelle sa duègne : **carogna*** !

Francis Jammes, « Guadalupe de Alcaraz »,
Le Deuil des Primevères

* charogne

sous-rimes voisines
1.10 IA
1.14 NA
1.12 LA

contre-assonances
214.8 GNÉ
121.8 GNET
91.11 GNAN

❒

1.10 IA

IL Y A

(oui, en allemand) Ja
(il y a) ya
(Antilles) Bahia
(Brésil) Bahia
il bâilla
Gaïa
(allez, hue!) ya! ya!
(lourdaud, rég.) yâyâ
l'**Himalaya**
wi(l)laya
(crabe) maïa
(art) maya
les Mayas
broyat
(Henri) Troyat
Ushuaia
(bon, arg.) choupaïa
tupaïa
un raïa/raya
il railla
Soraya
(Francis) Picabia
(gâteau arabe) un zlabia
(rage, Alg.) la rabia
charabia
tibia
la Columbia
(haricot, arg.) un loubiat
(moins que rien, Alg.) la zoubia
corbillat
chéchia
fuchsia
tirer à hue et à dia
Nadia
Sadia
stadia
seguedilla
un média
(intermédiaire) médiat
immédiat
mass media
multimédia
(José Maria de) Heredia
Lydia
chlamydia
(René de) Obaldia
Claudia
(n. déposé) rhodia
des latifondia
C.I.A.
cattleya
Tarpeia
Maffia/ma(f)fia
raphia
(paysan, rég.) un crafia
tafia
ratafia
landolphia
(ville) Sofia
(prénom) Sophia
loufiat
plagiat
loggia
Borgia
Georgia

seghia/seguia
(prénom) Lia
il lia
dahlia
aralia
Natalia
paella
Ophélia
mélia
camélia
Aurélia
Célia
IL Y A
Emilia
monilia
Brasilia
Cécilia
Priscillia
magnolia
saintpaulia
Julia
Damia
tamia
zamia
(amuse-gueules, Alg.) la kemia
il nia
il n'y a
(n. déposé) Banania
Tania
manzanilla
(reine des fées) Titania
zizania
gardénia
le Kenya
ximenia
tænia/ténia
Virginia
Tarquinia
gloxinia
zinnia
mahonia
bignonia
bégonia
paulownia
Sonia
Antonia
pétunia
oyat
Goya
paranoïa
séquoïa
zaouïa
chouya/chouïa
(humide, rég.) douillat
margouillat
alléluia
(flaque, rég.) un grenouillat
(lézard) margouillat
(kir, arg.) margouillat
crouya/crouillat
(flaque, rég.) un gassouillat
(bavardage,rég.) des ra/piapias
lapiaz
galapiat
(sans appétit, rég.) nâpiat
rapiat
sépia

Sur les bords de la Marne,
Un crapaud **il y a**,
Qui pleure à chaudes larmes
Sous un **acacia** [...]

Sur les bords de la Seine,
un crapaud **il y a**,
Qui chante à perdre haleine
Dans son **charabia**.

Robert Desnos, « Le Crapaud »,
Chantefables et Chantefleurs

Tout riche et noble qu'il était,
Un **bégonia** bégayait,
Ce qui faisait rire aux ***éclats***
Ses voisins, les **camélias**.
Un soir, près d'un **acacia**,
Le **bégonia** ***rencontra***
Un pauvre et humble **dahlia**
Avec lequel il se **lia**.

Maurice Carême, « Dahlia et Bégonia »,
La Cage aux grillons

Sur ma Remington portative
J'ai écrit ton nom **Lætitia**
Elaeudanla Téïtéïa

Serge Gainsbourg, « Elaeudanla Téïtéïa »,
Dernières nouvelles des étoiles

À l'épine où la **guérilla**
suspend d'atroces amygdales,
et dans le **commissariat**
plein de drus et chauves scandales
et sur le flot qui **maria**
tritons et désertes sandales,
et malgré le sourd **gloria**
suivant, vers elle, des dédales
chez l'arbre dont ma **furie a**
souscrit aux nuits pyramidales
de triste et rose **paria**,

dense et sans poids, mauve, repue,
elle pue, horreur ! elle pue...

Jacques Audiberti, « La mort »,
Races des hommes

C'est ça, l'être,
le réduit,
l'***inquiet***,
le **quia**,

C'est à partir de ***ça*** qu'on fait son **charabia** :

rabbia !
rabbia !

Christian Prigent, « Abrégé de numéralgie »,
Écrit au Couteau

❒ 132 [Levet]

IA

1. A

(prénom) Olympia
(music-hall) l'Olympia
opiat
à quia
(bavard, rég.) un câquillat
rudbeckia
ria
(tracas) un aria
(musique) une **aria**
(populations) Arya
vicariat
araucaria
la sharia/charia
il charria
malaria
salariat
(prénom) Maria
il (se) maria
camarilla
Ave Maria
pa(s)sionaria
actionnariat
fonctionnariat
partenariat
un **paria**
il paria
honorariat
commissariat
sociétariat
prolétariat

lumpenprolétariat
sous-prolétariat
secrétariat
vedettariat
notariat
volontariat
des varia
le Libéria
féria
le Nigéria
guérilla
kerria
cafétéria
(Eugène) Devéria
pizzeria
ganaderia
sangria
Doria
gloria
noria
trattoria
sedia gestatoria
(reine/lac) Victoria
(plante/voiture)
une victoria
Pretoria
maestria
furia
acacia
quassia

valencia
hortensia
estancia
tillandsia
Alicia
Félicia
(prénom) Patricia
(patricien) patriciat
forsythia
Lætitia
noviciat
opuntia
intelligentsia
Lucia
Alexia
ixia
razzia
fantasia
Anastasia
Alésia
ecclésia
freesia
Katia
galimatias
kentia
Cynthia
Bastia
pastilla
thuya
via

(Alberto) Moravia
batavia
Octavia
Olivia
Sylvia

+ verbes en -ier, -yer *et* -ller
2e et 3e pers. sing. passé simple
3e pers. sing. imparf. subj.

sous-rime voisine
1.16 OI

contre-assonances
214.10 IÉ
121.10 IET

1.11 JA

DÉJÀ

(déjà, arch.) jà
(bergerie, rég.) un jas
(niais, rég.) baja
(vin,arg.) un jaja
un **naja**
il nagea
tupaja
navaja
orangeat
(il fuit, arg.) il met les adjas
Nadja
ra(d)ja(h)
mahara(d)ja(h)
la Mitidja
la Dobroudja
DEJA
soja
goujat
orgeat
maracuja

+ verbes en -ger
2e et 3e pers. sing. passé simple,
3e pers. sing. imparf. subj.

... On vous y berce
D'un fond sonore à la fadeur d'**orgeat**,
Euphorisant et même anesthésique,
Et j'aurais craint qu'il ne me **submergeât**
Si c'eût été vraiment de la musique
Et non ce flot de Mozart à **goujat**
Qui rend un peu métaphysique
La fièvre du grossier consommateur.

Jacques Réda, « Sur les supermarchés »,
Lettre sur l'univers et autres discours en vers français

sous-rimes voisines
1.4 CHA
1.19 SSA

contre-assonances
214.7 GÉ
91.10 GEAN

❐

1.12 LA

1. A

LÀ
LILAS

(article) **la**
(pronom) **la**
(note) le **la**
(adverbe) LÀ
(piège) des lacs
être **las**
Allah
il (s'en) alla
(n'importe comment, Alg.)
à la baballah
Abdallah
falbala
Caracalla
(revolver, arg.)
un boukala/moukala
la Scala
échalas
maréchalat
mandala
gala
ségala
ah! là, là!
(chantonné) **la la la**
(refrain) tralala!
(et tout le) tralala
le Walhalla
(scandale, Alg.)
un tchaklalla
oh! là, là!
le Guatemala
smala(h)
ravenala
koala
Douala
Marie-couche-toi-là
voilà
il (se) voila
revoilà
Kampala
principalat
impala
généralat
amiralat
Marsala/marsala
(catholique, arg.) (un/e) tala
(couci-couça, rég.) lanli-lanla
bla-/bla-bla
un tabla
il tabla
Ebla
(noir, verl.) (un/e) kebla
Hybla
qibla
oblat
un **éclat**
(volcan) l'Hekla
elle a
Raphaella
paella
Anabella
Isabella
Sheila
valpolicella
candela

(Nelson) Mandela
fellah
il fêla
Angela
miellat
Graziella
Paméla
(Polichinelle) Pulcinella
a capella
corrélat
prélat
(salle de temple) la cella
(seller) il sella
(sceau) il scella
panatella
Stella
Manuela
Emanuela
le Venezuela
zarzuela
favela
delà
(l')**au-delà**
par-delà
Vaugelas
celle(s)-là
cancrelat
entrelacs
cela
il cela
ceux-là
chasselas
matelas
coutelas
cervelas
fla
fla-fla/flafla
(ragots, rég.) faire des raflas
glas
(glacé, arg.) glagla
(vin aigre, arg.) du reginglat
verglas
il a
chinchilla
Leila
pugilat
(fleur) LILAS
(ville) Les Lilas
Dalila
Djamila
Ludmilla
téquila
(général romain) Sylla
de Charybde en Scylla
Priscilla
Attila
distillat
une **villa**
(Pancho) Villa
(ovation) une ola
(mettre le) holà!
Paola
tombola
le kola/cola
(prénom) Colas
il colla
(n. déposé) coca-cola
Valerius Publicola
Nicolas

J'ai marqué d'une croix blanche
Le jour où l'on s'**envola**,
Accrochés à une branche,
Une branche de **lilas**.

Pauvre amour, tiens bon la barre,
Le temps va passer par **là**,
Et le temps est un barbare
Dans le genre d'**Attila**.
[...]
La fauvette des dimanches,
Cell' qui me donnait le **la**,
S'est perchée sur d'autres branches,
D'autres branches de **lilas**.

Georges Brassens, « Les Lilas »,
Poèmes et chansons

Ma maîtresse me fait des scènes.
Paradis fleuri de **lilas**
Je viens humer tes odeurs saines.

Les moribonds disent : **Hélas*** !
Les vieux disent des mots obscènes
Pour couvrir le bruit de leurs **glas**.

Dans le bois de pins et de chênes
Les obus jettent leurs **éclats.**
Victoire ? Défaite ? Phalènes.

Pluie améthyste les **lilas**,
Sans souci d'ambitions vaines,
Offrent aux plus gueux leurs **galas**.

La mer, les montagnes, les plaines,
Tout est oublié. Je suis **las**,
Las de la bêtise et des haines.

Mais mon cœur renaît aux **lilas**.

Charles Cros, « Lilas »,
Le Collier de griffes

* prononciation à l'ancienne

[...] de doux Pierrots, de blancs Pierrots
dansent le falot boléro
la fanfoulla, la bamboula,
éperdument au son de **la**
maigre **guzla**,
autour de **la**
Négresse blonde.

Georges Fourest, « La Négresse blonde » III ,
La Négresse blonde

Suis allé courir à l'***îlot*** cueillir un **lilas**
Un **lilas** pour ***Eulalie***
Eulalie pour un **lilas**
[...]
Du **lilas** j'ai pris le ***LI***
Pour dormir quand vient le soir
Et du **lilas** d'***Eulalie***
Reste un **LA** pour ma guitare

Yves Duteil, « Un lilas pour Eulalie »,
Les mots qu'on n'a pas dits...

❐ 192 [Haraucourt]

LA

1. A

Agricola
alcoolat
chocolat
l'Angola
pergola
Fabiola
Ignace de Loyola
sirop violat
il viola
Lola
mollah
pianola
(valet de cœur) quinola
Paula
(Émile) Zola

isolat
gorgonzola
ayatollah
tchitola
apostolat
bénévolat
houlà!
bamboula
(plaisir) soulas
il (se) soûla
être **plat**
(récipient) un **plat**
(du livre, d'une main) le plat
à plat/ aplat
raplapla

pied-plat
méplat
accroche-plat
dessous-de-plat
chauffe-plat
replat
couvre-plat
passe-plat
monte-plat
sous-plat
Sarlat
le Horla
burlat
tesla
guzla

Ulla
une macula
il macula
Dracula
péculat
Caligula
insula
consulat
Ursula
Petula
postulat
uvula

+ verbes en -ler

2e et 3e pers. sing. passé simple
3e pers. sing. imparf. subj.

sous-rimes voisines
1.13 MA
1.14 NA

contre-assonances
214.11 LÉ
258.11 LI

1.13 MA

MÂT

(il) m'a
(pron. poss.) ma
(ferme) un mas
MÂT
un **amas**
l'Alabama
désert d'Atacama
un damas
il dama
(lettre ; rayons) gamma
Vasco de Gama
digamma
le Fuji-Yama
pyjama
(animal) **lama**
(moine) lama
il lama
dalaï-lama
mama
imamat
(pays) le **Panama**
(chapeau) un panama
Yokohama
trois-mâts
un ramas
il rama
tarama
Brahma
il brama
diorama
panorama
diaporama
(lotus) padma
Edma
(prénom) Emma
il aima
schéma
(o)uléma
cinéma
tréma
eczéma
deux-mâts
quatre-mâts
magma
zeugma
sigma
Mishima

Hiroshima
Lima
il lima
climat
microclimat
la Kolyma
minima
anonymat
(mari, verl.) un rima
il rima
terza rima
les **frimas**
il frima
un primat
il prima
Cosima
(prénom) Fatima
(ville) Fatima
optima
maxima
l'Alma
Palma
Talma
l'Oklahoma
(médecine) coma
(musique) comma
zygoma
Paloma
économat
trauma
(apôtre) Thomas
(Henri) Thomas
(vase de nuit, arg.) un thomas
estomac
karma
dharma
(théorème de) Fermat
il ferma
Irma
format
pro forma
Norma
(Julien) Torma
(Nestor) Burma
plasma
alisma
mahatma
fatma
curcuma

Je n'ai jamais vu de **lama**,
De tamanoir ni de **puma**.

Je n'ai pas été à **Lima**,
Ni à Fez, ni à **Panama**.

Je ne possède ni **trois-mâts**,
Ni charette, ni **cinéma**.

> Maurice Carême, « Le Petit Lapon »,
> *Fleurs de soleil*

Près de ses pots de fleurs, à l'abri des **frimas**,
Assise à la fenêtre, et serrant autour d'elle
Son châle japonais, Mademoiselle Adèle
Comme à vingt ans savoure un roman de **Dumas**.

Tout son boudoir divague en bizarre **ramas**,
Cloître d'anciennetés, dont elle est le modèle ;
Là s'incrusta l'émail de son culte fidèle :
Vases, onyx, portraits, livres de tous **formats**.

> Émile Nelligan, « Vieille romanesque »,
> *Poésies complètes*

Ainsi vous qui tenez dans vos mains de tonnerre
Le dollar et la peste et les rayons **gamma**
Grands maîtres de la peur héros d'**Hiroshima**
Qui vous met Pentagone à la merci des nerfs

Que s'est-il donc produit qui passât l'ordinaire
Des Go home épelés sur le **panorama**
Vous dormez à Berlin Séoul et **Panama**
Dans l'amour appointé de vos fonctionnaires

> Louis Aragon, « Les enfants : question »,
> *Mes caravanes et autres poèmes*

lakhziv alagachèr **néHamma néHamma**
chévachôlèim slikhèkolam tarékô
sdamsfod noHammé nôHammé dadurikô
tadô tadô kan kanatadô ***dnémonna***

kbotz, arapolim **polima machôvama**
chlam olèkh, tirfa chdad, sgèv yémin arokô
an dvèr karètzin kharitzon haHomékô
Hovar Havaro Hahéèvara **saama**

> Maurice Lemaître, « Sonnet à Néhama d'Israël »,
> *Œuvres poétiques et musicales, lettristes, hypergraphiques, infinitésimales*

❐

MA

(Alexandre) Dumas
(vélin) Lafuma
puma

+ verbes en -mer
2e et 3e pers. sing.
passé simple
3e pers. sing.
imparf. subj.

sous-rimes voisines
1.14 NA
1.12 LA

contre-assonances
214.12 MÉ
91.15 MAN

1.14 NA

na!
il **n'a**
il en a
on a
(recueil) un ana
(prénom) Anna
banat
Copacabana
ikebana
(noces de) Cana
il cana
(plante) un canna
il canna
un k(h)anat
décanat
gymkhana
apadana
bandana
un fana
il se fana
(débauche, arg.)
une troustafana
acqua-toffana
le Ghana
le Ramayana
Diana
Juliana
Tatiana
(soleil, arg.) le moulana
mana
almanach
une **nana**
(prénom) Nana
ananas
zénana
supernana
Jo(h)anna
(vieillerie, arg.) un pana
(la nouba, rég.)
faire la tapana
piranha
Tirana
paysannat
artisanat
hosanna
Suzanna
(sanatorium) sana
sultanat
le Montana
assistanat
ipécacuana
marihuana/marijuana
nirvana
Krishna
l'E.N.A.
faena
léna
Juliénas
Helena/Elena

Milena
`catéchuménat
Suréna
sénat
Masséna
dracéna
mécénat
(n. déposé) maïzena
Athéna
quinquennat
septennat
cadenas
grenat
agnat
magnat
cognat
jaïna
rabbinat
deus ex machina
la tachina
il taquina
quinquina
le Burkina
katchina
médina
Gina
(n. dép.) un Orangina
(accordéon, arg.)
un georgina
(prénom) Georgina
Angelina
orphelinat
Catilina
(Luis) Molina
Tirso de Molina
(Maurice) Rollinat
(compromis, arg.)
un mina-mina
(n. déposé) gomina
Yasmina
Nina
ocarina
mandarinat
une marina
(prénom) Marina
il marina
Katharina
casuarina
Sabrina
Palestrina
Cinna
assassinat
(fleuve) la Berezina
(désastre) bérézina
Palatinat/palatinat
Martina
concertina
Christina
vina

Si rien ne vaut les héroïnes et les reines
Que votre art élégant et puissant **incarna**,
Que teintent tour à tour l'azur ou l'**incarnat**
Des augustes courroux ou des grâces sereines ;

Si rien ne vaut les attitudes souveraines
De votre royauté rouge comme un **grenat**,
Hors le doux chapelet des perles qu'**égrena**
Le collier de vos pleurs sur l'orgueil de vos traînes...

Robert de Montesquiou, « Eadem ipsa »,
Les Hortensias bleus. CLIII

Le laurier d'Apollon, l'olivier d'**Athéna**
n'ont pas besoin de beaucoup d'eau pour leur verdure
qui, victoire ou paix, en toutes saisons perdure.
L'amour transi peut-il vivre avec moins qu'il **n'a** :

cette flamme, après le coup que tu m'**asséna**s,
qui vacille à ne puiser d'autre nourriture
qu'en elle-même comme un damné sa torture
ou son âme un corps qu'un autre corps **profana** ?

Luc Estang, « Le laurier d'Apollon… »,
Corps à cœur. XCIII

L'oiseau se dresse sur ses pattes
et n'y pouvant plus tenir, **na**,
il honore d'un chant de ***nacre***
la joueuse d'**ocarina**.

Paul Neuhuys, « Rieuse »,
La Joueuse d'ocarina

On fut reçu par la fougère et l'**ananas**
L'antilope craintif* sous l'**ipécacuanha**.

Max Jacob, « Établissement d'une communauté au Brésil »,
Le Laboratoire central

* [sic]

❒ 496 [Pietri]

(Léon) Bonnat
diaconat
jaconas
prima donna
championnat
pensionnat
(prénom) Ramona
(réprimander, arg.)
chanter Ramona
il ramona
patronat
(bain vapeur) un sauna
(il fit du sel) il sauna
il sonna
(maladie) un zona

(il traîna) il zona
l'Arizona
bâtonnat
incarnat
il incarna
Gomez de la Serna
internat
alternat
externat
l'Annapurna
l'**Etna**
buna
tribunat
puna
sunna

Fortunat
Wallis-et-Futuna

+ verbes en -ner
2e et 3e pers. sing.
passé simple
3e pers. sing.
imparf. subj.

sous-rimes voisines
1.13 MA
1.12 LA
contre-assonances
214.13 NÉ
91.16 NAN

1.15 OA

BOA

BOA
(monnaie) le balboa
(conquistador) Balboa
Guipuzcoa
la Shoah
Goa
baie Delagoa
Éloa
Samoa
quinoa
(croassement) croâ!
Moruroa/Mururoa
la Bidassoa
(Fernando) Pessoa
Krakatoa
(plante) alonzoa

Lorsque j'étais petit, aux baraques des fêtes,
Bouche ouverte, j'allais admirer le **boa,**
Et la femme sauvage enlevée à **Goa**,
Le veau polycéphale et le singe poète.

Mais j'adorais surtout le Phoque, étrange bête
Qu'un faux Anglais montrait en vous disant : **moa** !...
Avec l'accent des bords de la **Bidassoa**.
Un phoque, c'est un chien dans un sac, hors la tête.

Ernest d'Hervilly, « Le Phoque »,
Les Bêtes à Paris

Il n'est si remuant **boa**
Qui ne s'immobilise au ***bois***

Et si petit brin de persil
qui ne dorme quand vient la nuit.

Maurice Carême, « La Gamme »,
La Cage aux grillons

sous-rimes voisines
1.16 OI
1.22 UA
1.6 ÉA

contre-assonances
214.14 OÉ
535.13 OHUE
91.17 OAN

❐ *1.6 [Nau]*

1.16 OI-OIE°-OUA

BOIS
MOI
ROI
VOIX

une **oie**°
(admiration) ouah!
(aboiement) **ouah**!
il houa
(café, arg.) un caoua
(arbre) un kawa
(Kawasaki, moto) une Kawa
Oshawa
(aboiement) ouah! ouah!
(toilettes, arg.)
les wawas/oua-ouas
chihuahua
Kurosawa
les Aïssaouas
Ottawa

un BOIS
il **boit**
il **aboie**°
des/aux **abois**
il **flamboie**°
gâte-bois
(il chasse) il giboie°
antibois
petit-bois
sainbois
hautbois
sous-bois
mort-bois

être **coi**
quoi

(un) québécois
adéquat
inadéquat
je-ne-sais-quoi
(de souris) souriquois
(un) iroquois
carquois
narquois
pourquoi

(choyer) il choie°
(choir) il choit
(choisir) un **choix**
anchois
(échoir) qu'il échoie°
(échoir) il échoit
(échouer) il échoua
qu'il déchoie°
il déchoit
Quechua/quechua
(un) cauchois
surchoix

un **doigt**
(devoir) il **doit**
(débit) le doit
(douer) il doua
(Bade) (un) badois
(n. dép.) eau de Badoit
(un) suédois
rince-doigts
il redoit
patte d'oie°
(Armand) Godoy
(un) vaudois
il **ondoie**°
il coudoie°
il soudoie°
il merdoie°
il **verdoie**°

Mais si ce dont je parle avec ces mots de peu de **poids**
était vraiment derrière les fenêtres, tel ce **froid**
mais qui avance en tonnerre sur le val ? Non, car cela
encore est une inoffensive image, mais si la
mort était vraiment là comme il le faudra une **fois**,
où seront les images, les subtils pensers, la **foi**
préservée à travers la longue vie ? Comme je **vois**
fuir la lumière dans le tremblement de toute **voix**
sombrer la force dans la frousse du corps aux **abois**
et la gloire soudain trop large pour le crâne **étroit** !

Philippe Jaccottet, « Le Livre des morts » V,
L'Ignorant

Je ne veux pas mourir loin de **toi**.
Ta présence est mon pain et mon **toit**
Et je crains la misère et le **froid**
Et j'ai peur d'être seul dans l'**effroi**
De sentir sur ma bouche le **doigt**
Implacable étouffant mon « **pourquoi** ».
Tu me dis que je suis comme un **roi**.
Tu sais bien que je porte une **croix**.
Pour entendre le son de ta **voix**
Jusqu'au bout, je mourrais sous la **Croix**.

Armand Godoy, « Je ne veux pas mourir… »,
Monologue de la tristesse. XIX

Mon ami n'est plus loin de **moi**
J'ai perdu le malheur d'attendre
Dont pâtit tout mon **autrefois**.

Je suis jointe au sens de ses **lois**
Mon honneur fut d'en voir dépendre
Un bonheur le plus haut qui **soit**.

Où l'Amour est acte de **Foi**
Le temps ne peut jamais nous prendre
Ce que l'Éternité nous **doit**.

……

OI-OIE°-OUA

1. A

il rudoie°

(croyance) la **foi**
(organe) le foie°
une **fois**
(ville) Foix
(Yves) Bonnefoy
quelquefois
autrefois
(fréquemment)
souventefois
toutefois
parfois

Aconcagua
Managua
Nicaragua
de guingois

(Roger) Caillois

la **joie**
il joua
rabat-joie°
Dupont-la-joie°
(un) **villageois**
(un) liégeois
feu grégeois
(Albi) (un) albigeois
(Cathares) les Albigeois
(cri de guerre) montjoie!
(monticule) (une)
mont-joie°/montjoie°
il **rougeoie°**
(un) wurtembergeois
(un) **bourgeois**
(un) hambourgeois
(un) franc-bourgeois
(un) luxembourgeois
(un) brandebourgeois
antibourgeois
(un) petit-bourgeois
(un) strasbourgeois

la **loi**
il loua
bon/mauvais aloi
il alloua
(un) gallois
hors-la-loi
Valois
Levallois
(ville) Blois
(Léon) Bloy
saint Éloi
(contes) mère l'Oye°
(un) **gaulois°**
il **ploie°**
un emploi
il emploie°
sans-emploi
un r(é)emploi
contre-emploi
il r(é)emploie°
plein-emploi
sous-emploi
il sous-emploie°
il (s')éploie°
il **déploie°**

il redéploie°
il reploie°
exploit

le MOI
un **mois**
la moye°/moie°
chamois
(un) siamois
émoi
chez-moi
la Semoy/Semois
le Vendômois
l'Angoumois
il larmoie°
il atermoie°
ormoie°
surmoi

il (se) **noie°**
une **noix**
il noua
(un) danois
(un) génois
cresson alénois
(un) viennois
(doux) être benoît
(prénom, hist.) Benoît
(Pierre) Benoit
(un) champenois
(noir, verl.) un/e renoi
il renoua
casse-noix
(un) pékinois
(un) tonkinois
(un) **chinois**
(un) indochinois
(un) finnois
(un) dauphinois
(un) carthaginois
(un) malinois
l'Illinois
minois
(un) béninois
en tapinois
le Valentinois
comtesse d'Aulnoy
harnois
il bornoie°
sournois
un **tournoi**
il **tournoie°**
denier tournois

l'Iowa

(masse) un **poids**
(légume) un **pois**
(matière) la poix
(dégoût) pouah!
les Papouas
empois
(rue) Quincampoix
époi
duc de Mirepoix
contrepoids
Hurepoix
surpoids

S'il m'étoile avec ce qu'il **voit**
Si mon corps peut un corps lui rendre
Mon ami vit plus près de **moi**.

> Simone de Carfort, « Mon ami n'est plus loin de moi… »,
> *Ermarindor*

Je vis, je meurs ; je me brûle et me **noie** ;
J'ai chaud extrême en endurant froidure ;
La vie m'est et trop molle et trop dure :
J'ai grands ennuis entremêlés de **joie**.

Tout à coup je ris et je **larmoie**,
Et en plaisir maint grief tourment j'endure ;
Mon bien s'en va, et à jamais il dure,
Tout en un coup je sèche et je **verdoie**.

> Louise Labé, « Sonnet » VIII,
> *Œuvres poétiques*

Ouâh ! **Ouâh** ! **Ouâh** ! **Ouâh** ! **Ouâh** !
Je le dis cinq **fois**
oui, mais ***crois***-tu que la vieille m'***ouvrira*** ?

> Charles Trenet, « Conte à rebours »,
> *Tombé du ciel*

❐ 104 [Gainsbourg] ; 1.17 [Régnier] ; 121.2 [Boulen]
1.15 [Carême] ; 121.14 [Klingsor]

le ROI
il roua
en grand arroi
il carroie°
un charroi
il charroie°
paroi
désarroi
(Bavière) un bavarois
(entremets) un bavarois
(technique) une broie°
il **broie°**
(croire) qu'il croie°
(croire) il **croit**
(croître) le/il **croît**
il accroît
la **croix**
Jean de la Croix
(Eugène) Delacroix
grand-croix
(décroire) il décroit
(décroître) il décroît
(astronomie) le décroît
il recroît
Rose-Croix/
rose-croix
porte-croix
Rocroi
un/de surcroît
être/tout **droit**
(le côté) droit
(règle) le **droit**

adroit
(un) **maladroit**
endroit
ayant-droit
pied-droit/piédroit
`passe-droit
baudroie°
il **foudroie°**
il poudroie°
(région) l'Algérois
(Alger) (un) algérois
il guerroie°
Choisy-le-Roi
Charleroi
vice-roi
le/être **froid**
sang-froid
effroi
beffroi
Godefroy
palefroi
pisse-froid
chaud-froid
Geoffroy
orfroi
(Hongrie) (un) hongrois
il hongroie°
(un) zaïrois
un corroi
il corroie°
(André) Maurois
(langue) no(r)rois

(vent) norois/noroît
courroie°
proie°
lamproie°
(cité antique) **Troie°**
(chiffre) **trois**
(ville franç.) Troyes°
un octroi
il octroie°
étroit
un détroit
(ville) Detroit
Chrétien de Troyes°
suroît

(pronom) **soi**
la **soie°**
(conjonction) soit
qu'il **soit**
qu'il (s') assoie°
il (s') **assoit**
(soigné, arg.) soua-soua
qu'il (se) rassoie°
il (se) rassoit
quant-à-soi
l'en soi
Jean-/François
chez-soi
il **déçoit**
pou(lt)-de-soie°
il **reçoit**
(un) niçois

OI-OIE°-OUA

il fossoie°
il grossoie°
il **conçoit**
il voussoie°
il perçoit
il **aperçoit**
il entraperçoit
le pour-soi
il sursoit
qu'il sursoie°

toi
un **toit**
cacatois
il chatoie°
fatwa
matois
patois
pantois
avant-toit
serventois
chez-toi
(un) crétois

il nettoie°
il (s')apitoie°
il re/jointoie°
il côtoie°
(un) franc-/comtois
l'Artois
courtois
discourtois
il festoie°
putois
il tutoie°

(chemin) une **voie**°
(voir) qu'il voie°
je **vois**/ il **voit**
la VOIX
il voua
abat-voix
pavois
des gravois
il dégravoie°
la Savoie°
un envoi

il **envoie**°
un renvoi
il renvoie°
(dévoyer) il dévoie°
(dévouer) il se dévoua
qu'il prévoie°
il prévoit
Courbevoie°
garde-voie°
Millevoye°
(Genève) (un) genevois
(Maurice) Genevoix
qu'il revoie°
il **revoit**
à **claire-voie**°
une entrevoie°
qu'il entrevoie°
il entrevoit
à contre-voie°
porte-voix
à mi-voix
(vin, arg.) du pivois
grivois

un convoi
il convoie°
il louvoie°
marquis de Louvois
il vouvoie°
(région) le Minervois
(vin) un minervois
il fourvoie°
un pourvoi
qu'il pourvoie°
il pourvoit

+ verbes en -ouer
2e et 3e pers. sing.
passé simple
3e pers. sing.
imparf. subj.

sous-rimes voisines
1.15 OA
1.22 UA

contre-assonances
214.15 OUÉ-E
121.14 OUET
258.15 OUI-E

1.17 PA

PAS

ne... PAS
un PAS
(attraits) des **appas**
(piège) un **appât**
il happa
(vêtement) la cappa
(lettre) le kappa
(diplôme) le C.A.P.A.
(ficher le camp, arg.)
faire scapa
(parents, arg.) mapa
papa
grand-papa
bon-papa
grappa
(empire du) Monomotapa
un lampas
il lampa
la Pampa/pampa
(dose, verl.) un képa
catoblépas
(classe) prépa
trépas

Ma(z)zepa
repas
Maurepas
contre-pas
kippa
un pipa
il pipa
Agrippa
il agrippa
principat
sympa
catalpa
mea-culpa
coppa
épiscopat
archiépiscopat
compas
stûpa/stoupa
sherpa
Spa
(n. déposé) vespa

+ verbes en -per
2e et 3e pers. sing.
passé simple
3e pers. sing.
imparf. subj.

tu es sauf dans la mort tu ne verras **pas**
moisir les jours, rompre la fête illusoire
l'amour s'abriter, fléchir la mémoire
le silence cerner de son court **compas**

la petite forêt ouverte à nos **pas**
sauf et mort je suis enfin prêt à te croire
mon frère enserré dans le si lourd noir
dont tu te raidis, hier, dont tu nous **frappas**

Jacques Roubaud, « tu es sauf... »,
∈

De quelque antique terre où naissent de tes **pas**
Les fleurs mystérieuses que ta robe ploie,
Il grimpe à tes seins nus des chimères de soie
Dont la griffe au pli raye un ancien **lampas**.

L'éclat de tes cheveux est d'un or qui n'est **pas**.
L'augure d'un destin somptueux y flamboie,
Et dans tes yeux menace l'éclat de ta joie
Un présage contradictoire de **trépas**.

Henri de Régnier, « Sonnets » V,
Premiers poèmes

Jarry avait sa mandragore
Ainsi que son **catoblépas**,
Moi je chemine **pas *à* pas**
Sans licorne ni mantichore.

Claude Ernoult, « Paravent. Septième volet »,
Six sots sonnets et autres textes rimés

Impassible et hautain, drapé dans sa **capa**,
le héros meurtrier à **pas** lents se promène :
« Dieu ! » soupire à part soi la plaintive Chimène,
« qu'il est joli garçon l'assassin de **Papa** ! »

Georges Fourest, « Le Cid »,
La Négresse blonde

☞

Deux vrais amis vivaient au **Monomotapa**
... Jusqu'au jour où l'un vint voir l'autre, et le **tapa**.

Paul-Jean Toulet, « Deux vrais amis… »
Coples LXVI, in *Les Contrerimes*

sous-rime voisine *1.2 BA*

contre-assonance *214.16 PÉ*

❒ 124 [Heredia]
223 [Verlaine]

1.18 RA

BRAS

(bruit de tambour) le ra
(divinité) Râ
(rasé) être/à **ras**
(radeau) un ras
(rongeur) un **rat**
pointe du Raz
(courant marin) un raz

(perroquet) ara
(pour les chevaux) haras
le **Sahara**
(Joseph) Bara
il barra
(brouhaha, rég.) un charabarat
un **embarras**
il embarra
Bambara/bambara
débarras
Barbara
(or, diamant) un carat
il (se) carra
(jeu) baccarat
(cristal) baccarat
(ville) Baccarat
nacarat
Sakkarah
Ankara
cascara
mascara
euscara
le Niagara
tangara
Guadalajara
Clara
(Jean-Paul) Marat
il se marra
(vulve, arg.) un caramara
mer de Marmara
Timisoara
il **boira**
il é/dé/choira
il **croira**
il (s')assoira
il (se) rassoira
il surseoira
il prévoira
il pourvoira
(parachutiste) un para
il para
apparat
mont Ararat
Sara(h)

apsara
(Tristan) Tzara
almicantarat
Alcantara
Che Guevara

BRAS
abracadabra
fier-à-bras
(juif) (un) sabra
il sabra
Alhambra
avant-bras
dessous-de-bras
rebras
appui(e)-bras
cobra

(ville) Accra
(beignet) akra/acra
(crasseux, arg.) cracra
(souillon, arg.) la Môme Cracra
(n. déposé) lycra
oxycrat
il **vaincra**
il convaincra

drap
(imprimerie) cadrat
(quadragénaire) quadra
il cadra
sparadrap
aphélandra
Sandra
(cocktail) un alexandra
(prénom) Alexandra
cédrat
éphédra
ex cathedra
(+comp.) il **tiendra**
(+comp.) il **viendra**
toundra
il **faudra**
(+comp.) il vaudra
il dé/re/coudra
(geste rituel) la mudra
il re/moudra
il absoudra
il dissoudra
il résoudra
il re/**voudra**
il re/perdra
il dé/re/mordra
il dé/re/dis/tordra

La faim met sa robe d'**apparat**
C'est l'heure où l'on voit les **rats**
Regagner les grands navires
C'est l'heure où des financiers au **bras**
Les putains ouvrent leurs **draps**
En forme de tirelire.

Jean **Ferrat**, « Berceuse »,
Chansons

À la vitre une fleur de neige
Que regarde un chat **angora**.
Les chevaux de bois du manège
chantent la **Violettera**
Et des rengaines d'**opéra**.

Le confiseur face au collège
Vend des écorces de **cédrat**
Et les marchands de sortilèges
Des talismans aux **señoras**,
Mais bientôt mon feu s'**éteindra**.

Louise de Vilmorin, « À la vitre… »,
Solitude, ô mon éléphant

Pourtant je chanterai pour toi tant que résonne
Le sang rouge en mon cœur qui sans fin t'**aimera**
Ce refrain peut paraître un **tradéridéra**
Mais peut-être qu'un jour les mots que **murmura**
Ce cœur usé ce cœur banal seront l'**aura**
D'un monde merveilleux où toi seule **sauras**
Que si le soleil brille et si l'amour frissonne
C'est que sans croire même au printemps dès l'automne
J'aurai dit **tradéridéra** comme personne

Louis Aragon, « Les amants séparés »,
Le Crève-cœur

Je transporte un immense organe d'**odorat**
qui ne me sert à rien sinon qu'on me remarque.
Mon allure aux beaux jours est celle d'une barque
dont l'avançante proue fait jaillir les **hourras**.

Il a sur tous les yeux l'attraction que l'**or a** !
sur le peuple ombrageux que la beauté détraque.
Tel Savinien de Cyrano de Bergerac
je le porte en avant, malheur à qui **rira** !

Thieri Foulc, « Du nez »,
Whâââh

☞

RA

1. A

(puma) un eyra
(déesse) Héra
il erra
(lithurgie) un libera
il libéra
(José de) Ribera
rio Madeira
(rengaine) **tradéridéra**
(Milan) Kundera
(poisson) un féra
(Jean) Ferrat
il ferra
(montagne) la sierra
(seoir) il siéra
il (s')assiéra
il (se) rassiéra
il messiéra
la Riviera
scélérat
choléra
il dé/plaira
il se complaira
caméra
agglomérat
conglomérat
habanera
a tempera
un **opéra**
il opéra
il braira
il traira
il (s') abstraira
il (se) distraira
il soustraira
il extraira
(onguent) un cérat
(serrer) il serra
Montserrat
phylloxéra
droséra
(taire) il (se) taira
(terrer) il se terra
et cætera/et cetera
chistera
(prénom) Véra
(porc) un **verrat**
(voir) il **verra**
(r/envoyer) il r/enverra
(revoir) il reverra
il entreverra

queue-de-rat
(+comp.) il **fera**
il ac/re/cueillera
(Georges) Seurat
(être) il **sera**

le Biafra
sassafras
infra
malfrat

gras
(village) Tanagra
(statuette) un/e tanagra
dégras
regrat
Mardi(-)gras
ingrat

(aller) il **ira**
l'I.R.A.
(+comp.) il **dira**
(confire) il confira
(confier) il confiera
il suffira
(re/lire) il re/lira
(re/lier) il re/liera
il ré/élira
(délier) il déliera
(délirer) il délira
Samira
Altamira
émirat
il **rira**
(+comp.) il écrira
il frira
il **sourira**
(cépage) la syrah
il cira
il circoncira
vizirat
il re/cuira
(+comp.) il déduira
il re/luira
il s'entre/nuira
il s'entre/détruira
il (s')instruira
il dé/re/construira
lévirat

une **aura**
(avoir) il **aura**
bora
Bora-Bora
Déborah
Cora
(prénom) Dora
(Jean) Dorat
il dora
odorat
Théodora
sophora
agora
angora
Gongora
señora
(biens) un majorat
il majora
Laura
il en/é/clora
Flora
(maffia) la Camorra
rémora
Nora
menora
saint Honorat
diaspora
mort-aux-rats
(savoir) il **saura**
(saurer) il saura
massorah
professorat
la T(h)ora/Torah
lectorat
électorat
rectorat
protectorat

Qui **rira lira**
qui **saura sera**
qui **jura dira**
qui **tuera frira**
qui **mordra paiera**
qui **verra vivra**

Tra deri dera

Pierre Boujut, « Rats rares »,
in *La Nouvelle Guirlande de Julie*

À Didyme où nous nous baignâmes
les murmures de l'**Ararat**
cessaient de faire ce **rare ah** !
leçon sombre où brouiller les âmes.

Même et marine **Marmara**
tu tues un temps tendre à périr.
L'âme erre amère en des désirs
qui quitte enfin un **art à rats**.

Jean Lescure, « Poèmes pour bègues » I,
Ultra crepidam in *La Bibliothèque Oulipienne*, Volume 2

❐ 317 [Dierx] ; 496 [Molière]

doctorat

hourra
(+ comp.) il **courra**
gandoura
(mourir) il **mourra**
(pouvoir) il **pourra**
jettatura

(Frank) Capra
copra(h)
il rompra
il interrompra
il corrompra
supra

(+ comp.) il **battra**
ondatra
fatras
plâtras
matras
Sumatra
(Frank) Sinatra
il ac/dé/croîtra
patatras!
mantra
Carpentras
tantra
(fichtre!) fouchtra!
(bon à rien, rég.)
un cara/fouchtra
(+ comp.) il **mettra**
il re/naîtra
il mé/re/connaîtra
(paysan, rég.) un paitrat
(cité) Pétra
il re/paîtra
(+ comp.) il paraîtra

tétras
Mithra
un ultra
nec plus ultra
(pacte) un contrat
il contra
semen-contra
il (se) foutra
il s'en contrefoutra
soutra/sutra
Kama-sutra
castrat
substrat
(cabinets, rég.)
des cabistrats
aspidistra
magistrat
claustra
Zarathoustra
extra
(montagne ; départ.) le Jura
il jura
Djur(d)jura
il inclura
il occlura
il conclura
il exclura
(maréchal) Murat
il mura
gopura
purpura
surah
datura
nomenklatura
angustura
(monastère) lavra

il re/devra
il re/pleuvra
il décevra
il recevra
il concevra
il percevra
il entr/apercevra
il s'en/pour/**suivra**
il re/sur/**vivra**
il é/pro/mouvra

+ verbes en -er et -ir 2e et 3e pers. sing. du futur.

+ verbes en -andre, -indre et -ondre 2e et 3e pers. sing. du futur.

+ verbes en -rer 2e et 3e pers. sing. passé simple 3e pers. sing. imparf. subj.

sous-rimes voisines
1.17 PA
1.2 BA

contre-assonances
217.18 RÉ
91.20 RAN

1.19 SSA

ÇA
(cela) ÇA
(psychanalyse) le ça
(adv. interj.) çà!
(adj. poss.) sa
yassa
(ville) Lhassa
(lasser) il lassa
(lacer) il laça
décrochez-moi-ça
Kinshasa
Sancho Pança
(panser) il pansa
(penser) il pensa
Odessa
Vanessa
U.S.A.
au-/en **deçà**
Raissa
Ibiza
(vite, arg.) faire fissa
Mélissa
Anissa
pissat
harissa

Larissa
salsa
(montagne) l'Ossa
il haussa
aller à Canossa
terra rossa
couci-couça
(prénom) Moussa
il moussa
(gras) un poussah
il poussa
babiroussa
il versa
vice(-)versa
(bagnard) un **forçat**
il força
(Jean) Lurçat
raspoutitsa
tussah
Alexa
moxa

+verbes en -cer,
-(s)ser *et* -xer
2e et 3e pers. sing.
passé simple
3e pers. sing.
imparf. subj.

Don Quichotte et Sancho **Pança**
Saperlotte vous auriez vu **ça**
Don Quichotte et Sancho **Pança**
La tremblote ils ignoraient complètement **ça**

Pierre Perret, « Don Quichotte et Sancho Pança »,
Chansons de toute une vie

Je ne prenais de lui que son espace et **sa**
Mort en moi, son désir et l'absence absolue
Où se doublait son corps. Dans la nuit résolue
À ne chercher en moi que lui qui me **chassa**

Je ne l'attendais plus qu'en moi, qu'il fût **deçà**
Delà diffus, sans nom, dans l'ombre révolue
Où mon corps l'accueillait, qu'il fût près de l'élue
Ou loin de l'autre corps près de lui qui **passa**

Le fixant dans sa mort, ainsi que moi, sans croire.

Rouben Melik, « Je ne prenais de lui… »,
Sonnets du pays nocturne in *La Procession*

Quand les heures font leur descente
Dans la nue où le jour **passa**,
Il voit la strophe éblouissante
Pendre à ce **décroche-moi-ça**.

Victor Hugo, « Clôture » III,
Les Chansons des rues et des bois

sous-rimes voisines
1.4 CHA
1.11 JA

contre-assonances
214.19 SSÉ
91.21 SSAN

❐

1.20 S(Z)A

ASA
Gaza
il gaza
la NASA
sanza
influenza
piazza
Savorgnan de Brazza
pizza
mesa
Thérésa
(prénom) Lisa
Monna Lisa
Élisa
Louisa
marquisat
coryza
(certificat) un **visa**
il visa
balsa
Elsa
colza
(il provoqua) il causa

(il parla) il causa
honoris causa
mimosa
Spinoza
(n. dép.)
une Hispano Suiza
(Salvator) Rosa
(prénom) Rosa
(onguent) du rosat
Cimarosa
mater dolorosa
yakusa
Mirza
Sforza
exact
inexact

+verbes en -ser *et* -zer,
2e et 3e pers. sing.
passé simple,
3e pers. sing.
imparf. subj.

Bergson, que ton Dieu fit d'un reste de matière
Qu'il avait réservée en créant **Spinoza**,
Lourd cerveau sur un corps fragile, où l'âme **osa**
Revendiquer devant l'esprit sa place entière,

En un pauvre cortège après la gloire altière,
Par la neige que sur Paris l'hiver **posa**,
Sous quelques froids bouquets noués de **mimosa**
On t'a donc enfoui dans l'humble cimetière.

Fernand Gregh, « Mort de Bergson »,
Le Mot du Monde

Dans une voiture bleu pâle sous un ciel décoloré
Tu roules à pleine vitesse par les prairies de **colza**
Pour la première fois de l'année le coucou à l'orée
Du bois chante et de cette haie qu'en plein hiver l'on **rasa**

Bernard Delvaille, « Désordre » 8,
Poëmes

L'amour à qui s'en **grisa**
Lui faut-il en avoir honte
J'aurai vécu sans **visa**
Et ma vie au bout du compte
Se résume au nom d'**Elsa**

Louis Aragon, « Excuse pour en finir »,
Les Poètes

sous-rimes voisines
1.11 JA
1.19 SSA

contre-assonances
214.20 S(Z)É
91.22 S(Z)AN

❐

1.21 TA

(adj. poss.) ta
un **tas**
Kawabata
toccata
triplicata
duplicata
Agatha
la Traviata
balata
chipolata
La Plata
Rio de la Plata
Rénata
(Emiliano) Zapata
(pitance) du rata
il rata
le Mahabharata
errata
desiderata
persona (non) grata
au prorata
(tante) une tata
(seins, rég.) des tatas
il tâta
(conflit, Belg.) des matata
et patati! (et) patata!
taratata!
ta, ta, ta!
(exalté, rég.) haltata
Atlanta
Samantha
quanta
maranta
attentat
potentat
(n. dép.) Ekta
recta
mechta
état
Gambetta
vendetta
feta
pietà
muleta
méta
peseta
êta
(lettre) le bêta
(sot) (un) bêta
Nicoletta
Giuletta
(arme, n. dép.) un Beretta
Greta
thêta
dzêta/zêta
taffetas
galetas
Étretat
habitat
Conchita
Foujita
Nikita
Lolita
(travail forcé) la mita
il se mita
(partage, arg.) un mita-mita
Anita
pita

Pepita
Rita
señorita
ultra-petita
partita
dolce vita
Zita
placenta
rose magenta
(bataille de) Magenta
impedimenta
Yalta
delta
pelta
la Volta
la Haute-Volta
résultat
polenta
un quota
il cota
le Dakota
ricotta
le Gotha/gotha
le **Golgotha**
Bogota
iota
La Ciotat
(n. dép.) une Toyota
jota
(danse, arg.) un frotti-frotta
le Minnesota
aoûtat
Ptah
Djakarta/Jakarta
Martha
(prénom) Berta
la Grosse Bertha
huerta
omerta
Jugurtha
basta!
canasta
(rastaquouère) rasta
(rastafari) rasta
podestat
fiesta
(musique) un célesta
(ville) Sélestat
(ab) intestat
cuesta
Vesta
Avesta
(vue d'ensemble, arg.) la vista
lombostat
rhéostat
thermostat
apostat
aérostat
constat
(raclée, arg.) une chicousta
robusta
Augusta
l'Utah
Calcutta

À qui, civil ou militaire,
À pied, même en **aérostat**,
Trouverait le mot du mystère
Par où mon être s'**enchanta**,
À qui m'appellerait **bêta**
De pleurer encor quand j'y pense,
À celui-là j'offre **recta**
Quarante sous de récompense.

À qui, de Montmartre à Cythère,
Trouverait, pour qu'il l'**attestât**,
Fille de gueux ou de notaire
Plus belle d'un seul **iota**
Que la maîtresse qui **fit à**
Mon cœur le grand trou que je panse,
À qui de ses yeux s'**abrita**,
Quarante sous de récompense !
[...]
O toi qui commis l'**attentat**,
Femme, voici pour la dépense
De la croix de mon **Golgotha**
Quarante sous de récompense.

Jean Richepin, « Ballade de bonne récompense »,
Les Caresses

Notre-Dame de Santa Fe de **Bogota**
Qui vous apprêtez à faire le tour du monde,
Or, mon émotion serait par trop profonde
Dans le chagrin réel dont mon cœur **éclata**

À la nouvelle de ce départ déplorable
Si je n'avais l'orgueil de vous avoir, à **ta**-
Ble d'hôte, vue ainsi que tel ou tel **rasta**
Et de vous devoir ce sonnet point admirable

Paul Verlaine, « À une dame qui partait pour la Colombie »,
Dédicaces

Comme elle avait la résille,
D'abord la rime **hésita**.
Ce devait être Inésille... –
Mais non, c'était **Pepita**.

Seize ans. Belle et grande fille... –
(Ici la rime **insista** :
Rimeur, c'était Inésille.
Rime, c'était **Pepita**.)

Victor Hugo, « Pepita »,
L'Art d'être grand-père

Quand je passe qui **rit à**
Mes caresses, toi, **Rita**.

Stéphane Mallarmé, « À une petite chienne »,
Dédicaces, autographes, envois divers. CXXVI
in *Vers de circonstance*

❐

+ verbes en -ter
2e et 3e pers. sing.
passé simple
3e pers. sing.
imparf. subj.

sous-rime voisine
1.5 DA

contre-assonance
214.21 TÉ

1.22 UA

nahua/Nahua
tamandua
(liqueur, n. dép.) du Kahlua
tu as
il **tua**
(personnage) **Gargantua**
(glouton) un gargantua
Nantua

+ verbes en -uer
2e et 3e pers. sing. passé simple
3e pers. sing. imparf. subj.

sous-rimes voisines
1.16 OI
1.15 OA
1.6 ÉA

contre-assonances
121.21 UET
214.22 UÉ
91.24 UAN

La bombance après l'équipée.
On s'attable. Hier on **tua**.
Ô Napoléon, ton épée
Sert de broche à **Gargantua**.

Victor Hugo, « À l'obéissance passive » IV,
Châtiments

❐

1.23 VA

VA
il VA
Ava
(poivrier) le kava
il (se) cava
Ungava
(danse) la **java**
(île de) Java
baklava
Bratislava
la Costa Brava
(plâtras) des **gravats**
il grava
piassava
schwa
Éva
sacoléva
la Néva
(prénom) Manureva
cueva
à-Dieu-va!
canevas
terre-neuvas
Çiva/Shiva
diva
vivat
halva
calva
(il va mal, arg.) il va chez Malva
selva
la Moskova
Jéhovah
(Padoue) Padova
Sadowa
rédowa
nova
(Antonio) Canova
(Jacques) **Casanova**
(séducteur) un casanova
bossa-nova
supernova
(polytechnique, arg.) le carva
bodhisattva

+ verbes en -ver,
2e et 3e pers. sing. passé simple,
3e pers. sing. imparf. subj.

sous-rime voisine
1.7 FA

contre-assonance
91.25 VAN

Quoi ! mon âme, dors-tu engourdie en ta masse ?
La trompette a sonné, serre bagage, et **va**
Le chemin déserté, que Jésus-Christ **trouva**,
Quand tout mouillé de sang racheta notre race.

C'est un chemin fâcheux, borné de peu d'espace,
Tracé de peu de gens, que la ronce **pava**,
Où le chardon poignant ses têtes **éleva** ;
Prends courage pourtant, et ne quitte la place.

Pierre de Ronsard, « Six sonnets de l'agonie »,
Les Quatre Saisons. 114

Au paradis
D' l'accordéon
Parti bon train
Voir si l'bastrin-
gue et la **java**
Avaient gardé
Droit de cité
Chez **Jéhovah**

Georges Brassens, « Le Vieux Léon »,
Poèmes et chansons

Je suis **Casanova**
L'amant joyeux et tendre
Je dis à l'Amour : « **va** »,
Il **va** sans plus attendre.
Cueillir le cœur des belles.
J'en ai des ribambelles...

Guillaume Apollinaire,
Casanova, acte I, scène V

Oh ! Nous vous avons reconnues
— Notre cœur ainsi vous **rêva** —
Vivantes idoles venues
Tout exprès pour nous de **Java**.

Raoul Ponchon, « Les Danseuses javanaises » I,
La Muse frondeuse

Lors, il met son monocle et **va**
Porter à sa vaillante armée
L'ordre express de crier : **Vive A**.
France* ! À bas Stéphan' Mallarmé…e !

Frédéric-Auguste Cazals, « Les bigorneaux de l'École romane » VI,
Le Jardin des Ronces

* Anatole France

❐ *1.7 [Verlaine]*

2. ABE-AB°

SYLLABE
ARABE
CRABE

Joab°
Moab°
(baba-cool, arg.) un/e bab'°
(chef religieux) le Bab°
baobab°
nabab°
chiche-/kebab°
rebab°
toubab°
cab°
Achab°
il cacabe
(cadavre, arg.) un macab°
(billeterie) DAB°
(père, arg.) un dab°/e
(arg.) un grand-dab°/e
(arg.) un beau-dab°/e
serdab°
(une blague) un gab°
(il blague) il gabe
(coup, arg.) un jab°
le Pendjab°
labbe
SYLLABE
(un) décasyllabe
(un) hendécasyllabe
(un) ennéasyllabe
(un) tétrasyllabe
(un) pentasyllabe
(un) heptasyllabe
(un) hexasyllabe
dissyllabe
(un) polysyllabe
quadrisyllabe
(un) trisyllabe
(un) **monosyllabe**
(un) **octosyllabe**
astrolabe
(Maurice) Mac-Nab°
Souabe
(rabiot) du rab°/e
(Alphonse) Rabbe
ARABE
carabe
le Chatt al-Arab°
panarabe
(sarbacane, rég.)
une pétarabe
mozarabe
un CRABE
(George) Crabbe
(Christian D.) Grabbe
mihrab°
(goinfre, arg.)
un/e saute-au-rab°
trabe

assonances
3. ABLE
47. ARBRE
46. ARBE
10. ADE

contre-assonances
122. ÈBE
260. IBE
360. OBE
536. UBE

Le soleil luit comme un **carabe.**
Le ciel est aussi bleu qu'hier.
La brise apporte une **syllabe**.
Un grand oiseau nage sur l'air.

Tracés par les ***pattes*** des **crabes**,
Chaque jour sur le ***sable*** clair,
Des mots chinois, des mots **arabes**,
Seront emportés par la mer.

Rosemonde Gérard, « Sur une plage » I,
Les Pipeaux

À leur ombre, tel qu'un **Nabab**
Qui, vers midi, rêve et repose,
Dort un grand tigre du **Pendj-Ab**,
Allongé sur le ***sable*** rose...

Charles Leconte de Lisle, « Un coucher de soleil »,
Poèmes barbares

Feux où l'on cuit, pendant qu'on **gabe**,
Tout vivants pris ***gades*** et **crabes**,
Feu qui les cuit,
Feu qui cuit tout.

Max Elskamp, « Sous les tentes » IV,
Sous les tentes de l'exode

Sur un mode abrégé de *Kacidas* **arabes,**
J'ai modulé ces chants, dans le soir, sous les ***arbres,***

Dont le rêve frissonne autour de la maison,
Et, comme le marin penché sur l'**astrolabe**,

Des désespoirs humains j'ai cherché la raison :
Mais trouvant le ciel noir plus muet que le ***marbre***,

J'ai dit mon mal aux quatre vents de l'horizon...

Philéas Lebesgue, « Sur un mode abrégé »,
Œuvres poétiques. III

Vous, creux de paume aux creux d'entre **syllabes**,
Vous, cœur qui bat dans le vers de dix pieds,
Le pli de *là*, le délié des ***lobes,***
En vers de chair fidèlement copiés [...]

Marcel Thiry, « Sonnets de chair »,
Attouchements des sonnets de Shakespeare

❐ *39. [Alyn] ; 79 [Ponchon]*

3. ABLE

FABLE
DIABLE
SABLE
TABLE

noms-adjectifs et verbes

(il parle) il hâble
il/un câble
il **accable**
(un) praticable
vocable
(il rosse, arg.) il châble
(un/e) intouchable
(un) imperméable
(un/e) corvéable

L'histoire allait vers la **fable**.
La fille était dans le lit ;
L'argent était sur la **table**.
Le monde restait poli.

Le feu mangea six **étables**.
Cent dix-sept veaux y compris.
Le foin demeurait **broutable**.
Le monde restait poli.

......

ABLE

FABLE
chantefable
gable
DIABLE
il endiable
tue-diable
un/il jable
(un) dirigeable
(un/e) présidentiable
(un/e) justiciable
au/(un) préalable
(son/sa) semblable
(un/e) minable
incunable
(un/e) incapable
(un/e) **coupable**
(de lièvre) un râble
(outil) il/un râble
il/un scrabble
érable
(un) impondérable
(un/e) indésirable
(un/e) **misérable**
(un/e) incurable
le SABLE
il sable
il dés/ensable
il dessable
(un/e) ir/responsable
(une) indéfrisable
(il compte) il table
une TABLE
il s'attable
il entable
il/une **étable**
connétable
retable
(un) **notable**
(une) décapotable
(un/e) aide-/comptable
expert-comptable
cartable
portable
un constable
(John) Constable
un/e contribuable

adjectifs

im/probable
absorbable
imperturbable

kayakable
implacable
in/attaquable
bancable
immanquable
chéquable
peccable
impeccable
in/sécable
hypothécable
prédicable
in/applicable
in/explicable
in/communicable

inextricable
impraticable
critiquable
domesticable
évocable
ir/révocable
convocable
remarquable
confiscable
risquable
in/éducable

détachable
indéfrichable
in/approchable
reprochable
irréprochable

biodégradable
in/défendable
amendable
réprimandable
recommandable
pendable
in/vendable
plaidable
intimidable
formidable
liquidable
in/décidable
in/oxydable
indémodable
raccommodable
fécondable
inondable
insondable
im/perdable
in/abordable
in/accordable
soudable

guéable
malléable
perméable
agréable
désagréable

affable
ineffable
inchauffable

irréfragable
relégable
irrigable
in/fatigable
navigable
distinguable
largable
conjugable

dommageable
aménageable
envisageable
im/partageable
im/mangeable
in/arrangeable
changeable
in/échangeable
interchangeable

Or, quand la ville eut péri,
La peste rongea le **sable**.
Survivaient quatre **notables**.
Le monde restait poli.

L'avenir toujours joli
Brillait sur la terre **arable**.
Et saoul d'un rêve **intuable**,
Le monde restait poli.

Les vins sont encor **buvables**.
Tout désespoir s'embellit
D'un sourire **inimitable**.
Le monde restait poli.

Géo Norge, « Politesse »,
La Belle Saison

Je connais un pauvre fou qui veut saisir l'**impalpable**
Azur par le seul pouvoir Magique de la tristesse.
J'en connais un autre encor qui veut bâtir sur le **sable**
Un château fort plus puissant que les flots de la détresse.

Je t'apporte l'éternelle eau, la soif **insatiable**,
La main de velours qui griffe et la griffe qui caresse,
Le lys qui brille plus blanc sous le pied crochu du **Diable**,
Et cette aube que ma nuit sait renouveler sans cesse.

Armand Godoy, « Matin »,
Marcel

Amis, j'ai vu des morts le festin **mémorable**,
Ils parlaient à grand bruit, ils mangeaient du lapin ;
Leur appétit s'aiguise en leur lit de sapin,
Leur dent s'attaque à tout, aux cuisses, **même au râble**.
Mais ils parlaient ! c'était un bruit dans le quartier !
Hélas, l'homme qui fait ce malheureux métier
De fantôme, vivant, parle peu, **mais mort**, **hâble**.

Victor Hugo, « Nos amusements avec Lamartine, Soumet, Vigny… »,
Dernière gerbe. CXII

Je vais du même pas flâneur ou diligent
Qu'autrefois au-devant de la chimérique ***syllabe***
Qui me consolerait d'être l'**inconsolable**
Poète de tout lieu de manque et de toute douleur.

Jacques Réda, « Ex Ponto, V »,
Lettre sur l'univers et autres discours en vers français

À la limite de la lumière et de l'ombre
Je remue un trésor plus fuyant que le **sable**
Je cherche ma chanson parmi les bruits du monde
Je cherche mon amour au milieu des ***miracles***

Odilon-Jean Périer, « La Maison de verre »,
Poèmes

O désert ! seule **véritable**
hardiesse du monde.
Nulle œuvre n'a le **sable**
pour cime ; nulle pensée n'a
l'**impensable** pour ***cible.***

François Jacqmin, « Ô désert ! »,
Camera obscura

❐ 91.15 [Péguy] ; 214.7 [Chassignet] ; 456 [Aragon]
56 [Sabatier] ; 40 [Brassens] ; 123 [Supervielle] ; 458 [Lamarche]

ABLE

négligeable
logeable
in/abrogeable
rechargeable
forgeable
jugeable

in/gagnable
in/joignable
dédaignable
contraignable
assignable
inexpugnable

indémaillable
taillable
mortaillable
im/ployable
in/employable
in/croyable
effroyable
im/pitoyable
congédiable
remédiable
irrémédiable
monnayable
payable
impayable
conseillable
fiable
liquéfiable
cokéfiable
raréfiable
putréfiable
acidifiable
modifiable
in/qualifiable
simplifiable
in/vérifiable
vitrifiable
in/falsifiable
quantifiable
identifiable
rectifiable
mystifiable
in/justifiable
oubliable
inoubliable
im/publiable
pliable
repliable
multipliable
in/conciliable
irréconciliable
amiable
niable
re/maniable
indéniable
in/expiable
charriable
mariable
in/variable
friable
rapatriable
sciable
graciable
insatiable
différentiable
licenciable

in/appréciable
viciable
négociable
in/sociable
in/dissociable
amnistiable
indébrouillable
non-/viable
enviable
serviable

in/égalable
valable
inébranlable
vraisemblable
invraisemblable
dissemblable
cyclable
recyclable
décelable
morcelable
in/congelable
renouvelable
gonflable
dé/réglable
filable
in/assimilable
empilable
incollable
indécollable
in/violable
in/contrôlable
in/consolable
isolable
in/calculable
inoculable
modulable
in/coagulable
in/formulable

blâmable
in/inflammable
programmable
aimable
imprimable
comprimable
in/exprimable
in/estimable
chômable
innommable
in/consommable
indéformable
ir/réformable
transformable
in/fumable
consumable
présumable

damnable
condamnable
in/aliénable
entraînable
im/prenable
in/tenable
in/soutenable
convenable
combinable
in/imaginable

in/déclinable
inclinable
in/disciplinable
contaminable
incriminable
abominable
in/déterminable
interminable
in/déracinable
vaccinable
devinable
im/pardonnable
actionnable
impressionnable
émulsionnable
émotionnable
in/soupçonnable
ir/raisonnable
déraisonnable
in/discernable
in/gouvernable
incontournable

capable
papable
ir/rattrapable
im/palpable
inculpable
développable
in/extirpable

arable
inénarrable
imparable
ir/réparable
in/séparable
in/comparable
in/nombrable
indénombrable
exécrable
libérable
quérable
requérable
considérable
pondérable
préférable
transférable
ingérable
in/tolérable
énumérable
vénérable
in/vulnérable
in/opérable
ir/récupérable
insérable
in/altérable
in/chiffrable
in/déchiffrable
intégrable
réintégrable
indéchirable
admirable
ir/respirable
désirable
attirable
étirable
retirable
inchavirable
adorable

améliorable
déplorable
inexplorable
mémorable
remémorable
honorable
évaporable
incorporable
dé/favorable
inexorable
im/pénétrable
infeutrable
arbitrable
filtrable
montrable
in/démontrable
encastrable
enregistrable
ministrable
labourable
secourable
curable
durable
endurable
assurable
in/commensurable
censurable
mesurable
pâturable
saturable
manufacturable
structurable
manœuvrable
livrable
ouvrable
recouvrable
irrécouvrable

in/cassable
in/effaçable
inclassable
inlassable
ir/remplaçable
passable
indépassable
insurpassable
in/froissable
dansable
condensable
finançable
im/pensable
compensable
indispensable
abaissable
encaissable
in/connaissable
méconnaissable
reconnaissable
haïssable
in/franchissable
affranchissable
insalissable
polissable
in/définissable
punissable
in/tarissable
inguérissable
im/périssable
irrétrécissable

amortissable
in/saisissable
endossable
carossable
im/prononçable
traversable
inversable
controversable
remboursable
taxable

baisable
infaisable
inapaisable
localisable
ir/réalisable
commercialisable
in/analysable
canalisable
généralisable
capitalisable
in/cristallisable
satellisable
rentabilisable
dé/mobilisable
volatilisable
fertilisable
ré/utilisable
in/civilisable
alcoolisable
in/organisable
indemnisable
colonisable
canonisable
scolarisable
pulvérisable
irisable
autorisable
méprisable
cicatrisable
électrisable
maîtrisable
informatisable
magnétisable
synthétisable
in/épuisable
révisable
dosable
métamorphosable
juxtaposable
imposable
opposable
proposable
in/décomposable
recomposable
superposable
transposable
supposable
arrosable
ir/récusable
in/excusable
refusable
inusable

imbattable
in/datable
dilatable
acclimatable
hydratable

ABLE

in/constatable
emboîtable
in/exploitable
convoitable
orientable
implantable
transplantable
lamentable
augmentable
fermentable
rentable
re/présentable
patentable
épouvantable
tractable
rétractable
éjectable
injectable
délectable
inter/connectable
respectable
in/détectable
inéluctable
interprétable
im/mettable
(désirable, arg.) pinocumettable

regrettable
in/traîtable
souhaitable
achetable
ir/rachetable
incrochetable
re/jetable
brevetable
in/habitable
débitable
(incompréhensible,arg.) imbitable
indubitable
acquitable
in/équitable
profitable
réhabilitable
in/imitable
il/limitable
charitable
véritable
irritable
sur/excitable
in/évitable
récoltable
consultable
cotable

flottable
escamotable
potable
indécrottable
inracontable
escomptable
in/domptable
in/démontable
in/surmontable
in/adaptable
in/acceptable
adoptable
in/confortable
mainmortable
importable
in/transportable
exportable
in/supportable
sortable
in/stable
testable
détestable
protestable
in/contestable
accostable
redoutable
in/exécutable

in/discutable
ir/réfutable
mutable
in/commutable
permutable
transmutable
imputable

in/jouable
louable
in/avouable

attribuable
évaluable
immuable
commuable
transmuable
in/tuable
destituable
restituable
substituable

lavable
redevable
increvable
relevable
ir/recevable

in/concevable
percevable
clivable
lessivable
in/cultivable
in/vivable
in/solvable
in/observable
im/prouvable
approuvable
in/trouvable
im/buvable

assonances
2. ABE
4. ABRE
7. ACLE

contre-assonances
261. IBLE
361. OBLE
93. AMBLE

4. ABRE

MACABRE

il se **cabre**
(chèvre, rég.) une cabre
MACABRE
(il divague)
il abracadabre
(Jean Henri) Fabre
(poisson) un labre
saint Labre
(Italie) la Calabre
(sans forces, rég.)
être calabre
une/il palabre
(épuisette, Alg.) un salabre
(table de sacrifice)
table d'anclabre
il se **délabre**
candélabre
(seul, arg.) seulabre
glabre
cinabre
(jeune, arg.) jeunabre
il/un **sabre**
les Cantabres
zabre

Bébert a le citron plein de choses **macabres**
Il y écorche volontiers l'acarus mort
Il étale les peaux entre deux **candélabres**
Puis il médite et s'aperçoit qu'il a eu tort

Des morpions vivants avec des binettes **glabres**
Feraient évidemment bien mieux dans le décor
Il respecte les vivants comme les saints **labres**
Il trouve très vilain d'être toréador

Raymond Queneau, « Image peut-être tordue d'un certain Bébert »,
Le Chien à la mandoline

Arc sans corde du bugue et girelle aux yeux d'or,
Rascasse se crêtant d'un défilé de **sabres**,
Rouget comme la lèvre, oursin gros de **cinabres**,
Congre éroticissime où ***marbre*** se retord,

Poulpe impliquant femme, cancer, impérator,
Pataclé que d'aplomb martelèrent les **fabres** *
– Dynaste des pageaux et bisaïeul des **labres**,
Que le poisson nombreux se rue au corridor !

Jacques Audiberti, « Le déluge »,
L'Empire et la Trappe

* lat. *faber :* forgeron

Prendre la langue verte et la couper au ras
S'en réchauffer les doigts gercés par la **palabre**
Cracher des mots comme on cracherait des crachats
Et faire un style enfin à débander les ***arbres***

Léo Ferré, « Le Voyeur »,
Poète... vos papiers !

assonances
3. ABLE
46. ARBE
80. AVRE
47. ARBRE

contre-assonances
124. ÈBRE
262. IBRE
362. OBRE
94. AMBRE

❐ *41 [Péguy] ; 47 [Jacob] ; 124 [Derème]*

5. ACHE-ASH°

LÂCHE

(plante) l'ache
(lettre) H°
il/une **hache**
(haschisch) du H°/hasch°
il/une bâche
il **rabâche**
il débâche
(fouet) courbache
un/une/il **cache**
du/payer **cash**°
macache!
il écache
(révèle) il décache
cache-cache
(très loin, arg.) à dache
(averse, rég.) une radache
Caran d'Ache
rondache
(giton, arg.) un bardache
mordache
viscache
(chimie) pH°
(vieillard, arg.) un/e P.P.H.°
il se **fâche**
(il s'apaise) il se défâche
la/il gâche
(serrure) une gâche
(moustache, arg.)
une moustagache
malgache
V.I.H.°
un/être LÂCHE
il **lâche**
les Appalaches
clash°
une/il **relâche**
(flaque) une flache
il flashe
un **flash**°
goulas(c)h°/goulache
(salade) la mâche
il **mâche**
il remâche
un smash°
il smashe
(fesses, arg.) les naches
ganache
(mélanger) il panache
(brio) un **panache**
il empanache
grenache
il harnache
il enharnache
il déharnache

barnache/bernache
houache
il/la gouache
(chinois, verl.) un noiche
squash°
(indien, voyou) un apache
les Apaches
il **arrache**
Carrache
(loup-garou, rég.)
une garache
(mauvais café, rég.)
un marache
il **crache**
(accident) un crash°
(il s'écrase) il se crashe
il recrache
(insulte, arg.)
une/il escrache
(il médit, arg.) il excrache
(averse, rég.) il/la drache
midrash°
(chimie) rH°
la Thiérache
bourrache
il s'amourache
(il piétine, rég.) il patrache
qu'il **sache**
il ensache
(souillure) il/une **tache**
(travail) il/une tâche
il/une **attache**
patache
il **rattache**
il entache
(il quitte) il (se) **détache**
(il nettoie) il détache
sabretache
(vinasse, arg.)
du gros-qui-tâche
multitâche
potache
il/une soutache
(couteau) un eustache
saint Eustache
(Jean) Eustache
trompe d'Eustache
pistache
moustache
(animal) une **vache**
(méchant) être vache
(flic, arg.) un vache
bravache
il/une **cravache**
(plateau de) Millevaches
les Tchouvaches

Comme inconstante, et de cœur fausse et **lâche**,
Elle me laisse. Or, puisqu'ainsi me **lâche**,
À votre avis, ne la dois-je lâcher ?
Certes oui : mais autrement fâcher
Je ne la veux, combien qu'elle me **fâche**.

Il lui faudrait (au train qu'à mener **tâche**)
Des serviteurs à journée et à **tâche** :
En trop de lieux veut son cœur attacher,
Comme inconstante.

Or, pour couvrir son grand vice et sa **tache**,
Souvent ma plume à la louer s'**attache** :
Mais à cela je ne veux plus tâcher,
Car je ne puis son mauvais bruit cacher
Si sûrement qu'elle ne le **décache**
Comme inconstante.

Clément Marot, « De l'inconstance de Isabeau »,
Rondeaux. LXVI in *L'Adolescence clémentine*

Un amour peut en cacher un autre
On est aveugle mais comment faire autr-
Ement il faut payer le jour du **crash**
C'est l'american express ou le **cash**

On réalise un beau jour entr'autres
Qu'il s'en pointe un autre que le vôtre
Personne n'a jamais su que je **sache**
Qu'il aurait droit à ce coup de **flash**
[...]
On pense que ça n'arrive qu'aux autres
M' balance pas ça, pas à moi, à d'autres
Il en reste des ***traces*** des **taches**
De sang quand deux first ***class*** se **détachent**

Serge Gainsbourg, « Un amour peut en cacher un autre »,
Dernières nouvelles des étoiles

Le vent peut déchirer le ciel que nous aimons,
On aura beau briser ce chant à coups de **hache**,
Tu restes, mon amour, le radeau de limon
Pâle, émergeant toujours des brumes du ***voyage***.

Albert Ayguesparse, « La nuit son ombre et ses poisons »,
Poèmes

Partez dans le vent qui se **fâche**,
Sous la Lune sans lendemains,
Cherchez la pâtée et la ***niche***
Et les douceurs d'un traversin.

Et vous, nuages à tous crins,
Rentrez ces profils de ***reproche***,
C'est les trente-six mille buccins
Du vent qui m'ont rendu tout **lâche**.

Jules Laforgue, « Lunes en détresse »,
L'Imitation de Notre-Dame la Lune

assonances
18. AGE
71. ASSE
48. ARCHE

contre-assonances
125. ÈCHE
263. ICHE
363. OCHE

❐ 435.12 [Aragon]
48 [Audiberti] ; 71 [Queneau] ; 217 [Brel]

6. ACHME

drachme
tétradrachme

Je suis partout : dans l'ode, et dans la tragédie ;
L'Escurial et l'Arcadie
M'ont vu marcher parmi les lys et dans le sang.
Je suis sur la médaille et sur le **tétradrachme**,
Et peu me chaut l'auteur du ***drame,***
Je suis le plus beau, toujours, et le plus puissant !

Paul Morin, « La Revanche du paon »,
Poèmes de Cendre et d'Or

D'abord la dîme : elle est de douze **drachmes** ;
Ceci est pour le ***diacre***.

Francis Vielé-Griffin, « Phocas le jardinier »,
Œuvres. III

assonances
19. AGME
36. AME
8. ACRE

contre-assonance
126. ECHME

❐

7. ACLE

MIRACLE

(il gâche) il **bâcle**
(barre de fenêtre) il/une bâcle
embâcle
débâcle
(glousse, rég.) la poule câcle
(minéralogie) une macle
(verrerie) il macle
il **renâcle**
(police, arg.) la renacle
cénacle
pinacle
barnacle/bernacle
tabernacle
il racle
MIRACLE
cours des Miracles
oracle
(chariot, rég.) un tracle
(handicapé, rég.) un estracle
un/il tacle
pentacle
spectacle
habitacle
réceptacle
obstacle

Lumineuse en sa robe où l'aurore a tremblé,
La Reine veut dompter, par le don du **miracle**,
La Licorne qui broute un tendre brin de blé,
Puis piaffe dans les fleurs, et s'ébroue et **renâcle**.

Malgré les jeux du paon qui s'éploie, ocellé,
Elle le mène au lieu désigné par l'**oracle**
Où la femme, ayant lu dans le livre scellé,
Doit surprendre le Mal et détruire l'**Obstacle**.

Stuart Merrill, « La Princesse à la licorne »,
Le Jeu des épées in *Poèmes*

Passer ? Folie ! J'obstrue. Je suis **l'obstacle**
Aux pas humains. Je tends sur vos **débâcles**
Ma nuit piégée. J'enclos votre **habitacle**
D'un mur de suie. La boue que mon flot **racle**
Est tourbe épaisse et crépit mes **pinacles**,
J'y fixe aux pics de feu mon **tabernacle**
Pour obturer par en haut ton **spectacle**.
Homme, à nous deux, j'ai trahi tes **miracles**
Qui m'évinçaient. Je suis l'antique **oracle**
Revenu t'enchaîner.

Jean Grosjean, « Vainqueur par défaut »,
Majestés et passants

JOCASTE
Je suis l'**obstacle** ?

ŒDIPE
Obstacle, **oracle** et **débâcle** en **miracles**
Sacre, ***massacre***, ***nacre*** des ***simulacres***
Désirable délit, délire ***indélirable***
Cascade et ***sade embuscade*** d'***Iliades***
Fable équitable, étreinte et sainte, ceinte d'enfreintes
Lion de sel, femelle en mers, ***mâle*** en ***massacre***
Froide en zénith, Reine en nadir, ***Table*** d'**obstacle** ***sacre***.

Henry Bauchau,
La Reine en Amont, acte II, scène IV in *L'Arbre fou*

assonances
3. ABLE
8. ACRE
44. AQUE

contre-assonances
128. ÈCLE
266. ICLE
364. OCLE

❐ *128 [Romains] ; 364 [Aragon]*

8. ACRE-AKR°

NACRE

(mesure) une acre
(Brésil) Acre
(Israël) Acre
être **âcre**
Abu Bakr°
Saint-Jean-d'Acre
diacre
archidiacre
Paul Diacre
sous-diacre
(calèche) un **fiacre**
(cul, arg.) le fiacre
saint Fiacre
polacre
ambulacre
simulacre
macre
il/la NACRE
Odoacre
pouacre
(il englue) il empouacre
(sacrement) il/un **sacre**
(blasphème) un/il sacre
(rapace) le sacre
il **massacre**
il **consacre**

Je vous prendrai la main dans le silence, **diacre**,
Et nous marcherons deux par des chemins étroits,
J'aurai le tournesol rayonnant dans les doigts ;
Vous porterez le lys comme un vase de **nacre**.

Nous irons, moi vers Chypre et vous vers **Saint-Jean-d'Acre**,
Toucher le grand Symbole ou voir la Sainte Croix,
Chevaliers ignorants de ***vaincre*** pour les rois,
Mais sujets du bleu rêve et du vain **simulacre**.

Pierre Louÿs, « À Paul Ambroise Valéry »,
Astarté

Oui, crachez vos serments, hurlez vos *Te Deums*,
Invoquez vos *Agnus*, vos bon dieux, vos Mahoms !
Que les czars et les rois et les hommes des **sacres**
Lancent tous les bourreaux, fassent tous les **massacres** !

Victor Hugo, « Eh bien, allons ! »,
Les Années funestes. VIII

Surgira-t-il de l'onde, idole et **simulacre**,
Roi posthume et vivant de vos désirs, ou tel
Qu'un moissonneur de nos cheveux, ou tel qu'un ***pâtre***
Qui cherche nos yeux clairs aux Étoiles du ciel ?

Henri de Régnier, « La Vigile des grèves »,
Poèmes anciens et romanesques

Tu trempais en riant des roses dans du ***sucre***
Et tu mordais dans leur fraîcheur à blanche **nacre**
Et quand tu me tendais tes lèvres, j'y goûtais
Les roses dont l'arôme embaume les étés.

Tristan Derème, « Et naguère aux midis… »,
La Verdure dorée. LXXIII

assonances
7. ACLE
4. ABRE
77. ATRE
60. ARQUE

contre-assonances
365. OCRE
540. UCRE
102. ANCRE
343. INCRE

❐ 9 [Vivien]
7 [Bauchau]

9. ACTE-ACT°

EXACT

acte
autodidacte
artefact°
il jacte
(antécédents, Belg.)
des rétroactes
pacte
épacte
impact°
Naupacte
un (disque) compact°
être **compact°**
il/être **compacte**
(chute) **cataracte**
(de l'œil) cataracte
Bibracte
(armure; vaisseau)
cataphracte
il réfracte
il diffracte
Soracte
(brochure) un tract°
(remorquer) il tracte

Poésie, tu n'es pas la connaissance **exacte**,
Et tu n'es pas non plus la flamme de l'instinct.
Contente-toi, entre les deux, d'être un **entracte**
Où tout s'allume, où tout s'éclaire, où tout s'éteint.

Alain Bosquet, « Premier testament »,
Poèmes, un

Le Décor. Intérieur d'une cour de ferme.

Les bruits nous l'ont décrit d'une façon **exacte**.
Portail croulant. Mur bas fleuri d'ombelles. Foin.
Fumier. Meule de paille. Et la campagne au loin.
Les détails vont se préciser au cours de l'**acte**.

Sur la maison, glycine en mauve **cataracte**.
La niche, du vieux chien de garde, dans un coin.
Épars, tous les outils dont la Terre a besoin.
Des poules vont, levant un pied qui se **contracte**.

Edmond Rostand, « Le Décor »,
Chantecler, acte I

☞

ACTE-ACT°

entracte
il détracte
il (se) **rétracte**
(il s'engage) il contracte
(raidir) il (se) **contracte**
être décontract°/e
il (se) décontracte
abstract°
tact°
intact°/e
un **contact°**
il contacte
EXACT°/E
inexact°/inexacte

Tes doigts caressent la kithare,
Cherchant le rythme **exact** :
Sous la langueur du toucher rare
Surgit l'hymne **compact**.
Tu te plais au beau ***simulacre***
De la victoire et du ***massacre,***
Et, plus rayonnant que la ***nacre,***
Brille ton corps **intact**.

Renée Vivien, « La terre est comme un vase… »,
Les Kitharèdes in *Œuvre poétique complète*

Tous vos jolis brillants ne valent pas leur ***boîte***,
Ni votre imagerie un peintre d'ornement.
Quel « absurde » écolier ! le « ridicule » amant !
Tiens ! « dégoûtant » chanteur de la note **inexacte** !

Germain Nouveau, « À J(ean)-A(rthur) R(imbaud) »,
Le Calepin du mendiant

assonances	*contre-assonances*
7. ACLE	*130. ECTE*
8. ACRE	*267. ICTE*
44. AQUE	*366. OCTE*
75. ATE	*541. UCTE*

❒ *34[Audiberti] ; 43 [Verlaine] ; 130 [Franc-Nohain]*

10. ADE-AD°

MALADE
CAMARADE

Galaad°

Bade
(en liberté, rég.) à l'abade
une/il **gambade**
tribade
Sindbad°
Marienbad°
dérobade
aubade
(soldat) un troubade
la Barbade
(panique, rég.) une estubade

cade
(colique, arg.) une cacade
(averse, rég.) une roufacade
il/une saccade
estacade
décade
Leucade
il (se)/une **barricade**
alcade
il/une **cavalcade**
rocade
toquade/tocade
estocade
foucade
arcade
les Orcades
il/une **cascade**
embuscade
muscade

bambochade
pochade
Tchad°
débandade
brandade
Bagdad°
alidade
Trinidad°
rondade

ennéade
Carnéade
oréade

être **fade**
(partage, arg.) il/un fade
(il remplit, arg.) il refade
griffade
étouffade
estouffade
rebuffade

gade
bagad°
(bêtise, arg.) une cagade
(émotion, rég.) une estomagade
(secousse, rég.) une soutragade
aiguade
brigade
il embrigade
bourgade

empoignade
baignade
barguignade
pignade

aillade
naïade
noyade

Il eut des temps quelques argents
Et régala ses **camarades**
D'un sexe ou deux, intelligents
Ou charmants, ou bien les deux **grades**,
Si que dans les esprits **malades**
Sa bonne réputation
Subit que de **dégringolades** !
Lucullus ? Non. Trimalcion.

Sous ses lambris, c'étaient des chants
Et des paroles point trop **fades**.
Eros et Bacchos indulgents
Présidaient à ces **sérénades**
Qu'accompagnaient des **embrassades**.
Puis chœurs et conversation
Cessaient pour des fins peu **maussades**.
Lucullus ? Non. Trimalcion.

Paul Verlaine, « Ballade de la mauvaise réputation »,
Parallèlement

Je suis le fol roy Coco de ***Colchide***
J'habite dans sept grands palais de **jade**
Et j'ai sept caravelles dans ma **rade**
Qui m'apportent les trésors d'***Atlantide***.

Pour avoir erré sur la mer ***viride***
Dans un clair de lune de **sérénade**
Leurs poupes ***gardent*** un peu du bleu **fade**
Des cieux où la nuit veut combler le ***vide***.

Le seul sérail dont je fasse **parade**
C'est le ciel d'étoiles : j'entends, **maussade**,
Tintinabuler leur cristal ***limpide***.

Je meurs de langueur. Dans mon cœur **malade**
Des poissons dorés à l'éclat ***splendide***
Vont nageant en désespoir de **noyade** !

Roger Gilbert-Lecomte, « L'Heur du roy de Colchide »,
Œuvres complètes. II

☞

ADE-AD°

(niaiserie, rég.)
une caraiade
mitraillade
(Laurent) Tailhade
une/il taillade
Alcibiade
(il potasse, arg.) il chiade
dyade
Hérodiade
la Pléiade/pléiade
(myth.) les Pléiades
les Omeyades
appareillade
œillade
(Louis) Feuillade
(d)jihad°
(Mircea) Eliade
(myth.) les Héliades
péliade
l'**Iliade**
des **jérémiades**
anchoïade
cafouillade
gargouillade
(plante) une asclépiade
(vers) un asclépiade
(médecin) Asclépiade
olympiade
Ri(y)ad°
pariade
la Henriade
dryade
hamadryade
Tibériade
grillade
myriade
triade
la Franciade
la Messiade
(ordre de l') Annonciade
fusillade
persillade
les Lusiades
thyade

le **jade**
golfe de Jade
orangeade
galéjade

un lad°
il (se)/une **balade**
(poème) une **ballade**
(boire cul sec, arg.)
boire calade
il/une escalade
désescalade
(chant de Noël, rég.)
une nadalade
boire à la régalade
(feu) une régalade
MALADE
garde-malade
(sottise, rég.)
une foutralade
(mets) une **salade**
(casque) une salade
clade
les Cyclades

mouclade
Hellade
engueulade
marmelade
pelade
Encelade
reniflade
phyllade
estafilade
enfilade
défilade
Pylade
accolade
pholade
rossignolade
rigolade
dégringolade
roucoulade
rémoulade
roulade
peuplade
reculade
bousculade

battre la chamade
brimade
nomade
semi-nomade
il/une **pommade**

esplanade
manade
(soupe; misère) la panade
(se pavaner) il se panade
(blague, rég.)
une bestranade
Ménade/ménade
sérénade
promenade
tapenade
(fruit) une **grenade**
(arme) il/une grenade
(ville, Esp.) **Grenade**
(Antilles) la Grenade
lance-grenades
dégoulinade
arlequinade
(œuvre fade) berquinade
pasquinade
(blague, rég.)
une turlupinade
(farce) une tabarinade
marinade
mazarinade
capucinade
carbon(n)ade
gasconnade
chiffonnade
oignonade
rognonnade
gonade
dragonnade
couillonnade
talonnade
pantalonnade
colonnade
monade
limonade
canonnade

Il parle, et le soleil oblique sur **Bagdad**
Jette une braise immense où s'endorment les palmes,
Et les convives, tous judicieux et calmes,
Écoutent gravement ce que leur dit **Sindbad**.

Francis Jammes, « Dans le verger… »,
De l'Angelus de l'aube à l'Angelus du soir

Qu'y a-t-il de plus pauvre que l'homme endormi ?
La nuit ne caresse pas. Ô prison de la nuit !
Mais la pensée est une eau **froide**
Qui tombe sur ton cadavre **roide**.

Max Jacob, « Le Sommeil »,
Ballades

Ne nous ménage pas, ô nuit, que ton ***étrave***,
Par la garcette et l'**estrapade**,
S'impose au flot comme fer rouge au flanc de la brebis !

Marc Alyn, « La Flèche et le ciel »,
Délébiles in *Le Chemin de la parole*

❐ 214.19 [Cazals] ; 333.20 [Derème]
50 [Ferré] ; 132 [Soupault] ; 268 [Deville]

tamponnade
caronade
fanfaronnade
citronnade
cassonade
caleçonnade
ratonnade
parler à la cantonade
cotonnade
bastonnade
tornade
journade

Joad°
les Almohades
Troade

escouade
roide
froide

escapade
échappade
attrapade
il/l'**estrapade**
galopade
(gorgée, rég.) une gloupade
croupade

(unité de mesure) le rad°
en/une **rade**
(bar, arg.) un rade
(évasion, arg.)
une décarrade
mascarade
charade
farad°
séfarade
bigarade

algarade
(rire, arg.) une marrade
CAMARADE
foirade
il/une **parade**
(malheur, rég.)
une malparade
hit-parade
(pissat, rég.)
une pissarade
il/une pétarade
il brade
(sale, arg.) crade
il dérade
ferrade
piperade
(Isaac de) Benserade
grade
sans-grade
(il s'avilit) il (se) **dégrade**
(dégradé) il dégrade
tardigrade
onguligrade
décigrade
plantigrade
centigrade
digitigrade
Belgrade
Stalingrad°
Léningrad°
Volgograd°
il/être rétrograde
la **Désirade**
tirade
dorade/daurade
les Sporades
(rois) Conrad°
(Joseph) Conrad°
bourrade

M(o)urad°
(Victor de) Laprade
tétrade
(plancher) une **estrade**
battre l'estrade
autostrade
balustrade
il extrade
(cuisine) à la poivrade
(ivresse, arg.) une poivrade

(marquis de) Sade
ambassade
façade
passade
embrassade
tansad°
(gentilhomme)
un anspessade
il/une **palissade**
lapalissade
glissade
(rixe, rég.)
une esploumissade
maussade
il/une torsade
(fellation, arg.) une suçade

rasade
S(c)héhérazade
croisade
pesade
les septembrisades
(en improvisant)
à l'improvisade
arquebusade

pintade
mousquetade

ADE-AD°

capilotade
rodomontade
(coup de bâton, rég.) une garroutade
incartade
stade
Van Ostade

croustade
boutade
ruade
il dissuade
il **persuade**

bravade
il s'**évade**
couvade

assonances	*contre-assonances*
2. ABE	*132. ÈDE*
75. ATE	*268. IDE*
79. AVE	*367. ODE*
50. ARDE	*542. UDE*

11. ADGE-ADJ°

(pèlerin/pèlerinage) **hadj°**
badge
package
(non-gitan, arg.) un gadj°
al-Halladj°
(malheur! Alg.) manadje!
(il dirige) il manage
Abû al-Faradj°

assonances	*contre-assonances*
18. AGE	*133. EDJ*
10. ADE	*269. IDGE*
	368. ODGE

NI PUB NI REÎTRES
NI TUBE NI PRÊTRES

NI FRIC NI ***MAGE***
NI FLIC NI **BADGE**

Jean Vasca, « À gueuler sur les routes »,
Solos solaires

Égal au **hadj**
comme aux autres faiseurs d'embarras et de ***pèlerinage***…

Michel Leiris, « De quel lointain ! »,
Autres lancers

❒

12. ADRE

CADRE
ESCADRE

(il embête, Can.) il bâdre
il/un CADRE
il **encadre**
il désencadre
il décadre
ESCADRE
(lépreux) (un/e) ladre
(avare) (un/e) **ladre**
(bois veiné) le madre
(veiner) il madre

Ça suit son cours le linge où marquer son visage
Pour laisser pendre au mur sa photo dans un **cadre**
Avec au fond la croix du dernier chef d'**escadre**
Et changer une lance en lance d'arrosage

Rouben Melik,
L'Ordinaire du jour

Il triomphe. Il invente. Il **encadre**
Victor Hugo méchant dans Victor Hugo **ladre**.

Victor Hugo,
Suite de Châtiments, cote 69.272 in *Chantiers*

...Devant la glace haute et sans autre **cadre**
Que les torrents glacés des rideaux de soie,
– Tel un bassin limpide où nul flot n'ondoie
Mais qu'un jeu de reflets verts et roses **madre**, –

Un frêle adolescent, nu, seize ans à peine,
Longs cheveux d'or bouclés, visage adorable,
Bouche aux ailes de feu frôlant l'impalpable,
Contemple sa beauté candide et sereine.

Iwan Gilkin, « Narcisse »,
La Nuit

Et pourtant rien ne vaut que vous, plaisir amer,
Sur qui posent le monde et tout l'humain ***théâtre***,
Amer plaisir, profond tel la profonde mer
Qui porte allègrement les pesantes **escadres** !

Anna de Noailles, « Le Plaisir »,
Les Forces éternelles

assonances	*contre-assonances*
4. ABRE	*135. ÈDRE*
77. ATRE	*270. IDRE*
10. ADE	*104. ANDRE*
50. ARDE	*346. INDRE*

❒ *22 [Apollinaire] ; 51 [Villon]*

13. AFE-AF°

PARAPHE

il/une **baffe**
bathyscaphe
tcharchaf°
(pardessus, arg.) un pardaf°
(bataillon d'Afrique)
un Bat' d'Af'°
(sud-africain, arg.) un sudaf°
(fasciste, arg.) un faf°
(papiers, arg.) des fafs°/faffes
(perche) il/une gaffe
(bévue) il/une **gaffe**
(attention) faire **gaffe**
(il regarde) il gaffe
(gardien, arg.) un gaffe
(cordonnier, arg.) un gnaf°
(il étonne, arg.) il égnaffe
(Édith) Piaf°
(oiseau) un piaf°
il **piaffe**
(soupe, arg.) il/une jaffe
blaff°
(sommeil, arg.) la chlaffe
il s'**esclaffe**
(riz) pilaf°
Olav°/Olaf°
(goinfre, Belg.)
(un/e) goulaf°/fe
(gifle, rég.) une berlafe
(fleurs d'oranger)
eau de naffe
(moitié moitié, arg.) af(a)naf°
(ferme, arg.) une garnaffe
(aboiement) ouaf!°
une/il **coiffe**
il décoiffe
il recoiffe
la **soif**°
(il boit, arg.) il soiffe
il **assoiffe**
boit-sans-soif°
la Luftwaffe
(chute) paf!°
(ivre, arg.) être paf°
(pénis) un paf°
(télévision) le PAF°
(sodomise, arg.) il empaffe
(détonation) pif, paf!°
(obsédée, arg.)
une saute-au-paf°
la RAF°
rester en/une **carafe**
il/un parafe/PARAPHE
(gribouillis) un/e patarafe
(il tue, arg.) il scrafe
graphe
(bombage, arg.) un graf°
(il bombe, arg.) il graffe
(math.) un graphe
une/il **agrafe**
il dégrafe
paragraphe
télégraphe

marégraphe
un/e chorégraphe
tachygraphe
un/e calligraphe
un/e polygraphe
héliographe
épigraphe
un/e cacographe
un/e musicographe
un/e lexicographe
un/e géographe
un/e paléographe
logographe
un/e biographe
(un/e) hagiographe
un/e bibliographe
un/e historiographe
un/e dactylographe
un/e sténodactylographe
stylographe
un/e xylographe
(h)olographe
un/e soûlographe
un/e démographe
(un) homographe
nomographe
thermographe
s(é)ismographe
un/e cosmographe
un/e océanographe
un/e sténographe
un/e iconographe
phonographe
(un/e) pornographe
un/e ethnographe
un/e typographe
un/e topographe
un/e hydrographe
spectrographe
cinématographe
pantographe
un/e lithographe
un/e mythographe
autographe
un/e **photographe**
un/e cryptographe
un/e cartographe
orthographe
girafe
(maghrébin, arg.)
un nor(d)af°
U.R.S.S.A.F.°
(peur, arg.) le taf°
(part, prix, arg.) le taf°/fe
(bouffée, arg.) une taffe
(matelot, arg.) un mataf°
(bruit du cœur, rég.) tife-tafe
(querelle, rég.) une tife-tafe
épitaphe
cénotaphe
(état-major) le staff°
(matière) du staff°
(construire) il staffe
Falstaff°

assonance
79. AVE

contre-assonances
370. OFE
136. EF-FE

Artiste, votre nom de savant **typographe**
Emplit tout l'univers de sa belle rumeur ;
Mais vous savez aussi, bon poète et rimeur,
Dompter le blanc cheval qui hennit et qui **piaffe**.

La Muse a devant vous détaché son **agrafe**.
Les vers que vous signez : Jules Claye, Imprimeur,
N'égalent pas le charme et la joyeuse humeur
De ceux au bas desquels est mis votre **paraphe**.

Théodore de Banville, « À Jules Claye »,
Rimes dorées

Ce n'est pas ces gommeux et ces beaux **topographes**
Qui sauront nous trouver l'impérissable lieu.
Ce n'est pas ces messieurs et ces **lexicographes**
Qui sauront nous trouver l'inaltérable Dieu.

Et ce ne sera pas ces **historiographes**
Qui viendront nous chercher par des chemins rompus.
Et ce ne sera pas ces tourneurs de **carafes**
Qui viendront soulever nos membres corrompus.

Et ce ne sera pas ces graveurs d'**épitaphes**
Qui nous feront passer les ponts interrompus.
Et ce ne sera pas ces auteurs d'**autographes**
Qui viendront soulever nos membres corrompus.

Et ce ne sera pas ces maîtres d'**orthographes**
Qui nous feront passer par les ponts suspendus.
Et ce ne sera pas ces auteurs de **paraphes**
Qui pourront soulever nos membres détendus.

Et ce ne sera pas ces faiseurs d'**épigraphes**
Qui nous introduiront à la source de l'être.
Et ce ne sera pas ces **sténobiographes**
Qui viendront nous chercher dans la ronce et le hêtre.

Charles Péguy,
Ève, p. 1140

Mon vieux frangin, tu viens d'bouffer d'la case,
T'es t'un garçon comm'moi, tu n'as pas l'**taf**,
Je t'écris deux mots et j'profite d' l'occase
Pour t'envoyer le refrain des **Bat. d'Af.**

Aristide Bruant, « Aux Bat. d'Af. »,
Dans la Rue

Escalier B Caveau C Tombeau ***F***
Mille regrets Fleurs de pierre **Épitaphes**
Victor Hugo est enterré au Panthéon
Ce grand format ne convient pas pour la saison

Guy Béart, « Escalier B »,
Couleurs et Colères du temps

Pif, ***pif***, ***pif***, ***pif***, **paf**, **paf**, **paf**, **paf** !
S.O.S. ! C'est le **télégraphe**
Qui communique aux faons ***naïfs***
Des nouvelles de la **girafe**.

Marc Alyn, « Le Pivert »,
L'Arche enchantée

❐ *15 [Desnos] ; 218 [Fondane] ; 271 [Prévert]*

14. AFLE

RAFLE

baffle
(il[s']écorche, rég.) il (s')écargnafle
(il jacasse) une/il bajafle
(ferme, arg.) une gernafle/garnafle
une/il RAFLE
(grappe sans raisin) une rafle
il **érafle**

Lassé des diamants dont les pointes m'**éraflent**
Plus encor de Vénus taillée en diamant
Pour fendre ma vitrine et voler mes piments,
Mes guêpes, mes oiseaux que les risées me **raflent**,

Je veux faire l'amour à la mer comme un fleuve...

Olivier Larronde, « Le Baptême des larmes »,
Les Barricades mystérieuses

C'est la Défense, au fond, qui plante ses grands **baffles**.
À travers les vergers, le vent, du haut en bas,
Guidé par une pie exécute des **rafles**...

Jacques Réda, « Clamart »,
Hors les murs

assonances
13. AFE
15. AFRE
28. ALFE

contre-assonances
138. ÈFLE
272. IFLE
489. OUFLE

❐ 272 [Césaire]

15. AFRE

il/une BALAFRE

Monseigneur Affre
(tourment) les **affres**
il **bâfre**
(moustache et barbe, arg.) une bâfre
les Cafres
(un/e) **cafre**
(sobriquet, rég.) un châfre
(dépenaillé, rég.) déchâfre
(gardien, arg.) un gaffre
(cordonnier, arg.) un gnaffre
(accroc, rég.) une gagnafre
(il s'empiffre, rég.) il yafre
il/une BALAFRE
(goinfre, rég.) galafre
(goinfre, rég.) (un/e) goulafre
(glouton, rég.) (un/e) safre
(bleu de cobalt) le safre

Sous le poste, à dent lente ils mâchent dans le noir
Verluisant d'un visage ou d'un plat du dressoir
Et les yeux bien plus gros que le ventre ils en **bâfrent**,
Des messages, du sport, des lessives, des **affres**,
De l'univers en boîte échauffé chaque soir
Par ce courant qui, le matin, vibre au rasoir...

Hervé Bazin, « Télé »,
Jour in *Œuvres poétiques*

Sur mon tombeau un ***phonographe***
chantera soir et matin
la complainte du guerrier **cafre**
navré d'un coup d'œil libertin.

Robert Desnos, « Mon tombeau mon joli tombeau… »,
Prospectus in *Destinée arbitraire*

Cadavres ou non, tous ***cadavres***,
les hommes, bandés d'avenir
exigent, du fond des **balafres**,
le galop qui va les punir.

Jacques Audiberti, « Le cheval »,
Toujours

assonances
13. AFE
80. AVRE
52. ARF

contre-assonances
273. IFRE
372. OFRE
490. OUFRE

❐ 347 [Maërl]

16. AFTE-AFT°

aphte
il cafte
(drogue, arg.) la napht°/e
(bitume) le **naphte**
raft°
kraft°
(Howard Ph.) Lovecraft°
hovercraft°
(n. déposé) Chris-Craft°

Le maharadjah :	*L'interprète*
Kar toum **belafft**	Dame Jolie, assurément
Honel Izquere !	Vous comprenez bien aisément
Kietam **denafft**	Que ce sont là des compliments
Oplo denerre…	Qu'il est absolument
Ké volopo fak an herett	Inutile de vous traduire.
Zatt séridni mop tekerett !	

Sacha Guitry,
L'Amour masqué, acte I

assonances
13. AFE
14. AFLE
15. AFRE

contre-assonances
274. IFT-E
373. OFT
491. OUFTE

❐

17. AGDE

Agde
cap d'Agde
(émeraude)
une smaragde

assonances
10. ADE
23. AGUE
50. ARDE

18. AGE

ÂGE
IMAGE
SAGE
VISAGE

(flèche de charrue) age
ÂGE

(+comp.) bats-je?
sans **ambages**
jambage
flambage
eubage
libage
engobage
enrobage
bombage
colombage
dé/plombage
ébarbage
il/un **herbage**
gerbage
désherbage
cubage
tubage

cage
claquage
(revêtement) placage
(abandon) plaquage
(concubinage, arg.)
un maquage
(pâture) il/un pacage
(forfait) package
(pacquer) pacquage
racage
braquage
matraquage
il/un **saccage**
il encage
amour-en-cage
marécage
lit-cage
flicage
applicage
(maladie) picage
(piquer) piquage
dépiquage
repiquage
décorticage
astiquage
plastiquage
mastiquage
rusticage
le Bocage
un **bocage**
dé/bloquage
stockage
marquage

démarcage/
démarquage
parcage
remorquage
trucage/truquage
stucage

hachage
bâchage
rabâchage
gâchage
lâchage
panachage
arrachage
détachage
branchage
ébranchage
tranchage
méchage
séchage
bêchage
repêchage
fichage
affichage
clichage
défrichage
lynchage
embauchage
ébauchage
débauchage
fauchage
guillochage
piochage
effilochage
boulochage
brochage
accrochage
décrochage
dérochage
dé/bouchage
couchage
démarchage
épluchage

adage
grenadage
bradage
bandage
marchandage
brigandage
achalandage
galandage
glandage
épandage
faisandage
étendage
guidage
téléguidage
radioguidage
é/dé/vidage
guindage
blindage

Qu'ai-je fait de mon corps brûlant
À l'heure d'une révolte **sauvage**,
Qu'ai-je fait, oui, de mon penchant
Pour la nuit, l'étoile et l'**orage** ?

Qu'ai-je fait du garçon errant,
— Il avait la puissance d'un **mage** —
Porté par la vague d'un torrent,
Quand la terre était un **mirage** ?

J'éparpille les graines au vent,
Les yeux remplis d'une même **image**.
Voici le grand jour que j'attends :
Mon amour survit au **naufrage**.

Maxime Alexandre, « À la source »,
Circonstances de la poésie

Aidez-moi doux Seigneur et j'oublierai la **plage**
Et le ciel sur la mer et la mer à mes pieds,
Et les villes la nuit et mon joli **village**
Et les regards d'amour et mon amour dernier.
Faites l'obscurité, doux Seigneur, dans ma **cage**,
J'ai fait peur à mon âme et mon être insensé
Ne peut se résigner aux rigueurs du **courage** :
Il aimait le plaisir, il veut recommencer.
Aidez-moi, doux Seigneur, à vaincre ces **images**
Dont mon sang obstiné ravive les couleurs.
Le repentir m'appelle aux confins de mon **âge**
Pour remettre en vos mains mon rosaire de pleurs.

Louise de Vilmorin, « Aidez-moi doux Seigneur »,
L'Alphabet des aveux in *Poèmes*

Mon missel aux claires **images**
je me drogue de ton **visage**
et te corromps d'**apprentissage**
qui feront de nous leurs **otages**
je signe mon propre **veuvage**

Louis Calaferte, « Je laisse ailleurs… »,
Londoniennes

Cette parole
Comme une porte sur le ***large***
Comme mon texte dans ta ***marge***
Comme tes yeux dans mon **ramage**
Comme moi dans ton **fuselage**
Cette parole

Léo Ferré, « Love »,
La mauvaise graine

– Mourir, mais boire. – Quel sot amour te ***ronge*** !
O boire et boire. – Ouvre ta gueule en **rage**.
– Elle est béante. – Alors, j'y veux tomber.
Je suis la soif. – Et je suis le **breuvage**.

Géo Norge, « Boire »,
Bal masqué parmi les comètes

❒ 1.3 [Arcangues] ; 91.6 [Evrard des Millières] ; 91.10 [Foulc] 333.11 [Radzitzky] ; *5 [Ayguesparse] ; 139 [Norge] ; 247 [Thiry]*

AGE

clabaudage
en/dé/codage
échaudage
badaudage
échafaudage
raccommodage
rodage
maraudage
taraudage
ravaudage
marivaudage
galvaudage
vagabondage
dévergondage
émondage
sondage
tondage
bardage
cardage
mouchardage
cafardage
caviardage
chapardage
bavardage
bordage
à l'**abordage**!
sabordage
cordage
tordage
hourdage

marchéage
péage
aréage
paréage
gréage

agrafage
greffage
ébouriffage
chauffage
réchauffage
sarcophage
ichtyophage
xylophage
hippophage
anthropophage
nécrophage
coprophage
œsophage
lithophage
les Lotophages
étouffage

il/un **gage**
(salaire) des **gages**
(équipement) **bagage**
(baguer) baguage
porte-bagages
élagage
dragage
wagage
il **engage**
il réengage
langage
métalangage
il rengage
tangage
il désengage
il **dégage**
trélingage
bastingage
zingage
catalogage
largage

piégeage
voligeage
jaugeage
limogeage
pataugeage
épongeage
forgeage

gagnage
témoignage
peignage
barguignage
lignage
provignage
rognage
éborgnage

baillage
caillage
écaillage
remmaillage
émaillage
pinaillage
paillage
r/empaillage
dépaillage
orpaillage
mitraillage
débroussaillage
entaillage
broyage
corroyage
fossoyage
nettoyage
il/un **voyage**
convoyage
planchéiage
balayage
remblayage
délayage
monnayage
(taxe) quayage
rayage
mareyage
appareillage
enrayage
embrayage
débrayage
il/un **treillage**
essayage
teillage
étayage
métayage
embouteillage
habillage
babillage
rhabillage
déshabillage
dégobillage
il/un verbiage
mordillage
feuillage
effeuillage
treuillage
liage
alliage
reliage
dé/pliage
échenillage
écrabouillage
carambouillage
gribouillage
dé/barbouillage
bredouillage
bidouillage
bafouillage
cafouillage
magouillage
mouillage
grenouillage
épouillage
dépouillage
brouillage
embrouillage
débrouillage
antibrouillage
dé/verrouillage
touillage
tripatouillage
pillage
grappillage
estampillage
torpillage
gaspillage
dé/maquillage
(outillage, rég.)
acranquillage
coquillage
resquillage
charriage
mariage
remariage
quadrillage
il/un **grillage**
coloriage
triage
rapatriage
vrillage
(scier) sciage
(trace) **sillage**
bousillage
enfantillage
étiage
pointillage
outillage
en/tortillage
Astyage
accastillage
aiguillage
essuyage

(traction) halage
(commerce) hallage
emballage
déballage
trimbalage
(étayage) calage
(arrêt) calage
décalage
recalage
dallage
toilage
r/dés/entoilage
(rideau) voilage
(roue voilée) voilage
hypallage
salage
il/un **étalage**
câblage
assemblage
criblage
doublage
dédoublage
bâclage
maclage
raclage
recyclage
bouclage
sarclage
re/cerclage
puddlage
(micmac, rég.) acramèlage
(moine) Pélage
(roi) Pélage
(peuple) les Pélasges
embiellage
niellage
démêlage
vêlage
nickelage
craquelage
modelage
agnelage
ressemelage
jumelage
crénelage
pelage
capelage
carrelage
vasselage
ficelage
bosselage
dé/pucelage
fuselage
attelage
batelage
râtelage
dételage
bottelage
javelage
travelage
nivelage
décervelage
cuvelage
persifflage
gonflage
camouflage
marouflage
soufflage
boursoufflage
réglage
épinglage
(coït, arg.) tringlage
a/en/filage
dé/tré/ef/filage
fau/pau/sur/filage
empilage
ensilage
mucilage
tussilage
cartilage
huilage
village
carambolage
collage
accolage
racolage
encollage
écolage
recollage
bricolage
chaulage
gondolage
batifolage
gaulage
fignolage
bariolage
cambriolage
vitriolage
(vol, arg.) entôlage
rafistolage
volage
blackboulage
coulage
foulage
moulage
émoulage
démoulage
roulage
il **soulage**
plage
remplage
dé/couplage
parlage
maculage
enculage
populage
brûlage
dé/capsulage

mage
les **Rois mages**
juge mage/maje
il/un **ramage**
r/étamage
écrémage
gemmage
essaimage
IMAGE
limage
arrimage
grimage
écimage
filmage
hommage
(chômeur) chômage
(chaume) chaumage
déchaumage
dommage
il endommage
il dédommage
gommage
chromage
fromage
(soulager un homme, arg.)
il défromage
fermage
affermage
humage

AGE

écumage
fumage
enfumage
allumage
plumage

il/en/la **nage**
cannage
fanage
glanage
aquaplanage
lamanage
dédouanage
apanage
dépannage
tannage
vannage
caravanage
un **ménage**
il **ménage**
(Gilles) Ménage
il ré/aménage
il **emménage**
il **déménage**
remue-ménage
carénage
chaînage
gainage
gardiennage
Moyen(-)Âge
lainage
pennage
empennage
parrainage
drainage
freinage
trainage
surmenage
engrenage
égrenage
sassenage
binage
(dénigrement, arg.) débinage
bobinage
turbinage
concubinage
chinage
badinage
(bouffonnerie) baladinage
jardinage
r/affinage
béguinage
salinage
(filouterie) patelinage
moulinage
dé/minage
laminage
baragouinage
(racolage, arg.) tapinage
copinage
(bavardage, arg.) jaspinage
damasquinage
marinage
amarinage
pèlerinage
le Borinage
tambourinage

bassinage
racinage
em/magasinage
voisinage
cousinage
limousinage
usinage
patinage
satinage
coltinage
cabotinage
libertinage
vinage
échevinage
alevinage
aunage
charbonnage
bichonnage
bouchonnage
braconnage
bidonnage
amidonnage
échardonnage
plafonnage
chiffonnage
griffonnage
badigeonnage
ébourgeonnage
compagnonnage
maquignonnage
parangonnage
(bougonnement, rég.) gongonnage
clayonnange
rayonnage
crayonnage
billonnage
camionnage
papillonnage
contre-/espionnage
tatillonnage
échantillonnage
écouvillonnage
étalonnage
pilonnage
déboulonnage
ramonage
limonage
canonnage
tamponnage
(paroles superflues) lantiponnage
harponnage
baronnage
charronnage
marronnage
charronnage
marronnage
goudronnage
patronage
saunage
façonnage
maçonnage
moissonnage
saucissonnage
poinçonnage
tronçonnage
personnage
écussonnage

cloisonnage
tonnage
entonnage
bétonnage
capitonnage
boutonnage
cartonnage
savonnage
carnage
écharnage
marnage
maternage
hivernage
bornage
cornage
enfournage
tournage
il surnage
alunage

bois-je?
chois-je?
échouage
déchois-je?
re/dois-je?
fouage
il/un affouage
serfouage
louage
clouage
enclouage
renflouage
nouage
rouage
(croire) crois-je?
(croître) croîs-je?
accrois-je?
décrois-je?
recrois-je?
souage
m'asseois-je?
déçois-je?
reçois-je?
conçois-je?
perçois-je?
aperçois-je?
touage
tatouage
re/entre/vois-je?
prévois-je?
pourvois-je?

(feuille) une **page**
(jeune noble) un **page**
(lit, arg.) un page
(coucher, arg.) il (se) page
décapage
rechapage
nappage
râpage
dérapage
frappage
égrappage
attrapage
rattrapage
il/un **tapage**
retapage
trempage
estampage

cépage
recépage
dé/crêpage
équipage
grippage
étripage
alpage
téléscopage
dopage
l'Aéropage
un aéropage
droppage
il **propage**
stoppage
pompage
estompage
coupage
découpage

il/une **rage**
barrage
garage
amarrage
démarrage
moirage
(parer) parage
de haut parage
(voisinage) les **parages**
il **enrage**
cabrage
sabrage
cambrage
calibrage
équilibrage
vibrage
timbrage
il/un **ombrage**
(fixation) ancrage
(encrer) encrage
sucrage
cadrage
calandrage
cylindrage
poudrage
aérage
il dérage
aciérage
dépoussiérage
commérage
ampérage
repérage
compérage
il arrérage
des arrérages
les Abencérages
lisérage
goal-average
ferrage
épierrage
éclairage
serrage
terrage
atterrage
affleurage
effleurage
passerage
tuteurage
dé/chiffrage
saxifrage

coffrage
gaufrage
il/un **naufrage**
soufrage
suffrage
mirage
cirage
tirage
étirage
soutirage
virage
chavirage
orage
dorage
forage
essorage
monitorage
bourrage
labourage
rembourrage
courage
il **encourage**
il **décourage**
(pour bétail) du **fourrage**
(fourrer) fourrage
(il fouille) il fourrage
il affourage
entourage
détourage
épamprage
plâtrage
replâtrage
centrage
rentrage
métrage
chronométrage
kilométrage
long-métrage
court-métrage
lettrage
fenêtrage
feutrage
calfeutrage
arbitrage
sous-/titrage
vitrage
cintrage
filtrage
il/un **outrage**
lustrage
ré/curage
peinturlurage
murage
pressurage
mesurage
voiturage
pâturage
raturage
ceinturage
bouturage
sevrage
dé/givrage
cuivrage
il/un **ouvrage**
recouvrage

un/être SAGE
tabassage
cassage

AGE

surfaçage
laçage
glaçage
massage
ramassage
passage
repassage
brassage
traçage
mordançage
lançage
pansage
rapiéçage
encaissage
message
dressage
redressage
en/dé/graissage
pressage
tressage
(Alain-René) Lesage
dépeçage
fourbissage
blanchissage
ourdissage
lissage
palissage
dé/re/polissage
dé/plissage
r/emplissage
finissage
dé/garnissage
vernissage
brunissage
serfouissage
rouissage
écrouissage
dé/re/crépissage
équarissage
lambrissage
amerrissage
atterrissage
saurissage
nourrissage
pourrissage
pétrissage
mûrissage
dégrossissage
éclaircissage
tissage
décatissage
ratissage
apprentissage
métissage
rôtissage
emboutissage
sertissage
droit de cuissage
bruissage
dé/vissage
coinçage
pinçage
rinçage
bossage
embossage
carrossage
brossage
défonçage
ponçage

moussage
troussage
hersage
perçage
reterçage
corsage
écorçage
forçage
renforçage
amorçage
(fellation, arg.) suçage
malaxage
fixage
mixage

déphasage
gazage
dé/re/boisage
après-/rasage
brasage
alésage
il/un **présage**
braisage
fraisage
mortaisage
pesage
empesage
dé/creusage
franchisage
paysage
aiguisage
balisage
tamisage
remisage
égrisage
vaporisage
reprisage
puisage
VISAGE
il envisage
il dévisage
sur/dosage
posage
entreposage
arrosage
bronzage
usage
éclusage
mésusage

le Tage
battage
abattage
rabattage
calfatage
sulfatage
lattage
frelatage
matage
démâtage
colmatage
nattage
emboîtage
ratage
barattage
re/grattage
piratage
décantage
brocantage

chantage
argentage
ébouillantage
(échec) plantage
dé/plantage
compartimentage
arpentage
charpentage
parentage
pourcentage
il/un **avantage**
davantage
il/un désavantage
factage
il/un **étage**
faîtage
laitage
toilettage
apprêtage
étêtage
dé/cachetage
crochetage
cailletage
feuilletage
valetage
pelletage
filetage
décolletage
caquetage
em/dé/paquetage
équeutage
déchiquetage
encliquetage
briquetage
étiquetage
parquetage
curetage
furetage
époussetage
rivetage
sauvetage
débitage
schlittage
dynamitage
(bombardement, arg.) marmitage
ermitage
héritage
bruitage
évitage
pointage
appointage
éreintage
asphaltage
maltage
sur/voltage
catapultage
otage
cahotage
cabotage
jabotage
rabotage
clabotage/
crabotage
sabotage
barbotage
bachotage
chuchotage
cottage

boycottage
fricotage
tricotage
boursicotage
marcottage
radotage
fagotage
ligotage
ergotage
noyautage
dénoyautage
agiotage
foliotage
papillotage
tuyautage
ballotage
pelotage
matelotage
flottage
pilotage
culottage
déculottage
escamotage
esquimautage
marmottage
canotage
pianotage
potage
capotage
clapotage
papotage
r/empotage
dépotage
chipotage
tripotage
carottage
décrottage
numérotage
zérotage
frottage
biseautage
(compter) comptage
(contagion) contage
racontage
dé/re/montage
photomontage
pontage
appontage
aoûtage
chouchoutage
égouttage
cailloutage
cloutage
filoutage
captage
décryptage
(ville) Carthage
(mines) quartage
(il laboure) il quartage
fartage
il/un **partage**
il départage
il repartage
essartage
portage
reportage
colportage
courtage
stage

dé/ballastage
dé/lestage
dépistage
accostage
ajustage
parachutage
charcutage
affûtage
enfûtage
blutage
mutage
bizutage

écobuage
cocuage
fluage
engluage
remuage
nuage
il (s') **ennuage**
(orfèvrerie) suage
(suer) suage
tuage

encavage
gavage
lavage
délavage
emblavage
esclavage
dé/re/pavage
il/un **ravage**
Le Caravage
levage
enlevage
élevage
breuvage
abreuvage
veuvage
archivage
balivage
clivage
solivage
rivage
arrivage
lessivage
estivage
avivage
sauvage
accouvage
servage
en/dé/cuvage
étuvage

assonances
53. ARGE
5. ACHE
67. ASE

contre-assonances
139. ÈGE
374. OGE
471. ONGE

19. AGME

(monnaie, poids)
une dragme
il/un **diaphragme**
syntagme
nystagme

Firmaments, de l'éther effrayants **diaphragmes**,
Ô champ sombre où Judas enterra les cent **dragmes**.

Victor Hugo,
Dieu [Fragments], cote 106.144

Je les ai vus vaillants entretenant les ***Dames***,
Ils ont fait monts et vaux, ils ont sauvé la France,
Je les ai vus danser en moult belle ordonnance,
Et sans Apothicaire avaler plusieurs **dragmes**...

Marc Papillon de Lasphrise,
Diverses poésies. LII

Quand on veut pas de mouflet pendant l'ovulation de la ***dame***
Y'a toujours la pilule, le stérilet ou le **diaphragme**
C'est quand même plus commode
Que de pratiquer l'exode
En se retirant d'un bond
Comme un évêque après le sermon

Pierre Perret, « Papa, Maman »,
Chansons de toute une vie

❐

assonances
36. AME
23. AGUE
6. ACHME

contre-assonances
277. IGME
141. EGME
375. OGME

20. AGNE-OIGNE

CAMPAGNE
MONTAGNE

(il mord, rég.) il hagne
bagne
Aubagne
(canasson, arg.)un cagne
(chien, rég.) un câgne
(classe préparatoire)
la cagne/khâgne
(ville) Cagnes
(laid, rég.) cacagne
(couteau, arg.)
une sa(c)cagne
pays/mât de cocagne
hypocagne/
hypokhâgne
(il travaille, rég.) il mascagne
(idiot, rég.) une gadagne
la Cerdagne
(marais, rég.) une fagne
les (Hautes) Fagnes
il **gagne**
il regagne
la Balagne
la Plagne
(Grèce) le Magne
(Nîmes) la tour Magne
(il se presse) il se magne
manières, arg.) des magnes
l'**Allemagne**
Charlemagne
(quitter le jeu)
faire charlemagne
les Limagnes
(loin, rég.) à calmagne
la Lomagne

la Romagne
(pieds, arg.) les oignes
qu'il joigne
qu'il enjoigne
qu'il adjoigne
qu'il **rejoigne**
qu'il disjoigne
il (s') **éloigne**
il **témoigne**
(poing) une **poigne**
(poindre) qu'il poigne
il empoigne
foire d'empoigne
il **soigne**
forêt de Soignes
(paréo) un **pagne**
(lit, arg.) un pagne
CAMPAGNE
(région) la **Champagne**
(vin) du **champagne**
(Philippe de)
Champa(i)gne
compagne
il **accompagne**
il raccompagne
(panier, rég.) charpagne
(campagne, arg.)
la parpagne
Espagne
(araignée, rég.) une aragne
des lasagnes
la **Bretagne**
la Grande-Bretagne
MONTAGNE
passe-montagne
(bagarre, arg.)
il se/la castagne
(lambin, rég.) une gavagne
(il amadoue) il lavagne

Viens, nous allons partir à deux,
Comme les disciples de Dieu,
Comme les jumeaux de **Champagne**,
Comme ceux que l'ange **accompagne** !

De vrais coureurs sans feu ni lieu,
De vrais apôtres embardeux,
Bien faits pour battre la **campagne**,
Bien faits pour crever la **montagne** !

Gustave Lamarche, « Virgo Praedicanda »,
Palinods in *Œuvres poétiques.* II

Il n'est point tant de barques à Venise
D'huitres à Bourg, de lièvres en **Champagne**,
D'ours en Savoie, et de veaux en **Bretagne**,
De cygnes blancs le long de la Tamise,

Ni tant d'Amours se traitant en l'église,
De différends aux peuples d'**Allemagne**,
Ni tant de gloire à un seigneur d'**Espagne,**
Ni tant se trouve à la Cour de feintise [...]

Que ma mie a de lunes en la tête.

Mellin de Saint-Gelais, « Il n'est point tant... »,
Œuvres

Nuit d'eau noire au puits comme dans la **fagne**,
Des grands-ducs fixaient l'enfer des élus,
Moi, j'avais le cœur à la peine... au **bagne**...
Une main d'aveugle aux longs doigts onglus
Flattait un chacal battant la **campagne**.

Henri Pichette, « Nuit d'eau noire... »,
Poèmes offerts

Croyez-moi ne me croyez pas quand j'en **témoigne**
Ce que je sais du malheur m'en donne le ***droit***
Si quand on marche vers le soleil il s'**éloigne**

......

AGNE-OIGNE

Si la nuque de l'homme est faite pour la **poigne**
Du bourreau si ses bras sont promis à la ***croix***
Le bonheur existe et j'y ***crois***

Louis Aragon, « Sa première pensée… »,
Le Roman inachevé

Maisons rouges, pavés brûlés, feuillages bleus...
L'aveugle aux yeux d'opale embrasse un chien galeux
Dans ses cheveux graisseux brillent des bouts de ***paille***
Et sa tasse en fer-blanc secoue un sou d'**Espagne**.

Tristan Derème, « Maisons rouges… »,
La Verdure dorée. LXIV

Mieux qu'une croix au-dessus des blés,
Pauvres aïeux, mort de la **montagne**,
Cela suffit à vous rassembler.
Chair d'avant moi qui survit et ***saigne***,
Cœur total que rien n'a consolé.

Jules Romains,
Pierres levées. XXVI

assonances	*contre-assonances*
24. AIL-LE	*142. ÈGNE*
38. ANE	*278. IGNE*

❒ 333.6 [Richepin]
38 [Elskamp] ; 54 [Perret] ; 376 [Ferrer]

21. AGNE [agn]

il stagne

Je rêvais. Par les jours trop chauds,
Quand l'heure du soir songe et **stagne**,
Une rue, un mur blanc de chaux,
Me restituaient les ***Espagnes***.

Anna de Noailles, « Je voyais… »,
Poème de l'amour. LXIII

assonances
23. AGUE
19. AGME
38. ANE
20. AGNE [aɲ]

❒

22. AGRE

la/être **podagre**
Méléagre
pellagre
(flagrant délit, arg.)
un flagre
il déflagre
(Maurice) Magre
(âne) un **onagre**
(plante) une onagre
(sorbonnard)
(un/e) sorbo(n)nagre
pagre
(goutte des mains)
être/la chiragre
(maladie de la face)
la mentagre
Évagre

Coco ! perroquet vert de concierge **podagre**,
Sur un ventre juché, ses fielleux monologues
Excitant aux abois la colère du dogue,
Fait surgir un galop de zèbres et d'**onagres**.

Robert Desnos, « L'Ode à Coco »,
Corps et biens

Fumant un narguilé et portant un turban,
Maigre comme un bâton, mais droit sur un haut banc,
Je verrais fourmiller les mâts et les haubans.

Je boirais, oubliant Verlaine et **Méléagre**,
Cet alcool de palmier qu'on appelle le **sagre**
Et je crierais après : « Je suis Maurice **Magre** ! »

Maurice **Magre**, « Le Capitaine du port »,
Le Parc des rossignols

Ô vous donc qui toussez, vous calculeux, **podagres**,
Qui portez pour tout bien pustules et **mentagres**,
Entrez, c'est un prodige, et retenez-le bien,
La perle des docteurs va vous guérir pour rien.

François Fabre, « Les Pharmaciens »,
Némésis médicale

☞

AGRE

assonances
12. ADRE
77. ATRE
23. AGUE
55. ARGUE

contre-assonances
143. ÈGRE
279. IGRE
377. OGRE
494. OUGRE

Il était pâle il était beau comme un roi ***ladre***
Que n'avait-il la voix et les jupes d'Orphée
La pierre prise au foie d'un vieux coq de **Tanagre***
Au lieu du roseau triste et du funèbre faix

Guillaume Apollinaire, « Le larron »,
Alcools

* Tanagra

❒

23. AGUE-AG°

VAGUE

La Hague
il/une **bague**
(n. dép.) un airbag°
(bateau) une cague
(il défèque) il cague
il/une **dague**
(il enquête, Belg.) il indague
gag°
(il amadoue, rég.)
il amagnague
des san/tiags°
stalag°
(tabatière) une blague
(plaisanterie) il/une **blague**
schlague
il **élague**
(flagrant délit, arg.) un flag°
oflag°
(il ronfle, arg.) il ronflague
goulag°
Copenhague
pastenague
(il fouine, rég.) il fournague
(il arrête, arg.) il alpague
(vêtement, arg.) une alpague
il rague
(braie) une brague
(course) un drag°
(flirt) il/une **drague**
(pêche) il/une drague

madrague
(en désordre) en valdrague
Guilleragues
(René de) Birague
Prague
nuraghe
(il tousse, rég.)
il estoussague
un tag°
il tague
(cordage) une itague
landtag°
Reichstag°
Bundestag°
(vaguelette) une VAGUE
(flou) le/être VAGUE
(vide) regarder dans le vague
(il erre) il vague
il extravague
(il se distrait) il s'évague
il **divague**
(qui se prostitue)
vulgivague
(noctambule) noctivague
terrain vague
(moine) un gyrovague
(masturber)
faire zague-zague
un zigzag°
il **zigzague**
Gonzague

Les flammes ont passé leur **bague**
À cet étrange bâtiment
Et l'on voit à leur clarté **vague**
Les dents des loups l'éclair des **dagues**
Tout un moyen âge dément
Et c'est comme un ricanement
Quand tout l'avenir allemand
Croule avec les murs du **Reichstag**

Louis Aragon, « Quoi Comment Où tout ceci »
dans « Cette vie à nous »,
Le Roman inachevé

Ainsi soit-il. On n'y peut rien. **Birague**,
Gontaut, Grosjean, Lacenaire ou Chalus !
Elle nous prend chacun dans sa **madrague**
L'un : Paraclet, l'autre : les noirs paluds
La vague suit, la vague après la **vague**
Puis nous rejette au rebord du talus
Fini. Foutu. C'est notre âme qui **vague**...

Maurice Fombeure, « La fin finale : De la mesure
ou de la démesure »,
Sous les tambours du ciel

Sous la croûte est un ventre et sur le chapiteau
la pellicule bleue où le ***nuage*** **divague**
mais le ventre rugit et l'***orage*** **zigzague**
un *arbre par sa base* où *la lave* en **valdrague**
apporte la rigueur de l'éclair qui l'**élague**
par sa tête séjourne à l'un et l'autre bout

Raymond Queneau, « Sixième et dernier chant » v. 31-36,
Petite cosmogonie portative

À la fenêtre où sont les jacinthes bleu-***Pâques,***
Une Année au visage oublié m'apparaît
D'entre l'odeur des bleues jacinthes, et les **vagues**
Parfums que les printemps disparus arboraient.

Marcel Thiry, « À la fenêtre… »,
Plongeantes proues

Et si nous leur lisions des stances

Elles disaient des phrases **vagues**
En songeant à des ***catalogues***.

Tristan Derème, « Nous attendions des héroïnes… »,
La Verdure dorée. CXXXI

assonances
44. AQUE
29. ALGUE
55. ARGUE

contre-assonances
144. ÈGUE
280. IGUE
378. OGUE

❒ 214.8 [Montesquiou]
29[Suarès] ; 55 [La Tour du Pin]

24. AIL°-AILLE

BATAILLE

(ouille!) aïe!
ail°
(ailler) il aille
(aller) qu'il **aille**
(hue!) haïe!
aye-aye
aïe aïe aïe!
(«planer», arg.) être high°

un bail°
(mer, arg.) la baille
(il donne) il baille
(de sommeil) il **bâille**
(aux corneilles) il baye
bye-/bye!
stand-by°
(au revoir) good bye!
il entrebâille
cobaye

(oiseau) une **caille**
(coaguler ; gèler) il caille
racaille
(couteau, arg.) sacail°
passacaille
il/une **écaille**
(blanchisseuse, arg.) blanchecaille
(France, arg.) Franchecaille
flicaille
antiquaille
il criticaille
haïkaï°
(nourriture, arg.) kaï-kaï°
quincaille
blocaille
rocaille
tokaj°/tokay°
(bijoux, arg.) joncaille
il carcaille
bercail°
il courcaille
(n. dép.) skaï°
(pluie, arg.) la lanscaille
(uriner, arg.) il lanscaille
(Bicêtre, arg.) Biscaille
(Espagne) Biscaye
(ficelle, arg.) fiscaille
(piscine, arg.) piscaille
(poisson, arg.) poiscaille
(merde, arg.) mouscaille
(il ennuie, arg.) il emmouscaille
(il s'en sort, arg.) il se démouscaille
(il rouspète, arg.) une/il rouscaille

(dent, arg.) chaille
blanchaille
fish-eye
(il boit, arg.) il lichaille
il couchaille
(une faux) un/e dail°/le
Hendaye
chandail°

(troupe) truandaille
il/une **médaille**
(beuverie) guindaille
Bao Daï°
(troupe) ribaudaille
(il plisse) il godaille
(débauche) il/une godaille
il rôdaille
(tonte) des tondailles
(enfants) merdaille
les accordailles

(fissure) une faille
(tissu) la faille
(falloir) qu'il **faille**
(faillir) qu'il faille
il **défaille**
(outillage, rég.) des artifailles
(bouffe, arg.) il/une boustifaille

(cheval, arg.) un gail°/le
pagaïe/pagaille
Shangaï°
aiguail°
il s'égaille
(piécettes, arg.) bigaille
(bombance) gogaille
congaï°/congaye
margaille

mangeaille

F.B.I.°
(soldat américain) G.I.°
il piaille
il **criaille**

Lorelei°
Madame Butterfly°
volaille
(police, arg.) poulaille

(allée) un mail°
il/une **maille**
(obole) une maille
camail°
il se **chamaille**
(magouiller, rég.) il mamaille
(il entrave, rég.) il encramaille
trémail°/tramail°
il remmaille
l'**émail°**
il émaille
il démaille
gemmail°
les **semailles**
limaille
(rime) la/il rimaille
(crevasse) une rimaye
(bétail) les aumailles
marmaille
fermail°

canaille
il s'encanaille
chiennaille
il traînaille
(guenilles) des penailles

Le colonel n'a plus b'soin d'brosse à dents ;
Il a laissé sa gueule à la **bataille**.

Le p'tit navir' n'a plus b'soin d'sa voilure ;
Il a crevé sa coque à la **rocaille**.

La belle enfant n'a plus b'soin d'rob' de noces ;
Elle a jeté sa fleur à la **canaille**.

Le p'tit poulet n'a plus b'soin d'son plumage ;
On a troussé son cul pour la **ripaille**.

Lison, ton cœur n'a plus b'soin d'mon amour ;
Ton cœur est dur comme un pan de **muraille**.

Adieu frou-frou, genoux, bisous, **rimailles** :
Plus b'soin de rien quand on a b'soin de tout.

Géo Norge, « Plus b'soin »,
La Langue verte

Un trône de **paille**
Au cœur de la cour
Et, comme à **Versailles**,
Des dames d'atour…

Une **valetaille**
De poulets qui courent,
Toute une **racaille**
Qui lui fait la cour.

Et des **victuailles**
Et des troubadours
Et des **passacailles,**
Des salves d'amour !

Maurice Carême, « Le Coq »,
Brabant

Fourbissez votre **ferraille**
aiguisez vos grands couteaux !

Fourbissez votre **ferraille**,
coquinaille, quetinaille,
coquardaille, friandeaux,
garsonaille, ribaudaille,
laronnaille, brigandaille,
crapaudaille, leisardeaux,
cavetraille, goulardeaux
villenaille, bonhommaille,
falourdaille, paillardeaux,
truandaille, **lopinaille,**

aiguisez vos grands couteaux !

Jean Molinet, « Fatras »,
Fatrasies

Là, c'est mon corps ; puis la table ; puis les **murailles**.
Je suis moi vaguement ; mes yeux et mes ***oreilles***
Ne reconnaissent pas l'univers et s'***embrouillent***.

Jules Romains,
Un être en marche. I

❐ 38 [Melik] ; 91.5 [Muselli] ; 392 [Richepin]
20 [Derème] ; 222 [Rimbaud]

AIL°-AILLE

il/la grenaille
(il tourmente) il tenaille
(pinces) des **tenailles**
il pinaille
Sinaï°
(seins, arg.) nichonaille
des cochonnailles
Adonaï°
il/une sonnaille
poissonnaille
gouvernail°
(journée, arg.) journaille
il tournaille

(Anna de) Noailles
(Maison de) Noailles

des **ouailles**
Hawaii°/Hawaï°
(abats) la fouaille
(il fouette) il fouaille
il/la **gouaille**
il jouaille
(Bretagne) la Cornouaille
(R.-U.) la Cornouailles
touaille

la **paille**
il em/rem/dé/paille
papaye
(techn.) hache-paille
(parler allemand, rég.)
il hachepaille
il/une **ripaille**
tripaille
il étripaille
cipaye

(bon à rien, arg.)
un(e) copaille
(homo, arg.) lopaille
il coupaille
(harde) un/e harpail°/le
(querelIer) il se harpaille
Raspail°

(musique) (le) raï°
(voie) un rail°
(whisky) le rye
(il moque) il **raille**
(police, arg.) la raille
(il jette, rég.) il caraille
foirail°
il **braille**
(alphabet) le braille
(Louis) Braille
il se débraille
(cordage) une draille
(piste) une draille
(cocktail) (un) extra-/dry°
il (s') éraille
il déraille
(il se bat) il ferraille
(fer) il/la **ferraille**
pierraille
des **funérailles**
un **sérail°**
(viol collectif, arg.)
passage en séraille
caravansérail°
Ponson du Terrail°
la corneille graille
(manger, arg.) la/il graille
soupirail°
il tiraille

attirail°
corail°
des morailles
monorail°
autorail°
(il court) il couraille
(il tire, arg.) il fouraille
(il arme, arg.) il enfouraille
(il dégaine, arg.)
il défouraille
samurai°/samouraï°
touraille
traille
poitrail°
il se dépoitraille
les **entrailles**
prêtraille
la/il **mitraille**
vitrail°
Xaintrailles
(testicules) les pastrailles
(clergé, arg.) curaille
(dur, arg.) durail°/le
muraille
perce-muraille

(singe) un saï°
(il déborde) il saille
(très, musique) assai°
(il attaque) il **assaille**
le Ka(s)saï°
les Ma(s)saïs°
Brassaï°
des fiançailles
il **tressaille**
Hokusaï°
broussaille

il embroussaille
il débroussaille
il toussaille
Versailles

des **représailles**
trésaille
il/la gueusaille
(conscrit, arg.) bleusaille
il/la **grisaille**
il/une cisaille
bonsaï°
des épousailles

(grandeur) la **taille**
(coupe) il/une taille
(il s'enfuit, arg.) il se taille
thaï°/thaïe
il/une BATAILLE
(Georges) Bataille
(Henry) Bataille
une/il **entaille**
(battant) vantail°
(visière) ventail°
éventail°
épouvantail°
bétail°
un **détail°**
il détaille
piétaille
valetaille
un/il retaille
il s'entretaille
basse-taille
il r/avitaille
intaille
pretintaille

frontail°
portail°
(repas, arg.) croustaille
il discutaille
futaille
il enfutaille
il disputaille

(archipel des) Tubuaï°
(menu fretin) menuaille
des victuailles

qu'il vaille
un **travail°**
il re/**travaille**
les relevailles
vaille que vaille
crevaille
rien qui vaille
qu'il équivaille
il écrivaille
trouvaille
des retrouvailles

assonance
20. AGNE

contre-assonances
145. EIL-LE
284. ILLE
496. OUILLE

25. AL°-ALE-OIL°-OILE

MAL°
ÉTOILE

(il remorque) il hale
(bronzage)il/un **hâle**
(marché) une **halle**
(à Paris) les Halles

Baal°
Taj Mahal°

un **bal°**
(ville) Bâle
(d'avoine) une ba(l)le
(ballon) une **balle**
(projectile) une **balle**
(sac) une balle
(il ballotte) il balle
(francs) cent balles
(intrigue) il/une **cabale**
(ésotérisme) la kabbale
Élagabal°/
Héliogabale
(étourdir, rég.) il atabale
il **emballe**
princesse de Lamballe

il remballe
handball°
il déballe
Décébale
sortie-de-bal°
il brinquebale/
bringuebale
tri(n)queballe
pare-balles
tire-balle
Annibal°/Hannibal°
être /un **cannibale**
pibale
(peausserie) il/une triballe
(tribu) inter/tribal°/e
il brimbale
il **trimba(l)le**
cymbale
timbale
global°/e
pierre tombale
verbal°/e
déverbal°/e
procès-verbal°
bubale

(durillon) un cal°
(de navire) une **cale**

Tu leur dis que tu vas bien c'est pas **normal**
Tu leur dis que tu vas **mal** c'est **général**
Tu parles du **général** c'est un **scandale**
Alors tu parles de toi c'est trop **banal**
Alors tu parles d'amour c'est **immoral**
Alors tu dis n'importe quoi c'est **triomphal**

Jacques Brel, « Les Crocodiles »,
Œuvre intégrale

***Âme* idéale**
De **Floréal**,
Solo-**choral**
Dont la **spirale**
Exalte et **râle**
Son **madrigal**
Aux yeux d'**opale**
De la nuit **pâle** ;
Fleur **musicale**,
Odeur **vocale**,
Divin **régal**
Que rien n'**égale**,
Ô **Nachtigal*** !

Robert de Montesquiou, « Philomèle »,
Les Chauves-souris. LXXI

* nachtigall : « rossignol » en allemand

☞

AL°-ALE/OIL°-OILE

(fixation) il/une cale
(moteur) il cale
(un mât) il cale
chacal°
zodiacal°/e
ammoniacal°/e
stomacal°/e
monacal°/e
cloacal°/e
caracal°
bancal°/e
(huitre) une cancale
(ville) Cancale
djebel Toubkal°
il/une écale
il décale
fécal°/e
cæcal°/e
il recale
lac Baïkal°
(grammaire) un radical°
(politique) un radical°
radical°/e
para/**médical°/e**
syndical°/e
pontifical°/e
chirurgical°/e
beylical°/e
ombilical°/e
basilical°/e
amical°/e
inamical°/e
arsenical°/e
dominical°/e
apical°/e
une apicale
sub/inter/tropical°/e
(un/e) anti/clérical°/e
obstétrical°/e
vésical°/e
musical°/e
a/grammatical°/e
être **vertical°/e**
une **verticale**
cortical°/e
cervical°/e
lexical°/e
tincal°
bocal°
a/bi/focal°/e
(pièce) un local°
(régional/e) local°/e
hémérocalle
chrysocalle
vocal°/e
matriarcal°/e
patriarcal°/e
(tissu) la **percale**
(tabac, arg.)
du percal°/e
des lupercales
il intercale
(Blaise) Pascal°
(unité) le pascal°
(informatique) le pascal°
(prénom) Pascal°/e
(Pâques) pascal°/e
une **escale**
(poisson, arg.) pescal°/e

(commerce) une discale
(médecine) discal°/e
para/fiscal°/e
buccal°/e
grand-/ducal°/e
nucal°/e

un **châle**
(Michel) Chasles
sénéchal°
maréchal°
madame la maréchale
feld-maréchal°
fil d'archal°
plan Marshall°

il/une **dalle**
(boire) se rincer la dalle
(faim) avoir la dalle
(rien) que dal°/le
hadal°/e
scandale
(giffle, arg.) une mandale
Durendal°/Durandal°
(étoffe)
le cendal°/sandal°
une **sandale**
un/e **vandale**
(peuple) les Vandales
(architecte) Dédale
un **dédale**
(vélo) il/une **pédale**
(pédéraste, arg.)
une pédale
(imbécile, arg.)
un flacdal°/flaquedalle
(avare, arg.) un raquedal°
(casse-croûte, arg.)
un casse-dalle
amygdale
pyramidal°/e
rhomboïdal°/e
hélicoïdal°/e
conchoïdal°/e
discoïdal°/e
épi/hypo/cycloïdal°/e
colloïdal°/e
sphénoïdal°/e
sphéroïdal°/e
spiroïdal°/e
hémorroïdal°/e
ellipsoïdal°/e
trapézoïdal°/e
sinusoïdal°/e
ovoïdal°/e
absidal°/e
(n.déposé) un Vidal°
effet Tyndall°
Stendhal°
grœnendael°
(meuble) chippendale
(Thomas)Chippendale
caudal°/e
féodal°/e
modal°/e
nodal°/e
synodal°/e
(Georges) Cadoudal°
(Jacob Van) Ruisdael°

Dans la forêt de Montgeon
un chêne **monumental**
servait de **capitale**
aux oiseaux des environs
Dans leur esprit **provincial**
les autres arbres n'étaient bons
qu'à un habitat **rural**
Seul le chêne **principal**
digne de glorification
recevait l'hommage **général**
de toute la population
mais un jour la foudre tombe carbonisant le **végétal**
alors tous les oiseaux s'***envolent***
pour leur migration ***annuelle***

Raymond Queneau, « Changer de crémerie »,
Battre la campagne

Dors : on t'appellera beau décrocheur d'**étoiles** !
Chevaucheur de rayons !... quand il fera bien *noir* ;
Et l'ange du plafond, maigre araignée, au *soir,*
– *Espoir* – sur ton front vide ira filer ses **toiles**.

Museleur de violette ! un baiser sous le **voile**
T'attend... on ne sait où : ferme les yeux pour *voir*.
Ris : Les premiers honneurs t'attendent sous le **poêle**.

On cassera ton nez d'un bon coup d'*encensoir,*
Doux fumet !... pour la trogne en fleur, pleine de **moelle**
D'un sacristain très-bien, avec son *éteignoir*.

Tristan Corbière, « Sonnet posthume »,
Les Amours jaunes

chanson de **toile**
tricoti tricota
miroir des ***tuiles***
je te vois tu me vois
[...]
chanson d'***avoine***
picoti picota
marée d'**étoiles**
je te noie tu me noies

Jean-Claude Pirotte, « Comptine »,
La Prescription des peines in *La Vallée de Misère*

Perdue dans son ***exil***
Physique et **cérébral**
Un à un ***elle*** **exhale**
Des soupirs ***fébriles***
Parfumés au ***menthol***
Ma ***débile*** **mentale**
Fait tinter le **métal**
de son zip [...]

Serge Gainsbourg, « Variations sur Marilou »,
Dernières nouvelles des étoiles

– Eh bien, que fait mon fils, dit **Héliogabale** ?
– Sire, il fait des progrès. – Récompense-le, gas.
Un autre jour : Eh bien ? – Sire, il fait des dégâts,
Trouble la classe, rit, chante **et lit haut**. – **Gas, bats-le** !

Victor Hugo, « L'Empereur et le Pédagogue »,
Dernière gerbe

❒ 325 [Baudelaire] ; 1.10 [Audiberti] ; 91.6 [Lamarche] ; 214.12 [Moréas]
39 [Souchon]

AL°-ALE/OIL°-OILE

rixdale

trachéal°/e
il déhale
un **idéal°**
être **idéal°/e**
féal°/e
linéal°/e
pinéal°/e
périnéal°/e
péritonéal°/e
(monnaie) un réal°
une (galère) réale
céréale
(Jean) Perréal°
boréal°/e
floréal°
Montréal°
unguéal°/e
nivéal°/e

(phallus) phalle
il (s') **affale**
rafale
acéphale
encéphale
anencéphale
bicéphale
tricéphale
un cynocéphale
(un) hydrocéphale
Bucéphale
trigonocéphale
(un) macrocéphale
(un) microcéphale
récifal°/e
Parsifal°
(papillon) un nymphal°
(nymphe) nymphal°/e
lac Stymphale
pierre philosophale
Omphale
triomphal°/e
(glouton, arg.) morfal°/e
(goinfre, arg.)
(un/e) morfal°/e
(se goinfrer, arg.)
il (se) morfal°/e

(unité) le gal°
(maladie) la **gale**
(méchante) une gale
(noix de) galle
(Marc) Chagall°
plagal°/e
(os) astragale
(moulure) **astragale**
Tagals°/tagal°
vagal°/e
un-e/être **égal°/e**
il **égale**
(il régale, arg.) il bégale
extra/il/légal°/e
médicolégal°/e
inégal°/e
le Sénégal
un **régal°**
(il mange) il (se) **régale**
(il nivèle) il régale

(orgue) le régale
(droit) la régale
eau régale
pays de Galles
(titre)
prince de Galles
(tissu) prince-de-galles
(plombier, arg.) gigal°
mygale
(Jean-Baptiste) Pigalle
(à Paris) **Pigalle**
madrigal°
cigale
le Bengale
feu de Bengale
pharyngal°/e
fringale
martingale
galgal°
(chanoine) un théologal°
vertus théologales
ornithogale
(n. déposé) tergal°
jugal°/e
conjugal°/e
frugal°/e
Portugal°

orignal°
un **signal°**
il signale

gayal°
loyal°/e
déloyal°/e
(toile de navire) une noyale
royal°/e
(barbiche) une royale
(Marine nat.) la Royale
le Palais-Royal°
Port-Royal°
bi/labial°/e
une labiale
cambial°/e
adverbial°/e
proverbial°/e
il chiale
branchial°/e
radial°/e
prandial°/e
(route) une radiale
médial°/e
une médiale
absidial°/e
présidial°
allodial°/e
mondial°/e
(potion) un cordial°
(cordialité) être cordial°/e
primordial°/e
collégial°/e
une collégiale
Bélial°
filial°/e
(société) une filiale
lilial°/e
familial°/e
(voiture) une familiale
domanial°/e

génial°/e
colonial°/e
(monacal/e) monial°/e
(religieuse) une moniale
cérémonial°
matrimonial°/e
patrimonial°/e
testimonial°/e
canonial°/e
troupiale
marsupial°/e
(animal) un marsupial°
(monnaie iran.) le rial°
(monnaie saoud.) riyal°
salarial°/e
marial°/e
partenarial°/e
notarial°/e
férial°/e
impérial°/e
(barbiche) une impériale
(bus) une impériale
prairial°
sérial°
seigneurial°/e
mémorial°
immémorial°/e
armorial°/e
un armorial°
censorial°/e
sénatorial°/e
équatorial°/e
dictatorial°/e
directorial°/e
tinctorial°/e
prétorial°/e
éditorial°/e
extra/territorial°/e
inquisitorial°/e
consistorial°/e
(sport) un/e trial°
(mollusque) une trialle
curial°/e
(plante) mercuriale
(blâme) mercuriale
(commerce) mercuriale
l'Escurial°
sial°
abbatial°/e
une abbatiale
facial°/e
palatial°/e
glacial°/e
primatial°/e
une primatiale
paroissial°/e
spatial°/e
aérospatial°/e
l'aérospatiale
inter/racial°/e
fécial°/e
spécial°/e
(huître)une spéciale
official°
(épilepsie) mal comitial°
initial°/e
une initiale
(un/e) **provincial°/e**
social°/e

(un/e) asocial°/e
antisocial°/e
oncial°/e
l'onciale
pré/**nuptial°/e**
martial°/e
(poète latin) Martial°
saint Martial°
(Marseille, arg.) la Marsiale
partial°/e
impartial°/e
(un/e) commercial°/e
crucial°/e
co/axial°/e
équinoxial°/e
bourgeoisial°/e
ecclésial°/e
bestial°/e
gavial°
trivial°/e
convivial°/e
jovial°/e
synovial°/e
une synoviale
alluvial°/e
fluvial°/e
diluvial°/e
pluvial°/e

jale
il surjale

ha(l)lal°
le Val-Hall°

être le MAL°
(funeste) mal°/e
(masculin) (un) **mâle**
(coffre) une **malle**
(Louis) Malle
hiémal°/e
némale
extrémal°/e
le Vignemale
demi-mal°
un **animal°**
animal°/e
minimal°/e
lacrymal°/e
primal°/e
décimal°/e
une décimale
duodécimal°le
maximal°/e
quadragésimal°/e
vicésimal°/e
centésimal°/e
infinitésimal°/e
tithymale
optimal°/e
prudhomal°/e
anomal°/e
(arôme) aromal°/e
(René) Daumal°
duc d'Aumale
thermal°/e
normal°/e
la normale
(un/e) anormal°/e

paranormal°/e
s(é)ismal°/e
paroxysmal°/e
baptismal°/e
rhumatismal°/e
brumal°/e

(anus) anal°/e
(annuel) annal°/e
(histoire) des annales
(ordinaire) **banal°/e**
(communal/e) banal°/e
canal°
(vacarme) un bacchanal°
(orgie) des **bacchanales**
Guadalcanal°
fanal°
le/os tympanal°
artisanal°/e
(n. déposé) gardénal°
biennal°/e
une biennale
quadriennal°/e
triennal°/e
phénoménal°/e
pénal°/e
quinquennal°/e
sur/rénal°/e
décennal°/e
tricennal°/e
vicennal°/e
centennal°/e
septennal°/e
vénal°/e
Juvénal°
chenal°
arsenal°
il inhale
machinal°/e
libidinal°/e
(prélat) un **cardinal°**
(arithmét.) le cardinal°
(essentiel) **cardinal°/e**
(bréviaire) un ordinal°
(math.) ordinal°/e
longitudinal°/e
latitudinal°/e
(finalement) au final°
(ultime) **final°/e**
(musique) un finale
(grammaire) une finale
(sport) une demi-/finale
vaginal°/e
(texte) un original°
un-e/être **original°/e**
un-e/être marginal°/e
virginal°/e
(un) anticlinal°/e
(un) synclinal/e°
géosynclinal°
séminal°/e
liminal°/e
subliminal°/e
mont Viminal°
abdominal°/e
uni/nominal°/e
pronominal°/e
(mois) germinal°
(germe) germinal°/e

AL°-ALE/OIL°-OILE

(informatique) un terminal°
(final/e) **terminal°/e**
(lycée) une terminale
image d'/Épinal°
cérébro/spinal°/e
Quirinal°
doctrinal°/e
urinal°
racinal°
vaccinal°/e
médicinal°/e
officinal°/e
vicinal°/e
matinal°/e
gastro-/intestinal°/e
matutinal°/e
diaconal°/e
diagonal°/e
une diagonale
pentagonal°/e
hexagonal°/e
polygonal°/e
octogonal°/e
orthogonal°/e
(un/e) méridional°/e
obsidional°/e
inter/**régional°/e**
septentrional°/e
anti/**national°/e**
(route) une nationale
supranational°/e
multinational°/e
une multinationale
international°/e
(hymne) l'Internationale
transnational°/e
rational°
confessional°
processional°
anti/cyclonal°/e
hormonal°/e
véronal°
neuronal°/e
coronal°/e
patronal°/e
a/tonal°/e
cantonal°/e
(élection) les cantonales
bitonal°/e
polytonal°/e
automnal°/e
zonal°/e
hibernal°/e
paraphernal°/e
infernal°/e
vernal°/e
hivernal°/e
journal°
diurnal°
des **saturnales**
tribunal°
(école) la communale
inter/communal°/e

le Waal°
(chantage, arg.) un gouale
(il chante, arg.) il gouale
mont Aigoual°
sub/per/lingual°/e

joual°
moelle
(mouchoir, arg.)
un tire-moelle
un poil°
(nu) à poil°
(parfait) au poil°
(fourneau) un **poêle**
(ustensile) il/une poêle
(drap mortuaire) le poêle
(il rit, arg.)
il se poêle/poile
(militariste) ratapoil°
(il se déshabille, arg.)
il se dépoile
à contre-poil°
passepoil°
il passepoile
à rebrousse-poil°
(remarquable, arg.) transpoil°
rorqual°
squale
maroilles
saroual°
gas-oil°/gasoil°
toile
il r/dés/entoile
il/une ÉTOILE
(masque) il/un **voile**
(voilure) il/une **voile**
(gauchir) il s'en/se voile
la grand-voile
il **dévoile**

(pieu) un pal°
(télévision) système pal°
(rame) une pale
être **pâle**
(linge sacré) une pa(l)le
Sardanapale
papal°/e
il (s') **empale**
Népal°
sépale
bipale
Assourbanipal°
grippal°/e
(police, arg.) un cipal°
(commune, arg.) la cipale
(directeur) un principal°
principal°/e
(grammaire) une principale
municipal°/e
(élection) les municipales
opale
Bhopâl°
copal°/e
syncopal°/e
archi/épiscopal°
nopal°

(oiseau) un râle
(plainte) il/un **râle**
(il brame) il ralle
mer d'Aral°
foiral°
septembral°/e
cérébral°/e
vertébral°/e

kraal°
sacral°/e
(n. déposé) le Zicral°
sépulcral°/e
cathédral°/e
une **cathédrale**
libéral°/e
con/fédéral°/e
inter/**sidéral°/e**
pondéral°/e
rudéral°/e
huméral°/e
numéral°/e
(armée) un **général°**
(souvent) en général°
général°/e
madame la générale
(théâtre) la générale
un minéral°
minéral°/e
puerpéral°/e
vespéral°/e
viscéral°/e
carcéral°/e
bi/uni/latéral°/e
équilatéral°/e
tri/multi/latéral°/e
collatéral°/e
presbytéral°/e
littéral°/e
cap Canaveral°
pleural°/e
neural°/e
le **Graal°**
intégral°/e
(math.) une intégrale
(il bégaie, rég.) il bograle
un **amiral°**
madame l'amirale
contre-amiral°
vice-amiral°
pyrale
(ressort) un spiral°
spiral°/e
une **spirale**
anti/viral°/e
décemviral°/e
triumviral°/e
un oral°
oral°/e
(chant) un choral°
choral°/e
(chœur) une **chorale**
(enclos) un corral°
chloral°
anti/sudoral°/e
floral°/e
(mental) le moral°
moral°/e
(éthique) la **morale**
amoral°/e
fémoral°/e
immoral°/e
humoral°/e
tumoral°/e
caporal°
le/os temporal°
corporal°
auroral°/e

professoral°/e
matorral°
préfectoral°/e
électoral°/e
(ornement) un pectoral°
(poitrine) pectoral°/e
rectoral°/e
doctoral°/e
le **littoral°**
littoral°/e
préceptoral°/e
pastoral°/e
(littérature) une pastorale
l'Oural°
théâtral°/e
(réseau) un central°
central°/e
(usine, prison) une centrale
(école) Centrale
Massif Central
ventral°/e
spectral°/e
(métro, arg.) métral°
diamétral°/e
géométral°/e
urétral°/e
arbitral°/e
chapitral°/e
(prodigieux, arg.) foutral°/e
astral°/e
cadastral°/e
orchestral°/e
ancestral°/e
magistral°/e
(vent) le mistral°
(Frédéric) Mistral°
austral°/e
claustral°/e
lustral°/e
péridural°/e
augural°/e
inaugural°/e
plural°/e
mural°/e
rural°/e
caricatural°/e
conjectural°/e
architectural°/e
pictural°/e
structural°/e
cultural°/e
sculptural°/e
scriptural°/e
guttural°/e
une gutturale

(arbre) le sal°
(sel) il sale
le/être **sale**
(rivière) la Saale
une **salle**
vassal°
vavassal°
arrière-vassal°
commensal°
(un/e) provençal°/e
il dessale
saint François de Sales
il resale

arrière-salle
abyssal°/e
colossal°/e
Pharsale
dispersal°
transversal°/e
dorsal°/e
une dorsale
(casino) un kursaal°
succursale
affixal°/e
préfixal°/e
suffixal°/e
paradoxal°/e
(jardin, lieu dansant)
un vauxhall°

basal°/e
semi-/nasal°/e
une semi-/nasale
(André) Vésale
sisal°
causal°/e
une causale
il **exhale**

(il meurtrit) il tale
(agricult.) il/une talle
(botanique) un thalle
Attale
fatal°/e
palatal°/e
une palatale
pré/péri/post/**natal°/e**
(fromage) cantal°
(région) le Cantal°
Marie-/Chantal°
dental°/e
une dentale
transcendantal°/e
(un/e) **occidental°/e**
(un/e)
extrême-/oriental°/e
le mental°
mental°/e
fondamental°/e
sacramental°/e
(vallée) Emment(h)al°
(fromage)
un emment(h)al°
environnemental°/e
anti/
gouvernemental°/e
ornemental°/e
départemental°/e
comportemental°/e
expérimental°/e
sentimental°/e
fromental°
monumental°/e
instrumental°/e
inter/
trans/continental°/e
(fête des morts)
les parentales
mono/parental°/e
santal°
(oiseau) un tantale
(métal) le tantale

AL°-ALE/OIL°-OILE

(supplice de) Tantale
dialectal°/e
rectal°/e
(table) un étal°
(immobile) étale
(mer) l'étale
il (s')**étale**
il détale
fœtal°/e
un **végétal**°
végétal°/e
pariétal°/e
létal°/e
métal°
pétale
(une) apétale
décrétale
fœtal°/e
barbital°
orbital°/e
cubital°/e
sagittal°/e
digital°/e
(plante) une digitale
con/génital°/e
zénithal°/e
(argent) un capital°
(essentiel) **capital**°/e
(ville) une **capitale**
(lettre) une capitale
occipital°/e
sincipital°/e

hôpital°
(Michel de) l'Hospital°
(italien, arg.) un/e rital°/e
marital°/e
récital°
vital°/e
saint Vital°
pointal°
quintal°
dotal°/e
sacerdotal°/e
(moto, arg.) une motal°
crotale
(essence, n. dép.) Total°
(somme) un total°
total°/e
(le comble) la totale!
(n. déposé) penthotal°
prévôtal°/e
comtal°/e
le/os frontal°
frontal°/e
horizontal°/e
une horizontale
captal°
(Jean-Antoine) Chaptal°
homme de Neandertal°
(stalinien, arg.) (un/e) stal°
une stalle
(Nicolas de) Staël°
Madame de Staël°
(Hugo von)

Hofmannsthal°
piédestal°
vestale
cristal°
monts de Cristal°
éristale
il (s') **installe**
il réinstalle
inter/costal°/e
postal°/e
carte postale
aéropostal°/e
l'Aéropostale
(pantalon, arg.) futal°
azimutal°/e
brutal°/e

dual°/e
(prénom) Tugdual°

(vallon) un **val**°
(transport) le V.A.L.°
(rivière) le Vaal°
(valoir) ils valent
(avaliser) un aval°
en **aval**°
il **avale**
(jument) une cavale
(fuite, arg.) une cavale
il **cavale**
Chaval°
(ville) Laval°

(Pierre) Laval°
naval°/e
(école) Navale
(il cavale, arg.) il (se) navale
aéronaval°/e
l'aéronavale
carnaval°
(il avilit) il **ravale**
(sa salive) il ravale
(un immeuble) il ravale
il **dévale**
(Paul) Féval°
médiéval°/e
ils prévalent/
qu'il prévale
un **cheval**°
Facteur Cheval°
(il étaie) il chevale
pied-de-cheval°
Perceval°
roseval°
gingival°/e
ogival°/e
nival°/e
ils équivalent
(un/e) **rival**°/e
(il dégringole, rég.)
il dégrivale
adjectival°e
estival°/e
festival°
revival°

(grande faim) la faim-valle
ovale
narval°
(balance de) Roberval°
(Gérard de) Nerval°
minerval°
serval°
intervalle
abbaye d'Orval°
(sauge) une orvale
le Transvaal°
uval°/e

assonances
38. AN-E
45. AR-E

contre-assonances
148. EL-ÈLE
281. IL-E
381. OL-E

26. ALBE

(blanc, pur) albe
(ville antique)
(la Longue) Albe
le duc d'Albe
(faisceau de pieux)
un duc-d'albe
il/un **galbe**

assonances
46. ARBE
3. ABLE
2. ABE
25. ALE

contre-assonances
149. ELBE
550. ULBE

Votre présente robe,
Loin qu'elle vous dérobe
Vous gante étrangement,
  Éloquemment ;

Accusant votre **galbe**
Depuis votre nuque **albe**
Jusques à vos mollets
  Si rondelets [...]

Raoul Ponchon, « La Crinoline »,
La Muse gaillarde

Merveilles que tes pas, tes pieds dans leurs ***sandales*** :
Certes, tu es vraiment une fille de preux !
Aussi beau qu'un joyau, de tes cuisses le **galbe**
Fut façonné par le plus adroit joaillier.

Yann le Pichon (trad.), « Cinquième chant »,
Le Cantique des cantiques

Un arlequin et le **duc d'Albe**,
Sur le quai, parlent à mi-voix.
Et des moines lissent leurs ***barbes***
En faisant des signes de croix.

Joseph Delteil, « Les Conquistadors »,
Choléra. IX

❒

27. ALD°-ALDE

les Aldes
(saint Cloud) Clodoald°
Grimoald°
(prénom) Archibald°
(prénom) Théobald°
Théodebald°
(ligue; articles de) Smalkalde
scalde
(prénom) Renald°
(prénom) Réginald°
(Louis de) Bonald°
(prénom) Donald°

(n. déposé) McDonald°('s)
(maréchal) Macdonald°
(prénom) Ronald°
Harald°
(prénom) Gérald°
(Francis Scott) Fitzgerald°
(Esméralda) Esméralde
(prénom) Romuald°
(Matthias) Grünewald°
Buchenwald°
Schwartzwald°
Wienerwald°
(prénom) Oswald°

assonances	*contre-assonances*
25. AL-E	*151. ELD-E*
10. AD-E	*282. LD-E*
50. ARDE	*382. OLD-E*

Dans la fosse un piano martèle la mesure
Tino Rossi, Vincent Scotto, Marianne **Oswald**
– Dix ans plus tard Auschwitz, Dachau et **Buchenwald** –

André Blavier, « Cinémas de quartier »,
Le Mal du pays ou les travaux forc(en)és [v. 2344-2346]

Ô vous, les arracheurs de dents, [...]
Comptez plus sur oncle **Archibald**
Pour payer les violons du ***bal***
À vos fêtes...

Georges Brassens, « Oncle Archibald »,
Poèmes et chansons

On verra le mendiant donner la pièce au riche
Le gourmet délicat manger chez **MacDonald**
On verra le chasseur poursuivi par la biche
Et la neige tomber sur les toits de ***Riyad***

Pierre Perret, « Les Serments de quat'sous »,
Chansons de toute une vie

❒

28. ALF°-ALFE

(il frappe, Alg.) il calfe
box-/calf°
(prénom) Ralph°

assonances	*contre-assonances*
13. AF-E	*153. ELF-E*
25. AL-E	*286. ILPHE*
14. AFLE	*383. OLF-E*

29. ALGUE

ALGUE

ALGUE
(hidalgo, arch.) un hidalgue
(prétentieux, rég.) prendre
le fort de La Malgue

La mer au gré du vent
Ridait sa sombre moire où se jouaient les **algues**.
– Je ne sais trop comment amener l'abbé **Salgues**,
Seule rime possible à ce mot du démon.
Mais si je remplaçais **algue** par goëmon ?
Vous mettrez goëmon, lecteur ; moi, je passe outre.
Le douanier enfonça sa casquette de loutre
Et vit un bâtiment filer à l'horizon.

Victor Hugo,
Océan vers, p. 965

Le vieux fort **Lamalgue**
Peut consoler l'**algue**
De ne rimer point [...]

Alexandre Flan, « 30 rimes inédites »,
Rhythmes impossibles et Jardin des Racines françaises

Avec l'iode, il sent l'**algue**,
Il porte l'écume à l'herbe,
Au doigt des caps il met la ***bague***,
Il passe l'anneau superbe
Des diamants de la ***vague...***

André Suarès, « Vent d'west »,
Antiennes du Paraclet

☞

ALGUE

Avril avec ses ***catafalques***
de tulipiers comme des **algues**
sur d'innombrables ponts et sous les marronniers...

Max Jacob, « Ni fleurs... »,
Derniers poèmes

Zèbre du soleil et des ***vagues***,
Zèbres bousculez au plafond
Les revenants d'***angles*** et d'**algues**
En l'eau du plafond profond.

Jean Cocteau, « Jeux mais merveilles », *Opéra*

❒ *35 [Lamarche]*

assonances
23. AGUE
32. ALQUE
55. ARGUE

contre-assonance
552. ULGUE

30. ALME-ALM°

CALME
PALME

(nourrissant, auguste) alme
(grotte) une balme
col de Balme
il/un/être CALME
pic de Montcalm°
marquis de Montcalm°
(tolet pour aviron) un scalme
(mesure) un palme
une PALME
napalm°
(il vole, arg.) il empalme
Salm°
Vielsalm°
(agate) un lycopht(h)alme
(crustacé) podopht(h)alme

Comme la mer est **calme**, **calme** !
À peine si elle respire,
Elle dort, elle dort.
Son haleine est le **psalme***
De la sibylle autrefois en Endor,
De la sibylle qui soupire
sous les **palmes**
Du sommeil bienheureuses
Et du port.

André Suarès, « La Sibylle du port »,
Antiennes du Paraclet

* psaume

La mer matinale brillait au haut du flux ;
Les grands avirons bleus s'allongeaient sur les **scalmes**,
Et l'infini silence éveillait les yeux **calmes**
Des femmes, que nul vol rameur ne berçait plus.

C'était le deuil de l'heure où les couples élus,
De leurs bras étoilés par les roux **lycophthalmes**,
Vers l'Île, sur la mer, guidaient avec des **palmes**
L'escorte des dauphins et des tritons joufflus.

Pierre Louÿs, « Heure morose », *Astarté*

Mais ne pars pas encor ! L'**alme**
Océan que tu pressens
Aura d'autres jusants **calmes**
Et d'autres vents bienveillants...

Marcel Thiry, « Ne pars pas encor... »,
L'Enfant prodigue

plus jamais je ne trouve une excellence au **calme**,
plus jamais le plaisir en mes œuvres d'amour,
je vois sur la Beauté les stigmates du jour
et dans tous les miroirs la face du **napalm** [...]

Henri Pichette, « Les Massacres »,
Les Revendications

Ils passaient vers le Nord, majestueux et **calmes**,
Glorieux, avec un écho, dans leurs pennes,
Du lent rythme des ***rames***,
De quelque vent du soir parmi les **palmes**,
De voix anciennes [...]

Francis Vielé-Griffin, « Dédicace », *Les Cygnes*

assonances
36. AME
57. ARME
25. ALE

contre-assonances
156. ELM-E
285. ILM-E
386. OLM

❒ 91.11 [Rimbaud ; *57 [Guérin] ; 31 [Garnier]*

31. ALPE-ALP°

ALPES

(alpage) une alpe
les ALPES
un **scalp**°
il **scalpe**
les Préalpes
il s'inalpe
Rhône-Alpes
(à poil, verl.) à oilp°
il **palpe**
(à tâtons, rég.) à palpes
pédipalpe
(animal marin) une salpe
(il lève l'ancre, Alg.) il salpe
il/une désalpe
les Hautes-Alpes

Rejoignez le mélèze où le ***natal*** se **scalpe**,
l'ermite qui séduit l'éternel et le **palpe**
les déserts de fraîcheur où se révulse l'**Alpe**
dans l'intime cellule où le ***royal*** fleurit

Jacques Audiberti, « La montagne »,
Rempart

Tandis que la berline court dans les **Alpes**,
Pourquoi ne pas évoquer les jujubes et les pianolas,
Les attaques d'indiens, les danses du **scalp**,
Ou les proboscidiens aux regards las ?

Michel Bulteau, « Tandis que la berline… »,
Masques et modèles

Mes routes vous rejoignent, Visage, où je ne **palpe**
Encor que quelques cris d'oiseaux et des branchages
Comme au jour primitif purifié par ma voix
Les veines de mon corps furent des fleuves ***calmes***

Pierre Garnier, « Élégie du printemps » VII,
Les Armes de la terre

L'alentour tiédit ; le vide se **palpe** ;
La lueur engendre un grand disque ***pâle*** ;
Tout ce lieu là-bas se gonfle d'***espace***,
Lui qui fut petit impensablement.

Jules Romains, « Approche d'un astre »,
Maisons

assonances	*contre-assonances*
25. ALE	*499. OULPE*
30. ALME	*554. ULPE*
39. APE	
59. ARPE	
40. APLE	

❐ *32 [Garampon]*

32. ALQUE-ALC°

CATAFALQUE

un/il **calque**
un/il **décalque**
papier(-)calque
(métal fabuleux)
aurichalque/orichalque
(alliage doré)
le chrysoc(h)alque
CATAFALQUE
il **défalque**
saint Malc°
du talc°
il talque

Mystérieux mélanges :

Le poêle noir des **catafalques**
Avec les langes ;
La lune aux feux d'ivoire
Qui se **décalque**
Dans les sombres canaux, le soir.

Georges Rodenbach, « Les Femmes en mantes » VII,
Le Miroir du ciel natal

Ô toi qui danseras dessus ton **catafalque**
Parmi les fleurs cruel jardin de Saint Néant
Que du compte de vie un vrai vivant **défalque**
Des os bien sûr mais du vouloir plein le béant

Pierre Albert-Birot, « Vivant », *Miniatures*

Alors, comme sous la baguette d'un sorcier,
Dans mon esprit flottant la Vision se **calque** :
Blanche avec des cheveux plus noirs qu'un **catafalque**,
Frêle avec des rondeurs plus lisses que l'acier.

Jean Moréas, « Musique lointaine », *Les Syrtes*

Dansons, dansons la sauvage
danse des poux sous le ***scalp*** ;
seul, le pied des lotophages
foule un rivage de **talc**.

Georges Garampon, « Le Fauve blessé »,
Le Jeu et la Chandelle

assonances	*contre-assonances*
44. AQUE	*157. ELQUE*
7. ACLE	*385. OLKE*
31. ALPE	*555. ULQUE*

❐ *29 [Jacob] ; 500 [Louis]*

33. ALSE-ALS°

VALSE

Hals°
(il coïte, arg.) il calse
(pantalon, arg.) un false
(volcan de boue) une salse
étang de Salses
(Pablo) Casals°
(ville) Vals°
il/une VALSE

L'été se passait à **Vals**
Et le soir au fond du **val**
Se reconnaissait leur **valse**.

Jacques Charpentreau, « Les Trois Grâces »,
La Poésie dans tous ses états

J'ai voulu t'entraîner aux flonflons d'une **valse**,
D'une polka piquée ou d'un vieux charleston,
Et j'ai vu, aux accents d'un crincrin **médiéval**, **se**
Lever dans tes regards la peur du feuilleton.

Jacques Bens, « Chant deuxième »,
Le Retour au pays

La magnifique fesse, univers de la nuit,
Se tend comme le creux d'une vague qui **valse**.
Le dessous de dentelle a l'odeur de la **salse**.

Volcan altier debout, infâme et cher conduit...

Louis Montalte, « Pendant ce temps, Solciel… »,
Roses de sable

Bel ouvrier de la frairie
En as-tu dansé de ces **valses**,
En as-tu aimé de ces ***garces***
Que tu couchais dans la prairie !

Georges-Emmanuel Clancier, « Complainte de l'ouvrier »,
Chansons sur porcelaine in *Le Paysan céleste*

Des robes aux couleurs de **valse**
Il n'est demeuré qu'un reflet
Sur le tain écaillé des ***glaces***
Des chansons – à peine un couplet

André Hardellet, « Le Tremblay »,
La Cité Montgol

assonances
71. ASSE
61. ARCE
25. ALE

contre-assonances
158. ELSE
556. ULSE

❒

34. ALTE-ALT°

HALTE

HALTE
(un/e) balte
pays Baltes
(il plaisante, Belg.) il balte
cobalt°
radiocobalt°
(il s'enfuit, arg.) il (se) calte
il/l'**asphalte**
Casanova de Seingalt°
du malt°
il malte
île de Malte
(ordre, chevaliers de)
Malte
smalt°
basalte
Rivesaltes
(structure) la Gestalt°
il **exalte**
(prénom) Walt°

Vingt messieurs habillés de gris
regardaient réparer l'**asphalte**
vingt messieurs habillés de gris
badaudaient un jour à Paris

Vingt terrassiers leur disent « **Halte**
ne troublez pas les cantonniers »
vingt terrassiers leur disent « **Halte**
laissez-nous réparer l'**asphalte** »

Trente pigeons qui roucoulaient
en gonflant leur gorge de **smalt**
trente pigeons qui roucoulaient
prennent peur des vingt cantonniers

Trente agents au front de **basalte**
s'écrient : « Circulez ! circulez ! »
trente agents au front de **basalte**
en moins de rien nettoient l'**asphalte**

……

ALTE-ALT°

Vingt messieurs habillés de gris
plus fiers que mille barons **baltes**
vingt messieurs habillés de gris
vont badauder ailleurs qu'ici

Raymond Queneau, « Men at work »,
Courir les rues

Il a vécu celui qui, sur le petit quai,
Que du mot : Boulevard, la synecdoche **exalte**
A, le long du demi-kilomètre d'**asphalte**,
Quotidiennement péripatétiqué.

Comparable au pur-sang qui n'a jamais tiqué,
Libre du nœud, ainsi que chevalier de **Malte**,
Dans le stade idéal il va, vient, ou fait **halte**,
À son gouvernement même indomestiqué.

Émile Bergerat, « Le Sonnet du boulevardier »,
Ballades et Sonnets

Un homme marche entre la ville et le village.
Il croise le soleil, la pluie, et l'attelage
des phoques d'air traînant des carrés de **cobalt**.
Les arbres où novembre écrit son habitude,
les clochers de la ronde aimant leur solitude,
les betteraves, peuple où dort le roi ***compact***...

Jacques Audiberti, « Il faut que l'imparfait… »,
La Nouvelle Origine

assonances	*contre-assonances*
75. AT-E	*160. ELTE*
9. ACT-E	*390. OLTE*
72. AST-E	*557. ULTE*
25. AL-E	

❒ 333.12 [Gumpel]

35. ALVE

salve
valve
(tableau d'affichage, Belg.)
les valves
bivalve
univalve
trivalve
électrovalve
(de Cordoue) Gonzalve

Alors là me sautais rondement aux yeux mer
De alors boum accordées boum boum toutes les **salves**
Danse et chant de mort pointée à l'initiale **alv**
Éole donnant voix qui n'aurait dû se taire

Qu'à propos c'est quand même un monde qu'ajouter
Ais-je hors mon souffle rien si où est la **valve**
Pchchch nulle part nom de Dieu me voilà bien **malv**
Enu pchchch l'incident fut fatal à ma mère

René Belletto, « Alors là me sautais… »,
Loin de Lyon. XLIII

Je vois ***vulves*** **valves**
foutreau ***nasal***
salive en **salve**

Christian Prigent, « Histoire des actions »,
Peep-show, p.66

Mira Ceti brille en son temps dans les champs d'***algues***
Comme un nombril vrillé de la Grosse Baleine.
Quand l'animal soupire elle rentre en soi-même;
Quand il respire, elle ouvre sa forge et ses **valves**.

Gustave Lamarche, « Mira Ceti »,
Énumération des étoiles in *Œuvres poétiques.* II

assonances	*contre-assonances*
79. AVE	*289. ILVE*
65. ARVE	*391. OLVE*
25. ALE	*558. ULVE*

❒

36. AME-AM°

ÂME
FEMME
FLAMME

ÂME
(château de) Ham°
(prophète) Balaam°
Abraham°
terre de Graham°

(camelot, arg.)
un cam°/came
(drogue, arg.) il se/la came
(mécanique) une came
secam°

Cham°

au grand dam°
une **dame**
(jeu) il/la dame
(pardi) dame!
macadam°
madame
trique-madame
croque-madame
cuisse-madame
trou-madame
(fromage) édam°
(ville) Édam°
nous aidâmes
mesdames
belle-dame
Notre(-)Dame
quidam°
(eau-de-vie) schiedam°
(ville) Schiedam°
(officier) un vidame
nous vidâmes
ramdam°
Rotterdam°
Amsterdam°
Potsdam°

FEMME
il **affame**
sage-femme
il diffame
infâme

gamme
agame
il engame
(un/e) bigame
(un/e) polygame
lingam°
un/il **amalgame**
Buckingham°
Birmingham°
Nottingham°
(un/e) endogame
allogame
(William Somerset)
Maugham°
monogame
(une) phanérogame
autogame

(un) cryptogame
(un/e) exogame
Bergame
Pergame

igname

(diamant, arg.) un diam°
William°
miam-miam°
jusquiame
Myriam°
Priam°
nous priâmes
le Siam°
nous sciâmes

(Francis) Jammes

(épée) une **lame**
(vague) une **lame**
(lamage) il lame
(roseau) un calame
nous calâmes
épithalame
un/il **blâme**
(coquillage) un clam°
il **clame**
il **acclame**
il **déclame**
il **réclame**
(cri de rappel) un réclame
(publicité) une **réclame**
il **proclame**
il s'autoproclame
il s'**exclame**
schlamm°
brise-lames
FLAMME
il (s') **enflamme**
nous enflâmes
il renflamme
il désenflamme
lance-flammes
cache-flamme
oriflamme
madapolam°
slam°
hodjatoleslam°
islam°/Islam°
vlam!°

(madame) mame
(sein) une mamme
hammam°
nuoc-mâm°
imam°

Annam°
(Paris, arg.) **Panam°/e**
nous panâmes
Twickenham°
le Surinam°/e
(tuer) nous surinâmes
cinname
ad vitam æternam°
le Viêt Nam°/Viêtnam°

(bouteille) un jéroboam°

Je suis amoureux d'une **femme**,
Je suis amoureux d'une **flamme**.
Elle est la **flamme** et l'**oriflamme**,
Elle est la Gloire qui m'**acclame**,
Elle est la Mort qui me **réclame**,
Elle est blessure, elle est **dictame**,
Elle est répons, **épithalame** ;
Elle est le rythme de mon **âme** !

Armand Godoy,
Monologue de la tristesse. I

Mais l'homme et les temps ont changé ;
Et, de cuisse en **tam-tam**,
De trique en **trou-madame**,
De case en **wigwam**,
Il faut que la squaw se **pâme**,
Et que, dans l'**amalgame**,
Il importe à la **flamme**,
Du ***coïtum*** de l'***homme***,
Monogame ou **polygame**,
De chauffer à son ***optimum***
Le ***frigidarium*** de sa **femme**,
Cryptogame !

Philippe Léotard, « Omne animal... »,
Pas un jour sans une ligne

Tout' cette **gamme**
De mots **infâmes**
Ces **kilogrammes**
De **télégrammes**
[...]
À qui le **blâme**
À moi **cela me**
Saoule et me **came**
Ces **psychodrames**

Serge Gainsbourg, « Mélo mélo »,
Dernières nouvelles des étoiles

Un sonnet court
Et qui s'**enflamme** ?
Rame donc, **rame** :
Ton verbe est lourd.

T'iras au four
Et dans sa **flamme**
Si on s'**exclame** :
Ton verbe est lourd !

Ah ! là, ça **crame** :
Ça manque d'**âme** !
Ton verbe est lourd !

Brame donc, **brame**
En bas de **gamme** :
Ton verbe est lourd.

Claude Ernoult, « Un sonnet court »,
Six sots sonnets et autres textes rimés

Am stram gram
Pic et pic et **colégram**
Bour et bour et **ratatam**
Am stram gram
Pic !

Les Comptines de langue française

☞

AME-AM°

(souverain) Jéroboam°
réhoboam°
Roboam°

il se **pâme**
(pâmoison) les pâmes
(coup) pam! pam!°

(moi, verl.) ouam°
squame
il (se) desquame
wigwam°

(informatique) RAM°
(de barque) il/une **rame**
(tuteur) il/une rame
(de papier) une rame
(de métro) une rame
(un tissu) il rame
Aram°
(gémit) un/il **brame**
(brahmane) un bra(h)me
il crame
cramcram°
ashram°
drame
chorédrame
psychodrame
sociodrame
mélodrame
mimodrame
(manœuvrer) il dérame
(des feuilles) il dérame
cérame
nous serrâmes
wolfram°
coloration de Gram°
gramme
diagramme
anagramme
métagramme
Wagram°
télégramme
calligramme
milligramme
organigramme
(poème) une **épigramme**
(d'agneau) un épigramme

décigramme
centigramme
(comptine)
Am stram gram!°
idéogramme
radiogramme
cardiogramme
électro/
encéphalogramme
parallélogramme
kilogramme
hologramme
phonogramme
monogramme
lipogramme
il/un **programme**
il déprogramme
il reprogramme
spectrogramme
hectogramme
pictogramme
tautogramme
cryptogramme
beïram/baïram°
dirham°
Pyrame
prame
(tramway) un **tram**°
il/une **trame**
(prénom) Bertram°
(bovin) durham°
(Angleterre) Durham°
nous durâmes

Sam°
Assam°
oncle Sam°

sésame
(examen, arg.) exam°

une/il **entame**
nous entâmes
nous hantâmes
il rentame
(baume) un **dictame**
nous dictâmes
il étame

(rétameur) il rétame
(il tombe) il se rétame
litham°
myopotame
hippopotame
tam-tam°
(plante) un carthame

+ verbes en -er
1e pers. pluriel
passé simple

L'aut' jour, su' l'**macadam**,
J' rencont' **Madam**
Adam
Qu'allait rue d'**Am-**
Sterdam
Ach'ter, **dam** !
Du **Schiedam**.

Alphonse Allais, « L'idée de patrie chez les Américains »,
Ne nous frappons pas

Ne versez plus de vaines ***larmes***, le ciel chante comme votre **âme,** elle n'est plus silencieuse, — et voici la mort radieuse.

Et voici la mort lumineuse et chantante, et voici la vie. Voici la perle de votre **âme** qu'un ange éperle dans le ***calme***, et voici les voix ***musicales*** et radieuses des archanges.

Paul Fort, « Berceuse pour les agonisants »,
Ballades françaises

C'est ainsi qu'aujourd'hui, au lieu d'être ***moi-même***,
j'aurais été un autre et j'aurais visité
l'imposante maison de ces siècles passés,
et que, rêveur, j'eusse laissé flotter mon **âme**
devant ces simples mots : là vécut Francis **Jammes**.

Francis Jammes, « Amsterdam »,
Le Deuil des Primevères

❐ *38 [Elskamp]; 502 [Salmon]*

assonances	*contre-assonances*
30. ALME	*162. ÈME*
57. ARME	*290. IME*
25. ALE	*392. OME*
38. ANE	*559. UME*

37. AMS°-AMSE

Adams°
(diamants, arg.) des diam's°
poire Williams°
(Tennessee) Williams°
(coquillages) des clams°
(il meurt, arg.) il clamse
(jeu de cartes) le rams°
(Johannes) Brahms°

assonances	*contre-assonances*
36. AME	*164. EMS*
68. ASME	*292. IMS*

38. ANE-AN°-OINE

ÂNE

un ÂNE
(prénom) **Anne**
(dynasties) Han°

il **ahane**

banne
cabane
rabane
(il paresse, rég.)
un(e)/il bambane
scribanne
(prénom) Albane
(peintre) l'Albane
il haubane
Villeurbanne
essence de mirbane
il **enrubanne**

(canard) une cane
(il a peur, arg.) il cane
(il meurt, arg.) il ca(n)ne
(bâton) une **canne**
(plante) une **canne**
(une chaise) il canne
(jambes, arg.) des cannes
(ville) Cannes
(Gustave) Kahn°
barbacane
sarbacane
Ag(h)a Khan°
noix de pacane
Teotihuacán°
il **cancane**
bécane
bec-de-cane
une/il **chicane**
(une) gallicane
(une) anglicane
il **ricane**
jerrycan°/jerricane
hurricane
vaticane
alcane
il boucane
(il pue, arg.) il emboucane
(secret) un **arcane**
(craie) une arcanne
barkhane
il scanne
la Toscane
(une) toscane
lucane

(grade) dan°
il **damne**
pas-d'âne
bédane
guide-âne
dos(-)d'âne
(conte) Peau-d'Âne
(diplôme) peau d'âne
il re/**condamne**
(Benjamin) Fondane
bardane
sardane

(une) cerdane
Jordan°
(une) bigourdane

océane

(admirateur) un fan°
(tige) une **fane**
(il fait les foins) il fane
(se flétrir) il se **fane**
diaphane
il effane
Stéphan°/e
(surnom) épiphane
saint Epiphane
Théophane
(n. déposé) cellophane
colophane
Xénophane
être/un **profane**
il **profane**
tryptophane
Aristophane
propfan°

gan°
la Manicouagan°/e
(ivresse, rég.)
la barragane
engane
salangane
(une) afghane
houligan°/hooligan°
(Ronald W.) Reagan°
phrygane
korrigane
(un/e) **tsigane/tzigane**
mont Logan°
longane
(gosier , arg.) la gargane
organe
(prénom) Morgan°/e
fée Morgane
(épris, arg.) morgane
(mange, arg.) il morgane
(haricot, arg.) une gourgane

Ya(n)n°
(réveil) battre la diane
(jeune fille) une diane
(déesse) **Diane**
badiane
médiane
Sogdiane
obsidiane
(opium, arg.) la tou(f)fiane
liane
Éliane
Liliane
(une) kenyane
méniane
(blennoragie, arg.)
la castapiane
(doucement, arg.)
piane-piane
Ariane
Marianne
Marie-Anne
(une) nigériane

Des folles nuits de Lorelei
Du temps jadis des **courtisanes**
De folle rose et d'éventails
Des bals cousus dans les **platanes**
Hallebardes et **pertuisanes**
Creusez creusez le soupirail
Jusqu'à l'école ouvrez les **vannes**
« Les belles nuits de Lorelei »

Laissez rouler l'herbe des rails
Sur les maisons de **caravanes**
Rouler la neige en doigts d'émail
Siffler le train fausser la **panne**
Chaperon rouge ou en **Peau d'Âne**
C'est Monsieur l'Ogre prenant bail
Dans la forêt des quatre **fanes**
« Les belles nuits de Lorelei »

Rouben Melik, « Madame Lorelei »,
La Procession

Le sable cheminait sous la nuit **caravane**.
Les vagues de la piste effaçaient tous les pas.
En arrière, en avant où méditait Lala
son chameau 2-bossait le désert sous son **crâne**.

La nage, battement de son cœur, la **pavane**
à la droite, à la gauche où s'énervait Lala
usait la toile nuit : Dieu, crac et tralala !
un nègre emporterait la tête à sa **cabane**.

Jamais dans le cercueil au vin lourd de la **panne**
un bateau n'a subi telle gueule de boua :
car pour aller au fond de sa quête **mamane**

Théodore Lala, seul, vieux, vide et sans voua,
remâchant tout le jour sa fertile **banane**,
devenait chaque nuit complètement gaga.

Thieri Foulc, « Le vrai sot du désert »,
17 sonnets écrasiâstiques + 1 sonnet alchimique

Mais dans un château
Du paradis est mon ***âme***,
Et, sourde, lui dit sainte **Anne**,
Une histoire longue, et trop haut,
Dans un beau château.

Dans un beau château,
La Vierge, Jésus et l'**âne**
Font des parties de ***campagne***
À l'entour des pièces d'eau,
Dans un beau château.

Max Elskamp, « De joie » IV,
La Louange de la Vie

Adieu, **sardane** et tenora ! Adieu, tenoras et **sardane**
Demain, puisque le sort me **damne**
Demain puisque le czar l'***ordonne***
Demain je serai loin d'ici

Max Jacob, « Honneur de la sardane et de la tenora »,
Le Laboratoire central

❒ 91.3 [Verne] ; 333.16 [Mendès]
25 [Pirotte] ; 503 [Klingsor]

ANE-AN°-OINE

(plante) une valériane
(prénom) Valériane
Auriane
Dorian°/e
Lauria(n)ne
Floria(n)ne
Bactriane
(Baltásar) Gracián°
gentiane
Vinciane
strontiane
Transoxiane
la **Louisiane**
Josiane
(Apollonios de) Tyane
(une) castillane
Christiane
la **Guyane**
(une) sévillane
Viviane
Sylviane

(prénom) **Jeanne**
(d'Arc) **Jeanne**
(Herbert von) Karajan°
colonne trajane
Réjane
dame-jeanne
(prénom) Marie-Jeanne
(drogue) marie-jeanne

maréchal Lannes
Allan°
balane
coq-à-l'âne
(une) catalane
les atellanes
Castellane
Roxelane
la/il **flâne**
une/il **glane**
(Garin de) Monglane
Oradour-sur-Glane
(Bob) Dylan°
pouzzolane
forlane
(unie) surface **plane**
(il polit) il plane
(il vole) il **plane**
aquaplane
deltaplane
(n. dép.) naviplane
aéroplane
mac farlane
Tenochtitlán°

(homme, angl.) man°
île de Man°
(nourriture) une manne
(panier) une manne
(esprits) les **mânes**
(Thomas) Mann°
demander l'aman°
(ville) Amman°
shaman°/chaman°
brahmane
caméraman°
(déféquer, arg.)
aller chez Flacmann°

(amoureux, drogué,arg.)
accrochman°
(Benny) Goodman°
recordman°
il **émane**
self-made-man°
(obligé, arg.) obligeman°
(contaminé, arg.)
arrangeman°
(Ornette) Coleman°
gentleman°
(dupe, arg.) repasseman°
policeman°
Hoffmann°
gagman°
(Ingmar) Bergman°
(un/e) bimane
rugbyman°
pédimane
clergyman°
Ahriman°
(n. dép.) walkman°
immelmann°
(flic, arg.) poulma(n)n°
(autocar) pullman°
(une) **musulmane**
(un/e) toxicomane
(une) **nymphomane**
yeoman°
(un/e) bibliomane
(un/e) opiomane
(un/e) **mégalomane**
(un/e) **mélomane**
(un/e) boulomane
(un/e) anglomane
un/e cocaïnomane
un/e morphinomane
un/e héroïnomane
(un/e) monomane
pré/**romane**
un/e éthéromane
un/e **pyromane**
gallo-romane
rhéto-romane
(faiseur de vers)
un/e métromane
(usager du métro)
un/e métromane
(un/e) dipsomane
un/e balle(t)tomane
(péteur) un/e pétomane
(un/e) **mythomane**
(turque) (une) **ottomane**
(canapé) une ottomane
(un/e) érotomane
(un/e) kleptomane/
cleptomane
(Robert) Schumann°
(Paul) Newman°
recordwoman°
(Harry S.) Truman°
barman°
(hindouisme) le karman°
(aviation) un karman°
doberman°
alderman°
Kellermann°
superman°
(n. dép.) Waterman°

(une) birmane
(Milos) Forman°
(flic, arg.) bourrman°
(il incarcère, arg.)
il embourrmane
(Vittorio) Gassman°
ombudsman°
biznessman°/
businessman°
tennisman°
Haussmann°
crossman°
jazzman°
wattman°
hetman°
(Walt) Whitman°
(Robert) Altman°
yacht(s)man°
(un) quadrumane

banane
rhénane

Jo(h)a(n)n°
roanne

(un, angl.) one
caoua(n)ne
Amboine
Assiniboine
tai-chi-chuan°
couenne
les Séquanes
douane
(une) padouane
(salade) **macédoine**
(Balkans) Macédoine
(silice) calcédoine
(ville) Chalcédoine
il dédouane
idoine
chélidoine
saint Sidoine
sardoine
(une) cordouane
iguane
(gosier, arg.) la gargoine
iwan°
Taiwan°
moine
stramoine
aigremoine
patrimoine
antimoine
chanoine
(une) capouane
jument rouanne
(outil) une rouanne
(prénom) **Antoine**
(Padoue) saint Antoine
(le Grand) saint Antoine
faubourg Saint-Antoine
Marc Antoine
(une) mantouane
bétoine
cétoine
péritoine
avoine
pivoine

(pain) il pane
(hors service)
en/une **panne**
(étoffe) une panne
(graisse) une panne
(marteau) une panne
(poutre) une panne
(nuages) une panne
(paon) une paonne
(il pavane) il paonne
il empanne
campane
il dépanne
il **trépane**
frangipane
propane
(robe, arg.) une roupane

Zurbarán°
Huascarán°
(juif) un(e) marrane
(déveine, rég.) la marrane
membrane
(n. dép.) fibranne
(tête) un **crâne**
(frime) il/être crâne
olécrane
bucrane
Vérane
il safrane
il/en/un **filigrane**
Tigrane
bugrane
Qumran°
borane
(une) andorrane
Laura(n)ne
soprane
urane

Hassan°
passe-/crassane
(une) bressane
insane
(une) **persane**
(une) texane
Roxane

il/la basane
filanzane
faisane
(une) valaisane
(Paul) Cézanne
alezane
(une) **paysanne**
(une) pisane
tisane
artisane
cartisane
partisane
courtisane
pertuisane
balzane
Lausanne
mosane
Suzanne

(il bronze) il **tanne**

(il agace) il tanne
(point noir) une tanne
(titre) thane
(ville) Thann°
Ecbatane
Yucatán°
platane
une/il charlatane
tarlatane
Manhattan°
Jonathan°
(chaussure, arg.) tatane
(paresse, arg.) tatane
lanthane
octane
éthane
Gaétane
méthane
(une) mahométane
polyurétha(n)ne
(une) occitane
(gitan) **gitane**
(cigarette) une gitane
capitane
prytane
titane
sainte Anne
sultane
Wotan°
tramontane
soutane
tartane
butane

(dyn. mongole) Yuan°
(monnaie chin.) Yuan°

(blague, arg.) il/une vanne
(écluse) une **vanne**
(du blé) il vanne
(il fatigue) il vanne
(ville) Vannes
(cigare) un **havane**
(ville) **La Havane**
Puvis de Chavannes
(danse) une **pavane**
(il parade) il se **pavane**
caravane
savane
eaux-vannes
Servane

assonances
20. AGNE
36. AME

contre-assonances
166. ÈNE
295. INE
393. ONE

39. APE-AP°

FRAPPE
GRAPPE

il **happe**
(promontoire) un cap°
(capable) t'es pas cap!°
(vêtement) une **cape**
(un cigare) il cape
(il obtient, arg.) il encape
il décape
de pied en cap°
(ville) Le Cap°
un handicap°
il handicape
escape
une **chape**
(Claude) Chappe
il **échappe**
il réchappe
il rechape
Gap°
des **agapes**
Priape
(Japonais, arg.) un Jap°
il **jappe**
il **lape**
(à Paris) rue de Lappe
(bon à rien, arg.)
bon à lap°/e
jalap°
(chaussure, arg.) chlap°
(claquoir) un clap°
(il mange, arg.) il clape
(de la langue) il clappe
(applaudissement)
clap! clap!°
(s'accroupit, rég) il s'aclape
(il rosse, rég.) il esclape
(battement d'ailes)
flap! flap!°
(dieu) **Esculape**
(médecin) un esculape
bataille de Jemmapes
(pièce d'or, arg.) un nap°
(élégant) être NAP°
il/une **nappe**
hanap°
il kidnappe

sous-nappe
(il vagabonde, arg.) il gouape
(voyou) une gouape
pape
(brouet, Belg.)
une michepape
(nœud papillon, arg.)
un nœud-pap°
antipape
soupape
monnaie-du-pape
(musique disco) le rap°
(chante le rap) il ra(p)pe
une/il râpe
(il s'égratigne, rég.)
il s'esgarrape
une/il varappe
(crapule, arg.) une crâpe
il (se) **drape**
il dérape
une/il FRAPPE
(voyou, arg.) une petite frappe
GRAPPE
il égrappe
il/une **trappe**
(ordre religieux) la Trappe
(ville) Trappes
une/il **attrape**
il rattrape
(chenapan, Alg.)
un sacatrape
satrape
(coupe le chaume) il étrape
chausse-tra(p)pe
ball-trap°
(il mine) une/il sape
(il s'habille, arg.) il se sape
(habits, arg.) des sapes
(il se déshabille, arg.)
il se désape
(se rhabille, arg) il se resape
il zappe
une/il **tape**
(marine) il tape
étape
(il répare) il retape
(racolage, arg.) elle/la retape
(Gestapo, arg.) la Gestape
(vapeurs, arg.) dans les vapes

assonances
2. ABE
59. ARPE
41. APRE
75. ATE

contre-assonances
170. ÈPE
301. IPE
394. OPE
95. AMPE

Souvent la vision du Poète me **frappe** :
Ange à cuirasse fauve, il a pour volupté
L'éclair du glaive, ou, blanc songeur, il a la **chape**,
La mitre byzantine et le bâton sculpté.

Dante, au laurier amer, dans un linceul se **drape**,
Un linceul fait de nuit et de sérénité :
Anacréon, tout nu, rit et baise une **grappe**
Sans songer que la vigne a des feuilles, l'été.

Stéphane Mallarmé, « Contre un poète parisien »,
Boutades in *Poésies*

Vos attraits n'ont plus rien que l'épée et la **cape**,
Votre esprit est plus plat qu'un pied de Pèlerin,
Vous pleurez plus d'onguent que n'en fait Tabarin,
Et qui voit votre nez, le prend pour une **grappe**.

Vous avez le museau d'un vieux limier qui **lape**,
L'œil d'un cochon rôti, le poil d'un loup marin,
La chair d'un aloyau lardé de romarin,
Et l'embonpoint d'un gueux qui réclame **Esculape**.

Marc-Antoine Girard de Saint-Amant, « Sonnet »,
Œuvres. I

On sait bien de tout temps que faites bien l'Amour,
On voit bien quelquefois que l'honneur vous **échappe**,
Et qu'un riche niais dedans vos lacs s'**attrape**,
Dont il voudrait après n'avoir hanté la Cour.

Cela ce n'est que jeu, mais c'est un mauvais tour
À l'heure qu'à gogo vous recevez **Priape**,
(Sans le nœud d'Hyménée) en faveur d'**Esculape** ;
Par iò* grenouillant vous perdez si beau jour.

Marc Papillon de Lasphrise, « On sait bien… »,
Diverses poésies. CXXI

* iò : cri des Bacchantes

Chanter c'est lancer des ***balles***
Des ballons qu'on **tape**
Pour que quelqu'un les **attrape**
Et que ça ***beebop*** a **lullap**

Alain Souchon, « Chanter c'est lancer des balles »,
C'est déjà tout ça

Le mot source surgit, j'en ***capte*** les ***syllabes***
Dans des veines d'aubier, des sillons et des puits ;
Je trame sous l'été les mailles de mes **nappes**
Aggravant de désert l'humidité captive.

Marc Alyn, « Construction d'un poème sur l'eau »,
Infini au-delà in *Le Chemin de la parole*

Il soupire. Il s'efface...
Et s'***agrippe*** à sa **grappe**.
Et se ***gratte*** à sa ***grippe***
Et se ***grippe*** à sa ***gratte***.
[...] Et se perd dans ses plis

Il s'y **drape**. Il y **jappe**.

André Frénaud, « Cerbère de soi »,
La Sainte Face

❒ *41 [Delteil] ; 59 [Fondane] ; 316 [Salmon] ; 170 [Thiry]*

40. APLE

NAPLES (il déchiquette, rég.) il chaple
(faire un malheur, rég.)
faire un chaple
(il embête, rég.) il enchâple
NAPLES
(il tombe, rég.) il s'estaple
Étaples
(Jacques)
Lefèvre d'Étaples
les Hexaples

Nul ne peut aujourd'hui trépasser sans voir **Naples**,
À l'assaut des chefs-d'œuvre ils veulent tous courir !
Mes ambitions à moi sont bien plus ***raisonnables*** :
Voir votre académie, madame, et puis mourir.

Georges Brassens, « Vénus callipyge »,
Poèmes et chansons

Ô Cœur correspondant parfois aux gestes ***amples***
Souvent ;
Entre l'énormité des Tibères de **Naples**
Et la naïveté des *Purs-**Simples***, rêvant.

Robert de Montesquiou, « Corda »,
Les Chauves-souris. CIX

Je marcherai droit comme **Sardanaple**,*
quand il zigoura le harem en bloc.
Partout brilleront les piments de **Naple**,
la zviezda de l'ours et l'or amerloc.

Jacques Audiberti, « Théologie »,
Ange aux entrailles

* Sardanapale

assonances	*contre-assonances*
3. ABLE	*98. AMPLE*
7. ACLE	*339. IMPLE*
39. APE	*302. IPLE*
31. ALPE	*508. OUPLE*

❒

41. APRE

ÂPRE

ÂPRE
(vaisseau corsaire) un capre
(condiment) une **câpre**
il **diapre**

Essuyant ainsi les pleurs d'hier, mon pauvre cœur
A conçu l'ardente foi d'un destin **âpre**,
Que le soleil d'un grave orgueil baigne et **diapre**.

Philéas Lebesgue, « Pluie au printemps »,
Œuvres poétiques. I

Ces routes qui formaient comme un étroit couloir
Quand elles s'avançaient entre des roches ***glabres***,
Il allait y lancer une forêt de ***sabres***.
Il allait y lancer un plus ferme vouloir.

Ces routes qui formaient comme un étroit couloir
Quand elles s'avançaient entre des roches **âpres**,
Et quand elles montaient par des buissons de **câpres**,
Il allait y lancer un plus ferme devoir.

Charles Péguy,
Suite d'Ève, p. 1499

Les femmes ont des cœurs si **âpres**,
À Tarragone et à Burgos,
Qu'on voit mourir, ivres de ***grappes***,
Les abeilles et les oiseaux.

Joseph Delteil, « Sainte Thérèse »,
Choléra. IX

Enhaine dangle **dâpre**, enraînne, enraînne, hangle, **hâpre**,
envaine… Cadava…cadava, dangle. Desespar, **hâpre**…
Lacadava, détrange, aranapar, cadaxé, cahava, **bâpre**,
enienne… Annan despaïenne envaine… Anxain anxaine
axainaxe **Xâpre** !

Isidore Isou, « Variation pour un tombeau sinistre, sans cesse recommencé, d'Edgar Allan Poe »,
La Musique lettriste

assonances	*contre-assonances*
4. ABRE	*172. ÈPRE*
8. ACRE	*303. IPRE*
39. APE	*396. OPRE*
59. ARPE	*99. AMPRE*

❒ *47 [Audiberti] ; 99 [Montesquiou]*

42. APS°-APSE

(baba-cool, arg.) un bab's°
carpocapse
(de temps) un **laps**°
(lapin, arg.) un laps°
(religion) être laps°/e
blaps°
(il meurt, arg.) il clapse
(récidiviste) **relaps**°/**e**
être laps°/e et relaps°/e
(effondrement, angl.) il/un collapse
(pièce d'or, arg.) un nap's°
(papiers d'identité, arg.) des pap's°
schnaps°
synapse
(cigare, arg.) un crap's°
(crapule, arg.) un craps°
(il meurt, arg.) il crapse
(peut-être, angl.) perhaps°

Et qui retomberait en serait dit **relaps**
Mais qui remonterait encore après ce coup
Sera reçu quand même, et ce sans qu'aucun **laps**
De temps fasse coucher qui veut rester debout.

Charles Péguy,
Suite d'Ève, p. 1475

La fâcheuse paralysie
Le cloua, jeune, sur son lit ;
Et finalement l'aphasie,
Pour ainsi dire l'abolit,

Sans qu'il renonçât à son vice ;
Tant qu'il n'eut plus au bout d'un **laps**
Qu'une ***syllabe*** à son service ;
Cette syllabe était **abs**...**abs**... *

Raoul Ponchon, « La Mort de Pelloquet »,
La Muse au cabaret

* absence ? absurde ? absolution ? absinthe ! (selon le poème)

assonances	*contre-assonances*
39. APE	*173. EPSE*
71. ASSE	*304. IPSE*
61. ARSE	*397. OPS*
69. ASPE	

❒

43. APTE-APT°

(ville) Apt°
être **apte**
il **capte**
(tarière) un oviscapte
il **adapte**
il réadapte
il (se) désadapte
inapte
un rapt°
syrrhapte
(reliure mobile) un biblorhapte

Bouvillons, vipères,
Oiseaux de velours,
Misérables pères
Aux ventres si lourds

Que l'espèce **capte**
Leur pendant poreux
Et se les **adapte**
Aux fertiles creux...

Jacques Audiberti, « Profond cerf où rôde »,
L'Empire et la Trappe

...Pénitence, presque-innocence, tu les vaincs,
Tu les poursuis, tu les arrêtes et les **captes**,
Sauvant les âmes, par l'excellence des ***actes***,
De l'enfer et de ses milices que tu vaincs.

Paul Verlaine, « Pénitence »,
Liturgies intimes

À quoi ces crabes seraient-ils bons ?
À première vue ceci ***éclate*** :

La multiplicité de leurs ***pattes***
Doit, pour peu que l'on y insiste,
Doit les faire **aptes**,
Quant au doigté,
À rivaliser avec Liszt...

Franc-Nohain, « La Machine à écrire »,
Dites-nous quelque chose

assonances	*contre-assonances*
39. APE	*174. EPTE*
75. ATE	*305. IPTE*
9. ACTE	*398. OPTE*

❒

44. AQUE-AC°

SAC°

Isaac°

(bateau) un **bac**°
(récipient) un **bac**°
(baccalauréat) le bac°
(Jean-Sébastien) Bach°
abaque
(à tort et à travers)
ab hoc et ab hac°
calambac°
flash-back°
feed-back°
play-back°
come-back°
(bonnet à poil) colback°
(par le cou, arg.)
prendre par le colback°
(Georges) Rodenbach°
(Jacques) Offenbach°
drawback°
tombac°
(viande, arg.) la barbaque
(corbeau, arg.) un corbaque
Forbach°
(morpion, arg.)
un morbac°/morbaque
ubac°

indice C.A.C.°
il/une caque
macaque
il encaque
icaque

chaque
(rupture) tchac!°

(Pierre) Dac°
(d'accord, arg.)
d'ac(c)°!/dac!°
le Ladakh°
(n. dép.) **Kodak**°
(rég.) la poule codaque
(poule) cot cot codac!°
monts Adirondacks°

Éaque
(réactionnaire) (un/e) réac°

(faculté) la fac°

(mignon, rég.) magnac°
(eau-de-vie) armagnac°
comté d'Armagnac°
les Armagnacs°
général Cavaignac°
prince de Polignac°
(Paul) Signac°
cotignac°
Rastignac°
(Raymond) Savignac°
(eau-de-vie) **cognac**°
(ville) Cognac°
monsieur
de Pourceaugnac°
ya(c)k°

canoë-/kayak°
gaïac°
(François) Ravaillac°
Tolbiac°
koulibiac°
(acadien, Can.) (un) chiac°
(il tombe, rég.) il chiaque
(n. dép.) une Cadillac°
kodiak°
(canot, n. dép.) Zodiak°
(astrologie) **zodiaque**
Condillac°
(un/e) **cardiaque**
(un/e) élégiaque
orgiaque
héliaque
cœliaque
sacro-/iliaque
généthliaque
(il bâfre, rég.) il miaque
oumiak°
(Vietnamien, arg.)
un niac°/niak°
(il mord, rég.) il niaque
(morve, rég.) la niaque
(un/e) **maniaque**
(drogué, arg.)
(un/e) piquomaniaque
toxicomaniaque
(un/e) monomaniaque
érotomaniaque
(un/e) **insomniaque**
(un/e) hypersomniaque
(gaz) ammoniac°
(solution) ammoniaque
(un/e) **démoniaque**
(un/e) simoniaque
(un/e) **paranoïaque**
(un/e) bosniaque
(un/e) hypocondriaque
thériaque
syriaque
Aurillac°
(François) Mauriac°
mithriaque
(Robert) Brasillach°
génésiaque
isiaque
paradisiaque
(un) an/**aphrodisiaque**
dionysiaque
ambrosiaque
tillac°
éléphantiaque
les Votyaks°/Votiaks°
(chef indien) Pontiac°
(n. dép.) une Pontiac°
ostyak°/ostiac°

(fruit du jaquier) un jaque
(habit) un(e) ja(c)que
(prénom) **Jacques**
faire le Jacques
Christian-Jaque
Jean-Jacques
(prénom) Jack°
(technique) un jack°
black-jak°
sandjak°

C'est pas tant la peur du tonnerre
  Avec son grand ***zig zag***,
C'est pas tant la peur des années
  Avec leur grand **zodiaque**
C'est pas tant la peur de l'enfer
  Avec son grand **tic-tac**,
C'est pas tant la peur de l'hiver
  Avec son grand **colback**,
C'est pas tant la peur tracassière
  Avec son grand **bivouac**,
C'est pas tant la peur de la guerre
  Avec son grand **micmac**,
C'est pas tant la peur de l'amour
  Avec ses grands **cornacs**,
C'est pas tant la peur du suaire
  Avec son grand **cloaque** :
C'est surtout la peur ordinaire,
C'est surtout la peur de la peur
  Avec son **bric-à-brac**.

Géo Norge, « Poltron »,
Famines

C'est un boucher mondain, toujours en habit noir,
Fort tout de même : Alcide et Turc de la **barbaque**,
Il vous abat son bœuf d'un coup de **chapeau-claque**,
En homme de salon gouvernant l'échaudoir.

Artiste encore, il rit à son œuvre au miroir
De sang chaud qui s'évase en une large **flaque** ;
S'il la passe, d'un pied léger, son soulier **craque** ;
C'est avec des gants blancs qu'il saisit le tranchoir.

André Salmon, « Boucherie »,
Les Étoiles dans l'encrier

Avant donc de lâcher la plume j'en ve **crac**
Nais aux mains comme quatre en crachant tout à **sac**
Dans mon roseau total puis cassais la **baraque**
De l'âme écartée d'un tiret final **opaque**

Je rayais de la carte et de tout **almanach**
Le monde joué aux points cardinaux par **paqu**
Ets d'êtres châtrouillés hi les êtres mis **d'ac**
Cord dans le même **sac** sans parler des **cloaques**...

René Belletto, « Avant donc de lâcher la plume… »,
Loin de Lyon. XX

Un soir qu'à l'improviste **chtac**
Je frappe à ma porte ***toc toc***
Sans réponse je pousse le ***loqu***
Et j'écoute gémir le **hamac**
Grincer les ressorts du ***paddock***
J'avance dans le **black**
Out et mon **Kodak**
Impressionne sur les **plaques**
Sensibles de mon cerveau une vision de **claque**
Je sens mon rythme **cardiaque**
Qui passe brusquement à **mach**
Deux **tic tac tic tac**
Comme sous un ***électrochoc***

Serge Gainsbourg, « Flash forward »,
Dernières nouvelles des étoiles

❐ 322 [Lambert] ; 214.11 [Ducharme]
23 [Thiry] ; 111 [Blavier] ; 306 [Lafon] ; 509 [Sénac]

AQUE-AC°

coquille Saint-Jacques
tour Saint-Jacques
Union Jack°
(jacasser, rég.) il **barjaque**
muntjac°

un **lac°**
(gaz de) Lacq°
il/un(e) laque
(prostituée, arg.)
une pallaque
(un/e) valaque
(un/e) black°
(fouet, gifle) chlac!°
(bruit sec) clac!°
il/une **claque**
(il meurt, arg.) il claque
(bordel, arg.) un claque
un (chapeau) claque
prendre ses cliques
et ses claques
(métier à tisser, rég.)
un bistanclaque
(un) clic-clac!°
gomme-laque
(bruit d'eau) flac!°
(assez, arg.) y en a flac!°
une **flaque**
(il défèque) il flaque
(clapotement) flic flac!°
(gifles, arg.) un flic-flac°
(défèque, arg.) il déflaque
(il flâne, rég.) il trinlaque
(spectre) un brucolaque
(Sydney) Pollack°
(polonais) (un/e) pola(c)k°
(cavalier) un polaque
koulak°
il/une **plaque**
il contreplaque
Lancelot du Lac°

(fils, celtique) Mc°/Mac°
(proxénète, arg.)
un maq°/mac°
(nombre de) Mach°
(se marier, arg.) il se maque
(techn.) une ma(c)que

hamac°
micmac°
(divorcer, arg.) il se démaque
Télémaque
(proxénète, arg.)
un proxémaq°
Callimaque
épimaque
Symmaque
(plante) lysimaque
(roi) Lysimaque
(énorme, arg.) comac°
(môme, arg.) un momaque
Andromaque
il estomaque
(bizarre, rég.)
(un/e) choumaque
(antidote)
alexipharmaque
tarmac°
(baiser) (un) smack!°
(drogue, arg.) du smack°
sumac°

kanak°,e/canaque
almanach°
(Lucas) Cranach°
(n.dép.) la FNAC°
les totonaques
il/une arnaque
Carnac°/Karnak°
(ville)Jarnac°
baron de Jarnac°
coup de Jarnac°
(Boris L.) Pasternak°
un **cornac°**
il cornaque
(fouiner, rég.) il fournaque
snack°

cloaque

tomawak°
les Arawacs°
(un) **couac**!°
quoique
(Jack) Kerouac°
un **bivouac°**

il bivouaque

(rugby) un pack°
(de bière) un pack°
(le poisson) il pacque
(religion)
la pâque/les **Pâques**
île de Pâques
Manco Cápac°
Karakalpak°
talpack°
opaque
(danse) gopak°/hopak°

(meuble) un rack°
(payer, arg.) il raque
ara(c)k°
(maison) une **baraque**
(s'accroupir)
le chameau baraque
caraque
(marteau, arg.)
un darrac°/darraque
sandaraque
azédarac(h)°
(il dérobe, Alg.) il sarraque
(Georges) Braque
(chien) un braque
(fou) être braque
(des yeux) il **braque**
(une banque, arg.) il braque
bric-à-brac°
(couverture de cheval)
une (s)chabraque
(fou, arg.) un/e chabraque
(prostituée, arg.)
une chabraque
il embraque
il contrebraque
(seigneur de) Pibrac°
albraque
Aubrac°
crac!°
(hâbleur) baron de Crac°
(champion) un crack°
(drogue) du crack°
(crise) un krach°
(château fort) un krak°

il **craque**
(mensonges)
raconter des craques
(machin, rég.)
un manicraque
(obsédé, arg.)
un saute-au-crac°
payer ric-rac°
cric-crac!°
le Drac°
(Charles) Vildrac°
sérac°
cétérac(h)°
Cyrano de Bergerac°
(chanson) la riqueraque
(habit) un **frac°**
(il fracture, arg.) il fraque
fric-frac°
(Julien) Gracq°
les (frères) Gracques
Iraq°/Irak°
(Jacques) Chirac°
anorak°
(peur) le **trac°**
(soudain) tout à trac°
(chasse) une/il **traque**
il/une matraque
patraque
(chute) patatrac!°
tric-trac°
il **détraque**
hall-track°
(Roger) Vitrac°
(fou, arg.) foutraque
en vrac°

un SAC°
(piller) mettre à sac°
(100 Fr, arg.) dix sacs°
(renvoyer) il sa(c)que
Montesquiou-
Fezensac°
cul-de-sac°
ressac°
havresac°
monte-sac°
bissac°
Fronsac°

Gay-Lussac°

une Z.A.C.°
(veste) **casaque**
(peuple) (un/e) kazakh°/e
(casse-tout, rég.)
un brisaque
(Honoré de) **Balzac°**
Guez de Balzac°
Larzac°

(taxi, tacot) un tac°
(bruit sec) tac!°
(techn.) une taque
(imprim.) il taque
il/une **attaque**
(mitrailleuse) tacatac!°
il/une contre-attaque
(tir) tac, tac, tac!°
(un) **tic-tac**!°
(claquement) chtac!°
(conclusion) et tac!°
Ithaque
du tac au tac°
bastaque
(étranger, arg.) un rastaque
l'Estaque

il **vaque**
les Bellovaques
(un/e) tchéco/slovaque

assonances
23. AGUE
9. ACTE
60. ARQUE

contre-assonances
176. ÈQUE
306. IQUE
400. OQUE

45. AR°-ARE-OIR°-OIRE

GLOIRE
MÉMOIRE
NOIR°
SOIR°
VOIR°

(rivière) l'Aar°/e
(unité de mesure) un are
(acompte) des arrhes
(du cheval) l'ars°
(de l'artiste) l'**art°**
(lien, corde) la hart°

(René) Panhard°

(café) un **bar°**
(poisson) le bar°
(unité de mesure) le bar°
duché de Bar°
(civière) un bard°
il/une **barre**
(il part) il se barre

Musaraigne ou lérot, gerboise adroite et **loir**,
Animaux jamais vus, ou presque, en la **mémoire**,
Qui rôdez dans un livre, un guéret, dans le **soir**,
Souris dans les greniers (édredons, vieux **devoirs**
D'écolier à ronger), délicates **mâchoires**,
Petits yeux doux cruels, mon cœur s'effraie de **voir**
Soudain vos pas griffus, vos canines **rasoirs**
En son paradis rouge où dorment les **miroirs**
Un édredon, l'enfance, une table et l'**armoire**.
Musaraigne, souris, affût dans mes **tiroirs**,
J'ai peur, les grands arbres, les fontaines sont **noirs** :
Ces petits animaux rongent dedans l'**espoir**.

James Sacré, « Musaraigne ou lérot… »,
Ancrits

☞

AR°-ARE-OIR°-OIRE

(Jean) Bart°
Babar°
gabare
Chevalier de La Barre
(costaud, arg.) **malabar°**
(n. dép.) un Malabar°
côte de Malabar°
tabard°
chambard°
liquidambar°
(fanfaron, arg.) flambard°
il embarre
il rembarre
(n. dép.) un Carambar°
snack-bar°
il débarre
(chien, arg.) clébard°
(ivrogne, arg.) bibard°
millibar°
(colis, arg.) colibar°
(sein, arg.) nibard°
tribart°
(furieux, arg.) furibard°
jeu de zanzibar°
(île) Zanzibar°
(caleçon, arg.) calbar°
bobard°
escobar°
jobard°
piano-bar°
(croquis, arg.) crobard°
isobare
lombard°
(plombier, arg.) plombard°
loubard°
barbare
(peureux, arg.) flubard°
(publicitaire, arg.) pubard°
(tuberculeux, arg.) tubard°
(indication, arg.) tubard°
(conjonction) **car°**
(autobus) car°
(ski) la carre
(enjeu, arg.) une carre
(il se cale) il se **carre**
(Alphonse) Karr°
(fraction) un **quart°**
Dakar°
jacquard°
placard°
les Rougon-Maquart°
trois-quarts°
encart°
(rendez-vous) rencard°/rancard°
mettre au rancart°
(renseignement, arg.) rancard°/rencard°
brancard°
stock-car°
écart°
Maître Eck(h)art°
(saumon) bécard°
(musique) bécarre
(il part, arg.) il décarre
(Guy) Des Cars°
side-car°

quatre-quarts°
il contrecarre
camping-car°
dog-car°
Icare
(chic, arg.) chicard°
(carnaval) un chicard°
pa(l)licare/pa(l)likare
(policier, arg.) flicard°
demi-quart°
smicard°
paniquard°
minicar°
picard°
(n. dép.) un Ricard°
(gardien, arg.) bricard°
(interdit de séjour, arg.) tricard°/triquard°
politicard°
inquart°
trinquart°
Hamilcar°
(broyeur) bocard°
(maison close, arg.) bocart°/bocard°
coquart°/coquard°
faucard°
(adage) brocard°
(raillerie) **brocard°**
(chevreuil) brocart°/brocard°
(tissu) **brocart°**
frocard°
trocart°
(un) toquart°/tocard°
autocar°
(boutique, arg.) boucard°
(bien, arg.) choucard°
scare
Madagascar°
lascar°
(nécrose) eschare/escarre
(blason) escarre/esquarre
(d'Estaing) Giscard°
brisquard°/briscard°
(récompense) un oscar°
(rois ; prénom) Oscar°

un **char°**
(René) Char°
(bluff, arg.) un char°/re°
(Marcel) Achard°
(condiment) des achards°
(avec acharnement, arg.) d'achar°
(sévère, arg.) vachard°
(mendiant, arg.) manchard°
revanchard°
bêchard°
(miséreux, arg.) déchard°
(mauvais, arg.) bléchard°
pleurnichard°
(riche) un **richard°**
(prénom) Richard°
antichar°
cheval pinchard°
cabochard°
bambochard°

Voir il faut **voir** sais-tu **voir**
La fleur séchée dans l'**armoire**
Les adieux les quais des **gares**
Quand les amours se disloquent
Voir il faut **voir** sais-tu **voir**
Le chômeur ancien **taulard**
Qui sera partout **tricard**
Et le destin **dérisoire**
Du vieux travelo sans **espoir**
De la fille sur le **trottoir**
Et du type qu'on a fait **boire**
Et qui fait rire tout le monde

Pierre Perret, « Voir »,
Chansons de toute une vie

Sur le trottoir flambant d'étalages **criards**,
Midi lâchait l'essaim des pâles ***ouvrières***,
Qui trottaient, en cheveux, par bandes ***familières***,
Sondant les messieurs bien de leurs luisants **regards**.

J'allais, au spleen lointain de quelque orgue **pleurard**,
Le long des arbres nus aux langueurs ***printanières***,
Cherchant un sonnet faux et banal où des ***bières***
Causaient, lorsque je vis passer un **corbillard**.

Jules Laforgue, « Les Boulevards »,
Premiers poèmes

Foin des victimes, des **blafards**,
Des trublions, des **nénufars**,
Des Croquignoles, des **Putiphars**,
Des Marquis, des chefs de **fanfares**,
Des orphéons, des **blafafards**,
Des cocus, des gardiens de **phares** !

Maurice Fombeure, « Anathèmes II »,
Les Étoiles brûlées

– Je suis fatigué des complots
Qu'ourdit le prince **Tintamarre** ;
Il fera meilleur sur les flots
Qu'au pays où tout nous **sépare**.

– Quelle cargaison de sanglots
Porte au large notre **gabarre** ?
Quel spectre cousu de grelots,
– Qui vous obéit, tient la **barre** ?

André Salmon, « Fable »,
Les Étoiles dans l'encrier

Couverts de peaux de ***panthères***
Tachées de ronds **blafards**
Des cannibales ***rêveurs***
Dansent sur la grand' place
[...]
Le gros soleil **hilare**
Grouille d'asticots d'***or***
Il s'épate ce **lézard**
Les humains font les ***morts***

Mouloudji, « Marseille »,
Complaintes

❒ 1.3 [Gautier] ; 457 [Richepin] ; 214.12 [Neufgermain] ; 166 [Schwob] ; 121.18 [Vian] ; *177 [Ferrer]*

AR°-ARE-OIR°-OIRE

(proxénète, arg.)
bidochard°
fauchard°
(seins, arg.)
les ballochards°
(vagabond) **clochard**°
(pomme) clochard°
(débrouillard, arg.)
filochard°
(laid, arg.) mochard°
pochard°
(poltron, arg.) pétochard°
(loucheur) louchard°
mouchard°
(parisien, arg.)
pantruchard°

dard°
Nadar°
radar°
antiradar°
(cendrier, arg.) cendard°
(enjoué, arg.) fendard°
(pantalon, arg.) un fendard°
(chasseur, arg.) viandard°
pendard°
étendard°
porte-étendard°
(normalisé) standard°
(téléphone) un standard°
cheddard°
saint Médard°
(démuni, arg.) raidard°
dare-dare
(chanceux, arg.) bidard°
Pindare
Tyndare
(Jean-Luc) Godard°
hospodar°
soudard°
démerdard°
sirdar°

(Guy) Béart°
les (îles) Baléares

(flan) far°
(maquillage) **fard**°
(enduit) fart°
phare
(mouchard) cafard°
(blatte) **cafard**°
(idées noires)
avoir le **cafard**°
blafard°
soiffard°
il/une **fanfare**
il **effare**
(Serge) Lifar°
Putiphar°
chauffard°
radiophare
gyrophare
bateau-phare
nénuphar°

une **gare**
(attention!) **gare**!
il (se) **gare**

le Gard°
(person. biblique) Agar°
hagard°
il se/une **bagarre**
agar-agar°
sagard°
hangar°
Edgar°
(respect) un **égard**°
(il se perd) il s'**égare**
bégard°
Mégare
regard°
il bigarre
cigare
fume-cigare
allume-cigare
coupe-cigare(s)
porte-cigares
héligare
(tisonnier) ringard°
(démodé) ringard°
réalgar°
(bataille, coup de)
Trafalgar°
bulgare
le Hoggar°
aérogare
(Roger) Martin du Gard°

(enfant, arg.) gnard°
bagnard°
(lieu ensoleillé, rég.)
cagnard°
(paresseux) cagnard°
(anus, arg.) oignard°
(pied, arg.) les oignards°
poignard°
campagnard°
montagnard°
(paresseux) feignard°
geignard°
(Jean-François) Regnard°
ignare
(anus; ail, arg.) fignard°
(oiseau) guignard°
(malchanceux) guignard°
mignard°
(peintre) Mignard°
(môme) mômignard°
charognard°
grognard°

Bayard°
fayard°
(robuste) **gaillard**°
(marine) un gaillard°
piaillard°
colin-maillard°
savoyard°
paillard°
braillard°
vieillard°
oreillard°
feuillard°
billard°
babillard°
corbillard°
(enfant, arg.) chiard°

(hongrois) magyar°/e
(peuple) les Magyars°
liard°
Montbéliard°
milliard°
(enfant, arg.) niard°
pillard°
béquillard°
(voleur) coquillard°
(œil, arg.) coquillard°
(calcaire) coquillart°
(de la Brie) briard°
(chien) briard°
criard°
(Jean) Baudrillard°
égrillard°
chevrillard°
nasillard°
une tiare
(Pontus de)
Thiard°/Tyard°
centiare
(remuant) frétillard°
vétillard°
(train) tortillard°
(café express, arg.)
tortillard°
fuyard°
caviar°
chevillard°
boyard°
(ouvrier sale, rég.)
gabouillard°
scribouillard°
(innocent, arg.)
blanchouillard°
(manchot, arg.)
manchouillard°
franchouillard°
(franc [monnaie], arg.)
francouillard°
rondouillard°
pouillard°
brouillard°
débrouillard°
antibrouillard°
trouillard°
souillard°
vasouillard°
(minable, arg.) mitouillard°
(malchanceux, arg.)
pestouillard°

(banc de sable) un jar(d)°
(l'argot, arg.) le jar(s)°
(l'oie mâle) un **jars**°
(vase) une **jarre**
(poils durs) des jars°/jarres
(Jean-Michel) Jarre
(Émile) Ajar°
(Maurice) Béjart°
mudéjar°/e
(songeur) songeard°

du **lard**°
dieux **lares**
Balard°
malard°/malart°
faiblard°

(pénis, arg.) poilard°
(prostituée, arg.) doublard°
roublard°
il **déclare**
binoclard°
(boutique, arg.) bouclard°
(Pierre)
Abailard°/Abélard°
prélart°
vélar°
vicelard°
(Gaston) Bachelard°
(couteau) tranchelard°
gueulard°
(veau, arg.) meulard°
pelard°
(doucereux) papelard°
(papier, arg.) papelard°
(pompier, arg.)
pompelard°
(passeport, arg.) faflard°
reniflard°
(apéritif,arg.) perniflard°
(porte-monnaie, arg.)
morniflard°
(rabot) riflard°
(parapluie, arg.) riflard°
(riche, arg.) riflard°
(anus, arg.) sifflard°
(saucisson, arg.)
sau/ciflard°
(joufflu) mouflard°
soufflard°
pantouflard°
(miséreux, arg.)
mistouflard°
(vin aigre, arg.)
re/ginglard°
hilare
(Édouard) Veuillard°
(Jean) Vilar°
dollar°
eurodollar°
pétrodollar°
rigolard°
(crachat, arg.) mollard°
(polarisé, arg.) polar°
(roman policier)un polar°
épaulard°
tôlard°/taulard°
(Ambroise) Vollard°
foulard°
cagoulard°
soûlard°
(prostituée, arg.) triplard°
(pompier, arg.) pomplard°
mulard°
cumulard°
nullard°
canular°
capitulard°

(de café) du marc°
(poids, monnaie) un marc°
(flaque) une mare
(assez) en avoir **marre**
(il rit) il se **marre**
il/une **amarre**
camard°

il **chamarre**
calamar°
Clamart°
bichlamar°
terramare
samare
il/un **tintamarre**
Aymar°
(taxi, arg.) tacmar°
Adémar°
il re/démarre
flemmard°
(républ. de) Weimar°
(guichetier, arg.)
guichemar°
cauchemar°
(café, arg.) cafemar°
ja(c)quemart°
(épée) braquemart°
(pénis) braquemart°
coquemar°
(officier, arg.) officemar°
(épicier, arg.)
épicemar(d)°
(patissier, arg.)
patissemar°
(Hector) Guimard°
(éditions) Gallimard°
Montélimar°
(chemin, arg.) trimard°
Penmarch°
Cinq-Mars°
(place de) Saint-Marc°
calmar°
Colmar°
(prénom) Omar°
homard°
chaumard°
(individu douteux)
zigomar°
pommard°
(bossu, arg.) boss'mar°
(artiste, arg.) artist'mar°
(lit, arg.) plumard°

(parfum) le **nard**°
(il raconte) il **narre**
(anarchiste) anar°
(tuyau d'aération) canar°
canard°
(cul, arg.) tafanard°
(mauvais film, arg.) nanar°
cheval panard°
(pied, arg.) un panard°
lupanar°
(pantalon, arg.) bénard°
(argent, verl.) génard°
(François)
Mainard°/Maynard°
peinard°
traînard°
forêt de Sénart°
thénar°
hypothénar°
veinard°
(Marguerite) Yourcenar°
goguenard°
(prétentieux, arg.)
ramenard°

AR°-ARE-OIR°-OIRE

traquenard°
(Jules) Renard°
(animal) **renard**°
(vomis, arg.) **renard**°
queue-de-Renard°
binart°/binard°
(bordel, arg.) bobinard°
snobinard°
combinard°
(monnaie) un dinar°
(ville) Dinard°
fouinard°
pinard°
épinard°
(cul, arg.) prosinard°
(bon, arg.)
c'est bo(n)nard°
(Pierre) Bonnard°
sorbonnard°
co(n)nard°
(prénom) Léonard°
(de Vinci) Léonard°
(crâne, arg.) plafonnard°
Fragonard°
(ivrogne, arg.)
pio(n)nard°
salonnard°
(maniaque, arg.)
croûtonnard°
zonard°
(prénom/saint) Bernard°
(Claude) Bernard°
(Tristan) Bernard°
(Thomas) Bernhard°
(Sarah) Bernhardt°
saint-bernard
cornard°
communard°

rohart°
le Zohar°
casoar°
bézoard°
col de l'Izard°

hoir°
(rivière) la Delaware
(état) le Delaware
re/**boire**
des **déboires**
ciboire
plomboir°
ébarboir°
pourboire
(tomber) **choir**°
(bien, arg.) chouard°
hachoir°
mâchoire
arrachoir°
crachoir°
ébranchoir°
tranchoir°
échoir°
déchoir°
séchoir°
fichoir°
nichoir°
embauchoir°
ébauchoir°

pochoir°
embouchoir°
débouchoir°
couchoir°
épluchoir°
couard°
claquoir°
taquoir°
piquoir°
marquoir°
square
douard°
fendoir°
tendoir°
étendoir°
Édouard°
évidoir°
dévidoir°
échaudoir°
fondoir°
émondoir°
pondoir°
boudoir°
accoudoir°
lardoire
accordoir°
tordoir°
retordoir°
(marché) une **foire**
(il excrète) la/il foire
greffoir°
(jouet) clifoire
étouffoir°
nageoire
drageoir°
mangeoire
pataugeoire
plongeoir°
bougeoir°
dégorgeoir°
purgeoir°
grugeoir°
égrugeoir°
baignoire
peignoir°
saignoir°
éteignoir°
rognoir°
(animal) un **jaguar**°
(n. déposé) une **Jaguar**°
Grégoire
coug(o)uar°
tailloir°
cueilloir°
plioir°
échenilloir°
bouilloire
mouilloir°
agenouilloir°
grilloir°
(animal) un **loir**°
(rivière) le Loir°
(fleuve ; départ.) la **Loire**
nonchaloir°
falloir°
saloir°
valoir°
(accompte) à-valoir°
(sangle) un/e avaloir°/e

dévaloir°
prévaloir°
revaloir°
faire-valoir°
équivaloir°
hâloir°
racloir°
sarcloir°
démêloir°
Val de Loire
(bouche) gueuloir°
Haute-Loire
Maine-et-Loire
Saône-et-Loire
Indre-et-Loire
Eure-et-Loir°
GLOIRE
étrangloir°
régloir°
hiloire
affiloir°
doloire
isoloir°
bouloir°
couloir°
fouloir°
refouloir°
rouloir°
vouloir°
revouloir°
parloir°
brûloir°
(aspect ondoyant) il/la **moire**
(destin) les Moires
(écrit) un mémoire
la MÉMOIRE
aide-mémoire
semoir°
grimoire
assommoir°
armoire
fermoir°
germoir°
écumoire
fumoir°
(couleur) le/être NOIR°/E
(race) un/e noir°/e
(ivre, arg.) être noir°/e
manoir°
tamanoir°
Beaumanoir°
pied-noir°
Forêt-Noire
promenoir°
(Auguste/Jean) Renoir°
(intelligence, rég.)
comprenoir°
bobinoir°
laminoir°
urinoir°
bassinoire
patinoire
tamponnoir°
écussonnoir°
entonnoir°
écharnoir°
Mer Noire
poire
égrappoir°

guipoir°
coupoir°
découpoir°
espoir°
désespoir°
comparoir°
croire
laisser accroire
décroire
ducroire
terroir°
gaufroir°
soufroir°
miroir°
tiroir°
mouroir°
ouvroir°
(convenir) seoir°
un SOIR°
asseoir°
ramassoire
rasseoir°
(serviette, rég.)
décrassoir°
traçoir°
passoire
balançoire
suspensoir°
encensoir°
ostensoir°
dressoir°
pressoir°
accessoire
possessoire
ourdissoir°
lissoir°
(à bois) un glissoir°
(glissade) une glissoire
(machine) un polissoir°
(brosse) une polissoire
dimissoire
clause commisoire
brunissoir°
rouissoir°
pissoir°
un/e épissoir°/e
équarrissoir°
périssoire
pourrissoir°
un/e aplatissoir°/e
patissoire
ratissoire
rôtissoire
linsoir°/linçoir°
bossoir°
fossoir°
bonsoir°
perçoir°
aspersoir°
versoir°
déversoir°
reversoir°
amorçoir°
retorsoir°
action récursoire
surseoir°
houssoir°
moussoir°
poussoir°

repoussoir°
voussoir°
suçoir°
rasoir°
alésoir°
grésoir°
aiguisoir°
cristallisoir°
dérisoire
des cisoires
serment décisoire
action rescisoire
provisoire
reposoir°
arrosoir°
infusoire
illusoire
collusoire
musoir°
(distraction) amusoire
battoir°
abattoir°
rabattoir°
probatoire
imprécatoire
dédicatoire
purificatoire
vésicatoire
masticatoire
évocatoire
révocatoire
invocatoire
aléatoire
obligatoire
fumigatoire
rogatoire
abrogatoire
subrogatoire
dérogatoire
surérogatoire
interrogatoire
purgatoire/
Purgatoire
conciliatoire
expiatoire
propitiatoire
(vomitif, arg.)
dégueulatoire
dilatoire
épilatoire
dépilatoire
oscillatoire
dé/ambulatoire
oraison jaculatoire
éjaculatoire
circulatoire
ondulatoire
congratulatoire
matoir°
diffamatoire
déclamatoire
inflammatoire
blasphématoire
crématoire
sublimatoire
lacrymatoire
combinatoire
dînatoire
déclinatoire

AR°-ARE-OIR°-OIRE

éliminatoire
récriminatoire
discriminatoire
sentence fulminatoire
comminatoire
hallucinatoire
divinatoire
échappatoire
eupatoire
anticipatoire
usurpatoire
aratoire
déclaratoire
préparatoire
vibratoire
libératoire
rémunératoire
opératoire
grattoir°
migratoire
giratoire
respiratoire
inspiratoire
expiratoire
oratoire
laboratoire
moratoire
évaporatoire
acte frustratoire
caution juratoire
conjuratoire
épuratoire
compensatoire
vexatoire
procédure accusatoire
natatoire
incantatoire
attentatoire
ostentatoire
superfétatoire
rotatoire
chaise gestatoire
sternutatoire
élévatoire
observatoire
conservatoire
entoir°
dé/plantoir°
présentoir°
réfectoire
trajectoire
directoire
contradictoire
victoire
émonctoire
pétoire
arrêtoir°
sécrétoire
excrétoire
prétoire
(sarbacane, rég.)
canepetoire
software
redhibitoire
auditoire
vomitoire
(testicules) les génitoires
monitoire
prémonitoire

écritoire
méritoire
territoire
transitoire
réquisitoire
procédure inquisitoire
suppositoire
pétitoire
accotoir°
notoire
dépotoir°
décrottoir°
frottoir°
trottoir°
radio-trottoir°
sautoir°
comptoir°
montoir°
remontoir°
promontoire
(coup de) boutoir°
foutoir°
égouttoir°
péremptoire
offertoire
répertoire
heurtoir°
dortoir°
cité-dortoir°
ville-dortoir°
histoire
préhistoire
protohistoire
consistoire
(heurtoir) butoir°
(charrue) buttoir°
exécutoire
jugement interlocutoire
blutoir°
excuse absolutoire
résolutoire
exutoire
VOIR°
(même, adv.) voire
(posséder) **avoir°**
un avoir°
lavoir°
bateau-lavoir°
ravoir°
savoir°
prévoir°
(être tenu) devoir°
(obligation) le **devoir°**
redevoir°
pleuvoir°
repleuvoir°
revoir°
au revoir!°
abreuvoir°
entrevoir°
décevoir°
recevoir°
fin de non-recevoir°
concevoir°
percevoir°
apercevoir°
entrapercevoir°
(se remémorer, vx)
se ramentevoir°

ivoire
Côte-d'Ivoire
rivoir°
(salon, Can.) vivoir°
(Simone de) Beauvoir°
couvoir°
mouvoir°
émouvoir°
promouvoir°
pouvoir°
contre-pouvoir°
réservoir°
pourvoir°

(préposition) par°
(golf) un par°
(il orne) il **pare**
(il esquive) il **pare**
(partie) une **part°**
quelque/nulle/de toute
part°
(il s'en va) il **part°**
il **accapare**
(félin) chat-pard°
(moine libertin)
Frère Frappart°
champart°
rempart°
il s'**empare**
il désempare
(dispersé) **épars°**
(barre de bois) épar(t)°
(il enlaidit) il dépare
un **départ°**
guépard°
il **répare**
il prépare
il **sépare**
il repart°
faire-part°
quote-part°
primipare
sudoripare
scissipare
vivipare
ovovivipare
ovipare
léopard°
(girafe) caméléopart°
(pou, arg.) galopard°
salopard°
pop art°
il **compare**
(poupin) poupard°
(tourteau) poupart°
(partouse, verl.) zetoupar°
(Roi mage) Gaspar(d)°
(prénom) Gaspard°
(rat, arg.) gaspard°
la **plupart°**

rare
Ha(r)rar°
(marbre) carrare
(ville) Carrare
tarare
(Blaise) Cendrars°
(piano) Erard°
Ferrare

(prénom) Gérard°
baron Gérard°
(Rosemonde) Gérard°
pleurard°
curare

(poisson) le sar°
(rivière ; région) la Sarre
Nabopolassar°
poissard°
(Jean) Froissard°
brassard°
chançard°
czar°
les essarts°
(miséreux, rég.) missard°
cuissard°
cheval pinçard°
pulsar°
(paresseux, arg.) cossard°
dossard°
rossard°
(Pierre) Ronsard°
broussard°
(paysan, arg.)
cambroussard°
froussard°
tzar°/tsar°
hussard°

hasard°
bazar°
Téglath-Phalasar°
(saint) Lazare
(gare) Saint-Lazare
nasard°
(bouteille) salmanazar°
(Rois) Salmanazar°
quasar°
(bouteille) balthasar°
(Roi mage) Balthasar°
(Julio) Cortázar°
vasard°
césar°
(sculpteur) César°
(Jules) **César°**
lézard°
thésard°
gueusard°
banlieusard°
isard°
bizarre
blizzard°
(démuni, arg.) mouisard°
(François) Pizarre
maquisard°
grisard°
(soleil, arg.) luisard°
puisard°
(Jean) Corvisart°
(pantalon, arg.) falzar°
beaux-arts°
(Wolfgang A.) Mozart°
housard°
(turfiste, arg.) pelousard°
(paysan, arg.)
cambrousard°
partousard°
busard°

balbuzard°
deyfusard°
musard°

(adverbe) **tard°**
(poids) il/une tare
bâtard°
(médecine) catarrhe
(secte) cathare
(état) Katar°/Qatar°
solfatare
patard°
(il tombe, rég.)
il s'espatarre
les Tatars°
avatar°
vantard°
hectare
nectar°
(coup reçu, arg.) chtar°
fêtard°
(riche, arg.) galettard°
(explosif) pétard°
(scandale, arg.) pétard°
(revolver, arg.) pétard°
(cul, arg.) pétard°
(«joint», arg.) pétard°
Père Fouettard°
(grenouille) **têtard°**
(enfant, arg.) têtard°
(obsédé, arg.) queutard°
retard°
(chapeau, arg.) bitard°
(lyre) une cithare
(guitare) un sitar°
guitare
(cachot, arg.) mitard°
(travailleur, arg.) nuitard°
quarante-huitard°
soixante-huitard°
(Victor) Baltard°
(détroit de) Gibraltar°
(hébété, ivre, arg.)
être dans le co(a)ltar°
(camion, arg.) camtar°
colcotar°
(maillot, arg.) léotard°
Saint-Gothard°
patriotard°
(élève École navale, arg.)
flottard°
motard°
(pharmacien, arg.) potard°
(portefeuille, arg.)
crapautard°
racontar°
moutard°
routard°
(turc ; mongol) tartare
(steak) tartare
(enfer) le Tartare
star°
(gros, arg.) mastar(d)°
pistard°
à l'instar°
(costume, arg.) costard°
superstar°

huart°

AR°-ARE-OIR°-OIRE

(Paul) Eluard°
Stuart°
(unité de mesure) var°
(fleuve ; départ.) le Var°
avare
(peuple) les Avars°

bavard°
javart°
(royaume de) Navarre
savart°
boulevard°
(famélique, arg.) crevard°
(Simon) Bolivar°

(chapeau) bolivar°
(monnaie) bolivar°
samovar°
Novarre
(université) Harvard°
buvard°

assonances
46. ARBE
50. ARDE
61. ARSE

contre-assonances
177. ER-ÈRE
228. EUR-E
307. IR-E
401. OR-E

46. ARBE-ARB°

BARBE

un (cheval) barbe
(souteneur, arg.)
un barbe
une BARBE
(assez!) la barbe!
(il ennuie) il barbe
sainte Barbe
il ébarbe
(avocat, arg.) un débarbe
sainte-barbe
joubarbe
sous-barbe
rhubarbe
Rharb°/Gharb°
(bizarre, verl.) zarb°
Tarbes
(fou, arg.) schtarb'°

J'ai vu la fière **Barbe**
qui tant se rebarba*
doux comme **Sainte Barbe**
quand on la débarba.
Soit dit sans le flatter
il fut bien débarbé
de sa barbe barbue
et en a jubilé !

Jean Molinet, « J'ai vu »,
Fatrasies

* résista

Voici la Femme à **barbe**
Qui but de la **rhubarbe** ;
Et c'est d'où vint sa peur
près du sapeur.

Théodore de Banville, « Masques et Dominos »,
Occidentales

...longue irlande de corps tout nus,
de Tissapherne à Gréta **Garbe***,
tous ensemble à tout crin tenus
par le ventre où frise une **barbe**...

Jacques Audiberti, « Ababab »,
Ange aux entrailles

* Greta Garbo

Et mon regard rêveur s'abaisse volontiers
Vers la loge, où, contents végètent mes portiers :
Près du carreau poudreux où l'homme fait sa **barbe**
J'aime le petit pot où croupit la **joubarbe**.

Charles Cros, « Paysage »,
Le Coffret de santal

J'dormirais bien une plombe
Avant d'arriver à **Tarbes**
J'ai les paupières qui tombent
Et les yeux qui s'***lézardent***
J'suis vanné

Renaud, « À quelle heure on arrive ? »,
Le Temps des noyaux

Qui croira aux vertus de l'ancien ***proverbe***,
Le grand Monarque doit faire raser sa **barbe**,
S'il perd sa lance ayant la joyeuse bouteille,
En coutelassant mieux il gagne la bataille.

Marc Papillon de Lasphrise, « Rime ronflante à gros grain »,
Diverses poésies

❐ *47 [Audiberti] ; 26[Delteil]*

assonances
50. ARDE
2. ABE
4. ABRE
47. ARBRE

contre-assonances
178. ERBE
402. ORBE
511. OURBE
568. URBE

47. ARBRE

ARBRE
il (se)/le MARBRE

Si je ***regarde*** mon visage dans la glace où sont les **arbres**
Du jardin sauvage je n'y lis qu'ingratitude
C'est une mauvaise rime que d'utiliser **marbre**
Mais c'est l'espoir d'un repos sous toutes les latitudes

Bernard Delvaille, « Désordre » 7, *Poëmes*

L'étroit pont de schiste se **marbre**
Des ombres de la frondaison.
Le piano chante dans l'**arbre**,
Tout l'**arbre** est près de la maison.

Edmond Rostand, « La Maison »,
Les Musardises

Filles des muletiers, gens qui servez à ***table***
Penchez-vous ! jetez-vous des regards ***adorables***,
Et par-dessus les bras tendus en ***candélabres*** *!*
Songez à Dieu qui vous ***regarde*** dans les **arbres**...

Max Jacob, « Honneur de la sardane et de la tenora »,
Le Laboratoire central

Le fils du maître aux belles ***barbes***
se moque bien, lui, pauvre fou !
du croiseur, du drapeau, des **arbres**.
Il marche, seul, dans l'air qui bout.

Il chemine vers la très ***âpre***
caverne où, plus jeunes que nous,
les vieux firent, avec du **marbre**,
des dieux, soleils par les genoux.

Jacques Audiberti, « La construction du navire »,
La Beauté de l'amour

Que voit-elle ? Ce disque effectuait des ***courbes***
Et disparut silencieusement vers l'est.
Écœuré par le roc, les offrandes, les **marbres**,
Il se vidait d'un feu comme on jette du lest.

Jean Cocteau, « Le Chiffre sept », *Poèmes 1916-1955*

assonances
4. ABRE
46. ARBE
63. ARTRE
2. ABE

Les oiseaux sont des ***nombres***
L'***algèbre*** est dans les **arbres**

Louis Aragon, « Acrobate »,
Feu de joie

❒ *2 [Lebesgue] ; 4 [Ferré] ; 63 [Audiberti] ; 59 [Jacob]*

48. ARCHE

MARCHE

(voûte) **arche**
(de Noé) **arche/Arche**
(papier d') Arches
la Grande Arche
Garches
patriarche
col de Larche
Pont-de-l'Arche
(frontière) la marche
la/en/il MARCHE
(d'escalier) une **marche**
(province frontière)
une marche
(Italie) les Marches
(Gustave) Lamarche
il remarche

Moi, fils de ceux qui portaient l'**Arche**,
Je ris, et je laisse périr ;
Je perds la foi du **patriarche**,
Comme tout un peuple qui **marche**
Vers l'ombre où le cœur doit pourrir.

Germain Nouveau, « Juif »,
Valentines

Suivez le guide il vous conduit jusqu'à la **marche**
Et vous laisse mourir aux portes d'Occident,
Les baraques du cirque et les nègres dans l'**arche**
De l'hôtelier, marchand d'huîtres et d'éléphants.

Rouben Melik, « Aubes essentielles »,
Passeurs d'horizons in *La Procession*

☞

ARCHE

contremarche
il/une démarche
Luzarches
(il éparpille, rég.)
il escavarche

Je voulais aller à **Luzarche**,
dans le mois d'août, un samedi.
Aussi bien, j'eusse mis sur **Garche**.
Le tout, c'était de m'défroidi.

Une jambe à l'autre dit : « **Marche** ! »
C'est réglé comme un vieux tambour.
Viens, la route que je te ***mâche***.
Longue à poil tu me plais d'amour.

Jacques Audiberti, « Par voie de souffrance »,
Toujours

Boum !... V'là la guerr' !... V'là les tambours qui cougn'nt la
[***charge***
Portant drapieau, les électeurs avec leu's gâs
Vont terper les champs d'blé oùsqu'i'is mouéssounn'ront pas.
— Feu ! — qu'on leu' dit — Et i's font feu ! — En avant
[**Arche** !–
Et tant qu'i's peuv'nt aller, i's **march'nt**, i's **march'nt**, i's
[**marchent**...

Gaston Couté, « Les électeurs »,
La Chanson d'un gâs qu'a mal tourné [Volume 2]

Un squelette sur une échasse,
Une seule, levant sa ***torche***
Sur l'autre oint de cendres, sa châsse
À soi-même exposée au ***porche***,

Feu de ces cendres, leur richesse,
Face à l'éternité qui **marche** !
Cendres de ce foyer, largesse
Du torrent d'ombre emportant l'**arche** !

André Salmon, « Noces »,
Les Étoiles dans l'encrier

assonances	*contre-assonances*
5. ACHE	*179. ERCHE*
53. ARGE	*403. ORCHE*
61. ARSE	*512. OURCHE*

❐ *53 [Béart] ; 512 [Romains]*

49. ARCLE

(il tue, arg.) il charcle
il sarcle

assonances	*contre-assonance*
60. ARQUE	*180. ERCLE*
56. ARLE	

50. ARDE-ARD°

REGARDE

(il brûle) il **arde**
(dur, violent) hard°
(troupeau) une **harde**
(de chiens) une harde
(haillons) des **hardes**

(poète) un **barde**
(il cuirasse) il **barde**
(ça se gâte) ça barde
(embardée) il embarde
il chambarde
rambarde

il débarde
hallebarde
(furieuse, arg.) furibarde
(instrument de musique)
guimbarde
(tacot) **guimbarde**
il/(une) **jobarde**
(il pilonne)
une/il **bombarde**
(hautbois)
une **bombarde**
lombarde
(marginale) une loubarde
(ampoule électrique, arg.)
une loubarde

Camarade **camarde**,
prends-les tous par la main,
la pute qui se **farde**
et la frêle nonnain,
le vendeur de **moutarde**
et le marchand de vin,
le carabinier **sarde**,
le banquier florentin,
la matrone **lombarde**
et le prof de latin,
la sorcière **pendarde**,
le prêtre patelin,
la bourgeoise **jobarde**
et le vil aigrefin.
[...]

☞

ARDE-ARD°

(peureuse, arg.) flubarde
(tuberculeuse, arg.)
tubarde

une/il carde
elle cacarde
(il affiche) il **placarde**
(place, arg.) la/il placarde
(incarcère, arg.)
il emplacarde
(prend rendez-vous, arg.)
il rencarde/rancarde
(il renseigne, arg.)
il rancarde/rencarde
il brancarde
(chic, arg.) chicarde
(policière, arg.) flicarde
smicarde
(une) paniquarde
(une) picarde
péricarde
(exclue, arg.) tricarde
(une) politicarde
cocarde
endocarde
il faucarde
myocarde
il **brocarde**
(minable ; laide, arg.)
(une) toquarde/tocarde
(bien, arg.) choucarde

(dure, arg.) vacharde
(une) revancharde
écharde
(miséreuse, arg.)
(une) décharde
(mauvaise, arg.)
(une) blécharde
(une) pleurnicharde
richarde
jument pincharde
(une) cabocharde
(une) bambocharde
clocharde
(laide, arg.) mocharde
il se/(une) **pocharde**
(poltrone, arg.)
(une) pétocharde
(loucheuse) loucharde
(la lune, arg.)
la moucharde
(il dénonce, arg.)
il **moucharde**

il **darde**
(rigoleur, arg.) fendarde
pendarde
(démunie, arg.) raidarde
(une) démerdarde

(balle de café) une farde
(se grimer) il (se) farde
voile qui farde
(il dénonce) il **cafarde**
(bigote) cafarde
blafarde
soiffarde

bouffarde

un **garde**
la/prendre **garde**
il **garde**
lac de Garde
hagarde
avant-garde
par mégarde
Hildegarde
(Soren) Kierkegaard°
il REGARDE
arrière-garde
horse-guard°
une/il sauvegarde
(une) ringarde
sous-garde

(fainéante) il/être cagnarde
(il fainéante) il s'acagnarde
il **poignarde**
(une) **campagnarde**
(une) **montagnarde**
(paresseuse) feignarde
(une) geignarde
guignarde
mignarde
(môme, arg.) mômignarde

yard°
(hardie) (une) **gaillarde**
(danse) la gaillarde
(plante) une gaillarde
Brive-la-Gaillarde
(une) piaillarde
(une) savoyarde
(une) **paillarde**
(une) **braillarde**
Scotland Yard°
vieillarde
oreillarde
(bavarde) (une) **babillarde**
(lettre) une babillarde
(sotte, rég.) fiarde
(il lésine) il liarde
(une) pillarde
(béquille) une béquillarde
(guillotine, arg.)
la béquillarde
(une) briarde
criarde
(une) **égrillarde**
nasillarde
(remuante) frétillarde
(une) vétillarde
(boiteuse, arg.) tortillarde
(une) fuyarde
il caviarde
(sale ouvrière, rég.)
gabouillarde
scribouillarde
(innocente, arg.)
blanchouillarde
(française, arg.)
(une) franchouillarde
rondouillarde
(bouteille de vin, arg.)
rouillarde
(une) **débrouillarde**

Camarade **camarde**
celui-là risque bien,
si le ciel ne le **garde**,
d'être en un tournemain
dépouillé de ses **hardes**,
de sa chair, de ses reins
et de son **péricarde**
pour n'être plus enfin
qu'une ombre **goguenarde**,
qu'un squelette mutin
pas plus gros qu'une **écharde**
et léger comme un daim
qui danse et qui **musarde**
jusqu'au petit matin.

Pierre Gripari, « Danse macabre »,
Les Chants du Nomade

Tu t'es marié à la **CAMARDE**
Pour mieux baiser les ***camarades***
Les anarchistes qu'on **moucharde**
Pendant que l'Europe **bavarde**

Léo Ferré, « Franco la muerte »,
La mauvaise graine

Près du feu je m'**acagnarde**
L'homme dit : « Chacun chez soi »
Cependant que l'oie **cacarde**
Au cacardement des oies

On **faucarde*** l'**Angelarde**
près de la rue des Trois-Rois
Faible rivière **jasarde**,
Faucardement à bon droit [...]

En attendant je **bombarde**
De ma grosse pipe en bois,
Près du feu je m'**acagnarde**
Je suis heureux comme un roi

— Que le biniou, la **bombarde**
Ne s'arrête plus chez moi.

Maurice Fombeure, « Vieillesse douce »,
À chat petit

* couper les herbes qui encombrent un cours d'eau

Les chansons de salle de **garde**
Ont toujours été de mon goût,
Et je suis bien malheureux, **car de**
Nos jours on n'en crée plus beaucoup.

Georges Brassens, « Mélanie »,
Poèmes et chansons

Un coup de bec d'oiseau sur une cerise
C'est ce que cache Anna sous sa chemise
Sous laquelle à présent sans crier ***gare***
En toute bonne foi mon cœur s'***égare***
Quand elle vient à mon nez et à ma ***barbe***
Se mettre toute nue je la **regarde**
Je me dis que le bon Dieu et Shakespeare
Et même le football peuvent se faire cuire

Pierre Perret, « Anna »,
Chansons de toute une vie

❒ 214.12 [Corneille] ; 404 [Jarry]
62 [Ferré] ; 55 [Beaucarne] ; 513 [Thiry]

ARDE-ARD°

(une) trouillarde
vasouillarde
(minable, arg.) mitouillarde
(malchanceuse, arg.)
(une) pestouillarde

il **larde**
faiblarde
(prostituée, arg.) doublarde
(une) roublarde
(une) binoclarde
il délarde
vicelarde
(une) gueularde
il/(une) papelarde
il entrelarde
(joufflue) mouflarde
(une) pantouflarde
(miséreuse, arg.)
mistouflarde
(une) rigolarde
(il crache, arg.) il mollarde
(prisonnière, arg.)
tôlarde/taularde
poularde
soûlarde
(prostituée, arg.) triplarde
mularde
cumularde

(une) nullarde
(une) capitularde

(merde, Can.) marde
la **camarde/Camarde**
il/(une) **flemmarde**
(épée) colichemarde
il **cauchemarde**
(il se masturbe, arg.)
il se galimarde
(la rue, arg.) la trimarde
(il vagabonde, arg.)
il trimarde

il canarde
jument panarde
(une) bénarde
peinarde
traînarde
(une) veinarde
goguenarde
(prétentieuse, arg.)
ramenarde
renarde
(une) snobinarde
(une) combinarde
(une) fouinarde
(dupe, arg.) bo(n)narde
sorbonnarde

(une) co(n)narde
(il s'enivre, arg.)
il se pionarde
salonnarde
(une) zonarde
(une) communarde

(bien, arg.) chouarde
steward°

(une) **pleurarde**

(Sardaigne) (une) sarde
(ville) Sardes
(une) poissarde
(une) chançarde
mansarde
(miséreuse, rég.) missarde
cuissarde
jument pinçarde
(paresseuse, arg.)
(une) cossarde
(une) rossarde
(paysanne, arg.)
cambroussarde
froussarde
à la hussarde

il **hasarde**

il bazarde
nasarde
vasarde
il/une **lézarde**
thésarde
gueusarde
banlieusarde
(miséreuse, arg.)
mouisarde
(paysanne, arg.)
cambrousarde
(une) partousarde
(une) dreyfusarde
il **musarde**

il **tarde**
(le soir, arg.) sur/à la tarde
(enfant) (une) bâtarde
écriture bâtarde
il s'**attarde**
(une) **vantarde**
fêtarde
(riche, arg.) galettarde
(tapage, arg.) il pétarde
(il incarcère, arg.)
il enchetarde
il **retarde**
(bête imaginaire, rég.)
chasse à la bitarde

(une) quarante-huitarde
(une) soixante-huitarde
(une) patriotarde
motarde
outarde
moutarde
routarde
(grosse, arg.) mastarde

il/une **bavarde**

assonances
10. ADE
12. ADRE
46. ARBE
45. AR-E

contre-assonances
181. ERDE
404. ORDE
513. OURDE

51. ARDRE

(brûler) ardre
(ville) Ardres

Si du ***Ladre*** eût vu le doigt **ardre**
Jà n'en eût requis refrigere,
N'au bout d'icelui doigt ***aherdre***
Pour rafraîchir sa mâchouëre*.

François Villon, *Le Testament*. LXXXIII

* Traduction : Si du Lépreux il avait vu le doigt brûler
Il n'en eût pas demandé de rafraîchissement,
Ni du bout de ce doigt toucher
Pour se rafraîchir la bouche.

assonances
12. ADRE
50. ARDE
47. ARBRE

contre-assonances
405. ORDRE
182. ERDRE
514. OURDRE

❐

52. ARF

(aboiement) arf! arf!
(portefeuille, arg.) un larf
(type, arg.) un blarf
(je ne sais pas, Alg.) manarf
(appontement) un **wharf**
(aboiement)
wouarf! wouarf!

Au Waterloo Hotel, j'ai achevé mon *tiffin*,
Et, mon *bill* payé, je me dirige vers le **wharf**.
Voici l'*Indus* (des Messageries Maritimes)
Et la tristesse imbécile du « ***homewards*** »*.

Henry Jean-Marie Levet, « Les voyages, III. Homewards », *Cartes postales*

* retour chez soi

Il y avait les **warfs**
Il y avait les quais
Il y avait les ***phares***

Xavier Grall, « Troisième chant », *Genèse et derniers poèmes*

assonances
13. AF
15. AFRE
45. AR

contre-assonances
183. ERF
406. ORF
570. URF

❐

53. ARGE

LARGE

(fou, arg.) être/un barge
(péniche) une **barge**
(oiseau) la barge
porte-barge
(poids) il/une **charge**
(attaque) il/une **charge**
portrait-/charge
une/il décharge
une/il recharge
monte-charge
il/une surcharge
(entrave, Can.)
une/il enfarge
(haute mer) au/le LARGE
(ample) être **large**
il/en/la **marge**
il émarge
re/pars-je?
(bouclier) une targe
(coup de pied, arg.) une targe
litharge
(ivraie, rég.) une varge

Le Point-du-Jour avec Paris au **large**,
Des chants, des tirs, les femmes qu'on « rêvait »,
La Seine claire et la foule qui fait
Sur ce poème un vague essai de **charge**.

On danse aussi, car tout est dans la **marge**
Que fait le fleuve à ce livre parfait,
Et si parfois l'on tuait ou buvait,
Le fleuve est sourd et le vin est **litharge***.

Paul Verlaine, « L'Aube à l'envers »,
Jadis et Naguère

* altéré par la litharge

Je suis l'homme des bords étincelants du **large**
Loin des terres mon nom s'inscrit en pleine **marge**
Mes bras depuis longtemps font partie du décor
Et je gravis le ciel aussi bien que les **barges**
De blé lorsque la nuit rejaillit sur l'aurore.

René Guy Cadou, « Visage ou paysage »,
La Vie rêvée

Arbres, non loin de vous,
Un sinueux ruisseau coule sur les cailloux
Et les rochers des bords poussent vers le ciel **large**,
Toujours plus haut, leurs blocs rouges comme des **targes**...

Émile Verhaeren, « Promenades »,
Les Flammes hautes

quelques torrents de médisance
viennent déchirer le silence
essayant de tout emporter
et puis on risque le ***naufrage***
lorsque le vent vous mène au **large**
des îles d'infidélité

Georges Moustaki, « La Carte du Tendre »,
En ballades. 1

En **marge** en **marge**
Je suis poursuivi **car je**
Ne veux jamais faire semblant
D'être tout noir d'être tout blanc
[...]
En **marge** en **marge**
Des carnavals qui ***marchent***
Je ne peux à la queue leu leu
Paraître jaune rouge ou bleu

Guy Béart, « En marge »,
Couleurs et Colères du temps

Ce sont les moments d'autres âmes inconnues,
Les ***passages*** d'existences à notre **large**,
Le signal des univers humains qui ***émergent***
À notre ciel, et puis qui rentrent dans l'obscur.

Marcel Thiry, « Les Phares des autos »,
La Mer de la Tranquillité

assonances
18. AGE
48. ARCHE
61. ARSE

contre-assonances
184. ERGE
408. ORGE
571. URGE

❐ *571 [Fort]*

54. ARGNE

HARGNE
ÉPARGNE

HARGNE
une/il ÉPARGNE
(n. dép.)
caisse d'épargne

Je me préfère antipathique,
prêt à vous agresser.
Le grincement est ma musique.
Je me suis surpassé

dans le mépris et dans la **hargne**
que j'ai de vous, menteurs
pareils à moi ! Car je n'**épargne**
ni l'esprit ni le cœur...

Alain Bosquet, « Antipathique »,
Stances in *Un Jour après la vie*

Nel Frankenlap, avec sa masse
Et son couteau, frappait, comme un perdu,
Dans cet amas de haine et de hargne pendu
Autour de sa colère et de sa **hargne**.
Il amassait la force en lui, comme une **épargne**,
Et, brusquement, la dépensait, en de tels coups,
Qu'à chaque effort, il assommait un loup.

Émile Verhaeren, « Jan Snul »,
Petites légendes

Docteur la faiblesse me ***gagne***
Je me sens plus bas qu'un taux de **caisse d'épargne**

Pierre Perret, « Docteur »,
Chansons de toute une vie

assonances
20. AGNE
58. ARNE

contre-assonances
185. ERGNE
409. ORGNE

❐ *65 [Cliff]*

55. ARGUE-ARGH°

NARGUE

(cri d'agonisant) argh!°
une/il cargue
subrécargue
(Léon-Paul) Fargue
(il charge, arg.) il fargue
(marine) des fargues
(Paul) Lafargue
(il se débarrasse, arg.)
il se défargue
(gosier, arg.) la gargue
pygargue
(André) Pieyre
de Mandiargues
(les amarres) il **largue**
(abandonne) il largue
(prostituée, arg.) une largue
(marine)
aller grand largue
la **Camargue**
(il démolit, rég.)
il démargue
laimargue
il NARGUE
(raillerie ; interj.) (une) nargue
(marquis de)
Vauvenargues
(poisson) un sargue
il se **targue**
boutargue/
poutargue

Au pays de la rime, assez souvent on **nargue**
Les austères vertus des graves **Vauvenargue**.
On y cherche, avant tout, l'attrait, le coloris,
Et l'on y tient encor pour les jeux et les ris.

Amédée Pommier, « Au lecteur » III,
Colifichets, jeux de rimes

Planeurs du vieil Armen, cerfs-volants de l'oubli
Filez à l'infini, volez, allez **grand largue**,
Circonflexes accents, points d'orgue du roulis,
L'île vous connaît trop, éternels **subrécargues**.

Pierre Osenat,
Cantate à l'île de Sein

Voyez-le qui s'approche et nous **nargue**
D'une insupportable pitié ?
Qu'a-t-il au ventre, qu'il ***divague***
Et vaticine sans arrêt ?

Patrice de La Tour du Pin, « Le monde vu du mien »,
Huitième livre in *Une Somme de poésie.* I

Qu'y a-t-il au fin fond des yeux
Qui vous ***regardent*** ?
Le temps est un passant envieux
Qui vous ***canarde***.
Qu'y a-t-il au fin fond de toi
Quand tu me **nargues** ?

Julos Beaucarne, « À la brunante »,
J'ai 20 ans de chansons

☞

ARGUE

J'avais une têtard' de **largue** ;
Comm'un' girond' qu'al était
A s'donnait aux hommes, puis **nargue**,
J'arrivais, on les butait.

Jules Verne, « Chanson d'argot »,
Poésies inédites

assonances	contre-assonances
23. AGUE	186. ERGUE
60. ARQUE	410. ORGUE
50. ARDE	516. OURGUE
22. AGRE	

❒ *60 [Elskamp]*

56. ARLE-ARL°

PARLE

(ville) **Arles**
(oiseau) un harle
(prénom) Karl°
(magot, arg.) du carle
Monte-Carle
Charles
Jean-Charles
king-charles
(rusé, arg.) être marle
(souteneur, arg.) un marle
il PARLE
(il délire, rég.) il déparle
il reparle
(poisson, Alg.) un sparle

—Tu vois tout de trop haut, soleil.
— C'est moi, soleil et je vous **parle**.
Je luis pour Émile et pour **Charles**,
Mais pas pour donner des conseils.

Géo Norge, « Dieu des chiffonniers »,
La Belle Saison

Et maintenant, moi qui vous **parle**,
Je n'avouerai pas les kilos
Que j'ai perdus à **Monte-Carle**
(**Monte-Carle** ou Monte-Carlo).

Jean Cocteau, « La Dame de Monte-Carlo »,
Œuvres complètes

À ***poil***, femmes Ulates
Je **parle**, je **parle**, je **parle** !
Le pif, le pouf, la rate,
Le mirliton ***merle*** ton **marle** [...]

Fernand Imhauser, « Faust » acte I,
Fragments de théâtre in *Œuvres poétiques complètes*

Les Alyscamps sont en **Arles**.
À Carnac sont les menhirs.
Tu ne peux mourir toi **car le**
Grand ***cheval*** j'entends hennir
Qui de long désir nous **parle**.

Liliane Wouters, « Chanson de l'amour phénix »,
L'Aloès

Quand l'enfant vient, c'est la forêt qui **parle**
Il ne sait pas qu'un ***arbre*** peut parler
Il croit entendre un souvenir de ***sable***
La vieille écorce aussi le reconnaît
Mais elle a peur de ce visage ***pâle***.

Robert Sabatier, « Passage de l'arbre »,
Les Fêtes solaires

J'attends ! j'entends que la plante me **parle**.
J'attends un ***regard*** des fleurs qui vont mourir.
Pétale ! j'attends un œil sur votre ***perle***
Que l'ombre ne peut assombrir.

Max Jacob, « Jardin mystérieux »,
Ballades

assonances	contre-assonances
25. ALE	187. ERLE
3. ABLE	573. URLE
57. ARME	

❒ *57[Guérin] ; 66 [Delanoë]*

57. ARME

ARME
CHARME
LARME

il/une ARME
(religieux) un **carme**
(poème, vieux) un carme
(il paie, arg.) il carme
vacarme
Épicharme
(arbre) un **charme**
(séduction) il/un CHARME
(Réjean) Ducharme
il/un **gendarme**
il réarme
LARME
il/une **alarme**
(ville) **Parme**
(mauve) parme
(jambon) du parme
interarmes
il **désarme**
guisarme

Le *singulier* me touche et l'*étrange* me **charme** ;
J'excuse le *bizarre* et me sens fort épris
Du *rare*... — Un merle blanc est encor la seule **arme**
Blanche, ayant eu raison de mes sombres esprits.

L'*unique* obtient de moi des piétés de **carme** ;
La bleue exquisité des flammes de l'iris
A, de mes yeux émus, fait sourdre cette **larme**
Que la rose envia, qui n'eut que mon souris.

Robert de Montesquiou, « Ordinaire. Pointe sèche »,
Les Hortensias bleus. IV

« Allez droit devant vous, m'a dit le **feldgendarme**,
Tous les chemins sont bons, qui mènent au trou noir ! »
J'ai donc pris ma musette et ma gourde en sautoir,
J'ai mis dans mon bissac un gros jambon de **Parme**,

Et puis je suis parti. Sépultures sans **larmes**,
Serrez-vous un peu plus : un ami vient ce soir !
« Allez droit devant vous, m'a dit le **feldgendarme**,
Tous les chemins sont bons, qui mènent au trou noir ! »

Cela fait quarante ans que je suis sous les **armes**,
Mon vin est bu, mon pain mangé, tous mes espoirs
Morts ou réalisés. Je n'attends que d'avoir
Trouvé ma tombe ouverte à l'ombre d'un grand **charme**...
« Allez droit devant vous », m'a dit le **feldgendarme**.

Pierre Gripari, « Rondeau du voyageur »,
Le Solilesse

Le ciel profond reflète en étoiles nos **larmes**,
Car nous pleurons, ce soir, de nous sentir trop vivre.
La brume est chaude, la plus blanche rose enivre,
La chair baigne en un lac balsamique, et le ***calme***

Nocturne ajoute à la confusion des ***âmes***.
La peine d'un lointain violon nous arrive
En longs sanglots qui font la volupté pensive.
On entend le jardin mystérieux qui ***parle***.

Charles Guérin, « Le ciel profond reflète... »,
Le Cœur Solitaire. XXIII

J'ai pris de la pluie dans mes mains tendues
— De la pluie chaude comme des **larmes** —
Je l'ai bue comme un philtre, défendu
À cause d'un **charme** ;
Afin que mon ***âme*** en ton ***âme dorme.***

Francis Vielé-Griffin, « Chanson »,
Joies

assonances	*contre-assonances*
36. AME	*188. ERME*
30. ALME	*412. ORME*
56. ARLE	*309. IRME*

❒ 121.12 [Marmié]
36 [Fort] ; 58 [Cliff] ; 309 [Cocteau]

58. ARNE-ARN°

LUCARNE
ACHARNE

(unité) un barn°
(marais salant) une barne
(chair) la carne
(rosse) une (vieille) carne
il **incarne**
il se réincarne
il (se) désincarne
(Julos) Beaucarne
LUCARNE
il s'ACHARNE

— Dans ce sol, sans éclat et sans écho, s'**incarnent**
Les héros qui, rompus de fatigue et de faim,
Connaissant que jamais ils ne sauront la fin
De l'épique bataille à laquelle ils s'**acharnent**,
Ont livré hardiment les combats de la **Marne**.

Anna de Noailles, « Les Bords de la Marne »,
Les Forces éternelles

☞

ARNE-ARN°

il écharne
il (se) **décharne**
(hébété, rég.) darne
(tranche de poisson)
une darne
Béarn°
(rivière ; dépt.) la **Marne**
(glaise) il/la **marne**
(il bosse, arg.) il marne
(monte) la mer marne
Val-de-Marne
Haute-Marne
Seine-et-Marne
(rivière ; dépt.) le Tarn°

assonances
38. ANE
57. ARME
50. ARDE
54. ARGNE

contre-assonances
189. ERNE
413. ORNE
519. OURNE
575. URNE

Avec les yeux d'une tête de mort
Que la lune encore **décharne**,
Tout mon passé, disons tout mon remord,
Ricane à travers ma **lucarne**.

Paul Verlaine, « Un pouacre »,
Jadis et Naguère

Bien tard, quand il se sent l'estomac écœuré,
Le frère Milotus, un œil à la **lucarne**
D'où le soleil, clair comme un chaudron récuré,
Lui ***darde*** une migraine et fait son ***regard*** **darne**,
Déplace dans les draps son ventre de curé.

Arthur Rimbaud, « Accroupissements »,
Poésies

j'entends les lourds rugissements que font
sous mon plancher des voisins qui s'**acharnent**
à tirer de leur misérable **carne**
des sueurs des pleurs de gluantes humeurs
tant qu'ils sont pris à ces fugaces ***charmes***
le monde ***tourne*** et vit sans trop d'horreur

William Cliff, « Envoi » 5,
Conrad Detrez

Tu te souviens des ***sarbacanes***
Dont on menaçait les passants ?
On se cachait dans la **lucarne**
Et on avait le goût du sang.

Jean Clair, « Les Sarbacanes »,
Onze chansons puériles

❐

59. ARPE-ARP°

HARPE
CARPE
ÉCHARPE

(Jean/Hans) Arp°
(instrument) une HARPE
(pierre) une harpe
(il saisit, arg.) il harpe
(Jean-François de)
La Harpe
(poisson) une CARPE
(os) le carpe
métacarpe
Polycarpe
épicarpe
péricarpe
endocarpe
pilocarpe
mésocarpe
artocarpe
la Scarpe
(assassin) un **escarpe**
(vole; tue) une/il escarpe
(talus) il s'/une escarpe
contrescarpe
(bande d'étoffe)
une ÉCHARPE
(il blesse) il **écharpe**
(il sacque, rég.) il sarpe
(il se rebelle, rég.)
il se revarpe

Nous t'aimions bien jadis, quand sur ta triste **harpe**
Tu raclais la romance, et qu'en un carrefour,
Pour attirer la foule à voir tes sauts de **carpe**,
Un enfant scrofuleux tapait sur un *tambour* ;

Quand tu couvais de l'œil, en tordant ton **écharpe**,
Quelque athlète en maillot, Alcide fait au tour,
Qu'admire le bourgeois, que la police **écharpe**,
Qui porte cent kilos et t'appelle *mamour*.

Charles Baudelaire, « À une jeune saltimbanque »,
Vers retrouvés

Debout vieil homme, tiens-toi droit !
C'est assez jouer de la **harpe**
et porter le cœur en **écharpe**
que souffle le chaud ou le froid.

À d'autres la règle de trois :
rester muet comme une **carpe**
impassible autant qu'un **escarpe**
plus secret qu'un ***arbre*** qui croît.

Luc Estang, « Debout vieil homme… »,
Corps à cœur. XCVII

☞

ARPE-ARP°

Père qui m'engendras du ***tarse*** au **métacarpe**
malgré Schopenhauer et la loi de Malthus ; –
toi, mon appartement lorsque j'étais fœtus,
ma Mère : – et toi, Parrain dénommé **Polycarpe** ; –

maître qui m'enseignas (oh ! merci !) que la **carpe**
est un cyprinoïde et qu'en latin hortus
traduit le mot *jardin* – Flamande sans astuce (*),
nourrice au lait crémeux, simple enfant de la **Scarpe** ; –
[...]
hélas ! ne pouviez-vous, me prenant par l'échine,
quand je bavais, même gluant, déjà rêveur,
m'offrir à des cochons, comme l'on fait en Chine ?

Georges Fourest, « Pseudo-sonnet pessimiste et objurgatoire »,
La Négresse blonde

* rime audacieuse, j'aime à le croire. (Note de l'Auteur.)

Pourtant ILS nous ont dit : « Prenez les **harpes** !
(c'était au bord des fleuves) Jouez donc,
esclaves ! Sonne, ô vin des vieilles ***grappes*** ! »

Benjamin Fondane, « Le Mal des fantômes » XV,
Le Mal des fantômes

Un homme, homme perdu au milieu des ***arbres***.
Avait-il l'esprit dérangé ?
Il tenait un ***étendard*** comme une **harpe**
brodé de couleurs orangées.

Max Jacob, « Mystique »,
Derniers poèmes

assonances	*contre-assonances*
39. APE	*190. ERPE*
41. APRE	*311. IRPE*
46. ARBE	*576. URPE*
47. ARBRE	

❐

60. ARQUE-ARC°

ARC°
BARQUE
MONARQUE
PARC°

(arme ; courbe) un ARC°
(pré-sida, acronyme) arc°
(rivière) l'Arc°
(station de montagne) les Arcs°
(se courbe) il (s') **arque**
(marcher, arg.) il arque
(fleuve) l'Arques
(cristal d')Arques
BARQUE
il r/embarque
il débarque
Jeanne d'Arc°
Néarque
(dégoût) beuark!°
oligarque
gymnasiarque
hérésiarque
taxiarque
(maîtresse, arg.) une larque
(Samuel) Clarke
(chaussure, n. dép.)
des clark's°
phylarque
(saint ; prénom) Marc°
(Franz) Marc°
(monnaie) Mark°/mark°
(mois, arg.) un marque
(femme, arg.) une marque
(trace) il/une **marque**
lettres de marque

La Rime est tout, mon cher cousin Gabriel **Marc** !
Elle est l'oiseau qui passe et dont l'aile nous touche ;
Elle est la pourpre en fleur que Rose a sur sa bouche
Quand le riant Watteau nous entraîne en son **parc**.

Quand l'étranger, Talbot ou Suffolk ou **Bismarck**
Boit du vin de nos ceps et dans nos draps se couche,
La Rime éclate alors, vengeresse et farouche
Comme la claire épée au poing de **Jeanne d'Arc**.

Théodore de Banville, « À Gabriel Marc »,
Rimes dorées

Vis-tu comme un ***Balthazar***
Au champ où le ciel te **parque**,
Triste jouet du ***hasard*** !
Ou bien conjurant la **Parque**
De ta Laure seul **monarque**,
Chantes-tu comme **Pétrarque** ?
Ou portes-tu dans ta **barque**
La fortune de ***César***
Pour que le vent la **remarque** ?

Jules Verne, « Voyageur fatigué »,
Poésies inédites

☞

ARQUE-ARC°

Lamarck°
Jean-Marc°
une/il démarque
polémarque
deutsche Mark°
Danemark°
(Erich Maria) Remarque
une/il **remarque**
il/une contremarque
Penmarch°
sous-marque
(prince von) **Bismarck**°
énarque
MONARQUE
la Chasse au Snark°
ethnarque
un PARC°
la/les **Parque(s)**
il **parque**
éparque
ciné-parc°
Hyde Park°
(astronome) Hipparque
(général) un hipparque
Central Park°
quark°
hiérarque
triérarque
Pétrarque
tétrarque
anasarque
exarque
il étarque
Aristarque
Plutarque
navarque

Ne me regarde pas avec ces yeux. C'est vrai,
Pardon. Tu n'aimes pas qu'on raille. Je serai
Triste, si tu le veux, et grave, et pas **plus tard que**
Demain je te lirai les œuvres de **Plutarque**.

Tristan Derème, « Dénouons les rubans mauves... »,
La Verdure dorée. LI

Il fait du vent, il fait du vent,
Autour du cou noue ton ***écharpe***,
Voici les nefs courir grand ***largue***
Sur les eaux du Zuid-Beveland,

Et dans le ciel infiniment
Tourner sur leurs ailes qu'ils **arquent**,
Du côté où le poisson **parque**
Les mouettes, les goélands.
[...]
Tandis que – l'on dirait gaiement –
Un pêcheur, lui, compte ses ***caques***
De limandes et de harengs
Et siffle debout dans sa **barque**.

Max Elskamp, « Paysages d'exil » I,
Sous les tentes de l'exode

Des spaghettis, il venait de siffler la dernière couleuvre,
Quand l'horloge lui fit, crut-il, une **remarque** !
Or sa coutume était de se laisser mener
Par le bout du nez, pareil aux ***remorques***.

Roland Dubillard, « La chasse à l'alouette... »,
La Boîte à outils. 61

assonances
44. AQUE-AC
8. ACRE
55. ARGUE
70. ASQUE

contre-assonances
414. ORQUE-ORK
577. URQUE-URC
313. IRQUE

❒ 121.14 [Gregh]
1.18 [Foulc] ; 191 [Ferrer] ; 313 [Prévert]

61. ARSE-ARS°

ÉPARSE

darce/darse
le curé d'Ars°
(farceur) c'est/une **farce**
(cuisine) farce
(une) **garce**
(dieu) Mars°
(planète) Mars°
(mois) en **mars**°
(papillon) un mars°
Mlle Mars°
(peuple) les Marses
le Champ-de-Mars°
(marécage, rég.) une narse
(parce que) **parce**
ÉPARSE
(Albert) Ayguesparse
un(e) **comparse**
(ville) **Tarse**
(os) le tarse
métatarse

Eh ! bien cela finit de bonne heure. La **farce**
N'était pas gaie ; elle est lugubre au dénoûment.
J'y fus tout, spectateur, premier rôle et **comparse**,
Sans m'être diverti jamais énormément.

Et cette lente vie en si longs jours **éparse**,
Voilà qu'elle est passée on ne sait trop comment.
Momentaneum, rien, nous dit l'homme de **Tarse**.
Ma foi, Monsieur Saint Paul, c'est parler congrûment.

Louis Veuillot, « La Mort »,
Cara

Mais plaise à Dieu surtout que pour le nouveau **mars**,
Après cette fumée au vent rapide **éparse**,

Un poète meilleur et plus sûr de son style
Fasse lever le blé dans la poudre fertile.

Thomas Braun, « Dans les bouleaux, par ce soir d'août... »,
Fumée d'Ardenne [prologue] in *Poésie*

☞

ARSE-ARS°

Il fout là son cigare, un bon bout. « – Avant d'main,
Mon garçon, que je m'dis, gn'aura d' la viande à r'quins ! »
Tout not' monde était crân' comm' des p'tits amours, **parce**
Q' j'avais dit q' l' commandant leur cuisinait sa **farce**.

Tristan Corbière, « La Balancelle »,
Poèmes retrouvés

Tout l'hiver on bat à grands coups
Su' l'air' des granges le blé d'août.
Un coup qu'arrive el mois de **mars**
On peign' les champs avec sa **harse***.

Gaston Couté, « Les Tâches »,
La Chanson d'un gâs qu'a mal tourné [Volume 3]

* herse

Te voici les mamelles pleines de sève **éparse**
Est-ce appétit de croissance ?
— Soif d'inconnu ***vorace*** ?

Benjamin Fondane, « J'entre dans le mouvement qui me fuit… »,
Ulysse in *Le Mal des fantômes*

Tant pis. Nous n'avons plus la ***force***
De faire le lit de la **garce**
Pour la nuit de quinze cents jours.

Jules Romains, « Ma douleur... »,
Ode gênoise in *Choix de poèmes*

assonances	*contre-assonances*
71. ASSE	*194. ERSE*
48. ARCHE	*415. ORSE*
33. ALSE	*522. OURSE*

❒ *33 [Clancier] ; 315 [Métail]*

62. ARTE-ART°

CARTE
PARTE

(mite, rég.) une arte
(massif) la H(a)ardt°
(il s'empiffre, rég.) il se harte
(terrain inculte, rég.) un bart(h)e
(Roland) Barthes
jubarte
une CARTE
(technique) il carte
(véhicule) un kart°
fièvre quarte
(mesure) une quarte
(musique ; escrime) la quarte
mandat-carte
il encarte
pancarte
(il éloigne) il **écarte**
(cartes) il écarte
Maître Eck(h)art°
(René) **Descartes**
télécarte
porte-cartes
dog-cart°
multicarte
charte
land art°
du fart°
il farte
(il s'empiffre, rég.) il s'afarte
(William) Hogarth°

Allez, mes vers, enfants d'un deuil tant ennuyeux,
Que mon pleur plus que l'encre amoitit cette **carte**,
Las, allez, puisqu'il faut que mon soleil s'**écarte**,
Accompagnez la nue épaisse de mes yeux :

Allez, mes pleurs sourdant d'un cœur tant curieux
De ces beaux rais, qu'il faut qu'avecques il **parte** :
Allez doncques, mon cœur, l'âme ferait la **quarte**,
Mais dans moi ce Soleil veut s'en servir bien mieux.

Étienne Jodelle, « Allez, mes vers... »,
Œuvres et Mélanges poétiques

Le premier habit noir, le plus beau jour de **tartes**,
Sous le Napoléon ou le Petit Tambour
Quelque enluminure où les Josephs et les **Marthes**
Tirent la langue avec un excessif amour
Et que joindront, au jour de science, deux **cartes**,
Ces seuls doux souvenirs lui restent du grand Jour.

Arthur Rimbaud, « Les Premières Communions » I,
Poésies

S'ils risquent, tout à l'heure, un seul mot malsonnant
Contre son Empereur, son dieu, son **Bonaparte**,
Le vieux bretteur, si fort sur le contre de **quarte**
Ce soir, – tant pis pour eux ! – est prêt à s'aligner.

François Coppée, « Un duel au sabre » II,
Des Vers français

☞

ARTE-ART°

(Humphrey) Bogart°
Stuttgart°
commedia dell'arte
(animal) la marte
(prénom) **Marthe**
la Wehrmacht°
smart°
(Django) Reinhardt°
qu'il PARTE
(peuple) les Parthes
(appartement) appart°/e
(Curzio) Malaparte
Bonaparte
qu'il départe
qu'il reparte
op art°
pop art°
(rivière ; départ.) la Sarthe
il essarte
(genêt) le spart°/sparte
(ville) Sparte
(pâtisserie) une **tarte**
(gifle, arg.) il/une tarte
(sot) être tarte
(il défèque, arg.) il tarte
steward°

assonances	*contre-assonances*
50. ARDE	*194. ERTE*
77. ATRE	*417. ORTE*
75. ATE	*523. OURTE*
34. ALTE	

J'aurais pu, j'aurais pu de trente-six manières
Me ***débattre*** aux mains du destin...
Me ***débattre*** ? eh, quoi, se ***débattre*** ?
Rien ne va plus, les jeux sont faits :

Mon jeu eût-il été meilleur ou plus mauvais
On ne peut éviter d'en épuiser les **cartes**,
Après quoi il faut que l'on **parte**.

Franc-Nohain, « La Voie descendante » IV,
Nouvelles Fables

Donne-moi la main tiens-moi sur ta **carte**
Regarde là-bas la rouge **pancarte**
Défense de vivre
Les flics me ***regardent***

Léo Ferré, « Le Manque »,
La mauvaise graine

Une enfant triste aux yeux cernés
Qui s'appelait Marcelle ou **Marthe**
Et qui, m'ouvrant comme une ***morte***
Le ciel des jours abandonnés,

M'a conduit jusqu'à cette chambre...

Philippe Chabaneix, « Vers le Nord »,
Musiques des jours et des nuits

❒ *63 [Caussimon]*

63. ARTRE

MONTMARTRE

(règle) une chartre
(ville ; cathédrale) **Chartres**
dartre
martre
MONTMARTRE
xénarthre
(Jean-Paul) Sartre
tartre
il entartre
il détartre

...Prince vaut-il rois ? vaut-il, ce laineux caraco, ces très guignés manteaux de **martre** ?

aurez-vous des prix *ex-æquo*, Saints et vil Démon plein de **dartres** ? juchés sur le Mont – tel des « cots »* – et chantant sa gloire aux échos

...ces poètes qu'on voit de **Chartres**, que suis-je auprès d'eux ? un coco qui ne saurait t'offrir **Montmartre**, son cœur n'y faisant pas écho...

Paul Fort, « Munificence » 26,
Bol d'air in *Ballades françaises*

* coqs

Au lieu de brouiller les ***cartes***
Tout de go, je les abats :
Ce que j'aime dans **Montmartre**
N'est ni en haut, ni en bas... [...]

C'est l' coin d'où rar'ment s'***écartent***
Les copains de Saravah
C'est la ***commedia dell'Arte***
Le rondo, la vie qui va... [...]

Au pays de Jean-Paul **Sartre**
C'est à **Montmartre** qu'il y a
Un coin où l'on peut s'***ébattre***
Mieux qu'à Rio ou Bahia !

Jean-Roger Caussimon, « La Fête à Montmartre »,
Mes chansons des quatre saisons (version chantée)

☞

ARTRE

Glaou, caché par le vieux ***marbre***
où l'amoureuse, hier, se cachait,
la regarde, la belle **martre**,
tout comme elle, hier, le regardait.

Jacques Audiberti, « Glaou et Kalaïnaré »,
La Beauté de l'amour

Je ne sais pas davantage
Où je pourrai bien la ***mettre***,
Tire-lan-laire,
À Manhattan, à **Montmartre** ?
À Moscou, face au Kremlin ?

Jules Romains, « Chanson du maçon »,
L'Homme blanc

assonances
62. ARTE
77. ATRE
47. ARBRE
73. ASTRE

contre-assonances
195. ERTRE
233. EURTRE

❒ *195 [Villon]*

64. ARTZ

le Hartz
(dessous-de-table, arg.)
schwartz
quartz
(Guy) Ropartz

assonances
61. ARS-E
62. ART-E
73. ASTRE
78. ATZ

contre-assonance
196. ERTZ

65. ARVE

LARVE

l'Arve
l'Algarve
LARVE
varve

C'est le printemps qui vient, ce frère de l'aurore ;
C'est la saison qui rit, sœur de l'heure qui dore ;
C'est l'instant où verdit le sillon nourricier,
Où, sonore et gonflé des fontes du glacier,
L'Arveyron bleu s'accouple au flot jaune de l'**Arve**,
Où mai sort de l'hiver et le sphinx de sa **larve**...

Victor Hugo, « La Forêt mouillée » scène II,
Théâtre en liberté

Nous nous refroidissons en nous touchant. Dieu met
Sur on ne sait quel fauve et tragique sommet,
Au-dessus d'Aragon, de Jaën, des **Algarves**
De Burgos, de Léon, des Castilles, deux **larves**,
Deux masques, deux néants formidables, le roi,
La reine ; elle est la crainte et moi je suis l'effroi.

Victor Hugo,
Torquemada, 1re partie, acte I, scène II

ô chairs ô mains qui vous cherchez à travers le ***brouillard***
où nous conduisez-vous corps tordus par le goût des ***larmes***
plus je mange et plus j'ai faim plus je happe et plus j'***épargne***
de quoi terminer mon chemin dans la ***lave*** et les **larves**

William Cliff, « Un enfant pétrit de la boue... »,
Écrasez-le

☞

ARVE

— Or moi, sans gros effort j'évoque ces ***cadavres*** :
sachant que c'est du toc (mais sans savoir pourquoi)
je laisse, sussurante au matin chaud, la voix
des mots qui sommeillaient ressusciter leurs **larves**.

Thieri Foulc, « Iéser Ra »,
17 sonnets écrasiâstiques + 1 sonnet alchimique

❒ *419 [Queneau]*

assonances
79. AVE
80. AVRE
57. ARME

contre-assonances
197. ERVE
419. ORVE
579. URVE

66. ARX

(Karl) **Marx**
les frères Marx

On me dit qu'elle enseigne **Marx**,
Je chercherai longtemps la rime.

Henri Thomas, « Accordéon »,
À quoi tu penses

Le drapeau rouge est troué
Relax **Marx**
Et le rideau déchiré
Tu ***parles Karl***

Pierre Delanoë, « Relax Marx »,
Paroles à lire ou poèmes à chanter

Quand de ce Capital qu'on prend toujours pour **Marx**
On ne parlera plus que pour l'honneur du titre
Quand le Pape prendra ses évêques à la mitre
En leur disant : « Latin ! Porno ou non, je ***taxe*** »

Léo Ferré, « Allende »,
La mauvaise graine

J'lui ai dit : T'as raison Ginette
C'est ***Karl*** **Marx**
En plus balèze, en plus honnête
Plus ***efficace***

Renaud, « Socialiste »,
Le Temps des noyaux

❒

assonances
81. AX-E
60. ARC
61. ARS-E
56. ARL-E

contre-assonance
198. ERX

67. ASE-AZ°-OISE

EXTASE

(enzymes) les ases
(lapine) une hase

il/une **base**
Anabase
parabase
embase

(hutte) une **case**
(il place) une/il **case**
Achaz°
il recase
kamikaze
occase
le **Caucase**
colocase
(o)ukase
Las Cases

phase
emphase

Tu es, tout d'un coup : voici tout ce que tu es :
Ton essence vraie et ta multiple **hypostase** :
Tes noms ; tes tributs ; l'orbe que ton orbe **écrase** :
Contemplation qui se résout en **extase**...

Victor Segalen, « Prière au ciel sur l'esplanade
nue : III. Contemplation »,
Odes

Pignon sur rue et rognons velus voilà bien
Le triste sort de tout celui qui s'**embourgeoise**
Le mystère c'est qu'on sait pas comment ça vient
Mais un beau jour on s'aperçoit que l'on **merdoise**

Quand paraît dans la plaine un chasseur et son chien
L'oiseau qui dégustait la ***fraise*** ou la **framboise**
Ce couple apercevant se dit quels bons à rien
Il n'est pas de ces naïfs que l'on **apprivoise**

Raymond Queneau, « Le Temps des oiseaux »,
Sonnets in *Le Chien à la mandoline*

☞

ASE-AZ°-OISE

il (se) déphase

du **gaz°**
(tissu) la **gaze**
(il déguise) il gaze
(il asphyxie) il gaze
(ça va) ça gaze
(magasin, arg.) magaze
il dégaze
(cheval ailé) **Pégase**
(poisson) un pégase
allume-gaz°
(n. dép.) camping-gaz°

Général Diaz°
lapiaz°
Avoriaz°
lithiase

il **jase**
le Hedjaz°
jazz°
free-jazz°

chalaze
(il [se] lasse) il (se) blase
(nom, arg.) un blase/blaze
(nez, arg.) le blase/blaze
(rhétorique) antanaclase
amylase

paronomase
antonomase

(nez, arg.) le nase/naze
(syphilis, arg.) le nase/naze
(épuisé, ivre, arg.)
être nase/naze
Athanase
(un/e) ashkénaze
gymnase

l'**Oise**
il boise
Amboise
il/une **framboise**
il déboise
il reboise
gerboise
il ratiboise
(une) québécoise
(de souris) souriquoise
des tricoises
(une) iroquoise
narquoise
turquoise
(une) cauchoise
(une) badoise
vandoise
(une) suédoise
Val-d'Oise
(une) vaudoise
ardoise
Seine-et-Oise
(une) **villageoise**
(une) liégeoise
(une) albigeoise
(une) wurthembergeoise
vergeoise

(une) **bourgeoise**
(une) hambourgeoise
il s'embourgeoise
il se désembourgeoise
(une) luxembourgeoise
(une) brandebourgeoise
(une) petite-bourgeoise
antibourgeoise
(une) strasbourgeoise
il dégoise
(une) galloise
(une) gauloise
il/une moise
il chamoise
(une) siamoise
armoise
chercher des **noise(s)**
(une) danoise
massif de la Vanoise
(une) viennoise
(champagne)
(une) champenoise
(bouteille)
une champenoise
(une) pékinoise
(une) tonkinoise
il/(une) **chinoise**
(une) indochinoise
(une) finnoise
(une) dauphinoise
(une) carthaginoise
(une) malinoise
(une) béninoise
sournoise
(une) bavaroise
Ambroise
il **croise**
il décroise
il entrecroise
(une) algéroise
(une) hongroise
mer d'Iroise
(une) zaïroise
Françoise
(une) niçoise
une/il **toise**
matoise
il patoise
pantoise
(une) crétoise
il/une entretoise
(une) franc-/comtoise
Pontoise
courtoise
discourtoise
il **pavoise**
(une) genevoise
grivoise
il **apprivoise**
il se désapprivoise
cervoise

(Octavio) Paz°
(Bolivie) La Paz°
topaze

il/être **rase**
il arase
il brase

Ici, le matelas, la cuisinière à **gaz**,
le tabouret plaintif et la chaise encombrante,
la vie parmi les murs, la fatigue et l'attente,
la chute des crayons dont la mine s'**écrase** ;

les livres refermés sur l'envolée des **phrases**,
la fourchette en nickel et les nouilles pliantes,
le goudron sous les pieds et les autos vivantes,
et la fuite immédiate à la première **occase**.

Thieri Foulc, « Ici et là »,
Whââåh

Qui pilla jadis **Métastase**,
Et *qui* crut imiter Maron ?
Qui, bouffi d'ostentation,
Sur ses écrits est en **extase** ?

Qui si longuement **paraphrase**
David en dépit d'Apollon,
Prétendant passer pour un **vase**
Qu'on appelait d'élection ?

Qui, parlant à sa nation
Et l'insultant avec **emphase**,
Pense être au haut de l'Hélicon
Lorsqu'il barbote dans la **vase** ?

Voltaire, « Les *Qui* »,
Mélanges

Si le vêtement des **phrases**
Gêne ton rythme emporté,
Si les ***images*** t'***entravent***,
Aspire à la nudité.

Si la clarté de l'**extase**
Cache trop d'autres clartés,
Par amour de ceux qui ***savent***
Préfère l'obscurité.

Pierre Nothomb, « Si le vêtement des phrases… »,
Clairières

Leur élégance, leur joie
Et leurs molles ombres bleues

Tourbillonnent dans l'**extase**
D'une lune ***rose*** et ***grise***,
Et la mandoline **jase**
Parmi les frissons de ***brise***.

Paul Verlaine, « Mandoline »,
Fêtes galantes

D'***Héloïse*** et d'Abélard
À Paris, près de **Pontoise**
D'Abélard ou d'***Héloïse***
Oui, d'aimer c'est le grand art.

(Où nul ne vous cherche **noise**
Porte ***close*** au vent bâtard)

Maurice Fombeure, « Toujours Paris »,
Quel est ce cœur ?

❐ 244.10 [Anonyme]
199 [Fondane] ; 448 [Le Roy]

ASE-AZ°-OISE

il abrase
il **embrase**
il ébrase
il débrase
crase
il **écrase**
il dérase
(cuisine) il frase
il/une **phrase**
il/une paraphrase
il/une périphrase
antiphrase
Chiraz°
chrysoprase

Alcatraz°

pétase
protase
stase
Anastase
diastase
(Pierre) Métastase
(pathologie)
il/une métastase
hémostase
iconostase
hypostase
une EXTASE

(récipient) un **vase**
(boue) la **vase**
il s'extravase
il dés/envase
il transvase

assonances
18. AGE
71. ASSE
79. AVE

contre-assonances
199. ÈSE
317. ISE
448. OSE

68. ASME

ENTHOUSIASME
SPASME
MARASME

asthme
hésychasme
(rhétorique) épitrochasme
sarcasme
(rhétorique) chleuasme
phasme
(danse bouffonne)
morphasme
orgasme
chiasme
miasme
il/l'ENTHOUSIASME
iconoclasme
(masque de grossesse)
chloasme
cataplasme
(rhétorique) métaplasme
néoplasme
ectoplasme
protoplasme
pléonasme
SPASME
MARASME
Érasme
il/un phantasme/
fantasme

- combien t'en eus, d'**orgasmes** ?
- tu t'paies combien de **spasmes** ?
- combien d'**orgasmes** à l'heure ?
- i t'faut des **cataplasmes** ?
- t'as eu combien d'**orgasmes** ?
- ti mets ti d'l'**enthousiasme** ?
- t'as eu combien d'**orgasmes** ?
- tu as bon pied, bon **asthme** ?
- et tes **orgasmes** ?
- et tes **orgasmes** ?

Christian Prigent, « Naufrage du Litanic » 8,
Voilà les sexes. 37

Certains sont séduisants et partant très aimés ;
Ils connaîtront l'**orgasme**.
Mais tant d'autres sont las et n'ont rien à cacher,
Même plus de **fantasmes**...

Michel Houellebecq, « L'amour, l'amour »,
La Poursuite du bonheur

Ces danses qui ne sont macabres ni **morphasmes**,
Mais pour faire baller plus mornes que les morts :
Les spleens et les dégoûts, les ennuis, les **marasmes**,
Nostalgie et rancœur, et regrets et remords.

Robert de Montesquiou, « Hungaria »,
Les Chauves-souris. LXXV

Tas de chiennes en rut mangeant des **cataplasmes**,
Le cri des maisons d'or vous ***réclame***. Volez !
Mangez ! Voici la nuit de joie aux profonds **spasmes**
Qui descend dans la rue...

Arthur Rimbaud, « L'Orgie parisienne »,
Poésies

la femme qui
est dans mon lit
n'a plus vingt ans
depuis longtemps

ne riez pas
n'y touchez pas
gardez vos ***larmes***
et vos **sarcasmes**

Georges Moustaki, « Sarah »,
En ballades. 1

assonances
36. AME
30. ALME
57. ARME
37. AMSE

contre-assonances
318. ISME
421. OSME

❒ *70 [Grosjean]*

69. ASPE-ASP°

JASPE

(dévidoir) un aspe
vallée, gave d'Aspe
(il tripote, rég.) il chaspe
(rivière) l'Hydaspe(s)
(surprise, hoquet) gasp!°
(petit-lait, rég.) la gaspe
il/le JASPE
(courtisane) Campaspe
(il court, rég.) il raspe
(crasseux, arg.) crasp'°
(satrape) Hystaspe
(un/e) wasp°

Sur mon tombeau futur, mes Vers, pour l'énoncer,
Courez en lettres d'or de ce pas vous placer :
Allez, jusqu'où l'Aurore en naissant voit l'**Hydaspe**,
Chercher, pour l'y graver, le plus précieux **jaspe** [...]

Nicolas Boileau, « Épître » X,
Épîtres

Lune du pays d'**Aspe**,
Arc, lancez-nous l'Amour,
Plus beau que n'est le jour !
Nef d'argent et de **jaspe**,
Des nuits faites le tour !

Francis Jammes, « Cantique de N.-D. de Sarrance » 23,
La Vierge et les Sonnets

Soyez démesurés dans le cynisme, infâmes,
Obscènes ; confrontez la nudité des femmes
Avec la nudité de l'âme du tyran ;
Que votre ciel soit bleu comme le lys d'Iran ;
Ayez des trônes d'or, ayez des bains de **jaspe**,
Et Moloch sur le trône et dans le bain **Campaspe** [...]

Victor Hugo,
Suite de Châtiments, cote 66.22 in *Chantiers*

Le désespoir fleurit sur tes autels de **jaspe**,
O songe ! et la colère y fume en hautes torches ;
L'Orgueil est nu sous l'or qui d'un ***faste*** le ***drape***
Et le vent de la mer entre par les trois portes.

Henri de Régnier, « Stances »,
Premiers poèmes

J'aime une fille aux yeux mauves
qui dans son alcôve
A su tout oser

Elle a des lèvres de **jaspe**
Sa bouche est la ***vasque***
de l'eau des baisers

Guy Béart, « La Fille aux yeux mauves »,
Couleurs et Colères du temps

assonances
39. APE
70. ASQUE
42. APS-E

contre-assonance
319. ISPE

❐

70. ASQUE-ASCQ°

MASQUE

asque
Pays/un(e)/être **basque**
(de veste) une basque
un **casque**
(il paie) il casque
Villeneuve d'Ascq°
(un/e) monégasque
(bouteille) une fiasque
(fiasco) un fiasque
(défèque, arg.) il fiasque
(il s'enivre, rég.)
il se niasque
(mou) être **flasque**
(d'un affût) le flasque
(flacon) une flasque
(défèque, arg.) il flasque

Être homme ? tu le peux. Va-t'en, guêtré de cuir,
L'arme au poing, sur les pics, dans la haute **bourrasque**,
Et suis le libre izard aussi loin qu'il peut fuir !

Fais-toi soldat ; le front s'assainit sous le **casque**.
Jeûnant pour avoir faim et peinant pour dormir,
Sois un contrebandier dans la montagne **basque** !

Mais, dans nos vils séjours, ne t'attends qu'à vieillir.
Les pleurs mentent ainsi que le rire est un **masque** ;
Tout est faux : glas du deuil et grelots du plaisir.

Catulle Mendès, « Exhortation »,
Soirs moroses

☞

ASQUE-ASCQ°

il/un MASQUE
bergamasque
(il ensorcelle, rég.)
il emmasque
il démasque
(ivresse, arg.) la nasque
(parce que, fam.) pasque
marasque
tarasque
des **frasques**
bourrasque
(il se dépêche, rég.) il trasque
fantasque
vasque

assonances
44. AQUE
60. ARQUE
68. ASME
81. AXE

contre-assonances
200. ESQUE
320. ISQUE
582. USQUE

Ainsi tu t'es laissé prendre et garder, beau **masque**.
Défaille sur ma bosse amoureuse. Je veux
Improviser pour toi d'héroïques aveux,
Mais j'ai pour te mentir mis un faux nez **fantasque**.

L'écho du bal lubrique où rôdent des **tarasques**
Mêle son ironie aux baisers frauduleux
Et tu rêves déjà car ton front lumineux
S'anime ainsi qu'au vent l'eau tiède d'une **vasque**.

André Salmon, « Le Masque »,
Les Clés ardentes in *Créances*

Enlève ton **masque**
Malgré la **bourrasque**
Et tiens bon **jusqu'à c'que**
Finissant tes **frasques**

Tu découvriras
Tra deri dera
Que tu n'es pas un rat
Mais un homme mon gars.

Charles Trenet, « Au bal de la nuit » 3,
Tombé du ciel

Savais-tu pas combien tournait la roue ?
Que tout triomphe est payé de ***sarcasmes*** ?
Que tes fiers seins seraient des outres **flasques** ?
Tes mots d'amour des ironies ? la boue
Ton dernier lit ? Que remords et **bourrasques**
T'allaient rouler plus qu'un flot ses cailloux ?

Jean Grosjean, « Hégire sans remède »,
Majestés et passants

❐ *81 [Vigny] ; 69 [Béart]*

71. ASSE-AS°-OISSE

PASSE

(carte) un as°
(rivière) l'Asse
être **basse**
(musique) une basse
(coraux)) une basse
(flipper, arg.) une babasse
anabas°
(averse, rég.) une rabasse
Barabbas°/Barrabas°
(ivre, arg.) grabasse
il tabasse
black-bass°
calebasse
contrebasse
(rubis) rubace
(il brise) la/il **casse**
(il part, arg.) il se casse
(fric-frac, arg.) un casse
(du verrier) la casse
(de cassier) une casse
(imprimerie) la casse
(coïter, arg.)
aller à la cacasse
(peuple) les Khakasses
(pie) une jacasse
(il bavarde) il **jacasse**
Caracas°

des maracas°
il **fracasse**
Capitaine Fracasse
il (se) **tracasse**
(traquer) que je traquasse
bécasse
madécasse
mêlécasse/
mélé-cass°/e
bas(-)de(-)casse
il/une **dédicace**
Perdiccas°
efficace
inefficace
(il ricane, rég.) il nicasse
(rafistole, rég.) il rapicasse
perspicace
il **fricasse**
(gel, Suisse) la fricasse
cycas°
Boccace
cocasse
Phokas°
jocasse
loquace
(il plaide) il avocasse
il concasse
Doukas°
arcasse
barcasse
carcasse
il se décarcasse

Tout **passe** et cela n'est **pas ce**
Que les gens n'ont dit assez ;
Ils ont écrit que tout **passe**
Et leurs livres sont passés...

Tristan Derème, « Quelque rose que tu cueilles… »,
La Verdure dorée. CXLVII

Ces mots sont dans ma bouche une poire d'**angoissse**.
Ils ne **passent** pas, ne descendent pas au cœur.
Mes tripes ainsi ne connaissent pas la peur :
Ce n'est pas pour autant que m'épargne la **poisse**.

Je n'ai pas dans mon ventre une aimable **paroisse**
Où la vie et ses cris viennent chanter en chœur.
Je n'ai rien que ma voix. Elle a si peu d'ardeur
Que tout ce qu'elle exprime obstinément se **froisse**.

Claude Ernoult, « Ces mots sont dans ma bouche… »,
Diptyques in *Six sots sonnets et autres textes rimés*

Je n'ai plus le ***courage*** de me voir dans la **glace**.
Parfois je ris un peu, je me fais des **grimaces** ;
Ça ne dure pas longtemps. Mes sourcils me dégoûtent.
J'en arrache une partie ; cela forme des croûtes.

Le soir j'entends rentrer la voisine d'en **face** ;
J'en ai le cœur serré, je me fige sur **place**.
Je ne l'ai jamais vue car je suis très habile,
Je deviens un pantin sardonique et docile.

……

rascasse
(kermesse) une ducasse
(Isidore) Ducasse
(chasseur) il/la **chasse**
(reliquaire) une châsse
(yeux, arg.) des châsses
(grosse femme, arg.) vachasse
il enchâsse
une échasse
garde-chasse
il rechasse
il **pourchasse**

les Daces
fadasse
(prostituée, arg.) radasse
candace
(femme, arg.) fendasse
tiédasse
bidasse
Midas°
Léonidas°
(crier, rég.) il escridasse
thridace
vindas°
audace
godasse
Gigondas°
blondasse
Épaminondas°
csardas°/czardas°
(danse lascive) la cordace

galéace/galéasse
Pelléas°
pancréas°
(Jean) Moréas°

en/de/une **face**
(blason) la fasce
qu'il **fasse**
face-à-face
il (s') **efface**
qu'il re/défasse
il/une préface
qu'il refasse
qu'il contrefasse
volte-face
biface
Boniface
(bourratif, rég.) stouffasse
interface
il/une surface
postface

il **agace**
(pie) une agace/agasse
(résidu) bagasse
(juron) bagasse!
(diarrhée, rég.) cagasse
(il ennuie, arg.) il escagasse
sagace
Micromégas°
Las Vegas°
(n. dép.) pataugas°
fougasse

argas°
(il bavarde, rég.) il jargasse
sargasse
mer des Sargasses
(il fouille, rég.) il fourgasse
fugace
(fuguer) que je fuguasse

(individu, arg.) gn(i)asse
(règles, arg.) les arcagnasses
(il tripote, rég.) il poignasse
(paresseux) feignasse
Ignace
tignasse
(coing) une cognasse
que je cognasse
(ivrogne, Belg.) ragognasse
(poufiasse) une grognasse
(grognasser) il grognasse
(farfelu, rég.) fougnasse
(lèvres, arg.) les bagougnasses
ragougnasse
(traîne au lit, rég.) il pougnasse

jas°/yass°
la caillasse
(cailler) que je caillasse
(clown) un **paillasse**
(matelas) une paillasse
(pailler) que je paillasse
chiasse
(pharmacien, arg.) coupe-chiasse
Phidias°
Hérodias°
spondias°
(individu, arg.) fias°/se
(jeune fille) fillasse
(se fier) que je me fiasse
pou(f)fiasse
écuries d'Augias°
(géologie) le lias°
(feuillets) une **liasse**
il enliasse
alias°
(s'allier) que je m'alliasse
pater familias°
millas°/mill(i)asse
Pausanias°
bouillasse
une/il brouillasse
(brouiller) que je brouillasse
Hippias°
Olympias°
il opiace
hamadryas°
coriace
trias°
(Miguel A.) Asturias°
les Curiaces
Sédécias°
Marsyas°
Tirésias°

Hier au petit jour j'ai brûlé des photos ;
C'était un plaisir neuf, quoique vraiment **fugace**.
J'ai même envisagé d'écouter la radio ;
La musique fait mal et les discours **agacent**.

Michel Houellebecq, « Je n'ai plus le courage... »,
La Poursuite du bonheur

Limace pure et sans ***tache***
dont la *bave* **trace** dans le *dédale* des ***bourraches***
son **espace** tout en **surface**
limace vorace dont la *fringale*
ravage la salade automnale
limace *âme* **sagace**
semblable aux **sargasses** humaines
limace *brave* qui perpétues ta **race**
vivace malgré la haine du *campagnard*
limace *trisyllabe* **limace** méconnue

Raymond Queneau, « La Limace »,
Battre la campagne

Est-il, ô quel est-il, qui chante et se ***blesse***
Au loin de nous quand l'eau s'**efface**
Et suis-je en cette mer et en marée où **lasse**
Fut l'errante ? Ou en moi-même qui ouvris l'impur **espace** ?

Ou suis-je en ce ***mirage*** de putrides salaisons
Quand il n'est que le sang qui nous tienne raison
Et torpide en la plaie pleure l'***absence*** où elle **passe**.

Édouard Glissant, « Plaies » IX,
Le Sel noir in *Poèmes complets*

Tous ces cris de la rue ces mecs ces magasins
Où je te vois dans les rayons comme une ***offense***
Aux bijoux de trois sous aux lingeries de rien
Ces ombres dans les yeux des femmes quand tu **passes**

Léo Ferré, « Ton style »,
La mauvaise graine

en **face**
le pire
jusqu'à ce
qu'il **fasse** rire

Samuel Beckett, « Mirlitonnades »,
Poèmes

❐ 91.25 [Albert-Birot ; Cadou] ; 121.11 [Nouveau]
72 [Guérin] ; 81 [Vigny] ; 201 [Romains]

Lysias°
Josias°
Pr(o)usias°
Ma(t)thias°
Mattathias°
Critias°
(imbécile) bestiasse!

beigeasse
(Fernando de) Rojas°
(Jacques) Cujas°

(il noue) il lace

(hélas) las!°
il/être **lasse**
affaire Calas°
(cantatrice) la Callas°
il échalasse
Dallas°
un **palace**
(discours, arg.) un pa(l)las°
Pallas°
(grivois) **salace**
(saler) que je salasse
fontaine Wallace
il **enlasse**

il (se) désenlasse
Ruy Blas°
Gil Blas°
il/une **classe**
(assez, arg.) c'est class°
(chic) être classe
il déclasse
il reclasse
sous-classe
(pause) une interclasse
(range) il interclasse
il surclasse
(ivre, arg.) être (s)chlass°

ASSE-AS°-OISSE

(couteau, arg.) un schlass°
hélas!°
(la Grèce) Hellas°
(héler) que je hélasse
(il dénoue) il délace
(il se repose)
il (se) **délasse**
une **mélasse**
(mêler) que je mêlasse
Ménélas°
il se **prélasse**
(crouton, arg.)
un fricadelasse
il/être **dégueulasse**
il **entrelace**
il matelasse
Lovelace/lovelace
il/la **glace**
(miroir) une **glace**
(verre d'alcool, arg.)
un glass°/e
Boissy d'Anglas°
(se refroidir, rég.)
il se sang-glace
il déglace
mer de Glace
brise-glace(s)
lave-glace
lève-glace
essuie-glace
(n. dép.) plexiglas°
il verglace
flint-glass°
(n. dép.) altuglas°
filasse
Agésilas°
folasse
il se violace
(violer) que je violasse
(grés) la mo(l)lasse
(mou) **mollasse**
il/une **place**
Laplace
il **remplace**
il **déplace**
garde-place
il replace
biplace
demi-place
triplace
monoplace
surplace
Boleslas°
Venceslas°
Ladislas°
Stanislas°
(myth.) Atlas°
un **atlas**°
culasse
il déculasse
populace

(maison) un mas°
(volume) en/une **masse**
(massue) une masse
(réunir) il masse
(il pétrit) il masse
(billard) il masse
il **amasse**

les Bahamas°
Damas°
(damasser) il damasse
(damer) que je damasse
saint Grégoire
Palamas°
(ramasser) il **ramasse**
(ramer) que je ramasse
(mollusque) une **limace**
(chemise, arg.) une limace
(limer) que je limasse
(rimailler) il rimasse
il/une **grimace**
(grimer) que je grimasse
(il agit mollement)
il foutimace
des palmas°
(ville) Las Palmas°
hommasse
biomasse
Fantômas°
Christmas°
(furieux, arg.) fumasse
une/il brumasse
contumace

une **nasse**
ananas°
panace
Juliénas°/juliénas°
(traînasser) il traînasse
il dé/cadenasse
il/une **menace**
(mener) que je menasse
tenace
pugnace
il finasse
ninas°
pinasse
(Julie de) Lespinasse
(obstiné) pertinace
vinasse
(Emmanuel) Levinas°
(calme plat) la bonace
(trop bon) **bonasse**
co(n)nasse
Jonas°
(jaune, péj.) jaunasse
Amazonas°
Halicarnasse
Pharnace
le **Parnasse**
Montparnasse

il coasse
il croasse
psoas°

(Robert) Wace
fouace
il/une **angoisse**
(joyeux, arg.)
joice/jouasse
(jouer) que je jouasse
(malchance) la **poisse**
(il enduit) il poisse
(voyou, arg.) un poisse
il empoisse
l'époisses

paroisse
que je **croisse**
que j'accroisse
que je **décroisse**
que je recroisse
il **froisse**
il défroisse

il PASSE
(clé) un passe
en/une passe
(coït tarifé, arg.) une passe
papas°
être/un **rapace**
(mauvais café, rég)
une rapasse
(râper) que je râpasse
carapace
il estrapasse
(étoffe) un lampas°
(lamper) que je lampasse
(bavarde, rég.) clampasse
il **dépasse**
catoblépas°
il **trépasse**
il repasse
il contre-passe
il outrepasse
passe-passe
bipasse
impasse
Scopas°
il compasse
(il trébuche, rég.)
il s'estroupasse
il **surpasse**
il/un **espace**
sous-espace
hyperespace
upas°

(chef éthiopien) le ras°
une **race**
(ville) Arras°
(il fatigue) il **harasse**
(emballage) une harasse
(vicomte de) Barras°
il **embarrasse**
il **débarrasse**
carasse
(il s'entasse, rég.)
il s'encarrasse
(il tombe, rég.)
il se patarasse
(mesure) une brasse
(nage) la brasse
il **brasse**
il **embrasse**
(cordon) une embrasse
(saleté) la crasse
ignorance crasse
il(s') **encrasse**
pancrace
il désencrasse
il décrasse
(il salit, rég.) il pocrasse
hypocras°
(étoffe) un madras°

(ville) Madras°
il/une **terrasse**
(il abat) il terrasse
(terrer) que je terrasse
il/la **paperasse**
sera-ce
la **grâce**
(divinités) les **Grâces**
(Günter) Grass°
être **grasse**
(ville) Grasse
ray-grass°
Val-de-Grâce
(il grommelle, arg.)
il bougrasse
disgrâce
tirasse
il (se)/une **cuirasse**
(poète) Horace
les Horaces
borasse
Protagoras°
les Grandes Jorasses
(Charles) Maurras°
une morasse
vorace
(grande chaleur, rég.)
une toufourasse
il/une **trace**
(un) thrace
la Thrace
(averse, rég.) une batrasse
(ville) Patras°
(chute, rég.)
il/une patrasse
les Tatras°
(administration, arg.)
la chtrasse
tétras°
il retrace
Samothrace
(verre coloré) un **stras(s)**°
(rebut de soie) la strasse
(origine, arg.) une extrace
(Marguerite) Duras°
(durer) que je durasse
le Honduras°

un sas°
il sasse
Assas°
le Kansas°
l'Arkansas°
sensas(s)°
il **ressasse**
(talisman) abraxas°
le Texas°

alcarazas°
besace
Alsace
(vin) un alsace
une **rosace**
(Juan Manuel de) Rosas°
Lusace

Agence Tass°
une **tasse**
(il comprime) il **tasse**

(poète) le Tasse
(singe) patas°
(il piétine, rég.) il patasse
(il bavarde, rég.) il tatasse
(tatillon, rég.) être tatasse
(tâter) que je tatasse
il **entasse**
(pédant) savantasse
bêtasse
(putain, arg.) pétasse
(péter) que je pétasse
(argent, arg.) des pesetas°
(sein mou, arg.) tétasse
(il bavarde, rég.)
il jappetasse
il rapetasse
(s'affale, rég.) il s'abotasse
la potasse
(il étudie) il potasse
soutasse/sous-tasse
seigneur du Bartas°
Stace
vasistas°
(salut, arg.) salutas!°
(prostituée, arg.)
elle/une putasse

(situation, arg.) situasse

Agence Havas°
(bavasser) il bavasse
une **lavasse**
Palavas°
il **rêvasse**
il pleuvasse
il (se)/une **crevasse**
(crever) que je crevasse
il écrivasse
vivace
kwas°/kvas°

+ verbes en -er
1e, 2e pers. sing.
3e pers. plur.
imparf. subj.

assonances
5. ACHE
18. AGE
67. ASE

contre-assonances
201. ES-SE
321. IS-SE
423. OS-SE
100. ANCE

72. ASTE-AST°

CHASTE
VASTE

(javelot) un hast°
(viande rôtie) une haste
(bah!) baste!
(il cède, Suisse) il baste
(poisson) un sébaste
(ville) Sébaste
(gelée blanche, rég.) une barbaste
Bubaste
caste
Jocaste
CHASTE
arme d'hast°
(auteur de bédés) bédéaste
vidéaste
cinéaste
le **faste**
jour faste
(registres) les fastes
néfaste
Belfast°
Arbogast°

héliaste
sc(h)oliaste
l'Ecclésiaste
enthousiaste
le **ballast°**
il ballaste
water-ballast°
(un/e) **iconoclaste**
plaste
phénoplaste
aminoplaste
(sot, rég.) un banaste
dynaste
gymnaste
Adraste
Éraste
céraste
pédéraste
Théophraste
(vieillerie, rég.) un traste
il/un **contraste**
(il goûte, rég.) il taste
peltaste
VASTE
il **dévaste**
(raclée, rég.) une trivaste

Tandis que les hérauts déferlent avec **faste**
L'***écarlate*** splendeur des étendards du roi,
Le peuple des seigneurs, en somptueux arroi,
S'écrase autour du clos que le soleil **dévaste**.

Au bord du fleuve en pleurs s'éplore Elsa la **chaste**,
Espérant un miracle en réponse à sa foi ;
Mais le houleux tumulte insulte à son effroi,
Et les trompettes d'or hurlent vers le ciel **vaste**.

Stuart Merrill, « Lohengrin »,
Les Fastes in *Poèmes*

Au ciel noir d'août, chaque ange accourt en feu
Plus vif que les débris des hauts ***désastres*** ;
Il en descend dix mille en tes cheveux
Luisant du sceau des grands **iconoclastes**,
Trois cents devant le vantail de tes yeux
Et, sur ta pente innommée, les plus **chastes**.

Jean Grosjean, « Noces de ténèbres »,
Majestés et passants

Avec ses espaliers de luxure et de **fastes**
Le jardin merveilleux où règne ton infante
Dans la grande lumière étage ses ***terrasses***
Et domine mon val aux vergers de silence.

Val paisible où le vol léger des feuilles lentes
Soupire sous l'adieu d'un ciel d'automne **chaste**...
Au bord des sources dont l'azur ***miroite*** et tremble
Les tourterelles d'or trempent leurs ailes ***lasses*** [...]

Charles Guérin, « Avec ses espaliers... »,
Le Cœur Solitaire. XXXIX

... quelque part en Irak, debout sur le **ballast**,
votre Ombre méditant cet austère écriteau :
Babylon. Caution ! train does not stop in the **past***.

Thieri Foulc, « Traverses »,
Le Lunetier aveugle

* Babylone. Attention ! le train ne s'arrête pas dans le passé.

Est venu le militaire,
Un professeur, un ***droguiste***,
Un bistrot et le notaire,
L'épicier et le **gymnaste** [...]

Georges Ribemont-Dessaignes, « D'une figure de cire »,
Ecce Homo

assonances
71. AS-SE
75. AT-E
73. ASTRE
34. ALT-E

contre-assonances
202. ESTE
322. ISTE
424. OSTE
584. USTE

❐

73. ASTRE

ASTRE

ASTRE
(vase à parfums) un alabastre
(il châtre) il **castre**
(ville) Castres
(marquis de) Castries
il encastre
(ville) Lancastre
maison de Lancastre
médicastre
(mauvais musicien) un musicastre
il/le **cadastre**

Une pipe d'où file un **astre**
Rouge, une rose de **Lancastre**
Qu'on appelle aussi Lancaster
Et s'ouvrant doux comme un aster
Le Zodiaque, le **Zoroastre**
Un souffle de Pater Noster
Étoile qui danse au **cadastre**
Mystérieux du ciel. Aptère
Braise échappant à mon **désastre**
Tout ce qui m'attache à la terre...

Maurice Fombeure, « Braises et Pipes »,
Pendant que vous dormez...

☞

ASTRE

oléastre
épigastre
hypogastre
piastre
périastre
(imbécile, rég.) un majastre
palastre
pilastre
(gifle, rég.)
il/une emplastre
(pétrin, rég.) une mastre
(corbeille, rég.) une banastre
pinastre
apoastre
Zoroastre
désastre
(mauvais poète)
un poétastre

Cependant que, silencieux sous les **pilastres**
D'azur, allongeant les comètes et les nœuds
D'univers, remuement énorme sans **désastres**,
L'ordre, éternel veilleur, rame aux cieux lumineux
Et de sa drague en feu laisse filer les **astres** !

Arthur Rimbaud, « Le Juste restait droit... »,
Poésies

Nul remords, nul regret vrai, nul **désastre** !
C'est effrayant ce que nous nous sentons
D'affinités avecque les moutons
Enrubannés du pire **poétastre**.

Paul Verlaine, « La Dernière Fête galante »,
Parallèlement

Cosaques, sénateurs, caporaux, **musicastre**
auront, obscurs, trimé dans le jour sans repli.
Sans doute obtiendront-ils, vers le touffu de l'**astre**,
d'enrouler leur fantôme aux dévidoirs d'oubli.

Jacques Audiberti, « Napoléon »,
Toujours

L'évêque fit venir trois chevaliers avec leurs lances
Menez jusqu'au couvent cette femme en démence

Va-t'en Lore en folie va Lore aux yeux tremblants
Tu seras une nonne vêtue de noir et blanc

Puis ils s'en allèrent sur la route tous les ***quatre***
La Loreley les implorait et ses yeux brillaient comme des **astres**

Guillaume Apollinaire, « La Loreley »,
Alcools

Tu te souviens du paradis ***terrestre***,
De là ton mal de départ
De retour plutôt vers l'île sans port
Où, paissant l'odeur des **astres**,

L'éléphant blanc de ta neuve sagesse
Allait le front dans le ciel...

Marcel Thiry, « L'Enfant aux tentations » I,
L'Enfant prodigue

assonances	*contre-assonances*
72. ASTE	*203. ESTRE*
77. ATRE	*323. ISTRE*
63. ARTRE	*585. USTRE*

❒ 91.2 [Norge]
72 [Grosjean] ; 323 [Péguy]

74. ATCH°-ATCHE

le **catch**°
il catche
il/la tchatche
(figure, Alg.) une fatche
(sale tête, Alg.)
une malafatche
(sardine, Alg.) une alatche
potlatch°
(éclaboussement) splatch!
un **match**°
(l'emporter, arg.) il matche
(n. dép.) Paris-Match°
un smash°
il smashe
(fichtre, Alg.) manatche!
(pansement) un patch°
(un vieux, Belg.) un patche
(pose une pièce, Can.) il patche
(pénis, arg.) un chpatche
(coup de poing, arg.)
un spatch°
il dispatche
(outre, rég.)
une bourratche
(il s'enivre, rég.)
il s'embourratche
(velcro) du scratch°
(sport) un scratch°

Dans un **match**
De **catch**,
Casse pratique les torsions
Et Paul les luxations.

Moralité :
Casse tord et Paul luxe.

Jacques Charpentreau, « Couples célèbres »,
La Poésie dans tous ses états

Nous arrivons sur le lieu du **scratch***. Avec nos ***havresacs*** de samaritains médicaux. Nous arrivons

......

ATCH°-ATCHE

(sport) il **scratche**
(il a un accident, arg.)
il se scratche

assonances
5. ACHE-ASH
75. AT-E
48. ARCHE

monts Wasatch°
(montre, n. dép.)
une Swatch°

contre-assonances
324. ITCH-E
426. OTCH-E

comme des médecins et des paracommandos. Go !
Hello ! ***Crac*** !

Jean-Pierre Verheggen,
Pubères, Putains (suite)

* accident

❒

75. ATE-AT°-OITE

PATTE

(il se presse) la/il (se) **hâte**
(viande rôtie) une hâte

(monnaie) un baht°
(il met un bât) il bâte
(épatant) c'est bath°
(battoir) une **batte**
(battre) qu'il **batte**
qu'il r/abatte
(tapageur, rég.)
il/(un) tarabate
qu'il embatte
(débâter) il débâte
(débattre) qu'il débatte
les Atrébates
qu'il s'**ébatte**
qu'il rebatte
qu'il contrebatte
pélobate
stylobate
un/e **acrobate**
qu'il combatte
hyperbate

qat°/khat°
(bavarde, rég.) câcatte
Hécate
Leucate
magnificat°
(une) **délicate**
indélicate
silicate
surikate/suricate
avocate
scat°
Mascate

(animal) **chatte**
(vulve, arg.) une chatte

(époque) il/une **date**
(fruit) une datte
Anouar el-Sadate
il mandate
candidate
Mithridate
une/il antidate
soldate
une/il postdate
samizdat°

béate
les Éléates

oléates
aculéate
(une) lauréate
exeat°

fat°/fate
il calfate
il/le sulfate
bisulfate
il/le phosphate
superphosphate

il (se) **gâte**
(accord comm.) le GATT°
(marine) la gatte
(pierre) une **agate**
(prénom) Agathe
(vulve, arg.) une chagatte
(il gâtifie, rég.) il gagate
(tapage, Alg.) une saragate
il/une régate
il/une **frégate**
la Vulgate
(une) rouergate

(une) auvergnate

médiate
immédiate
(n. dép.) une Fiat°
(il boit, arg.) il tafiate
Goliath°
veniat°
uniate
(sans appétit, rég.) nâpiate
(une) rapiate
(bavarde, rég.)
une câquillate
(un/e) asiate
(un/e) spartiate

jatte
cul-de-jatte

il/une **latte**
galate
chanla(t)te
blatte
il ablate
(il bavarde, arg.) il blablate
oblate
il **éclate**
(vagabond) traîne-lattes
il relate
il frelate
(studio) un flat°

La **Ouate délicate**,
Tout imbibée de pleurs,
Se jeta dans l'**Euphrate**
Pour noyer ses malheurs !

« Échec et **mat**
Pour l'**Ouate ! »,**
S'écria le Baigneur.

« La vie c'est des coups de **batte** !
Il faut faire l'**acrobate**
Pour retomber sur **pattes**
Du côté des rieurs ! »

Andrée Chedid, « La ouate »,
Fêtes et lubies

Qu'elle était belle, ma **Frégate**,
Lorsqu'elle voguait dans le vent !
Elle avait, au soleil levant,
Toutes les couleurs de l'**agate** ;
Ses voiles luisaient le matin
Comme des ballons de satin ;
Sa quille mince, longue et **plate**,
Portait deux bandes d'**écarlate**
Sur vingt-quatre canons cachés ;
Ses mâts, en arrière penchés,
Paraissaient à demi couchés.
Dix fois plus vive qu'un **pirate**,
En cent jours du Havre à **Surate**
Elle nous emporta souvent.

Alfred de Vigny, « La Frégate “ La Sérieuse ” ou la plainte du capitaine »,
Poèmes antiques et modernes

You-You You-You la **baratte**
La **baratte** du laitier
Attirait You-You la **chatte**
La **chatte** du charcutier
You-You qu'elle **batte**
Pendant qu'il va nous scier
Le foie You-You et la **rate**
Et la ***tête*** du rentier
You-You You-You mets la **patte**
Dans le beurre familier
Le cœur You-You se **dilate**
À les voir se fusiller
You-You Madame se **tâte**
Mais les fruits sont verrouillés
Que l'enfant You-You s'**ébatte**
Dans son berceau le beurrier
Avant You-You la **cravate**
Du bon petit écolier.

Roger Vitrac, « Chanson d'Esther »,
Le Grand Jeu. II

☞

ATE-AT°-OITE

(bouse, rég.) une flate
il **flatte**
(grelotte, arg.) il glaglate
il (se) **dilate**
Ponce Pilate
(radoteuse, rég.) ramolatte
être **plate**
(canot ; huître) une plate
méplate
omoplate
(l')**écarlate**
mandibulate

(aux échecs) être/un mat°
(terne) **mat°/mate**
(matin) mat'°/mate
(il dépolit) il mate
(il dompte) il **mate**
(il regarde, arg.) il mate
(il met des mâts) il mâte
(mathémat.) les maths°
(métallurgie) une matte
squamate
il démâte
il trémate
stemmate
il/une **casemate**
stigmate
(un/e) astigmate
(n. dép.) audimat°
il (s') **acclimate**
un **primate**
(primer) vous primâtes
(un/e) dalmate
il colmate
(Friedrich) Dürrenmatt°
(un/e) **diplomate**
aromate
bromate
bi/chromate
tomate
automate
stomate
les Sarmates
il formate
un/e numismate

il/une **natte**
annate
manganate
permanganate
uranate
il dénatte
eugénate
mainate
(foyer) les **pénates**
(peiner) vous peinâtes
antennate
(descendante) agnate
(sans mâchoire) agnathe
syngnathe
prognathe
alginate
(chimie) le fulminate
(fulminer) vous fulminâtes
carinate
il/le carbonate
il décarbonate

bicarbonate
odonate
(musique) une **sonate**
(sonner) vous sonnâtes
(rouge) **incarnate**
(incarner) vous incarnâtes

(un/e) croate
(le) serbo-croate
benzoate

(matière) il/la (l')**ouate**
(toi, verl.) ouate
(électricité) un watt°
(James) Watt°
il **boite**
une **boîte**
(appât) une boitte
il r/emboîte
il déboîte
ouvre-boîtes
coite
adéquate
inadéquate
kumquat°
un squat°
il squatte
il doigte
alouate
il exploite
il sous-exploite
moite
(moitié-moitié, arg.) moite-moite
benoîte
kilowatt°
hectowatt°
une/être **droite**
(politique) la droite
adroite
(une) **maladroite**
demi-droite
eurodroite
il **miroite**
étroite
soit°
il **convoite**

(aux échecs) être/un pat°
(cuisine) une pâte
(nouilles) des pâtes
une PATTE
(chiffon, Suisse) une patte
(appâter) il appâte
(happer) vous happâtes
(maladroit, rég.) malapatte
(il s'enfuit, arg.) une/il se carapate
(il grossit) il s'empâte
(il étaie) il empatte
une/il **épate**
(un/e) télépathe
croche-patte
mille-pattes
coupe-pâte
(sergent, arg.) passe-patte
(alcool, arg.) casse-pattes
péripate
un/e **psychopathe**

C'est mon p'tit copain ***psychiatre***
Un timide qui baise comme ***quatre***
Qui me tricote des débardeurs et me fait des ***tartes***
C'est un délicieux **primate**
Qui a un peu trop de poil aux **pattes**
Mais rien à voir avec un sale **phallocrate**

Pierre Perret, « Le Phallo »,
Chansons de toute une vie

Il ressasse dans sa ***tête***
Les quartiers, les carrefours,
Les ruelles bien **étroites**,
Les arrière-arrière-cours ;

Les culs-de-sac ***noirs*** et **moites**
Où des vieux trient des chiffons.
Cette ville est dans sa ***tête***.
Il la fouille jusqu'au fond.

Jules Romains,
Pierres levées. XIII

❒ 333.5 [Hervilly]
9 [Rimbaud] ; 39 [Frénaud] ; 325 [Gainsbourg]

un/e homéopathe
un/e ostéopathe
un/e myopathe
un/e étiopathe
(un/e) allopathe
(un/e) **névropathe**
carton-pâte
les Carpates
surpatte
(roche) le spath°
(épée) une spathe
feldspath°

(femelle du rat) une rate
(organe) la **rate**
(il manque) il **rate**
il/une **baratte**
(barrer) vous barrâtes
marathe/mahratte
(se marrer) vous vous marrâtes
(une) **disparate**
Polycrate
picrate
(un/e) **phallocrate**
(un/e) **démocrate**
(un/e) social(e)-/démocrate
technocrate
Xénocrate
Hippocrate
Harpocrate
un/e eurocrate
un/e bureaucrate
Socrate
Isocrate
autocrate
ploutocrate
un/e **aristocrate**
sucrate

il/un hydrate
il réhydrate
il déshydrate
(courir vite) il se dérate
ferrate
agérate
(une) **scélérate**
l'Euphrate
il **gratte**
(guitare, arg.) une gratte
il regratte
(une) **ingrate**
il/un **pirate**
per/borate
per/chlorate
(draguer, rég.) il courate
ziggourat°
sourate
sprat°
citrate
il/le nitrate
tartrate
strate
Pisistrate
Érostrate
urate
Surat°

(glace) une cassate
(casser) vous cassâtes
(chaise longue) un transat°
(course) une transate

il **tâte**
patate
cantate
lactate
un diktat°
(dicter) vous dictâtes

acétate
il retâte
azotate
duc de Reichstadt°
tungstate
épistate
(une) apostate
prostate
orthostate
il **constate**
Cronstadt°/Kronstadt°

fluate

il/une **cravate**
(il attrape) il cravate
savate
traîne-savates
à-Dieu-vat!°
vivat°
ovate
effarvatte

+verbes en -er
2e pers. pluriel
du passé simple

assonances
10. AD-E
62. ART-E
77. ATRE
34. ALT-E

contre-assonances
205. ÈTE-ET
325. IT-E
427. OT-E

76. ATL-ATHLE°

(souverain aztèque) Axayacatl
(déesse) Cihuacoatl
(divinité) Quetzalcoatl

(souverain aztèque) Itzcoatl
(pentathlon) pentathle°
(langue atzèque) nahuatl

assonances
34. ALT-E
75. AT-E
72. AST-E

contre-assonances
206. ETL
428. OTL

Quinquina du Pérou ou belle enquiquineuse
explosive vénézuélienne
chocolatl tomatl *cacacouetl* *
fleur ***iconoclaste***
qui ***éclate*** en coloris criards

Paul Neuhuys, « La Vénézuélienne »,
Le Cirque Amaryllis

* chocolat, tomate, cacahouète

❐

77. ATRE-OITRE

ÂTRE
BATTRE
THÉÂTRE
QUATRE

ÂTRE
BATTRE
abattre
rabattre
embattre
débattre
s'ébattre
rebattre
s'entrebattre
contrebattre
albâtre
combattre
il **châtre**
(Maurice) La Châtre
blanchâtre
verdâtre
THÉÂTRE
café-théâtre
amphithéâtre
bleuâtre
beigeâtre
rougeâtre
psychiatre
antipsychiatre
pédopsychiatre
neuropsychiatre
archiatre
pédiatre
(gendre ; bru, rég.)
un/e filiâtre
il s'/être **opiniâtre**
phoniatre
hippiatre
acariâtre
gériatre
palâtre

maréchal de Lattre
bellâtre
Malfilâtre
écolâtre
musicolâtre
il/(un/e) **idolâtre**
il/être **folâtre**
hugolâtre
violâtre
iconolâtre
zoolâtre
astrolâtre
il/du **plâtre**
emplâtre
il déplâtre
il replâtre
mulâtre
saumâtre
jaunâtre
brunâtre
goitre
il/un **cloître**
croître
accroître
décroître
recroître
pâtre
Cléopâtre
(fellation, arg.)
faire Cléopâtre
QUATRE
(enfer) le barathre
marâtre
noirâtre
parâtre
vératre
douceâtre
roussâtre
grisâtre
rosâtre
olivâtre

assonances
62. ARTE
75. ATE
73. ASTRE
63. ARTRE

contre-assonances
207. ÈTRE
327. ITRE
453. AUTRE
114. ANTRE

...Des banquiers, des plumitifs,
Des urinoirs, des **théâtres**,
De pauvres chiens-chiens chétifs
Et des canaris **noirâtres**,
D'horribles chapeaux melon,
Des amours pour **psychiatre**,
Des messieurs tout en béton
Et des dames tout en **plâtre**.

Robert Mélot du Dy, « J'ai vécu l'affreux destin… »,
Diableries

le moissonneur est bien content
il met une bûche dans l'**âtre**
et dans un ancien récipient
où dort une soupe **verdâtre**
il taille le pain de ciment
pour s'en faire un solide **emplâtre**
fume sa pipe un bon moment
puis s'endort dans des draps **blanchâtres**
et passe la nuit en rêvant
aux plaisirs un peu **douceâtres**
que l'on avait au bon vieux temps.

Raymond Queneau, « Le Bon Vieux Temps »,
Battre la campagne

Il se tord en deux en **quatre**
Il se casse en neuf morceaux.
Quelqu'un dans l'ombre doit le **battre**
Doit le **battre** comme **plâtre** !

Il se tord en deux en **quatre**
Il transpire comme un veau
Si j'avais un bout de ***tarte***
Je lui en ferais cadeau.

René de Obaldia, « Un yéyé »,
Innocentines

Dis-toi : Il fut pareil à ces malheureux **pâtres**
qui essayaient, en vain, couchés aux belles fleurs,
de chanter leurs chagrins en soufflant dans des ***outres***.

Francis Jammes, « Élégie dixième » I,
Le Deuil des Primevères

❐ *73 [Apollinaire] ; 8 [Régnier] ; 12 [Noailles] ; 327 [Métail]*

78. ATZ°-ATZE

(monnaie) un batz°
(soupe de poisson, Alg.) une aquabatz°
(pénis, arg.) le catze
Mané-Katz°
rimes, vers biocatz°

(sans courage, arg.) ne pas avoir les guts°
(testicules) les blatses
(homme, arg.) un matz°
(pénis) le chpatz°
ersatz°

Je donne pas trois jours qu'il est vengé mon père.
L'eau d'la fleur d'oranger, faut qu'tu t'la trouv' amère !
Je m'a pris le poisson ? En avant l'**aquabatz** !
Ah ? t'la connaissais pas, la fille à **Gongormatz*** ?
Attends qu'on est mariés, tu vas n'en oir des bonnes !

Edmond Brua,
La Parodie du Cid, acte IV, scène X

*don *Gomès*, comte de *Gormas*

Tous ceux qui prirent l'habitude
D'absorber d'immondes « ***ertzas*** »*
Fruit d'une chimie un peu rude,
Ne pourront s'en passer, ***hélas*** !

Raoul Ponchon, in « Le Journal »,
Almanach des lettres françaises

* « ***Ertzas*** ! la voilà bien la rime **ersatz** ! » (note de l'Almanach)

assonances
71. AS-SE
75. AT-E
72. AST-E
61. ARTZ

contre-assonances
208. ETS
328. ITZ
529. OUTZ

❐

79. AVE-AV°-OIVE

ESCLAVE
BRAVE
GRAVE

(émacié) hâve
(technique) il have
il/la **bave**
(local) une **cave**
(mise) il/une cave
(dupe, arg.) être/un cave
(il se creuse) il se cave
(creux) œil **cave**
il encave
il décave
rat-de-cave
vide-cave
veine cave
sicav°
concave
biconcave
plan-concave
il excave
(partir, arg.) machav°
(il s'en va, arg.) il (se) natchave
(il pue, arg.) il counedave
moldave
(favori, arg.) un fav'°
il (se) **gave**
(torrent) un gave
agave
(mendicité, arg.) la mangave
goyave
(fleuve) le/la Piave
(il boit, arg.) il pillave
(il mange, arg.) il criave
désert Mojave
il **lave**
(d'un volcan) la **lave**
les Sakalaves
il r/emblave

il clave
il/une **enclave**
laticlave
angusticlave
autoclave
conclave
ESCLAVE
il délave
vellave
il relave
les Slaves/slave
panslave
(un/e) yougoslave
(imbécile, arg.) un nave
scandinave
qu'il boive
qu'il déçoive
qu'il reçoive
qu'il conçoive
qu'il perçoive
qu'il aperçoive
qu'il doive
qu'il redoive
zouave
il pave
épave
il dépave
il repave
rave
(il tue, arg.) il marave
il/un/être BRAVE
crave
(il vend, arg.) il bicrave
(plante) une drave
(rivière) la Drave
(flottage de bois, Can.) il/une drave
betterave
(travail, arg.) chafrave
être GRAVE
(il marque) il **grave**
(vin) un graves
(vignobles) les Graves
il **aggrave**

Entrer dans le βορδελ* d'une démarche **grave**,
Comme un Coq qui s'apprête à jouer de l'ergot,
Demander Janneton, faire chercher Margot,
Ou la jeune Bourgeoise, à cause qu'elle est **brave** ;

Fureter tous les trous, jusqu'au fond de la **Cave**,
Y rencontrer Perrette, et daubant du gigot
Danser le branle double au son du larigot ;
Puis y faire festin d'une botte de **rave**...

Marc-Antoine Girard de Saint-Amant, « Sonnet »,
Œuvres. I

* bordel

Il était né bien loin, — où poussent la **goyave**,
Les cocos chevelus et l'épais ananas ;
Au pays où sur l'herbe un boa dîne et **bave**,
Où le nègre se baigne et ne se blanchit pas.

Il était né fort loin. — Son père, un singe **grave**,
L'attachait par la queue, avec la tête en bas,
Le soir, sous les bambous, quand le nègre se **lave**,
Se **lave** à torrents d'eau, mais ne se blanchit pas.

Ernest d'Hervilly, « Le Singe »,
Les Bêtes à Paris

« Bien sûr » fallait-il dire en oyant « **architrave** »
Ar-chi quoi ? pourquoi **trave** ? Encore un mot ancien
Encore un de ces mots que personne n'**entrave**
Et qui pourtant dans les Larousse font si bien

Cela n'a rien à faire avec la **betterave**
Sans être agriculteur on en sait plus qu'un chien
Ne concerne non plus le rôle de l'**étrave**
La marine on connaît tout en étant terrien

Raymond Queneau, « Il ne faut pas se laisser démonter pour si peu »,
Le Chien à la mandoline

Tout à coup, ô spectacle affreux,
Le comte des Odeurs **Suaves**
......

AVE-AV°-OIVE

il engrave
landgrave
rhingrave
il pyrograve
margrave
burgrave
morave
(légume) un chou-rave
(il vole, arg.) une/il chourave
(il se bat, arg.) il courave
(pourri, arg.) pourrave
il **déprave**
(condamné, arg.) un trav'°
(travesti, arg.) un trave
(travaux forcés, arg.)
les trav's°
(gêne) il/une **entrave**

(il comprend, arg.) il entrave
il désentrave
étrave
architrave
(rivière) la Save
(savoir) ils **savent**
cassave
les Bataves/batave
(matelot, arg.) matave
Tamatave
les Pictaves
(musique) une **octave**
(prénom) Octave
Gustave
suave

assonances	*contre-assonances*
13. AFE	*209. ÈVE*
80. AVRE	*329. IVE*
18. AGE	*234. EUVE*
2. ABE	*454. AUVE*

Vient de recevoir en pleine figure un vers de trente-trois
[*syllabes*
Où l'on entend rimer pantoufle avec ***arabe***.

Raoul Ponchon, « Duel poétique »,
La Muse frondeuse

My loving, my marshmallow,
you are belle and I am beau.
You give me all what you **have**,
I say thank you, you are bien **brave**.

Renaud, « It is not because you are »,
Le Temps des noyaux

L'eau du morne est plus **grave**
Où les ***rêves*** ne ***dérivent***
Tout le vert tombe en nuit nue

Édouard Glissant, « Pour Mycéa »,
Pays rêvé, Pays réel in *Poèmes complets*

❐ 435.4 [Jarry]
80[Artaud] ; 67 [Nothomb]

80. AVRE-OIVRE

CADAVRE

(rivière) l'Avre
un **havre**
(ville) **Le Havre**
CADAVRE
Jules Favre
il **navre**
(genévrier, rég.) le genavre
(ville) Wavre
(Abraham de) Moivre
il/du **poivre**
(plaine) la Woëvre

La cloche tinte, pour le ***départ*** vers le **havre**
pur, de la nef d'odeur que monte mon **cadavre**.
Vous, mon nom, qui restez, volez vers ma beauté !
Peut-être, moi défunt, aura-t-elle hésité...
Dites-lui que l'absence est un bien qui me **navre**
et que ***César***, capté par les fadeurs de l'**Avre**,
se cherchait, sous la dent, le goût, sucré, du **poivre**...

Jacques Audiberti, « Chanson pour mourir un jour »,
Race des hommes

En Seine près Paris
Flottez joyeux **cadavres**
Doux amants et maris
Jusqu'en rade du **Havre**

Jusqu'en rade du **Havre**
où s'arment les vapeurs
C'est l'amour qui vous **navre**
C'est la mort qui fait peur

Robert Desnos, « La Rose au bord de Seine »,
Destinée arbitraire

D'Arras aux murs de Thann, de la Flandre à la **Voivre***
Français couleur d'azur, Prussiens couleur de **poivre**
S'égorgent corps à corps...

Pierre Louÿs, « Fragments d'un poème de guerre »,
Poèmes divers

* la Woëvre

Tâtonne à la porte, l'œil mort
et retourné sur ce **cadavre**,
ce **cadavre** écorché que ***lave***
l'affreux silence de ton corps

Antonin Artaud, « La Momie attachée »,
L'Ombilic des limbes

C'est son ***espoir***, ces mains du laveur de **cadavres**,
Ce lit pour un dernier et vaste allongement,
Cette naissance, après le bon détroit des ***fièvres***,
À cette horizontalité d'un océan.
......

AVRE-OIVRE

assonances
79. AVE
4. ABRE
15. AFRE
65. ARVE

contre-assonances
210. ÈVRE
235. EUVRE
330. IVRE
531. OUVRE

Ô port, ô palme, ô mains du laveur de **cadavres**,
Gai réconfort que tout ***doive*** finir par là !
– Voici ; le prêtre inutile a fermé le ***livre*** ;
Les enfants vont cueillir le funèbre lilas...

Marcel Thiry, « Statue [Quand sera-t-il…] »,
Statue de la fatigue

❒ *15 [Audiberti] ; 65 [Foulc] ; 235 [Audiberti]*

81. AXE-AX°

AXE
SYNTAXE

il/un AXE
Dax°
un fax°
il faxe
Halifax°
Syphax°
Sfax°
uniaxe
Ajax°
il **malaxe**
spalax°
parallaxe
(détendu) être relax°/e
(il relâche) une/il relaxe
(il se détend) il se relaxe
smilax°
(prénom) **Max°**
(maximum, arg.) un max°
climax°
(rhétorique) anticlimax°
contumax°
Astyanax°
panax°
opopanax°
Pertinax°
(h)apax°
(n. dép.) un Tampax°
l'Araks°/l'Araxe
styrax°
borax°
thorax°
pneumothorax°
storax°
trax°
(furoncle) anthrax°
(entrevoie) entraxe
(furieux, arg.) furax°
névraxe
(Hans/Nelly) Sachs°
(Maurice) Sachs°
(saxophone) un sax°
(porcelaine) un saxe
(région, pays) la **Saxe**
Maurice/maréchal de Saxe
il désaxe
il/une **taxe**
(il extorque, arg.) il taxe
parataxe
il/une détaxe
SYNTAXE
il/une surtaxe
wax°
awacs°

Disons l'ordre de l'Univers,
Que l'on retrouve dans nos vers
Son harmonie et sa **syntaxe** !
La Grande Lyre nous conduit
Cependant que tourne la nuit,
Puissante et douce, sur son **axe**.

Vincent Muselli, « Les Convives »,
L'Œuvre poétique

De même n'allez point, moderne Dubartas,
Prendre pour harmonie un vain galimatias,
Dire que l'alouette *avec son tire lire*
Vers la voûte des cieux *en tirelirant tire*,
Et faire à la grenouille, en lassant son **thorax**,
Chanter avec Rousseau *bre ke,* **koax, koax**...

Antoine-Pierre-Augustin de Piis, « Chant second »,
L'Harmonie imitative de la Langue française

Et ce jazz qui vous tape au siphon comme un pic
Un vrai déhanchement d'épopée en **surtaxe**
Un potentiel de brouhaha qui tombe à pic
Dans cette épique époque où **syntaxent** les **saxs**

Léo Ferré, « Le Hibou de Paris »,
Poète... vos papiers !

La *caste iconoclaste* est comme une ***tarasque*** ;
Elle prend une *haste* et se ***masque*** d'un ***casque***.
Carnavalesque ***frasque*** ! elle ***passe*** en **Ajax** ;
Elle ***vexe*** *Arbogaste*, et l'insaisissable *astre*
Per ***fas*** et per ***nefas***, vexé par le *cadastre*,
Se ***casse*** comme **Astyanax**.

La ***bourrasque*** s'***amasse*** et *dévaste Arbogaste* ;
Las ! L'*astre* le plus *chaste* a son **axe** *néfaste* !
De l'**Araxe** venu, le saxon **Pertinax**,
Ce fils d'Arnault, que ***masque*** un *faste* de **syntaxe**,
Jugea ton *Arbogaste* à sa plus *vaste* **taxe**.
Ô **pax** tecum, ô vir **tenax** !

Max Droz de ***Caracas***.

Attribué à Alfred de Vigny, « Consolation à mon confrère Viennet » sur sa tragédie Arbogaste,
Fantaisies

Nous ne sommes pas vieux dans ce métier d'arroi,
Point novices, pourtant, car nous portons le **sac se**
Bouclant sous les éclats de **Maurice de Saxe**,
Lorsque Louis de France était, lui, notre roi...

Rudyard Kipling, « La Garde irlandaise »,
Poèmes

☞

AXE-AX°

Et toi, petit marquis, dont le regard est ***fixe***,
Dont il est malaisé de définir le ***sexe***
Et qui d'ailleurs n'est pas dans l'**axe**,
Tu viens peut-être de ***Cadix***,
D'***Aix*** ou de **Dax**,
Ou bien de ***Gex***,
Mais assurément pas de **Saxe** !

Sacha Guitry, « Premier janvier »,
Et puis, voici des vers

assonances	*contre-assonances*
70. ASQUE	*211. EX-E*
71. AS-SE	*331. IX-E*
44. AQUE-AC	*432. OX-E*

❐ *331 [Gainsbourg]*

82. EICH [ajʃ]

le (Ier, IIe, IIIe) **Reich**
(Wilhelm) Reich

Mous- Œil
Tache ***Vache***
Pos- ***Bouche***
Tiche ***Sèche***
P'tite ***Moche***
Mèche **Reich**
D'lous ***Louche***
Tic ***Speech***

Serge Gainsbourg, « Moustache postiche »,
Dernières nouvelles des étoiles

assonances	*contre-assonances*
5. ACHE	*263. ICHE*
24. AIL-LE	*125. ÈCHE*
85. EISS [ajs]	*363. OCHE*

❐

83. EIM°-IME [ajm]

(Martin) Behaïm°
(Bruno) Bettelheim°
Mülheim°
Mannheim°
musée Guggenheim°
Hildesheim°
Pforzheim°
prime time
ragtime

Finissons, il est temps : aussi bien si la rime
Allait mal à propos m'engager dans **Arnheim**,
Je ne sais pour sortir de porte qu'**Hildesheim**.
Ô ! que le ciel, soigneux de notre poésie,
Grand roi, ne nous fit-il plus voisins de l'Asie !
Bientôt victorieux de cent peuples altiers,
Tu nous aurais fourni des rimes à milliers.

Nicolas Boileau, « Épître » IV,
Épîtres

assonances	*contre-assonances*
36. AM-E	*290. IME*
24. AIL-LE	*162. ÈME*
84. EIN [ajn]	*392. OME*

❐

84. EIN°-INE [ajn]

(Hans) Holbein°
sea-line
pipe-line
dragline
strip-line
borderline
le Main°
dasein°
design°
la Tyne
(Gertrude) Stein°

Holstein°
Gerolstein°
(Ludwig J.) Wittgenstein°
Frankenstein°
(Albrecht von) Wallenstein°
(Sergueï M.) Eisenstein°
Liechtenstein°
(Helena) Rubinstein°
(Artur) Rubinstein°
(Albert) Einstein°

Quoi ! mes vieux Bavarois,
Mes Saxons, mes Badois
Et mes Wurtembergeois,
Mes régiments d'**Holstein**,
Ceux de Poméranie
Et ceux de Silésie
Ivres de poésie,
Et ceux de **Gérolstein** !

Raoul Ponchon, « Opinion de Guillaume sur le désarmement »,
La Muse frondeuse

☞

EIN°-INE [ajn]

Mon petit frère pissait dans le chapeau de la **Fraülein*** et lorsqu'elle s'emportait, il lui répliquait : **Nein****.

Paul Neuhuys, « Enfance »,
Le Zèbre handicapé

* demoiselle (allemand) ** non (allemand)

assonances	*contre-assonances*
38. AN-E	*146. EIN* [ɛjn]
24. AIL-LE	*295. INE*
83. EIM [ajm]	*166. ÈNE*

❐

85. EISS°-ICE [ajs]

(yeux, angl.) eyes
(glace, angl.) ice
des G.I.'s°
il/un slice
(... de Lusace) la Neisse
(spectacle) Holiday on Ice
edelweiss°

Éva aime *Smoke gets in your* **eyes**
Cet air-là l'emmène au **paradise**
Au lit
Dans ses Holi-
Days on **ice**

Ah comme parfois j'aimerais qu'elle **aille**
Se faire foutre avec *Smoke gets in your* **eyes**
[...]
Il faut que je casse ce disque
Avant que je la ***haïsse***
Et que cet air américain m'***envahisse***

Serge Gainsbourg, « Éva »,
Dernières nouvelles des étoiles

assonances	*contre-assonances*
71. AS-SE	*432. OYCE* [ɔjs]
24. AIL-LE	*321. (A)ÏS-SE*
82. EICH [ajʃ]	*201. ES-SE*

❐

86. EIT°-IGHT°-ITE [ajt]

(léger, angl.) light°
sunlight°
(nuit, angl.) night°
fahrenheit°
(bien, bon, angl.) right°
(d'accord, angl.) all right°
les frères Wright°
(Richard) Wright°
copyright°
il rewrite
insight°
île de Wight°
(blanc, angl.) white
(Kenneth) White

Les copains d' la neuille
Les frangins d' la **night**
Ceux qu'ont l' portefeuille
Plus ou moins **all right**

Léo Ferré, « Les copains d'la neuille »,
Poète... vos papiers !

32 **Fahrenheit**
Degré zéro
30 sacs for a **night**
Est-ce trop

32 **Fahrenheit**
Je sais que j'ai tout faux
Mais j'ai le **copyright**
De mes défauts

32 **Fahrenheit**
Je sais also
qu'entre le wrong le **right**
Who knows

32 **Fahrenheit**
Des bas des hauts
Humeurs black and **white**
Ou indigo

Serge Gainsbourg, « 32 Fahrenheit »,
Dernières nouvelles des étoiles

assonances	*contre-assonances*
75. AT-E	*147. EÏT* [ɛjt]
24. AIL-LE	*325. IT-E*
90. YDE [ajd]	*205. ÈTE-ET*

❐ 90 [Gainsbourg]
147 [Gainsbourg]

87. IFE [ajf]

(grand monde, angl.) high life
(combat pour la vie, angl.)
struggle for life
(couteau, angl.) knife
(commutateur, angl.)
jack-knife
(épouse, angl.) wife

J'ai gagné la *Yellow star*
Et sur cette *Yellow star*
Y'a peut-être marqué ***shérif***
Ou marshall ou big ***chief***
[…]
J'ai gagné la *Yellow star*
Je porte la *Yellow star*
Difficile pour un ***Juif***
La loi du **Struggle for life**

Serge Gainsbourg, « Yellow star »,
Dernières nouvelles des étoiles

assonances	*contre-assonances*
13. AF-E	*271. IF-E*
24. AIL-LE	*136. EF-FE*
89. IVE [ajv]	*370. OF-E*

❐

88. ILDE-ILD° [ajld]

(enfant, angl.) child°
(Oscar) Wilde

Un peu d'Oscar **Wilde**
Un peu Dorian Gray
Quelques lueurs ***froides***
Et un air glacé

Serge Gainsbourg, « Beau oui comme Bowie »,
Dernières nouvelles des étoiles

assonances	*contre-assonances*
27. ALD-E	*282. ILDE* [ild]
10. AD-E	*382. OLD-E*
24. AIL-LE	*151. ELD-E*
90. YDE [ajd]	

❐

89. IVE [ajv]

live
(sport) il/un drive
(informatique) un drive
overdrive

assonances	*contre-assonances*
79. AVE	*329. IVE*
24. AIL-LE	*209. ÈVE*
87. IFE [ajf]	*430. OVE*

90. YDE [ajd]

Docteur Jekyll et
Mister Hyde
(rivière) la Clyde
Bonnie and Clyde
gay pride

32 ***Fahrenheit***
And so and so
Docteur **Mister Hyde**
Hello

32 ***Fahrenheit***
Voilà le plus beau
Stranger in the ***night***
Let's go

Serge Gainsbourg, « 32 Fahrenheit »,
Dernières nouvelles des étoiles

assonances	*contre-assonances*
10. AD-E	*434. OYD* [jd]
24. AIL-LE	*268. (A)ÏDE*
86. EIT [ajt]	*132. ÈDE*

❐

91.0 AN

91. AN

(année) un **an**
(prép. ; pron.) en
(pousser un) **han**!
grottes de Han
(d'Islande) Han

Voilà bien le déjà quantième jour de l'**an**
Que tu me vois ici : le premier c'était **en*****.

Paul Verlaine,
Dans les limbes. VIII

Entends-tu des forêts lointaines
Sortir un long ***rugissement*** ?...
C'est **Han** !
C'est **Han** !
C'est **Han** d'Islande
Han ! **Han** ! **Han** ! **Han** !

Gérard de Nerval, « Chanson de Han d'Islande »,
Poésies diverses

Et ra **han** !
et raté ***halant***
le rêve râ **han** !
râlant ***ahan*** !

Christian Prigent, « Complies »,
Écrit au Couteau

sous-rimes voisines
91.1 AAN
91.13 IHAN

contre-assonances
456.0 ON
333.0 IN

❐ *91.13 [Prigent]*

91.1 AAN

AHAN

AHAN
C(**h**)**anaan**
Ispahan
(B.D.) Rahan

Ô collines d'Ombrie ô jardins d'**Ispahan**
une race s'épuise en un dernier **ahan**

Paul Neuhuys, « Tentation de Saint Antoine » 60,
On a beau dire

Voie lactée ô sœur lumineuse
Des blancs ruisseaux de **Chanaan**
Et des corps blancs des amoureuses
Nageurs morts suivrons-nous d'**ahan**
Ton cours vers d'autres nébuleuses

Guillaume Apollinaire, « La Chanson du Mal-Aimé »,
Alcools

Des ***spahis*** d'**Ispahan** [...]
Des mirlitons des mirlitaires

Roland Bacri, « Final avec toute la troupe »,
Refus d'obtempérer

sous-rimes voisines
91.6 ÉAN
91.13 IHAN
91.0 AN

contre-assonances
1.1 AA
333.1 AÏN
456.1 AON

❐ *91.0 [Prigent] ; 456.1 [Roubaud]*

91.2 BAN

BANC

(ovation) un ban
en rupture de ban
(mariage) publier les bans
(siège) un BANC
caban
Laban
raban
(pissenlit, rég.) baraban
char à bancs
(région) le Brabant
(charrue) un brabant
(soldat) traban

La madone est venue dans l'église...
Elle avait son parfum d'**oliban**.
Soit qu'elle prie ou qu'elle lise,
Sa place est dans le premier **banc**.

La madone a la tempe grise
Et l'œil grave sous son **turban**.
Soit qu'elle pense ou qu'elle dise
Sa place est dans le premier **banc**.

......

BAN

91. AN

fier comme Artaban
(niais, rég.) bamban
flambant
pléban
(Arnoul) Gréban
(ban et) arrière-ban
Liban
Caliban
(encens) oliban
scriban
Anti-Liban
Alban
hauban
mettre au ban
galhauban
probant
Montauban
porte-hauban
Vauban
saint Colomban
surplombant
soleil, jour **tombant**
retombant
le Kouban
barbant
(un) désherbant
forban
absorbant
turban
perturbant
risban
ruban
titubant

+ participe présent des verbes en -ber

Sa prière n'est pas apprise.
Sa litanie comme un **ruban**
Se déroule sous quelle brise ?
Sa place est dans le premier **banc**.

Gustave Lamarche, « Le Premier Banc »,
Chansons sans cause. II in *Œuvres poétiques.* III

Ô ma Prospéra ! de ta grâce
Je suis le tendre **Caliban** ;
J'irai te chercher au **Liban**
Des figues et du miel à Grasse.

Les joyaux et l'or qu'il entasse
Faut-il les voler au **forban** ?
Ô ma Prospéra ! de ta grâce
Je suis le tendre **Caliban**.

S'il faut, avant que l'on t'embrasse,
Garder les troupeaux de **Laban**,
Donne pour collier ton **ruban**
À ce bon loup qui suit la trace
Ô ma Prospéra ! de ta grâce.

Catulle Mendès, « Tendresse de Monstre »,
Intermède

Le cèdre énorme du **Liban**
N'a pas de plus forte armature
Que cette ineffable torture
Qui m'écartèle au soir **tombant**.

Anna de Noailles, « Douleur »,
Les Éblouissements

Des rayons, de longs rayons d'astres
Dont il se drape un grand **caban**
Et plus de noce que de piastres
Pour exalter des cœurs **flambants**.

Géo Norge, « Dieu des chiffonniers »,
La Belle Saison

sous-rime voisine
91.19 PAN

contre-assonances
333.2 BIN
456.2 BON

❒ 22 [Magre]

91.3 CAN

QUAND
CANCAN
VOLCAN

(ville) Caen
(campement) **camp**
(titre) **k(h)an**
(caravansérail) k(h)an
(adv. ; conj.) QUAND
(quant à) quant
qu'en

Ag(h)a Khan
(Jacques) Lacan
en laquant
claquant
(moribond, arg.) subclaquant
(titre) caïmacan
estomaquant
(bon à rien, rég.) (t)chiapacan
Racan
en raquant

J'ai souvent du jeune homme admiré le **cancan** ;
Je l'ai vu s'agiter à l'instar de la canne,
Voler plus promptement que les soldats du **Khan**,
Plus vite que le plomb fuyant la sarbacane ;

J'ai souvent entendu des vieilles le **cancan**,
Qui sournois dit son mot, ferme un œil et ricane,
Puis gronde, et puis s'enflamme, et devient un **volcan**,
Qui trop souvent hélas ! vomit des coups de canne ;

. . . . . .

CAN

91. AN

craquant
(tissu) bouracan
(fourrure) l'**astrakan**
(ville) Astrak(h)an
attaquant
(libre) **vacant**
(s'occupant) en vaquant

(ragot) CANCAN
(journal, arg.) cancan
(danse) cancan
french cancan
à l'encan
manquant

écang
(oiseau, arg.)
un bécant/becquant
(astrologie) décan
le Deccan/Dekkan
Fécamp
noix de pécan
(fourrure) pékan
fréquent
sécant
subséquent
conséquent
inconséquent
par conséquent

(Alexandre) Decamps

cheval rubican
radicant
(moralisateur)
(un) prédicant
(en affirmant)
en prédiquant
(colorant) l'indican
en indiquant
claudicant
mordicant
trafiquant
les Mohicans
(un) gallican
pélican
(un) anglican
pemmican
pouls formicant
paniquant
communicant

(pointu ; aigre) **piquant**
(épine) un piquant
fabricant
capricant
vésicant
(un) pratiquant
le **Vatican**
urticant

(gai, rég.) viquant
intoxicant

(Isadora) Duncan
(verroterie) du clinquant
(tapageur)
(être) **clinquant**
(un) délinquant
cinq ans
en vainquant
convaincant

les Balkans
VOLCAN

choquant
suffocant
en suffoquant
éloquent
grandiloquent
les Araucans
(paysan) un **croquant**
(craquant) croquant
provocant

boucan
toucan

(voyou, arg.) arcan
carcan
marquant

Gengis Khan
les Alyscamps/
Aliscamps
(un) **toscan**
coruscant

(Maxime) Du Camp

+ participe présent des verbes en -quer

Eh bien ! un bon penseur, du haut du **Vatican**,
Sans mettre son esprit trop longtemps au **carcan**,
Peut dire, sans laisser matière à la chicane :

Le **cancan**, c'est la vie ! ici, dans **Astrakan**,
Qu'on soit femme, homme, Turc, Français, Russe, **Anglican** ;
Vieux... on fait des **cancans** ; et jeune... l'on cancane !

Jules Verne, « Le cancan »,
Poésies inédites

Ah quel **boucan** quel vacarme incroyable
Ah quel **boucan** a fait ici son **camp**
Ah quel **boucan** ce soir de tous les diables
Ah quel **boucan** quel **boucan** quel **boucan**
Ah quel **boucan**

Louis Aragon, « Chanson du Conseil municipal »,
Le Nouveau Crève-cœur

J'aime ce pays type
Et son hiver **fréquent** :
Moi, la chaleur m'étripe
À la mode de **Caen**.
Quel charme, quel délice,
Sucer de la réglisse,
Avoir une pelisse
Un bonnet d'**astrakan** !

Raoul Ponchon, « Felix qui potuit… »,
La Muse frondeuse

D'où sors-tu, déchiré, tout sale ?
Tu passes les nuits **forniquant**
Dans des bouges près de la Halle...
Des limonades ? Depuis **quand**
Bois-tu ça ? Tu vas te **piquant**
Le nez d'une liqueur plus forte,
Soûlaud, menteur, marlou, **croquant**...
Je ne t'ouvrirai plus ma porte.

Ernest Rieu, « Qui va à la chasse perd sa place »,
Douze douzains de ballades françaises. 95

C'est ainsi qu'au retour des terres étrangères,
Où les dieux égarés sont bradés à l'**encan**,
Les poètes ravis épousent les bergères.
C'est mieux que de s'ouvrir le ventre, ô **pélican** !

Jacques Bens, « Chant douzième »,
Le Retour au pays

Un zeste de raison nous reste
Pour prévoir et, par **conséquent**,
Pour aimer et chercher le **qu'en**-
Dira-t-on, et : zut pour ce zeste !

Paul Verlaine,
Dans les limbes. XVI

***Q*uant à** vous,
***Q*uanta**,

Vous me rappelez
Au **quant à** moi.

Eugène Guillevic, « q »,
Lexiquer

sous-rime voisine
91.9 GAN

contre-assonance
456.4 CON

❒ 102 [Belletto]

91.4 CHAN

CHAMP
CHANT
MÉCHANT

(campagne) CHAMP
(chanter) CHANT
(Champs-Élysées, Paris) les Champs
(ville) Cachan
en cachant
en sachant
attachant
(un) détachant
penchant
(le) tranchant
(mélodie) déchant
(Eustache) Deschamps
alléchant
(un) MÉCHANT
(Renaud) Séchan
en séchant
desséchant

sur-le-champ
(cinéma) contrechamp
(musique) contre-chant
(bureau) en fichant
(se moquant) se fichant
se contrefichant
aguichant
plain-chant
(André) Bauchant
brochant
approchant
chevauchant
Longchamp
le (soleil) **couchant**
touchant
(commerçant) un **marchand**
en **marchant**
trébuchant
(Marcel) Duchamp

+ participe présent des verbes en -cher

Je suis las d'effrayer les **méchants**,
D'éveiller les remords inutiles,
De scruter la détresse des **champs**,
De troubler le sommeil des reptiles.

Je suis las de planer sur les **chants**
Des devins aux menaces subtiles,
De hâter les cadeaux **alléchants**
Des dévots sous les bas péristyles.

Armand Godoy, « L'Éclair »,
Le Drame de la Passion

Les armes de Satan c'est l'écu **trébuchant**,
Le propos **alléchant**, le souffle **desséchant**,
La plaine sans église et l'ortie et le **champ** ;

Les armes de Jésus c'est l'écuyer **tranchant**,
Le bon et le **méchant**, le beau vaisseau **marchand**,
L'église sur la plaine et l'homme sur le **champ** [...]

Charles Péguy, « Comme Dieu ne fait rien… »,
La Tapisserie de sainte Geneviève et de Jeanne d'Arc. VIII, p. 85

Merline ne pouvait sortir qu'au crépuscule
Éprouver l'ostensoir qu'en un soleil **couchant**
Car le sein de Viviane avec sa renoncule
Fut renové pour l'heure et par les bons **penchants**

Tardive ma foison nargue au vieillard **fauchant**
C'est l'œuvre d'un baiser dont l'essence pullule
Comme les champignons ineffables de **champs**
D'autant plus populeux que le matin recule.

Simone de Carfort, « Merline ne pouvait sortir… »,
Ermarindor

sous-rime voisine
91.10 GEAN

contre-assonances
456.3 CHON
333.3 CHIN

❒

91.5 DAN

DENT
ARDENT

d'an
(prép.) **dans**
une DENT

Adam
(entaille) un adent
(un) **décadent**
le Sâr Péladan
Villiers de L'Isle-Adam
ramadan
pétaradant
dégradant

(désagréable) pas bandant
(escrime) un fendant
(vin) un fendant
(pantalon, arg.) un fendant
(amusant, arg.) fendant
en défendant
en refendant

en pourfendant
malentendant
mandant
commandant
(durant) **pendant**
(tombant) **pendant**
(semblable) le pendant
(bijoux) des pendants
en appendant
en épandant
(soumis) dépendant
(décrochant) en dépendant
indépendant
interdépendant
en répandant
en rependant
cependant
en suspendant
en rendant
au grand dam

(autorité) l'ascendant
(montant) ascendant
(aïeux) les ascendants
transcendant

Aujourd'hui plus calme et non moins **ardent**,
Mais sachant la vie et qu'il faut qu'on plie,
J'ai dû refréner ma belle folie,
Sans me résigner par trop **cependant**.

Soit ! le grandiose échappe à ma **dent**,
Mais, fi de l'aimable et fi de la lie !
Et je hais toujours la femme jolie,
La rime assonante et l'ami **prudent**.

Paul Verlaine, « Résignation »,
Poèmes saturniens

Bah, le soleil ! et ce **pendant**
Qu'il choit de ses hautes murailles,
Dans ce tumulte et ces entrailles
Tu n'as vu qu'un pourpre **incident**.

Pour que méchamment tu ne railles
Le ridicule y **résidant**,
J'ai secoué tout l'**Occident**
D'un mouvement de funérailles.

Vincent Muselli, « Le Couchant »,
Les Sonnets à Philis

☞

91. AN

DAN

(un) **descendant**
en redescendant
condescendant
en tendant
en **attendant**
en entendant
en sous-entendant
en (s')étendant
en détendant
(un) **prétendant**
en retendant
intendant
superintendant
surintendant
en sous-tendant
en distendant
en re/sur/vendant

plaidant
Médan
(un) **pédant**
(un) cédant
obsédant
accédant
(surplus) un excédent
(irritant) excédant
(un) **précédent**
en précédant
(un) **antécédent**
peucédan
(un) possédant

(édenté) brèche-dent
(le) **dedans**
là-dedans
rentre-dedans
au(-)dedans
protège-dents
(miséreux, arg.) claque-dent
(ornement) redan
(fortification) redent
cure-dent(s)
(ville) Sedan
(drap) un sedan
le Lavedan

bident
confident
invalidant
intimidant
trépidant
Éridan
trident
strident
l'âne de Buridan
accident

l'**Occident**
(qui rouille) oxydant
(un) dissident
(aventure) un **incident**
(secondaire) incident
coïncident
(habitant) (un) **résidant**
(étranger) (un) résident
non-résident
un **président**
en présidant
vice-président
outrecuidant
(certain) **évident**
(creusant) en évidant
(marine) un guindant
en (se) guindant
chiendent

(excitant, arg.) godant
accommodant
incommodant
corrodant
le Gévaudan
le Grésivaudan

abondant
surabondant
fécondant
(un) **redondant**
(un) fondant
en refondant
confondant
en parfondant
en se morfondant
en pondant
répondant
(courrier) (un) correspondant
(en rapport) correspondant
grondant
en re/tondant
contondant

(ville) Houdan
(poule) une houdan
(pays) le Soudan
(sultan) un soudan
en soudant
Fort-Soudan

ARDENT
(Jérôme) Cardan
(mécanique) un cardan
(carder) en cardant
picardan

Vautrés sur leur siège **pendant**
que le procureur incrimine
avec des gestes de **pédant**,
solennels autant qu'un flamine
l'un se gratte, l'autre rumine...

Chauves, goutteux et **brèche-dent**,
ils cultivent la balsamine,
boivent de l'orge et du **chiendent**
et plus d'un suit quand il chemine
les mollets de telle gamine...

Mais ils sont moraux. **Gourmandant**
les mœurs d'un temps qui s'efféminé,
grand Dieu ! comme ce **président**
est imposant quand il fulmine !...

Georges Fourest, « Ballade en l'honneur
de Messieurs les chats-fourrés »,
Le Géranium ovipare

Il passe tant, tant de monde.
Le lieu s'écoule en **grondant**.
Un feu rouge te commande.
Tu repars à l'***abandon***.

Jules Romains,
Pierres levées. XVII

❐ 124 [Gripari]

regardant
buisson-ardent
(Marcel) Cerdan
(de Cerdagne) (un) cerdan
emmerdant
(un) **perdant**
en reperdant
(chirurgien-dentiste, arg.) chirdent
débordant
concordant
discordant
(du) **mordant**
en démordant
en remordant
tordant
en détordant
en retordant
en se distordant
(un) bigourdan

surdent
adjudant
(un) **impudent**
(un) **prudent**
(un) **imprudent**

+ participe présent des verbes en -der

sous-rime voisine
91.23 TAN

contre-assonances
333.4 DIN
456.5 DON

91.6 ÉAN

GÉANT
NÉANT

béant
le cas échéant
(dans les délais, belg.) endéans
(un) GÉANT
(un) suppléant
(ville) Orléans

Mais où conduisent-elles ces pages
Où des mots veufs s'alignent **béants**
Moins au soleil qu'aux grands dérapages
Du lit, du cœur – ou de l'**Océan** ?

......

ÉAN

(maison d') Orléans
Charles d'Orléans
la Nouvelle-Orléans
NÉANT
(un) **fainéant**
pæan/péan
(un) **mécréant**
(ici) **céans**
(derrière) le **séant**
(décent) **séant**
(inconvenant) messéant
bienséant
malséant
océan

+ participe présent des verbes en -éer

Ils s'amoncellent aux étalages
Sur la nappe blanche du **néant**
Mais où conduisent-elles ces pages
Où des mots veufs s'alignent **béants** ?

L'esprit, fatigué de trop d'écaillages
Tâche à les jointoyer **recréant**
Les grands fonds dont un filet **géant**
Aurait arraché ces coquillages

Mais où conduisent-elles ces pages ?

Louis Évrard des Millières, « Rondel du poème en morceaux »,
Œuvres

Maintenant donc, souveraine, en ma cathédrale,
Je veux vous faire honneur d'un sonore **péan**,
Je veux, lâchant toutes mes flûtes libérales,
En remplir la rondeur de ce dôme **géant** !

Reine, avancez, prospérez et règnez **céans**...
Règnez sur le vainqueur des luttes sidérales,
Michel, qui plonge un dard dans le diable **béant** ;
Sur Raphaël étouffant Asmodée qui râle...

Gustave Lamarche, « Regina Angelorum »,
Palinods in *Œuvres poétiques.* II

Je suis l'aède de personne
– Non le poète du **néant** ! –
Je ne veux l'aide de personne
Ni le « bravo » du **bienséant**,
Le fa de la cloche qui sonne,
Ni la vague, ni l'**océan**,
Ni le « haro » du **malséant**,
Que la voyelle, la consonne,
Le mot qui vous mord en ***grinçant***,
Enfin le vers qui se façonne
Tant bien que mal mais y ***consent***.

Maurice Fombeure, « Art poétique (personnel) »,
À chat petit

Rampant par-ci par-là
Il s'enroule, oh là là,
Autour d'un cocotier **géant**
Mais soudain s'écrie : « **J'ai en**...
J'ai envie d'vomir c'est affreux, tu m'as
Empoisonné, cinéma... »

Charles Trenet, « Le serpent python »,
Tombé du ciel

sous-rimes voisines	*contre-assonances*
91.13 IAN	*456.6 ÉON*
91.1 AHAN	*333.5 ÉEN*
91.24 UAN	*1.6 ÉA*

❒

91.7 EHAN

Jehan

Voici Totor et Magdelaine.
Boiteux, voici **Jehan**
Et Messieurs-les gars-qu'a-la-flemme,

Près du boxeur et du ***géant***
Biribi-la-déveine
Et de leurs « dames » à la ***flan***.

Francis Carco, « Villon, qu'on chercherait... »,
La Bohème et mon cœur

sous-rime voisine	*contre-assonances*
91.6 ÉAN	*435.7 EHAUT*
	121.5 EUET
	258.6 EUI

❒

91.8 FAN

91. AN

ENFANT
TRIOMPHANT

un **faon**
il **fend**
piaffant
coiffant
(un/e) ENFANT
(enfant, arg.) fanfan
(...la Tulipe) Fanfan
femme-enfant
bon enfant
petits-enfants
il **défend**
marquise du Deffand
éléphant
il refend
mur de refend
oliphant/olifant
ébouriffant
infant
chauffant
échauffant
TRIOMPHANT
(gonflant) (du) bouffant
(mangeant) en bouffant
(étonnant, arg.)
esbrou(f)fant
étouffant
harfang
il pourfend

+ participe présent des verbes en -fer

En automne, à cette heure où le soir **triomphant**
Inonde à flots muets la campagne amaigrie,
Rien ne m'amusait plus, lorsque j'étais **enfant**,
Que d'aller chercher l'âne au fond d'une prairie
Et de le ramener jusqu'à son écurie.
[...]
Alors je l'enfourchais et ma blouse en **bouffant**
Claquait comme un drapeau dans la bise en furie
Qui, par les chemins creux, tantôt m'**ébouriffant**,
Tantôt me suffoquant sous la nue assombrie,
Déchaînait contre moi toute sa soufflerie.
[...]
Nous allions ventre à terre, et l'églantier **griffant**,
Les ajoncs, les genêts, la hutte rabougrie,
Les mètres de cailloux, le chêne qui se **fend**,
La ruine, le roc, la barrière pourrie
Passaient et s'enfuyaient comme une songerie.

Maurice Rollinat, « Ballade du vieux baudet »,
Les Névroses

Toujours je garde en moi la tristesse profonde
Qu'y grava l'amitié d'une adorable **enfant**,
Pour qui la mort sonna le fatal **olifant**,
Parce qu'elle était belle et gracieuse et blonde.

Or, depuis je me sens muré contre le monde,
Tel un prince du Nord que son Kremlin **défend**,
Et, navré du regret dont je suis **étouffant**,
L'Amour comme à sept ans ne verse plus son onde.

Émile Nelligan, « Le Regret des joujoux »,
Poésies complètes

Je n'suis pas un ange : l'idol' n'a pas d'ailes
Je trépigne quand mes **fans** font du zèle
Je n'ai pas de pitié pour les **zélés fans***
Et parfois je sonne un de mes **jolis fans****

Boby Lapointe, « L'idole et l'enfant »,
Intégrale

* éléphants ** olifants

Une clameur de peuples ***fous*** ;
Une odeur de villes détruites.
Du sang qui pleut ; de l'homme en fuite ;
Et de la terre qui se **fend.**

Jules Romains,
Pierres levées. XXXII

sous-rime voisine
91.25 VAN

contre-assonances
333.6 FIN
456.7 FON
481.7 FOU

❐ 435.15 [Noël]
333.6 [Soupault]

91.9 GAN

GANT
OURAGAN

(ville) Gand
un GANT
(un) suffragant
OURAGAN
(Françoise) Sagan
(vacarme, rég.) faire sagan

yatagan
(un) **extravagant**
en extravaguant
divagant
zigzagant
(un) **élégant**
délégant
inélégant
général Weygand
(un) afghan

Sapins médecins **divagants**
Ils vont offrant leurs bons **onguents**
Quand la montagne accouche
De temps en temps sous l'**ouragan**
Un vieux sapin geint et se couche

Guillaume Apollinaire, « Les sapins »,
Rhénanes in *Alcools*

☞

GAN

achigan
(lac; État) Michigan
(chimie) un ligand
(s'alliant) se liguant
(Émile) Nelligan
(agité, rég.) bouligant
(ouvrier, rég.) manigant
(bandit) (un) **brigand**
(convoitant) en briguant
origan
korrigan
(aventurier) (un) intrigant
(curieux) intriguant
être **fatigant**
(un) défatigant
(un) navigant
(ville) Guingamp

(étoffe) guingan
(un) wallingant
(un) flamingant
(alerte) **fringant**
(s'habillant) en se fringuant
toboggan
slogan
arrogant
catogan
onguent
(amer, rég.) amargant
(Michèle) Morgan

+ participe présent des verbes en -guer

Toujours aigri, toujours traqué, je jette un **gant**
À la figure du soleil. Trop de lessives
Ont blanchi mes refrains ! Je suis un **intrigant**.
Détestez-moi car la tendresse est abusive.

Alain Bosquet, « Nuage »,
Deuxième testament in *Poèmes, un*

Moi, je buvais, crispé comme un **extravagant**,
Dans son œil, ciel livide où germe l'**ouragan**,
La douceur qui fascine et le plaisir qui tue.

Charles Baudelaire, « À une passante »,
Les Fleurs du mal

Nouveau ce Luna-Park où l'on suit l'ancien rite
Et les cris sont pareils au fond du **tobogan***
Allez Nous effeuillons toujours la marguerite
À quoi bon se vanter du mal dont on hérite
Le préjugé demeure on l'appelle **slogan**

Louis Aragon, « Ce qu'il m'aura fallu de temps pour tout comprendre »,
Le Roman inachevé

* [sic]

Il cueille encore, aux soirs d'août, l'**origan**
qui sent si bon et rime à **ouragan**.
Il est le Roi des petites raînettes,
et c'est par lui que marchent les nuages,
et que l'enfant regarde à la fenêtre,
et que le monde est comme des images.

Francis Jammes, « Souvenirs d'enfance » XIV,
Œuvres

sous-rime voisine
91.3 CAN

contre-assonances
456.10 GON
333.8 GUIN

❐ 144 [Piis]

91.10 GEAN

GENS
ARGENT

des GENS
(race) la gent
(au tric trac) un jan
Jean
agent
engageant
rageant
enrageant
encourageant
décourageant
Trajan
outrageant
co/partageant
changeant
arrangeant
dérangeant
tangent
Azerbaïdjan
Abidjan
(un) assiégeant

régent
Séjan
entregent
(un) indigent
obligeant
désobligeant
intelligent
inintelligent
affligeant
(un) négligent
diligent
(un) dirigeant
Sigean
intransigeant
exigeant
réfringent
astringent
constringent
(lac; fleuve) Saint-Jean
feu de la Saint-Jean
(nu, rég.) en Saint-Jean
(part) un contingent
(fortuit) contingent
indulgent
Nogent

J'avais toujours vécu dans un pur paysage,
répugnant à parler, ne voyant pas les **gens**,
ou s'ils portaient vers moi leurs amours **obligeants**,
me laissant faire un peu (j'ai l'inertie du sage)

pour mieux leur recracher leur tendresse au visage :
vaincus par mon désert ils s'en allaient **gros-jean**
et remballaient leur cœur, leurs efforts, leur **argent**,
sans avoir réussi l'honorable dressage.

Thieri Foulc, « Le Vrai Sahara »,
Whâââh

Vase olivâtre et vain d'où l'âme est envolée,
Crâne, tu tournes un bon visage **indulgent**
Vers nous, et souris de ta bouche crénelée.
Mais tu regrettes ton corps, tes cheveux d'**argent**,

Tes lèvres qui s'ouvraient à la parole ailée.
Et l'orbite creuse où mon regard va **plongeant**,
Bâille à l'ombre et soupire et s'ennuie esseulée,
Très nette, vide box d'un cheval **voyageant**.

Alfred Jarry, « Les trois meubles du mage surannés. I. Minéral »,
Les Minutes de sable mémorial

☞

GEAN

91. AN

(déçu; dupé) être **Gros-Jean**
(Jean) Grosjean
plongeant
ARGENT
corbeille-d'argent
étoile-d'argent
Côte d'Argent
bouton-d'argent
vif-argent

émergent
sergent
(un) détergent
divergent
convergent
urgent
résurgent
ignifugeant

+ participe présent des verbes en -ger

Je veux, ce soir, rêver à la Chine lointaine...
Donne-moi cette robe au lourd satin **changeant**,
Apporte-moi la lampe et l'aiguille d'**argent**
Et ma pipe en bois d'aigle et celle en bois d'ébène ;

Dans ce grand vase à pans égaux de porcelaine
Où l'on voit en des algues des poissons **nageant**
Mets cette fleur, afin que sa tige **plonge en**
L'eau qui la maintiendra jusqu'au jour fraîche et saine [...]

Henri de Régnier, « Chine »,
Vestigia Flammœ

sous-rimes voisines
91.4 CHAN
91.22 S(Z)AN

contre-assonances
456.8 GEON
333.9 GIN

❐ 249 [Richepin] ; 10 [Verlaine] ; 120 [Brassens]

91.11 GNAN

(un) **gagnant**
(ver à soie, rég.) (un) magnan
(se pressant) en se magnant
(+ comp.) en joignant
(déchirant) **poignant**
(poindre) en poignant
soignant
aide-soignant
d'Artagnan
gnangnan
(artisan ambulant, rég.) megnan
saint Aignan
(paresseux) (un) **feignant**
(feindre) en feignant
en **geignant**
(un) **plaignant**
en peignant
en dépeignant
en repeignant
régnant
en **craignant**
en enfreignant
prégnant
en (s') empreignant
en épreignant
en étreignant
contraignant
astreignant

en restreignant
(sanglant) **saignant**
(ceindre) en ceignant
(un) enseignant
(enceindre) en enceignant
en teignant
en atteignant
en éteignant
en déteignant
en reteignant
Draguignan
(avare, rég.) grapignan
(ville) **Perpignan**
(fouet, rég.) un perpignan
Lefranc de Pompignan
(bataille) de Marignan
(Gui de) Lusignan
(ville) Frontignan
(vin) un frontignan
(niais, rég.) grand gognan
(romanichel, rég.) bougnan
(viande dure, arg.) bergougnan
(un) épargnant
(en sauvant) en épargnant
répugnant

+ participe présent des verbes en -gner

Ah ! sans cesse altéré des splendeurs et des calmes,
Délaissé des deux Sœurs implacables, **geignant**
Avec tendresse après la science aux bras almes,
Il porte à la nature en fleur son front **saignant**.

Arthur Rimbaud, « Les Sœurs de charité »,
Poésies

J'entends le vent se plaindre au-dessus des garrigues
Et ronfler la caserne aux cent mille fatigues
Un chien pleure à la mort comme mon cœur **saignant**
Je perds tout sauf l'honneur ainsi qu'à **Marignan**

Guillaume Apollinaire,
Poèmes à Lou. XXIV

Nous reviendrons à **Frontignan**,
nous reviendrons à Saragosse,
nous retrouverons la chalosse
et le pays de **d'Artagnan**.

Pierre Gamarra, « Trace »,
Romances de Garonne

M'amzelle la Plante, la Catalane
Vivait jadis au fond du square à **Perpignan**
Quand elle passait sous les platanes
On lui disait : « Chante la Plante, sois pas **gnangnan** »

Charles Trenet, « Implorante la Plante »,
Tombé du ciel

Les mendigots gosseurs dégoisent la parlure
Et content qu'ils seraient seigneurs de **Lusignan**
Si Mélusine avait soufflé dans la voilure.

Mais Mélusine est morte, au progrès **rechignant**.

Charles Boulen, « Si Mélusine avait voulu… »,
Voyages à travers la Couleur Locale

sous-rimes voisines
91.13 IAN
91.16 NAN

contre-assonances
456.9 GNON
1.9 GNA

❐

91.12 IAN

ORIENT

(faillir) en faillant
défaillant
saillant
(un) **assaillant**
en tressaillant
(tranchant) le taillant
(tailler) en taillant
détaillant
(Roger) Vailland
vaillant
(éclatant) **flamboyant**
(arbre) un flamboyant
ondoyant
(blond doré) blondoyant
verdoyant
rougeoyant
larmoyant
tournoyant
Royan
(un) **croyant**
(un) incroyant
(un) non-croyant
foudroyant
(scintillant) poudroyant
en s'assoyant
en se rassoyant
en sursoyant
chatoyant
nettoyant
autonettoyant
(un) **voyant**
prévoyant
(un) imprévoyant
en revoyant
en entrevoyant
(un) malvoyant
non-voyant
clairvoyant
en pourvoyant

(benêt, rég.) babian
ambiant

chiant
(lambin, arg.)
dort-en-chiant

(mesure) le radian
(qui rayonne) radiant
(en rayant) en radiant
stéradian
gradient
irradiant
(un) **mendiant**
médian
(palliatif) un expédient
(opportun) expédient
(expédier) en expédiant
ingrédient
gardian
(un) **étudiant**

ayant
égayant
bégayant
gouleyant

payant
(braire) en brayant
effrayant
(traire) en trayant
attrayant
en (s') abstrayant
distrayant
en soustrayant
en extrayant
seyant
en s'asseyant
en se rasseyant
grasseyant
bienveillant
malveillant
surveillant

en cueillant
accueillant
en recueillant
(religieux) un feuillant
(club politique)
Les Feuillants

(un) rubéfiant
défiant
(un) **méfiant**
(étonnant) **stupéfiant**
(drogue) un stupéfiant
liquéfiant
raréfiant
(ennuyeux, arg.)
barbifiant
édifiant
(un) acidifiant
(un) fluidifiant
(un) signifiant
insignifiant
qualifiant
gélifiant
amplifiant
lénifiant
(un) tonifiant
(un) lubrifiant
terrifiant
horrifiant
pétrifiant
purifiant
(calmant) dulcifiant
(un) émulsifiant
(douloureux) crucifiant
gratifiant
sanctifiant
bêtifiant
(un) fortifiant
mortifiant
(un) plastifiant
mystifiant
démystifiant
justifiant
vivifiant
confiant
ru(f)fian

(du) liant
client
humiliant
conciliant
kaoliang

Je pense à toi, Myrtho, divine enchanteresse,
Au Pausilippe altier, de mille feux **brillant**,
À ton front inondé des clartés d'**Orient**,
Aux raisins noirs mêlés avec l'or de ta tresse.

C'est dans ta coupe aussi que j'avais bu l'ivresse,
Et dans l'éclair furtif de ton œil **souriant**,
Quand aux pieds d'Iacchus on me voyait **priant**,
Car la Muse m'a fait l'un des fils de la Grèce.

Gérard de Nerval, « Myrtho »,
Les Chimères

Quand vous serez bien vieille, au soir à la chandelle,
Assise auprès du feu, ***dévidant*** et ***filant***,
Direz chantant mes vers, en vous **émerveillant** :
« Ronsard me célébrait du temps que j'étais belle. »

Lors vous n'aurez servante **oyant** telle nouvelle,
Déjà sous le labeur à demi **sommeillant**,
Qui au bruit de mon nom ne s'aille **réveillant**,
Bénissant votre nom de louange immortelle.

Pierre de Ronsard, « Quand vous serez bien vieille… »,
Sonnets pour Hélène (2e livre, XLIII) in *Les Amours*

Je voudrais bien, pour m'ôter de misère,
Baiser ton œil (bel astre **flamboyant**) ;
Je voudrais bien de ton poil **ondoyant**
Nouer un nœud qui ne se peut défaire.

Je voudrais bien ta bonne grâce attraire
Pour me jouer **à bon escient**.
Je voudrais bien manier ce **friand**,
Aux appétits de mon désir contraire.

Marc Papillon de Lasphrise, « Je voudrais bien… »,
Les Amours de Théophile. XLI

❐ *91.13 [Rostand]*

(un) défoliant
exfoliant
(un) émollient
(un) pliant
(prospectus) un dépliant
(convertible) dépliant
(un) **suppliant**
Julian

anémiant
sémillant
(gitan, rég.) boumian
fourmillant

(idiot, rég.) nian
(sans intérêt, rég.) niant
banian
(un) kenyan
inconvénient
communiant

(ouïr) oyant

bouillant

mouillant
grouillant
(épatant) épastrouillant
gazouillant

pian
(vaurien, rég.) galapian
récipient
excipient

(un) démaquillant

riant
cariant
vicariant
(porcelaine) le parian
en pariant
contrariant
variant
(un) invariant
(Aristide) Briand
brillant
(diamant) un brillant
faux(-)brillant

(François-René de)
Chateaubriand
(ville) Châteaubriant
(bifteck)
un châteaubriant/
chateaubriand
criant
(Piet) Mondrian
(un) nigérian
(avide) **friand**
(pâté) un friand
ORIENT
Proche-Orient
Lorient
Florian
l'Extrême-Orient
le Moyen-Orient
souriant
priant
expropriant
Erckmann-Chatrian
luxuriant

(bleu) cyan

91. AN

IAN

(étonnant) sciant
(persévérant) **patient**
(malade) un patient
(un) **impatient**
vacillant
à bon escient
prescient
à mauvais escient
efficient
déficient
coefficient
officiant
(attirant) alliciant
omniscient
(barde) Ossian
(vacillant) oscillant
quotient
négociant
(le) **conscient**
subconscient
préconscient

(un) **inconscient**
(un) **insouciant**
balbutiant
asphyxiant

(un) anesthésiant
(plein d'ardeur, rég.)
vésillant

tian
pétillant
frétillant
scintillant
(bourru, rég.) marotian
sautillant
(vigoureux, rég.) vertillant
(un) castillan
amnistiant
Christian
émoustillant
croustillant

fuyant
en s'enfuyant
faux-fuyant
ennuyant
bruyant

(Boris) Vian
Évian
(un) déviant
(un) sévillan
pluvian

+ participe présent des verbes en -ier, -yer, -ller

sous-rimes voisines
91.11 GNAN
91.6 ÉAN
91.14 LAN

contre-assonances
456.11 ION
333.10 IEN

91.13 IHAN

HI-HAN

HI-HAN
le Morbihan

Va, poste, tout crinière et bave,
Lui jetant un joyeux **hi-han**,
Chez mon ami très cher Octave
Mirbeau
Kerisper
Morbihan.

Stéphane Mallarmé, « Les Loisirs de la poste » IX,
Vers de circonstance

CHANTECLER
Merci !… – Je sens que plus on va ***parodiant***,
Injuriant, criant, riant, niant…

UN ÂNE
Hi-han !

CHANTECLER
Merci !… – mieux je saurai me battre !

Edmond Rostand,
Chantecler, acte III, scène 5

Arthur Fifi Jacques et Lac
han !
hi-han !

Christian Prigent, « Histoire des actions »,
Peep-show, p. 53

hi
han **hhan**
han **hhan**
hi **hhii**

hi **hhhan**
han **hhii**
han **hhhhhhaaan**.
hi

Jacques Roubaud, « L'âne »,
Les Animaux de tout le monde

❒ *91.17 [Hugo]*

sous-rimes voisines
91.0 AN
91.13 IAN
91.6 ÉAN
91.1 AHAN

91.14 LAN

91. AN

BLANC

l'an
(ville) Laon
lent

allant
bras **ballant**
(indécis, rég.)
être sur le balan
emballant
(péniche) **chaland**
(client) chaland
nonchalant
(amusant, Alg.) tchalant
(un) **galant**
(Antoine) Galland
trousse-galant
(drôle, arg.)
poêlant/poilant
(étonnant, arg.) époilant
palan
râlant
marais salant
(monnaie) un talent
(capacité) du **talent**
(un) catalan
(mauvaise volonté)
maltalent
en valant
(bateau) (un) avalant
en avalant
en prévalant
ambivalent
polyvalent
équivalent
plurivalent
monovalent

branlant
(clopin-clopant, rég.)
branli-branlan

BLANC
(Louis) Blanc
accablant
tremblant
un/faire **semblant**
ressemblant
faux-semblant
de but en blanc
(Maurice) Leblanc
jean-le-blanc
meublant
bouillon-blanc
(crème) un mont-blanc
(montagne)
le mont Blanc
redoublant
troublant
fer-blanc
cul-blanc

clan
et tout le bataclan
(bruit, rég.) pataclan
(clandestin, arg.) clanclan
matriclan

patriclan
Ku Klux Klan

(mouvement) **élan**
(cerf) élan
(antilope) éland
(appelant) en hélant
bêlant
chambellan
flagellant
(Fernand de) Magellan
détroit de Magellan
(un) démêlant
goéland
(Paul) Celan
(île de) Ceylan
excellent

gamelan
(un) appelant
capelan
relent
brelan
chancelant
ruisselant
étincelant
harcelant
ensorcelant
pantelant

(crème) un flan
(blague) du flan
(côté) le **flanc**
bat-flanc
sifflant
(au hasard) au flanc
tire-au-flanc
(ville) Conflans
(région) le Conflent
gonflant
ronflant
(étonnant) soufflant
(pistolet, arg.) un soufflant
époustouflant

gland
raglan
sanglant
(café-concert, arg.)
un beuglant
aveuglant
cinglant
icoglan

un **bilan**
(s'inquiétant) en se bilant
sibilant
jubilant
filant
vigilant
(ville) **Milan**
(oiseau) un **milan**
mille ans
maryland
horripilant
désopilant
vacillant
oscillant
pestilent

Je suis l'Empire à la fin de la décadence,
Qui regarde passer les grands Barbares **blancs**
En composant des acrostiches **indolents**
D'un style d'or où la langueur du soleil danse.

L'âme seulette a mal au cœur d'un ennui dense.
Là-bas on dit qu'il est de longs combats **sanglants**.
Ô n'y pouvoir, étant si faible aux vœux si **lents**,
Ô n'y vouloir fleurir un peu cette existence !

Paul Verlaine, « Langueur »,
Jadis et Naguère

Une brusque clameur épouvante le Gange.
Les tigres ont rompu leurs jougs et, **miaulants**,
Ils bondissent, et sous leurs bonds et leurs **élans**
Les Bacchantes en fuite écrasent la vendange.

Et le pampre que l'ongle ou la morsure effrange
Rougit d'un noir raisin les gorges et les **flancs**
Où près des reins rayés luisent des ventres **blancs**
De léopards roulés dans la pourpre et la fange.

José-Maria de Heredia, « Bacchanale »,
Les Trophées

Au bras d'un géant blond, l'imposante négresse,
Mouvant un buste épais sur son torse **opulent**,
S'avance par le bal — d'un pas superbe et **lent**,
Comme Phryné parmi les filles de la Grèce.

Ses lourds cheveux crépus et rudes, — qu'elle graisse
Avec amour, — ont pris un lustre **violent**...
— Sa lèvre épaisse affiche un sourire **insolent** :
Mais un feu sombre couve en ses yeux de tigresse.

Albert Mérat, « L'Africaine »,
Avril, mai, juin... LXXV

Perce-moi l'estomac d'une amoureuse flèche,
Brûle tous mes désirs d'un feu **étincelant**,
Élève mon esprit d'un désir **excellent**,
Foudroye de ton bras l'obstacle qui l'empêche.

Si le divin brandon de ta flamme me sèche,
Fais sourdre de mes yeux un fleuve **ruisselant** ;
Qu'au plus profond du cœur je porte **recelant**
Des traits de ton amour la gracieuse brèche.

Gabrielle de Coignard, « Perce-moi l'estomac… »,
Œuvres chrétiennes. XV

Des humains suffrages,
Des communs **élans**
Là tu te dégages
Et voles ***selon***.

Arthur Rimbaud, « Fêtes de la Patience. 3. L'Éternité »,
Vers nouveaux et chansons

Ma femme de pain **blanc**
Ma ***blessure*** de ***blé***

Charles Le Quintrec, « Froments »,
Jeunesse de Dieu

❐ *121.11 [Métail] ; 333.10 [Deville]*

LAN

91. AN

mutilant
rutilant
(merveilleux) **mirobolant**
(arbre) un myrobolan
(bas) un collant
(adhésif) collant
(un) autocollant
dolent
(un) **indolent**
(drôle, arg.) gondolant
affolant
flageolant
(amusant, rég.) guignolant
plateau du Golan
(sentier, rég.) tragolan
miaulant
affriolant
Coriolan
(un) **violent**
(violer) en violant
(un) non-violent
sanguinolent
somnolent
équipollent
Roland
(Romain) Rolland
(un) **insolent**
consolant
désolant
(un) isolant
ortolan

(aérien) **volant**
(pièce auto) un volant
(nomade, rég.)
camp volant
passe-volant
cerf-volant

coulant
roucoulant
foulant
(bavard, rég.) bagoulant
(collant) moulant
(mouler) en moulant
(moudre) en moulant
en remoulant
roulant
(en ruine) **croulant**
(vieux, arg.) un croulant
soûlant
en voulant

(plat) miroir plan
(dessein) un **plan**
(végétal) un plant
(lentement, rég.) plan-plan
ra(n)tanplan!
arrière-plan
biplan
(avion) un triplan
en triplant
implant
monoplan

gros-plant
bail à complant
hyperplan

(bon à rien, rég.) arlan
(Marcel) Arland
parlant
déferlant
merlan
Tamerlan
éperlan
(Henry de) Montherlant
verlan
(Pierre) Mac Orlan
hurlant

uhlan
ambulant
turbulent
féculent
gesticulant
circulant
truculent
succulent
stridulant
modulant
ondulant
(un) anti/coagulant
trémulant
(un) stimulant
canulant
stipulant

opulent
corpulent
brûlant
quérulent
pulvérulent
virulent
purulent
flatulent
pétulant
portulan
postulant

et vlan!

+ participe présent des verbes en -ler

sous-rimes voisines
91,15 MAN
91.16 NAN

contre-assonances
456.12 LON
333.10 LIN

91.15 MAN

MENT
AMANT
MOMENT
CHARMANT
TOURMENT

noms, adjectifs et verbes

(ver blanc) un man
il MENT

(soumission)
demander l'aman
saint Amand
un AMANT
médicament
chaman
(animal) un daman
en damant
(magistrat) landamman
linéament
diffament
infamant
ligament
diamant
les Alamans
(plante) calament

réclamant
(de Flandre) (un) flamand
(oiseau) un flamant
filament
maman
grand-maman
bonne-maman
firmament
aboiement
flamboiement
ondoiement
coudoiement
verdoiement
rudoiement
rougeoiement
ploiement
déploiement
redéploiement
reploiement
larmoiement
atermoiement
tournoiement
broiement
foudroiement
poudroiement
chatoiement
nettoiement
apitoiement
jointement
rejointement
côtoiement

Sidonie a plus d'un **amant**,
C'est une chose bien connue
Qu'elle avoue, elle, **fièrement**.
Sidonie a plus d'un **amant**
Parce que, pour elle, être nue
Est son plus **charmant vêtement**.
C'est une chose bien connue,
Sidonie a plus d'un **amant**.
[...]
Sidonie a plus d'un **amant**,
Qu'on le lui reproche ou l'en loue
Elle s'en moque **également**.
Sidonie a plus d'un **amant**.
Aussi, jusqu'à ce qu'on la cloue
Au sapin de l'**enterrement**,
Qu'on le lui reproche ou l'en loue,
Sidonie aura plus d'un **amant**.

Charles Cros, « Triolets fantaisistes »,
Le Coffret de santal

***On s'aime, on* se ment.**
***On s'aime en* serment.**
***On s'aime en* s'aimant.**
***On s'aime en* sarment.**
***On s'aime en* semant.**
Ensemencement.

Paul Fort, « Chansonnette : qui dira les torts de la Rime ? »,
Fantômes de chaque jour in *Ballades du beau hasard*

☞

MAN

91. AN

festoiement
tutoiement
dégravoiement
dévoiement
convoiement
louvoiement
vouvoiement
fourvoiement
tempérament
(sieur de) Saint-Amant
testament
Ancien/Nouveau
Testament

(aimanter) un aimant
(aimer) en/être **aimant**
(un) **dément**
(il infirme) il dément
véhément
égaiement
bégaiement
remblaiement
déblaiement
être **clément**
(papes, prénom) Clément
(René) Clément
lac Léman
inclément
élément
oligo-élément
complément
supplément
électro-aimant
paiement
télépaiement
enraiement
braiment
crémant
récrément
excrément
gréement
agrément
désagrément
cément
zézaiement
étaiement

enjambement
regimbement
bombement
surplombement
adoubement
(condamnation, arg.)
gerbement

hachement
relâchement
mâchement
en/harnachement
arrachement
crachement
attachement
rattachement
détachement
déhanchement
enclenchement
déclenchement
emmanchement
démanchement

épanchement
branchement
embranchement
ébranchement
débranchement
retranchement
étanchement
lèchement
allèchement
empêchement
ébrèchement
assèchement
dessèchement
pleurnichement
défrichement
entichement
hochement
décochement
enrochement
embrochement
accrochement
décrochement
dérochement
rapprochement
chevauchement
jonchement
abouchement
débouchement
accouchement
louchement
effarouchement
essouchement
attouchement
écorchement
enfourchement
rembuchement
trébuchement
truchement

embrigadement
mandement
sous-/amendement
commandement
rendement
entendement
débridement
évidement
accommodement
raccommodement
fondement
grondement
accoudement
chambardement
bombardement
retardement
emmerdement
débordement
transbordement
raccordement
retordement

piaffement
attifement
échauffement
réchauffement
étouffement

saccagement
engagement

Car ils disaient, tristes **éperdument** :
« Tu connaîtras aussi le hideux **dénouement**.
« Tu seras ce que nous sommes,
« Un vague lumignon **fumant**
« Qui va s'éteindre comme on le vit s'**allumant**
« Sans savoir pouquoi ni **comment**.
« Conquiers de la gloire ou gagne des sommes,
« Il faudra tout quitter, quitter, **absolument**,
« En t'**endormant**
« De ce dernier des sommes,
« Et tu n'auras plus rien au lugubre **moment**,
« Que ceci **seulement**,
« D'être aimé si tu fus **aimant**.
« De tous les actes, bien ou mal, que tu consommes,
« Voilà l'unique vrai, sûr, et le reste **ment**.
« Aime donc **ardemment**, **bonnement**, **bêtement**,
« Ta femme, tes petits, tes amis, et **clément**
« À tes frères, **aimant** les leurs **pareillement**,
« Aime les hommes, tous les hommes,
« Tous ces malades que nous sommes,
« Tous ces pauvres que nous sommes,
« Tous ces condamnés à mort que nous sommes ! »

Jean Richepin, « Ô Douleur, hydre bicéphale… »,
Les Îles d'or. LI in *Mes Paradis*

Vous n'avez plus connu que des biens périssables,
Et la succession et le **vieillissement**.
Et la procession des maux ineffaçables.
Et le regard voilé d'un **appauvrissement**.

Et le regard meurtri d'un **affaiblissement**,
Et sous le même front des yeux méconnaissables,
Et dans les mêmes yeux des pleurs intarissables,
Et les marques de mort et d'**amortissement**.

Et dans les mêmes yeux un tout autre regard,
Un regard de détresse et d'**amoindrissement**,
Et sous les mêmes cieux un tout autre hasard.
Un hasard de tendresse et d'**avilissement**.

Charles Péguy,
Ève, p. 946

Elle osa me servir un mets très ***abondant*** ;
Je devais manger, lentille par lentille **lentillement**
Quelque chose qui s'appelait comme un **escalopement**.

Ce manger c'était comme un **escaladement**
Et moi j'écrivais un poème lentille par lentille, **lentillement**,
Sur la restaurantière que je regardais **restaureusement**...

Armand Robin, « La restaurantière »,
Le Monde d'une voix

Que n'alla-t-il vivre à la cour du roi d'Édesse
Maigre et magique il eût scruté le **firmament**
Pâle et magique il eût aimé des poétesses
Juste et magique il eût épargné les ***démons***

Guillaume Apollinaire, « Le larron »,
Alcools

❐ 23 [Aragon] ; 61 [Veuillot]
333.11 [Gangotena]

MAN

91. AN

r(é)engagement
dégagement
soulagement
endommagement
dédommagement
ménagement
aménagement
emménagement
déménagement
encouragement
découragement
étagement
changement
rangement
arrangement
dérangement
engrangement
allègement
enneigement
abrègement
figement
voltigement
logement
allongement
rallongement
prolongement
plongement
rongement
chargement
déchargement
rechargement
émargement
hébergement
émergement
engorgement
égorgement
dégorgement
regorgement
jugement

accompagnement
éloignement
geignement
saignement
enseignement
renseignement
rechignement
alignement
clignement
soulignement
trépignement
provignement
renfrognement
grognement

endiguement

bâillement
entrebâillement
caillement
piaillement
criaillement
encanaillement
tenaillement
empaillement
braillement
éraillement
déraillement
graillement

tiraillement
tressaillement
débroussaillement
cisaillement
avitaillement
ravitaillement
égayement
ensoleillement
payement
pareillement
appareillement
enrayement
grasseyement
émerveillement
recueillement
effeuillement
habillement
babillement
fendillement
mordillement
fourmillement
éparpillement
cillement
vacillement
nasillement
grésillement
boitillement
pétillement
frétillement
scintillement
sautillement
tortillement
entortillement
embastillement
écrabouillement
bredouillement
affouillement
refouillement
gargouillement
mouillement
agenouillement
dépouillement
embrouillement
débrouillement
grouillement
gazouillement
chatouillement

Le Mans
allemand
emballement
trimba(l)lement
affalement
régalement
signalement
judéo-allemand
entoilement
étoilement
voilement
dévoilement
empalement
râlement
dessalement
étalement
ravalement
en/chevalement
branlement
ébranlement
entablement

accablement
ensablement
tremblement
rassemblement
ameublement
comblement
le doublement
(adv.) doublement
dédoublement
redoublement
affublement
giclement
bouclement
encerclement
(cri) un bêlement
(adv.) **bellement**
encorbellement
emmêlement
entremêlement
grommellement
craquèlement
scellement
chancellement
(découverte) décèlement
(d'une pierre)
descellement
ruissellement
étincellement
bossellement
amoncellement
harcèlement
morcellement
ensorcellement
cisèlement
musellement
battellement
démantèlement
écartèlement
vêlement
nivellement
dénivellement
renouvellement
feulement
gueulement
éraflement
renflement
reniflement
sifflement
gonflement
dégonflement
regonflement
ronflement
soufflement
essoufflement
boursoufflement
étranglement
règlement
dérèglement
beuglement
meuglement
aveuglement
effilement
défilement
empilement
rutilement
accolement
décollement
récolement
recollement

gondolement
affolement
miaulement
piaulement
étiolement
enjôlement
épaulement
enrôlement
frôlement
assolement
dessolement
isolement
envolement
chamboulement
éboulement
écoulement
roucoulement
défoulement
refoulement
roulement
enroulement
croulement
écroulement
déroulement
le triplement
(adv.) triplement
peuplement
dépeuplement
repeuplement
surpeuplement
accouplement
parlement
déferlement
hurlement
reculement
(h)ululement
pullulement
brûlement

envenimement
embaumement
armement
réarmement
désarmement
enfermement
renfermement

ricanement
dédouanement
enchaînement
déchaînement
enchifrènement
entrainement
tènement
soutènement
avènement
événement/
évènement
dandinement
affinement
raffinement
confinement
dégoulinement
cheminement
acheminement
couinement
enquiquinement
acoquinement
entérinement

enracinement
déracinement
lancinement
emmagasinement
piétinement
trottinement
ravinement
abonnement
désabonnement
mâchonnement
ronchonnement
bouchonnement
abandonnement
fredonnement
bourdonnement
chiffonnement
bourgeonnement
ébourgeonnement
(caresser, rég.) faire des
amignonnements
bougonnement
bâillonnement
rayonnement
tourbillonnement
papillonnement
carillonnement
bouillonnement
approvisionnement
fusionnement
désillusionnement
collationnement
rationnement
stationnement
conventionnement
fractionnement
perfectionnement
sectionnement
fonctionnement
conditionnement
cautionnement
ballonnement
jalonnement
vallonnement
entrecolonnement
échelonnement
ânonnement
tamponnement
harponnement
environnement
ronronnement
couronnement
découronnement
détrônement
façonnement
r/empoissonnement
rançonnement
étançonnement
frissonnement
tronçonnement
gazonnement
nasonnement
foisonnement
cloisonnement
empoisonnement
raisonnement
arraisonnement
déraisonnement
assaisonnement
emprisonnement

MAN — 91. AN

tâtonnement
entonnement
cantonnement
chantonnement
étonnement
moutonnement
acharnement
écharnement
garnement
discernement
casernement
internement
prosternement
gouvernement
ornement
abornement
cornement
enfournement
ajournement
chantournement
détournement
retournement
contournement

happement
décapement
échappement
japement
lapement
clappement
frappement
(condamnation, arg.)
sapement
(évanouissement, arg.)
envapement
campement
rampement
équipement
achoppement
enveloppement
développement
estompement
recoupement
groupement
regroupement
attroupement
escarpement

encaquement
claquement
baraquement
craquement
détraquement
manquement
embouquement
débouquement
embarquement
rembarquement
débarquement

effarement
égarement
parement
accaparement
délabrement
cambrement
démembrement
encombrement
désencombrement

dénombrement
sacrement
encadrement
engendrement
effondrement
des **errements**
(ferrure d'une porte)
ferrement
(ferrage d'un cheval)
ferrement
affairement
transfèrement
empierrement
épierrement
éclairement
serrement
desserrement
resserrement
enterrement
déterrement
écœurement
affleurement
effleurement
déchiffrement
engouffrement
dénigrement
déchirement
étirement
virement
chavirement
revirement
débourrement
épamprement
décentrement
enchevêtrement
accoutrement
encastrement
enregistrement
jurement
apurement
épurement
susurrement
enfièvrement
désœuvrement
enivrement
couvrement
recouvrement

soubassement
(cambriolage, arg.)
cassement
enchâssement
jacassement
effacement
agacement
lacement
enlacement
classement
déclassement
délassement
entrelacement
(refroidissement, rég.)
sang-glacement
placement
emplacement
remplacement
déplacement
replacement
coassement

croassement
accroissement
décroissement
froissement
passement
dépassement
compassement
espacement
harrassement
embrassement
encrassement
décrassement
terrassement
tracement
tassement
entassement
agencement
lancement
balancement
élancement
commencement
recommencement
ensemencement
réensemencement
financement
ordonnancement
pansement
encensement
recensement
distancement
nuancement
avancement
devancement
abaissement
rabaissement
surbaissement
encaissement
décaissement
affaissement
acquiescement
rapiècement
empiècement
délaissement
connaissement
dépècement
redressement
désintéressement
engraissement
empressement
ébahissement
envahissement
(stupéfaction)
ébaubissement
vrombissement
avachissement
franchissement
affranchissement
fléchissement
réfléchissement
rafraîchissement
enrichissement
gauchissement
affadissement
refroidissement
resplendissement
grandissement
agrandissement
tiédissement
attiédissement

enlaidissement
raidissement
(allégresse)
ébaudissement
applaudissement
bondissement
rebondissement
approfondissement
arrondissement
abâtardissement
verdissement
reverdissement
engourdissement
dégourdissement
alourdissement
assourdissement
abasourdissement
étourdissement
bleuissement
des **agissements**
assagissement
vagissement
rougissement
élargissement
surgissement
mugissement
rugissement
alanguissement
jaillissement
rejaillissement
vieillissement
établissement
rétablissement
affaiblissement
ameublissement
anoblissement
ennoblissement
embellissement
aveulissement
ensevelissement
glissement
avilissement
amollissement
ramollissement
coulissement
plissement
accomplissement
inaccomplissement
assouplissement
gémissement
blêmissement
frémissement
vomissement
affermissement
raffermissement
endormissement
bannissement
aplanissement
hennissement
assainissement
rajeunissement
jaunissement
ternissement
racornissement
fournissement
brunissement
rembrunissement
éblouissement
enfouissement

épanouissement
évanouissement
pissement
glapissement
croupissement
accroupissement
assoupissement
déguerpissement
barrissement
équarissement
tarissement
assombrissement
crissement
attendrissement
amoindrissement
hérissement
enchérissement
renchérissement
aguerrissement
dépérissement
atterrissement
refleurissement
aigrissement
amaigrissement
rabougrissement
endolorissement
pourrissement
ahurissement
mûrissement
appauvrissement
rancissement
épaississement
rétrécissement
amincissement
grossissement
dégrossissement
adoucissement
radoucissement
roussissement
noircissement
éclaircissement
raccourcissement
obscurcissement
durcissement
endurcissement
saisissement
dessaisissement
aplatissement
anéantissement
ralentissement
nantissement
appesantissement
retentissement
empuantissement
abêtissement
assujettissement
rapetissement
lotissement
aboutissement
engloutissement
avertissement
divertissement
pervertissement
amortissement
travestissement
(blocus) investissement
(placement)
investissement
désinvestissement

MAN

91. AN

abrutissement
bruissement
ravissement
assouvissement
inassouvissement
asservissement
pincement
grincement
(d'épaules) haussement
(os) des **ossements**
déchaussement
adossement
endossement
rehaussement
surhaussement
désossement
(accomplissement)
exaucement
(élévation)
exhaussement
enfoncement
renfoncement
défoncement
renoncement
froncement
éclaboussement
gloussement
trémoussement
rebroussement
retroussement
bercement
gercement
percement
dispersement
versement
renversement
déversement
bouleversement
reversement
forcement
renforcement
remboursement
déboursement
sucement

boisement
déboisement
reboisement
croisement
décroisement
entrecroisement
pavoisement
apprivoisement
arasement
embrasement
ébrasement
écrasement
envasement
évasement
transvasement
baisement
déniaisement
blésement
apaisement
creusement
dépaysement
gisement
déguisement
enlisement

nolissement
brisement
dégrisement
attisement
amenuisement
épuisement
ravisement
arrosement
amusement

battement
abattement
rabattement
ébattement
mandatement
éclatement
acclimatement
boitement
emboîtement
remboîtement
déboîtement
miroitement
(bouffissure) empâtement
(typographie)
empattement
épatement
grattement
enchantement
désenchantement
enfantement
orientement
apparentement
consentement
contentement
mécontentement
épouvantement
embêtement
hébétement/
hébètement
endettement
enfaîtement
béguètement
émiettement
piétement/piètement
empiétement/
empiètement
(tétée) allaitement
halètement
fouettement
caquètement
craquettement/
craquètement
cliquètement
affrètement
traitement
entêtement
étêtement
vêtement
revêtement
sous-vêtement
survêtement
ameutement
alitement
crépitement
palpitement
acquittement
effritement
ébruitement
évitement

des appointements
désappointement
épointement
éreintement
tintement
chuintement
suintement
cahotement
crachotement
chuchotement
accotement
picotement
clignotement
grignotement
emmaillotement
papillotement
ballottement
tremblotement
flottement
sifflotement
sanglotement
émottement
marmottement
clapotement
tapotement
empotement
dépotement
frottement
chevrotement
toussotement
zozotement
pivotement
appontement
affrontement
aboutement
déboutement
reboutement
égouttement
veloutement
broutement
encroûtement
froufroutement
envoûtement
écartement
appartement
département
répartement
heurtement
portement
emportement
déportement
comportement
avortement
désistement
ajustement
rajustement
recrutement

encavement
lavement
enclavement
pavement
achèvement
inachèvement
parachèvement
enlèvement
prélèvement
relèvement
soulèvement

embrèvement
dégrèvement
regrèvement
abreuvement
enjolivement
mouvement
énervement

fragment
segment
pigment
augment
drogman

un caïman
îles Caïmans
blanchiment
les Bochimans
congédiement
(bagages)
des impédiments
sédiment
condiment
rudiment
crucifiement
régiment
(lagune) un liman
en limant
aliment
ralliement
déliement
résiliement
Soliman
pliement
dépliement
repliement
compliment
maniement
remaniement
reniement
liniment
boniment
fourniment
piment
pépiement
orpiment
appariement
rappariement
(figurant, arg.)un frimant
dirimant
déprimant
opprimant
rapatriement
au **détriment**
ciment
émaciement
licenciement
(n. dép.) Fibrociment
remerciement
balbutiement
rassasiement
bâtiment
châtiment
sentiment
assentiment
pressentiment
ressentiment
dissentiment
compartiment

assortiment
r(é)assortiment
désassortiment

(apaisant) **calmant**
(médicament) un calmant
dolman
(un) musulman

(sultanat) Oman
golfle, mer d'Oman
(acquéreur) un command
(adv., nom) **comment**
les Marcomans
les Turcomans
Carloman
MOMENT
(langue) (le) roman
(architecture) (le) roman
(récit) un **roman**
(Suisse) (un) romand
les Romands
(ville) Romans
nécromant
cinéroman
préroman
(blé) le **froment**
(Nicolas) Froment
antiroman
gallo-roman
rhéto-roman
photo-roman
assommant
toman
(étoffe) l'ottoman
(Turc) (un) ottoman
les Ottomans
Empire ottoman

échouement
secouement
engouement
enjouement
renflouement
nouement
dénouement
renouement
enrouement
ébrouement
(bruissement) frouement
dévouement

(artiste) Arman
(prénom) Armand
(armer) en armant
CHARMANT
le Vieil-Armand
alarmant
sarment
désarmant
(fermer) fermant
(germe) un **ferment**
serment
(un) birman
firman
(religion) un confirmand
en confirmant
dormant
endormant

91. AN

en (se) rendormant
déformant
performant
(un) **normand**
(un) anglo-normand
(goinfre) (un) **gourmand**
(branche) un gourmand
TOURMENT

enthousiasmant
desman
talisman
Osman

hetman

écumant
document
porte-documents
fumant
tégument
argument
jument
engluement
émolument
remuement
dénuement/
dénûment
monument
éternuement
instrument
consumant
transhumant

adverbes

méchamment
indépendamment
précédemment
antécédemment
confidemment
incidemment
évidemment
abondamment
surabondamment
ardemment
impudemment
prudemment
imprudemment
élégamment
inélégamment
arrogamment
obligeamment
désobligeamment
intelligemment
inintelligemment
négligemment
diligemment
vaillamment
brillamment
sciemment
patiemment
impatiemment
consciemment
inconsciemment
insouciamment
bruyamment
nonchalamment
galamment
excellemment
vigilamment
indolemment
violemment
insolemment
éminemment
pertinemment
impertinemment
étonnamment
fréquemment
subséquemment
conséquemment
inconséquemment
éloquemment
apparemment
différemment
indifféremment
couramment
concurremment
décemment
indécemment
récemment
incessamment
languissamment
puissamment
innocemment
plaisamment
complaisamment
pesamment
suffisamment
insuffisamment
épatamment
précipitamment
nuitamment
notamment
dégoûtamment
instamment
constamment
savamment

décidément
commodément
incommodément
profondément
gaiement/gaîment
aveuglément
isolément
nommément
uniformément
conformément
énormément
momentanément
instantanément
simultanément
spontanément
inopinément
obstinément
passionnément
communément
impunément
importunément
opportunément
inopportunément
carrément
séparément
sacrément
délibérément
inconsidérément
modérément
immodérément
exagérément
désespérément
obscurément
figurément
assurément
démesurément
prématurément
vraiment
densément
immensément
(supposé) censément
(sagement) sensément
intensément
expressément
forcément
aisément
malaisément
précisément
indivisément
posément
diffusément
confusément
effrontément

superbement

lâchement
vachement
franchement
fraîchement
sèchement
chichement
richement
gauchement

fadement
froidement
maussadement
grandement
tiédement
laidement
candidement
splendidement
sordidement
perfidement
rigidement
validement
solidement
timidement
rapidement
intrépidement
cupidement
stupidement
placidement
lucidement
avidement
chaudement
secondement
rondement
gaillardemment
lourdement
sourdement
absurdement
rudement

sagement
sauvagement
étrangement
largement

dignement
indignement
malignement
bénignement

vaguement
longuement

pareillement

globalement
verbalement
radicalement
médicalement
amicalement
musicalement
grammaticalement
verticalement
localement
vocalement
féodalement
idéalement
triomphalement
également
légalement
illégalement
inégalement
conjugalement
frugalement
loyalement
déloyalement
royalement
adverbialement
proverbialement
mondialement
cordialement
collégialement
filialement
génialement
impérialement
territorialement
spécialement
initialement
socialement
partialement
impartialement
commercialement
bestialement
trivialement
jovialement
normalement
anormalement
banalement
artisanalement
phénoménalement
pénalement
vénalement
machinalement
longitudinalement
finalement
originalement
nominalement
matinalement
diagonalement
nationalement
principalement
libéralement
généralement
viscéralement
latéralement
unilatéralement
littéralement
intégralement
oralement
moralement
immoralement
doctoralement
théâtralement
diamétralement
neutralement
arbitralement
magistralement
conjecturalement
salement
colossalement
transversalement
paradoxalement
fatalement
mentalement
fondamentalement
expérimentalement
sentimentalement
congénitalement
maritalement
totalement
horizontalement
brutalement
probablement
impertubablement
implacablement
immanquablement
impeccablement
inexplicablement
inextricablement
irrévocablement
remarquablement
irréprochablement
formidablement
agréablement
désagréablement
affablement
ineffablement
infatigablement
pitoyablement
impitoyablement
incroyablement
effroyablement
diablement
irrémédiablement
inoubliablement
indéniablement
variablement
invariablement
insatiablement
préalablement
valablement
inébranlablement
semblablement
vraisemblablement
invraisemblablement
inviolablement
inconsolablement
aimablement
convenablement
minablement

91. AN

abominablement
interminablement
raisonnablement
déraisonnablement
louablement
irréparablement
inséparablement
incomparablement
exécrablement
considérablement
préférablement
intolérablement
misérablement
admirablement
adorablement
déplorablement
mémorablement
honorablement
favorablement
défavorablement
inexorablement
incurablement
durablement
ineffaçablement
inlassablement
passablement
indispensablement
intarissablement
inépuisablement
lamentablement
épouvantablement
inéluctablement
indubitablement
profitablement
équitablement
charitablement
véritablement
inévitablement
notablement
confortablement
inconfortablement
insupportablement
détestablement
incontestablement
indiscutablement
irréfutablement
immuablement
inconcevablement
faiblement
infailliblement
tangiblement
intelligiblement
inintelligiblement
incorrigiblement
péniblement
terriblement
horriblement
impassiblement
incompréhensiblement
sensiblement
insensiblement
ostensiblement
indiciblement
irrémissiblement
invinciblement
inflexiblement
paisiblement
lisiblement
illisiblement

risiblement
visiblement
invisiblement
plausiblement
indéfectiblement
irréductiblement
perceptiblement
imperceptiblement
irrésistiblement
humblement
noblement
ignoblement
doublement
indissolublement
bellement
fidèlement
infidèlement
réellement
matériellement
immatériellement
trimestriellement
industriellement
confidentiellement
providentiellement
tangentiellement
torrentiellement
essentiellement
potentiellement
substantiellement
consubstantiellement
artificiellement
officiellement
superficiellement
partiellement
parallèlement
formellement
solennellement
originellement
criminellement
passionnellement
rationnellement
intentionnellement
conventionnellement
processionnellement
professionnellement
traditionnellement
conditionnellement
exceptionnellement
proportionnellement
anti/in/
constitutionnellement
occasionnellement
personnellement
impersonnellement
charnellement
maternellement
paternellement
fraternellement
éternellement
sempiternellement
journellement
craquèlement
temporellement
corporellement
naturellement
surnaturellement
culturellement
universellement
tellement

accidentellement
mortellement
graduellement
individuellement
annuellemment
manuellement
continuellement
cruellement
mensuellement
sensuellement
sexuellement
visuellement
usuellement
éventuellement
actuellement
contractuellement
intellectuellement
ponctuellement
perpétuellement
habituellement
rituellement
spirituellement
virtuellement
mutuellement
textuellement
nouvellement
seulement
habilement
malhabilement
inhabilement
débilement
agilement
juvénilement
tranquillement
fébrilement
stérilement
puérilement
virilement
facilement
imbécilement
difficilement
docilement
subtilement
fertilement
hostilement
utilement
futilement
inutilement
vilement
civilement
incivilement
servilement
follement
mollement
drôlement
bénévolement
frivolement
amplement
triplement
simplement
souplement
ridiculement
nullement

cinquièmement
quatrièmement
troisièmement
deuxièmement
dixièmement

sixièmement
septièmement
huitièmement
vingtièmement
neuvièmement
mêmement
suprêmement
extrêmement
sublimement
magnanimement
unanimement
anonymement
légitimement
illégitimement
intimement
calmement
fermement

crânement
prochainement
soudainement
moyennement
quotidiennement
anciennement
chrétiennement
vilainement
pleinement
humainement
inhumainement
souterrainement
souverainement
sainement
lointainement
hautainement
certainement
vainement
jeunement
finement
mesquinement
clandestinement
divinement
bonnement
bouffonnement
mignonnement
monotonement
gloutonnement
aucunement

intrinsèquement
extrinsèquement
prosaïquement
anarchiquement
hiérarchiquement
sporadiquement
sadiquement
véridiquement
juridiquement
périodiquement
modiquement
épisodiquement
méthodiquement
pudiquement
impudiquement
graphiquement
télégraphiquement
géographiquement
typographiquement
photographiquement
magnifiquement

mirifiquement
pacifiquement
spécifiquement
scientifiquement
philosophiquement
magiquement
tragiquement
stratégiquement
logiquement
analogiquement
illogiquement
amphibologiquement
psychologiquement
théologiquement
étymologiquement
chronologiquement
zoologiquement
énergiquement
obliquement
publiquement
angéliquement
évangéliquement
machiavéliquement
diaboliquement
paraboliquement
symboliquement
hyperboliquement
mélancoliquement
catholiquement
apostoliquement
académiquement
comiquement
économiquement
astronomiquement
anatomiquement
mécaniquement
organiquement
tyranniquement
techniquement
hygiéniquement
iniquement
cyniquement
laconiquement
sardoniquement
téléphoniquement
harmoniquement
canoniquement
chroniquement
synchroniquement
ironiquement
platoniquement
uniquement
héroïquement
stoïquement
typiquement
algébriquement
lubriquement
chimériquement
numériquement
lyriquement
empiriquement
satiriquement
théoriquement
métaphoriquement
allégoriquement
catégoriquement
historiquement
amphigouriquement
concentriquement

MAN

91. AN

excentriquement
électriquement
symétriquement
géométriquement
trigonométriquement
classiquement
physiquement
métaphysiquement
emphatiquement
dramatiquement
schématiquement
problématiquement
mathématiquement
systématiquement
flegmatiquement
énigmatiquement
dogmatiquement
diplomatiquement
automatiquement
fanatiquement
morganatiquement
apathiquement
sympathiquement
démocratiquement
aristocratiquement
hiératiquement
pratiquement
antiquement
identiquement
romantiquement
authentiquement
didactiquement
dialectiquement
alphabétiquement
prophétiquement
hermétiquement
arithmétiquement
frénétiquement
phonétiquement
poétiquement
pathétiquement
synthétiquement
hypothétiquement
esthétiquement
analytiquement
politiquement
jésuitiquement
patriotiquement
despotiquement
érotiquement
sceptiquement
elliptiquement
sarcastiquement
plastiquement
fantastiquement
mystiquement
artistiquement
rustiquement
civiquement
réciproquement
burlesquement
romanesquement
chevaleresquement
pittoresquement
pédantesquement
gigantesquement
grotesquement
brusquement

barbarement
accessoirement
dérisoirement
provisoirement
illusoirement
aléatoirement
obligatoirement
contradictoirement
transitoirement
notoirement
péremptoirement
rarement
bizarrement
funèbrement
librement
sobrement
lugubrement
médiocrement
tendrement
moindrement
précairement
chèrement
hebdomadairement
légendairement
solidairement
secondairement
vulgairement
passagèrement
légèrement
mensongèrement
subsidiairement
fièrement
hospitalièrement
cavalièrement
familièrement
auxiliairement
séculièrement
particulièrement
régulièrement
irrégulièrement
singulièrement
premièrement
dernièrement
pécuniairement
financièrement
fiducièrement
judiciairement
princièrement
grossièrement
foncièrement
entièrement
altièrement
clairement
exemplairement
séculairement
perpendiculairement
circulairement
populairement
amèrement
éphémèrement
sommairement
ordinairement
extraordinairement
originairement
préliminairement
disciplinairement
débonnairement
révolutionnairement
témérairement

littérairement
temporairement
arbitrairement
contrairement
nécessairement
sincèrement
supplémentairement
réglementairement
héréditairement
militairement
solitairement
autoritairement
volontairement
involontairement
austèrement
salutairement
sévèrement
inférieurement
supérieurement
antérieurement
intérieurement
ultérieurement
postérieurement
extérieurement
aigrement
allègrement
maigrement
intègrement
bigrement
bougrement
âprement
proprement
improprement
malproprement
opiniâtrement
diantrement
fichtrement
piètrement
autrement
foutrement
pédestrement
sinistrement
durement
mûrement
purement
impurement
sûrement
mièvrement
pauvrement

bassement
efficacement
inefficacement
tenacement
grassement
voracement
facticement
subrepticement
précocement
faussement
férocement
atrocement
doucement
diversement
inversement
perversement
fixement
prolixement

bourgeoisement
gauloisement
sournoisement
narquoisement
courtoisement
discourtoisement
niaisement
mauvaisement
verbeusement
fâcheusement
hideusement
hasardeusement
tapageusement
rageusement
orageusement
courageusement
outrageusement
avantageusement
désavantageusement
soigneusement
dédaigneusement
hargneusement
fougueusement
joyeusement
railleusement
compendieusement
dispendieusement
insidieusement
fastidieusement
odieusement
mélodieusement
miséricordieusement
studieusement
merveilleusement
orgueilleusement
prodigieusement
religieusement
élogieusement
ingénieusement
ignominieusement
calomnieusement
cérémonieusement
parcimonieusement
harmonieusement
pieusement
copieusement
obséquieusement
périlleusement
impérieusement
sérieusement
mystérieusement
laborieusement
glorieusement
victorieusement
curieusement
furieusement
injurieusement
audacieusement
fallacieusement
spacieusement
gracieusement
disgracieusement
tendancieusement
consciencieusement
silencieusement
révérencieusement
irrévérencieusement
sentencieusement
prétentieusement

spécieusement
précieusement
facétieusement
ambitieusement
séditieusement
judicieusement
artificieusement
officieusement
malicieusement
délicieusement
pernicieusement
capricieusement
superstitieusement
vicieusement
dévotieusement
soucieusement
captieusement
minutieusement
astucieusement
anxieusement
ennuyeusement
envieusement
scandaleusement
moelleusement
mielleusement
frileusement
cauteleusement
fabuleusement
nébuleusement
miraculeusement
méticuleusement
frauduleusement
crapuleusement
scrupuleusement
fameusement
haineusement
lumineusement
ruineusement
précautionneusement
soupçonneusement
pompeusement
trompeusement
moqueusement
ténébreusement
généreusement
heureusement
dangereusement
chaleureusement
malheureusement
valeureusement
peureusement
doucereusement
affreusement
vaporeusement
langoureusement
rigoureusement
vigoureusement
douloureusement
amoureusement
savoureusement
traîtreusement
malencontreusement
désastreusement
plantureusement
aventureusement
fiévreusement
paresseusement
oiseusement
flatteusement

MAN

91. AN

menteusement
vaniteusement
piteusement
honteusement
coûteusement
douteusement
monstrueusement
affectueusement
défectueusement
respectueusement
irrespectueusement
onctueusement
fructueusement
infructueusement
impétueusement
tumultueusement
somptueusement
présomptueusement
voluptueusement
vertueusement
tortueusement
fastueusement
majestueusement
luxueusement
rêveusement
nerveusement
exquisement
jalousement

délicatement
indélicatement
béatement
immédiatement
platement
benoîtement
adéquatement
droitement
adroitement
maladroitement
étroitement
lentement
véhémentement
présentement
exactement
inexactement
abjectement
directement
indirectement
correctement
incorrectement
strictement
distinctement
indistinctement
doctement
bêtement
parfaitement
imparfaitement
douillettement
quiétement
complètement
incomplètement
nettement
honnêtement
malhonnêtement
chouettement
coquettement
secrètement
concrètement
discrètement

indiscrètement
abstraitement
distraitement
doucettement
subitement
hypocritement
tacitement
licitement
illicitement
implicitement
explicitement
petitement
gratuitement
fortuitement
(vite, vx) vitement
conjointement
saintement
succinctement
hautement
idiotement
sottement
dévotement
promptement
abruptement
alertement
expertement
disertement
vertement
ouvertement
fortement
chastement
vastement
modestement
manifestement
lestement
funestement
prestement
égoïstement
tristement
artistement
robustement
justement
injustement

bravement
gravement
suavement
brièvement
grièvement
naïvement
maladivement
tardivement
lascivement
massivement
passivement
défensivement
offensivement
pensivement
intensivement
agressivement
pogressivement
expressivement
excessivement
successivement
impulsivement
convulsivement
poussivement
subversivement
oisivement

persuasivement
évasivement
décisivement
abusivement
inclusivement
exclusivement
hâtivement
approbativement
vindicativement
négativement
interrogativement
corrélativement
relativement
superlativement
législativement
spéculativement
cumulativement
approximativement
affirmativement
nativement
nominativement
alternativement
comparativement
lucrativement
impérativement
itérativement
admirativement
administrativement
démonstrativement
dubitativement
qualitativement
quantitativement
facultativement
attentivement
substantivement
préventivement
activement
rétroactivement
effectivement
objectivement
subjectivement
adjectivement
sélectivement
collectivement
respectivement
rétrospectivement
fictivement
instinctivement
chétivement
expéditivement
fugitivement
primitivement
définitivement
transitivement
positivement
intuitivement
fautivement
plaintivement
craintivement
furtivement
intempestivement
exhaustivement
distributivement
consécutivement
vivement

hardiment
étourdiment
joliment

poliment
impoliment
indéfiniment
infiniment
uniment
quasiment
gentiment

comment

dûment
prétendument
assidûment
indûment
éperdument
ambigument
absolument
résolument
goulûment
nuement/nûment
ingénument
continûment
crûment
congrûment
incongrûment

+ participe présent des verbes en -mer

sous-rimes voisines
91.14 LAN
91.16 NAN

contre-assonances
333.12 MIN
456.13 MON

91.16 NAN

MAINTENANT

(non! enfantin) nan!
(ruisseau, rég.) un nant

ahanant
ricanant
(agréable, arg.) planant
manant
rémanent
immanent
(un) **permanent**
(agréable) c'est du nanan
(dormir, rég.)
faire nannan
tannant

gênant
îles de Glénan
aliénant
moyennant
(sans se presser, rég.)
pêni-pênant
rhénan
traînant
entraînant

(Ernest) Renan
(+comp.) en **prenant**
(touchant) prenant
carême-prenant
entreprenant
surprenant
(+comp.) en **tenant**
(partisan) le tenant
d'un (seul) tenant
attenant
sous-/**lieutenant**
(à présent)
MAINTENANT
(maintenir)
en maintenant
le contenant
(+comp.) en **venant**
(aimable) **avenant**
(clause) un avenant
(de même) à l'avenant
prévenant
(un) **revenant**
contrevenant
covenant
convenant
inconvenant
le tout-venant
à tout venant
intervenant

stagnant

(ville franç.) Dinan
(ville belge) Dinant
en dînant
Ferdinand
François-Ferdinand
(prêtre) ordinand
(évèque) ordinant
dégoulinant
éminent

prééminent
proéminent
suréminent
imminent
(qui sépare) discriminant
(algèbre) un discriminant
culminant
fulminant
dominant
prédominant
(décisif) déterminant
(grammaire)
un déterminant
(un) ruminant
(économe, rég.) rapinant
enquiquinant
chagrinant
bassinant
fascinant
lancinant
hallucinant
avoisinant
(chaste) continent
(terre) un **continent**
(sur-le-champ)
incontinent
(qui urine) (un)
incontinent
sous-continent
pertinent
(un) **impertinent**
(un) abstinent
(un) agglutinant
conglutinant

un an

Onan
Conan
(stupide, arg.) déconnant
donnant
donnant(,)donnant
bidonnant
bourdonnant
(fâcheux, arg.)
guignonant
rayonnant
tourbillonnant
papillonnant
bouillonnant
passionnant
impressionnant
ponant
(un) déponent
(prénom) Ronan
environnant
(embêtant, arg.)
cramponnant
sonnant
assonant
dissonant
frissonnant
malsonnant
consonant
désarçonnant
gazonnant
foisonnant
empoisonnant
(raison) raisonnant

La forêt fuit au loin comme une armée antique
Dont les lances ô pins s'agitent au **tournant**
Les villages éteints méditent **maintenant**
Comme les vierges les vieillards et les poètes
Et ne s'éveilleront au pas de nul **venant**
Ni quand sur leurs pigeons fondront les gypaètes

Guillaume Apollinaire, « Le vent nocturne »,
Alcools

Nous avons soif d'errer comme l'aigle qui passe,
Et de nous enivrer de songes **rayonnants**,
Et de sentir voler, marcheurs que rien ne lasse,
Le vent des vieux sommets sur nos fronts **frissonnants**.

Ephraïm Mikhaël, « Le Sillon »,
Poèmes en vers et en prose

Revenir ou mourir, cadavre ou **revenant**,
Cadavre saint, **revenant** pire qu'un cadavre
En raison des chers torts et **revenant planant**
Comme des torts sur un cœur tendre que l'on navre...

Paul Verlaine, « La Classe »,
Chair

On voit sur la mer des chasse-marées ;
Le naufrage guette un mât **frissonnant** ;
Le vent dit : demain ! l'eau dit : **maintenant** !
Les voix qu'on entend sont désespérées.

Victor Hugo, « La Lune. Choses du soir » II,
L'Art d'être grand-père

Je demeure. Toute la force est **maintenant**.
Au lieu de s'accrocher par les instants ***ténus***,
Les êtres l'un dans l'autre enfoncent des ***tenons***.
Des membranes qui ployaient durcissent, ***tannées***.

Jules Romains,
Un être en marche. III

Qu'ils soient de Château-l'Abbaye
Ou nés à Saint-Germain-en-Laye,
Je les rejoins d'où qu'ils ***émanent***,
Car mon courroux est **permanent**.

Alphonse Allais, « Rimes riches à l'œil »,
in *Les Poètes du Chat Noir*

❐

(sonore) réso(n)nant
grisonnant
tonnant
étonnant
(explosif) détonant
(en choquant)
en détonnant
(un) antidétonant
(un) bretonnant

(visqueux, rég.)
glimounant

hibernant

Fernand
concernant
alternant
consternant
(un) gouvernant
(sinueux) tournant
(virage) au/un **tournant**

+ participe présent des verbes en -ner

sous-rimes voisines
91.14 LAN
91.15 MAN

contre-assonances
456.14 NON
333.13 NIN

91.17 OAN

(un) samoan
Nohant
Rohan

Je sentis dans le noir s'interposer des ***gens***
Des fleuves entre nous buvaient l'eau des rivières
Peut-être dans un coin rustique de **Nohant**
Un vieux baiser de Liszt dans les roses trémières
Et plus loin du côté où l'on brasse le ***temps***
Ton regard retrouvé auprès de la chapelle

Robert Goffin, « La Voix à quatre mains »,
Corps combustible

Voici l'Yak ; voici le singe quadrumane ;
Ceci c'est un docteur peut-être, ou bien un âne ;
Il dit la messe, à moins qu'il ne dise ***hi-han*** ;
Ça c'est un mandarin qu'on nomme aussi **kohan** ;
Il faut qu'il soit savant, puisqu'il a ce gros ventre.

Victor Hugo, « Le Pot cassé »,
L'Art d'être grand-père

sous-rimes voisines
91.18 OUAN
91.24 UAN
91.13 IHAN

contre-assonances
1.15 OA
214.14 OÉ

❐

91.18 OUAN

(Jean) Chouan
(un) chouan
(Padoue) (un) padouan
(Cordoue) (un) cordouan
(cuir) le cordouan
(désagréable, rég.)
agouant
Anjouan
(Capoue) (un) capouan
cheval rouan
(ville) **Rouen**
en **rouant**
Kairouan
(barrage d') Assouan
(Mantoue) (un) mantouan
Tétouan
(Bretagne; Picardie)
Saint-Ouen

+ participe présent des verbes en -ouer

Et s'**ébrouant**
Rouets **rouant**,
Les rouets, au matin des vieilles,
Leur font s'éjouir les oreilles
D'un bruit **rouant**
Et s'**ébrouant**.

Brouet **brouant**
aux vieux **Rouen**,
Arde pour les enfants aux langes,
En feu, la cuisine des anges,
D'aux vieux **Rouen**,
Brouet **brouant**.

Max Elskamp, « De joie » III,
La Louange de la Vie

Tous les ans, dit Farin, l'Abbé de **Saint-Ouen**
Portait sa redevance à la Maison de Ville :
Deux plats de pets de nonne oblongs, sucrés, **rouans**,
Deux pains blancs chevaliers, cuits faubourg Martainville,

Et deux cruches de vin sur deux poulets **rouant**,
Plus un oison dodu, que deux moines serviles
Bridaient de rubans bleus, – matière à vaudevilles –
Et menaient du Robec aux penteurs de **Rouen**.

Charles Boulen, « La Redevance de l'Oison bridé »,
Voyages à travers la Couleur Locale

sous-rime voisine
91.24 UAN

contre-assonances
1.16 OI
333.14 O(U)IN

❐

91.19 PAN

SERPENT

(dieu) **Pan**
(de mur ; d'étoffe) un **pan**
(bruit sec) pan!
(oiseau) un **paon**
il **pend**

il append
(abrasif) un décapant
humour décapant
handicapant
(mendiant, rég.)
mandjapan
chenapan
antidérapant

Le Soleil, ami du **serpent**
Et couveur de la pourriture,
Est le brasier que la Nature
Tous les jours allume et **suspend**.
……

PAN

91. AN

frappant
à midi tapant
cap Matapan
guet-apens
empan
Madame Campan
en campant
lampant
(détonation) pan! pan!
(fessée, enfant) panpan
(coït, arg.) zizi-panpan
rampant
autotrempant
sampan(g)
(et toc!) et pan!
il épand
(il résulte) il **dépend**
(il décroche) il dépend
(à la charge) aux **dépens**
il **répand**
(chirurgie) trépan
(holothurie) trépang
(il accroche) il repend
(il regrette) il se **repent**
(satyre)
égipan/ægypan
flippant
sacripant
dégrippant
(holothurie) tripang
(excitant, Can.) tripant

(un) **participant**
constipant
pimpant
grimpant
(pantalon, arg.)
un grimpant
(d'oreille) **tympan**
(d'église) tympan
(un) dopant
galopant
clopin-clopant
enveloppant
en rompant
en interrompant
en corrompant
(le) coupant
(garde-chiourme, arg.)
artoupan
arpent
(giffle, rég.) carpan
tarpan
SERPENT
langue-de-serpent
Peter Pan
Marquise de Montespan
crispant
il **suspend**
un/en **suspens**
(un) **occupant**

+ participe présent des verbes en -per

sous-rime voisine
91.2 BAN

contre-assonances
333.15 PIN
456.16 PON

Le malade, **clopin-clopant**,
Va chercher, quand il s'aventure,
Le Soleil ami du **serpent**
Et couveur de la pourriture.

L'enveloppé, l'**enveloppant**,
Tout subit sa grande friture ;
Et jusque dans la sépulture,
Il s'inocule et se **répand**,
Le Soleil, ami du **serpent**.

Maurice Rollinat, « Le Soleil »,
Les Névroses

Quand le vieux satyre **Pan**
Convoite quelque dryade,
De grand matin **galopant**,
À sa porte il va **frappant** :
– **Pan**, **pan**, **pan**, **pan**, **pan**, **pan**, **pan** ;
Je n'ai point le jargon fade
D'un petit Sylvain **pimpant** ;
Je suis le robuste **Pan**.–

– Veux-tu courir, vilain **Pan** !
Lui dit Syrinx en colère ;
Tour à tour fier comme un **paon**,
Et **rampant** comme un **serpent**,
Pan, **Pan**, **Pan**, **Pan**, **Pan**, **Pan**, **Pan**,
N'espère jamais me plaire ;
Au premier Faune **occupant**
Je serais plutôt qu'à **Pan**.–

– De ses faveurs il faut, **Pan**,
Que le beau sexe te sèvre :
Dieu cornu, barbu, **grimpant**,
Tes chants blessent le **tympan**,
Pan, **Pan**, **Pan**, **Pan**, **Pan**, **Pan**, **Pan** ;
Pour un rien tu prends la chèvre ;
Plus qu'un Sylène **pompant**
Tu sens de loin ton vieux **Pan**.–

En outrageant ainsi **Pan**,
Syrinx fuit derrière un saule,
Mais de sa robe qui **pend**
Mon drôle, **agrippant** un **pan**,
Pan, pan, pan, pan, pan, pan, pan,
D'importance vous la gaule…
Syrinx s'écrie en **choppant** :
– Grands dieux, vengez-moi de **Pan** ! –

Antoine-Pierre-Augustin de Piis, « Pan et Syrinx »,
Chansons. Livre VI

❐

91.20 RAN

GRAND

(fusillade) ran!
(rangée) un **rang**
(chanson) un ranz
il **rend**

îles/val d'Aran
un **hareng**
Aldébaran
Zurbaran
effarant

(caution) un garant
(rangeant) en garant
un déclarant
hilarant
marrant
catamaran
trimaran
(famille) (un) **parent**
(décorant) en parant
(esquivant) en parant
apparent
accaparant
inapparent

Je fais souvent ce rêve étrange et **pénétrant**
D'une femme inconnue, et que j'aime, et qui m'aime
Et qui n'est, chaque fois, ni tout à fait la même
Ni tout à fait une autre, et m'aime et me **comprend**.

Car elle me **comprend**, et mon cœur, **transparent**
Pour elle seule, hélas ! cesse d'être un problème
Pour elle seule, et les moiteurs de mon front blême,
Elle seule les sait rafraîchir, en **pleurant**.

Paul Verlaine, « Mon rêve familier »,
Poèmes saturniens

☞

RAN

91. AN

des grands-parents
des beaux-parents
(un) comparant
(diaphane)
transparent
(feuille) un transparent
varan
warrant

bren/bran
abacadabrant
Rembrandt
(branché, verl.) chébran
célébrant
térébrant
Hildebrand
Childebrand
(Khalil) Gibran
la Malibran
équilibrant
déséquilibrant
vibrant
(garnement, rég.) albran
(jeune canard) halbran
encombrant

(encoche) un cran
(courage) du **cran**
(un) consacrant
écran
télécran
sucrant

(importun, Can.) bâdrant
(surface graduée) **cadran**
(quart de cercle) quadrant
Audran

errant
aberrant
délibérant
réverbérant
protubérant
exubérant
(collant) adhérent
(membre) un adhérent
sidérant
considérant
prépondérant
Téhéran
afférent
efférent
(respectueux) **déférent**
(justice) en déférant
(un cheval) en déferrant
référent
(conflit) un différend
(distinct) **différent**
(retardant) en différant
indifférent
odoriférant
vociférant
maréchal-ferrant
Montferrand
Clermont-Ferrand
gérant
(un) non-/belligérant
(un) réfrigérant
interférent
(prénom) Enguerrand

dépoussiérant
Talleyrand
éclairant
tolérant
intolérant
immunotolérant
agglomérant
inhérent
(un) itinérant
cohérent
incohérent
tempérant
intempérant
opérant
inopérant
coopérant
exaspérant
désespérant
en quérant
en acquérant
en s'enquérant
(un) requérant
(un) **conquérant**
en reconquérant
(poisson) serran
en serrant
atterrant
vétéran
(François) Mitterrand
altérant
désaltérant
(titre) (un) révérend
(en respectant)
en révérant
persévérant

écœurant
(un) **pleurant**
au demeurant
tisserand
jaseran

(honnête) **franc**
(germain) (un) franc
(monnaie) un franc
safran
(Français, verl.) (un) céfran
(frangine, verl.) négifran
le/au plus **offrant**
souffrant
(soufrer) en soufrant

(un) GRAND
flagrant
anti/déflagrant
fragrant
mazagran
intégrant
Pierre le Grand
mère-grand
(un) migrant
(un) **émigrant**
(un) immigrant
dénigrant
bougran
supergrand

Iran
Maine de Biran
déchirant

Vous n'aimez rien que vous, de vous-même maîtresse,
Toute perfection en vous seule **admirant**,
En vous votre désir commence et va **mourant**,
Et l'amour seulement pour vous-même vous blesse.

Franche et libre de soin, votre belle jeunesse
D'un œil cruel et beau mainte flamme **tirant**,
Brûle cent mille esprits qui votre aide **implorant**
N'éprouvent que fierté, mépris, haine et rudesse.

Philippe Desportes, « Vous n'aimez rien que vous… »,
Cléonice. V

Ne pleurez point sur Lui ! Pleurez sur la misère
Du monde, sur l'enfer des désirs **dévorants**,
Sur l'agneau clairvoyant et l'aveugle vipère,
Sur le fort esclave et les faibles **conquérants**.

Pleurez sur l'antre noir caché dans la Lumière,
Sur la Nuit ténébreuse aux grands yeux **fulgurants**,
Sur le vent qui conduit vers la cause première
Les frissons des nids et les râles des **mourants**.

Pleurez sur les sapins altiers, sur la bruyère
Que déracine la colère des **torrents**,
Sur la bête stérile et la femme adultère,

Sur le Doute immobile et les espoirs **errants**,
Sur les astres poussés par l'élan millénaire
Qui rend plus froids encor leurs cœurs **indifférents**.

Armand Godoy, « Huitième station »,
Du Cantique des Cantiques au Chemin de la Croix

Tu donnerais beaucoup pour t'appeler **Durand**
Et tu l'écris à moi qui sors tout droit **du rang**,
Mais **Durand** est partout, le sais-tu, Fritz ? **durant**
Que la guerre ici-bas chemine **perdurant** ;
Sais-tu que le courage, eh bien ! vieux, c'est ***du* cran**
Et que les profiteurs touchent le sou ***du* franc**,
Que la merde, elle-même, ô mon Fritz, c'est ***du* bran** ?
Mets-y la main et que ton nez soit **endurant**
Afin que l'an qui vient ne te soit pas **dur an**.

Guillaume Apollinaire, « Mes souhaits pour 1917 »,
Poèmes épistolaires

Narcisse-Tailhade se mire
Dans l'eau d'une onde au pur **courant** ;
Il se couronne et puis s'admire :
L'eau rend l'orang laurant Laurent !!!

Raoul Monier, « Clowneries » IV,
Reliquiæ

Restaurant
***Rote et* rend**
***Reste en* rang**
Rend *tes restes*

Georges Perros,
Papiers collés. III, p. 57

❒

RAN

91. AN

(un) **délirant**
(un) **soupirant**
spirant
aspirant
expirant
détroit de Tiran
(cordon) tirant
(despote) **tyran**
attirant
sempervirent

(ville) Oran
(statue) orant
le **coran/Coran**
alcoran
(un) édulcorant
andorran
odorant
(un) déodorant
malodorant
perforant
(un) **ignorant**
revigorant
(Emil M.) Cioran
(un) améliorant
joran
majorant
Laurent
(radionavigation) le loran
le Saint-Laurent
(un) colorant
(un) décolorant
Florent

implorant
(Paul) Morand
cormoran
minorant
déshonorant
torrent
expectorant
restaurant
wagon-restaurant
dévorant

(banal) **courant**
(d'eau) un **courant**
en **courant**
en accourant
en encourant
en recourant
un/à contre-courant
en secourant
concourant
en parcourant
en discourant
(étoffe) gourgouran
(un) **mourant**

il **prend**
il **apprend**
il r(é)apprend
il désapprend
il s'éprend
il se déprend
il se méprend
il **reprend**

il entreprend
il **comprend**
il **surprend**

(palais, concile) Latran
quatre ans
(un) entrant
(excentrique, rég.)
caramentran
rentrant
pénétrant
impétrant
récalcitrant
intrant
subintrant
filtrant
Gontran
(un) détartrant
Bertrand
(Aloysius) Bertrand
(coccyx, rég.) os-Bertrand
fortran
estran
frustrant

(un) carburant
supercarburant
(un) comburant
décurrent
récurrent
(en nettoyant) en récurant
occurrent
(un) **concurrent**

intercurrent
(pendant) durant
(le soleil, rég.)
le père Durand
endurant
figurant
fulgurant
murmurant
suppurant
rassurant
susurrant
azurant
(un) dénaturant
saturant
torturant

navrant
givrant
(un) antigivrant
enivrant
(un) ouvrant
couvrant
en découvrant
en recouvrant
en rouvrant
en entrouvrant

+ participe présent des verbes en -rer

sous-rimes voisines
91.14 LAN
91.21 SAN

contre-assonances
457.17 RON
333.17 RIN

91.21 SSAN

SANG

le SANG
(prép.) **sans**
(100) **cent**
il **sent**
(par licence poétique)
le(s) **sens**

fou de Bassan
cassant
fracassant
chassant
agaçant
jacent
subjacent
adjacent
sous-jacent
sus-jacent
(fatigant) **lassant**
(en liant) en laçant
(reposant) délassant
(en dénouant)
en délaçant
glaçant
remplaçant
grimaçant
menaçant
angoissant
(de lune) le **croissant**

(Empire turc) le **Croissant**
(grandissant) croissant
en accroissant
décroissant
froissant
(fréquenté) passant
(promeneur) un **passant**
(de ceinture) un passant
dépassant
(Guy de) Maupassant
harassant
embarrassant
traçant

encens
dansant
offensant
(un) commençant
pensant
(en bandant) en pansant
(un) **bien-pensant**

(un) absent

accent
relaxant
Saint-Maixent
texan
vexant

abaissant

Qui sait aimer les phrases machinales
Comme un bouquet qu'il achète en **passant**
S'étonnera du frais parfum qu'il **sent**
En plein Paris à lire le journal
Les mots usés sont un trottoir **glissant**
Les mots usés sont des cailloux **blessants**
Les mots usés sont des rimes banales
Sur leur pavé j'ai vu fleurir le **sang**

Louis Aragon, « La Chanson de Jean de Chauny »,
Le Nouveau Crève-cœur

Je compose en esprit, sous les myrtes, Orphée
L'Admirable !... Le feu, des cirques purs **descend** ;
Il change le mont chauve en auguste trophée
D'où s'exhale d'un dieu l'acte **retentissant**.

Si le dieu chante, il rompt le site **tout-puissant** ;
Le soleil voit l'horreur du mouvement des pierres ;
Une plainte inouïe appelle **éblouissants**
Les hauts murs d'or harmonieux d'un sanctuaire.

Paul Valéry, « Orphée »,
Album de vers anciens

Sur l'***éblouissement*** pourpre d'un lit **persan**
Ondule une androgyne apparence de Stryge ;
L'étoffe qui s'enroule au corps qui la dirige
D'un pur ruisseau de lait blanchit ce lac de **sang**.

……

SSAN

91. AN

pubescent
é/rubescent
(qui entoure) encaissant
(géologie) un encaissant
déliquescent
(pudique) **décent**
il **descend**
incandescent
il **redescend**
iridescent
indécent
il condescend
recrudescent
turgescent
quiescent
alcalescent
(un) coalescent
opalescent
(un) **convalescent**
blessant
caulescent
adolescent
obsolescent
spumescent
in/tumescent
naissant
évanescent
sénescent
renaissant
luminescent
en connaissant
en méconnaissant
reconnaissant
île d'Ouessant
en paissant
en se repaissant
récent
caressant
en paraissant
en ré/apparaissant
en reparaissant
en re/comparaissant
en transparaissant
en disparaissant
bressan
accrescent
dressant
dégénérescent
intéressant
inintéressant
(un) dégraissant
(noir) nigrescent
arborescent
phosphorescent
efflorescent
fluorescent
(impératif) **pressant**
(il dévine) il pressent
oppressant
stressant
putrescent
(bleu) azurescent
acescent
incessant
marcescent
lactescent
délitescent
frutescent

flavescent
effervescent
il **ressent**
(héraldique) issant
(en élevant) en hissant
envahissant
blanchissant
réfléchissant
rafraîchissant
enrichissant
affadissant
resplendissant
grandissant
en maudissant
bondissant
blondissant
verdissant
assourdissant
abasourdissant
étourdissant
obéissant
désobéissant
in/déhiscent
bleuissant
munificent
agissant
vagissant
rougissant
mugissant
rugissant
languissant
jaillissant
vieillissant
(pâle) **pâlissant**
(en espalier) en palissant
salissant
faiblissant
affaiblissant
glissant
(Édouard) Glissant
avilissant
amollissant
(un) ramollissant
coulissant
assouplissant
gémissant
blêmissant
frémissant
demi-sang
bénissant
hennissant
rajeunissant
finissant
jaunissant
brunissant
jouissant
réjouissant
éblouissant
épanouissant
glapissant
croupissant
assoupissant
concupiscent
attendrissant
fleurissant
(un) amaigrissant
florissant

Insondable, ébloui, l'Être sur le **passant**
Fixe un regard qui garde et verse du vertige ;
Œil de voyant qui monte, œil de sphynx qui **descend**,
Fermé sur une énigme, ouvert sur un prodige.

> Robert de Montesquiou, « Succube »,
> *Les Hortensias bleus.* XCV

Victimes du **Saint-Sang**
ces corps qu'on ***supplicie***
dans un hammam d'**encens**
brouillant l'odeur des ***scies***

un signe **incandescent**
marque les chairs ***noircies***
sous l'œil qui **condescend**
du crime en cercle ***assis***

> Daniel Lander, « Victimes du Saint-Sang » dans « Cinq sonnets »,
> *Temps majeur*

Le lait a sa ***chanson***
et la sienne le **sang**.
Mais l'heure va sonner,
la chaîne se ***casser***.

> Georges Garampon, « À petit bruit »,
> *Le Jeu et la Chandelle*

❐ 104 [Ronsard] ; 408 [Estang] ; 524 [Boulen]

nourrissant
pourrissant
flétrissant
ahurissant
mûrissant
appauvrissant
(un) épaississant
amincissant
grossissant
(un) adoucissant
noircissant
saisissant
compatissant
retentissant
abêtissant
assujettissant
appétissant
réticent
tenants
et aboutissants
divertissant
(un) ressortissant
abrutissant
(un) **puissant**
(un) **impuissant**
tout-puissant
(Dieu) le Tout-Puissant
bruissant
ravissant
reviviscent

asservissant
grinçant
Conseil des Cinq-Cents
Vincent
pulsant
(un) chaussant
privat-docent
(un) **innocent**
(papes) Innocent
il **consent**
gloussant
moussant
repoussant
Mont-de-Marsan
(un) **commerçant**
(regard, cri) **perçant**
(de Perse) **persan**
(un) dispersant
(pente) le **versant**
en versant
renversant
bouleversant
exerçant
pour-cent

pur-sang
Bussang

+ participe présent des verbes en -cer, -(s)ser *et* -xer *et* -ir *(2e groupe)*

sous-rime voisine
91.22 S(Z)AN

contre-assonances
333.18 SSIN
456.18 SSON

91.22 S(Z)AN

leS ANS
PRÉSENT

(2, 3, 6, 10 à 16, 70, 80, 90)
(deux, trois ans, etc.)
leS ANS
(n. dép.) du Zan
(v. impér. +en)
parle**s-en**/parlon**s-en**

(Elia) Kazan
l'Oisans
(un) patoisant
rasant
écrasant

(oiseau) un **faisan**
(escroc, arg.) un faisan
fais-en
valaisan
plaisant
déplaisant
complaisant
apaisant
(être là) être **présent**
(maintenant)
le/à PRÉSENT
(don) un **présent**
omniprésent
en (se) taisant

besant
en **faisant**
en re/défaisant
en refaisant
en contrefaisant
bienfaisant
malfaisant
satisfaisant
insatisfaisant
(un) **alezan**
(fromage) du parmesan
(peintre) le Parmesan
(lourd) **pesant**
(poids) le pesant

(un) archaïsant
(jargonneux)
charabiaïsant
(un) hébraïsant
(un) arabisant
fascisant
(un) gauchisant
anarchisant
en **disant**
soi-disant
en se dédisant
médisant
en prédisant
mieux-disant
en redisant
en (se) contredisant
moins-disant
en interdisant
paysan
dépaysant
en confisant

suffisant
insuffisant
autosuffisant
(couché) **gisant**
(statue) un gisant
en **lisant**
globalisant
pénalisant
paralysant
généralisant
moralisant
démoralisant
neutralisant
en ré/élisant
en relisant
culpabilisant
(un) stabilisant
déstabilisant
(rassurant)
tranquillisant
(un calmant)
un tranquillisant
stérilisant
(un) virilisant
infantilisant
(un) fertilisant
dynamisant
(Paul) Nizan
(un) italianisant
(un) germanisant
déshumanisant
(un) hispanisant
(un) hellénisant
féminisant
(un) latinisant
crétinisant
(un) **agonisant**
(un) japonisant
(un) communisant
(de Pise) (un) pisan
Christine de Pisan
(détonant) brisant
(écueil) le(s) **brisant(s)**
grisant
(un) désodorisant
valorisant
dévalorisant
terrorisant
favorisant
méprisant
(un) cicatrisant
électrisant
sécurisant
en circoncisant
marxisant
dramatisant
aromatisant
traumatisant
rhumatisant
(un) sympathisant
esthétisant
(un) cotisant
érotisant
artisan
(un) partisan
courtisan

cuisant
en recuisant

Je chanterai cet amour de Loyse
Qui fut soldat comme Jeanne à **seize ans**
Dans ce décor qu'un regard dépayse
Qui défera ses cheveux **alezan**
Elle avait peur que la nuit fût trop claire
Elle avait peur que le vin fût **grisant**
Elle avait peur surtout de lui déplaire
Sur la colline où fuyaient des **faisans**

Louis Aragon, « Plainte pour le quatrième centenaire d'un amour »,
Les Yeux d'Elsa

Beaux yeux par qui l'Amour entretient sa puissance,
Qui vous juge mortels se va trop **abusant** :
Si vous étiez mortels, votre éclair si **luisant**
Ne me rendrait pas Dieu par sa douce influence

Donc vous êtes divins, et tirez votre essence
De l'éternel Amour, l'Univers **maîtrisant** :
Mais d'où vient, s'il est vrai, votre feu si **cuisant** ?
Car ce qui vient du Ciel ne peut faire nuisance.

Philippe Desportes, « Beaux yeux… »,
Cléonice. LXVI

Que me fuis-tu ? Mille Nymphes me cherchent
Les Muses m'ont apporté leurs **présents**,
J'ai de Vénus les verts myrtes **plaisants**,
J'ai de Phébus les lauriers qui ne sèchent.

Cruelle, au moins si tels biens ne t'allèchent,
Si mon amour, si mes soucis **pesants**,
Prends, prends pitié de ces miens **jeunes ans**,
Qui comme l'herbe au soleil se dessèchent.

Marc Claude de Buttet, « Que me fuis-tu ? »,
L'Amalthée. LXXXIII

Ton orgueil peut durer au plus deux ou **trois ans** :
Après cette beauté ne sera plus si vive,
Tu verras que ta flamme alors sera tardive,
Et que tu deviendras l'objet des **médisants**.

Tu seras le refus de tous les **courtisans**,
Les plus sots laisseront ta passion oisive
Et tes désirs honteux d'une amitié lascive,
Tenteront un valet à force de **présents**.

Théophile de Viau, « Sonnets »,
Les Œuvres

J'aime les coups de poings **luisants**
comme la cuisse des fermières.
Mort, par eux, dans quelque **six ans**
j'emporterai sous les trémières

le cri nocturne des **brisants**,
l'ongle des bêtes non premières
et jusqu'au poil des **paysans**
mais, aussi, le sel des lumières.

Jacques Audiberti, « Du côté de Lariboisière »,
Race des hommes

☞

S(Z)AN

91. AN

en re/traduisant
en enduisant
en déduisant
en réduisant
séduisant
en induisant
en re/produisant
en ré/introduisant
en é/re/**conduisant**
(brillant) (le) **luisant**
(soleil, arg.) le luisant
reluisant
en s'entre-/nuisant
épuisant
en s'entre-/détruisant
en instruisant
en re/construisant

balzan

causant
en en/é/closant
art mosan
formosan
déposant

reposant
imposant
opposant
(un) composant
(d'un salon) exposant
(math.) exposant
sclérosant

bronzant

en dé/re/cousant
blousant

Tarzan/tarzan

usant
(un) fusant
jusant
amusant

(un) **exempt**

+ participe présent des verbes en -ser *et* -zer

sous-rime voisine
91.21 SSAN

contre-assonances
333.19 S(Z)IN
456.19 S(Z)ON

Il n'est en rien semblable au bâton de carton
Cher au poète : j'ai nommé le mirliton.
[...]
Ni le bâton de réglisse au suc **bienfaisant**,
Le bon **Zan**, **zan**, **zan**, **zan**. Demande**z-en**, **zan**, **zan** !

Alfred Jarry, « Air du bâton »,
Le Manoir enchanté

Zazie
A sa visite au ***zoo***
Zazie suçant son **Zan**
S'***amusait*** d'un ver **luisant**
D'Isidore ***Isou***

Serge Gainsbourg, « Exercice en forme de Z »,
Dernières nouvelles des étoiles

❒

91.23 TAN

TEMPS
PRINTEMPS

(7, 8, 17, 18, 20, 30 à 60, 100)
(sept, huit ans, etc.)
cen**t ans**
(écorce) le tan
(adverbe) **tant**
(mouche) taon
le TEMPS
(v. pronom. à l'impér.)
souviens-t'en
(tendre) il **tend**

il **attend**
à temps
en (se) hâtant
cœur **battant**
(d'une porte) un battant
(lutteur) un battant
(+comp.) en battant
(en vitesse, rég.)
friant-battant
(un) **combattant**
Léviathan
latent
éclatant
dilatant
charlatan
harmattan
Nathan

Jonathan
(un) exploitant
miroitant
patent
épatant
dés/hydratant
Satan
va-t'en!

il **entend**
(enter) en entant
(hanter) en hantant
chantant
café-chantant
d'antan
(alliage) l'argentan
en argentant
en dé/mentant
Kalimantan
tourmentant
argumentant
repentant
guerre de Trente ans
guerre de Cent ans
en pres/res/sentant
consentant
représentant
il sous-entend
tentant
constantan

actant
(un) contractant

Viens donc avec moi : la Gloire t'**attend** !
Viens fixer l'Amour et vaincre le **Temps**,
Remplir d'infini tes plus courts **instants**,
Couronner l'hiver des fleurs du **printemps**,
Toucher l'horizon, railler les **autans**
Et verser la mer au sein des **étangs**.
Viens donc avec moi : la Gloire t'**attend**,
La Gloire aux yeux pers, la GLOIRE !

Va-t'en !

Armand Godoy, « Viens donc avec moi... »,
Monologue de la Tristesse et Colloque de la Joie

Pardonne-moi de t'aimer **tant**
que chaque jour m'est longue veille
à bout de jeûne où je t'**attends**.
Cœur affamé n'a pas d'oreille
et devant toi le mien n'**entend**
qu'une rumeur en lui pareille,
quand l'affût fauve se **détend**
au froissement d'herbes vermeilles.

Pardonne-moi de t'aimer **tant**
que j'échange automne et **printemps**
c'est moi qui tremble où tu sommeilles.

Luc **Estang**, « Pardonne-moi... »,
Corps à cœur

☞

(dégoûtant, arg.)
débectant
(appétissant, arg.)
rebectant
infectant
(un) désinfectant
expectant
octant

(lac) un **étang**
(être) l'/en étant
(étendre) il étend
Gaétan
embêtant
il (se) **détend**
inquiétant
orviétan
flétan
(+comp.) en mettant
(un) mahométan
commettant
compromettant
à midi pétant
compétent
incompétent
(prétendre) il **prétend**
(prêter) en prêtant
(un) traitant
sous-traitant
entêtant
en dé/re/vêtant

deux-temps
garde-temps
cafetan
haletant
voletant
caquetant
cliquetant
il retend
quatre-temps
entre-temps
contretemps
passe-temps
passe-t'en
espace-temps

habitant
débitant
exorbitant
profitant
un **gitan**
en gîtant
débilitant
(un) militant
(centre) le mitan
(pègre, arg.) le mitan
(pause) la mi-temps
en se mitant
rémittent
concomitant
intermittent
(un) **pénitent**
impénitent
rénitent
capitan
crépitant
(tremblant) **palpitant**
(cœur, arg.) le palpitant

équitant
méritant
irritant
(un) récitant
nécessitant
(fiévreux) fébricitant
incitant
(séduisant) **excitant**
(stimulant) un excitant
surexcitant
(l')occitan
hésitant
(géant) un **titan**
(divinités) les Titans
nictitant

plein-temps
esquintant
éreintant
PRINTEMPS
(magasin, n. dép.) Le Printemps
chuintant
suintant

exaltant
révoltant
sultan
insultant
(un) consultant
résultant
exultant

(vent) l'**autan**
(adverbe) **autant**
l'O.T.A.N.
en ôtant
cahotant
(amusant, arg.)
boyautant
(optimiste, rég.)
un beautemps
crachotant
chuchotant
(un) clignotant
ravigotant
papillotant
tremblotant
grelottant
flottant
sanglotant
clapotant
omnipotent
ventripotent
totipotent
(un) impotent
idempotent
égrotant
chevrotant
frisottant
un votant
(dieu) Wotan
pivotant

(Pierre) Bontemps
argent/au **comptant**
(heureux) **content**
(comblé) avoir son content
mécontent

Le soleil est **flottant**
On dirait un **débutant**
Depuis quelque **temps**
Il négocie avec le **temps**
Il est **intermittent**
Il se **détend**
Ce n'est plus le roi **éclatant**
D'antan
Le Roi Soleil le roi **titan**
Celui qui faisait la pluie le beau **temps**
Il est **hésitant**
Il regarde la météo en se **tâtant**
En s'**adaptant** aux quatre **temps**
Il est **miroitant**
Clignotant
Déroutant
Déconcertant
Avant de juger moi j'**attends**
Le prochain **printemps**
En **chantant**

Pierre Delanoë, « Le Soleil »,
Paroles à lire ou poèmes à chanter

Été vos fruits amers je les connais Ils n'ont qu'un **temps**
Sur le désordre de nos corps l'aurore éteignit ses feux
Ce fut la faute des pluies des gin-fizz des **Manhattans**
Aux balcons de nos nuits blanches vous apprîtes d'autres jeux.

Bernard Delvaille, « Désordre » 10,
Poëmes

Mon cœur battait battait très fort à sa parole
Quand je dansais dans le fenouil en **écoutant**
Et je brodais des lys sur une banderole
Destinée à flotter du bout de son ***bâton***

Guillaume Apollinaire, « Salomé »,
Alcools

❐ 487 [Foulc]
100 [Rabearivelo]

longtemps
(Yves) Montand
(total) un montant
(d'un lit) les montants
chemin montant
(un) remontant
Ménilmontant

orang-outan(g)
(État) le Bhoutan
(refoulant) en boutant
arc-boutant
à prix coûtant
écoutant
en (se) foutant

en se contrefoutant
peu ragoûtant
(sale) (un) **dégoûtant**
(ruisselant)
en dégouttant
déroutant
froufroutant
cela sous-tend
envoûtant

mercaptan
(un) acceptant
(un) adoptant

(ainsi) partant

(coureur) (un) partant
(disposé) être partant
en se départant
en repartant
(étoffe) tartan
(revêtement, n. dép.)
Tartan
sertão
concertant
déconcertant
réconfortant
(anse) un portant
bien/mal portant
important
autoportant

TAN

91. AN

(un) sortant
en ressortant
pourtant

le Rajasthan
constrastant
nonobstant
(Luc) Estang
cabestan
contre-/manifestant
le Daghestan
le Turkestan
(le) restant
prestant
protestant
(un) constestant
le Béloutchistan

(éloigné) **distant**
(il étire) il distend
équidistant
le Kurdistan
le Pakistan
l'Ouzbékistan
le Tadjikistan
l'Afghanistan
le Turkménistan
Tristan
attristant
assistant
maître-assistant
subsistant
insistant
consistant
inconsistant

persistant
(un) résistant
le Kirghizistan
existant
préexistant
inexistant
(imminent) péril instant
(moment) un **instant**
(Edmond/Jean) Rostand
(Benjamin) Constant
constant
inconstant
l'Hindoustan
mangoustan
bantoustan
le Tatarstan
le Kazakhstan

sextant

(un) **débutant**
rebutant
(pantalon, arg.)
un culbutant
exécutant
percutant
(un) mutant
permutant
transmutant

+ participe présent des verbes en -ter

sous-rime voisine
91.5 DAN

contre-assonances
333.20 TIN
456.20 TON

91.24 UAN

GLUANT
PUANT

chat-huant
évacuant
Golfe-Juan
un **don Juan**
(ennuyeux, rég.) erjuant
concluant
en incluant
en occluant
en excluant
fluent
(un) **affluent**
(un) effluent
défluent
diffluent
influent
confluent
GLUANT
(nouveau-né, arg.) un gluant
diluant
(un) polluant
(un) dépolluant
remuant
exténuant
insinuant
PUANT
(fromage, arg.) un puant
(Aristide) Bruant
(oiseau) un bruant
(crécelle) un bruant
congruent
truand
tonitruant
suant
tuant
fluctuant
(un) constituant
(un) reconstituant

+ participe présent des verbes en -uer

Je viens à toi, vibrante Elvire !
D'ombre et de bord mon âme vire !
Devant mon corps
vide et **gluant** !
Je jure !!!! cadavre **puant**,
Volatil !!!! et **tonitruant**,
Jusque dans l'au-delà **muant**,
D'aigle royal en **chat-huant**,
Mort et vif ivre, **saluant**,
De demeurer ton **Dom Juan**.

Francis Lalanne, « Elvire, IIe tableau, Vers figurés »,
Les Carnets de Lucifer

Quelle épouvantable découverte,
Que cette face bouffie et verte
Avec des vers dans sa bouche ouverte,

Que ces membres sans forme et **fluents**
Où ribotent ces hideux **truands**
Soûls de vins épais, noirs et **puants** !

Jean Richepin, « Long-j'y-vas »,
La Bombarde

Tout est baveux, tout est **gluant**
Dans cet amas d'horreurs immondes,
Dont, ô pestilences profondes,
Sort un hoquet rauque et **puant**.

Iwan Gilkin, « Transfiguration » I ,
La Nuit

Quand j'vois des tas de saligauds
D'bourgeois dont le ventre prospère,
J'me dis : pour bouffer des gigots
Comme eux, j'deviendrais bien l'compère
D'un' concierg' de la rue Ampère,
Mais j'ai peur d'lui faire un **gluant** ;
Je n'me vois pas dans l' rôl' de père,
Moi l'voyou chanté par **Bruant**.

Ernest Rieu, « Ballade du bon voyou »,
Douze douzains de ballades françaises. 135

sous-rimes voisines
91.6 ÉAN
91.18 OUAN
91.25 VAN

contre-assonances
333.21 UIN
244.20 UEUX
214.22 UÉ

❐ *484 [Vialatte]*

91.25 VAN

91. AN

VENT

(panier) un van
(fourgon) un van
il **vend**
le VENT

l'/en **avant**
(religion) l'avent
en-avant
abat-vent
moulin-à-vent
dorénavant
paravent
auparavant
aggravant
dépravant
(un) **savant**
passavant

(feu follet, rég.)
pîpîvanvan

évent
Bénévent
en **rêvant**

le/être **devant**
(devoir) en devant
en redevant
ci-devant
au-devant
soleil **levant**
(l'Orient) le Levant
engoulevent
îles Sous-le-Vent
en soulevant
en re/pleuvant
neuf ans
tourne-vent
coupe-vent
il revend
crevant
contrevent
en/être **décevant**
en recevant
Pincevent
en concevant
en percevant
en entr/apercevant
brise-vent
porte-vent

(tsar) Ivan
(prénom) Yvan
divan
récidivant
salivant

connivent
arrivant
abrivent
en dé/r/écrivant
en re/transcrivant
en prescrivant
en ré/inscrivant
en proscrivant
en circonscrivant
en souscrivant
Érivan
motivant
démotivant
captivant
estivant
(prochain) au/(le) suivant
(selon) suivant
ensuivant
(un) **poursuivant**
du/être **vivant**
en revivant
en/(un) **survivant**

plein-vent

solvant
en absolvant
en/(un) dissolvant
en résolvant

auvent
vol-au-vent

convent

(cloître) un **couvent**
(couver) en couvant
en/être **mouvant**
en/être **émouvant**
en promouvant
en **pouvant**
éprouvant
souvent

fervent
énervant
en/(un) servant
en/(un) desservant
en resservant
le Morvan
il survend

en **buvant**
îles du Vent
adjuvant
(abrivent) tue-vent

+ participe présent
des verbes en -ver

sous-rime voisine
91.8 FAN

contre-assonances
333.22 VIN
456.22 VON

Le bruit si doux du ***Temps*** qui passe
L'avez-vous écouté **souvent**
Tout en sourire il vous enlace
Vous charme vous tire en **avant**
Vous brise et ***pourtant*** vous délasse
Il va vient joue et court **devant**
Et l'on s'amuse en **percevant**
Le bruit si doux du ***Temps*** qui passe
[...]
Mais il ne veut qu'on se prélasse
Le ***Temps*** s'en va comme le **vent**
Il court il court et vous harasse
Où allons-nous en le **suivant**
Que diable asseyons-nous de grâce
Mais aussitôt nous **relevant**
Nous voici toujours **poursuivant**
Le bruit si doux du ***Temps*** qui passe

Pierre Albert-Birot, « La Ballade du Temps qui passe »,
Les Amusements naturels

C'est l'instinct du marcheur qui pousse en **avant**.
Il ne voit même pas les gens sur son passage.
Voilà bien trop longtemps qu'il connaît leur visage.
Il fonce, yeux mi-clos, fort de son air **savant**.

À la bouche il se coince un sourire en **bavant**.
Ses épaules, ses mains assurent le brassage
de la foule ; il sent vivre un nouveau paysage
Sous son pied ramolli qui se pose en **rêvant**.

Thieri Foulc, « De l'ivresse »,
Whâââh

Au gouffre **mouvant**
Qu'on vire ou dévire
Joyeux vaux-de-vire
Ou *Credo* **fervent**,

Fût-ce en **arrivant**
S'il faut qu'on chavire,
N'importe, navire,
Adieu vat ! Au **vent** !

Jean Richepin, « Au gouffre mouvant… »,
Dans les Remous. I in *Mes Paradis*

Est-ce la Sirène,
***Ces chants sous* Levant** ?
***Ses champs* soulevant**
Et seule, à Cyrène,

Eh ! Se lasse Irène
***Séchant saoule* ; vend**
***Seiche, anse ou le* van** ;
Hait ceux-là – ci, reine –

Daniel Marmié, « Comment, dans l'antique Libye… »,
Affaire de styles. 1 in *De la Reine à la Tour.*
Cent poèmes holorimes

Violons qui chantez sous les archets du **vent**,
Sureaux aux blanches fleurs, bleus et larges platanes,
Je vous retrouve à l'heure où mes rêves s'en ***vont***,
Et le vert déchirant des montagnes natales.

Tristan Derème, « Violons qui chantez… »,
La Verdure dorée. CXLVI

Ces gens qui se croient des Shakespeares
Ou rois des îles Baléares !
Qui, tels des condors, se ***soulèvent*** !
Mieux vaut le moindre **engoulevent**.

Alphonse Allais, « Rimes riches à l'œil »,
in *Les Poètes du Chat Noir*

❐ 94 [Cros] ; 115 [Aragon] ; 258.22 [Richepin]
266 [Béart]

92. AMBE

JAMBE
FLAMBE

Lycambe
viole de gambe
ingambe
ïambe/iambe
choliambe
choriambe
JAMBE
(100F, arg.) jambe
il enjambe
croc-en-jambe
entre-jambe
à mi-jambe(s)
(50F, arg.) demi-jambe
(toge malgache) un lambe
il FLAMBE
(il joue, arg.) la/il flambe
(feu; épée) une flambe
(carambouille, arg.)
une carambe
(choux) un crambe
(papillon) un crambe
dithyrambe

Celles au cœur profond, celles aux belles **jambes**,
Celles dont le sourire est subtil et méchant,
Celles dont la tendresse est un diamant qui **flambe**
Et celles dont les reins balancent en marchant [...]

Robert Desnos, « The night of loveless nights »,
Fortunes

L'incroyable c'est ça C'est ce qu'on ne voit pas
C'est l'ardeur d'un chiffon sous la pique clocharde
C'est du jasmin courant qui remonte des **jambes**
La laine s'inventant sous les doigts qui la cardent
C'est l'heure quand il faut que l'heure batte l'**iambe**

Léo Ferré, « Je parle à n'importe qui »,
La mauvaise graine

Encore un peu de temps, et d'autres ***langues*** **flambent**.
Quelle fusée et quel signal
à ras du ciel l'éclatement du feu central
jusqu'au bouquet du **dithyrambe** !

Luc Estang, « Le feu prend ou le miracle des langues »,
Les Quatre Éléments

Dans ce miroir incliné sur le lit,
Je vois ton corps pesant, tes belles **jambes**...
Le jour douteux répandu dans la ***chambre***
Luit sourdement, partout, comme un halo.

Francis Carco, « L'Éventail de Marie Laurencin »,
La Bohème et mon cœur

Passé le col, le chemin ***tombe***
Dans un val que fuient les bergers.
Le cœur s'affole à coups légers.
La terre s'accroche à vos **jambes**.

Jules Romains,
Pierres levées. VI

assonances
93. AMBLE
94. AMBRE
95. AMPE

contre-assonances
457. OMBE
335. IMBE
436. AUBE

❒ *95 [Rodenbach]*

93. AMBLE

TREMBLE
ENSEMBLE

un/il **amble**
(René) Étiemble
il TREMBLE
(arbre) un **tremble**
(il trébuche, rég.)
il s'entramble
il **semble**
il **assemble**
il **rassemble**
il désassemble
(un) ENSEMBLE
sous-ensemble
il **ressemble**
Nouvelle-Zemble

Je n'ai plus que les os, un squelette je **semble**.
Décharné, dénervé, démusclé, dépoulpé,
Que le trait de la Mort sans pardon a frappé :
Je n'ose voir mes bras que de peur je ne **tremble**.

Apollon et son fils, deux grands maîtres **ensemble**,
Ne me sauraient guérir ; leur métier m'a trompé.
Adieu, plaisant Soleil ! mon œil est estoupé,
Mon corps s'en va ***descendre*** où tout se **désassemble**.

Pierre de Ronsard, « Six sonnets de l'agonie »,
Les Quatre Saisons. 110

Saison des couleurs avenir
Sans force encore au jour **naissant**
Blême blessé que l'aube **assemble**
Quel songe dans le ciel **enjambe**
La nuit qui ne veut plus finir
Comme aux temps d'autrefois tu **trembles**
Nos cœurs disjoints vont toujours l'**amble**
......

Un printemps au printemps **ressemble**
Sans toi ce n'est qu'un souvenir
Notre printemps c'est d'être **ensemble**

Louis Aragon, « Le poème interrompu »,
Le Crève-cœur

Tremble ! tout pardonné je me dresse et je **tremble** !
affliction d'un dieu ! c'était avant ma mort !
le désir n'était plus : son image est le ***temple***
et la colonne blanche a les pieds dans mon sort.

Max Jacob, « Devant une colonne blanche d'Église »,
Derniers poèmes

Le sommeil et la mort sont mes thèmes fameux
L'un sans doute à l'autre **ressemble**
Et parfois on dirait qu'ils s'entendent entre eux
Pour que la mesure soit ***comble***.

Jean Cocteau, « Le sommeil et la mort... »,
Clair-obscur. XLVI

assonances	*contre-assonances*
92. AMBE	*458. OMBLE*
94. AMBRE	*359. UMBLE*
98. AMPLE	*483. OUBLE*
106. ANGLE	*537. UBLE*

❒ 110 [Lebesgue] ; 119 [Pérol] ; 216 [Cocteau] ; 359 [Queneau]

94. AMBRE

CHAMBRE

il/l'**ambre**
(framboise, rég.) une ambre
il **cambre**
(chapeau, arg.) un cambre
bois de la Cambre
les Sicambres
une CHAMBRE
(vin) il chambre
(il taquine) il chambre
préchambre
antichambre
gingembre
(luit, rég.) l'étang lambre
Delambre
membre
il démembre
il remembre
la Sambre
décembre
septembre
novembre

Enfermons-nous mélancoliques
Dans le frisson tiède des **chambres**,
Où les pots de fleurs des **septembres**
Parfument comme des reliques.

Tes cheveux rappellent les **ambres**
Du chef des vierges catholiques
Aux vieux tableaux des basiliques
Sur les ors charnels de tes **membres**.

Émile Nelligan, « Rêves enclos »,
Poésies complètes

Feuilles, tombez sous la fureur du vent
Et sous la pluie atroce de **novembre**.
Toute splendeur, à la fin, se **démembre**.
L'eau, trouble, perd son reflet décevant.
Ainsi s'en va tout mon bonheur d'avant.
[...]
J'ai tant vécu dans ton charme énervant,
Comme nourri de gâteaux de **gingembre**,
Comme enivré de vétyver et d'**ambre** !
Et, rassuré, je m'endormais souvent
Sur tes beaux seins, tiède ivoire vivant.
[...]
Et maintenant, seul comme en un couvent,
J'attends en vain le sommeil dans ma **chambre**,
Ta silhouette adorable se **cambre**
Dans ma mémoire. Et je deviens savant
À m'enivrer des drogues du Levant [...]

Charles Cros, « Drame en trois ballades » III,
Le Coffret de santal

Ô vous tous à qui je ***ressemble***
Avez-vous pas pitié de nous ?
Quels purs poètes sommes-nous ?
Au chaud musée de notre **chambre**,
......

AMBRE

Notre nombril marque le ***centre***
Et nous compulsons notre ***cendre***
Derrière nos verrous.

Charles Vildrac, « Commentaire »,
Livre d'amour

Rue d'Aigrefeuille, ô langoureux tourment !
Souvenir, tu te blottissais, tu cherchais l'***ombre***,
Tu respirais des fleurs d'automne sans odeur,
Des dahlias amers, des chrysanthèmes et ton cœur
S'ouvrait à la douleur, comme une rose de **septembre**
S'ouvre et ***tremble***, battue par la pluie et le vent.

Francis Carco, « Rue d'Aigrefeuille »,
La Bohème et mon cœur

assonances	*contre-assonances*
92. AMBE	*459. OMBRE*
93. AMBLE	*336. IMBRE*
104. ANDRE	*4. ABRE*
114. ANTRE	*538. UBRE*

❒ *92 [Carco] ; 99 [Fontainas] ; 116 [Jammes] ; 262 [Baron]*

95. AMPE-AMP°

LAMPE

hampe
il **campe**
il décampe
(rue Quincampoix, arg.)
la Quincampe
hippocampe
(il jette, rég.) il escampe
(Max) Elskamp°
(champagne, arg.)
du champ°/e
une LAMPE
(boire) il lampe
(pince) un clamp°
(chirurgie) il clampe
(il coïte, vx) il acclampe
cul-de-lampe
(d'escalier) une **rampe**
il **rampe**
crampe
(navire) un tramp°
une/il **trempe**
(raclée, arg.) une trempe
une/il détrempe
une/il retrempe
(vent du nord, rég.)
une cisampe
tempe
il attrempe
(techn.) il/une étampe
(ville) Étampes
la Gartempe
il/une estampe
(il trompe, arg.) il estampe
une vamp°
elle vampe

J'ai peur de la femme qui dort
Sur le canapé, sous la **lampe**.
On dirait un serpent qui mord,
Un serpent bien luisant qui **rampe.**

Je ne suis pas un homme fort,
Mais ce soir le sang bat ma **tempe**.
L'amour va bien avec la mort ;
Mon poignard, essayons ta **trempe**.

Charles Cros, « Sonnet »,
Le Collier de griffes

À fleur de toi sentir, battre ton pouls
me trouble plus qu'un ballet d'**hippocampes**
dans l'aquarium où je les vis debout
caracoler tels chevaux qui se **campent**.

Au bleu du poignet j'écoute les coups
du sang, le galop du cœur, sur la **hampe**
du bras, à la saignée un jusant doux
s'***épanche*** et je vois s'étoiler ta **tempe**.

Luc Estang, « Pouls »,
Corps à cœur. XXV

La poétique libérée c'est du bidon
Poète prends ton vers et fous-lui une **trempe**
Mets-lui les fers aux pieds et la rime au balcon
Et ta Muse sera sapée comme une **vamp**

Léo Ferré, « Art poétique »,
Poète... vos papiers !

Dans l'âtre noirci
Le bois pétille, gaîment ***flambe***
(Dans mon cœur aussi) ;
Il ajoute sa flamme à la **lampe**
Et les ombres sur le plafond,
En dansant, s'en vont...

Georges Rodenbach, « Les Lampes » V,
Le Miroir du ciel natal

assonances	*contre-assonances*
98. AMPLE	*337. IMPE*
92. AMBE	*460. OMPE*

❒ 258.11 [Fondane]
98 [Jacob] ; 316 [Salmon] ; 465 [Roubaud]

96. AMPF

Mein Kampf
Oberkampf
Kulturkampf

Sifflet. L'espace fuit ; l'heure lève le **camp. F** -
Ugit tempus. Une autre gare brille.
Gare de l'Est, Lancry, République, **Oberkampf**,
Richard-Lenoir, Bréguet-Sabin, Bastille.

Tristan Derème, « Poème du métro »,
Patachou petit garçon

Quand, un jour, il eut la nouvelle
De ceci, qui le fit rêver :
La vérité simple et totale,
Quelqu'un venait de la trouver.

Elle éclatait à chaque phrase
D'un livre nommé « **Mein Kampf** ».
Ceux qui douteraient de la chose
Iraient se soigner dans un ***camp.***

Jules Romains, « Herr Professor »,
Choix de poèmes

assonances
95. AMP-E
98. AMPLE

❐

97. AMPHRE

CAMPHRE

le CAMPHRE
(eau de vie, arg.)
verre de camphre
(s'enivrer, arg.)
il se camphre
(poisson pilote) le fanfre
(n'importe où, arg.)
tirer aux fanfres

Sous un dôme d'un blanc de **camphre**
Une dame, que fond l'été,
Avec un éventail de ***chanvre***
Rafraîchit son sein exalté.

Anna de Noailles, « Paysage persan »,
Les Éblouissements

assonances	*contre-assonances*
94. AMBRE	*15. AFRE*
104. ANDRE	*273. IFRE*
116. ANVRE	*347. INFRE*
119. ENFLE	*490. OUFRE*

❐ *347 [Maërl]*

98. AMPLE

TEMPLE

ample
(pot-pourri) un sample
(ficelles) un semple
TEMPLE
il **contemple**
exemple
contre-exemple

Toi qui de Rome émerveillé **contemples**
L'antique orgueil, qui menaçait les cieux,
Ces vieux palais, ces monts audacieux,
Ces murs, ces arcs, ces thermes et ces **temples**,

Juge, en voyant ces ruines si **amples**,
Ce qu'a rongé le temps injurieux,
Puis qu'aux ouvriers les plus industrieux
Ces vieux fragments encor servent d'**exemples**.

Joachim du Bellay, « Toi qui de Rome... »,
Les Antiquités de Rome. XXVII

Dieu fit suave et beau votre corps immortel :
Les ***jambes*** sont les deux colonnes de ce **temple**,
Les genoux sont la chaise et le buste est l'autel.

Et la ligne du torse, à son sommet plus **ample**,
Comme aux flancs purs du vase antique, rêve et court
Dans l'ordre harmonieux dont la lyre est l'**exemple**.

Germain Nouveau, « Le corps et l'âme »,
La Doctrine de l'amour

☞

AMPLE

Que le ciel ait pitié de mes ***tempes***
Où se barricade l'ennui,
Tuteur des enfants, je **contemple**
L'indifférence ennemie.

Max Jacob, « Le Veuf »,
Ballades

L'instrument d'Apollon ! Les colonnes du **temple**
Seraient-elles plusieurs cordes pétrifiées
Par la foudre ou par un sortilège des ***simples*** ?
(Herbes dont la vertu prête à se méfier.)

Jean Cocteau, « Cherchez Apollon »,
Poèmes 1916-1955

assonances	*contre-assonances*
93. AMBLE	*40. APLE*
95. AMPE	*302. IPLE*
106. ANGLE	*339. IMPLE*
99. AMPRE	*508. OUPLE*

❐ *99* et *339 [Vielé-Griffin] ; 40 [Montesquiou]*

99. AMPRE

PAMPRE

PAMPRE
il épampre

Eh quoi ! si gai dès le matin,
Je foule d'un pied incertain
Le sentier où verdit ton **pampre** !...
— Et je n'ai pas de Richelet
Pour finir ce docte couplet...
Et trouver une rime en ***ampre**.**

Gérard de Nerval, « Gaieté »,
Odelettes

*Note de Nerval : « Lisez le *Dictionnaire des Rimes* [de Richelet], à l'article AMPRE. Vous n'y trouvez que *pampre ;* pourquoi ce mot si sonore n'a-t-il pas de rime ? »

... Et nous remplirons tes paniers
De grappes mûres choisies aux **pampres**,
De raisins chers, gouttes lumineuses de marbre,
Scintillements d'or juteux et d'***ambre*** !
Et sous les frondaisons rousses des arbres
Nous cueillerons aux prés humides de ***septembre***
Le colchique aux nuances ***tendres***
Comme le temps et comme nos âmes.

André Fontainas, « Septembre »,
Crépuscules

Il semble que, déjà, bouillonne en vous le vin
Et qu'on respire la traîtresse griserie
Des cuves; qu'étirés en brumes d'or, vos **pampres**
Agrippent, dans leur songe, un horizon trop ***ample*** [...]

Francis Vielé-Griffin, « Saint-Martin le Beau »,
Le Domaine royal

Bacchus tumultueux enguirlandé de **pampre**
Auprès
De quelque Oreste plus orageux et plus ***âpre***,
Entouré d'Euménide et coiffé de cyprès.

Robert de Montesquiou, « Corda »,
Les Chauves-souris. CIX

assonances	*contre-assonances*
94. AMBRE	*41. APRE*
104. ANDRE	*172. ÈPRE*
98. AMPLE	*396. OPRE*
95. AMPE	*462. OMPRE*

❐

100. ANCE-ENS°

SILENCE

(d'un panier) anse
(marchands)
la Hanse/hanse

bombance
(il bat, rég.) il bourbance

vacance/vacances
fréquence
radiofréquence
hyperfréquence
séquence
en/une **conséquence**
inconséquence
(explication, arg.)
une expliquance
afrik(a)ans°
délinquance
éloquence
grandiloquence

chance
malchance

il/une **danse**
être dense
cadence
décadence
dépendance
indépendance
interdépendance
ascendance
transcendance
descendance
condescendance
tendance
intendance
surintendance
crédence
antécédence
contredanse
confidence
stridence
dissidence
incidence
coïncidence
subsidence
résidence
présidence
vice-présidence
outrecuidance
évidence
Providence/
providence
modern dance
abondance
surabondance
il **condense**
redondance
correspondance
concordance
discordance
(Jacob) Jordaens°
il mordance
impudence
la **prudence**

(poète) Prudence
imprudence
jurisprudence

béance
échéance
déchéance
doléance
des condoléances
suppléance
créance
séance
bienséance
préséance

enfance
défense
autodéfense
il/une **offense**

(Abel) Gance
il/une ganse
Bragance
extravagance
élégance
inélégance
il/une **manigance**
arrogance

il/une agence
engeance
tangence
vengeance
allégeance
une **régence**
la Régence
réfringence
astringence
contingence
indigence
obligeance
désobligeance
intelligence
inintelligence
mésintelligence
négligence
(zèle) diligence
(voiture) diligence
intransigeance
exigence
indulgence
Fulgence
dérogeance
émergence
vergence
divergence
convergence
urgence
résurgence

prégnance
répugnance

faïence
défaillance
Mayence
vaillance
croyance
incroyance

Sur la Terre, là-bas, en **France**
Et sur ce point nommé Paris,
Un gueux n'a pas même un radis
Pour se lester un peu la **panse**.

Pas un radis. En **conséquence**
Il crève au fond de son taudis,
En criant : Dieu, je te maudis !
C'est la nuit calme et le **silence**.

[...]
On te blasphème et l'on t'**encense**
Et jamais tu ne répondis,
Les mortels en sont ébahis,
Ce qui t'absous c'est ton **absence**.

Toi seule es, Nature, **Substance**,
Sans repos tu nous engloutis
Et toujours tu nous repétris
Pour la mort et la **renaissance**.

Jules Laforgue, « Litanies nocturnes »,
Premiers poèmes

Les labyrinthes du souci
et les signes d'**intelligence**
que le jour fait à la nuit
le sommeil sa fausse **vacance**
l'ennui qui nie miroir terni
la lampe éteinte de l'**absence**
le plaisir où je me délie
le travail où je me **dépense**
et l'amitié où je m'allie
la réflexion que je **devance**
le livre où je me relis
le poème qui se **condense**
dans les ténèbres à demi
de la chuchotante **présence**
que mon **absence** contredit
les vaines joies les vraies **souffrances**
demain qui menace aujourd'hui
je ne suis rien que la **patience**
qu'ont les vivants à être en vie

Claude Roy, « Mille morts »,
Mourir in *Poésies*

Que m'importe la **distance**
Que m'importe le lieu. Où
Que tu sois, toujours me **tend ce**
Fil qui m'enserre le cou.
Lacs d'amour, nœuds de **potence**.

Liliane Wouters, « Chanson de l'amour phénix »,
L'Aloès

Cette nuit de Janvier ta tombe sera ***blanche*** ;
Un ***ange*** va semer cette ***cendre*** en **silence**

Sur ta couche glacée et sur mon cœur aussi ;
C'est le pardon du ciel à la terre en **souffrance**.

Plus tard, ce fin pollen de songe et de souci
Filtrera goutte à goutte en ta prison de ***planches***

Jusqu'à tes yeux usés jusqu'à tes os moisis...

Philéas Lebesgue, « Cette nuit de Janvier »,
Arc-en-Ciel. III, LV

☞

ANCE-ENS°

voyance
im/prévoyance
clairvoyance
il/une ambiance
radiance
obédience
audience
bienveillance
malveillance
surveillance
il (se) fiance
défiance
méfiance
insignifiance
confiance
alliance
mésalliance
(temps de pluie, rég.)
mouillance
sapience
in/variance
brillance
in/expérience
luxuriance
science
patience
impatience
(plante) une impatiens°
impatience
prescience
efficience
déficience
omniscience
conscience
inconscience
insouciance
déviance

il/une **lance**
Lens°
il/une **balance**
(mouchard, arg.)
une balance
(astrolog.) la Balance
il (se) contrebalance
nonchalance
(chimie) la valence
(orange) une valence
(ville esp.) Valence
(ville franç.) Valence
bivalence
ambivalence
polyvalence
équivalence
in/vraisemblance
ressemblance
dissemblance
Coblence
il s'**élance**
précellence
excellence
préexcellence
(blennorragie, arg.)
une chaude-lance
(il contamine, arg.)
il enchaudelance
il/une **relance**
(parapluie, arg.)
un pare-lance

vigilance
free-lance
SILENCE
pestilence
rutilance
indolence
violence
non-violence
somnolence
équipollence
insolence
il forlance
ambulance
turbulence
féculence
truculence
succulence
opulence
corpulence
pulvérulence
virulence
purulence
flatulence
pétulence

(maison) un/e manse
(revenu) une mense
la Casamance
démence
véhémence
la **clémence**
(prénom) Clémence
inclémence
semence
il ré/ensemence
immense
Exelmans°
il **commence**
il **recommence**
(poème espagnol)
un romance
(chanson) une **romance**
(roman) il romance
dormance
contre-/performance
(Joris-Karl) Huysmans°
transhumance
accoutumance
désaccoutumance

rémanence
immanence
permanence
(compréhension, rég.)
comprenance
maintenance
contenance
il **décontenance**
lieutenance
soutenance
appartenance
prévenance
provenance
in/convenance
disconvenance
souvenance
ressouvenance
survenance
Magnence

Pourtant y reverrai-je de son vol la moindre ***trace***,
migrateur intrépide, migrateur qui me **devances**
au cœur de l'Ailleurs vague qu'assigne seul le Destin
et que seul délimite ton caprice d'inconstant ?

Jean-Joseph Rabearivelo, « Fuite éperdue et brusque... »,
Chants pour Abéone in *Poèmes*

Ô les sentiers où, sans bouger, j'**avance** !
Et ces forêts où loin de moi il m'enlise en des glaises,
En tire mon corps glissant ! Il me noue des **alliances**,
Sans épines, même avec les piquants et les ***ronces***.
Me fuyant, d'arbre en lac, il m'accroît sa **constance**.

Mes envieuses sœurs, savourez mes ***délices***.

Armand Robin, « L'amour absolu »,
Le Monde d'une voix

❐ 91.14 [Verlaine] ; 91.22 [Desportes] ; 121.18 [Noailles] ; 333.9 [Norge]
105 [Charpentreau] ; 340 [Jouve]

il/la **finance**
il cofinance
il s'autofinance
éminence
prééminence
proéminence
imminence
dominance
prédominance
luminance
désinence
in/continence
im/pertinence
abstinence
il/une ordonnance
il/une assonance
contre-assonance
dissonance
consonance
résonance
alternance

(ventre) une **panse**
(il soigne) il panse
(il songe) il **pense**
il/une **dépense**
il **repense**
il compense
il décompense
il/une **récompense**
il/une dispense
suspense

être **rance**
(fleuve) la Rance
il/une **carence**
il/la garance
duc de Clarence
apparence
transparence
(feindre, rég.) faire crance
errance
aberrance

protubérance
exubérance
adhérence
prépondérance
déférence
il/une référence
auto-référence
préférence
inférence
différence
indifférence
conférence
circonférence
interférence
gérance
non-/ingérence
belligérance
in/tolérance
inhérence
in/cohérence
in/tempérance
espérance
cap de
Bonne-Espérance
désespérance
il sérance
déshérence
Térence
vétérance
révérence
irrévérence
persévérance
(prénom) France
la **France**
(survivre, rég.) faire france
(Anatole) France
Île-de-France
Fort-de-France
Marie-France
souffrance
flagrance
fragrance
attirance

Laurence
(D.H.) Lawrence
(d'Arabie) Lawrence
(ville) Florence
(prénom) Florence
(crin) la florence
ignorance
(erreur, arg.)
il se/une gourance
(excellent, arg.) trans'°
une **transe**
remontrance
maistrance
monstrance
outrance
récurrence
occurence
il/la concurrence
la Durance
endurance
fulgurance
assurance
réassurance
délivrance

(redevance) cens°
(sensation) **sens**°
(direction) **sens**°
(ville) Sens°
croissance
décroissance
excroissance
il **encense**
absence
essence
pubescence
érubescence
in/décence
incandescence
recrudescence
turgescence
alcalescence
opalescence

ANCE-ENS°

adolescence
obsolescence
dé/in/tumescence
naissance
évanescence
renaissance
la Renaissance
sénescence
luminescence
connaisance
méconnaissance
reconnaissance
déliquescence
dégénérescence
arborescence
phosphorescence
efflorescence
inflorescence
fluorescence
putrescence
acescence
marcescence
lactescence
quintessence
il recense
contresens°
obéissance
désobéissance
magnificence
munificence
licence
réminiscence
jouissance

réjouissance
résipiscence
concupiscence
réticence
puissance
impuissance
toute-puissance
superpuissance
reviviscence
(Camille) Saint-Saëns°
faux-sens°
innocence
Maxence

aisance
bienfaisance
malfaisance
la plaisance
(ville) Plaisance
complaisance
présence
omniprésence
(ville) **Byzance**
(l'opulence, arg.)
c'est Byzance
médisance
in/suffisance
autosuffisance
luisance
nuisance
usance

il **tance**

latence
repentance
sentence
(vanité) jactance
(bavardage, arg.) jactance
Lactance
(nourriture, arg.) bectance
(préfecture, arg.)
la Préfectance
laitance
in/appétence
in/compétence
rouspétance
sous-traitance
(nourriture, arg.)
bouffetance
concomitance
intermittence
pénitence
impénitence
pitance
il/une **quittance**
intense
des accointances
potence
omnipotence
équipotence
impotence
(dépense, rég.) coutance
(ville) Coutances
(doute, arg.) doutance
partance
inadvertance

Hortense
portance
importance
stance
substance
prestance
il/une **distance**
équidistance
assistance
non-assistance
insistance
in/consistance
persistance
(cuisine, arg.) cuistance
subsistance
autosubsistance
résistance
existence
inexistence
préexistence
coexistence
non-existence
instance
la **constance**
(ville, lac) Constance
(prénom) Constance
inconstance
circonstance
(nourriture, arg.)
croustance

affluence
effluence

il/une **influence**
confluence
muance
il/une **nuance**
congruence

une/d'/il **avance**
il **devance**
redevance
(préventive, arg.)
prévence
(temps de pluie, rég.)
pleuvance
connivence
survivance
in/observance
la **Provence**
Jouvence/jouvence
mouvance

assonances
101. ANCHE
105. ANGE

contre-assonances
71. ASSE
340. INCE
464. ONCE

101. ANCHE-ANCH°

BLANCHE
BRANCHE

(d'instrument) une anche
(bassin) une **hanche**
(déhancher) il (se) hanche
banche
orobanche
(fourrage) canche
(fleuve) la Canche
(mésange, rég.) lardanche
il se déhanche
(il démolit, rég.)
il dégognanche
(il paie, arg.) il billanche
(terrain pentu, rég.)
une lanche
(Pierre-Simon) Ballanche
(il meurt, arg.)
un(e)/il calanche
palanche
Sallanches
avalanche
paravalanche
être BLANCHE
(femme; note) une blanche
(héroïne, arg.) la blanche
(prénom) Blanche
la Maison-Blanche
la mer Blanche

clenche
il enclenche
éclanche
il déclenche
(il faiblit) il **flanche**
(affaire, arg.) un flanche
(il tombe, rég.) il écoulanche
une **planche**
(il travaille, arg.) il planche
palplanche
(d'outil) un **manche**
(d'habit) une **manche**
(quêter) faire la manche
(idiot) un/être manche
(mer) la **Manche**
(la Mancha, Esp.)
la Manche
Don Quichotte de la Manche
il r/emmanche
il démanche
outre-Manche
dimanche
il s'endimanche
un Comanche
(langue) le romanche
(rivière) la Romanche
(population)
les Romanches
Arromanches
transmanche
(sonnette, arg.) sonnanche

Un arbre sans une **branche**
Un oiseau criant **dimanche**
L'herbe rase par ici

Des godasses pas **étanches**
Très peu d'atouts dans la **manche**
Une sauce à l'oignon frit

Un phono sur une **planche**
Un accordéon qui **flanche**
Des chats des rats des souris

Un vélo coupé en **tranches**
Un coup dur qui se **déclenche**
Des voyous des malappris

Un vague vive la **Franche**
Par un Auvergnat d'**Avranches**
Les Kabyles les Sidis

La putain qui se **déhanche**
Un passant séduit se **penche**
C'est cent sous pour le chéri

Des cheveux en **avalanche**
Des yeux non c'est des **pervenches**
Belles filles de Paris

Ma tristesse qui s'**épanche**
La fleur bleue ou bien la **blanche**
Et mon cœur qu'en a tant pris

Raymond Queneau, « Saint-Ouen's blues »,
L'Instant fatal. IV

☞

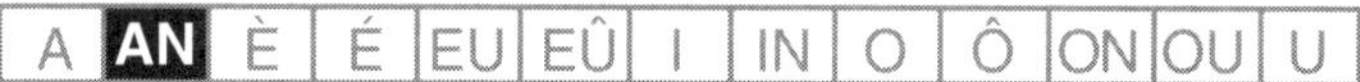

ANCHE-ANCH°

(corne de carte, arg.) il/une cornanche
(journée, arg.) journanche
(tournée, arg.) tournanche
il **penche**
il (s') **épanche**
(ferme) un ranch°
(échelon, rég.) une ranche
une BRANCHE
(il allume) il branche
il embranche
il ébranche
il débranche
(Nicolas) Malebranche
nudibranche
lamellibranche
franche
Villefranche
(il se chamaille, rég.) il se tiranche
une/il **tranche**

(tête, arg.) une tranche
(il coïte, arg.) il tranche
(il remarque, arg.) il détranche
il retranche
Avranches
Sanche
(poisson) tanche
(collecte, arg.) tanche
(préfecture, arg.) Préfectanche
(hermétique) être **étanche**
(il sèche; boit) il **étanche**
(il boit, arg.) il pitanche
(la bonne aventure, arg.) bonne fortanche
(bouteille, arg.) boutanche
(lutte, arg.) luttanche
il se/une **revanche**
(il dort, arg.) il rivanche
(fleur; couleur) **pervenche**
(contractuelle) pervenche

Il devint boxeur des **dimanches**
Tous les samedis il boxait
Et les autres jours il bossait
Comme cow-boy dans un **ranch**
Pour se payer les manuels
Traitant de la poésie cruelle

Boby Lapointe, « La fleur bleue contondante »,
Intégrale

Arbres, grands, inconnus, parmi toutes vos **branches**,
Marchant les bras muets et comptant chaque pas
Lorsque je promenais les tristes ***échéances***
Des poèmes rêvés que je n'écrivais pas
Quel vent soufflait les nuits avides de **revanches**,
Je cherchais à détruire par quelque ***déchéance***,
En déchirant ma voix aux écorces ***ardentes***

Jean Raine, « Réminiscence de poèmes perdus »,
Poèmes de jeunesse in *Œuvre poétique*

Il y avait aussi le jour des Innocents.
Le droit d'usage pour tous,
une fois l'an commémoré. Une joie **franche**,
au défaut des contraintes. L'eau ***fraîche***,
entre les deux arbres jaillie. C'est en mai.

André Frénaud, « Les Bois-francs »,
Depuis toujours déjà

assonances
100. ANCE
105. ANGE

contre-assonances
5. ACHE
125. ÈCHE
341. INCHE
465. ONCHE

❒ 121.11 [Aragon] ; 211 [Braffort]
105 [Montherlant] ; 341 [Jouet]

102. ANCRE

ANCRE
ENCRE

(rivière) l'Ancre
il/une ANCRE
il/une ENCRE
(élève nul) un **cancre**
(crabe) un cancre
un **chancre**
(il mange, arg.) il chancre
il **échancre**
maréchal d'Ancre
(ligne de fonds) il/une palancre
il désancre

Je me fais un sang d'**encre**
Et j'écris ;
Je me perds en jets d'**ancre**
Et décris
Le vaisseau de mon **chancre** !
[...]
Dans ce mouroir je m'**ancre** !
Et mes cris
Sur la feuille où je m'**encre**
Sont proscrits
Tels cette rime... en **ancre**...

Francis Lalanne, « Je me fais un sang d'encre »,
Le Roman d'Arcanie

Aussi nul que tes élèves
Que le plus mauvais des **cancres**
Tu t'es perdu dans ta fièvre
Tu t'es noyé dans ton **encre**

Pierre Delanoë, « Le Mécréant »,
Paroles à lire ou poèmes à chanter

☞

ANCRE

Sournoisement gagne le **chancre**...
L'éperon du vaillant lutteur
Se désagrège avec lenteur
Sous la dent âpre qui l'**échancre**.

Boris Vian, « Hellade »,
Cent Sonnets

Propos en l'air magique image ***écran*** et **encre**
Et peau papier paupière c'était tout un quand
Sonnait creux la dernière heure fini de can
Caner hé hé le fondement de rire à **en cr**

Ever m'échappait bien quarante-huit fois par **an cr**
Ucialement blessé en plein ovale d'***en***
Tre fleuves je rapportais le livre en ***souffran***
Ce de mon règne abrégé (pourtant rien ne **manque**) **r**

Ésumé [...]

René Belletto,
Loin de Lyon. XLIV

Ta cicatrice au flanc ne cesse de pourrir.
La vie blessée titube en se tenant le ***ventre***
Et le rêve soudain prend la couleur de l'**encre**.

Albert Ayguesparse, « Tu es venue trop tôt »,
Poèmes

Avant la messe journalière
Sous l'éventail de mes paupières
Telle est mon absurmutité
Qu'aucun bruit ne peut me ***convaincre***
Qu'au sommeil on n'est plus à l'**ancre**.
Hors de mon lit et de la ***chambre***
Coagulés esprits et ***membres***...

Max Jacob, « Document »,
Ballades

assonances	*contre-assonances*
94. AMBRE	*8. ACRE*
104. ANDRE	*343. INCRE*
114. ANTRE	*365. OCRE*
111. ANQUE	*540. UCRE*

❐ 119 [Queneau]

103. ANDE-AND°

GRANDE

(handball) le hand°
(montagnes) les **Andes**
(troupe) une **bande**
(lien; raie) une bande
(gîter) donner de la bande
(il tend) il **bande**
(en érection) il bande
sarabande
(il ôte une bande) il débande
(sans érection) il débande
(il se disperse)
il se débande
prébende
contrebande
plate-bande/
platebande
salbande
citizen band°

multiplicande

Samarkand°/
Samarcande
il **scande**
il/une **marchande**
dividende
il appréhende
qu'il **fende**
qu'il **défende**
qu'il refende
qu'il pourfende
propagande
(il vagabonde, Belg.)
il baligande
il/une brigande
(il se dandine)
il se dégingande
(récit) une **légende**
(inscription) il/une légende

Brocéliande
friande

Deux Chevaliers Flamands de Bretagne la **grande**
M'ont pris avant que d'être où je ne fus jamais,
La guerre y est cruelle, il est vrai que la paix
(J'en crois feu mon compère) en tout temps y **commande**.

L'aveugle y aperçoit l'invisible **friande**,
Qui a les reins rompus, qui porte bien le faix,
Qui est chauve du tout, qui a le poil épais,
Qui ne veut être ouïe, et qui veut qu'on l'**entende**.

Marc Papillon de Lasphrise,
Diverses poésies. LXXIX

Dans la cordillère des **Andes**
Au fond des **grandes** forêts
Vont les Coatis en **bandes**
En grognant dans les fourrés.
[...]
On entend jusqu'en **Islande**
On entend jusqu'en Corée,
Zélande, **Nouvelle-Zélande**,
Hollande,**Courlande**,**Irlande**,
Ostende, **Mende**, **Marmande**,
......

ANDE-AND°

il affriande
la **viande**
(il se tue, arg.) il se viande
(il trompe, arg.)
il enviande
hache-viande
presse-viande
(brancard, arg.)
un porte-viande

un land°
une **lande**
les Landes
les calendes
chalande
il achalande
Lalande
(n. déposé) Disneyland°
îles Falkland°
Auckland°
Friedland°
Zélande
Nouvelle-Zélande
houppelande
une glande
(il traînasse) il glande
(il trompe, arg.)
il englande
Thaïlande
(État) Maryland°
(tabac) du maryland°
dixieland°
Finlande
Groenland°
Hollande
(fromage ; papier)
du hollande
Yolande
Rolande
(il travaillote, rég.)
il arlande
(il bricole, rég.) il berlande
Nederland°
hinterland°
Irlande
guirlande
(il enjolive)
il enguirlande
(il engueule)
il enguirlande
Courlande
Islande
Long Island°
no man's land°
îles Shetland°
(tissu) du shetland°
Jütland°

il **mande**
(ville) Mende
(graine) une **amande**
(contravention)
une amende
(il se corrige)
il (s') **amende**
(une) flamande
il ramende
il **demande**
il redemande

(une) **allemande**
(parle l'allemand, rég.)
il hallemande
il quémande
limande
une/il **réprimande**
une/il **commande**
(usufruit) une commende
il décommande
une/il télécommande
il recommande
radiocommande
(une) romande
Armande
(ville) Marmande
(faire merveille, rég.)
faire marmande
confirmande
normande
une **gourmande**
(gronde) il gourmande

(il travaillote, rég.)
il guinande
Fernande

qu'il **pende**
qu'il appende
qu'il épande
(décroche) qu'il dépende
(appartient) qu'il dépende
qu'il répande
qu'il repende
il **vilipende**
qu'il suspende

(monnaie) le rand°
qu'il **rende**
(un goûter, rég.)
il/une marande
Chamarande
brande
Guérande
opérande
révérende
tisserande
offrande
GRANDE
(girandole) une girande
(il se chamaille, rég.)
il se tirande
jurande

(George) Sand°
il transcende
qu'il **descende**
qu'il redescende
qu'il condescende

(il se corrompt)
viande qui se faisande
(il trompe, arg.) il faisande
Mélisande

(ville) Tende
qu'il **tende**
qu'il **attende**
(bagarre, rég.) battande
qu'il **entende**

Tende, **Villessèquelande**,
Samarkand, **Chamarande**,
Jutland, **Betchouanaland**,
Jusqu'au département des **Landes**,
Du fond des **grandes** forêts
De la cordillère des **Andes**,
Les grands Coatis grogner.

Jacques Roubaud, « Le Coati Sociable »,
Les Animaux de personne

Armée que nul ne **commande**,
Qui a brûlé ses drapeaux,
Pas une armée, une **bande**.

C'est bien plus loin sur la ***pente***
Qu'est le chemin du repos.
Continuez à ***descendre***.

Jules Romains, « L'Armée des morts »,
Choix de poèmes

Est-ce la route des ***Indes*** ?
Dans ma poitrine grince l'équipage.
Le zodiaque soudain émeut son engrenage
Sur l'impondérable coupole des **Andes**.

Alfredo Gangotena, « Le Solitaire »,
Poèmes français

Les poètes, dis-tu, qui contemplent, qui dans
Le secret de leur cœur reconstruisent le ***monde***,
Peignent de vains décors sur des coques d'**amande**.

Tristan Derème, « Tu n'aimes pas les vers… »,
La Verdure dorée. CXIX

Je me **demande**
Souvent pourquoi
Tu montres **tant de**
Mauvaise foi
Et j'**appréhende**
Ces moments-là

Charles Aznavour, « Tu nages en plein délire »,
Un homme et ses chansons

❐ 214.7 [Moustaki]

qu'il sous-entende
qu'il étende
qu'il détende
qu'il **prétende**
qu'il retende
stand°
qu'il distende
Ostende
qu'il sous-tende

une/il truande

qu'il **vende**
(Slaves) les Wendes
(bûcher, rég.) chavande
lavande

qu'il revende
provende
qu'il survende

assonances
104. ANDRE
113. ANTE
92. AMBE

contre-assonances
10. ADE
345. INDE
468. ONDE

104. ANDRE

CENDRE
TENDRE

la Dendre
Léandre
(laurier rose) oléandre
(détour) un méandre
(fleuve) le Méandre
fendre
scaphandre
défendre
refendre
pourfendre
gendre
il **engendre**
Legendre
polyandre
(canaille, rég.) un/e pillandre
Périandre
coriandre
(machine à lustrer)
il/une calandre
(alouette) une calandre
(dermatose) une malandre
(mauvais sort, rég.)
une malandre
esclandre
bélandre
les/la **Flandre(s)**
(toile d'araignée, rég.)
des filandres
le Scamandre
salamandre
Anaximandre
Ménandre
(androgyne) (un/e) gynandre
monandre
pendre
appendre
épandre
(appartenir) dépendre
(décrocher) dépendre
répandre
rependre

(fougère) scolopendre
(mille-pattes) **scolopendre**
Terpandre
suspendre
rendre
prendre
apprendre
r(é)apprendre
désapprendre
s'éprendre
se dépendre
méprendre
reprendre
entreprendre
comprendre
surprendre
la CENDRE
(rendre gris) il cendre
(poisson) la/le sandre
(roi) Cassandre
(prophétesse) Cassandre
(dulcinée) **Cassandre**
(vieillard sot) un cassandre
descendre
redescendre
condescendre
palissandre
Alexandre
Sévère Alexandre
être TENDRE
(raidir) **tendre**
pays/carte du **Tendre**
attendre
entendre
sous-entendre
s'**étendre**
détendre
prétendre
retendre
(amoureux) Clitandre
sous-tendre
distendre
vendre
revendre
Port-Vendres
survendre

Je voudrais bien richement jaunissant
En pluie d'or goutte à goutte **descendre**
Dans le giron de ma belle **Cassandre**,
Lors qu'en ses yeux le somme va glissant.

Puis je voudrais en taureau blanchissant
Me transformer pour sur mon dos la **prendre**,
Quand en avril par l'herbe la plus **tendre**,
Elle va, fleur, mille fleurs ravissant.

Pierre de Ronsard, « Je voudrais bien… »,
Amours de Cassandre. XX in *Les Amours*

Carêmentrant peut changer sans **esclandre**,
Une fois l'an, Thersite en **Alexandre**,
Mais qu'à Noël le beau premier gredin
Se croie encor poète ou paladin,
Foi de Bourgoing, c'est à n'y rien **entendre**.

Oisons, singez rossignol et **calandre**,
Roussin perclus de rogne et de **malandre**,
Copie Alfane, et fais sous le gourdin
Carêmentrant !

Mais quant à voir en tout temps se **répandre**,
Enguirlandé du laurier de **Terpandre**,
Un sot qui n'a pour les vers que dédain,
Holà ! C'est trop, grimaud et baladin :
Jetez le masque, et tôt qu'on mène **pendre**
Carêmentrant !

André Mary, « Du Carnaval perpétuel »,
Les Rondeaux. XXVIII

Ah ! qu'est ce que je fais, ici, dans cette ***chambre*** !
Des vers. Et puis, après ? ô sordide limace !
Quoi ! la vie est unique, et toi, sous ce **scaphandre**,
Tu te racontes sans fin, et tu te ressasses !
Seras-tu donc toujours un qui garde la ***chambre*** ?

Jules Laforgue, « Complainte d'un autre dimanche »,
Les Complaintes

Même amère, magique et louche,
elle avait un goût d'acier **tendre** ;
moi un flingue froid dans la bouche.
Suffit de pas tirer pour s'**entendre**,
suffit de frotter pour **apprendre**
l'amour et ses millions de couches...
On s'est couchés pour se **comprendre**
de la terre au ciel, du cœur au ***ventre***...

Philippe Léotard, « Drôle de Cocaïne »,
Portrait de l'artiste au nez rouge

Peu t'importe, vagabond,
Que le mur tienne ou s'***effondre***.
Ta joie a le goût de **cendre**.
Ils t'ont guéri d'être bon.

Jules Romains,
Pierres levées. XVIII

assonances
94. AMBRE
114. ANTRE

contre-assonances
346. INDRE
469. ONDRE

❒ 121.13 [Nerval] ; 1.16 [Carfort] ; 435.16 [Aragon]
103 [Romains] ; 116 [Rousselot] ; 346 [Prévert]

105. ANGE

ANGE
ÉTRANGE

un ANGE
(prénom) Ange
cange
Du Cange
alkékenge
archange
le/il **change**
il/un **échange**
libre-échange
(de remplacement)
il/de **rechange**
(commerce)
un rechange
il/une **vendange**
il/une vidange
la **fange**
(+comp.) fends-je?
défends-je?
alfange
le **Gange**
il/un **lange**
challenge
(os) **phalange**
(groupe) phalange
Michel-Ange
il/un **mélange**
Martellange
Solange
il/la boulange
Coulanges
il **mange**
mens-je?
il démange
il remange
il s'entre-mange
il/une **louange**
rotr(o)uenge
(+comp.) pends-je?
(r)épands-je?
je **range**
rends-je?
il **arrange**
il réarrange
il **dérange**
il/une **frange**
il effrange
grange
Lagrange
il engrange
(fruit) une **orange**
(couleur) un orange
(ville) Orange
(fleuve) l'Orange
sporange
(+comp.) prends-je?
ÉTRANGE
signal de Botrange
(+comp.) sens-je
il essange
re/descends-je?
condescends-je?
mésange
losange
Serémange-Erzange
(+comp.) tends-je?
Saint-Ange
(coiffure) fontange
duchesse de Fontanges
il (se) **venge**
(+comp.) vends-je?
Marange-Silvange

Il est de chastes mots que nous profanons tous ;
Les amoureux d'encens font un abus **étrange**.
Je n'en connais pas un qui n'*adore* quelque **ange**
Dont ceux du Paradis sont, je crois, peu jaloux.

On ne doit accorder ce nom sublime et doux
Qu'à de beaux cœurs bien purs, vierges et sans **mélange**.
Regardez ! il lui pend à l'aile quelque **fange**
Quand votre **ange** en riant s'assied sur vos genoux.

Charles Baudelaire, « Il est de chastes mots… »,
Poésies de jeunesse

Une femme de vache à la tête d'**orange**
Étrange étrange étrange
Dérobait du susucre à un vétérinaire
Qui fabriquait un cercle avecque des **losanges**
Étrange étrange étrange
Lorsqu'il eut aperçu ce méfait sublunaire
Le bonhomme enleva sa tête de **rechange**
Étrange étrange étrange
Et s'assit sur un lit perpendicuculaire

Raymond Queneau, « S'amuser sans se fatiguer »,
Poèmes inédits 1919-1939

Ce soir, dans l'oasis où viennent les lions mangeurs d'**oranges**,
où rit une petite fleur effrontée, qui ne veut pas qu'on sache
[son nom,
où les étoiles lasses se seront posées sur les ***branches***,
ma Péri, ma Péri, nous nous arrêterons.
La sueur aura tracé sur toi cette ligne **étrange**
que la plus longue houle inscrit sur le rivage, pour être lue
[des alcyons.
On verra effleurer ta croupe, en d'insaisissables ***danses***,
ces petits vivants de lumière que les hommes appellent
[moucherons.

Henry de Montherlant, « Chants du Cavalier. I. La Péri »,
Encore un instant de bonheur

Alors la ***branche*** au vent qui ***balance lance en ce***
Jardin la première **mésange**,
Puis les pinsons, tous les oiseaux, **mes anges en je**
Ne sais quelle prière **étrange**.

Jacques Charpentreau, « Le bonheur du jour »,
La Poésie dans tous ses états

Des ascenseurs faisaient la ***danse*** des jets d'eau,
Ils descendaient comme des abaissements d'**ange**.
Peut-être que si elles sont si grandes, ***dis-je***,
Vois, c'est l'élan des ascenseurs qui les ***élonge***.

Puis ce fut nous pour la nuitée et clé tournée.
Fête soulève rituelle un rideau **rouge**
Comme elle fit dans la chambre pauvre à ***Zébruge***.

Marcel Thiry, « Régina »,
L'Encore

assonances
100. ANCE
101. ANCHE

contre-assonances
18. AGE
348. INGE
471. ONGE
492. OUGE

❒ 91.14 [Heredia] ; 121.4 [Noailles] ; 333.17 [Nouveau]
348 [Schehadé]

106. ANGLE

ANGLE
TRIANGLE
ÉTRANGLE
SANGLE

un ANGLE
(peuple) les Angles
équiangle
TRIANGLE
mangle
quadrangle
il ÉTRANGLE
il/une SANGLE
il **dessangle**
obtusangle
grand-angle
rectangle
triangle rectangle
trirectangle
rotengle
acutangle

VERSE TON ÂME QU'ON **ÉTRANGLE**
AUX TROIS VENTS FOUS DE TON **TRIANGLE**.

Alfred Jarry, « Le Sablier »,
Les Minutes de sable mémorial

Appose sur la pointe du **triangle**
à la limite du péché de ***sang le***
doigt de Ton Dogme, doux serpent et **sangle**.

Mioara Créméné, « Ange byzantin »,
Poèmes byzantins

Je les salue enfin comme s'il n'était plus
de deuils, morts les bourreaux, les échecs révolus,
et qu'à les regarder, ces **angles**, ces **archangles***,
je nous croie exemptés des longes et des **sangles**...

Jacques Audiberti, « La crèche »,
Rempart

* ces anges, ces archanges

J'adorerai premier le soutien du **Triangle**.
Je n'aurai pas le Chiffre à moins de vous avoir,
Principe, et je perdrai sans Vous le don des ***langues***
Et l'art de la lumière et le don d'émouvoir.

Gustave Lamarche, « Le Père a la vie en lui-même »,
Essences et figures in *Œuvres poétiques.* I

L'âme n'aurait plus peur
D'aller se perdre au loin,
Mais durerait, collant
Aux courbes et aux **angles**
Comme la chair à l'***ongle*** ;
Et contre les cloisons
Elle appuierait les flancs
De son bonheur ***aveugle***.

Jules Romains,
Un être en marche. IV

rumeur
de ***remugle*** de **mangles**
de coques déchirées

Aimé Césaire, « Configurations » 1,
Comme un malentendu de salut in *La Poésie*

assonances
93. AMBLE
108. ANGUE

contre-assonances
220. EUGLE
349. INGLE
472. ONGLE
546. UGLE

❒

107. ANGRE

(ville, plateau) Langres
(fromage) le langres
palangre

Qui a maison à **Langres**,
Il a château en ***France***.

Proverbe, d'après Agnès Pierron,
Dictons de langue française. III in *Dictionnaire de proverbes et dictons*

assonances
108. ANGUE
106. ANGLE
102. ANCRE

contre-assonances
350. INGRE
143. ÈGRE
279. IGRE

❒

108. ANGUE-ANG°

LANGUE

(boum!) **bang!°**
(aviation) un bang°
big(-)bang°
cangue
il/une écangue
les Chang°/Shang°
ladang°
(badaboum!, Can.)
béding-bédang!°
(boue, rég.) la fangue
(il s'embourbe, rég.)
il s'enfangue
(bande) un gang°
(enveloppe) une gangue
saint Chrodegang°
antigang°
watergang°
yang°
Yang-Tseu-Kiang°
Si-kiang°
kaoliang°
Poyang°
xiang°
(Fritz) Lang°
LANGUE
(calanque, Can.)
une calangue
métalangue
(cliquetis) clang!°
(claquement) schlang!°
(jeu langagier)
une virelangue
abaisse-langue
(bris) dégling! déglang!°
ylang-ylang°
(Tamerlan)
Tim(o)ur-Lang°
(argot, angl.) slang°
mangue
il/une **harangue**
(véranda) **varangue**
(marine) varangue
boomerang°
(selles sanglantes)
la caquesangue
linsang°
ginseng°
exsangue
(dynastie) les Tang°
(il vacille) il **tangue**
(sable vaseux, rég.) la tangue
spatangue
Li Tang°
rotang°
mustang°
Huang Gongwang°

assonances
111. ANQUE
106. ANGLE
105. ANGE

contre-assonances
474. ONG-UE
351. INGUE [ẽg]
296. ING [iŋ]
280. IG-UE

« Je n'ai pas de **langue** ! »,
S'affole la **Mangue**,
Devant Chat-Huant
Son agile soupirant
Qui, de discours en arguments,
La provoque et la **harangue**.

Et la **Mangue**
Sur sa ***branche*** **tangue**,
Tangue au bord de l'épuisement :
« Comprends, comprends, ô Chat-Huant,
Que ma parole est ***en-dedans*** ! »

Andrée Chedid, « Les tragiques amours de la mangue »,
Fêtes et lubies

Au pays du sucre et des **mangues**,
les pâles dames créoles
S'***éventent*** sous les **varangues**
Au pays du sucre et des **mangues**
Et zézaient de ***lentes*** paroles.

Paul-Jean Toulet,
Premiers vers. II

On s'fait des **langu's**
En Ford **Mustang**
Et **bang** !

Serge Gainsbourg, « Ford Mustang »,
Dernières nouvelles des étoiles

Ses cheveux sont une fumée
sa bouche suceuse est **exsangue**
son cou est à jamais coupé
mais ses deux bras sont une **cangue**

Michel Leiris, « La Néréide de la mer Rouge »,
Haut mal

Partout des gens assis dans des cafés, les ***banques***.
Nous parlions aussi peu que possible leur **langue**,
nous visitions les vieilles églises où Jésus-Christ
peint et cloué au mur jette son cri !

Benjamin Fondane, « J'ai fait escale dans les villes... »,
Ulysse in *Le Mal des fantômes*

Quand les ***anges*** tirèrent la **langue**
Les étoiles échangeaient les ***bagues***

René Char, « Mortatempa »,
Les Cloches sur le cœur

Big bang
King Kong
***Ying* Yang**
Ping Pong
[...]
Big bang
Dans l'ombre
La **gangue**
du monde

Pierre Delanoë, « Big bang »,
Paroles à lire ou poèmes à chanter

❐ *92 [Estang] ; 106 [Lamarche]*

109. ANKS

île de Banks
(ville) Fairbanks
(Douglas) Fairbanks
(celtique ; chat) manx
(Ranx-Xerox, n. dép.) Ranx
(Victor) Servranckx

Après pour se droguer on allait au ciné [...]
Parfois jouait Garbo, parfois c'était **Fairbanks**
Qui nous émerveillait comme la poudre ***blanche***
La nuit p'pa se grattait et maman sanglotait
Toujours me souviendrai des merveilleux ***dimanches***

Mouloudji, « Les Merveilleux Dimanches »,
Complaintes

assonances	*contre assonances*
111. ANQUE	*357. INX*
100. ANCE	*81. AX-E*
101. ANCHE	*479. ONX*

❐ 479 [Gainsbourg]

110. ANLE

BRANLE

(mauvais payeur, rég.) une canle
(se luxer l'épaule, rég.) il s'espanle
mettre en/le/il BRANLE
(masturber) il (se) **branle**
(danse) il/le branle
(encadrement) un **chambranle**
(chanceler, Can.) il chambranle
il **ébranle**
(quête au hasard, rég.) il tranle
(se vautrer, rég.) il s'évanle

À la fenêtre, un œil, noir d'un sale roman,
Scrute des deux côtés à la fois du **chambranle** :
Vers la ***chambre*** (on entend la voix triste qui ment)
Et vers les pavillons cyniques qui se **branlent**

Dans la compote des tilleuls...

Jacques Réda, « Août à Malakoff »,
Hors les murs

La solide Judith, femme que rien n'**ébranle**,
Pour chaque jour de la semaine a un ami,
Un le lundi, un le mardi, le mercredi,
Jeudi, vendredi, samedi.
Le dimanche, jour du Seigneur, elle se **branle**.

Jean-Claude Carrière,
Cent un limericks français. 77

Pavane où tu pavanes, **branle** où tu te **branles**,
Dansez, les bonnes gens, dansez, mais il ne faut
Que respirer, profondément respirer **dans le**
Profond silence où la mort aiguise sa faux.

Liliane Wouters, « Respirer, seulement respirer… »,
L'Aloès (Luneau Ascot)

Sous le trèfle blotti le petit lièvre ***tremble*** :
À quel étrange assaut a-t-on donné le **branle** ?

Philéas Lebesgue, « Le lièvre »,
La Corbeille du Soir in *Œuvres poétiques.* III

Annie-Claude Battendier
est assistante ***sociale***
depuis 12 ans, secrétaire
médico-sociale, ***avant***.
Née à Lyon 3e, dès
son ***enfance*** elle s'**ébranle**…*

Jacques Jouet, « Annie-Claude Battendier »,
107 âmes

* rime berrychonne : sociaLE + avANt = ébrANLE

assonances	*contre-assonances*
93. AMBLE	*25. ALE*
98. AMPLE	*223. EULE*
106. ANGLE	*442. AULE*

❐

111. ANQUE-ANK°

BANQUE
SALTIMBANQUE
MANQUE

(fesse, rég.) une anque
il/une BANQUE
(il trébuche, rég.)
il s'estrabanque
SALTIMBANQUE
eurobanque
(gâcheur, Alg.)
un pastafanque
une **calanque**
les Calanques
(obstacle) une palanque
(il soulève) il palanque
(Mexique) Palenque
(terre dessalée, rég.)
une salanque
(commère, rég.)
il/une clanque
(sur les flancs) il flanque
(il lance) il **flanque**
il (s') efflanque
il/une **planque**
(il sort, arg.)
il (se) déplanque
un/il MANQUE
(à la noix) à la manque
Salamanque
abbaye de Sénanque
(Otto) Rank°
(radoteur, rég.)
une barranque
(fou, arg.) (un/e) branque
(se cramponne, rég.)
il s'encranque
(prénom) Fran(c)k°
(César) Franck°
(Anne) Frank°
franke/franque
(bon à rien, Alg.)
un mangiafranque
tank°
pétanque

Je tourne mes yeux sottement épris
Vers ton corps lascif, que l'amour **efflanque**.
Car nous endurons un égal mépris,
Ô toi la danseuse ivre, ô moi la **saltimbanque**.

Renée Vivien, « Les Oripeaux »,
La Vénus des Aveugles in *Œuvre poétique complète*

J'ai beau le chasser de la **planque**
À coups d'injure, à coups de poing,
Sitôt qu'il s'enfuit, il me **manque**,
Je l'appelle, il revient de loin [...]

Géo Norge, « L'habitant »,
Le Stupéfait

D'un pôle à l'autre il n'y **manque**
Novgerod ni **Salamanque**,
l'alfa d'un billet de **banque**
ni le chanvre d'un drapeau.

Jacques Audiberti, « Je suis le sang de la terre »,
La Pluie sur les boulevards

Ô transparence des choses
Quand la lumière n'y **manque**

– Comme dans l'eau des **calanques**
L'éclat des daurades roses !

Jean-Claude Renard, « Habitation de la mort » 6,
La Terre du sacre

Tant de sévères silences et de **manques**
Tant de mouvements impairs t'ont travaillé
Au point que tu prends peur de parler ta ***langue***
Un peu trop tard sur le sol bouleversé...

Pierre Jean Jouve, « Aveu »,
Mélodrame

La liberté sans ***fric***, c'est le gandin sans ***frac***,
Le puritain sans ***froc*** et le César sans **Franck**...
Le bonheur est toujours neuve idée en Europe,
Malgré le téléfax et le cinémascope.
Y en a marre à la fin de ces pithécanthropes,
Ces escrocs en col blanc, et tous ces **saltimbanques**.

André Blavier,
Le Mal du pays ou les travaux forc(en)és [v. 1647-1652]

assonances
108. ANGUE
103. ANDE
113. ANTE

contre-assonances
475. ONQUE
353. INQUE
44. AQUE
306. IQUE

❐

112. ANTCHE-ANCH°

(hameçon, Alg.) un gantche
(il accroche, Alg.)
il engantche
ranch°

assonances
101. ANCH-E
113. ANT-E

contre-assonances
74. ATCH-E
324. ITCH-E

113. ANTE-ANT°

CHANTE

noms-adjectifs et verbes

(pilier) une ante
(greffe) il/une ente
il **hante**

corybante

(pruderie, angl.) le cant°
(Emmanuel) Kant°
une (feuille d') **acanthe**
(prêtresse) **bacchante**
(moustaches)
des bac(ch)antes
un cœlacanthe
il décante
(il pratique) il **fréquente**
(commune) **fréquente**
(une) sécante
cosécante
trafiquante
(port) Alicante
(vin) l'alicante
partie alicante
fabricante
(une) pratiquante
(une) délinquante
cinquante
il/la brocante
(paysanne) une croquante
(croustillante) croquante
(montre, arg.)
une toquante/tocante

il CHANTE
il **enchante**
il désenchante
il déchante
(une) **méchante**
il rechante

Dante
(musique) (un) andante
(technique) il endente
mandante
(une) descendante
malentendante
intendante
surintendante
il édente
(une) cédante
(une) **pédante**
confidente
il accidente
(une) incidente
(habitante)
(une) résidante
(étrangère)
(une) résidente
vice-/présidente
(courrier)
correspondante
(en rapport)
correspondante
(une) perdante

(une) **impudente**
(une) **prudente**
(une) **imprudente**

(une) **géante**
Cléanthe
(une) suppléante
il/(une) **fainéante**
(une) mécréante

fente
il **enfante**
éléphante
infante
sycophante
Diophante
(prêtre) orgiophante
hiérophante

il (se) **gante**
gomme/l'adragante
(une) **extravagante**
il (se) dégante
(une) **élégante**
délégante
(agitée, rég.) bouligante
(aventurière)
(une) **intrigante**
(curieuse) intriguante
(une) navigante
(une) wallingante
(une) flamingante
(balancer, rég.)
il chargante

(race) la gent°
(de roue) une jante
co/partageante
il déjante
(une) **tangente**
cotangente
sous-tangente
il/une **régente**
(une) indigente
(une) négligente
il diligente
Agrigente
(une) dirigeante
(il limite) il contingente
(fortuite) **contingente**
il (s') **argente**
il réargente
il désargente

(une) **gagnante**
aide-soignante
(une) **feignante**
(une) plaignante
(une) **enseignante**
(une) épargnante

détaillante
(une) **croyante**
(une) incroyante
(une) non-croyante
(médium) (une) **voyante**
(visible) **voyante**
(une) imprévoyante
malvoyante

Vu le soin ménager dont travaillé je suis,
Vu l'importun souci qui sans fin me **tourmente**,
Et vu tant de regrets desquels je me **lamente**,
Tu t'ébahis souvent comment chanter je puis.

Je ne **chante**, Magny, je pleure mes ennuis,
Ou, pour le dire mieux, en pleurant je les **chante**,
Si bien qu'en les chantant, souvent je les **enchante** ;
Voilà pourquoi, Magny, je **chante** jours et nuits.

Joachim du Bellay, « Vu le soin ménager… »,
Les Regrets. XII

Les cloches ne sonnent pas, mais sont **présentes**,
Un bâillon sur leurs bouches **bourdonnantes**.
Quelque chose craint en elles que l'on **chante**
Quelque chose dans le bronze craint qu'il **vente**
Trop fort ! Mais un léger souffle les **hante**
Et fait le tour de leurs ***hanches*** **contentes**,
Larges, **lentes**, **puissantes**, **patientes**,
Gardant la haine du sonneur aux mains **absentes**
Et couvant l'énorme repos où s'**enfantent**
Un ciel plus vrai, des âmes plus **ferventes**,
L'amour futur, une terre **plaisante**.

Jean Tardieu, « Cloches reposant »,
Monorimes in *Margeries*

Sûr ! faut que je **chante**
Mon aubade à Lydie :
« Ô ma Lydie **tu hantes***
Mes rudes rêv' au lit
Dis ! Tu me **séduis en te****
Riant de mes ridicules. »

Boby Lapointe, « Aubade à Lydie en do »,
Intégrale

* tuante ** séduisante

j'ai foulé d'anciennes **sentes**
ma mort muette à mon bras
sans rencontre **intéressante**
et dirais-je sans émoi

mais où sont les rois d'***Irlande***
d'Armor et de Cornouailles
les princesses de brouillard
et les ***complaintes*** **errantes** ?

Jean-Claude Pirotte, « Chanson »,
La Vallée de Misère

Ciel où de mille oiseaux sourdait la mélopée
J'ai mâché de ton bleu les guipures **absentes**.
L'ortie avait saoulé de ses pâles ***absinthes***
Ma tête de mutin roulant dans l'épopée.

Albert Ayguesparse, « Le Temps des rossignols »,
Poèmes

Antéar carmacel volpur alvic **orante**
Finedis oblumen ravile ostramador
Molaine salamas tourmac **talamalente**
Affedice iperbouc altermadule udor.

Jean Cocteau, « Robot classique »,
Clair-obscur

❐ 67 [Foulc] ; 214.3 [Lamarche] ; 244.21 [Vivien]
114 [Robin] ; 355 [Alyn] ; 477 [Jacob]

ANTE-ANT°

non-voyante
adiante
mendiante
médiante
(une) **étudiante**
surveillante
il/une **fiente**
(une) **méfiante**
cliente
hélianthe
(une) suppliante
amiante
(rien, arg.) niente!
(diarrhée, arg.) la niente
ményanthe
farniente
communiante
il ébouillante
(épatante, rég.)
épastrouillante
variante
(il irise) il brillante
(splendide) **brillante**
périanthe
il **oriente**
il réoriente
il **désoriente**
(une) parturiente
(malade) une patiente
il/être **patiente**
il (s') /(une) **impatiente**
officiante
négociante
(une) **inconsciente**
(une) **insouciante**

(de pou) une lente
être **lente**
Marie-Galante
(il drague, rég.)
il pourgalante
(chanson, arg.) goualante
Atalante
redoublante
ailante
(protestation, arg.)
gueulante
(une) appelante
une (consonne) sifflante
il **ensanglante**
(chanson, arg.) beuglante
étoile filante
(insecte) un philanthe
(montre, arg.)
dégringolante
(une) **indolente**
il/(une) **violente**
(une) **insolente**
(vieille, arg.)
une croulante
(en ruine) croulante
(végétal) il/une **plante**
(des pieds) la plante
il déplante
il replante
il ré/implante
il transplante
il **supplante**
(une) déferlante

atlante
postulante

(manteau) une **mante**
(insecte) une mante
(ville) Mantes
(mentir) qu'il **mente**
(plante) la **menthe**
amante
(il soigne)
il médicamente
Rhadamanthe
il diamante
il se **lamente**
réclamante
Bramante
(magnétise) il aimante
(tendre) **aimante**
(démentir) qu'il démente
(folle) (une) **démente**
il agrémente
il cémente
il désaimante
il dé/réglemente
il **parlemente**
il ornemente
il paremente
il passemente
il mouvemente
il fragmente
il segmente
il pigmente
il **augmente**
il (se) sédimente
il enrégimente
il sur/sous-/alimente
il **complimente**
il bonimente
il **pimente**
Érymanthe
il expérimente
imprimante
il **cimente**
(assaisonne, rég.)
il acimente
Timanthe
il compartimente
il **commente**
il fomente
il sarmente
(ferment) il **fermente**
(qui ferme) fermante
il assermente
il/la **tourmente**
il documente
(chaussette, arg.)
fumante
il argumente
il instrumente

Nantes
(coiffure)
une permanente
(constante) permanente
une œnanthe
(par surprise, arg.)
à la surprenante
(détentrice) une tenante
séance tenante

lieutenante
contrevenante
intervenante
(montre, arg.)
dégoulinante
(une) dominante
sous-dominante
rhinanthe
rossinante
(une) **impertinente**
(stupidité, arg.) déconnante
nonante
(éducatrice)
une **gouvernante**
(dirigeante) gouvernante
(clef, arg.) une tournante
(qui pivote) tournante

(individu, arg.) un pante
(pantalon, arg.) un pante
(descente) une **pente**
parapente
qu'il se **repente**
à contre-pente/
contrepente
remonte-pente
(bataille de) Lépante
(une) participante
développante
soupente
il **arpente**
il/une **charpente**
(il sinue) il **serpente**
(papier) la serpente
(il effraie, rég.) il espante
suspente
(une) occupante

il/une **rente**
il arrente
(table, arg.) une ca(r)rante
(nombre) **quarante**
(prêt à combattre, arg.)
en carante/quarante
trente-et-quarante
Rembrandt°
Charente
déclarante
garante
(plante) la marante
(drôle) **marrante**
une/couleur **amarante**
(une) **parente**
(il allie) il s'apparente
(manifeste) apparente
(une) comparante
(port) Tarente
(lézard, rég.) une tarente
il warrante
une vibrante
il crante
(membre) une adhérente
(collante) adhérente
gérante
scléranthe
(serrure, arg.) serrante
vétérante
général Grant°
(Gary) Grant°

(une) migrante
(une) émigrante
(une) immigrante
(miroir, arg.) une mirante
(une) spirante
(candidate) une aspirante
pompe aspirante
orante
(une) **ignorante**
Sorrente
(diarrhée) la courante
(danse) la courante
(banale) **courante**
eau courante
(erreur, arg.) gourante
(une) mourante
(nombre) **trente**
concile de Trente
(autoroute)
une pénétrante
(sagace) pénétrante
impétrante
(canal d')Otrante
(une) concurrente
figurante

(sentier) une sente
(sentir) qu'il **sente**
remplaçante
soixante
(promeneuse)
une **passante**
(fréquentée) passante
(une) commençante
il s'/(une) **absente**
(chute) une **descente**
(chaste) **décente**
(une) convalescente
adolescente
(devine) qu'il pressente
(impérative) pressante
toute affaire cessante
qu'il ressente
(une) ressortissante
(une) bien-pensante
il/(une) **innocente**
qu'il consente
commerçante
le Xanthe

Zante
(une) patoisante
être/il **plaisante**
(être là) **présente**
(il montre) il **présente**
il **représente**
être/il **exempte**
hébraïsante
arabisante
gauchisante
(une) médisante
(une) italianisante
(une) germanisante
(une) hispanisante
(une) hellénisante
(une) **agonisante**
(une) japonisante
(une) communisante
(une) rhumatisante

(une) sympathisante
(une) cotisante
une déposante
(une) opposante
(une) composante
exposante

(tantine) une **tante**
(pédéraste, arg.) une tante
(abri) une **tente**
(il essaie) il **tente**
(pause) une **attente**
(il agresse) il attente
(lutteuse) une battante
(horloge, arg.) une battante
(violente) pluie battante
(une) combattante
(une) exploitante
(impôt) il/une patente
(flagrante) **patente**
(allumette, arg.) grattante
entente
arrière-/grand-tante
mésentente
représentante
octante
détente
(un/e) **dilettante**
commettante
il retente
habitante
débitante
(une) militante
(une) **pénitente**
(une) récitante
il intente
(une) chuintante
(une) consultante
(une) résultante
(une) impotente
votante
il/être **contente**
il/être **mécontente**
(nombre) septante
(bible) les Septante
(une) acceptante
(une) adoptante
contre-/manifestante
poste-restante
(une) protestante
assistante
maître-assistante
subsistante
(maquisard)
(une) résistante
(tenace) résistante
(grandeur) une constante
(assidue) **constante**
il (se) sustente
(une) **débutante**
exécutante
(une) mutante
permutante
écoutante

(assemblée)
la Constituante
(constitutive)
constituante

(il loue) il **vante**
(il souffle) il **vente**
(vendre) une **vente**
il s'**évente**
télévente
mévente
service après-vente
revente
arrivante
estivante
(domestique)
une **suivante**
(prochaine) **suivante**
(une) poursuivante
(une) survivante
il **invente**
il réinvente
résolvante
dépôt-vente
location-vente
il/une **épouvante**
servante
sirvente
survente

adjectifs féminins

flambante
probante
surplombante
nuit **tombante**
retombante
barbante
désherbante
absorbante
perturbante
titubante

claquante
(moribonde, arg.)
subclaquante
estomaquante
craquante
vacante
manquante
humeurs peccantes
fréquente
subséquente
conséquente
inconséquente
radicante
prédicante
claudicante
mordicante
communicante
paniquante
piquante
capricante
vésicante
urticante
intoxicante
(gaie, rég.) viquante
clinquante
convaincante
choquante
croquante
suffocante

éloquente
grandiloquente
provocante
marquante
coruscante

attachante
détachante
tranchante
alléchante
desséchante
aguichante
(excitante, arg.)
autichante
brochante
approchante
chevauchante
couchante
touchante
trébuchante

décadente
pétaradante
dégradante
(excitante, arg.) bandante
(amusante, arg.) fendante
commandante
pendante
dépendante
indépendante
interdépendante
ascendante
transcendante
condescendante
prétendante
plaidante
obsédante
précédente
antécédente
possédante
excédante
invalidante
intimidante
trépidante
stridente
dissidente
incidente
coïncidente
outrecuidante
évidente
(excitante, arg.) godante
accommodante
incommodante
corrodante
abondante
surabondante
fécondante
redondante
fondante
confondante
correspondante
grondante
contondante
ardente
regardante
emmerdante
débordante
concordante
discordante

mordante
tordante

béante
séante
messéante
bienséante
malséante

piaffante
coiffante
ébourriffante
chauffante
échauffante
triomphante
bouffante
(étonnante, arg.)
esbrou(f)fante
étouffante

extravagante
divagante
zigzagante
inélégante
(agitée, rég.) bouligante
intrigante
fatigante
défatigante
fringante
arrogante
(amère, rég.) amargante

engageante
rageante
enrageante
encourageante
décourageante
outrageante
changeante
arrangeante
dérangeante
obligeante
désobligeante
intelligente
inintelligente
affligeante
diligente
intransigeante
exigeante
réfringente
astringente
constringente
contingente
indulgente
plongeante
émergente
détergente
divergente
convergente
urgente
résurgente
ignifugeante

poignante
soignante
régnante
prégnante
contraignante
astreignante

saignante
répugnante

défaillante
saillante
assaillante
vaillante
flamboyante
ondoyante
blondoyante
verdoyante
rougeoyante
larmoyante
tournoyante
foudroyante
(scintillante)
poudroyante
chatoyante
autonettoyante
prévoyante
clairvoyante
ambiante
chiante
radiante
irradiante
expédiente
égayante
bégayante
gouleyante
payante
effrayante
attrayante
distrayante
seyante
grasseyante
bienveillante
malveillante
accueillante
rubéfiante
défiante
stupéfiante
liquéfiante
raréfiante
(ennuyeuse, arg.)
barbifiante
édifiante
acidifiante
fluidifiante
signifiante
insignifiante
qualifiante
amplifiante
lénifiante
tonifiante
lubrifiante
terrifiante
horrifiante
pétrifiante
purifiante
(calmante) dulcifiante
émulsifiante
(douloureuse) crucifiante
gratifiante
sanctifiante
bêtifiante
fortifiante
mortifiante
plastifiante
mystifiante

démystifiante
grâce justifiante
vivifiante
confiante
liante
humiliante
conciliante
défoliante
exfoliante
émolliente
pliante
dépliante
suppliante
anémiante
sémillante
fourmillante
bouillante
mouillante
grouillante
(épatante)
épastrouillante
gazouillante
démaquillante
riante
cariante
vicariante
contrariante
invariante
brillante
criante
souriante
expropriante
luxuriante
sciante
patiente
impatiente
vacillante
efficiente
déficiente
(attirante) alliciante
omnisciente
oscillante
consciente
balbutiante
asphyxiante
anesthésiante
(pleine d'ardeur, rég.)
vésillante
pétillante
frétillante
scintillante
sautillante
(vigoureuse, rég.)
vertillante
amnistiante
émoustillante
croustillante
fuyante
ennuyante
bruyante
déviante

lente
allante
ballante
emballante
nonchalante
(amusante, Alg.) tchalante
galante

ANTE-ANT°

(drôle, arg.)
poêlante/poilante
(étonnante, arg.)
époilante
râlante
péniche avalante
ambivalente
polyvalente
équivalente
plurivalente
monovalente
branlante
accablante
tremblante
ressemblante
meublante
troublante
bêlante
démêlante
excellente
chancelante
ruisselante
étincelante
harcelante
ensorcelante
pantelante
gonflante
ronflante
soufflante
époustouflante
sanglante
aveuglante
cinglante
sibilante
jubilante
filante
vigilante
horripilante
désopilante
vacillante
oscillante
pestilente
mutilante
rutilante
mirobolante
collante
dolente
(drôle, arg.) gondolante
affolante
flageolante
miaulante
affriolante
non-violente
sanguinolente
somnolente
équipollente
consolante
désolante
isolante
volante
coulante
roucoulante
foulante
(bavarde, rég.)
bagoulante
moulante
roulante
croulante
soûlante

parlante
hurlante
ambulante
turbulente
féculente
gesticulante
circulante
truculente
succulente
stridulante
modulante
ondulante
anti/coagulante
trémulante
stimulante
canulante
stipulante
opulente
corpulente
brûlante
quérulente
pulvérulente
virulente
purulente
flatulente
pétulante

diffamante
infamante
aimante
véhémente
clémente
inclémente
dirimante
déprimante
opprimante
calmante
assommante
charmante
alarmante
désarmante
fermante
dormante
endormante
déformante
performante
enthousiasmante
écumante
fumante
consumante
transhumante

ahanante
ricanante
(agréable, arg.) planante
rémanente
immanente
permanente
tannante
gênante
aliénante
traînante
entraînante
prenante
entreprenante
surprenante
séance tenante
attenante
avenante

prévenante
revenante
stagnante
dégoulinante
éminente
prééminente
proéminente
suréminente
imminente
discriminante
culminante
fulminante
prédominante
déterminante
ruminante
(économe, rég.) rapinante
enquiquinante
chagrinante
bassinante
fascinante
lancinante
hallucinante
avoisinante
continente
incontinente
pertinente
abstinente
agglutinante
conglutinante
(stupide, arg.)
déconnante
donnante
bidonnante
bourdonnante
(ennuyeuse, arg.)
guignonante
rayonnante
tourbillonnante
papillonnante
bouillonnante
passionnante
impressionnante
déponente
environnante
(embêtante, arg.)
cramponnante
sonnante
assonante
dissonante
frissonnante
malsonnante
consonante
désarçonnante
gazonnante
foisonnante
empoisonnante
folie raisonnante
(sonore) réso(n)nante
grisonnante
tonnante
étonnante
détonante
antidétonante
bretonnante
(visqueuse, rég.)
glimounante
hibernante
alternante
consternante

gouvernante
tournante

(désagréable, rég.)
agouante

décapante
handicapante
antidérapante
frappante
à 1 heure tapante
lampante
rampante
autotrempante
flippante
(excitante, Can.) tripante
constipante
pimpante
grimpante
dopante
galopante
enveloppante
coupante
crispante

effarante
hilarante
marrante
apparente
accaparante
inapparente
transparente
abracadabrante
térébrante
équilibrante
déséquilibrante
vibrante
encombrante
humeur massacrante
sucrante
(importante, Can.)
bâdrante
errante
aberrante
délibérante
réverbérante
protubérante
exubérante
adhérente
sidérante
prépondérante
afférente
efférente
déférente
différente
indifférente
odoriférante
vociférante
interférente
non-/belligérante
réfrigérante
éclairante
tolérante
intolérante
immunotolérante
inhérente
itinérante
cohérente
incohérente

tempérante
intempérante
opérante
inopérante
coopérante
exaspérante
désespérante
conquérante
atterrante
altérante
désaltérante
persévérante
écœurante
pleurante
souffrante
flagrante
anti/déflagrante
fragrante
partie intégrante
dénigrante
déchirante
délirante
soupirante
pompe aspirante
expirante
attirante
sempervirente
édulcorante
odorante
déodorante
malodorante
perforante
revigorante
améliorante
colorante
décolorante
implorante
déshonorante
expectorante
dévorante
(banale) **courante**
eau courante
concourante
entrante
rentrante
pénétrante
récalcitrante
subintrante
filtrante
détartrante
frustrante
carburante
comburante
décurrente
récurrente
occurente
intercurrente
endurante
fulgurante
murmurante
suppurante
rassurante
susurrante
dénaturante
saturante
torturante
navrante
givrante
antigivrante

ANTE-ANT

enivrante
ouvrante
couvrante

cassante
fracassante
chassante
agaçante
jacente
subjacente
adjacente
sous-jacente
sus-jacente
lassante
délassante
glaçante
grimaçante
menaçante
angoissante
croissante
décroissante
froissante
passante
harrassante
embarrassante
traçante
dansante
offensante
pensante
relaxante
vexante
abaissante
pubescente
é/rubescente
encaissante
déliquescente
décente
incandescente
iridescente
indécente
recrudescente
turgescente
quiescente
alcalescente
coalescente
opalescente
blessante
caulescente
obsolescente
spumescente
in/tumescente
naissante
évanescente
sénescente
renaissante
luminescente
reconnaissante
récente
caressante
accrescente
dégénérescente
intéressante
inintéressante
dégraissante
(noire) nigrescente
arborescente
phosphorescente
efflorescente
fluorescente

pressante
oppressante
stressante
putrescente
(bleue) azurescente
toute affaire cessante
acescente
incessante
marcescente
lactescente
délitescente
frutescente
flavescente
effervescente
issante
envahissante
blanchissante
réfléchissante
rafraîchissante
enrichissante
affadissante
resplendissante
grandissante
bondissante
blondissante
verdissante
assourdissante
abasourdissante
étourdissante
obéissante
désobéissante
in/déhiscente
bleuissante
munificente
agissante
vagissante
rougissante
mugissante
rugissante
languissante
jaillissante
vieillissante
pâlissante
salissante
faiblissante
affaiblissante
glissante
avilissante
amollissante
ramollissante
coulissante
gémissante
blêmissante
frémissante
hennissante
bénissante
rajeunissante
finissante
jaunissante
brunissante
jouissante
réjouissante
éblouissante
épanouissante
glapissante
croupissante
assoupissante
concupiscente
attendrissante

fleurissante
amaigrissante
florissante
nourrissante
pourrissante
flétrissante
ahurissante
mûrissante
appauvrissante
épaississante
amincissante
grossisante
adoucissante
noircissante
saisissante
compatissante
retentissante
abêtissante
assujettissante
appétissante
réticente
divertissante
abrutissante
puissante
impuissante
toute-puissante
bruissante
ravissante
reviviscente
asservissante
grinçante
pulsante
chaussante
gloussante
moussante
repoussante
perçante
dispersante
renversante
bouleversante
exerçante

rasante
écrasante
plaisante
déplaisante
complaisante
apaisante
présente
omniprésente
bienfaisante
malfaisante
satisfaisante
insatisfaisante
pesante
archaïsante
(jargonneuse)
charabiaïsante
fascisante
anarchisante
médisante
dépaysante
suffisante
insuffisante
autosuffisante
gisante
globalisante
pénalisante
paralysante

généralisante
moralisante
démoralisante
neutralisante
culpabilisante
stabilisante
déstabilisante
tranquillisante
stérilisante
virilisante
infantilisante
fertilisante
dynamisante
déshumanisante
féminisante
latinisante
crétinisante
brisante
grisante
désodorisante
valorisante
dévalorisante
terrorisante
favorisante
méprisante
cicatrisante
électrisante
sécurisante
marxisante
dramatisante
traumatisante
esthétisante
érotisante
cuisante
séduisante
luisante
reluisante
épuisante
causante
reposante
imposante
sclérosante
bronzante
blousante
usante
fusante
amusante
il/être **exempte**

battante
latente
éclatante
dilatante
miroitante
patente
épatante
dés/hydratante
chantante
tourmentante
repentante
consentante
tentante
contractante
(dégoûtante, arg.)
débectante
(appétissante, arg.)
rebectante
infectante
désinfectante

expectante
embêtante
inquiétante
compromettante
à 1 heure pétante
compétente
incompétente
entêtante
haletante
voletante
caquetante
cliquetante
exorbitante
profitante
débilitante
rémittente
concomitante
intermittente
impénitente
rénitente
crépitante
palpitante
équitante
méritante
irritante
nécessitante
(fiévreuse) fébricitante
incitante
excitante
surexcitante
hésitante
nictitante
esquintante
éreintante
suintante
exaltante
révoltante
insultante
exultante
cahotante
crachotante
chuchotante
clignotante
ravigotante
(amusante, arg.)
boyautante
papillotante
tremblotante
grelottante
flottante
sanglotante
clapotante
omnipotente
ventripotente
totipotente
idempotente
égrotante
chevrotante
frisottante
pivotante
montante
remontante
peu ragoûtante
dégoûtante
déroutante
froufroutante
envoûtante
partante
concertante

ANTE-ANT°

déconcertante
réconfortante
bien/mal portante
importante
autoportante
sortante
contrastante
restante
contestante
distante
équidistante
attristante
subsistante
insistante
consistante
inconsistante
persistante
existante
préexistante
inexistante

instante
constante
inconstante
rebutante
percutante
transmutante

évacuante
(ennuyeuse, rég.) erjuante
concluante
fluente
affluente
effluente
diffluente
influente
gluante
polluante
dépolluante
remuante

circonstances atténuantes
exténuante
insinuante
puante
congruente
tonitruante
suante
tuante
fluctuante
constituante
reconstituante

aggravante
dépravante
savante
crevante
décevante
récidivante
salivante

connivente
motivante
démotivante
captivante
suivante
vivante
dissolvante
mouvante
émouvante
éprouvante
fervente
énervante

assonances
103. ANDE
114. ANTRE
100. ANCE

contre-assonances
355. INTE
477. ONTE
75. ATE

114. ANTRE

VENTRE

(repaire) un **antre**
(il pénètre) il **entre**
(prép.) entre
cantre
il/au/un **centre**
(région) le Centre
métacentre
avant-centre
il décentre
il recentre
épicentre
barycentre
homocentre
hypocentre
orthocentre
il **concentre**
il déconcentre
il excentre
un chantre
diantre!
(individu, arg.) un pantre
il **rentre**
VENTRE
bas-ventre
(chute, arg.) plat-ventre
il éventre

assonances
94. AMBRE
104. ANDRE
102. ANCRE
113. ANTE

contre-assonances
478. ONTRE
356. INTRE
453. AUTRE
528. OUTRE

Si je ne fais pas un dieu de ton **ventre**
c'est qu'il est l'autel de la vénusté
où tes pouvoirs de femme se **concentrent** :
nombril comme un diamant incrusté.

L'instrument rituel afin qu'il **entre**
en toi c'est toi-même, quand exalté,
prêtresse et victime, qui le mets **entre**
nos deux **ventres** l'un sur l'autre ajustés.

Luc Estang, « Ventre »,
Corps à cœur. XIII

Au flanc du Cithéron, sous la ronce enfoui,
Le roc s'ouvre, repaire où resplendit au **centre**
Par l'éclat des yeux d'or, de la gorge et du **ventre**,
La Vierge aux ailes d'aigle et dont nul n'a joui.

Et l'Homme s'arrêta sur le seuil, ébloui.
– Quelle est l'ombre qui rend plus sombre encore mon **antre** ?
– L'Amour – Es-tu le Dieu ? – Je suis le Héros. – **Entre** ;
Mais tu cherches la mort. L'oses-tu braver ? – Oui.

José-Maria de Heredia, « Sphinx »,
Les Trophées

Il aura beau crier qu'il aidait au bonheur
Des herbes, des printemps, des destins et des **chantres**,
Qu'à l'aube il s'élançait sans ***attendre*** son heure
Et qu'il jugeait toujours sa peine ***insuffisante***,
Cet être presque humain, nul ne voudra l'***entendre***.

Armand Robin, « Mort d'un arbre » I,
Ma vie sans moi

ces garçons excités par la fureur du **ventre**
  mais qui n'ont pas d'endroit
où étaler leur corps contre le corps d'un ***autre***
  et lâcher leurs crachats

William Cliff, « Montevideo » 4,
America

❐ *94 [Vildrac] ; 102 [Ayguesparse] ; 528 [Brassens]*

115. ANVE

Vanves
(moutarde, rég.) la sanve

Lieux sans visage que le ***vent***
Ô ma jeunesse rue de **Vanves**
Passants passés Printemps d'**avant**
Vous me revenez bien ***souvent***
[...]
L'histoire a passé dans son **van**
Votre grain songes ***décevants***
Et voici que ***dorénavant***
Il n'y a plus de rue de **Vanves**

Louis Aragon, « Quatorzième arrondissement »,
Les Poètes

Par un heureux hasard, ces enfants de salauds,
Entre la rue Didot et la rue de **Vanves**,
Un sacré coup de ***chance***,
Aimaient la guitare et les trémolos,
Entre la rue de **Vanv's** et la rue Didot.

Georges Brassens, « Entre la rue Didot et la rue de Vanves »,
Poèmes et chansons

assonances	*contre-assonances*
116. ANVRE	*79. AVE*
105. ANGE	*234. EUVE*
100. ANCE	*454. AUVE*

❐

116. ANVRE

CHANVRE

Ton père aux mains de terre, ta mère aux mains de **chanvre**,
étaient joyeux de voir dans ta petite ***chambre***
les dessins qui faisaient de toi un bon élève.

Francis Jammes, « Ce fils de paysan… »,
De L'Angelus de l'aube à l'Angelus du soir

Vous qui faites les feux, vous qui tressez le **chanvre**,
Hommes qui persistez, qui refusez la peur,
Vous qui vous endormez sans essuyer vos pleurs,
Vous qui chantez plus haut, dans les banlieues de ***cendre***,
Que l'alleluia des moteurs...

Jean Rousselot, « Je ne suis sûr de rien… »,
Le Cœur bronzé in *Les Moyens d'existence*

assonances	*contre-assonances*
94. AMBRE	*80. AVRE*
104. ANDRE	*235. EUVRE*
97. AMPHRE	*531. OUVRE*

❐ 97 [Noailles]

117. ANZ [ɑ̃tz]

Hans
ranz
Franz
(Johann J.) Quantz
breitschwanz

– M'aimeras-tu, m'aimes-tu, **Franz**
Et pour toujours es-tu fidèle ?
– Je t'aimerais si tu ***commences***
À t'intéresser à Hegel.

Max Jacob, « Dialogue allemand »,
Poèmes épars

assonances	*contre-assonances*
113. ANT-E	*78. ATZ*
100. ANCE-ANS	*328. ITZ*
112. ANTCH-E	*529. OUTZ*

❐

118. ANZE-ANZ° [ɑ̃z]

Grégoire de Nazianze
ranz°
Wanze
il/une zwanze

assonances
100. ANCE
105. ANGE
101. ANCHE

contre-assonances
254. EUSE
358. INZE
480. ONZE
448. OSE

Fi du fa'ouce Messido'
Et de ce tiède The'mido' ;
C'est bien le tou' de F'utido',
Mon petit **anze**.

Aimez-moi ! Z'ai tant soupi'é,
Tant expi'é, tant conspi'é
Aux fins de me voi' ado'é,
– Foi de **Do'lanze** ! –

Paul Verlaine, « Éventail Directoire », *
Poèmes divers

* prononciation affectée des *incroyables* ; les *r* supprimés, les *ch* et les *g* zozotés : *ange* donne *anze*, *farouche* donne *fa'ouce*, etc.

❒

119. ENFLE

ENFLE

il (s') ENFLE
(orgueilleux, rég.)
boudenfle
il (se) renfle
(très enflé, rég.)
bourrenfle
il (se) désenfle

assonances
93. AMBLE
98. AMPLE
106. ANGLE
97. AMPHRE

contre-assonances
470. ONFLE
489. OUFLE
544. UFLE
14. AFLE

Si j'étais libre que dirais-je en parlant de leur pouvoir
le baume de l'empaumement de leur main sur le sexe qui s'**enfle**
le satin distendu de leurs seins s'inclinant
l'amour est impudeur et j'en sais plus d'un qui ***tremble***

Jean Pérol, « D'autres blancs où se cacher »,
Pouvoir de l'ombre

L'oie et l'âne ont fait une étude
sur l'homme, ce cancre
c'est un travail plein de méthode
ils n'ont pas épargné l'encre
après des myriades et des myriades
de pages que le savoir ***gonfle***
ils arrivent à l'idée limpide
que c'est un animal qui s'**enfle**
pour cesser d'être un bipède

Raymond Queneau, « Un travail bien fait »,
Battre la campagne

❒

120. ENRE

genre
sous-genre
(méchant, rég.)
(un/e) manre

assonances
94. AMBRE
104. ANDRE
114. ANTRE
102. ANCRE

contre-assonances
15. ARE
177. ÈRE
228. EURE
354. INRE

– Double encor pour le **genre**, androgyne ou ***gynandre***
Ensemble, à passe-pied léger de **genre** à **genre**,
Alternant comme *thou* avec *you*, le soleil
Et la lune, le jour et la nuit...

Marcel Thiry, « O, that you were yourself… »
Attouchements des sonnets de Shakespeare (Seghers)

J' suis issu de ***gens***
Qui étaient pas du **gen-**
re sobre...

On conte que j'eus
La tétée au jus
D'octobre...

Georges Brassens, « Le vin »,
Poèmes et chansons

Elle est aujourd'hui ***stagiaire***
dans une banque, fut prof
de français, 2 ans ***durant***
(formation lettres et mots,
littérature en tout **genre**.) *

Jacques Jouet, « Annalisa Spetrino »,
107 âmes

* rime berrychonne : staGiaiRE + durANt = GENRE

❒

121. È

121.0 AIT-AIE°

HAIT

(avoir) aie°
(planche) des ais
(avoir) qu'il ait
(interjection) eh!
(être) tu es/ il **est**
(clôture) une **haie**°
(haïr) il HAIT

On vit simple, comme on ***naît*** simple, comme on aime
Quand on aime vraiment et fort, et comme on **hait**
Et comme l'on pardonne, au bout, lorsqu'on **est**
Purement, nettement simple et l'on meurt de même,
Comme on ***naît***, comme on vit, comme on **hait**, comme on aime!

Paul Verlaine, « J'ai dit à l'esprit vain… »,
Bonheur. XVIII

Je sais bien que l'*habitant* les **hait**
Quand il les voit monter dans sa **haie**.
Ou, quand il en voit dans ses blés des touffes,
Je sais bien que sa colère l'étouffe.

Gustave Lamarche, « Les mauvaises herbes »,
Odes et Poèmes in *Œuvres poétiques.* II

sous-rimes voisines
121.14 OUET
121.12 UET

contre-assonance
214.0 É

❐

121.1 AHAIE

La Haye
(auto, n. dép.) une Delahaye

Je triomphe et j'ai ce Schiedam
(Qui ne me vient point d'Amsterdam
Mais de **La Haye**),
Et j'en ai bu beaucoup, beaucoup,
Trop peut-être et j'ai vu le loup
Sauter **la haie**.

Paul Verlaine, « Autre chanson pour boire »,
Invectives. LVI

Les parents s'en étant occupés, leur idylle
se termina par des larmes de crocodile
et tandis qu'il passait ses vacances à **La Haye**
Nicolas épousa sa cousine ***Aglaë***

Paul Neuhuys, « Roman »,
L'Arbre de Noël

sous-rime voisine
121.0 AIE

contre-assonance
214.1 AÉ

❐

121.2 BET-BAIE°

ALPHABET

(brun/e) bai/baie°
(golfe) une **baie**°
(de fenêtre) une baie°
(fruit) une baie°
(bêlement) bêê!
(titre) un bey
(abrév. d'Élisabeth) Babet
ALPHABET
au/un rabais
débet
gibet
quolibet
le Tibet
(Louison) Bobet
(sot, Suisse) bobet
Bombay
il bombait
Colombey
galoubet
Roubaix
chien barbet
il barbait

Citoyen qui sent de la tête
Papa gâteau de l'**alphabet**
Maquereau de la clarinette
Graine qui pousse des **gibets**
[…]
poète, vos papiers !

Léo Ferré, « Poète… vos papiers ! »,
Poète… vos papiers !

La belle Aude vendange une automne de joie
Et berce sa fanfare au son du **galoubet**.
De longs adolescents tirent du ***pistolet***
Dans les jambes des vieux criant comme des oies.

Des escadrons d'oiseaux dans les blanques ondoient,
Piaillant et picorant de **sorbet** en **sorbet**,
Et, bras nus, des gavachs, troussent des **quolibets**
Et font bondir d'amour les filles qu'ils tutoient.

Charles Boulen, « La vendange »,
Voyages à travers la Couleur Locale

☞

BET-BAIE°

carbet
sorbet
(Gustave) Courbet
il courbait
gourbet
turbeh

+ verbes en -ber
1e, 2e, 3e pers. sing.
3e pers. pluriel
imparfait indicatif

L'amour vent que sans crainte on lise
Les lettres de son **alphabet** ;
Si la première est Arthémise,
Certes, la seconde est **Babet**.

Victor Hugo, « Paupertas »,
Les Chansons des rues et des bois. I, II, IV

Courbe est ton chemin **Courbet**
cernant la courbe colline
La roche au ***sommet* courbe est**
comme au fond de la ravine.

Roger Bodart, « Paysage avec pont et rivière »,
La Longue Marche

sous-rime voisine
121.15 PET-PAIE

contre-assonance
214.2 BÉ-E

❒ *214.2 [Jammes]*

121.3 CHET-CHAIE°

chai
un **cachet**
il cachait
du Montrachet
sachet
blanchet
(boucherie) le flanchet
il flanchait
tranchet
(échoir) il échet
(Sidney) Bechet
il bêchait
déchet
bréchet
(de trictrac) un fichet
il se fichait
colifichet
guichet
(client, arg.) michet
nichet
pichet
(nabot, rég.) nabochet
(jeune coq) un cochet
(marquait) il cochait
(fécondait) il côchait
ricochet
fauchet
général Pinochet
(vêtement) rochet

(bobine) rochet
un **brochet**
il brochait
crochet
trochet
(joncs) une jonchaie°
(jeu) un jonchet
(François) Tronchet
(billot) un tronchet
(bêche) un louchet
il louchait
émouchet
(plante) souchet
(canard) souchet
archet
Beaumarchais
parchet
fourchet
huchet
(piège; balance) trébuchet
il trébuchait
Bouvard et Pécuchet
Maréchal Suchet

+ verbes en -cher
1e, 2e, 3e pers. sing.
3e pers. pluriel
imparfait indicatif

Je viens de recevoir une belle missive
De la Nymphe qui prit mon Ame au **trébuchet**,
Et qui, scellant mon cœur de son divin **cachet**,
Y voulut imprimer son image lascive.

Il me fâche déjà que cette heure n'arrive
Où je dois embrasser sa taille de **brochet**,
Et jamais vérolé, tapi dessous l'**archet**,
En suant ne trouva l'Horloge si tardive.

Marc-Antoine Girard de Saint-Amant, « Sonnet »,
Œuvres. I

Un poêle, un miroir, la marmite
Et la malle aux **colifichets**,
Le lit avec ses deux **guichets**,
La chaise où le regret médite,

Des billets doux, les morts vont vite !
Voici celle que tu **cherchais**
Et qui t'attend. Prends les **crochets**
Du portefaix. Elle t'invite.

André Salmon, « Chambre aux oiseaux »,
Les Étoiles dans l'encrier

Toi, tu poétisais. Ton geste avait du style.
Ta jambe était classique, et, lorsque tu **marchais**,
C'était Molière ; et quand tu courais, **Beaumarchais** ;
Quand tu sautais, Regnard ; quand tu dansais, Banville.

Toi, tu croyais ! Ton cœur, sans réticence vile,
Chanta loyalement sous tous les grands **archets** !
Tu gardais de la scène où tu t'**empanachais**
Une provision de fierté pour la Ville !

Edmond Rostand, « À Coquelin »,
Le Cantique de l'Aile

Tous, dès que la mort les déleste,
Les rois, les prélats en **rochet**,
Les gueux, frappent à l'Huis céleste !
Notre Dame ouvre le **guichet**.

……

CHET-CHAIE°

De la colombe à l'**émouchet**,
Chaque âme est une Madeleine
Qui se souvient qu'elle **péchait**…
Et voici l'âme de Verlaine.

Catulle Mendès, « Ballade de l'âme de Paul Verlaine », *Les Braises du cendrier*

Quand le ménétrier des morts est passé
Avec un tibia pour **archet**,
Abbés papelards, mitrés et crossés,
Pourvus de pécheresses et d'***évêchés***,
Ont lampé leur dernier **pichet**
Et sont vite allés se confesser.

Tristan Klingsor, « Le Ménétrier », *Humoresques*

sous-rimes voisines
121. 18 SET-SAIE
121. 7 GET

contre-assonance
214.3 CHÉ-E

❐ *121.7 [Noguez]*

121.4 DET-DAIE°

(baldaquin) un **dais**
(titre) un dey
(article) des
(depuis) dès
cadet
muscadet
dadais
farfadet
(un) bangladais
(physicien) Faraday
(unité électrique) le faraday
(un) ougandais
(un) landais
(un) néo-zélandais
(un) thaïlandais
(un) finlandais
(un) groenlandais
(un) hollandais
(un) néerlandais
(un) irlandais
(un) islandais
amandaie°
(grand) grandet

(Eugénie) Grandet
(un) ruandais
bidet
(Johnny) Hallyday
(Billie) Holiday
baudet
(Alphonse/Léon) Daudet
godet
verdet
bâbordais
tribordais
(Charlotte) Corday
(mollasson, rég.) dordet
nordet
(sourdre) il sourdait

+ verbes en -der, -endre *(sauf prendre +comp.)*, -ondre, -erdre *et* -ordre *1e, 2e, 3e pers. sing. 3e pers. pluriel imparfait indicatif*

Mon sang murmurait dans mes tempes
Une chanson que j'**entendais** ;
Les planètes étaient mes lampes ;
J'étais archange sous un **dais.**

Victor Hugo, « Lettre », *Les Chansons des rues et des bois.* I, VI, XXI

Je suis un arbre. Croyez-moi : je distribue
Mon plus riche vertige à mes frères **cadets**.
Je donnerais – puisque la sienne est déjà bue –
Ma sève au séquoia, s'il me la **demandait**.

Alain Bosquet, « Premier testament », *Poèmes, un*

Avoir un perroquet, éployant comme un **dais**
Ses ailes d'azur et d'orange,
Et contempler au loin les voiliers **hollandais**
Partant au royaume d'Orange.

Anna de Noailles, « Les Îles bienheureuses », *Les Éblouissements*

Là, l'Écuyer tout transporté
Baigne ses yeux dans la clarté
De cent ducats qu'il accumule,
Et riant comme un **farfadet**,
Se console auprès d'une mule
De la perte de son **Baudet.**

Marc-Antoine Girard de Saint-Amant, « La Chambre du débauché *Œuvres.* I

À dada sur mon **bidet**,
Quand il trotte, il ***fait*** **des** ***pets*** ;
Prout ! prout ! prout ! **cadet** !

Comptine

sous-rime voisine
121.20 TET-TAIE

contre-assonance
214.4 DÉ-E

❐

121. È

121.5 EUET

je hais
bleuet

Avis aux amateurs de la gaîté française.
Le printemps fait neiger, dans le Père-Lachaise,
Les fleurs des marronniers sur les marbres ***muets***,
Et la fosse commune est pleine de **bleuets** [...]

François Coppée, « Gaîté du cimetière »,
Le Cahier rouge

Un jour ou l'autre
On sent qu'à tout ***jamais***
Mieux vaut que l'on renonce
Au **bleuet**
Poussant parmi les ronces
Au jardin des ***regrets***

Charles Aznavour, « Un jour ou l'autre »,
Un homme et ses chansons

Rien n'arrive plus dans les champs de ***blé***
sous les coquelicots parmi les **bleuets**
On a ***oublié*** comment y ***aller*** [...]
vers les champs de ***blé*** fleuris de **bleuets**

Serge Rezvani, « Rien n'arrive plus »,
Chansons

sous-rimes voisines
121.21 UET
121.0 AIT

contre-assonances
91.7 EHAN
435.7 EHAUT

❐

121.6 FET

FAIT
il (a) FAIT
(bâti, mûr) (bien) fait
(action) un **fait**
(fardeau) un **faix**
(apprenti, rég.) gafet
Japhet
Raffet
tout à fait
(drogue, arg.) des amphets
un **effet**
en effet
(défaire) il (se) **défait**
(abattu) être défait
(feuillet) un défet
il redéfait
il (a)/un méfait
il (a)/être **stupéfait**
préfet
sous-préfet
être/il refait
être/il **contrefait**
portefaix
Gallifet
(parure) attifet
un **bienfait**
c'est bien fait!

au fait
(un) profès
tôt-fait
(ragoût, rég.) estou(f)fet
il/être **parfait**
plus-que-parfait
être **imparfait**
(temps verbe) l'imparfait
il/un **forfait**
(surestimé) il/être surfait
(sangle) un surfaix
il/être **satisfait**
insatisfait
un **buffet**
(Bernard) Buffet
(Jean) Dubuffet

+ verbes en -fer
et -pher
1e, 2e, 3e pers. sing.
3e pers. pluriel
imparfait indicatif

+ verbes en faire
1e, 2e, 3e pers. sing.
présent indicatif
2e pers. sing.
présent impératif

Ferais-je encor des vers ? Ami, j'en ai tant **fait** !
Plus j'enrichis ma langue, et moins je deviens riche,
Mon esprit abondant laisse ma terre en friche,
Et le vent de l'honneur n'emplit pas mon **buffet**.

Un poète accompli n'est plus qu'un fou **parfait**,
Dès qu'il prodigue un bien dont il doit être chiche ;
Ce n'est plus qu'une idole, et sans base et sans niche,
Qu'on flatte en apparence et qu'on berne **en effet**.

Guillaume Colletet, « Plainte poétique »,
Poésies diverses

Le poëte est tordu comme était la Sibylle,
Quand un livre sincère est jusqu'à moitié **fait**,
On sent qu'on a besoin d'air et qu'on **étouffait**.
On va se promener en courant par la ville,
Car l'inspiration, brisant le front débile,
Pour celui qui la porte a le poids d'un **forfait**.

Théodore de Banville, « Ceux qui meurent et ceux qui combattent »,
Les Cariatides

Trop hardiment entreprends et **méfais**,
Ô toi tant jeune. Oses-tu bien tes **faits**
Si mal bâtis présenter devant celle
Qui de savoir toutes autres précelle ?
Mal peut aller, qui charge trop grand **faix**.

Tous tes labeurs ne sont que **contrefaits**
Auprès de ceux des orateurs **parfaits**
Qui craignent bien de s'adresser à elle
Trop hardiment.

Clément Marot, « L'épître du dépourvu : Crainte
parlant en forme de rondeau »,
L'Adolescence clémentine

☞

FET

Nous vivons des contes de ***fées***
Rouges verts qui pincent le cœur.
Notre mystère est bien **surfait**
Mais elle est vraie notre douleur.

Georges-Emmanuel Clancier, « Complainte des fées »,
Chansons sur porcelaine in *Le Paysan céleste*

sous-rime voisine
121.22 VET

contre-assonance
214.6 FÉ

❐ 481.7 [Prévert]
53 [Verlaine]

121.7 GET

OBJET
SUJET

(la Terre, myth.) Gê
(oiseau) un **geai**
(avoir) **j'ai**
(pierre) le **jais**
(lancer) un **jet**
caget
(Jean) Piaget
trajet
OBJET
couvre-objet
porte-objet
budget
rejet
brise-jet
(Robert) Pinget
auget

projet
avant-projet
contre-projet
(rouge) rouget
(poisson) un rouget
larget
gorget
(Paul) Bourget
lac du Bourget
(aéroport) Le Bourget
surjet
le Bugey
(Pierre) Puget
SUJET
contre-sujet

+ verbes en -ger
1e, 2e, 3e pers. sing.
3e pers. pluriel
imparfait indicatif

En regardant sauter les **geais**
Sur les hautes branches d'un chêne,
Délivré du spleen qui m'enchaîne,
Béatement je m'**allongeais**.

Oh ! comme alors je me **plongeais**
Dans la quiétude sereine,
En regardant sauter les **geais**
Sur les hautes branches d'un chêne !

Et, sans traiter un des **sujets**
Dont j'avais la cervelle pleine,
J'attendais que la nuit d'ébène
Eût effacé tous les **objets**,
En regardant sauter les **geais**.

Maurice Rollinat, « La Sieste »,
Dans les brandes. XXXIV

Imaginez
Un **geai**
Que **j'ai**
Un **geai**
Léger
Un **geai**
Âgé
Je l'ai
Mangé
Au ***lait***
D'un **jet**
(À ***jeun***)
Ce doux
Objet
[...]

Michel Deville, « L'oiseau rare »,
Poézies

Nous sommes faits aussi de tous les chers **objets**
qui nous accompagnaient que nous avons perdus
nous sommes composés de ces pauvres ***déchets***
rangés aimés cachés brisés jetés vendus

Dominique Noguez, « L'objet perdu ne se rattrape jamais »,
in *Objet perdu*

sous-rimes voisines
121.3 CHET
121.18 SET

contre-assonances
214.7 GÉ
333.7 GIN-JUN

❐

121.8 GNET

(courbatures, rég.)
avoir les é/cagnets
un **poignet**
(poindre) il poignait
les Montagnais
un **beignet**
il baignait
(cache-cache, rég.) clignet
(épicéa) pignet

Rhéteur, docteur, fameux entre les plus célèbres,
Mais plein d'ombre, c'était l'ombre que j'**enseignais** ;
Je prenais vainement le mystère aux **poignets**
Pour le forcer d'ouvrir enfin ses mains fermées...

Catulle Mendès, « La Visitation »,
Hespérus

☞

GNET

(chétive, rég.) grignet
un signet
il signait
(Jean-Baptiste) Chassignet

+ verbes en -gner
et -indre
1e, 2e, 3e pers. sing.
3e pers. pluriel
imparfait indicatif

Parce que vous suintez tous les jours au collège
Sur vos collets d'habit de quoi faire un **beignet**,
Que vous êtes un masque à dentiste, au manège
Un cheval épilé qui bave en un ***cornet***,
Vous croyez effacer mes quarante ans de siège !

Arthur Rimbaud, « La Plainte du vieillard monarchiste »,
Œuvres complètes

C'est l'immense douceur l'insouciance des jours
Une mouette appelle et le ciel devient sourd
Je n'entends que le sang qui bat sur ton **poignet**
Comme un oiseau présent et déjà ***éloigné***

Guy Béart, « L'insouciance des jours »,
Couleurs et Colères du temps

sous-rimes voisines
121.10 IET
121.13 NET

contre-assonance
214.8 GNÉ

❐

121.9 GUET-GAIE°

GAI
MUGUET

GAI/GAIE°
(hareng) guai(s)
(homo) (un) gay
(garde) le **guet**
aux **aguets**
daguet
il/une **pagaie**°
le Laurag(u)ais
sagaie°
(sprat) un harenguet
(il parlait) il haranguait
il **bégaie**°
il (s') **égaie**°
(horlogers) Breguet
(avion, n. dép.) un Breguet
papegai
(Raymond) Radiguet
Badinguet
vin ginguet
linguet
(cyclomoteur, Suisse)
boguet
(cabriolet) boghei/boguet
(étoffe) du droguet
il droguait
longuet
margay
(un) camarguais
MUGUET
(un) **portugais**

+ verbes en -guer
1e, 2e, 3e pers. sing.
3e pers. pluriel
imparfait indicatif

Le bel instant qui tarde est caché sous une aile
comme dans son cornet de feuilles le **muguet**
Qu'entendez-vous Est-ce ma voix qui vous appelle
ou les pas alternés des deux hommes du **guet**

Roger Bodart, « Le bel instant »,
La Longue Marche

Le Mardi gras, ni toi, ni moi, nous n'étions **gais**.
Des carreaux où du ciel le jour semblait descendre
Sur notre âme, on eût dit qu'il pleuvait de la cendre :
– « Ah , ah ! » t'écriais-tu parfois en **portugais**.

Paul-Jean Toulet, « Le Mardi gras… »,
Coples. LI in *Les Contrerimes*

Veux-tu que mon ombre s'**égaie**
Qu'un canot à double **pagaie**
Porte mon nom,
Qu'il ait un mât, voile latine,
Le nez léger, l'humeur marine
Et le flanc blond.

Jean Prévost, « Petit testament »,
Derniers poèmes

Où est la Marguerite,
O ***gué***, o ***gué***, o ***gué***,
Où est la Marguerite ?

Elle est dans son château, cœur las et ***fatigué***,
Elle est dans son hameau, cœur enfantile* et **gai**,
Elle est dans son tombeau, semons-y du **muguet**...

Francis Vielé-Griffin, « Ronde »,
Joies

* enfantin (archaïsme)

sous-rime voisine
121.16 QUET

contre-assonance
214.9 GUÉ-E

❐ *214.9 [Gainsbourg]*

121.10 IET

ŒILLET
JUILLET

courcaillet
il défaillait
gaillet
le Blayais
vilayet
maillet
il **croyait**
il s'assoyait
il se rassoyait
il sursoyait
il re/entre/voyait
il prévoyait
il pourvoyait
(cordage) un paillet
vin paillet
(festin, rég.) pampaillet
il as/tres/saillait
(un) versaillais
de/en/un biais
un **billet**
cabiai
(Thomas) Sébillet
un porte-billets
il trayait
il distrayait
il soustrayait
il extrayait
il seyait
il s'asseyait
il se rasseyait
il messeyait
(un) marseillais
ŒILLET
il ac/re/cueillait
feuillet
keffieh
(pierre) le liais
il liait

joliet
Berliet
(céréale) le **millet**
(Jean-François) Millet
(un) **niais**
il niait
épillet
quiet
sakièh
inquiet
il sou/riait
barillet
(Alain) Robbe-Grillet
blé avrillet
(musique) un sillet
(cligner) il cillait
(scier) il sciait
(seoir) il sied
il s'assied
il se rassied
il messied
brésillet
(un) jersiais
Thiais
(un) antillais
gentillet
(mérisier, rég.) putiet
il s'en/fuyait
JUILLET
il bouillait
(ville) Rambouillet
hôtel de Rambouillet
douillet
le Fenouillet
(muguet) grenouillet
grassouillet

+ verbes en -ier
-yer et -ller
1e, 2e, 3e pers. sing.
3e pers. pluriel
imparfait indicatif

Il est un chant pareil à ce mois de **juillet**
Rien même les tyrans ne fera qu'il se taise
Il a fleuri comme l'**œillet**
Le sang de ceux qu'on **fusillait**
Ils chantèrent la Marseillaise

Louis Aragon, « Juillet de la jeunesse »,
Mes caravanes et autres poèmes

Ah ! ce cœur toujours ivre et toujours **inquiet**,
Le pauvre cœur sensible et vaniteux de l'homme,
Toujours plein du besoin qu'on l'aime et qu'on le nomme,
Toujours fort de désirs, et las de ce **qui est**...

Anna de Noailles, « Tristesse »,
L'Ombre des jours

La quarantaine. Absurde promontoire.
Et les dieux lares renversés, et le passé grain de **millet**.
Grain de **millet**, grain de sésame. Notre histoire
Si longue à vivre ne remplit pas un **feuillet**.

Liliane Wouters, « La quarantaine »,
L'Aloès

Si jamais Dieu s'**ennuyait**,
Qu'il te regarde, créature
Aussi fraîche que le ***lait***,
Énorme épi de **millet**,
Colonie du clair **juillet**,
Madrépore de l'azur !

Paul Claudel, « Le Delphinium »,
Poésies diverses

Un Président de République
devant partir à **Rambouillet**
met dans la malle en cuir ***bouilli***
sa casquette pour chasses ***mouillées***
et sa pèlerine héroïque.

Max Jacob, « L'auto-car »,
Ballades

sous-rimes voisines
121. 8 GNET
121.11 LET

contre-assonances
214.10 IÉ
258.12 LLI [ji]

❐

121.11 LET-LAIE°

LAID
LAIT
PALAIS
PLAÎT

(poème) un lai
sœur laie°/frère lai
(laideur) le/être LAID
(truie) la laie°
(hachette) une laie°
(sentier) il/une laie°
(orgue) une laye/laie°

(bords de mer) des lais
(laiterie) le LAIT
(fleuve) le Lay
(héritage) un legs
(monnaie) des lei
(article) les
(pronom) **les**

(Alphonse) Allais
(aller) il **allait**
comète de Halley
(ustensile) un **balai**
il balaie°
rubis balais
(danse) un **ballet**

En court jupon de laine, et les bras nus, **elle est**
Très rose, avec l'œil brave, et sa toison filasse
S'ébouriffe sous sa marmotte, non sans grâce.
Elle va, tord sa hanche, et montre son **mollet**.

Jouasseuse, et le poing terrible, elle se **plaît**
Aux bourrades. Sa lèvre éclate en rise grasse.
Et là-bas, dans les foins, le grand brun qui l'embrasse,
Marche, hanté par ses tétons couleur de **lait**.

Germain Nouveau, « Fille de ferme »,
Premiers poèmes

☞

LET-LAIE°

121. È

opéra-ballet
voiture-balai
porte-balais
Calais
il calait
Nord-/Pas-de-Calais
chalet
il **fallait**
galet
(un) sénégalais
gringalet
(un) cinghalais
(Malaisie) (un) malais
(Léo) Malet
col du Tourmalet
(château) PALAIS
(bouche) palais
(de marelle) palet
(un) népalais
col du Pourtalet
(Suisse) le Valais
(valoir) il valait
(domestique) un **valet**
musée de Carnavalet
il prévalait
chevalet
il équivalait

Saint-Germain-en-Laye°

blet
un remblai
il remblaie°
(trembles) une tremblaie°
il tremblait
un déblai
il déblaie°
Wembley
doublet

claie°
le **Paraclet**

elle est
(Joachim) du Bellay
il bêlait
Shelley
(sursis) un **délai**
(il fond) il délaie°
pellet
(enfant, rég.) péquélet
prélegs
Le Castellet

(François) **Rabelais**
gibelet
gobelet
(Jules) Michelet
(Pierre) Richelet
grandelet
(la panse, rég.) se crever le bédelet
rondelet
vin verdelet
(région) le Bordelais
(Bordeaux) (un) bordelais
(angelot) angelet
(Mellin de) Saint-Gelais
orgelet

agnelet
(tatillon, rég.) cacagnelet
caille-lait
(bouillie, rég.) grumelet
annelet
tonnelet
prunelaie°
capelet
chapelet
pipelet
(bandit espagnol) miquelet
coquelet
un relais
il relaie°
carrelet
aigrelet
maigrelet
tire-lait
virelai
bourrelet
seulet
bracelet
montre-bracelet
tracelet
(gaufre, Suisse) bricelet
ruisselet
osselet
(Charles) Monselet
rousselet
tiercelet
corselet
porcelet
oiselet
pèse-lait
Vézelay
ciselet
roselet
muselet
hâtelet
batelet
un châtelet
(Paris) le Châtelet
roitelet
gantelet
mantelet
(petit dieu) dieutelet
le Velay
(nouveau) nouvelet
cervelet

flet
pamphlet
reflet
antireflet
huit-reflets
sifflet
mouflet
(affront) un camouflet
(il cachait) il camouflait
soufflet

(un) **anglais**
(moulure) un anglet
franglais
réglet
vin ginglet
(être menu, rég.) minglet
(maillot, Belg.) singlet
il cinglait

Lorsque les paysans armés de grosses branches
De pierres et de faux guettaient sous la **saulaie**
Nous arrivions au soir avec la veste blanche
Les filles apportaient pour nous les **gobelets**
On nous donnait à boire un peu de vin d'Avranches
Les **valets** de labour chantaient nos **virelais**
Le petit peuple alors tenait en main le manche
Et du Mont-Saint-Michel où nos seigneurs **tremblaient**
Venaient parfois de nuit sur un bateau de planches
Des émissaires qui **parlaient parlaient parlaient**
Ils promettaient le ciel et la terre et la Manche
À ceux qui comme nous **harcelaient les Anglais**
Et l'avenir **semblait** un éternel dimanche
La chanson tous les jours grandissait d'un **couplet**
Du bâtard d'Orléans de Jeanne au yeux pervenche
De Charles qui comptait sur elle en son **palais**
Et les vers en avaient le velours des revanches
Les rimes y flambaient comme des **feux follets**

Louis Aragon, « Olivier Bachelin »,
Le Nouveau Crève-cœur

Ô muse de mon cœur, amante des **palais**,
Auras-tu, quand Janvier lâchera ses Borées,
Durant les noirs ennuis des neigeuses soirées,
Un tison pour chauffer tes deux pieds **violets ?**

Ranimeras-tu donc tes épaules marbrées
Aux nocturnes rayons qui percent les **volets** ?
Sentant ta bourse à sec autant que ton **palais**,
Récolteras-tu l'or des voûtes azurées ?

Charles Baudelaire, « La Muse vénale »,
Les Fleurs du mal

Nice*, **aidez-moy**, **là rondelet**
D'elle ivre met ma rime à larme ;
Nids sait des mois l'aronde, **les**
Délivre Mai – m'arrime alarme :

N'y cède, **émoi**… **La ronde**, **lais**
Des livres, m'est, marry, male arme ;
Nice, **aidez-moy**, **là rondelet**
D'elle ivre met ma rime à larme.

Mésange conte – Hyver se charme,
Ses chants doux tant que ruisselet ;
Séchant doute en cœur, **huy seulet**,
Mes ans je compte – y, vert ce charme :

Nice, **aidez-moy**, **là rondelet**…

Charles d'Orléans

Daniel Marmié, « Printemps en Renouveau,
cœur en Hyver entrant (Rondel) »,
De la Reine à la Tour. Cent poèmes holorimes

* simple par ignorance

le **palet** du ***relent*** du ***palan*** du **relais** du banc du teint
la poire du **palet** du ***relent*** du ***palan*** du **relais** du banc
le beau de la poire du **palet** du ***relent*** du ***palan*** du **relais**

Michèle Métail,
Compléments de noms. v. 3895-3897

❒ *522 [Desnos]*

121. È

LET-LAIE°

onglet

il est
îlet
(de pêche) **filet**
(de bœuf) filet
(d'eau) filet
tire-filet
entrefilet
contre-filet
sifilet
faux-filet
gilet
(cité) Milet
(Jean-François) Millet
(canard) un pilet
il pilait
stérilet
petit-lait
stylet

inlay

bolet
Cholet
(Louise) Colet
(col) un **collet**
(chien) un colley
il collait

cacolet
récollet
(Étienne) Dolet
landaulet
(fou) follet
feu follet
(haricot) un flageolet
(flûte) un **flageolet**
(il chancelait) il flageolait
(région) le Beaujolais
(vin) du beaujolais
(homme galant) marjolet
Bagnolet
(liqueur) guignolet
(gendarme, arg.) guignolet
croquignolet
(pain, arg.) brignolet
rossignolet
(un) angolais
(un) togolais
(un) congolais
piolet
cabriolet
(Elsa) Triolet
(poème) un **triolet**
(le) **violet**
il violait
ultraviolet
(Guy) Mollet

œuf mollet
(jambe) un **mollet**
serpolet
(petit rôle) rôlet
(région) le Charolais
(bovin) un charolais
drôlet
trolley
(n. dép.) une Chevrolet
saulaie°
(mince, Suisse) minçolet
tolet
quintolet
(petit prêtre) prestolet
pistolet
sextolet
un **volet**
(jeu) le volley
il volait
bavolet

(assemblée) la boulê
(bouleau) une boulaie°
(obus) un boulet
(rondelet, rég.) rabouler
(bouffon) Triboulet
(bijouterie) un triboulet
goulet
(chétif, rég.) mingoulet

il é/re/moulait
noulet
poulet
cassoulet
(Paul-Jean) Toulet
(cul, arg.) pétoulet
(hachis, Belg.) vitoulet
il **voulait**

(procès) un plaid
(blessure) une **plaie°**
(plaire) il PLAÎT
match-play
il **déplaît**
replet
triplet
multiplet
simplet
medal play
(entier) **complet**
(costume) un complet
il (se) complaît
incomplet
couplet
fair-play
quadruplet

varlet
sterlet

Morlaix
ourlet

(Elvis) Presley
(Alfred) Sisley
(Aldous) Huxley

(petit vers) versiculet
articulet
mulet
(culbute, Belg.) cumulet
surmulet
capulet

+ verbes en -ler
1e, 2e, 3e pers. sing.
3e pers. pluriel
imparfait indicatif

sous-rimes voisines
121.12 MET-MAIE
121.13 NET-NAIE

contre-assonance
214.11 LÉ-E

121.12 MET-MAIE°

JAMAIS

(mois) **mai**
(huche) une maie°
(cependant) **mais**
(auge) une maye°
(bêlement) mêê!
(possessif) mes
(mettre) il **met**
(plat) un **mets**
gamay
Niamey
JAMAIS
(grand-mère, rég.) mamet
il ré/admet
j'**aimais**/il **aimait**
(émettre) il émet
(il destitue) il démet
(il se luxe) il se démet
épistémê/épistémè
des guillemets
il remet
(s'interposer) il s'entremet
(dessert) un **entremets**
Chimay
Monsieur Homais

(omettre) il omet
le Dahomey
Mahomet
il **commet**
il promet
il compromet
un **sommet**
(sommer) il sommait
il soumet
armet
cermet
il **permet**
vermet
(ormes) une ormaie°
(mollusque) un ormet
il en/ren/dormait
désormais
gourmet
il re/transmet
fumet
calumet
plumet

+ verbes en -mer
1e, 2e, 3e pers. sing.
3e pers. pluriel
imparfait indicatif

Je le sais **désormais**
Et quels crimes tu **commets**,
Ô Goule
Dont nos corps et nos cœurs sont les sinistres **mets**.
Le vin des pleurs que tu me **réclamais**,
J'en abreuvais ta soif assez pour t'en voir soûle.
Mon corps fut dans tes mains l'épave que la houle
Sur des crocs de rocs roule.
Et mon cœur fut semblable aux neiges des **sommets**
Dont l'avalanche blanche en tas boueux s'écroule,
Quand j'ai sur le front des morts que j'**aimais**,
Avant qu'au linceul on les roule,
Mis le dernier baiser qu'ils ne rendront **jamais**.

Jean Richepin,
Les Îles d'or. LI in *Mes Paradis*

Il a cette folie, il a cette jolie
Folie : il se fleurit. Il se déguise en **Mai**.
Son chapeau d'amadou porte un phlox pour **plumet**.
Dès qu'il découvre un trou dans sa veste, il y **met**
Du lilas, un pavot. Si c'est une folie,
Cet affreux vagabond des routes se **permet**
La même que vous, Ophélie !

Edmond Rostand, « Le Mendiant Fleuri »,
Les Musardises

Avant de ***fermer***
l'homme-bruit, je **mets**
juste en son milieu
la bête à bon dieu.

Georges Garampon, « Fruit et Bruit »,
Le Jeu et la Chandelle

sous-rimes voisines
121.11 LET-LAIE
121.13 NET-NAIE

contre-assonance
214.12 MÉ-E

❐ 449 [Rollinat] ; 166 [Clancier]

121. È

121.13 NET-NAIE°

CONNAÎT
SONNET

il **naît**
maréchal Ney
(avoir) n'ait
on **est/n'est**

(un) libanais
(un) albanais
(Caen) (un) caennais
(cannes à sucre)
une cannaie°
(flanchait; arg.) il canait
(mourait, arg.) il ca(n)nait
(une chaise) il cannait
(ville) Le Cannet
(un) soudanais
(Orléans) (un) orléanais
(province) l'Orléanais
(un) perpignanais
(saint Jean-Marie) Vianney
(un) guyanais
(un) azerbaïdjanais
(Milan) (un) milanais
(région) le Milanais
(Édouard) Manet
(saleté, rég.) un mânet
(un) taiwanais
(un) rouennais
les Séquanais
(un) botswanais
(plante) un panais
(pénis, arg.)
un panet/panais
(il grillait) il panait
(un) bhoutanais
(un) pakistanais
vannet
(un) havanais
(Java) (un) javanais
(argot) le javanais

cockney
Sydney

(chênes) une **chênaie°**
(Peter) Cheyney
il chaînait
(frênes) une frênaie°
(pédagogue) Freinet
(Pierre) Fresnay
il freinait
(Alain) Resnais
(de Rennes) (un) rennais
(Charles) Trenet
il traînait

benêt
chenet
Adenet
(un) ardennais
saint Genest
(Jean) Genet
(cheval) un genet
(arbrisseau) le **genêt**
(jeunot) **jeunet**

il jeûnait
je n'ai
(Agen) (un) agenais
(région) l'Agenais
les Plantagenêts
La Mennais/Lamennais
lansquenet
il **renaît**
(+comp.) il **prenait**
(Jules) Massenet
(+comp.) il **tenait**
Fontenay
(pêche) un venet
(+comp.) il **venait**
havenet

cabinet
robinet
Péchiney
blondinet
jardinet
(un) balinais
(Jean) Molinet
moulinet
(chétif, rég.) mistoulinet
un **minet**
il minait
estaminet
potron-minet
koinè
(arbustes) une épinaie°
(ville) Épinay
(sieste, rég.) cloppinet
(Edgar) Quinet
(un) burkinais
bassinet
coussinet
raisinet
Le Vésinet
le Gâtinais
un tantinet
(pied, arg.) trottinet
martinet
hutinet

(aulnes) une aulnaie°
(ville) Aulnay
(vin) Volnay
(philosophe) Volney

(aunes) une aunaie°
(Georges) Ohnet
bonnet
(un) gabonais
(un) narbonnais
(région) le Bourbonnais
(habitant)
(un) bourbonnais
(un) lisbonnais
(apéritif, n. dép.) Dubonnet
(menton, arg.) bichonnet
cochonnet
il CONNAÎT
(Mâcon) (un) mâconnais
(massif) le Mâconnais
il méconnaît
il **reconnaît**
balconnet
chardo(n)nay

Il a vécu tantôt gai comme un **sansonnet**,
Tour à tour amoureux insoucieux et tendre,
Tantôt sombre et rêveur comme un triste Clitandre,
Un jour il entendit qu'à sa porte on **sonnait**.

C'était la Mort ! Alors il la pria d'attendre
Qu'il eût posé le point à son dernier **sonnet** ;
Et puis sans s'émouvoir, il s'en alla s'étendre
Au fond du coffre froid où son corps **frissonnait**.

Gérard de Nerval, « Épitaphe »,
Poésies diverses

Qui peut aimer le **sansonnet** ?
C'est un oiseau sans politesse ;
Il a malgré sa petitesse
La binette près du **bonnet**

Là, perché sur son **bâtonnet**,
Il ne dit rien. Bête traîtresse
Il se défile avec adresse
S'il manque une rime au **sonnet**.

Boris Vian, « Qui ? »,
Cent Sonnets

Au pied d'un panneau couleur **sansonnet**
Où près du slogan l'affiche s'empresse
Se tint un beau soir querelle traîtresse
Entre un vieil ivrogne et le **baronnet**.

Rempli de Dubo, Dubon, **Dubonnet**,
Le premier mettait son pied sur la fesse
Du second, choqué qui, je le confesse
Passait la mesure et le **bâtonnait**.

Boris Vian, « Publicité »,
Cent Sonnets

Qu'on me grise d'**Épernay**,
De Meursault et de **Volnay** ;
Je défirai pour la rime
Quiconque ici s'en escrime.

Antoine-Pierre-Augustin de Piis, « La grande ronde du petit vaudeville », *Chansons.* Livre I

Mille guerriers chanteront par **bé**
Mi, la, s'on pille, il y fait doux et } ***-Mol***
Requérons Dieu que le bon temps **jo**
Revienne brief et amène **anco** } ***-li***
Utile paix, se chanterons tout
Ut, ré mi, fa, sol, la, vive **Jean** } **-net !**

Jean **Molinet**, « À Jehan Grignon de Ranchicourt »,
Œuvres

T'en souvient-il Tordu, la ***grasse matinée***
Que tu vécus, un jour de ***mars en*** **Gâtinais**
Dans cet ancien buffet de ***gare***, **estaminet** ?
De désir, une vieille ***garce t'animait***…
T'offrant son trou en disant « ***gratte ça***, **minet** ! »
Ton pied que tu enfouis jusqu'au ***tarse***, **gaminait**,
Fouillait jusqu'à son ***épigastre***, **marinait**…
Mais chez ces vieux boudins, l'***orgasme tard y*** **naît**.

Boby Lapointe, « Grimace ratatinée en rime à grasse matinée »,
Intégrale

❐ 363 [Saint-Amant]
121.8 [Rimbaud]

NET-NAIE°

cordonnet
mignonnet
(un) avignonnais
(un) aragonais
wagonnet
(un) bayonnais
(Lyon) (un) lyonnais
(province) le Lyonnais
(un) réunionnais
(un) roussillonnais
jaunet
(un) dijonnais
ballonnet
(Robert/Sonia) Delaunay
(voiture, n. dép.)
une Delaunay
(un) barcelonais
(un) bolonais
(un) polonais
(Bologne) (un) boulonnais
(région) le Boulonnais

(un) toulonnais
il/la **monnaie°**
(Claude) Monnet
papier-monnaie°
porte-monnaie°
euromonnaie°
(Sens) (un) sénonais
(région) le Sénonais
poney
(un) japonais
cramponnet
baro(n)net
(un) aveyronnais
un SONNET
il **sonnait**
(clitoris, arg.) soissonnais
(Soissons) (un) soissonnais
(région) le Soissonnais
le Briançonnais
sansonnet
garçonnet

un bâtonnet
il bâtonnait
(de Canton) (un) cantonais
(se confiner)
il se cantonnait
mentonnet

(pâle, rég.) blanchounet
(un) camerounais
(radoteur, rég.) tentounet
tristounet
(joli, rég.) bravounet

harnais
(calepin) **carnet**
(rigole) carnet
(un) béarnais
(Joséphine de)
Beauharnais
cabernet
Épernay

(Joseph) Vernet
(Nevers) (un) nivernais
(région) le Nivernais
cornet
(calmar) un encornet
il encornait
attorney
(ville) Tournai
il tournait

(Walt) Disney

mont Whitney
chutney

(puant) punais
brunet

+ verbes en -ne
1e, 2e, 3e pers.sing
3e pers. plurie
imparfait indicati

sous-rimes voisines
121.11 LET-LAIE
121.12 MET-MAIE

contre-assonance
214.13 NÉ-É

121.14 OUET

SOUHAIT

(oui) ouais!
où est
(il labourait) il houait
(n. déposé) un K-way
minahouet
l'Outaouais
(nuque, rég.) cacouet
(ville) Douai
(ruisseau, rég.) un douet
(douer) il douait
Broadway
fouet
gouet
Paraguay
(Ernest) Hemingway
taxiway
un **jouet**
il jouait
(Jean) Clouet
il clouait
(chemin de fer) railway

(oui sceptique) mouais!
tramway
(linge) un nouet
il nouait
(piano, n. dép.) un Steinway
(repoussant, Suisse) pouet
un **rouet**
il rouait
(Voltaire) Arouet
brouet
(peintre) Drouais
(Juliette) Drouet
fairway
SOUHAIT
le Thouet
(Thomas) Otway
(Simon) Vouet
il vouait

+ verbes en -ouer
1e, 2e, 3e pers. sing.
3e pers. pluriel
imparfait indicatif

sous-rimes voisines
121.21 UET
121.0 AIT

contre-assonances
214.15 OUÉ
1.16 OI

C'est un petit vapeur qui paraît un **jouet**,
Mais solide et ventru comme une grosse barque.
L'arrière assis dans l'eau, l'avant qui pointe et s'arque,
Il fait sans se lasser son ronron de **rouet**.

Il va longer l'escadre alignée à **souhait**,
En laissant l'arsenal que sa digue au loin parque,
L'*Ernest Renan* où l'amiral a mis sa marque,
Où tantôt, cuivres sourds, la musique **jouait**...

Fernand Gregh, « Le Bateau des Sablettes » dans
« Suite toulonnaise » II,
Le Mot du Monde

La Fontaine de **Caraouet**,
Est la plus charmante de toutes.
Elle chante comme un **rouet**,
La Fontaine de **Caraouet** !
Elle est si fraîche qu'**Arouet**
Perdrait, en y buvant, ses doutes.
La Fontaine de **Caraouet**
Est la plus charmante de toutes.

Edmond Rostand, « La Fontaine de Caraouet »,
Les Musardises

Mais moi, Seigneur ! voici que mon Esprit vole,
Après les cieux glacés de rouge, ***sous les***
Nuages célestes qui courent et volent
Sur cent Solognes longues comme un **railway**.

Arthur Rimbaud, « Michel et Christine »,
Vers nouveaux et chansons

Le vent frais du matin **secouait**
Les feuilles et les roses
Et pour écouter le délicat virtuose
Tout se tenait ***coi***.

Tristan Klingsor, « Le Merle »,
Humoresques

❐ *121.21 [Levet]*

121.15 PET-PAIE°

PAIX
ÉPAIS

(salaire) il/la **paie**°
(il broute) il **paît**
(repos) la PAIX
rivière de la Paix
(gaz) un pet
(Hugues) Capet
saint Agapet
Japet
clapet
(grand-père, rég.) papet
(bouillie, Suisse) papet
parapet
ÉPAIS
(repayer) il repaie°
(repaître) il (se) **repaît**
contrepet
Bidpai/Pilpay
isopet/ysopet
(sieste, rég.) un clo(p)pet
(il fumait, arg.) il cloppait
il rompait
il interrompait
il corrompait
(veau, rég.) repoupet
il sous-paie°
toupet
(pétard, verl.) tarpet
il surpaie°
aspect
respect
(arme) porte-respect
irrespect
non-respect
prospect
circonspect
suspect

+ verbes en -per
1e, 2e, 3e pers. sing.
3e pers. pluriel
imparfait indicatif

Quand pétri de bons sentiments,
On l'aime platoniquement,
On est un mufle un garnement,
Un vieux fossile.
Qu'on lui manque un peu de **respect**,
D'être un faune on devient **suspect**,
Avec elle pour être en **paix**,
C'est difficile.

Georges Brassens, « Le vieux fossile »,
Poèmes et chansons

L'âge a pris goût de porter le masque de **paix**.
Tarie, la source a caché sa soif sous les ronces.
Si je tais mon interrogation sans réponse,
Arbres obscurs, ne vous fiez pas à mon **aspect**...

Jean Grosjean, « Il est écrit de moi » I,
Le Livre du Juste

Moi qui tremblais, sentant geindre à cinquante lieues
Le rut des Béhémots et les Maelstroms **épais**,
Fileur éternel des immobilités bleues,
Je regrette l'Europe aux anciens **parapets** !

Arthur Rimbaud, « Le Bateau ivre »,
Poésies

C'est l'olivier. Il est debout dans la lumière,
Ô troupeau des mortels, cependant que tu **pais** ;
Il tire l'huile de la pierre ;
Le vent tord son feuillage en couronnes de **paix** [...]

Tristan Derème, « Polymnie »,
Le Ballet des Muses in *Poèmes des Colombes*

À ses cornes, le ciel aiguise les ***épées***
De ses rayons dorés. Il est seul, lourd, **épais**,
Enfermé dans le cuir d'une présence lente,
Mais son calme massif cache une âme violente...

Marc Alyn, « Le taureau »,
L'Arche enchantée

sous-rime voisine
121.2 BET-BAIE

contre-assonance
214.16 PÉ-E

❒

121.16 QUET

QUAI

QUAI
(bien) acquêt
(charrette) haquet
baquet
caquet
(écureuil, rég.) ja(c)quet
(jeu) jacquet
potron-ja(c)quet
(valet) un **laquais**
(petit lac) un laquet
(il vernissait) il laquait
(Paris) quai Malaquais
claquet
(idée fixe, Belg.) maquet
(homme de peu) naquet

paquet
porte-paquet
(de bicyclette) un braquet
(il pointait) il braquait
(oiseau) un traquet
(il poursuivait) il traquait
(loquet) taquet
(gifle, arg.) taquet
(repas) un **banquet**
(il payait) il banquait
(un) sri lankais
becquet/béquet
(garçon, Belg.) manèquet
(sieste, rég.) pénéquet
biquet
(un chouïa) un chiquet
(il mâchait) il chiquait
affiquet

Le navire est à **quai**
Y'a des tas de **paquets**
Des **paquets** posés sur le **quai**... là
Dans un petit **troquet**
D'un port **martiniquais**
Une fille belle à ***croquer***... là
Pleure dans les bras
D'un garçon de couleur
Car il s'en va
Et lui brise le cœur
Elle dans un **hoquet**
Lui tendant son **ticket**
Lui dit : « chéri que tu vas me ***manquer*** »

Charles Aznavour, « Mé qué, mé qué »,
Un homme et ses chansons

☞

QUET

121. È

cliquet
(parapluie, rég.) coliquet
Mickey
(sieste, Suisse) niquet
(un) martiniquais
tourniquet
(pieu) piquet
(jeu de cartes) piquet
La Motte-Picquet
saupiquet
(à la houppe) Riquet
(pour le feu) un **briquet**
(chien) un briquet
(il astiquait) il briquait
sabre-briquet
sobriquet
(sport) le cricket
(insecte) un criquet
friquet
loriquet
bourriquet
triquet
foutriquet
(pot, Belg.) potiquet
un **ticket**
(il rechignait) il tiquait
(lampe) un quinquet
(yeux) les quinquets
(sport, rég.) le trinquet
(mât) un trinquet
il trinquait
il vainquait
il convainquait
(sport) le hockey
un **hoquet**
(d'accord) O.K.
bilboquet
verboquet
coquet
jockey
disc-jockey
loquet
(courbatures, rég.) avoir les bloquets

poquet
(chien) un **roquet**
(échecs) il roquait
(jeu) le croquet
(gâteau, rég.) un croquet
(galon) un croquet
il croquait
perroquet
bec-de-perroquet
(café) un troquet
(il échangeait) il troquait
mastroquet
bistroquet
(vin) le tokay
(toque) un toquet
(il heurtait) il toquait
(il s'entichait) il se toquait
paltoquet
conquêt
(de fleurs) **bouquet**
(crevette) bouquet
porte-bouquets
(Nicolas) Fou(c)quet
(penaud, rég.) mouquet
Le Touquet
(mois, arg.) marquet
(justice) parquet
(plancher) parquet
(un) new-yorkais
(un) basquais
frisquet
whiskey
un **bosquet**
(Alain) Bosquet
(Joë) Bousquet
mousquet
freluquet

+ verbes en -quer
1e, 2e, 3e pers. sing.
3e pers. pluriel
imparfait indicatif

Ô jeunesse voici que les noces s'achèvent
Les convives s'en vont des tables du **banquet**
Les nappes sont tachées de vin et le **parquet**
Est blanchi par les pas des danseurs et des rêves

Une vague a roulé des roses sur la grève
Quelque amant malheureux jeta du haut du **quai**
Dans la mer en pleurant reliques et **bouquets**
Et les rois ont mangé la galette et la fève

Robert Desnos, « Ô jeunesse »,
Destinée arbitraire

Ces Oiseaux-là, sont-ce bien **perroquets**
Ou bien vautours ? Ils ont jabots **coquets**
De vert montant et verte huppe, et certe
Pour leur langage ils ont la langue verte,
Mais de sang frais dégouttent leurs **caquets**.

Sont-ils gryphons qui nichent sur les **quais** ?
L'autre jeudi, quasiment j'**évoquais**,
Sur un tas d'or voyant leur patte ouverte,
Ces Oiseaux-là.

Petit me chaut des noms et **sobriquets** ;
Trop grand dégât ils font dans nos **bosquets**,
Dure grevance avons par eux soufferte.
Si convient-il les encager, alerte !
Sous gros barreaux, à quadruples **loquets**,
Ces Oiseaux-là.

André Mary, « Des Oiseaux verts qui nichent au bord de la Seine »,
Les Rondeaux. XVII

Si tu m'en crois, Baïf, tu changeras Parnasse
Au palais de Paris, Hélicon au **parquet**,
Ton laurier en un sac, et ta lyre au **caquet**
De ceux qui, pour serrer, la main n'ont jamais lasse.

C'est à ce métier-là que les biens on amasse,
Non à celui des vers, où moins y a d'**acquêt**
Qu'au métier d'un bouffon ou celui d'un **naquet**.
Fi du plaisir, Baïf, qui sans profit se passe.

Joachim du Bellay, « Si tu m'en crois… »,
Les Regrets. CLIV

sous-rime voisine
121.9 GUET

contre-assonance
217.7 QUÉ

❒ 207 [Mallarmé]
535.4 [Prévert]

121.17 RET-RAIE°

SECRET
FORÊT

(rayon) un rai
(rayure) il/une **raie**°
(poisson) une raie°
(raire : bramer) il rait
(culture) un ray
(filet) des **rets**
pays de Retz
cardinal de Retz

(pause) sans/un **arrêt**

chat haret
cabaret
(dévidoir) un caret
(tortue) un caret
(se caler) il (se) carrait
Turcaret
mascaret
(sot, rég.) badaret
(joufflu, rég.) bouffaret
saisie-arrêt
jarret
coupe-jarret
un **marais**
(Jean) Marais
(il riait) il se marrait

Beethoven, montre-moi les **frais** chemins **secrets**
Par où ton rêve atteint les rêves des **forêts**.
Le mien croule, et, là-bas, consolants et **discrets**,
Mangent des grains amers les doux **chardonnerets**.

Armand Godoy,
Du Cantique des Cantiques au Chemin de la Croix. XXV

Vous êtes belle plus que **très**,
Et vous avez le teint si **frais**,
Qu'il n'est rien d'égal (au moins comme
Je pense) à vous.
……

RET-RAIE°

121. È

minaret
je **boirai(s)**
je choirai(s)
il échoirait
je déchoirai(s)
le Loiret
(Paul) Poiret
je **croirai(s)**
je m'assoirai(s)
je me rassoirai(s)
je surseoirai(s)
je prévoirai(s)
je pourvoirai(s)
(+comp.) (paraître) il **paraît**
(parer) il parait
il **apparaît**
(comparaître) il comparaît
(comparer) il comparait
lazaret
taret
lavaret
(un) navarrais
le Vivarais

il dés/enraie°

(résidu) du brai
(pantalon) des braies°
pays de Bray
(braire) il **brait**
(un) calabrais
il embraie°
(bêtises de) Cambrai
il cambrait
étambrai
(cri, rég.) ébrai
il débraie°
(maison d') Albret
vergobret
(roche) la **craie**°
(escarpement) un crêt
(faucon) un sacret
il sacrait
décret
halecret
SECRET
top secret
je **vaincrai(s)**
je convaincrai(s)
concret
discret
indiscret

adret
cédraie°
(+comp.) je **tiendrai(s)**
(+comp.) je **viendrai(s)**
Audrey
il **faudrait**
(+comp.) je vaudrai(s)
(coudriers) une coudraie°
(+comp.)
(coudre) je coudrai(s)
je re/moudrai(s)
j'absoudrai(s)
je dissoudrai(s)
je résoudrai(s)
je re/**voudrai(s)**
je re/perdrai(s)

je dé/re/mordrai(s)
(+comp.) je tordrai(s)

béret
il déraie°
ferret
guéret
il siérait
je m'assiérai(s)
je me rassiérai(s)
il messiérait
clairet
je dé/plairai(s)
je me complairai(s)
(Benjamin) Péret
(Pierre) Perret
Levallois-Perret
(+comp.) j'acquérais/
acquerrai(s)
il brairait
(+comp.) je trairai(s)
(taire) je (me) tairai(s)
(terrer) je me terrai(s)
intérêt
inintérêt
désintérêt
je **verrai(s)**
(r/envoyer)
je r/enverrai(s)
(revoir) je reverrai(s)
j'entreverrai(s)
(joncs) une joncheraie°
(joncher) je joncherai(s)
Gilles de Rais
(+comp.) je **ferai(s)**
orangeraie°
fougeraie°
châtaigneraie°
(pleurnichard, rég.)
quigneret
j'accueillerai(s)
je re/cueillerai(s)
feuilleret
guilleret
(filet) un ableret
(parler) je hâblerai(s)
(escrime) un **fleuret**
(sentir) il fleurait
mille-raies°
soleret
(peupliers) une peupleraie°
(peupler) je peuplerai(s)
(galant) dameret
palmeraie°
(pommiers)
une pommeraie°
(perdre) je paumerai(s)
formeret
banneret
laneret
bananeraie°
minerai
pineraie°
chardonneret
rôneraie°
couperet
(simplet, rég.) caqueret
Thackeray
coqueret

Vos yeux, par des ressorts **secrets**,
Tiennent mille cœurs dans vos **rets**,
Qui s'en défend est habile homme ;
Pour moi, qu'un si beau feu consomme,
Jour et nuit percé de vos **traits**,
Je pense à vous.

Pierre Corneille, « Rondeau »,
Poésies choisies du recueil Sercy

Les veilleuses dont notre nuit est parfumée
Sont des sœurs dont les longs regards sont des **secrets**,
Et les yeux de nacre et de perle des **coffrets**
Nous pénètrent, et sur la basse cheminée

Le miroir où ta beauté nue est confirmée
Répète ces regards et ces yeux **indiscrets**,
Qui troublants comme les feux pâles d'un **marais**,
Hantent le cœur du doux poète et de l'Aimée.

Germain Nouveau, « Les Yeux »,
Premiers poèmes

Tout était dit, voilà dix ans, dans ce poème
oublié par toi sur un coin de table, **exprès**
pour moi qui le sertis d'un contre-chant, de **près**,
croyant en conjurer le risque d'anathème.

J'avais bien tout compris de son langage extrême :
le cœur en fuite à mots perdus dans le **retrait**
du silence, dans la solitude aux **secrets**,
et l'amour en sursis du reniement suprême.

Luc Estang, « Tout était dit… »,
Corps à cœur. XCV

J'étais malade de **regrets**, de quels **regrets** !
Toute ma bonne foi **pleurait** d'une méprise.
Mon corps qui fut naguère fort, si faible **après**
Agonisait presque, comme un tigre agonise.

Ma face dure aux poils fauves de barbe grise
Suait froid, mes yeux clos se rejoignaient trop **près**,
D'affreux hoquets me secouaient sous ma chemise
Et mes membres s'alignaient à la mort tout **prêts**.

Paul Verlaine, « À Georges Bonnamour »,
Dédicaces. XX

Goût d'étrange, saveur d'inconnu, soif brûlante
d'Ailleurs, ce ciel nouveau qui t'obsède et tourmente
t'offrira-t-il, parmi la ***paix des* palmeraies**,
les délices des yeux et des sens ***ignorées***
que l'art habile et vain des villes te refuse ?

Jean-Joseph Rabearivelo, « Trois préludes » II,
Chants pour Abéone in *Poèmes*

J'**aplatirais** mes ***oreilles***
sur mon dos luisant, et toi
tu **avancerais** et **retirerais**
ton cou bleu en savon et en ardoise.

Francis Jammes, « Un nuage est une barre… »,
De l'Angelus de l'aube à l'Angelus du soir

❒ 191 [Bergerat] ; 258.4 [Louÿs] ; 362 [Saint-Amant]

RET-RAIE°

121. È

je **serai(s)**
traceret
dosseret
ronceraie°
caseret
noiseraie°
(fraisiers) une fraiseraie°
(usiner) je fraiserai(s)
(osiers) une oseraie°
(oser) j'oserai(s)
roseraie°
bambouseraie°
(hotte) un hotteret
(ôter) j'ôterai(s)
Cauterets
(cocotiers)
une cocoteraie°
(puer) je coco(t)terai(s)
oliveraie°

(œufs de poisson) le frai
(frayer) il fraie°
(froid) le/être **frais**
(dépenses) des **frais**
(cargaison) le fret
(chouette) une effraie°
(effrayer) il **effraie°**
il défraie°
il offrait
coffret
Geoffrey/Joffrey
il souffrait
orfraie°

(mesure) gray
(roche) **grès**
des agrès
magret
engrais
commissaire Maigret
ségrais
regret
Segrais
progrès
congrès

j'**irai(s)**
(+comp.) je **dirai(s)**
(confire) je confirai(s)
(confier) je confierai(s)
je suffirai(s)
(lire) je re/lirai(s)
(lier) je re/lierai(s)
je ré/élirai(s)
(délier) je délierai(s)
(délirer) je délirai(s)
je **sou/rirai(s)**
(+comp.) j'écrirai(s)
je frirai(s)
(rivière) le Siret
(cirer) il cirait
(scier) il scierait
je circoncirai(s)
(trait) un tiret
(tirer) il tirait
je re/cuirai(s)
(+comp.) je déduirai(s)
je re/luirai(s)
je nuirai(s)
je détruirai(s)
je m'instruirai(s)
je re/construirai(s)

Man Ray

j'**aurai(s)**
(vrille) un foret
(bois) une FORÊT
(Massif central) le Forez
(Simone) Signoret
goret
je clorai(s)
j'enclorai(s)
il éclorait
(hareng) sauret
(savoir) je saurai(s)
le Tintoret

tabouret
libouret

(+comp.)je **cou(r)rai(s)**
(éveillé, rég.) vigouret
je **mou(r)rai(s)**
je **pourrai(s)**
touret

(proche) **près**
(préparé) être **prêt**
(emprunt) un prêt
(ensuite) **après**
(préparatifs) des **apprêts**
ci-après
à-peu-près
cyprès
auprès
propret
je romprai(s)
j'interromprai(s)
je corromprai(s)
spray
exprès

un **trait**
(traire) il trait
(beaucoup) **très**
attrait
(+comp.) je **battrai(s)**
j'accroîtrais
je dé/croîtrai(s)
(poutre) un entrais
(entrer) il entrait
(rentrayer) il rentraie°
(rentraire) il rentrait
(rentrer) il rentrait
électret
hêtraie°
(+comp.) je **mettrai(s)**
je re/naîtrai(s)
je mé/re/connaîtrais
il re/paîtrait
(+comp.) je paraîtrai(s)
retrait
cotret
(meute) un vautrait
(vautrer) il se vautrait

je (me) foutrai(s)
je m'en contrefoutrai(s)
cheval fortrait
portrait
autoportrait
Courtrai
il s'/(l')**abstrait**
il/(un) **distrait**
il soustrait
il/un extrait

Mercurey/mercurey
furet
j'inclurai(s)
je conclurai(s)
j'exclurai(s)
muret
(aigrelet) suret
(Angleterre) le Surrey

(le) **vrai/vraie°**
je re/devrai(s)
il re/pleuvrait
je décevrai(s)
je recevrai(s)
je percevrai(s)
j'entr/apercevrai(s)
ivraie°
un **livret**
il livrait
je **suivrai(s)**
il s'ensuivrait
je poursuivrai(s)
je re/sur/**vivrai(s)**
pauvret
il ouvrait
il dé/re/couvrait
j'é/mouvrai(s)
je promouvrai(s)
(rouvres) une rouvraie°
(rouvrir) il rouvrait
il entrouvrait/
entr'ouvrait
Vouvray/vouvray

+ verbes en -er, -i
1e, 2e, 3e pers.sing
3e pers. plurie
imparfait indicati

+ verbes en -er, -ir,
-endre, -indre, -ondre
1e pers. sing. futu
1e, 2e, 3e pers.sing
du présent condit

sous-rime voisine
121.11 LET

contre-assonance
214.18 RÉ-E

121.18 SET-SSAIE°

SAIT

(manteau) une saie°
(brosse) une saie°
(savoir) il SAIT
(démonstratif) **ces**
(être) **c'est**
(possessif) ses
(chien) un **basset**
cor de basset
cabasset
un **lacet**
il lassait
passe-lacet
(demande) un placet
il plaçait
il ac/dé/croissait
(escabeau, Belg.) un passet

il passait
grasset
valençay
(un) **français**
franco-français
abcès
accès
succès
insuccès
excès
un **essai**
il **essaie°**
il r(é)essaie°
décès
il re/naissait
il mé/re/connaissait
il re/paissait
(+comp.) il paraissait
Gresset

Que fait l'esprit dont l'homme a l'orgueil ? Nul ne **sait**.
Les morts ne peuvent pas nous donner confiance.
Tout est clos et sans fin, rien ne livre l'**accès**
Du site éblouissant où cesserait l'absence.
Parfois un faible amour, que la douleur **lassait**,
A trouvé chez les dieux une calme science.

– Sans jamais aborder la vaine expérience,
je vous consacre un cœur ennobli par l'**excès**...

Anna de Noailles, « Que fait l'esprit… »,
L'Honneur de souffrir. LXXXIX

Par ma Muse, je sus le ***secret*** du **succès**
Elle me dit : Chéri, le faîte de la gloire
Reste inchangé depuis les aubes de l'histoire
Il n'en va point ainsi de nos moyens d'**accès**

……

SET-SSAIE° — 121. È

il graissait
contre-essai
général Desaix
recès
il maudissait
Anicet
(buis) buissaie°
il bruissait
(Thomas) De Quincey
(Écosse) (un) écossais
(écosser) il écossait
fausset
procès
(saules) une saussaie°
(saucer) il sauçait
(poisson) un exocet
(il comblait) il exauçait
(il élevait) il exhaussait
houssaie°
doucet
gousset
(voleur) vide-gousset

(voleur) tire-gousset
le Petit Poucet
il poussait
Broussais
Dumarsay
(sainfoin, rég.) esparcet
tercet
un **verset**
il versait
(Paris) musée d'Orsay
un **corset**
il corsait
Condorcet
(cave, Suisse) carnotset
Alfred de Musset
(il cachait) il mussait

+ verbes en -cer, -(s)ser *et* -xer *en* -ir *(2e groupe) 1e, 2e, 3e pers. sing. 3e pers. pluriel imparfait indicatif*

Certains, se consumant en dangereux **excès**
Tentent d'y arriver en rêve, et sans le croire
Mènent leur âme lasse en la nacelle noire.
Crève ce rêve creux comme on crève un **abcès**

Boris Vian, « Par ma Muse »,
Cent Sonnets

Mais le maréchal-des-logis
À qui je montre ces **versets**
Se perd dans mes analogies
Veut à tout prix savoir qui **c'est**
Et moi je lui réponds Qui **sait**

Louis Aragon, « Romance du temps qu'il fait »,
Le Crève-cœur

Je n'aimais pas du tout ce bizarre façonne
D'exprimer vous ; parlez un langage plus bonne,
Et dites-moi d'abord ce que c'étaient que **ces**
Créatioures, et comme on les nomme en **français**.

Paul Verlaine, François Coppée,
Qui veut des merveilles ? scène IV

Votre vieux mari est dans la cour, qui pisse,
En bonnet de coton et gros sabots de hêtre ;
La chemise est ouverte sous votre **corset**
Et chacun **sait**
Que cette heure à l'amour est propice ;
L'aubépine sauvage est fleurie dans la ***haie***.

Tristan Klingsor, « L'Aubépine »,
Humoresques

sous-rimes voisines
121.19 S(Z)ET-S(Z)AIE
121.3 CHET-CHAIE

contre-assonance
214.19 SSÉ-E

❐

121.19 S(Z)ET-S(Z)AIE°

Bajazet
(enfant, Suisse) craset/crazet
(+comp.) il **faisait**
il dé/**plaisait**
il (se) complaisait
il (se) taisait
il zézaie°
Anglesey
Bénézet
Guernesey
(nigaud, rég.) baleuset
(récipient) un creuset
il creusait
(pigeon) un biset
(mouton) un bizet
(Georges) Bizet
(+comp.) il **disait**
il confisait
il suffisait
il gisait
Guizèh/Gizeh
(liseron, rég.) un liset

il re/**lisait**
il ré/élisait
cerisaie°
griset
il circoncisait
il re/cuisait
(+ comp.) il déduisait
il re/luisait
il s'entre-/nuisait
il s'entre-/détruisait
il (s') instruisait
il re/construisait
îles Chausey
(homme chétif, rég.) raboset
(Joseph) Losey
îles Grozet
il dé/re/cousait
(saletés,rég.) des bousets
marmouset
(île) **Jersey**
(tissu) le jersey
le New Jersey
Colin Muset

Cependant que la Cour mes ouvrages **lisait**,
Et que la sœur du Roi, l'unique Marguerite,
Me faisant plus d'honneur que n'était mon mérite,
De son bel œil divin mes vers **favorisait**,

Une fureur d'esprit au ciel me **conduisait**
D'une aile qui la mort et les siècles évite,
Et le docte troupeau qui sur Parnasse habite,
De son feu plus divin mon ardeur **attisait**.

Joachim du Bellay, « Cependant que la Cour… »,
Les Regrets. VII

Au climat du **marmouset**
    Tout **vous est**
D'émerveillement matière.
Vous prenez un homme gras
    Par le bras ;
C'est une anse de théière [...]

Amédée Pommier, « La Chine » III,
Colifichets, jeux de rimes

☞

S(Z)ET-S(Z)AIE°

+ verbes en -s(z)er
1e, 2e, 3e pers. sing.
3e pers. pluriel
imparfait indicatif

Jeanne dort ; elle laisse, ô pauvre ange banni,
Sa douce petite âme aller dans l'infini ;
Ainsi le passereau fuit dans la **cerisaie** ;
Elle regarde ailleurs que sur terre, elle ***essaie***,
Hélas, avant de boire à nos coupes de fiel,
De renouer un peu dans l'ombre avec le ciel.

Victor Hugo, « Jeanne endormie. III »,
L'Art d'être grand-père

Je suis le fantôme **Jersey**
Celui qui vient les soirs de frime
Te lancer la brume en ***baisers***
Et te ramasser dans ses rimes

Léo Ferré, « La mémoire et la mer »,
La mauvaise graine

contre-assonance
214.20 S(Z)É

sous-rimes voisines
121.18 SET-SSAIE
121.7 GET

❒

121. 20 TET-TAIE°

TAIT
ÉTAIT

(d'oreiller) une taie°
il (se) TAIT
(fleuve) le Tay
(possesif) tes
(coupelle) un têt
(+comp.) il **battait**
il dé/**mentait**
(un) nantais
ponantais
il se repentait
(un) charentais
(+comp.) il sentait
(un peu) un tantet
il tentait
octet
(cordage) un étai
(une cale) un **étai**
(il cale) il **étaie°**
il ÉTAIT
(Guillaume) Colletet
(+comp.) il **mettait**
il dé/re/vêtait
(bavard, rég.) baritet
(un) maltais
(Philippe) Jaccottet
les tricotets
maréchal Lyautey
motet
saint Protais
(acte) un protêt
(un) piémontais
pontet
il foutait
il se contrefoutait
il (se) dé/re/partait
il res/sortait
fustet
(charivari, rég.) tustet
futaie°

En toi n'ai-je trouvé que ce que j'y **mettais** ?
Mon amoureuse aux jours heureux le savait-elle
qui se donna spontanément pour ma jumelle
née à l'amour qu'un astre fou me **promettait**

en même temps que moi ? Pour tes beaux yeux j'**étais**
grand inséminateur de charmes d'un modèle
à moi trop complaisant ? aujourd'hui tu l'appelles
un vieux malentendu. Ta vérité **mentait** ?

Luc Estang, « En toi n'ai-je trouvé que ce que j'y mettais ? »,
Corps à cœur. LXXXVI

J'ai gardé dans mes mains le délice de **tes**
Épaules et le poids des seins légers et lourds
Et l'ovale inconnu de ton visage **était**
La révélation calme d'un long amour

Pierre Nothomb, « J'ai gardé dans mes mains... »,
L'Été d'octobre

Je regarde ce qui **était**
Avant que je ne fusse née ;
Mon âme inquiète, étonnée,
Contemple et rêve ; tout se **tait**.

Anna de Noailles, « Solitude »,
Les Éblouissements

Ton rire **éclatait**
Sans gêne et sans art,
Franc, sonore et libre,
Tel, au bois qui vibre,
Un oiseau qui part
Trillant son **motet**.

Paul Verlaine, « Ta voix grave et basse »,
Amour

☞

TET-TAIE°

121. È

+ verbes en -ter
1e, 2e, 3e pers. sing.
3e pers. pluriel
imparfait indicatif

Regarde le vieux banc de bois moussu
comme un tronc oublié dans la **futaie**
le portail dégondé de sa clôture
le mur qui s'effondre et que rien n'**étaie**

Bertrand Degott,
Éboulements et taillis. V. 8

À la croisée dame Flore se montre
Et cueille une jeune rose d'***été***
Au rosier qui monte
Entre les branches disjointes de l'**étai**.

Tristan Klingsor, « La Meunière du moulin à vent »,
Humoresques

sous-rime voisine
121.4 DET-DAIE

contre-assonance
214.21 TÉ-E

❐

121.21 UET

MUET

(ville) Huê
(Paul) Huet
(il sifflait) il huait
Paraguay
Uruguay
bluet
il incluait
il occluait
il concluait
il excluait
(mince) **fluet**
(couler) il fluait
(un) MUET
(transformer) il (se) muait
(un) sourd-muet
menuet
(enfant, rég.) cruet
(vent) le suet
il suait
Bossuet
(bosseler) il bossuait
chop suey
désuet
tu es
il tuait

+ verbes en -uer
1e, 2e, 3e pers. sing.
3e pers. pluriel
imparfait indicatif

Danseurs exaspérés des mornes **menuets**,
Sur les tréteaux menteurs et fragiles que foulent
Des marquis épaissis et des marquises goules,
Peuple épris de parade, exaucent tes ***souhaits***.

Leurs jeux ont ***pollué*** la prairie aux **bluets**,
Les cuivres écrasés les flûtes qui roucoulent ;
Des lampions fumeux les soulignent aux foules,
La lune se taisant aux violons **muets**.

Henry Jean-Marie Levet, « Parades »,
Cartes postales

Les bégonias broutés sont les jours de jeunesse

de crétins vieillissants (parmi lesquels **tu es**)
et l'enfant qui pourrit c'est l'avenir **muet**
de ceux qui comme toi vivent avec paresse.

Thieri Foulc, « S.O.G.A.N., A. 01 »,
Whâââh

Elle s'avance à pas **muets**,
elle porte en ses bras **fluets**
la transparence de son rêve.

Pierre Gamarra, « Stances de la tristesse des femmes »,
Romances de Garonne

Consens, car c'est ton droit véritable et notoire.
Tu es au *premier temps* de tout l'être **muet**,
Comme il revient à toi d'épanouir l'histoire
Et de reprendre à neuf le siècle **désuet**.

Gustave Lamarche, « Les Trois Grâces »,
Palinods in *Œuvres poétique*. II

sous-rimes voisines
121.14 OUET
121.0 AIT

contre-assonance
214.22 UÉ-E

❐ 258.9 [Trenet]
121.5 [Coppée]

121.22 VET-VAIE°

MAUVAIS

(aller) je **vais**
(vêtir) il (se) **vêt**
(avoir) il **avait**
(haver) il havait
(moulure) un cavet
il cavait
le Blavet
navet
chou-navet
(blatte) ravet
il savait
il (se) **dévêt**
chevet
il re/**devait**
(Henry Jean-Marie) Levet
il levait
il re/pleuvait
il **revêt**
brevet
il décevait
il recevait
il concevait
il percevait
il entr/apercevait
Vevey
livet
(oliviers) une olivaie°
(fromage) un olivet

Fabre d'Olivet
rivet
(+comp.) il **écrivait**
civet
(nuque, rég.) cotivet
il s'en/pour/**suivait**
il re/sur/**vivait**
il absolvait
il dissolvait
il résolvait
Beauvais
MAUVAIS
bouvet
(Louis) Jouvet
louvet
il é/pro/mouvait
il **pouvait**
Gervais
le Pré-Saint-Gervais
il des/res/servait
vervet
orvet
il **buvait**
un **duvet**
(Jean) Duvet

+ verbes en -ver
1e, 2e, 3e pers. sing.
3e pers. pluriel
imparfait indicatif

Je ne suis pas sincère et mes vers sont **mauvais**.
J'ai passé parmi vous, ô lecteurs inutiles,
féroce, peu bavard comme un vieux crocodile,
et le cœur cuirassé ; maintenant je m'en **vais**.

J'aurais pu comme un autre extirper des **navets**
à la mélancolie de mon cerveau fertile,
vous distribuer de l'âme enrubannée de style,
être poète enfin, ô moi qui le **pouvais** !

Thieri Foulc, « Le Versificateur »,
Whâââh

Par la surprise saisie,
Une bouche qui **buvait**
Au sein de la Poésie
En sépare son **duvet** [...]

Paul Valéry, « Poésie »,
Charmes

Ce matin, quand le jour a frappé ta paupière,
Quel séraphin pensif, courbé sur ton **chevet**,
Secouait des lilas dans sa robe légère,
Et te contait tout bas les amours qu'il **rêvait** ?

Alfred de Musset, « La Nuit de Mai »,
Poésies nouvelles

Un jeune cœur n'est pas de chêne
Et le célibat est **mauvais**...
Pauvre petite ! je **savais**
Sa chute plus ou moins prochaine.

Elle allait, – nous allons, – je **vais**,
Où va la grande proie humaine,
Droit au diable... celui qui mène
Les rondes du **Pré-Saint-Gervais**.

Albert Mérat, « Au travers du mur » II,
Avril, mai, juin... LXVI

Où sont ces têtes que j'**avais**
Où est le Dieu de ma jeunesse
L'amour est devenu **mauvais**
Qu'au brasier les flammes renaissent
Mon âme au soleil se **dévêt**

Guillaume Apollinaire, « Le Brasier »,
Alcools

sous-rime voisine
121.6 FET

contre-assonance
214.23 VÉ-E

❐ *53 [Verlaine] ; 214.23 [Derème]*

122. ÈBE-EB°

ÉPHÈBE
ÉRÈBE

(grimace, rég.) une bèbe
(giton, arg.) un (s)chbeb°
cubèbe
acheb°
(prostituée, arg.) une tcheb°
(débile, arg.)
(un/e) deb°/dèbe
Bab el-Mandeb°
ÉPHÈBE
(sortir, arg.) gebgeb°
mahaleb°
(chien, arg.) un cleb°
les Célèbes

Loin des vitres ! clairs yeux dont je bois les liqueurs,
Et ne vous souillez pas à contempler les **plèbes**.
Des gels norvégiens métallisent les **glèbes**,
Que le froid des hivers nous réchauffent les cœurs !

Tels des guerriers pleurant les ruines de **Thèbes**,
Ma mie, ainsi toujours courtisons nos rancœurs,
Et, dédaignant la vie aux chants sophistiqueurs,
Laissons le bon Trépas nous conduire aux **Érèbes**.

Émile Nelligan, « Hiver sentimental »,
Poésies complètes

☞

ÈBE-EB°

glèbe
plèbe
Deneb°
Turnèbe
(il se trompe, rég.) il se rèbe
(Enfer/s) l'/les ÉRÈBE(S)
grèbe
le Maghreb°
Zagreb°
Horeb°
Eusèbe
Thèbes
(pénis, arg.) un zeb°
(il baise, verlan) il zèbe

assonances	*contre-assonances*
124. ÈBRE	*2. ABE*
178. ERBE	*260. IBE*
170. ÈPE	*360. OBE*
148. ÈLE	*536. UBE*

Et la vierge, attendant de glorieux **éphèbes**,
S'offre splendide et nue aux baisers triomphaux.
Alors les chefs et les vieillards gardiens des **glèbes**
La repoussent avec des bâtons et des faux.

Ephraïm Mikhaël, « L'Étrangère »,
Poèmes en vers et prose

J'aimais ô maigre enfant toumentante et ***acerbe***
Embrasser ce secret tropical mais honteux
Magnifiquement doux décoré par l'**Érèbe**
Le doigt touchant d'autres enfers aventureux
Moi-même prié par ta bouche ***maternelle***

Pierre Jean Jouve, « Rêve ô ma jeune belle »,
Diadème

Donc vous viviez avec ces fronts d'événements
Et ces mystères de grands nombres sous vos ***robes***
Quand se serait levé le vent d'enlèvements,
Le primitif dies iræ vers les **Érèbes**...

Marcel Thiry, « Donc vous viviez… »,
Le Festin d'attente

Il faut à la beauté, dans l'ombre balsamique,
Parler avec le cœur et non avec le né.
Maxime. Or, vous risquez, étant enchifrené,
Comme Oreste sortant des brouillards de l'**Érèbe**,
De lui dire tout bas à l'oreille : Je t'**aibe** !

Victor Hugo,
Les Étudiants. Appendice in *Théâtre complet.* II

❒ *123 [Milosz]*

123. ÈBLE

FAIBLE

FAIBLE
électrofaible
yèble/hièble
(brouillard, rég.) la nèble
(plante) le rièble

assonances	*contre-assonances*
122. ÈBE	*3. ABLE*
124. ÈBRE	*261. IBLE*
148. ÈLE	*361. OBLE*
149. ELBE	*483. OUBLE*

L'odeur molle de l'**hyèble**
Mélangée à la fleur des courges
Fait croire que c'est à Bourges
Que le Cher est le plus **faible**.

Paul Claudel, « L'Itinéraire de Paris à Lyon »,
Poèmes retrouvés

Elle cercle des fronts de filles de fleurs **faibles**
Dont la tiédeur sait la chanson des coquillages
Et des poignets d'enfants de bracelets d'***éphèbes*** ;
Et le cœur des cercueils bat sous ses pieds sauvages.

O. V. de L. Milosz, « À Ænobarbus » (1re version),
Poésies, II, p. 221

Est-ce donc la mort cela, cette rôdeuse douceur
Qui s'en retourne vers nous par une obscure faveur ?

Et serais-je ce noyé chevauchant parmi les algues
Qui voit comme se reforme le ciel tourmenté de ***fables***.

Je tâte mon corps mouillé comme un témoignage **faible**
Et ma monture hennit pour m'assurer que c'est ***elle***.

Jules Supervielle, « Le Survivant »,
Gravitations

❒

124. ÈBRE

TÉNÈBRES
FUNÈBRE

(fleuve espagnol) l'Èbre
(fleuve antique) l'Hèbre
la Besbre
algèbre
les guèbres/
un guèbre
(lièvre, rég.) une lèbre
il/être **célèbre**
il s'autocélèbre
il concélèbre
TÉNÈBRES
il enténèbre
FUNÈBRE
(poivre, rég.) le pèbre
(l'an passé, rég.)
l'an pèbre
il décérèbre
(crèche vivante, rég.)
le pessèbre
vertèbre
il/un **zèbre**

Quand l'ombre menaça de la fatale loi
Tel vieux Rêve, désir et mal de mes **vertèbres**,
Affligé de périr sous les plafonds **funèbres**
Il a ployé son aile indubitable en moi.

Luxe, ô salle d'ébène où, pour séduire un roi
Se tordent dans leur mort des guirlandes **célèbres**,
Vous n'êtes qu'un orgueil menti par les **ténèbres**
Aux yeux du solitaire ébloui de sa foi.

Stéphane Mallarmé, « Plusieurs sonnets » I,
Poésies

Et l'arrosoir pensif renaissait des **ténèbres**
Cependant qu'au jardin les pommes se ridant
Narguaient du coin de l'œil la gravité du **Guèbre**
Qui s'inclinait vers l'Est, une prière aux dents.

À la fin de l'année le studieux petit **zèbre**,
Après neuf mois de cours l'écritoire vidant,
Ira paître en Albion les pâtures **célèbres**
Où le Taureau paillard offre son cœur ardent.

Pierre Gripari, « Aurore »,
Le Solilesse

Tout en chantant Schubert et **Webre***
Elle en vient à réaliser
L'application de l'**algèbre**
A l'amour, à l'âme, au baiser.

Victor Hugo, « Senior est junior » V,
Les Chansons des rues et des bois

* Weber

Pour que luise notre tourment
dans la **ténèbre**
préchons la braise du sarment
de ma **vertèbre**.

Jacques Audiberti, « Les poètes et Dieu »,
Des Tonnes de semence

Le voyageur, avant de rouvrir les ***fenêtres***,
Respire en défaillant l'odeur des chambres closes ;
Il regarde onduler les rideaux des alcôves
Et le miroir verdi briller dans les **ténèbres.**

Charles Guérin, « Le tiède après-midi… »,
Le Cœur Solitaire. LV

Prends ton manteau. Suspends les plaintes éternelles
Et buvons la splendeur des heures automnales,
Car la pourpre des bois environne le **zèbre**
Qui rue et trotte et mord le feuillage et se ***cabre.***

C'est le nouvel ***octobre*** et la sente où je marche
Je la foulais naguère en brandissant la torche […]

Tristan Derème, « Prends ton manteau… »,
La Verdure dorée. LXXVIII

assonances	*contre-assonances*
122. ÈBE	*6. ABRE*
207. ÈTRE	*262. IBRE*
210. ÈVRE	*362. OBRE*
178. ERBE	*538. UBRE*

❐ *143 [Pozzi] ; 175 [Guérin] ; 210 [Artaud]*

125. ÈCHE-ECH°

FLÈCHE
FRAÎCHE
SÈCHE

il/une aiche/esche
(outil) il/une **bêche**
(il snobe) il bêche
(tête, arg.) une cabèche
escabèche
tête-bêche
pimbêche
(il frappe, arg.)
il encalbèche
bobèche
maubèche
Marrakech°
chèche
(dénuement) la **dèche**
(il dépense, arg.) il dèche
le Bangladesh°
l'Ardèche
pie-grièche
(plante) une laîche
il **lèche**
(flatterie, arg.) la lèche
il **allèche**
calèche
(laid, arg.) blèche
il/une FLÈCHE
(ville) La Flèche
il se **pourlèche**
(marécage) un maiche
il/une **mèche**
(connivence)
être de mèche
flammèche
il s'émèche

houaiche
(fruit) une **pêche**
(coup, arg.) une pêche
(poisson) il/la pêche
(il faute) il pèche
il **empêche**
bois de campêche
épeiche
une/il (se) **dépêche**
garde-pêche
il repêche
(fille, arg.) une taspèche
(rugueux) **rêche**
(Wilhelm) Reich°
(Empire) le Reich°
brèche
il ébrèche
(Noël) une **crèche**
(il loge, arg.) il crèche
drêche
à la/être FRAÎCHE
(argent, arg.) la fraîche
il/un **prêche**
ventrèche
il/être SÈCHE
(cigarette, arg.) une sèche
(mollusque) une seiche
(oscillation de l'eau)
la seiche
il assèche
il dessèche
antisèche
bretèche
Saint-Nom-la-Bretèche
le Buëch°
chevêche
revêche
livèche

Rose au printemps le temps **lèche**
ses fesses fleuries langue un peu **rèche**
le temps plutôt les mots poème qui **bêche**
à son pied printemps vieux pierres murettes **sèches**
le temps le travail soudain le plaisir **pêches**
rouge en été soudain fontaines qui sont **fraîches**

James Sacré, « Le pêcher »,
Ancrits

Ah ! mon bois de **campêche**
Et mon joli trident

À présent y a plus de **mèche**
Ne vais plus à l'étang

À faire **tête-bêche**
Je passe tout mon temps

Qui donc qui donc m'**empêche**
De me tirer des bancs

Dans sa verte **calèche**
Et sous son linge blanc

Une femme **revêche**
Au sexe de merlan

Luc Decaunes, « Épilogue. Chanson du Pêcheur converti »,
Récréations

Rue Aubry-le-Boucher on peut te foutre en l'air,
Bouziller tes tapins, tes tôles et tes **crèches**
Où se faisaient trancher des sœurs comaco **blèches**
Portant bavette en deuil sous des nichons riders.

On peut te maquiller de béton et de fer
On peut virer ton blaze et dégommer ta **dèche**
Ton casier judiciaire aura toujours en **flèche**
Liabeuf qui fit risette un matin à Deibler.

Robert Desnos, « Rue Aubry-le-Boucher (en démolition) »,
Destinée arbitraire

Oui, il neigait
La folle ***neige*** !
Elle tombait
tranquille et **fraîche**
dans le cœur tout troué comme un filet de **pêche**.

Benjamin Fondane, « Tout-à-coup »,
Au temps du poème et Poèmes épars in *Le Mal des fantômes*

Devant la mer et ses **calèches**
Devant le ciel épaule nue
Devant le mur devant l'***affiche***
Devant cette tombe encor **fraîche**

René Guy Cadou, « Toi »,
Hélène ou le Règne Végétal

assonances
139. ÈGE
201. ESSE
199. ÈSE
179. ERCHE

contre-assonances
5. ACHE
263. ICHE
363. OCHE
484. OUCHE

❒ 91.14 [Coignard] ; 91.22 [Buttet]
179 [Régnier] ; 82 [Gainsbourg]

126. ECHME

(sosie) un ménechme
(de Plaute)
les Ménechmes

assonances
162. ÈME
141. EGME
176. ÈQUE

contre-assonance
6. ACHME

127. ECHT

(Bertolt) Brecht
(Géo) Libbrecht

assonances
125. ÈCHE
205. ÈTE
204. ETCH

contre-assonance
264. ICHT-E

128. ÈCLE

SIÈCLE

SIÈCLE
(rocher éboulé, rég.)
un pècle
(il brise, Suisse) il épècle
sainte Thècle

En vain vous croyez, Neuf-Germain,
Être un Ronsard en notre **siècle**,
Si vous ne faites dans demain,
Quatre vers qui riment en **ìècle** [...]

> Marquis de Rambouillet, « Louanges à l'auteur »,
> *Les Poésies et Rencontres du Sieur de Neufgermain*

Mais qu'en sera-t-il donc d'ici deux ou trois **siècles** ?
(Sans dictionnaire je n'ai pas de rime en **ècle**,
Qu'importe !)

> Claude Ernoult, « Élégie » VIII,
> *Six sots sonnets et autres textes rimés*

Comme on éprouve argent, or louches, au grain d'une pierre de touche,

il éprouvait Tout – la Beauté, Pan, Dieu, saint Paul ou sainte **Thècle**,

amours, langage et « vérités » – au plus fin sourire du **siècle**.

> Paul Fort, « Rémy de Gourmont »,
> *Ballades du beau hasard*

Que tanguent les vaisseaux ou que planent les ***aigles***
face aux rades tranquilles ou sur les monuments
ils n'empêcheront pas que la clameur des **siècles**
s'unisse au bruit des chaînes en un long cri dément

> Michel Leiris, « Le Promeneur de Barcelone »,
> *Failles* in *Haut mal*

Ira-t-il en lécher les bords
Sans tenter de franchir l'***obstacle***,
Ou sautera-t-il pour encore
Marcher dans les **siècles** des **siècles** ?

> Jules Romains, « L'Incendie »,
> *Maisons*

assonances
140. ÈGLE
180. ERCLE
130. ECTE
157. ELQUE

contre-assonances
7. ACLE
266. ICLE
364. OCLE
485. OUCLE

❐ 396 [Saint-Amant]
138 [Curvers] ; 266 [Béart]

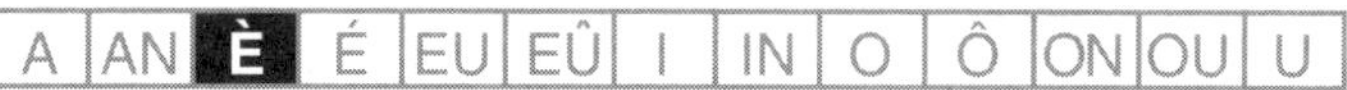

129. ÈCRE-ECKR°

(Abu Bakr, 1er calife)
Abou Beckr°
(il supplie) il obsècre
il **exècre**

assonances
207. ÈTRE
131. ECTRE
176. ÈQUE
191. ERQUE

contre-assonances
8. ACRE
365. OCRE
102. ANCRE
343. INCRE

Une nuit donc, il part, seul avec **Abou-Beckre**.

Or, songeant que parfois le proscrit qu'on **exècre**
Revient en conquérant terrible et meurtrier
Et courbe tous les fronts jusqu'à son étrier,
Les vieux cheikhs, qui joignaient la prudence à la haine,
Envoyèrent après Mohammed, par la plaine,
Des cavaliers ayant l'ordre de l'égorger.

François Coppée, « L'Araignée du Prophète »,
Récits épiques

❐

130. ECTE-ECT°

INSECTE
(il mange, arg.) il becte
(il dégoûte, arg.) il débecte
(il réconforte, arg.) il rebecte
des pandectes
latrodecte
(émotion) un affect°
(il feint) il affecte
(il (s')afflige) il (s') affecte
(il impute) il affecte
il désaffecte
être **infect°**
il/être **infecte**
il désinfecte
abject°/abjecte
il objecte
il éjecte
il injecte
dialecte
(morceaux choisis)
des analectes
(morceaux choisis)
des catalectes
il se **délecte**
(chic) **sélect°/sélecte**
(sélection) il sélecte
intellect°
il/une **collecte**
idiolecte

Anderlecht°
(ça sent, arg.) ça schmecte
il **humecte**
eunecte
il connecte
il déconnecte
il interconnecte
pleuronecte
notonecte
il **respecte**
il **inspecte**
(client virtuel)
un prospect°
il prospecte
circonspect°/
circonspecte
être suspect°
il/être **suspecte**
(Bertolt) Brecht°
Dordrecht°
(coup) un direct°
(émission) en direct°
être **direct°/directe**
indirect°/indirecte
correct°/correcte
incorrect°/incorrecte
Utrecht°
secte
INSECTE
il détecte
architecte

assonances
205. ÈTE
131. ECTRE
176. ÈQUE
211. EXE

contre-assonances
9. ACTE
267. ICTE
366. OCTE
344. INCTE

notre ventre froid d'amours se **délecte**
de nouilles froides. Le persil **débecte**
le brin de muguet. Le nombril **détecte**

le cancéreux sur le scorpion, l'**insecte**
sur le ventre froid. Le poitrail s'**infecte**
d'un tas de nouilles froides sans **affect**.

Notre ventre vierge d'amours s'**humecte**
de frissons, nos cicatrices **injectent**
leur salive quand le vierge **architecte**

jure ses miscellanées en **dialecte**.
Notre ventre vierge d'amours **collecte**
les blasphèmes, nos mots se **déconnectent**

contre nos lobes.

Armel Louis, « Figurine d'exécration »,
in *Objet perdu*

Coupés par une raie inflexible et **directe**
Ses cheveux longs et plats se collent à son front
Qu'une moiteur douteuse et pluviale **humecte**
Et que beaucoup d'étés à peine sècheront.

Sa barbe fauve et roide a la rousseur **suspecte**
Des Dantes ayant vu ce que nuls ne verront.
Empereur, pape et roi, chef et seul de la **secte**,
À disséquer les Dieux ses frères il est prompt.

Léon Valade, « Cabaner »,
in *Album zutique*

Goulue elle **inspecte**
Les mignonnes ***bêtes***
Qui usent leur faim
À manger ma ***tête***

Mouloudji, « Les Poux »,
Complaintes

Je n'aurai pas le trop cruel manque de ***tact***
De te parler de tes fauteuils, et des ***contacts***
Auxquels il faut que tu te résignes et t'***apprêtes***,
Velours d'**Utrecht** !...

Franc-Nohain, « Sur le velours »,
Flûtes

❐ *13 [Magre] ; 212 [Carême] ; 213 [Fombeure]*

131. ECTRE

SPECTRE

Électre
plectre
SPECTRE

Absence du Soleil dans l'azur, Soleil **spectre**
En forme de tunnel dans le céleste roc
Qui, toi mort, a repeint, de ce bleu de Maroc
Le Ciel vivant sinon d'un signe de sa ***dextre***

Le féticheur géant des tribus de l'Auroch
Dont la corde de lyre a satisfait le **plectre**
Pour vainqueur des sons tus au silence d'**Électre**
Joindre le geste vain d'engendrer l'oiseau Rock

Roger Gilbert-Lecomte, « Absence du Soleil… »,
Œuvres complètes. II

L'heure des goules et des pleurs
Et des **spectres**,
Et des rythmes endormeurs
Des ***sistres secs*** et des **plectres**
Dont je meurs...

Paul Morin, « Heure »,
Le Paon d'Émail

Viens t'asseoir sous cet arbre où meurent les clartés.
C'est l'heure où le jardin est bourdonnant d'***insectes***,
Ôte ton grand chapeau jauni par les étés
Et pose ce bâton dont tu chasses les **spectres**.

Maurice Magre, « Fraternité du jardin »,
Le Parc des rossignols

assonances
130. ECTE
207. ÈTRE
213. EXTRE
129. ÈCRE

❒ *175 [Cocteau]*

132. ÈDE-ED°

AIDE
TIÈDE
REMÈDE

il/à l'/une AIDE
(adjoint) un(e) aide
saint Bède
(mines) il scheide
(toiture) un shed°
aède
guède
boghead°
chien samoyède
(langues) samoyède
(peuple) les Samoyèdes
les Fenouillèdes
TIÈDE
être **laide**
(ville) Leyde
bled°
Tolède
(jeune arabe, Alg.)
un yaouled°
(Paul) Déroulède
(vêtement) un plaid°
il **plaide**
(un/e) mède/
les Mèdes
Ahmed°
Palamède

Moha(m)med°
(soleil, arg.)
le mohamed°
REMÈDE
Mehmed°
Archimède
ready-made
Ganymède
Lycomède
Nicomède
Diomède
Andromède
barmaid°
intermède
La Calprenède
skinhead°
pinède
(satané, angl.) damned°
oued°
(pédéraste, arg.) un pède
Lacepède
bipède
solipède
palmipède
les pinnipèdes
parallélépipède
les cirripèdes
(satyre) capripède
vélocipède
lagopède
quadrupède
(attaque) un raid°

Le péché d'amour-propre à tel point me **possède**
Que mes yeux, que ma chair, que mon cœur en est plein ;
Contre un péché semblable il n'est point de **remède**,
Tant sa marque est profonde et gravée en mon sein.

Nul visage, à mon gré, n'est plus beau que le mien ;
Nul charme n'est plus vrai que celui qui m'**obsède** :
Devant ma vérité, toute vérité **cède** ;
Auprès de ma valeur, toute valeur n'est rien.

Robert Mélot du Dy, « Shakespeare »,
Choix de poésies

Notre geste n'est pas consacré par l'**aède**,
Hués comme le monstre impur de l'Arya !
Pour elles je suis laid et pour eux tu es **laide**,
Je suis Bottom et tu n'es pas Titania...

L'amour a bien béni le Faune **capripède**
De saints transports en qui la ligne dévia :
Que l'idole Beauté lâche contre nous **plaide**,
Notre défense à nous seuls il la confia.

Henry Jean-Marie Levet, « Le Drame de l'allée » I,
Cartes postales

Après avoir couru bien-voulant et **bipède**
la terre en y butant sur des hommes adroits
qui négligeaient exprès leurs jambes devant moi,
après être tombé (mais **raide**, toujours **raide** !),

……

ÈDE-ED°

(rigide) **raide**
citharède
Tancrède
il exhérède
Alfred°
Manfred°
il (s')/une entraide
tenthrède
il **cède**
il abcède
il **obsède**
il accède
il **succède**
il excède
il **décède**
il précède
il recède
il **possède**
il dépossède
il procède
il rétrocède
il **concède**
il intercède
un **zed°/zède/z°**
apartheid°
œrsted°
la Suède
(peau) le suède

je m'avisai soudain que ma course était **laide**,
j'improvisai ma danse en tentant l'arbre droit,
je me roulai par terre en chantant mes émois...
puis je restai tombé, **parallélépipède**.

Thieri Foulc, « De la bonne volonté »,
Whâââh

Mes ombres, mes clartés dans une seule ***tête***,
La courbe du destin le long d'un ventre **tiède**,

Ainsi le cœur marche à tâtons vers le matin
Sous l'étoile qui est à la pointe des seins.

Henri Thomas, « La Mer du Nord »,
Nul désordre

Coureurs à pied **vélocipèdes**
motocyclettes ou ***galopades***
les bruits courent volent rampent
et reviennent des ***antipodes***
aujourd'hui

Philippe Soupault, « Crimes »,
Poèmes et Poésies

Coucou ! Nous voilou ! **Damned**, Mamadou ! Vous
vous ***êtes*** salement cassé la ***binette*** ! Vous ***êtes***,
vraiment, **malchanced**.

Jean-Pierre Verheggen,
Pubères, Putains (suite)

assonances
205. ÈTE
135. ÈDRE
181. ERDE

contre-assonances
10. ADE
268. IDE
367. ODE

❐ *119 [Queneau]*

133. EDJ°-AGE

(Richard) Burbage
(John) Cage
package
cottage
la Satledj°

Pour avoar du bonne mékéroni, il fallait avoar
du bonne **fromédje***.
Aoh !...
Mais, pour avoar du bonne **fromédje**, il fallait avoar
des bonnes **pétiourédjes****.
Aoh !...
Et, pour avoar des bonnes **pétiourédjes**, il fallait
bôcoup d'ârgent.
Aoh ! compréné vos ?

Maurice Mac-Nab, « Le Mékéroni ! sonnet britannique en prose »,
Poèmes Mobiles

* fromage ** paturage (à l'anglaise)

assonances
132. ÈDE
139. ÈGE

contre-assonances
11. ADGE
269. IDGE
368. ODGE

❐

134. EDME

(Edmond Rich)
saint Edme

À cette heure un courrier entrait dans Aarhus
Annonçant que Bertrade, abbesse au mont **Saint-Edme**,
Avait passé la veille, et Witlaw le jour ***même***
Se rendit à cheval aux falaises d'Avor...

Jean Lorrain, « La Douleur du roi Witlaw »,
L'Ombre ardente

assonances
132. ÈDE
162. ÈME

❐

135. ÈDRE

CÈDRE

décaèdre
dodécaèdre
tétraèdre
octaèdre
pentaèdre
heptaèdre
hexaèdre
icosaèdre
Phèdre
dièdre
polyèdre
hémièdre
trièdre
rhomboèdre
(don Pedro) don Pèdre
parèdre
CÈDRE
exèdre
cathèdre
(cépage) le mourvèdre

Nous achèterons des bijoux,
Nous boirons de l'***aigre*** de **cèdre**.
Mais comment diable ferons-nous
Pour trouver une rime en **èdre** ?
N'importe ! ne radoubons rien :
Èdre et **cèdre** riment fort bien,
N'en déplaise à la Poësie [...]

Paul Scarron, « La Foire Saint Germain »,
Poésies diverses. I

errer comme **Phèdre**
à l'ombre d'un **cèdre**

le plaisir de lire
et de voir fleurir

crocus et colchique
au jardin lyrique

Paul Neuhuys, « Position extrême… »,
Septentrion

À cette heure où du jour le bruit va s'assoupir,
Pour entendre du soir l'insensible soupir,
Quelques-uns d'eux, errant dans ces ***demi-ténèbres***,
Étaient venus planer sur les cimes des **cèdres**.

Alphonse de Lamartine, « Première vision »,
La Chute d'un ange

Un jour que je marchais le long d'un **polyèdre**
J'aperçus à mes pieds le crible d'un rameur
Et je m'en fus ainsi navigant **quadrupèdre***
Vers un horizon mou débordant de vapeur

Au loin se dessinait un envol de la **mouèdre****
Sur les récifs la vague étalait sa mousseur
Emporté par les flots surnageait un **aèdre*****
Et les dauphins souriant caressaient le rhéteur.

Raymond Queneau, « Amphion géomètre »,
Sonnets in *Le Chien à la mandoline*

* quadrupède ** mouette *** aède

assonances	*contre-assonances*
132. ÈDE	*12. ADRE*
124. ÈBRE	*270. IDRE*
181. ERDE	*487. OUDRE*
207. ÈTRE	*104. ANDRE*

❐ *182 [Cayrol] ; 270 [Derème] ; 315 [Métail]*

136. EF-EFFE°

CHEF

(lettre) F
CHEF
adjudant-chef
sergent-chef
brigadier-chef
(malheur) le méchef
derechef
couvre-chef
caporal-chef
sous-chef
(Mikhaïl) Gorbatchev
(Nikita) Krouchtchev
(béret, arg.) une deffe°
P.C.F.
S.N.C.F.
E.D.F.-/G.D.F.

S.D.F.
C.N.P.F.
V.F.
bief
(manières, Alg.)
faire des zouzguefs
bief
(Dmitri) Mendeleïev
(Rudolf) Noureïev
fief
franc-fief
(Sergueï) Prokofiev
(repos) le kief
(ville) Kiev
relief
bas-relief
demi-relief
(Ivan) Tourgueniev
grief

Les armes de Jésus c'est cette unique **nef**,
Gouvernant au plus près sous cet unique **chef**,
Toujours en plein péril et toujours sans **méchef** ;

Les armes de Jésus c'est cet unique **fief**,
Tenu par un seul homme armé de quelque **bref**,
Toujours en plein péril et toujours sans **grief** ;
[...]
Les armes de Jésus c'est cette unique **nef**,
Le bateau vers l'écluse amarré dans le **bief**,
Le bateau charpenté par le vieux saint **Joseph** ;

Mais c'est aussi Jacob et le premier **Joseph**,
Moïse sur le Nil dans une étroite **nef**,
Et le peuple de Dieu gouverné **derechef** [...]

Charles Péguy, « Comme Dieu ne fait rien… »,
La Tapisserie de sainte Geneviève et de Jeanne d'Arc. VIII, p. 855

☞

EF-EFFE°

(Haroun) Tazieff
(Alexandre) Zinoviev
(bière, n. dép.) une Leffe°
aleph
les acalèphes°
(bobard, Alg.)
une tchalef/fe°
synalèphe°
(il bave, Belg.) il bleffe°
(Andreï) Roublev
M.L.F.
(Serge de) Diaghilev
(femme, verl.) une meffe°
nef
(bénéfice, arg.) du bénef
(Léonid) Brejnev
spationef
aéronef
B.O.F.
porte-aéronefs
astronef
(Georges) Pitoëff
(court) **bref**

(lettre du pape) un bref
Pépin le Bref
N.R.F.
(du tribunal) le **greffe**°
(de plante, d'organe)
il/une **greffe**°
il regreffe°
porte-greffes°
(coupable, arg.) traiffe°
(tabac, arg.) du tref
(anus, arg.) le treffe°
T.S.F.
Unicef
(vent, arg.) du zef/zeph
(pas beaucoup, arg.)
pas bésef/bézef
Joseph
papier joseph
(nigaud) un joseph
Marie-/Josèphe°
Flavius Josèphe°
Saint-Estèphe°

Fermiers, haciendernos, locataires, **SDF**
Sédentaires, baroudeurs, VRP, nomades
Argentiers, agioteurs, ceux qui n'ont pas **bésef**
Qu'on pourrisse sur pied ou meure par glissade…

Tout cela fait l'ordinaire pathétique de l'**astronef**
Minuscule qu'est l'homme, surgi parmi les monades,
Formule chimique sur le tableau de **Mendeleïev** :
Cybermachins se passant de symboliques pommades.

> John Gelder, « Fermiers, haciendernos… »,
> *Procès*. XLI

Un chant de lendemain glissant sur notre **nef**
L'accord brisé nous naviguions seuls et fugaces
Mêle au dit réfréné des parvis aux rosaces
Motet triomphinal de la chute et d'un **ef**

Frayant refrain l'air corrompu de la fin **bief**
Où se noie la sirène à l'unisson sans grâce
De mon sifflet coupé j'expirais jadis **chief**
Fus de **fief** chu au profond des brisants sera-ce

Assez ressassé [...]

> René Belletto, « Un chant de lendemain… »,
> *Loin de Lyon*. XXXI

Celle qui a son nom commençant par une **F**
N'engendre, ce dit-on, le déplaisant souci
Comme femme fardée et pour prouver ceci
Je vis Françoise hier qu'on baisottait au **Greffe**.

Elle était bien empoint, d'or fin était sa ***coiffe****,
Sa fille reluisait pompeusement ainsi
Car tel que l'on voit l'arbre, on voit telle sa **greffe**.

> Marc Papillon de Lasphrise, « Sonnet unique en Rime sur F »,
> *Diverses poésies*. XXXVII
>
> * prononcé *coëffe* du temps de Lasphrise

Tchekhov Lermontov **Krouchtchev Brejnev**,
Spoutnik Bolchevik Vladivostok.
Nitchevo Jivago Tchernobyl,
Baïkal Oural Moujik Aral.

> Nino Ferrer, « Notre chère Russie »,
> *Textes ?*

assonances
209. ÈVE
138. ÈFLE

contre-assonances
13. AF-E
271. IF-E
370. OF-E

❒ 420 [Brassens]
153 [Verheggen] ; 183 [Cliff] ; 13 [Béart]

137. EFFRE

général de Boisdeffre

Qui pourrait cependant représenter l'émoi
Dont renâcle, en ce jour, le pontife du Moi ?
Avoir léché le... dos clérical de **Boisdeffre**
(Rostand demanderait une autre rime en **effre**),
Avoir gueulé, tel un putois, contre Zola,
Être la crème des pleutres, et rester là !

> Laurent Tailhade, « Les Électeurs de la Meurthe et de la Moselle… »,
> *Poèmes aristophanesques*

assonances
136. EFFE
138. ÈFLE
207. ÈTRE
210. ÈVRE

contre-assonances
15. AFRE
273. IFRE
372. OFRE
490. OUFRE

❒

138. ÈFLE

NÈFLE
TRÈFLE

(fruit) une NÈFLE
(rien du tout) des nèfles!
(entremetteuse) une manèfle
(plante ; carte) TRÈFLE
(anus, arg.) le trèfle
(tabac, arg.) du trèfle
(foule, arg.) le trèfle
(diable !) tartei(f)fle!

assonances
136. EFFE
140. ÈGLE
128. ÈCLE
153. ELFE

contre-assonances
14. AFLE
272. IFLE
489. OUFLE
544. UFLE

Il a raflé tout ce qu'il pouvait : du **trèfle**
Des pois cassés, des lentilles, du sainfoin
Des pommes, des poires et des **nèfles**
Il a fait son lit de feuilles dans un coin

Jacques Roubaud, « Le Souslik »,
Les Animaux de personne

Goddam ! Caramba ! Fichtre ! ah ! diavolo ! **tarteiffle** !
L'homme broute le bœuf et le lapin le **trèfle**,
Le chardon fait un ventre au sieur Aliboron,
L'ours mange du chrétien et l'oiseau du mouron,
Moi j'ai pour fonction d'avaler des couleuvres.

Victor Hugo, « Comédies cassées »,
Appendice in *Théâtre complet.* II

Plaisir d'amour a bien duré deux ***siècles***
Et mouille encore l'œil où ne luit plus l'espoir
De voir jamais Sylvie à genoux sur le **trèfle**
Lire dans le ruisseau son importun devoir.

Alexis Curvers, « Chansons populaires »,
Cahier de Poésies. XX

Je ne peux plus crier ma rage et mon désir,
je me sens fatigué, sans envie, je m'***essouffle***,
comme un vieux chien qui court après des **nèfles**.

Nino Ferrer, « Ulysse »,
Textes ?

❐

139. ÈGE

NEIGE

beige
Nadège
(petit déjeuner) petit-déj'°
(+comp.) que fais-je?
solfège
(dit des bêtises, rég.) il péguèje
du **liège**
(ville) Liège
lié-je?/liais-je?
chêne-liège
il/un **piège**
l'Ariège
il/un **siège**
scié-je?/sciais-je?
il **assiège**
(s'asseoir) m'assieds-je?
télésiège
le Saint-Siège
navire lège
il **allège**
(embarcation) une allège
allais-je?
(il blague, rég.) il galèje
(il revient, arg.) il rallège
(cligne des yeux, rég.) il parpelège

sacrilège
florilège
spicilège
sortilège
privilège
collège
collé-je?/collais-je?
(garant) un pleige
il/la NEIGE
(cocaïne, arg.) la neige
(avoir) **n'ai-je**?
(naître) nais-je?
manège
il enneige
il déneige
boule-de-neige
il reneige
(renaître) renais-je?
chasse-neige
perce-neige
autoneige
motoneige
(il bécote, rég.) il poutounèje
(il salit, rég.) il salo(u)pèje
il/un **arpège**
(il babille, rég.) il caquèje
(il craque, rég.) il craquèje
(il sommeille, rég.)il clouquèje
(tissu) le barège
barré-je?/barrais-je?

On souffle, et vous vous envolez,
Duvet des ***chandelles*** de **neige** !
Le souffle qui vous **désagrège**,
Met à nu des cœurs désolés !

Par un jeu bête et **sacrilège**
Pour vos cœurs désauréolés !
On souffle, et vous vous envolez,
Duvet des ***chandelles*** de **neige** !

Rayons blancs dont sont étoilés
Nos cœurs naïfs (au mien que **n'ai-je**
Votre poids d'or, qui l'**allège** !)
Ainsi, vous nous êtes volés :
On souffle, et vous vous envolez !

Edmond Rostand, « On souffle » dans « Souvenirs de vacances » IX
Les Musardises

Le vent **assiège**
Dans sa tour,
Le **sortilège**
De l'Amour.
Et, pris au **piège**,
Le **sacrilège**
Geint sans retour.
[...]

Ô vent, **allège**
Ton discours
Des vains **cortèges**
De l'humour ;
Je rentre au **piège**,
Peut-être y **vais-je**,
Tuer l'Amour !

Jules Laforgue, « Complainte du vent qui s'ennuie la nuit »,
Les Complaintes

☞

ÈGE

il **abrège**
drège/dreige
grège
il (s') agrège
il se **désagrège**
(s'aggrave)
le mal rengrège
(mécène) un chorège
(peintre) Le Corrège
qu'aurai(s)-je?
Courrèges
que **sais-je**?
(il gesticule, rég.) il brassèje
(il rêvasse, rég.) il ravassège
puissé-je?
(il remue la tête, rég.)
il caboussèje

dussé-je?
stratège
(pète, rég.) le feu pétège
il **protège**
il surprotège
cortège
(il courtise, rég.) il fastèje
vais-je?
Norvège

+ formes interrog. avec -je des verbes en -er, -aire, -aître *présent indicatif, tous les verbes, futur, imparfait indicatif, présent conditionnel*

(Jupons de soie **beige**
Et de ***dentelles belges*** ;

Des cheveux d'or ***vierge***,
Et des seins de **neige** ;

Courage, un **Corrège** !...
Vains **arpèges**...)

Franc-Nohain, « Plat de saison »,
Flûtes

Pendant c'temps ma gonzesse doit sortir de sa douche
Se fringuer en vitesse et se peindre la bouche
Et oublier peut-être que les yeux pleins de **neige**,
Ce matin c'est son mec qui a fait son **p'tit dej'**

Renaud, « P'tit dej' blues »,
Le Temps des noyaux

Beaux comme le regard, de grands orphelins nus
foulent d'un pied brûlant, le ***pelage*** des **neiges**
éveillent de brumeux, d'introuvables ***rivages***.
Enfant de l'horizon, pèlerins ingénus ;
dans vos profonds départs, quel pur ***mirage*** **n'ai-je**
d'accorder mes tourments à vos pas inconnus.

Géo Norge, « Beaux comme le regard… »,
Souvenir de l'enchanté

assonances
184. ERGE
125. ÈCHE
199. ÈSE
209. ÈVE

contre-assonances
18. AGE
275. IGE
374. OGE
492. OUGE

❐ 1.18 [Vilmorin]
125 [Fondane] ; 209 [Vitrac] ; 275 [Thiry]

140. ÈGLE

AIGLE
RÈGLE

(oiseau) un AIGLE
(enseigne) une aigle
Bègles
espiègle
il/une RÈGLE
(menstrues) des règles
il dérègle
il prérègle
seigle

Glaciers bleus, pics de marbre et d'ardoise, granits,
Moraines dont le vent, du Néthou jusqu'à **Bègle**,
Arrache, brûle et tord le froment et le **seigle**,
Cols abrupts, lacs, forêts pleines d'ombre et de nids !

Antres sourds, noirs vallons que les anciens bannis,
Plutôt que de ployer sous la servile **règle**,
Hantèrent avec l'ours, le loup, l'isard et l'**aigle**,
Précipices, torrents, gouffres, soyez bénis !

José-Maria de Heredia, « Aux Montagnes Divines »,
Les Trophées

Je songe aux hussards dont les ***ailes***
battaient les charges au galop
Du vacarme des plumes d'**aigles**
il me reste un duvet d'oiseau

Paul Gilson, « Le Fiacre enchanté »,
L'Arche de Noël

François ! proche du Christ ! pardonne ma colère,
Elle est grave. Tes yeux en pleine nuit solaire
Ont salué la vie avec un tel regret
Et salué la mort d'un si pur intérêt
Que me voici pleurant sur tout comme un ***aveugle***
Qui cherche dans l'espoir qu'il connaîtra la **Règle**.

Henri Pichette, « Le Contre-feu » dans
« Leur feu n'est pas le nôtre »,
Les Revendications

☞

ÈGLE

La route aux horizons de **seigle**,
De betterave et de blé noir,
A l'air du dix-septième ***siècle***
Avec le puits et l'abreuvoir.

Anna de Noailles, « Parfumés de trèfle et d'armoise »,
L'Ombre des jours

assonances	*contre-assonances*
148. ÈLE	*220. EUGLE*
128. ÈCLE	*106. ANGLE*
144. ÈGUE	*349. INGLE*

❒ *128 [Leiris] ; 276 [Allais]*

141. EGME

flegme
apophtegme

Jupiter tonne l'**apophtegme**,
Vénus en paronomasyes
Érige sur la poésie
La divinité de son **flegme**.

Alexandre Vialatte, « Modern' pathetic »,
La Paix des Jardins

Ce rare diseur d'**apophtegmes**
Crachait incessamment des **flegmes** ;
Mais soulagement il reçut
Par l'eau bouillante qu'il y but.

Paul Scarron, « La Première Légende de Bourbon »,
Poésies diverses

assonances	*contre-assonances*
162. ÈME	*19. AGME*
144. ÈGUE	*277. IGME*

❒

142. ÈGNE

RÈGNE
SAIGNE

(tremper) il **baigne**
(beignet, Can.) un beigne
(gifle, arg.) une beigne
il **daigne**
il **dédaigne**
la Sardaigne
(stérile) bréhaigne
qu'il feigne
sphaigne
qu'il **geigne**
(tromper) il engeigne
(singer, rég.) il rejeigne
Compiègne
qu'il **plaigne**
(peigner) un/il **peigne**
(peindre) qu'il peigne
(de chaussure)
une empeigne
(injure)
gueule d'empeigne
(dépeigner) il dépeigne
(dépeindre)
qu'il dépeigne
qu'il repeigne
il/un RÈGNE
(araignée) une araigne
îles Mascareignes
musaraigne

varaigne
qu'il **craigne**
(veillée, rég.)
une acraigne/écraigne
(femme acariâtre, rég.)
une bérègne
interrègne
qu'il enfreigne
qu'il (s')empreigne
qu'il épreigne
il (s')**imprègne**
qu'il **étreigne**
qu'il contraigne
qu'il astreigne
qu'il restreigne
(saigner) il SAIGNE
(ceindre) qu'il ceigne
(officier) un enseigne
(drapeau) une **enseigne**
(apprendre) il **enseigne**
(enceindre)
qu'il enceigne
il renseigne
porte-enseigne
(Georges)
Ribemont-Dessaignes
il ressaigne
forêt de Perseigne
(dermatose) la teigne
(méchant) une **teigne**
(teindre) qu'il teigne
qu'il **atteigne**
(fruit) une **châtaigne**

Outre mon cœur la beauté **règne**.
Mieux sans lui voient pierres dans Tyr
L'ordre au monde où ses yeux **déteignent**.
[...]
La pitié trinque, à l'œil de **teigne** ;
Rien à ses beuveries qui **saigne**
Outre mon cœur.

– Échangeons-nous casque aux **châtaignes** :
Mon captif ***cogne*** sans m'ouvrir
Donjon d'un trait zénith-nadir.

Ou que de ton plumage un sentier dur se **teigne**
Ange ! veuille à ton front au bel ordre obéir :
Passe un bras glacial et m'**étreigne**
Outre mon cœur.

Olivier Larronde, « Outre... »,
Rien voilà l'ordre

Avec des rires sourds et de grondants sanglots,
Les filles de la mer se battent ou s'**étreignent**,
Et leurs cheveux luisants que dans l'ombre elles **peignent**
Traînent, fourrure sombre, au pied des noirs îlots.

L'anguille voyageuse et les vifs cachalots,
L'ourson couleur de neige à leur côté se **baignent** ;
Et les feux de leurs yeux s'allument et s'**éteignent**,
Fanal de naufrageur qui tremble sous les flots.

Marguerite Yourcenar, « Sirènes »,
Les Charités d'Alcippe

☞

ÈGNE

(coup, arg.)
il/une **châtaigne**
qu'il **éteigne**
qu'il déteigne

qu'il reteigne
(Michel Eyquem de)
Montaigne
duègne

assonances
166. ÈNE
145. EIL-LE

contre-assonances
20. AGNE
278. IGNE
376. OGNE

J'ai rencontré une petite **teigne**
Blonde nymphette avenue **Montaigne**
Ce qui m'a plu chez cette **musaraigne**
C'est son p'tit air snob qui vous **dédaigne**

Pierre Perret, « Ghislaine de la Bourboule »,
Chansons de toute une vie

Encore une fois tes mains dans les ***miennes***,
Tes lèvres sur mes lèvres qui les **craignent**
Et ta grave douceur assise à mon côté ;
Que ta voix de loin me ***revienne***
Double de l'écho que nous avons été,
L'un pour l'autre, en quelque soir de vieil été
Qui pleure maintenant de nos passés qui **saignent**.

Henri de Régnier, « Quelqu'un songe d'ombre et d'oubli » IV,
Tel qu'en songe

Oui Pégase était mon **enseigne**
cheval de course et favori
ou bien pélican ou bien ***cygne***
fanion pour bersaglièri.

Max Jacob, « Mort d'une chimère »,
L'Homme de cristal

❐ *20 [Romains]*

143. ÈGRE

AIGRE
MAIGRE
NÈGRE

(l')AIGRE
allègre
(mal habillé, rég.)
être pelègre
(un/e) MAIGRE
(poisson) le maigre
(un) NÈGRE
Barbanègre
tête-de-nègre
parler petit-nègre
il/du **vinaigre**
pisse-vinaigre
(voleur, arg.) un pègre
(monde des voleurs)
la **pègre**
la/le Sègre
(qui aigrit) vin besaigre
staphisaigre
(honnête) **intègre**
(il assimile) il intègre
il réintègre
il désintègre
vaigre

Le violon multipliait les notes **aigres**
Et les zazous hurlaient de joie. Puis le batteur
S'escrima comme un fou tandis que le chanteur
Attaquait son couplet. On disait que les **nègres**

N'avaient jamais fait mieux. Un crétin, grand et **maigre**,
Remuait en cadence un pied. Plein de hauteur
Un autre savourait, l'œil mi-clos, protecteur,
La mélodie qui déroulait son rythme **allègre**.

Boris Vian, « Swing-Concert »,
Cent Sonnets

Grande, fine, belle, un peu **maigre**,
Tantôt lasse, tantôt **allègre**,
Charmant les princes et la **pègre**,
Lançant à Marcel un mot **aigre**,
Rendant pour le miel le **vinaigre,**
Spirituelle, agile, **intègre**
C'est la presque nièce de **Nègre*.**

Marcel Proust, « À Céleste »,
Poèmes

* Monseigneur Nègre, archevêque de Tours

Pour trouver l'Absolu, s'il faut savoir l'***algèbre***
Il n'est que de courir, ma sœur, à vos genoux
Et l'ignare qui prend le corps noir pour un **nègre**
Voit sa regrettable ***ténèbre***
Céder à la clarté, en dînant près de vous.

Catherine Pozzi, « Pour trouver l'Absolu… »,
Œuvre poétique

☞

ÈGRE

L'impératrice au regard de ***tigre***
Enchantait les dames de Versailles,
À la fin de l'été lorsque l'**aigre**
Soleil cirait le négligé des failles.

Michel Bulteau, « L'impératrice au regard de tigre… »,
Masques et modèles

assonances	*contre-assonances*
124. ÈBRE	*22. AGRE*
210. ÈVRE	*279. IGRE*
177. ÈRE	*350. INGRE*
186. ERGUE	*473. ONGRE*

❐ *144 [Cadou]*

144. ÈGUE-EG°

BÈGUE
LÈGUE
COLLÈGUE

(un) BÈGUE
(Philéas) Lebesgue
filibeg°/philibeg°
(cornemuse, rég.)
une boudègue
(il furète, rég.) il rafègue
Don Diègue
un legs°
il LÈGUE
il **allègue**
il sub/délègue
télègue
prélegs°
(il exile) il **relègue**
(relégation, arg.) la relègue
un/e COLLÈGUE
(remuer, rég.) il boulègue
bobsleigh°
Nimègue
(il ronchonne, rég.)
il roumègue
(noir, arg.) un neg°

(se noyer, rég.) il se nègue
les Petchenègues
(bâtard, rég.)
(un/e) charnègue
(coller, rég.) il em/pègue
(il se dépatouille, rég.)
il se dépègue
Winnipeg°
(vêtement, arg.) une alpègue
reg°
(tissu) la marègue
Touareg°/touareg°
les Varègues
(Fernand) Gregh°
tirer ses **grègues**
(l'agrégation) l'agrég'°
il ségrègue
(rabâcheur, rég.)
une ressègue
(ronger, rég.) il rousègue
(il gémit, rég.) il tègue
(il grommelle, rég.)
il répoutègue
(il mange, arg.)
la/il mastègue
(il grogne, rég.)
il rémoustègue
t(h)alweg°
(Stefan) Zweig°

L'aveugle envie un borgne et le muet un **bègue** ;
L'académicien encense son **collègue**.
Puis, le membre loué, vante le corps savant,
Admire à gauche, à droite, en arrière, en avant
Le lettré, l'érudit, l'illustre, et distribue
À tous l'essoufflement de sa prose fourbue […]

Victor Hugo,
Suite de Châtiments. 256/101

Irai-je à présent à **Nimègues**
Exprès pour vous parler de Gand ?
Je n'en tirerais pas mes **grègues**
Sans maint calembour fatigant.
Les Muses, pour moi déjà **bègues**,
Se tairaient net en me narguant :
Ainsi, bonsoir, mes chers **collègues** ;
À vous le gant, à vous le gant.

Antoine-Pierre-Augustin de Piis, « Le Gant »,
Chansons. Livre III

N'oublie pas cependant que je te **lègue**
Quelque chose de fabuleux comme un village ***nègre***

René Guy Cadou, « L'héritage fabuleux »,
Hélène ou le Règne Végétal

Lui, premier des ***astrologues***,
Par un calcul très ardu
Qu'il fit avec ses **collègues**,
Sait que le monde est perdu.

Jules Romains, « Le roi chauve mais obèse… »,
Pierres levées. IV

assonances	*contre-assonances*
143. ÈGRE	*23. AGUE*
186. ERGUE	*280. IGUE*
176. ÈQUE	*378. OGUE*

❐ *280 [Thiry ; Allais]*

145. EIL°-EILLE

SOLEIL°
SOMMEIL°

abeille
nid-d'abeilles
(ville) Corbeil°
une **corbeille**
il planchéie
il pagaye
il langueye
(il (s')amuse) il(s')égaye

(il se disperse) il s'égaille
il bégaye
vieil°
(une) **vieille**
il laye
il balaye
il remblaye
il déblaye
il délaye
il relaye
SOLEIL°
le Roi-Soleil°

La nuit vint, pâle, aux rêves sans **sommeil**
La nuit de Juin pensive où l'âme est seule et **veille**
Assise en l'ombre et qui frissonne et s'**émerveille** ;
Des pas lents sur la route, et je tendis l'**oreille** ;
Il s'assit près du ***seuil*** où frissonne la **treille**,
Il me conta les soirs où la mer est **vermeille**,
Les pays d'Occident où s'endort le **soleil**,
Et je le suivais de **merveille** en **merveille** […]

Francis Vielé-Griffin, « Un astre »,
Joies

☞

EIL°-EILLE

il **ensoleille**
après-soleil°
pare-soleil°
brise-soleil°
(vieille femme, Belg.) une mey°
il volleye
(il agace, rég.) il émeille
(courant d'eau) remeil°
le SOMMEIL°
il **sommeille**
il s'ensommeille
demi-sommeil°
(ragoût, rég.)
une chichoumeille
Montfermeil°
(argent doré) le vermeil°
(rouge) **vermeil°/le**
Côte Vermeille
(marmaille, rég.) une nineille
O'Neill°
il monnaye
une **corneille**
(Pierre/Thomas) Corneille
la/il paye
(chiffons) des peilles
(vieil homme, Belg.) un pey°
il capeye
il repaye
Popeye
il sous-paye
la/il surpaye
il raye
(son/sa/être) **pareil°/le**
un **appareil°**
(un navire) il **appareille**
(il assortit) il r/appareille
il dépareille
salsepareille
(inégalable)
nonpareil°/le
(oiseau ; fleur)
la nonpareille
il dés/enraye
il embraye
il débraye
Creil°
il draye
il déraye
il fraye
il **effraye**
il défraye

Mireille
oreille
cure-oreille
pince-oreilles
perce-oreille
zoreille
treille
(récipient) une seille
(rivière) la Seille
qu'il s'asseye
il faseye
qu'il se rasseye
il grasseye
il ré/essaye
un **conseil°**
il **conseille**
il déconseille
Marseille
orseille
il zézaye
(plante) oseille
(argent, arg.) **oseille**
groseille
il/la teille
il étaye
méteil°
réteil°
(Joseph) Delteil°
bouteille
il dés/embouteille
vide-bouteille
dessous-de-bouteille
ouvre-bouteilles
rince-bouteilles
porte-bouteilles
demi-bouteille
orteil°
Rueil°
il/une **veille**
(Simone) Weil°
avant-veille
l'**éveil°**
il (s') **éveille**
(éveil ; pendule) le **réveil°**
il **réveille**
tire-veille
radio-réveil°
merveille
il (s') **émerveille**
il **surveille**

Vive le roi **Sommeil**,
Vive le roi Mouton !
Il a sur les **oreilles**
Un bonnet de coton.
Il boit à la **bouteille**
Le sirop de Pluton.
Il sombre, il **appareille**
Sans bâteau ni bâton
Sans guide et sans **conseil**,
Compagne ou compagnon,
Vers un pays **pareil**
Sans rime et sans raison.
[...]
Ce refrain ***maternel***,
Est-ce qu'il cessera ? non !
Je te vends ma **corbeille**,
Contre ton corbillon !
Mais enfin la **corneille**
Lasse du tourbillon
Du chantre ***solennel***
A pris le contre-ton.
Je m'élance, m'**éveille**,
Et me trouve à tâtons,
Je me **désengroseille**
À longs coups de talon !
Ah voici le **soleil** !
Que le **soleil** est bon !

Paul Claudel, « Complainte du sommeil »,
Poèmes retrouvés

Les blés se couchent sur **Marseille**
Tes yeux projettent des **bouteilles**
Pour les jongleurs des tresses de ***miel***
Des horloges peuplées d'**abeilles**
Des ***mamelles*** d'or et de ***ciel***
Du ***sel*** pour fleurir nos **sommeils**
Et des baisers pour mes **oreilles**
Et des fables dans les **corbeilles**
Et des palmiers tenant **conseil**
Tes lèvres aux masques **vermeils**
Comme de précieux **appareils**
Et des bourgeons verts pour l'**éveil**

Les sables traînent au **soleil**
Nos mains le grand feu de **merveilles**
Mes doigts au pays de tes lèvres

Dominique Tron, « Le pays de tes lèvres »,
Stéréophonies (2e version) in *108 poëmes-clefs*

Je laisse jouer mes **orteils**
Dans les trous de mes ***espadrilles***
Pour qu'ils voient un peu le **soleil**
Comment qu'il ***brille***

Pendant c'temps-là j'***bâille*** aux **corneilles**
Oh ! ce n'est pas que je m'ennuie
Mais je pass' des nuits sans **sommeil**
Avec les ***filles***.

Georges Moustaki, « Les Orteils au soleil »,
En ballades. I

assonances
148. EL-ÈLE
142. ÈGNE

contre-assonances
24. AIL-LE
222. EUIL-LE

❒ 91.23 [Estang]
46 [Papillon de Lasphrise] ; 456.16 [Louÿs] ; 496 [Jammes]

146. EIN-AYNE° [ɛjn]

îles Bahreïn
Hussein
(Albert) Einstein
(Sergueï M.) Eisenstein
Frankenstein
(John) Wayne°

J'ai rencontré dans **Fetter Lane**
au bras de la sombre Mary
le fantôme de **Frankenstein**

Et pour autant qu'il m'en ***souvienne***
le jade était surnaturel
dans tes longs yeux de caramel

Louis Calaferte, « Je ne crois pas te l'avoir dit… »,
Londoniennes

assonances
166. ÈNE-EN
145. EIL

contre-assonances
84. EIN [ajn]
295. INE

❐

147. EÏT [ɛjt]

(huit, angl.) eight
le Koweït

32 ***Fahrenheit***
Je sais qu'il me faut
Briser l'*after* **eight**
De mon ego

32 ***Fahrenheit***
J'aime les mélos
J'adore Vivien ***Leigh***
Garbo

Serge Gainsbourg, « 32 Fahrenheit »,
Dernières nouvelles des étoiles

assonances
205. ÈTE-ET
145. EIL

contre-assonances
86. EIT [ajt]
325. ITE

❐

148. EL°-ÈLE

AILE
ELLE
BELLE
CIEL°

(lettre) un L°
(bière) une ale
une AILE
(pronom) ELLE
(il appelle) il hèle

Judicaël°
(prénom) Mi(c)kaël°
(Ephraïm) Mikhaël°
saint Raphaël°
(peintre) **Raphaël**°
(prénom) Raphaël°/le
Saint-Raphaël°
(prénom) Gaël°/le
(peuple) les Gaëls°
Maël°/le
Ismaël°
Nathanaël°
Gwenaël°/le
(bible) **Israël**°
(État) Israël°
Azraël°
le Sahel°
tael°

(beau) bel°
(unité) le bel°
(Dieu) Bêl°
(bêler) il **bêle**
être BELLE
jouer la belle
(s'enfuir, arg.) faire la belle
Abel°
tour de **Babel**°
(il bavarde, rég.)
il babèle
Zorobabel°
escabelle
gabelle
(marque) un label°
(pétale) un labelle
glabelle
Annabelle
mirabelle
sabelle
Jézabel°
(jaune pâle) isabelle
Isabelle
tabelle
ribambelle
(boiteux, rég.) gambel°
(il boite, rég.) il gambèle
lambel°
(jouet, Belg.) une bébelle
djebel°

Une ***libellule*** si **belle**
Se ***promène*** dans mon **ciel**,
Et mon esprit qui ***sommeille***
Prend son ***envol*** avec **elle**.
Les rayons du ***soleil*** sur son **aile**
Font que ***vole*** un **arc-en-ciel**,
Et si je n'étais ***pareil***
À l'ancre lourde des bateaux,
J'irais me mirer dans l'eau
Avec les ***libellules*** si **belles**.

Julos Beaucarne, « Une libellule »,
J'ai 20 ans de chansons

Paroares, rolliers, calandres, **ramphocèles**,
Vives flammes, oiseaux arrachés au ***soleil***,
Dispersez, dispersez, dispersez le **cruel**
Sommeil qui va saisir mes ***mentales*** **prunelles** !

Jules Supervielle, « Aux oiseaux »,
Débarcadères

Je bats la **semelle**
Avec des **dentelles**
Un brin de **ficelle**
Un bout de **flanelle**
Un peu de pavé
Bien qu'**elle** m'**appelle**
À voix de **crécelle**
……

EL°-ÈLE

térébelle
feldwebel°
lebel°
Philippe le Bel°
(Hugues) Rebell°
il se/(un/e) **rebelle**
Cybèle
décibel°
il/un **libelle**
(pacifique) imbelle
obel°/obèle
prix Nobel°
ombelle
(colombe) colombelle
tombelle
poubelle
sac-poubelle
(il bredouille, Belg.)
il broubelle

(ville) Chelles
(n. dép.) Shell°
lumachelle
Rachel°
échelle
les Seychelles
(Louise) Michel°
saint Michel°
Michel°/Michèle
Le Mont-Saint-Michel°
un/e romanichel°/le
La Rochelle
Drieu la Rochelle
archelle
(Margaret) Mitchell°
mont Mitchell°
(silence ! arg.) mutchell!°
Adèle
fricadelle
(poire ; cépage)
muscadelle
à la bradel°
citadelle
mortadelle
chandelle
côte de Coromandel°
Fernandel°
tendelle
(une) morvandelle
prédelle
à tire-d'aile
fidèle
infidèle
ridelle
haridelle
videlle
cicindèle
Hændel°
mindel°
Jean Bodel°
asphodèle
(Étienne) Jodelle
(Camille/Paul) Claudel°
il/un **modèle**
il remodèle
(Fernand) Braudel°
urodèle
bondelle

(poème) un rondel°
(tranche) une **rondelle**
hirondelle
airedale
(selle) bardelle
(il ronchonne, rég.)
il berdelle
bordel°
il cordelle
(Antoine) Bourdelle
judelle
Jaufré Rudel°
strudel°

idéel°/le
le réel°
être réel°/le
déréel°/le
(chanteuse) Fréhel°
cap Fréhel°
l'irréel°
être **irréel°/le**
surréel°
(n. dép.) R.T.L.°

il (se) **fêle**
(Jean) Effel°
(Gustave/tour) Eiffel°
anophèle

le **gel°**
il **gèle**
(filament) le flagelle
(il fouette) il **flagelle**
permagel°
pagel°/pagelle
Angèle
Archangel°/Arkhangel°
(une) tourangelle
le dégel°
il dégèle
le regel°
il regèle
nigelle
tigelle
antigel°
hydrogel°
il dé/congèle
margelle
il surgèle
Aulu-Gelle

il/une **agnelle**

(Friedrich) Hegel°
Bruegel°/Breughel°
Till Eulenspiegel°
(pourboire, Belg.) dringuelle

Yale
voyelle
semi-voyelle
bielle
Ézéchiel°
Pleyel°
fiel°
il (s')enfielle
miel°
Amiel°

Qu'**elle** m'**interpelle**
Je bats sa **jumelle**
Avec un beau **zèle**
Pour me réchauffer
– Même avec un pied

Luc Bérimont, « Je bats la semelle »,
L'Esprit d'enfance

Pour des **étincelles** ce sont des **étincelles**
des qui cassent la **vaisselle**
déshabillent les ***bergères***
rôtissent les **mirabelles**
bouleversent les ***litières***
désorientent les **cervelles**
rongent les ***ombellifères***
obscurcissent les **chandelles**
zigzaguent dans les ***fougères***
galopent par les **venelles**
décapitent les ***chaumières***
détériorent les **javelles**

Raymond Queneau, « La Foudre »,
Battre la campagne

Sur un doigt la **colombelle**
Nu l'esclave à la **flambelle**
Et plus loin sur la **margelle**
Vérité grosse **pucelle**
De tout son ventre **étincelle**
Chaque sein sa **coccinelle**
Mais au fond de la **venelle**
On voit danser l'**alumelle**
Ah que n'est-ce **villanelle**
Et pour si grand **damoiselle**
Légère comme **nigelle**
Parez-vous **telle bardelle**
La fille veut **pimprenelle**
Et tout l'or de la **coupelle**
Elle a marqué d'un **obèle**
Tout mort qui la dit **mortelle**

Pierre Albert-Birot, « Jeunesse »,
Miniatures

Un sot rêve d'enfant, si **frêle**
Que la joie au travers ***scintille***,
Comme une toile à quelque **prèle**
Filtrant le ***soleil*** qui l'***effile***
Et que même la brise **emmêle**,
Rets ***puéril*** et ***puérile***
Embûche où ne se prit ***nulle* aile** !

Francis Vielé-Griffin, « Mai-fleuri »,
Joies

À toutes jambes, Facteur, **chez l'**
Éditeur de la décadence,
Léon Vanier, quai **Saint-Michel**
Dix-neuf, gambade, cours et danse.

Stéphane Mallarmé, « Les Loisirs de la poste » LXV,
Vers de circonstance

❒ 1.13 [Nelligan] ; 91.12 [Ronsard] ; 214.11 [Heredia]

EL°-ÈLE

il emmielle
il démielle
(maladie) il/la nielle
(gravure) il/une nielle
Daniel°/le
véniel°/le
cérémoniel°/le
riel°
(esprit de l'air) Ariel°
(prénom) Ariel°/le
Marielle
actuariel°/le
(ange) Gabriel°
(prénom) Gabriel°/le
sériel°/le
le matériel°
être **matériel°/le**
immatériel°/le
(un/e) caractériel°/le
artériel°/le
inter/ministériel°/le
Cyrielle
kyrielle
oriel°
catégoriel°/le
mémoriel°/le
extra/sensoriel°/le
tensoriel°/le
factoriel°/le
sectoriel°/le
vectoriel°/le
semestriel°/le
un bimestriel°
bimestriel°/le
un trimestriel°
trimestriel°/le
un industriel°
pré/post/
industriel°/le
(ange) Uriel°
(prénom) Urielle
mercuriel°/le
le pluriel°
pluriel°/le
Muriel°
CIEL°
glaciel°/le
tendanciel°/le
confidentiel°/le
résidentiel°/le
présidentiel°/le
providentiel°/le
tangentiel°/le
pestilentiel°/le
démentiel°/le
incrémentiel°/le
excrémentiel°/le
événementiel°/le/
évènementiel°/le
désinentiel°/le
exponentiel°/le
fréquentiel°/le
séquentiel°/le
arc-en-ciel°
carentiel°/le
un référentiel°
référentiel°/le
préférentiel°/le
le différentiel°

différentiel°/le
une différentielle
révérenciel°/le
torrentiel°/le
anti/concurrentiel°/le
l'essentiel°
essentiel°/le
pénitentiel°/le
le potentiel°
potentiel°/le
équipotentiel°/le
substantiel°/le
consubstantiel°/le
existentiel°/le
circonstanciel°/le
une circonstancielle
gratte-ciel°
indiciel°/le
préjudiciel°/le
ludiciel°
sacrificiel°/le
artificiel°/le
un officiel°
officiel°/le
superficiel°/le
un logiciel°
logiciel°/le
progiciel°
cicatriciel°/le
matriciel°/le
didacticiel°
interstitiel°/le
sapientiel°/le
partiel°/le
une partielle
inertiel°/le
il/une **vielle**
lessiviel°/le
(Jules) Supervielle

allèle
pale-ale
(un/e) **parallèle**
antiparallèle

il **mêle**
(cigarette, n.dép.) Camel°
(tas de sel) une camelle
chamelle
sauce béchamel°
(pou, arg.) un gamel°
une **gamelle**
(gosier, rég.) gargamelle
lamelle
(Nicolas) Flamel°
mamelle
caramel°
(il s'emmêle, rég.)
il s'acramèle
pèramèle
(Georges) Duhamel°
il **emmêle**
il **démêle**
trémelle
femelle
(un) **pêle-mêle**
coulemelle
il entremêle
semelle

il ressemelle
des animelles
(n. dép.) du Rimmel°
oxymel°
(un/e) phocomèle
calomel°
(princesse) Philomèle
(rossignol)
une philomèle
(charnière) une paumelle
(moutonne)
le ciel se pommelle
(filtre) une pommelle
maréchal Rommel°
hydromel°
il **grommelle**
trommel°
chrysomèle
coucoumelle
Armel°/le
mont Carmel°
(ordre religieux) le Carmel°
formel°/le
informel°/le
murmel°
kummel°
coton jumel°
(jumeau) il/une **jumelle**
(lorgnettes) des jumelles
(lame de couteau)
une a(l)lumelle
glumelle
(biologie) une columelle
(écrivain) Columelle
le Rummel°
(George) Brummell°
il se grumelle

tour de Nesle
(il halète) il anhèle
(anneler) il annelle
saint Noël Chabanel°
(Théodore) Aubanel°
(aromate) la **cannelle**
(robinet) une cannelle
(cannelure) il cannelle
(Coco) Chanel°
soldanelle
détroit des Dardanelles
organelle
valérianelle
flanelle
villanelle
solennel°/le
planelle
panel°
(sonnaille) campanelle
il épannelle
fontanelle
soutanelle
fustanelle
(Charles) Vanel°
(vanne) vanelle
il crénelle
quenelle
(prostituée, arg.) friquenelle
(Paris) Grenelle
(du cuir) il grenelle
pimprenelle

cenelle
Fontenelle
venelle
ravenelle
turbinelle
polichinelle/
Polichinelle
sardinelle
dauphinelle
sélaginelle
originel°/le
(un/e) **criminel°/le**
(n.dép.) un Opinel°
spinelle
brinell°
fraxinelle
coccinelle
sentinelle
go(n)nelle
trigonelle
Lionel°
éducationnel°/le
corrélationnel°/le
informationnel°/le
relationnel°/le
passionnel°/le
rationnel°/le
opérationnel°/le
irrationnel°/le
antirationnel°/le
sensationnel°/le
uni/tri/multi/
dimensionnel°/le
ascensionnel°/le
intentionnel°/le
extensionnel°/le
un conventionnel°
conventionnel°/le
reconventionnel°/le
rédactionnel°/le
réactionnel°/le
fractionnel°/le
transactionnel°/le
uni/directionnel°/le
correctionnel°/le
la correctionnelle
insurrectionnel°/le
juridictionnel°/le
fictionnel°/le
frictionnel°/le
fonctionnel°/le
(un/e) professionnel°/le
confessionnel°/le
obsessionnel°/le
possessionnel°/le
processionnel°/le
occasionnel°/le
lésionnel°/le
décisionnel°/le
révisionnel°/le
prévisionnel°/le
provisionnel°/le
fusionnel°/le
confusionnel°/le
additionnel°/le
traditionnel°/le
le conditionnel°
conditionnel°/le
une conditionnelle

(un/e)
inconditionnel°/le
transitionnel°/le
nutritionnel°/le
pulsionnel°/le
compulsionnel°/le
émotionnel°/le
promotionnel°/le
notionnel°/le
dévotionnel°/le
anticonceptionnel°/le
exceptionnel°/le
optionnel°/le
proportionnel°/le
institutionnel°/le
anti/in/
constitutionnel°/le
flexionnel°/le
un **colonel°**
madame la colonelle
lieutenant-colonel°
salmonelle
péronnelle
coronelle
citronnelle
le personnel°
personnel°/le
unipersonnel°/le
antipersonnel°
un impersonnel°
impersonnel°/le
tonnelle
shrapnel(l)°
carnèle
charnel°/le
maternel°/le
une maternelle
(père, arg.) le paternel°
paternel°/le
fraternel°/le
confraternel°/le
l'Éternel°
éternel°/le
coéternel°/le
sempiternel°/le
ritournelle
Lunel°
prunelle
tunnel°

la Gohelle
Joël°/le
(Marie) Noël°
(la/un) **Noël°**
(prénom) Noël°/le
Jean-Noël°
Père Noël°
Marie-Noëlle

douelle
(Erskine) Caldwell°
(Oliver) Cromwell°
Baden-Powell°
rouelle
sarouel°
les **écrouelles**
(George) Orwell°

(peler) il pèle

EL°-ÈLE

(froid, arg.) ça/il pèle
une **pelle**
(peintre) Apelle
un **appel**°
il **appelle**
il dé/capelle
chapelle
Aix-la-Chapelle
la Sainte-Chapelle
napel°
(Antoine) Coypel°
un **rappel**°
il (se) **rappelle**
(dragueuse, rég.) trapelle
contre-appel°
(il grommelle, rég.)
il rampèle
il **épelle**
archipel°
érésipèle/érysipèle
scalpel°
(n. dép.) une Opel°
sapropel°/sapropèle
estoppel°
coupelle
carpelle
(paupière, rég.) parpelle
il interpelle
gospel°

quel°**/le**
laquelle
il craquelle
shekel°
desquels°/desquelles
lesquels°/lesquelles
séquelle
teckel°
lequel°
(métal) du **nickel**°
(rangé) c'est nickel°
il nickelle
ferronickel°
cupronickel°
mispickel°
tel quel°/telle quelle
auquel°
auxquels°/auxquelles
schnorchel°/schnorkel°
duquel°

il dé/re/carrelle
picarel°
(lesbienne) fricarelle
(fée, rég.) fadarelle
(boucan, Alg.) taffarel°
(bourratif, rég.)
estouffarel°
(raseuse, rég.) cagarelle
magnanarelle
marelle
Sganarelle
aquarelle
(nourrisson, rég.) pouparel°
mozzarelle
(gourgandine, Alg.)
gattarelle
(moto, rég.) pétarelle
(tétine, rég.) tétarelle

saltarelle
puntarelle
(Jacques) Brel°
(il assemble) il brêle
(imbécile, arg.) (un) brêle
(moto, arg.) une brêle
ombrelle
chancrelle
airelle
S.A.R.L.°
O.R.L.°
Esterel°/Estérel°
il(se)/une **querelle**
maquerelle
becquerel°
coquerelle
passerelle
crécerelle
craterelle
chanterelle
téterelle
sauterelle
tourterelle
frêle
(grêlon) il/la **grêle**
(fluet ; aigu) **grêle**
intestin grêle
paragrêle
girelle
(Pétrus) Borel°
il corrèle
Marc Aurèle
(Louis) Majorelle
(Stan) Laurel°
chlorelle
(colorant) maurelle
(plante) morelle
le temporel°
a/**in/temporel**°**/le**
spatiotemporel°/le
in/corporel°**/le**
(Agnès) Sorel°
le Plantaurel°
(femme cruelle)
une bourrelle
(il tourmente) il bourrelle
tourelle
pastourelle
prèle/prêle
pétrel°
poutrelle
ménestrel°
pipistrelle
burelle/burèle
(Lawrence) Durrell°
surelle
le naturel°
naturel°**/le**
le surnaturel°
surnaturel°**/le**
anti/conjoncturel°/le
structurel°/le
socio/culturel°/le

(il cache) il **cèle**
(pronom) **celle**
(saler) le **sel**°
(il cachette) il **scelle**
(de cheval) il/une **selle**

(excréments) les selles
(demoiselle, rég.) bacelle
sphacèle
nacelle
testacelle
cancel°
(barrière) un chancel°
il **chancelle**
balancelle
mancelle
jouvencelle
aisselle
(il découvre) il **décèle**
(il ouvre) il descelle
(un cheval) il desselle
faisselle
(Joseph) Kessel°
crécelle
tesselle
vaisselle
lave-vaiselle
un **recel**°
il **recèle**
pèse-sel°
boute-selle
icelle
bissel°
rubicelle
radicelle
pédicelle
il/une **ficelle**
il déficelle
un **missel**°
(chimie) une micelle
demi-sel°
vermicelle
tunicelle
varicelle
lenticelle
vorticelle
il **ruisselle**
riz-pain-sel°
il/une **étincelle**
pare-étincelles
Grimsel°
ocelle
il dé/bosselle
varicocèle
(oiseau) ramphocèle
colpocèle
à la croque(-)au(-)sel°
rocelle
hydrocèle
isocèle
violoncelle
il **amoncelle**
septmoncel°
(Raymond) Roussel°
Cadet-Rousselle
capselle
il **harcèle**
carcel°
escarcelle
(Étienne) Marcel°
(Gabriel) Marcel°
Marcel°**/le**
parcelle
(canard) une **sarcelle**
(ville) Sarcelles

universel°**/le**
il **morcelle**
il **ensorcelle**
il désensorcelle
(Henry) Purcell°
volucelle
nucelle
une **pucelle**
(Jeanne d'Arc) la **Pucelle**
il dépucelle
(pinces) des brucelles
(ville) **Bruxelles**
(prénom) Axel°/le
(patinage) un axel°
il **excelle**
Texel°
Ixelles
pixel°

zèle
aselle
baselle
(poème) un ghazel°
(animal) une **gazelle**
algazelle
(jeune fille) une **oiselle**
(chasse) il oiselle
damoiselle
demoiselle
mademoiselle
mesdemoiselles
diesel°
il ébiselle
il **cisèle**
Gisèle/Giselle
(mousseline) la giselle
mam'selle/mam'zelle
(Suisse) Appenzell°
(fromage) un appenzell°
filoselle
piloselle
la Moselle
Meurthe-et-Moselle
limoselle
donzelle
carrousel°
tousselle
(il traînasse, rég.)
il berzelle
bretzel°
huile de fusel°
il fuselle
il dé/muselle

tel°**/telle**
pays de Thelle
(tumulus) un tell°
(singe) un atèle
(pièce de bois) une attelle
(il attache) il attelle
il batelle
catelle
(vulve) ficatelle
brocatelle
cascatelle
(ville ; lac) Neuchâtel°
(fromage)
du neufchâtel°
bagatelle

tagliatelle
patelle
(animal) un ratel°
il râtelle
grattelle
curatelle
Vatel°
entelle
il/une **dentelle**
accidentel°**/le**
clientèle
sacramentel°**/le**
il **démantèle**
il **pantelle**
arentelle/arantèle
parentèle
tarentelle
bobtail°
cocktail°
bétel°
il **dételle**
(n. dép.) télétel°
crételle
Guillaume Tell°
madame Unetelle
(cocktail, Can.) coquetel°
jarretelle
porte-jarretelles
bretelle
(Jacques de) Lacretelle
orbitèle
tubitèle
(n. dép.) minitel°
turritelle
sittèle/sittelle
Vittel°
Praxitèle
monsieur Untel°
(d'église) **autel**°
(auberge) **hôtel**°
il bottelle
cautèle
motel°
protèle
maître-autel°
maître d'hôtel°
(sarment) une sautelle
(il sautille) il sautelle
(Guillaume) Des Autels°
cheptel°
artel°
cartel°
il **écartèle**
(…en tête) martel°
il **martèle**
Charles Martel°
un mortel°
mortel°**/le**
(un/e) **immortel**°**/le**
stèle
castel°
le cheval s'encastèle
pastel°
rastel°
Estelle
(il trépigne, Belg.)
il pestelle
listel°
mistelle

EL°-ÈLE

Christelle
Saint-Jacques-de-Compostelle
il **constelle**
co/**tutelle**

écuelle
(combat) un **duel°**
(grammaire) le duel°
(binaire) duel°/le
(liturgie) un graduel°
graduel°/le
résiduel°/le
un individuel°
individuel°/le
Samuel°
annuel°/le
(livre) un manuel°
(un/e) **manuel°/le**
Emmanuel°/le
Victor-Emmanuel°
bisannuel°/le
trisannuel°/le
continuel°/le
(Luis) Buñuel°
ruelle
cruel°/le
Teruel°
Pantagruel°
truelle
pré/menstruel°/le
un mensuel°
mensuel°/le
un bimensuel°
bimensuel°/le
(féodalité) censuel°/le
(lascif) **sensuel°/le**

consensuel°/le
sexuel°/le
asexuel°/le
(un/e) transsexuel°/le
(un/e) bisexuel°/le
unisexuel°/le
(un/e) homosexuel°/le
(un/e) hétérosexuel°/le
le casuel°
casuel°/le
le visuel°
visuel°/le
télévisuel°/le
l'audiovisuel°
audiovisuel°/le
(livre) un usuel°
usuel°/le
inusuel°/le
accentuel°/le
éventuel°/le
conventuel°/le
actuel°/le
factuel°/le
inactuel°/le
(un/e) contractuel°/le
(un/e) intellectuel°/le
délictuel°/le
conflictuel°/le
instinctuel°/le
noctuelle
ponctuel°/le
perpétuel°/le
habituel°/le
inhabituel°/le
le **rituel°**
rituel°/le
spirituel°/le

conceptuel°/le
cultuel°/le
le virtuel°
virtuel°/le
gestuel°/le
la gestuelle
(réciproque) mutuel°/le
(association) une mutuelle
textuel°/le
contextuel°/le
intertextuel°/le

(elle met bas) elle vêle
(rivière) la Vesle
(Vaclav) Havel°
(rivière) la Havel°
(il tousse, rég.) il carcavèle
(indécis, rég.) une carcavelle
Machiavel°
un machiavel°
la/eau de **Javel°**
(tas de céréales) il/une **javelle**
il enjavelle
navel°
(Maurice) Ravel°
caravelle
taravelle
gravelle
(vin) un tavel°
(il tache) il tavelle
Tautavel°
bartavelle
la/le Pévèle

il **révèle**
il **échevelle**
Courchevel°
(René) Crevel°
civelle
il **nivelle**
Jean de Nivelle
(écervelé, rég.) ganivelle
manivelle
il dénivelle
il grivelle
helvelle
douvelle
nouvel°
nouvelle
une nouvelle
il **renouvelle**
cervelle
il décervelle
il cuvelle

assonances	*contre-assonances*
145. EIL-LE	*25. AL-E*
162. ÈME-EM	*281. IL-E*
166. ÈNE-EN	*381. OL-E*
177. ÈRE-ER	*549. UL-E*

149. ELBE

(fleuve) l'Elbe
île d'Elbe

Peu à peu notre destin nous ruisselle sur le dos.

Ciel des villes tressé de câbles, armure des dômes,
Ciments durcis autour d'une ferraille chevelue,
Demeures boulonnées, églises faites sur l'enclume,
Rues triples dont la rumeur rebondit sur un ***tunnel***,
À quoi bon !
Dans la forêt scythique et les joncs de l'**Elbe**
Des hommes velus rampaient mieux réfugiés que nous.

Jules Romains, « Je ne puis pas oublier »,
Ôde gênoise in *Choix de poèmes*

Dites-lui que je suis lucide
Depuis que je l'ai quittée
Qu' j'étais bien trop candide
Qu' j'aurais dû l'écouter
Et que cette fille ***superbe***
Qui m'emmena en bateau
Je n'ai su qu'à l'**île d'Elbe**
Que c'était un travelo

Pierre Perret, « Estelle »,
Chansons de toute une vie

assonances	*contre-assonances*
148. ÈLE	*26. ALBE*
122. ÈBE	*550. ULBE*
123. ÈBLE	
178. ERBE	

❐

150. ELCHE

(un) velche/welche

Alors, Sarah, Clarisse, s'exclament « ô mon maître
Que vas-tu nous chanter ? »
Mais lui répond « ne pourrions-nous bientôt nous mettre
à dîner » ?

Puis il descend au port, accoudé sur le môle
Ne pense point **Marcelche***,
Mais se dit : je pourrais aller voir à la Baule
Risler aux yeux de **Welsche**.

Marcel Proust, « Plutôt que d'aimer un meschant... »,
Poèmes

* Marcel(che) Proust

assonances
125. ÈCHE
148. ÈLE
179. ERCHE

❐

151. ELD°-ELDE

Krefeld°
Bielefeld°
(Ernst von) Mansfeld°
(pourboire, rég.)
un tringueld°

wergeld°
fjeld°
veld°
Van de Velde
(Jacob) Van Artevelde

assonances
132. ED-ÈDE
148. EL-ÈLE
181. ERDE

contre-assonances
27. ALD-E
282. ILD-E
382. OLD-E

152. ELDRE

la Gueldre

assonances
135. ÈDRE
151. ELDE
182. ERDRE

❐ *155 [Rostand]*

153. ELFE-ELF°

ELFE

(Elf Aquitaine, n. dép.) Elf°
(génie) un ELFE
Delphes
(prénom) Adelphe
(«les Frères» de Térence)
les Adelphes
monadelphe
(marsupiaux)
les didelphes
(partisan du pape) un **guelfe**
(ville) Guelph°
(self-service) un self°
(psychanalyse) le self°
(self-inductance) une self°

*Gnôthi seauton**
(ainsi qu'on lisait au fronton
du temple de **Delphes**) ;
tu es gros à lard, ne joue plus les **elfes**,
ne t'obstine pas à cueillir la rose
– ça conduit à l'artériosclérose...

Paul Morin, « Syndérèse »,
Géronte et son miroir

* Connais-toi toi-même

Joli Prince aux yeux verts, jadis fin comme un **Elfe**,
À la taille d'abeille, aux bonds de sapajou,
Tu ne poses qu'à peine, alors qu'aimable **Guelfe**
Tu cours, sans l'écraser, dans un jardin joujou.

Robert de Montesquiou, « Lunebourg »,
Les Chauves-souris. CI

☞

ELFE-ELF

Il a la fièvre dans ses pantalons gonfalons
Qu'il porte, bouffants, à la **Guelfe**
Comme un anti-slogan ***M.L.F.***

Jean-Pierre Verheggen, « Chanson du chausson au pommes »,
Porches, Porchers

Les vols de ***sylphes*** et d'**elfes**
Ne hantent pas ton ravin ;
Tu ne reçois que de **Delphes**
Le rayonnement divin.

Pierre Louÿs, « À la nymphe de Sumène »,
Stances

assonances
136. EF-FE
138. ÈFLE
148. ÈLE

contre-assonances
286. ILPHE
383. OLF-E
28. ALF-E

❒

154. ELFT

Delft
Vermeer de Delft

C'est un plat de **Delft**
De peur d'aventure,
C'est un plat de **Delft**
Accroché au mur…

Max Elskamp, « Choses. IV. Delft bleu »,
Aegri Somnia

assonances
153. ELF-E
160. ELT-E

❒

155. ELGE

BELGE

(un/e) BELGE
(Jean) Lemaire de Belges

LA PINTADE, transportée
…Un nain ! un nain ! des nains !
LE PINTADEAU, (à mi-voix.)
Mais calme-toi, maman !
LA PINTADE, (criant au milieu des Coqs.)
Non, non ! je ne peux pas ! C'est Karamalzaman !
Je ne sais plus lequel je préfère, **lequel je**...
L'HUISSIER-PIE
Le coq de ***Gueldre*** !
LA PINTADE, (se précipitant vers le nouveau venu.)
Ah ! quel bonheur ! encore un **Belge** !

Edmond Rostand,
Chantecler, acte III, scène 3

(Quand je repense à **ell'j'**
E ne peux, Eutyphron, qu'invoquer le *Cratyle*
– Platon prime rhéteur de l'arbitrarité
Du rapport entre choses et mots, récusé –
Me souvenant de l'air justement dégoûté
Qu'elle avait, recrachant, pour dire : « C'est du **belge** ! »)

André Blavier,
Le Mal du pays ou les travaux forc(en)és [v. 561-566]

Le roi des grecs fume-t-il toujours du **belge** ?
Le roi de l'étain prise-t-il toujours du grec ?
Soraya s'est-elle fait déteindre en ***beige*** ?
Anne-Marie l'a-t-elle fait en dansant le jerk ?

Jacques Lanzmann/Anne Segalen, «Transe-Dimanche »,
Chansons

assonances
139. ÈGE
148. ÈLE
184. ERGE

❒ *139 [Franc-Nohain]*

156. ELME-ELM°

(prénom) Wilhelm°
saint Anselme
le Père Anselme
(saint Érasme) saint Elme
feux Saint-Elme

assonances	*contre-assonances*
162. ÈME	*30. ALME*
148. ÈLE	*385. OLM*

157. ELQUE-ELK°

(ville, Autriche) Melk°
quelque(s)

Ayant vu des films animés
en mil neuf soixante et **quelques**
Un Joseph grand casseur de pieds
s'est écrié
Saluons l'existence ***extrinsèque***

Jean Queval, « Les Joseph »,
En somme

assonances	*contre-assonances*
176. ÈQUE	*32. ALQUE*
148. ÈLE	*384. OLKE*
128. ÈCLE	*555. ULQUE*

❐ *500 [Louis]*

158. ELS°-ELSE

(Joseph P.) Goebbels°
(cabine de gondole)
une felse
(Friedrich) Engels°
(Herbert G.) Wells°
(Orson) Welles
(Louis) Pauwels°
(médecin) Celse
(philosophe) Celse
eau de Seltz°
Paracelse

Une nuit que j'étais
À me morfondre
Dans quelque pub anglais
Du cœur de Londres
Parcourant l'Amour Mon-
Stre de **Pauwels**
Me vint une vision
Dans l'eau de **Seltz**

Serge Gainsbourg, « Initials B. B. »,
Dernières nouvelles des étoiles

Chaque gondole, étant un morceau de la liste,
Porte une ombre de femme éclose de son nom !
Toutes sont là ! Car, plus puissant que **Paracelse**,
J'ai dédoublé leur vie ou réveillé leur mort.
Laquelle, se levant des coussins noirs du **felse**,
Veux-tu voir, sur le quai, poser son soulier d'or ?

Edmond Rostand,
La Dernière Nuit de Don Juan. 1re partie, scène VI

assonances	*contre-assonances*
201. ES-SE	*33. ALS-E*
148. EL-ÈLE	*556. ULS-E*

❐

159. ELSK

Arkhangelsk

Ne peux-tu inventer
Des collines plus ***belles***
Que les tours de Thulé,
Les neiges d'**Arkhangelsk** ?

Maurice Carême, « Laisse tous ces chemins... »,
Brabant

assonances	*contre-assonance*
200. ESQUE	*389. OLSK*
158. ELS-E	
148. EL	

❐

160. ELTE-ELT°

CELTE
SVELTE

le Grand-Belt°
le Petit-Belt°
guelte
(pourboire, arg.)
un tringuelte
Tidikelt°
Tafilelt°
wehnelt°
le Commonwealth°
pelte
CELTE
(steppe) le veld°
(règle à jauger) une velte
(Jan van)
Oldenbarnevelt°
(Franklin D.) Roosevelt°
SVELTE

Nous traversons ce soir la grise mer des **Celtes** ;
Ses récifs à fleur d'eau montrent leurs crocs baveux,
Qui remâchent l'écume, et des carènes **sveltes**
Guettent la vive étrave au loin de tous les feux…

Philéas Lebesgue, « Le Rêve et la mer »,
Triptolème ébloui

Sur le petit et le grand **Belt**
La mort passe avec ses amants
Celle que j'aime est la plus **belle**
Tais-toi jeune étourdi ou mens
L'heure n'est plus aux longs serments

Louis Aragon, « Romance du temps qu'il fait »,
Le Crève-cœur

Pensez-vous donc, ***Jeannette***,
Sombrer dans mon oubli,
Demoiselle si **svelte**,
Arbre de paradis.

Julos Beaucarne, « Sylvie »,
J'ai 20 ans de chansons

puis louer le secret sauvage
des lisières qui protègent
les localités ***célestes***
et l'affouage des vieux **Celtes**

Jean-Claude Pirotte, « Air lingon »,
La Vallée de Misère

assonances	*contre-assonances*
205. ÈTE	*34. ALT-E*
194. ERTE	*287. ILT*
202. ESTE	*390. OLT-E*
148. ÈLE	*557. ULT-E*

❐

161. ELVE

selve

la vie immobile et l'attente
des émerveillements entre
Beaumont-sur-***Vesle*** et Ville-en-**Selve**
et le vent et le ***ciel*** – et les longs tourments

Jean-Claude Pirotte, « Air du petit paysage en auto »,
La vallée de Misère

assonances	*contre-assonances*
209. ÈVE	*35. ALVE*
148. ÈLE	*289. ILVE*
	558. ULVE

❐

162. ÈME-EM°

AIME
MÊME
(lettre) un M°
(merde!) M.°
(jugeote, rég.) l'ème
je t'/il AIME
(holà!) hem!°
(ville) Hem°
(pigment) l'hème

(prison, arg.) le schtilibem°
(boucher ; argot)
le louchébème/
loucherbem°
schème
sachem°
(chaud, arg.) lauchem°
(cher, arg.) lerchem°

Lena toi qui es loin plus loin qu'**Angoulême** « **ème** »
Lena je veux te dédier un **poème** « **ème** »
J'suis pas poète mais j'vais essayer quand **même** « **ème** »
Ah faut-il que faut-il que je… faut-il que je…
Dès aujourd'hui pour m'attaquer au **problème** « **ème** »
J'me suis levé dès le petit matin **blème** « **ème** »
Se lever tôt, pour moi qui suis… si **bohème « ème »**
Ah ! Faut-il que je… faut-il que je…
Oui !
[…]
……

ÈME-EM°

dème
diadème
les pandèmes
tandem°
œdème
myxœdème
idem°
ibidem°
saint Nicodème
(niais) un nicodème
modem°

(n. dép.) I.B.M.°
ICBM°
P.P.C.M.°
Q.C.M.°
Bethléem°

graphème
F.M.°
Polyphème
morphème
il/un **blasphème**

wargame

(pierre) une **gemme**
(résine) il/la gemme
stratagème
sel gemme

milliardième
millième
é/nième
millionième
unième
empyème
requiem°
cinquième
quatrième
ixième
troisième
treizième
seizième
deuxième
dixième
soixante-dixième
quatre-vingt-dixième
sixième
quinzième
onzième
douzième
quatorzième
nonantième
quantième
cinquantième
quarantième
trentième
centième
soixantième
tantième
septantième
dix-/**septième**
dix-/**huitième**
combientième
quatre-/vingtième
anté/pénultième
dix-/**neuvième**

lemme
Salem°
Jérusalem°
(patriarche)
Mathusalem°
(bouteille)
un mathusalem°
blême
emblème
problème
astroblème
claim°
hachélème/**H.L.M.°**
Math élém°
(abbaye de) Thélème
U.L.M.°
(s)chelem°
flemme
dilemme
Guilhem°
névrilème
xylème
(abbaye de) Solesmes
Triptolème
Néoptolème
Angoulême
(Pays-Bas) Haarlem°
(New York) Harlem°

(le/la) MÊME
soi-/toi-/**moi-même**
quand même
sémème
eux-mêmes
elle(s)-même(s)
enthymème
lui-même
nous-mêmes
vous-mêmes

nem°
Mostaganem°
technème
œdicnème
musée Guggenheim°
ad hominem°
archi/phonème
épiphonème
monène
tréponème

(verre) du bohème
(artiste) un/la **bohème**
(région) la **Bohême**
noème
poëme/**poème**

Bir Hakeim°
(mouchard, Alg.)
un chiquem°
Château-Yquem°
(Émile) Durkheim°

(unité) le rem°
(mère, verl.) la rèm°
(linguistique) le rhème
harem°
barème
(Maurice) Carême

Pour m'inspirer j'me suis fait un café **crème** « **ème** »
Mais par erreur je l'ai sucré au sel « **gemme** » « **ème** »
C'n'était pas bon, ma foi je l'ai bu quand **même** « **ème** »
Ah ! Faut-il que je… faut-il que je…

C'est malheureux je n'ai pas trouvé de **thème** « **ème** »
J't'aurai fait un truc avec des rimes en « **ème** » « **ème** »
Tu aurais compris que c'était un **stratagème**… « **ème** »
Pour te dir' que… te dir' que je… te dir' que je…
Oui !

Boby Lapointe, « Lena »,
Intégrale

On **aime** une fois, mais pas plus !
Je l'ai cru, cet **épichérème**,
Comme toi, quand j'étais reclus,
Tirant au pays de **Maremme**
Mon bagne amoureux en **birème**.
Ce sont là propos complaisants,
Mots tout faits, calculs de **Barême**.
Le cœur reverdit tous les ans.

Tu peux plaire encor, si tu plus.
Aucune carte n'est l'**extrême**.
Après un prime enjeu conclus,
Retourne vite une autre **brême**.
Car l'amour n'est pas un **saint-chrême**
Dont peu de fronts sont reluisants ;
Et, quand on vient d'aimer, on **raime**
Le cœur reverdit tous les ans.
[…]
Prince, voici mon **théorème** :
Aimer chaque amour que tu sens
Comme si c'était le **suprême**.
Le cœur reverdit tous les ans.

Jean Richepin, « Ballade des amours nouveaux »,
Dans les remous. XXX in *Mes Paradis*

C'est assez triste que l'on s'**aime**
si ce qu'on **sème** c'est des ***graines***
d'**épiphonème** et de **blasphème**
quand **même** on pêche à la ***baleine***
à la ligne à tout un **poème**
le secret des départs **abstèmes**
ne nous emporte pas quand **même**
l'amour de la Marie ***lointaine***

Jean Lescure, « Le Patron » I,
La Marseillaise bretonne in *Treize poèmes*

j'ai si grand pitié des ***hommes***
je me hais et je m'**aime**
pardonne-moi d'être vivant, d'écrire des **poèmes**,
je suis encore là mais je parle aux ***fantômes*** !

Benjamin Fondane, « J'étais un grand poète… »,
Ulysse in *Le Mal des fantômes*

Oyez plutôt ce cri supérieur, **suprême** :
En avant ! Heu heu heu heu heu heu heu **heeem** !

Alfred Jarry,
Le Moutardier du pape, acte II, 1er tableau, scène IV

❒ 121.17 [Estang]
36 [Jammes] ; 290 [Derème, Garnier]

ÈME-EM°

le **carême**
(il ripaille)
il se décarême
mi-carême
(Italie) la Maremme
(lieu marécageux)
une maremme
(poisson) la brème
(carte à jouer, arg.)
une brême
(ville) Brême
il/la **crème**
un (café) crème
il écrème
double-crème
(syllogisme)
un épichérème
I.R.M.°
(Tristan) Derème

birème
quadrirème
trirème
Saint(-)Chrême
théorème
catégorème
ad valorem°
(après-midi, arg.)
un aprèm°/e
suprême
(cuisine) un suprême
il s'entr'aime
monotrème
(un) **extrême**

(fils de Noé) Sem°
(linguistique) un sème
(il répand) il **sème**
(maladie) la seime

(n. dép.) la S.A.C.E.M.°
il **essaime**
il ressème
il **parsème**
il sursème
lexème

il désaime
emphyzème

thème
baptême
anathème
hélianthème
sémantème
énanthème
xéranthème
chrysanthème
exanthème

item°
ad litem°
épithème
érythème
apothème
totem°
stem(m)°
abstème
système
écosystème
sous-système
star-system°

la (sainte) Vehme

assonances
148. ÈLE
166. ÈNE
188. ERME

contre-assonances
36. AME
290. IME
392. OME
444. AUME

163. EMNE

indemne
(il méprise) il contemne

Il faut bien creuser en ***soi-même***
Quelque tunnel de déraison
Si l'on tient à sortir **indemne**
De nos ***pérennes*** illusions.

Jean Laugier, « L'impondérable »,
Dans la main du monde

…Nos traits tirés. Cerclés. Nos raies d'oxalide. Acides.
Nos ***cernes***. Notre ***sperme***. **Indemne**. Bien aimé.

Jean-Pierre Verheggen,
Pubères, Putains, Première partie. 1

assonances
162. ÈME
166. ÈNE
189. ERNE

contre-assonances
291. IMNE
560. UMNE

❐

164. EMS°-AMES

(fleuve) l'Ems°
dépêche d'Ems°
(ville) Bad/Ems°
(Henry) James
(la Tamise, angl.)
Thames

assonances
162. ÈME-EM
201. ES-SE

contre-assonances
37. AMS-E
292. MS

165. END-ENDE° [ɛnd]

South Bend
(Picardie) Quend
week-end
un/e **happy(-)end**
(fin, angl.) the end
trend
Land's End
le zend/zende°
West End
Demavend

Chantons car le cœur nous en dit
lundi mardi ou mercredi
et dansons pendant le **week-end**
dimanche pour toute la ***semaine***

Philippe Soupault, « Solstices »,
Poèmes et Poésies

☞

END-ENDE°

Oui, ce fut ce jour-là que nous nous embarquâmes
Pour scier le ciel, de notre musique scie musicale ;
Et nous rêvions déjà, dans le lointain, les ***Indes***
De ce suffocant **Happy-End** *.

Roland Dubillard, « Il nous cria… »,
La Boîte à outils. 222

* prononciation francisée (inde)

assonances
166. ÈNE
132. ÈDE

contre-assonances
296. IND [ind]
504. OUND

❐

166. ÈNE-EN°

HAINE
HALEINE
PEINE
REINE

(lettre) un N°
(partie du corps) l'aine
(rivière, départ.) l'Aisne
la HAINE
(Heinrich/Henri) Heine

Jaén°

benne
graben°
ébène
télébenne
(une) thébaine
(Hans) Holbein°
boulbène
aubaine
urbaine
suburbaine
périurbaine
(une) rurbaine
interurbaine
amphisbène
afro-/cubaine

achaine/akène
kraken°
(une) jamaïcaine
(une) mozambicaine
lichen°
(une) anti/**républicaine**
(religieuse)
(une) dominicaine
république Dominicaine
(habitante)
(une) dominicaine
(américaine, arg.)
(une) ricaine
(USA.) (une) **américaine**
(cigarette) une américaine
(voiture) une américaine
(une) sud-américaine
panaméricaine
(une) anglo/hispano/
latino/afro/-américaine
(une) nord-américaine
(une) centraméricaine

(une) **africaine**
(une) sud-africaine
panafricaine
(une) eurafricaine
(une) nord-africaine
république Centrafricaine
(habitante)
(une) centrafricaine
transafricaine
(une) armoricaine
(une) portoricaine
hurricane
(une) mexicaine
(une) marocaine
(une) franciscaine

il/une **chaîne**
(arbre) un **chêne**
il dés/**enchaîne**
il (se) **déchaîne**
(un/e) tchétchène
minichaîne
groschen°
prochaine
chouchen°
le Père
Duchêne/Duchesne

daine
Aden°
Baden-Baden°
cadène
molybdène
l'**Éden/éden**°
bedaine
des calembredaines
des **fredaines**
(John) Dryden°
indène
golden°
guldaine
loden°
Modène
(machine de guerre)
une dondaine
(refrain) dondaine!
(ventre) bedondaine
(refrain) digue dondaine!
(testicules)
des triquedondaines
(refrain)
la **faridondaine**!
(fête, arg.) foiridondaine

Dans une ville **souveraine**
Le roi la **reine** et leurs vassaux
Disaient qu'ils avaient trop de **peines**
Trop de **peines** et le cœur trop haut
De brûler pour l'amour du beau

Et sur une route **africaine**
Le roi la **reine** et leurs vassaux
Allèrent cueillir la **marjolaine**
Sur la route des noirs tombeaux
Tout en chantant des **cantilènes**

Alors les morts dirent à la **reine**
Que ne veniez-vous aux tombeaux
Quand nous vivions ô **souveraine**
Nous vous aurions pour vos beaux
Yeux baisée en **file indienne**

Jacques Baron, « Chanson mortelle »,
Paroles in *L'Allure poétique*

Tu ne crois plus à ces **rengaines**
de la fille à l'accordéon,
à ces nourrices en **mitaines**
sur les bancs avec leurs poupons.

Tu bois les jours et les **semaines**
autant faire sur l'eau des ronds
avec le crachat de la **peine**
et tout le passé par le fond.

Tu ne crois plus la **Marjolaine**
avec son fichu, ses nichons,
tu as cassé la **porcelaine**,
mais tu n'es pas mauvais garçon.

Adieu ruelles, ma **Germaine**,
le torticolis des maisons
qui se penchent à lune **pleine**
aux lèvres closes des saisons.

Géo Libbrecht, « Tu ne crois plus à ces rengaines… »,
Mon orgue de Barbarie in *Poésie*

Mai s'enroule au ciel des **fontaines**
Fleur enfant des troubles *sommets*
Vaine allusion d'une lueur
Maison où temps et vent s'**égrènent**.

Mais je m'éprends de cette **peine**
L'heure la déchire à *jamais*
Et ne laisse de sa couleur
Même pas l'ombre **souveraine**.

……

(refrain)
dondon dondaine!
(une) **mondaine**
demi-mondaine
(coiffe) une bigouden°
(habitante)
une bigoudène
soudaine
l'**Ardenne**/
les **Ardennes**
bourdaine
Trudaine

(Saba) (une) sabéenne
(gnostique)
(une) sabéenne
ISBN°
achéenne
trachéenne
échiquéenne
(une) manichéenne
archéenne
(une) nietzschéenne
A.D.N.°/ADN°
(une) mandéenne
(une) vendéenne
(une) sidéenne
(une) chaldéenne
(une) paludéenne
antipaludéenne
mazdéenne
égéenne
géhenne
(n. dép.) carte I.G.N.°
dédaléenne
la Magdaléenne
peléenne/péléenne
(physique) galiléenne
(Palestine) (une) galiléenne
booléenne
herculéenne
céruléenne
(une) panaméenne
araméenne
(une) dahoméenne
mallarméenne
(une) c(h)ananéenne
(une) ghanéenne
(une) méditerranéenne
arachnéenne
(une) **pyrénéenne**
transpyrénéenne
(une) guinéenne
linnéenne
cornéenne
éburnéenne
(une) zimbabwéenne
cyclopéenne
(une) **européenne**
indo-européenne
(une) guadeloupéenne
(une) nazaréenne
nectaréenne
hyperboréenne
(une)
sud-/nord-/coréenne
gomorrhéenne
marmoréenne

(une) érythréenne
azuréenne
(une) **lycéenne**
(une) phocéenne
(une) sa(d)ducéenne
confucéenne
élyséenne
prométhéenne
goethéenne

faine/faîne
saphène
clomifène
(une) rifaine
(dorade) coryphène
Tiphaine/Typhaine
Hohenstauffen°
acouphène
phosphène

il/une **gaine**
(n. dép.) une Volkswagen°
(il rentre) il r/engaine
(chanson) une **rengaine**
(allure) une dégaine
(une arme) il dégaine
(Kees) Van Dongen°
Nibelungen°
morguenne!
röntgen°/rœntgen°

(biologie) un gène
(malaise) il/une **gêne**
(ville) Gênes
collagène
Commagène
altéragène
attagène
Carthagène
mutagène
(Julie d') Angennes
(un) sans-gêne
(général, arg.) un gégène
(toiture, arg.) la gégène
(pas génial, arg.)
pas gégène
Eugène
(un/e) **indigène**
fumigène
cancérigène
terrigène
(Jean) Scot Erigène
Origène
(un/e) aborigène
il **morigène**
anorexigène
il(s')/l'**oxygène**
il désoxygène
zygène
antigène
carbogène
psychogène
glycogène
(un) oncogène
endogène
paléogène
néogène
frigorigène

Mes rois le fleuve jour nous **traîne**
Cœur et chair ah ! mes rois *dormez*
Prenne qui veut cette douleur
Méchante comme à perdre **haleine**.

Georges-Emmanuel Clancier, « Chanson de Mai »,
Chansons sur porcelaine in *Le Paysan céleste*

Je rêve en mon *dortoir* des lumières **sereines**,
Une éclatante **reine** en un pompeux *manoir,*
Mais dans le profond *noir* s'envolent des **phalènes**,
Mille flocons de **laine** en un sombre *miroir...*
On ne peut pas s'*asseoir* au fond de ma **géhenne**...
Et si d'abord ma **haine** aiguisait son *rasoir*,
Maintenant, comme un *loir* – pionçant à **pleine haleine**
Je dors – ma seule **peine** est que je ne puis *voir*.

Marcel Schwob, « Le Cachot »,
Écrits de jeunesse

Tant de sueur **humaine**
tant de sang gâté
tant de mains usées
tant de **chaînes**
tant de dents brisées
tant de **haines**
tant d'yeux éberlués
tant de **faridondaines**
tant de faridondés
tant de **turlutaines**
tant de curés
tant de guerres et tant de paix
tant de diplomates et tant de **capitaines**
tant de rois et tant de **reines**

Raymond Queneau, « Tant de sueur humaine »,
L'Instant fatal. IV

Nous aimions la **Seine**
Les doux amoureux
Les quais où l'on s'***aime***
Les petites amies
De la Grange aux ***Belles***

Mouloudji, « Chanson pour Youki »,
Complaintes

Cheveux de jeune fille **ancienne**
Ce sont des anges qu'on ***piétine***
Un temps perdu qu'on ***démantèle***
Mauves baisers qui s'***enrubannent***
Sur des épaules d'étrangers

Guy d'Arcangues, « Le Boa de Michèle »,
Madame, petit soldat

Rigide comme un **cyclamen**
Chevauchez votre **cycle**, **Amen** !

Alphonse Allais, « Mon record »,
Rose et vert pomme

❑ 1.12 [Cros] ; 121.7 [Rollinat] ; 214.15 [Marot]
142 [Régnier] ; 162 [Lescure] ; 295 [Dubillard]

ÈNE-EN°

Diogène
pyogène
cariogène
cryogène
anxiogène
(non indigène) allogène
(lampe) (un) halogène
lacrymogène
homogène
thérmogène
cyanogène
criminogène
vaccinogène
carcinogène
hallucinogène
immunogène
androgène
il/l'hydrogène
il déshydrogène
érogène
cancérogène
kérogène
hétérogène
pyrogène
iatrogène
groupe électrogène
œstrogène
gazogène
(extérieur) exogène
(explosif) hexogène
pathogène
autogène
photogène
allergène
phosgène
stimugène

(animal) une **hyène**
(monnaie) un yen°
Cayenne
kafkaïenne
himalayenne
la Mayenne
(une) hawaïenne
doyenne
(une) nicaraguayenne
(moyen) être **moyenne**
(math.) la moyenne
(une) troyenne
mitoyenne
con/**citoyenne**
(une) **païenne**
la Bienne
Fabienne
(se réconcilie, rég.)
il se rabienne
(une) gambienne
(une) zambienne
(une) libyenne
amibienne
(une) namibienne
microbienne
(une) colombienne
précolombienne
(une) lesbienne
(une) nubienne
danubienne
pubienne

chienne
(une) autrichienne
(une) basochienne
diène
(Acadie) (une) acadienne
(Akkad) akkadienne
(une) arcadienne
(une) tchadienne
(du Canada)
(une) canadienne
(veste ; tente)
une canadienne
sadienne
butadiène
tragédienne
(une) **comédienne**
(Houari) Boumédiene
(une) freudienne
rachidienne
ophidienne
gidienne
(une) lydienne
non-/euclidienne
arachnoïdienne
thyroïdienne
choroïdienne
deltoïdienne
mastoïdienne
acridienne
(astr.) (une) méridienne
(sieste) une méridienne
iridienne
clitoridienne
obsidienne
quotidienne
carotidienne
parotidienne
dravidienne
(Inde) (une) **indienne**
à la/en file indienne
(Amér.) (une) **indienne**
(toile) une indienne
(une) amérindienne
rimbaldienne
(une) rhodienne
(une) saoudienne
hollywoodienne
gardienne
(une) capverdienne
mordienne!
(une) plébéienne
les Cheyennes
(une) paraguayenne
(une) uruguayenne
(une) pompéienne
roche Tarpéienne
chérifienne
(abyssale) pélagienne
(théol.) (une) pélagienne
(peuple) pélasgienne
phalangienne
(une) fidjienne
(une) cambodgienne
collégienne
(une) fuégienne
(une) norvégienne
hygiène
(une) phrygiène

coccygienne
(Styx) stygienne
(une) carolingienne
pharyngienne
laryngienne
(une) mérovingienne
théologienne
(une) vosgienne
(une) argienne
(USA) (une) géorgienne
(Caucase)
(une) géorgienne
chirurgienne
morguienne!
il **aliène**
pascalienne
stendhalienne
régalienne
(une) malienne
(une) somalienne
normalienne
(une) épiscopalienne
corallienne
ouralienne
centralienne
(une) australienne
(une) thessalienne
il désaliène
(une) végétalienne
(une) **italienne**
néandertalienne
nervalienne
(une) israélienne
sahélienne
abélienne
(une) hégélienne
cornélienne
(une) vénézuélienne
(une) îlienne
(une) chilienne
conchylienne
chlorophyllienne
virgilienne
(prénom) Émilienne
(Italie) (une) émilienne
(une) francilienne
(une) sicilienne
azilienne
(une) brésilienne
reptilienne
strombolienne
(une) éolienne
îles Éoliennes
gaullienne
(une) mongolienne
hugolienne
paulienne
(une) tyrolienne
boolienne
année julienne
(prénom) Julienne
(poisson) une julienne
(légumes) une julienne
(la) **mienne**
adamienne
(une) panamienne
(une) mésopotamienne
(une) vietnamienne

(tchèque)
(une) bohémienne
(gitane)
(une) **bohémienne**
simienne
néocomienne
permienne
würmienne
lacanienne
vulcanienne
danienne
(une) rhodanienne
(une) soudanienne
(une) jordanienne
(une) océanienne
crânienne
(une) iranienne
(une) tanzanienne
(une) mauritanienne
(une) lusitanienne
(une) lituanienne
(une) transylvanienne
magdalénienne
(une) arménienne
pénienne
(une) ukrainienne
mer Tyrrhénienne
(une) essénienne
(une) mycénienne
(une) athénienne
(une) stalinienne
célinienne
fellinienne
paulinienne
apollinienne
darwinienne
endocrinienne
racinienne
(une) abyssinienne
(une) socinienne
hercynienne
asinienne
rétinienne
lamartinienne
(une) palestinienne
(une) augustinienne
pharaonienne
bourbonienne
draconienne
(une) calédonienne
(une) néo-calédonienne
(une) macédonienne
(une) londonienne
napoléonienne
(d'Ionie) ionienne
mer Ionienne
îles Ioniennes
(une) babylonienne
(une) lacédémonienne
(une) saint-simonienne
junonienne
brownienne
néronienne
cicéronienne
(une) pyrrhonienne
turonienne
(une) parkinsonienne
(une) amazonienne

(la) transamazonienne
marathonienne
cht(h)onienne
(une) daltonienne
newtonienne
(une) estonienne
plutonienne
dévonienne
(une) californienne
saturnienne
(une) bosnienne
(une) étasunienne/
états-unienne
neptunienne
tolstoïenne
voie Appienne
œdipienne
olympienne
(une) éthiopienne
(une) anthropienne
méta/carpienne
mer Caspienne
(une)
iraq(u)ienne/irakienne
Tolkien°
(hérétique) (une) arienne
(peuple) (une) aryenne
(Sahara) (une) saharienne
(veste) une saharienne
transsaharienne
(une) icarienne
(sieste, rég.) marienne
apollinarienne
coronarienne
(une) ivoirienne
(une) agrarienne
(César) césarienne
(obstétrique)
une césarienne
(une) végétarienne
prolétarienne
ovarienne
pré/cambrienne
Adrienne
aérienne
antiaérienne
(une) ibérienne
(une) libérienne
(une) sibérienne
transsibérienne
luciférienne
(une) nigérienne
(une) algérienne
baudelairienne
(une) hitlérienne
grammairienne
sumérienne
anti/vénérienne
(une) wagnérienne
(une) **terrienne**
bactérienne
(une) presbytérienne
jupitérienne
(une) voltairienne
(une) phalanstérienne
(une) luthérienne
calvairienne
ougrienne

ÈNE-EN°

zéphyrienne
(une) illyrienne
shakespearienne
(une) syrienne
(une) assyrienne
saint-cyrienne
elzévirienne
(une) dorienne
(une) salvadorienne
(une) thermidorienne
grégorienne
la Maurienne
(une) comorienne
(une) équatorienne
victorienne
prétorienne
(une) nestorienne
historienne
préhistorienne
vaurienne
(une) faubourienne
Priène
sartrienne
(une) zoroastrienne
(une) **épicurienne**
(une) hondurienne
(une) ligurienne
silurienne
sévrienne
(poisson) la sciène
(à soi) (la) **sienne**
(Italie) Sienne
(Égypte) Syène
(une) circassienne
dalmatienne
pharmacienne
(une) parnassienne
paroissienne
(une) jurassienne
(une) alsacienne
balzacienne
(une) **ancienne**
(ville) Valenciennes
(dentelle)
une valenciennes
nécromancienne
chiromancienne
oniromancienne
cartomancienne
capétienne
(une) haïtienne
(une) tahitienne
magicienne
logicienne
(une) galicienne
(une) aristotélicienne
milicienne
stylicienne
hydraulicienne
académicienne
thermicienne
mécanicienne
(une) organicienne
technicienne
(une) polytechnicienne
pyrotechnicienne
(une) phénicienne
(une) vénitienne
clinicienne

électronicienne
platonicienne
(une) néoplatonicienne
(une) copernicienne
tribunitienne
(une) **stoïcienne**
(une) sulpicienne
(une) costaricienne
théoricienne
(une) pythagoricienne
(une) mauricienne
(une) rhétoricienne
patricienne
électricienne
métricienne
obstétricienne
physicienne
métaphysicienne
astrophysicienne
(une) **musicienne**
mercaticienne
mathématicienne
systématicienne
automaticienne
informaticienne
(une) omni/praticienne
sémanticienne
tacticienne
syntacticienne
dialecticienne
énergéticienne
arithméticienne
généticienne
phonéticienne
cybernéticienne
(une) péripatéticienne
diététicienne
esthéticienne
(une) politicienne
cogniticienne
sémioticienne
opticienne
plasticienne
stylisticienne
statisticienne
acousticienne
ordovicienne
(une) laotienne
(une) languedocienne
(une) béotienne
aoûtienne
îles aléoutiennes
(une) égyptienne
(une) martienne
toarcienne
méta/tarsienne
persienne
(une) cistercienne
hertzienne
Lucienne
(une) **lilliputienne**
(une) rosicrucienne
(une) prussienne
marxienne
(une) caucasienne
(une) oasienne
vespasienne
(une) amérasienne
(une) eurasienne

(une) salésienne
(une) silésienne
rabelaisienne
(Arles) (une) arlésienne
(Bizet) l'Arlésienne
(une) mélanésienne
(une) polynésienne
(une) indonésienne
(une) micronésienne
draisienne
(une) corrézienne
(une) artésienne
(une) cartésienne
clunisienne
(une) tunisienne
(une) pharisienne
(une) **parisienne**
ambrosienne
source vauclusienne
(une) vénusienne
onusienne
(une) malthusienne
(à toi) (la) **tienne**
qu'il **tienne**
antienne
(une) kantienne
qu'il obtienne
Étienne
(imprimeurs) Estienne
qu'il détienne
(une) koweïtienne
rhétienne
(une) **chrétienne**
(une)
démocrate-chrétienne
judéo-chétienne
paléochrétienne
Saint-Étienne
qu'il retienne
qu'il entretienne
pythienne
qu'il maintienne
(une) corinthienne
qu'il contienne
(une) djiboutienne
qu'il soutienne
qu'il appartienne
qu'il s'abstienne
proustienne
(Autriche) **Vienne**
(Isère) Vienne
(rivière ; départ.) la Vienne
qu'il **vienne**
qu'il subvienne
qu'il advienne
qu'il prévienne
qu'il re/**devienne**
(une) terre-neuvienne
qu'il **revienne**
qu'il contrevienne
(riv. ; départ.)
la Haute-Vienne
(une) bolivienne
pelvienne
cracovienne
jovienne
pavlovienne
qu'il provienne
qu'il cir/dis/convienne

qu'il se res/**souvienne**
qu'il parvienne
qu'il intervienne
qu'il **survienne**
diluvienne
antédiluvienne
(une) péruvienne

il/la **laine**
(rivière) la Leine
(poinçon) une alène
(Woody) Allen°
(hydrocarbure) un allène
l'HALEINE
(flaire) le chien halène
baleine
scalène
un/e **phalène**
galène
(Victor) Segalen°
pyralène
psoralène
(héroïne) Hélène
(sainte) Hélène
(prénom) **Hélène**
(grec) (un/e) **hellène**
îles Kerguelen°
Marie-Hélène
(un/e) philhellène
sélène
Sainte-Hélène
Madeleine
(gâteau) une madeleine
Ste Marie Madeleine
(prénom)
Marie-Madeleine
tire-laine
porcelaine
châtelaine
rivelaine
(cavité d'os) une glène
(cordage) il/une glène
euglène
amylène
propylène
(un/e) madrilène
(herbe) silène
(satyre) **Silène/silène**
xylène
cantilène
poly/éthylène
méthylène
acéthylène
Mytilène
(une) **vilaine**
(fleuve) la Vilaine
Ille-et-Vilaine
Steinlein°
Anne Boleyn°
Ségolène
Violaine
marjolaine
(plante) la molène
île Molène
pollen°
styrolène
(mollusque) un solen°
(prénom) Solène
poulaine

(plate) plaine
(étendue) une **plaine**
(remplie) être **pleine**
pénéplaine
pédiplaine
Marlène
(Paul) **Verlaine**
G(h)islaine

(rivière) la Maine
(province) le Maine
(État américain) le Maine
il **mène**
(ainsi soit-il) **amen!**°
(aimable) être **amène**
(il conduit) il **amène**
(les voiles) il amène
Alcamène
cyclamen°
il **ramène**
des cameramen°
Théramène
gramen°
duramen°
il r/**emmène**
Alcmène
turkmène
des recordmen°
des self-made-men°
il se démène
Yémen°
le Niémen°
(guêpe) eumène
(rois) Eumène
des gentlemen°
semaine
des policemen°
des gagmen°
(mariage) **hymen**°
(membrane) hymen°
des rugbymen°
Chimène
des clergymen°
Célimène
Clymène
spécimen°
Anaximène
lac Trasimène
il malmène
dolmen°
Orchomène
domaine
abdomen°
Cléomène
des prolégomènes
des yeomen°
Vénus anadyomène
Philomène
phénomène
épiphénomène
Melpomène
(Rome) (une) **romaine**
(salade) une romaine
balance romaine
gréco-romaine
(une) gallo-romaine
il (se) **promène**
œkoumène/écoumène
higoumène

ÈNE-EN°

noumène
(une) roumaine
des recordwomen°
des barmen°
Carmen°
des aldermen°
(prénom) **Germaine**
(Germanie)
(une) **germaine**
cousine germaine
(biologie) le germen°
des supermen°
il (se) surmène
des ombudsmen°
des businessmen°
Ismène
des tennismen°
des crossmen°
des jazzmen°
des wattmen°
des yacht(s)men°
humaine
albumen°
catéchumène
duc du Maine
énergumène
lumen°
(une) **inhumaine**
rumen°
cérumen°
surhumaine

naine
limonène

(Albert) Cohen°
minoenne
troène
(André) Citroën°
(n. dép.) une Citroën°

foène/Fo(u)ëne
Gwenn°
le/la Salouen°
(Mark) Twain°

(Thomas) Payne/Paine
(chagrin) il/la PEINE
(serrure) le pêne
(William) Penn°
(Arthur) Penn°
(plume) une penne
(très peu) **à peine**
il/une empenne
à grand-peine
bipenne
planipenne
Phnom Penh°
open°
poly/propène
terpène
scorpène

(rainure) il raine
(grenouille, rég.) une raine
(souveraine) la REINE
(courroie) une **rêne**
(animal) un **renne**
(ville) Rennes

arène
îles Bahreïn°
(d'un navire) il/la **carène**
(prénom)
Karen°/Karène
garenne
une **marraine**
(huître) une marennes
il parraine
(Émile) Verhaeren°
(terrain de chasse)
une varenne
(fuite à) Varennes
il enrêne
(chef gaulois) un brenn°
(région) la Brenne
(il souille) il embrène
il crène
(fontaine) hippocrène
l'Ukraine
(il assèche) il **draine**
(grive) une drenne/draine
andrène
brain drain°
A.R.N.°/ARN°
pérenne
il (se) **rassérène**
souterraine
sereine
vice-reine
suzeraine
(une) riveraine
(une) **souveraine**
(il ralentit) il freine
(arbre) un **frêne**
(ville ; prison) Fresnes
(un/e) paraphrène
il chanfreine
(un/e) hébéphrène
Chéphren°/Khéphren°
il (se) **refrène/réfrène**
il enchifrène
(un/e) oligophrène
(un/e) schizophrène
une **graine**
(il émiette) il graine/grène
il agraine
(grain) il engrène
(engrenage) il engrène
il (se)/la **gangrène**
(grain) il rengrène
(engrenage) il rengrène
il désengrène
il (s') **égraine/égrène**
(calomnie, arg.) il dégraine
(séduit, arg.) il dégrène
(faim, arg.)
pegraine/pégrenne
casse-graine
migraine
Irène
Sphyrène
pyrène
une **sirène**
(ville antique) Cyrène
lépidosirène
styrène
polystyrène
(une) boraine

fête foraine
(prénom) Lauren°
(région) la **Lorraine**
(habitant) (une) lorraine
(Sophia) Lorren°
(fées, rég.) les miloraines
(glaciers) moraine
(plante) morène
(une) **contemporaine**
la Touraine
qu'il **prenne**
qu'il ré/dés/**apprenne**
qu'il s'**éprenne**
qu'il se déprenne
qu'il se **méprenne**
qu'il reprenne
qu'il entreprenne
(n. dép.) néoprène
isoprène
qu'il comprenne
qu'il surprenne
à la/il **traîne**
(de robe) une **traîne**
(chant) un **thrène**
(insecte) un anthrène
il **entraîne**
phénanthrène
il surentraîne
il étrenne
des **étrennes**
(Daniel) Buren°
murène
Suresnes
Turenne

(repas du Christ) la Cène
(sain) être saine
(théâtre) une **scène**
(fleuve) la **Seine**
(filets) une senne/seine
(monnaie) un sen°
(rivière, Belg.) la Senne
il assène
anthracène
avant-scène
(Henrik) Ibsen°
obscène
Essen°
(romain) Mécène
(protecteur) un mécène
les Hauts-de-Seine
lycène
Mycènes
épicène
Avicenne
Vincennes
alcène
malsaine
éocène
paléocène
oligocène
pliocène
miocène
holocène
pléistocène
Arsène
larsen°
(Hans Chr.) Andersen°
(Roald) Amundsen°

Hussein°
(Knud) Rasmussen°
axène
(Karen) Blixen°
pyroxène
proxène

zen°
Bazaine
Trézène
(une) diocésaine
archidiocésaine
makhzen°/maghzen°
dizaine
mât de **misaine**
cap Misène
shamisen°
nitro/benzène
quinzaine
ozène
kérosène
baron de Münchhausen°
(Karlheinz)
Stockhausen°
Mauthausen°
demi-/**douzaine**
(une) toulousaine
Cantacuzène

(Hippolyte) Taine
Athènes
châtaine
La Tène
patène
antenne
nonantaine
en pantène/pantenne
cinquantaine
la/en **quarantaine**
trentaine
centaine
soixantaine
courir la **prétantaine/**
prétentaine
septantaine
(mauvais café, rég.)
pistantaine
pecten°
phlyctène
élisabéthaine
tibétaine
tiretaine
cheftaine
(n. dép.) polythène
(une) napolitaine
(région) la Tripolitaine
(Tripoli) (une) tripolitaine
métropolitaine
mitaine
croque-mitaine/
croquemitaine
(capitaine, arg.) pitaine
capitaine
(région) l'**Aquitaine**
(habitante) (une) aquitaine
bassin d'Aquitaine
la **Samaritaine**
(Benjamin) Britten°
(une) **puritaine**

(une) lusitaine
huitaine
lointaine
quintaine
vingtaine
hautaine
carotène
fontaine
(Jean de) La Fontaine
borne-fontaine
Mortefontaine
(une) bellifontaine
ultramontaine
(une) mussipontaine
(inefficace)
miton mitaine
tonton! tontaine!
certaine
incertaine
tungstène
disthène
Clisthène
Antisthène
Liechtenstein°
(Arthur) Rubinstein°
Démosthène
Ératosthène
butène
futaine
gluten°
turlutaine
ruthène

toluène

(vain) être **vaine**
(vaisseau) une **veine**
(inspiration) la veine
(il marbre) il veine
aven°
Ravenne
déveine
les Cévennes
chevaine/chevesne
(Lucien) Leuwen°
neuvaine
tire-veine
Steeven°
peulven°
(une) transylvaine
(un/e) slovène
(Ludwig von)
Beethoven°
verveine

assonances
148. ÈLE
162. ÈME
189. ERNE

contre-assonances
38. ANE
295. INE
393. ONE

167. ENG [ɛŋ]

Kaifeng
(Tamerlan) Timour-Leng
Wang Meng
ginseng

assonances	*contre-assonances*
166. ÈNE-EN	*296. ING* [iŋ]
144. ÈGUE-EG	*505. OUNG*

168. ENS-ENSE° [ɛns]

l'Enns	(unité de mesure)
(n. dép.) Mercedes-Benz	un siemens
(Charles) Dickens	(Jesse) Owens
(famille) la gens	des **pence**°
lac de Brienz	**suspense**°
(Jacob M. R.) Lenz	(boudin, Belg.) du bloedpens
(ingénieurs) Siemens	(Konrad) Lorenz
(n. dép.) Siemens	(Wallace) Stevens

~ À Circé l'hétaïre et qui paît ses pourceaux
D'Épicure (ou d'Ithaque ? – homérique **suspense***) ;
~ À l'auditrice aussi du Collège de ***France***

André Blavier,
Le Mal du pays ou les travaux forc(en)és, v.95-97

* prononciation francisée

Les solitaires ! Pas de syndicat, pas de ***vacances***.
Nous n'avons pas annuellement deux semaines agréables,
Parce que nous ne donnons pas mensuellement des **pence***.
Donnez-moi votre ***licence***, éleveur vénérable !

Réjean Ducharme,
La Fille de Christophe Colomb. 133

* prononciation francisée

assonances	*contre-assonance*
166. ÈNE-EN	*298. INS* [ins]
201. ESSE-ES	

❐

169. ENT-ENTE° [ɛnt]

(étudiant, Belg.) un student	gentlemen's agreement
farniente°	self-government
le Kent	(sans commentaires, angl.)
Tachkent	no comment
pschent	le Gwent
management	la Trent
establishment	cent
impeachment	privat-docent/
	privat-dozent

assonances	*contre-assonances*
166. ÈNE-EN	*299. INT* [int]
205. ÈTE-ET	*506. OUNT-E*

170. ÈPE-EP°

GUÊPE	hep!°
	(instable, rég.) à l'échеppe
	(pédé, verl.) un dep°
	(homosexuel, arg.)
	(un) rasdep°/razdep°
	cégep°
	GUÊPE
	(pied, verl.) un yep°
	Dieppe
	Alep°
	Salep°
	julep°
	nèpe
	turnep°

Ma main tremblante enlève un **crêpe**
Et je vois mon défunt amour,
Jupons bouffants, taille de **guêpe**,
La Cidalise en Pompadour !

Théophile Gautier, « Le Château du souvenir »,
Émaux et Camées

Dans son œuvre aux grosses couleurs,
Paul de Kock dit : « Vivent les **crêpes** ! »
De son côté, l'auteur des **Guêpes**
Dit : « Vivent la mer et les fleurs ! »

……

ÈPE-EP°

(il vagabonde, arg.) il gouêpe
pep°
l'O.P.E.P.°
(père, verl.) un rep°
(tissu) un **crêpe**
(galette) une **crêpe**
(imbécile, arg.) une crêpe
(il peigne) il crêpe
il décrêpe
(foule, arg.) le trèpe
(de vigne) cep°
(champignon) **cèpe**
(de charrue) sep°
(il taille) il recèpe
(il reçoit, rég.) il recèpe
(unité de mesure) la tep°
(jachère, rég.) une teppe
one-step°
Imhotep°
(nez, arg.) le step°
(plaine) la **steppe**

J'ai mes goûts comme ils ont les leurs ;
Je franchirais forêts et **steppes**
Pour savourer un plat de **cèpes**,
Mais de Bordeaux, et non d'ailleurs.

Charles Monselet, « Les Cèpes »,
Sonnets gastronomiques. V in *Poésies complètes*

Car le **trèpe** est toujours le **trèpe**,
Il la boucle et prend ses biftons
Pour régler leur compte à ces **crèpes**,
Visant leur mesure de **crêpe**
Pour le jour de la Saint-Bâton.
Elle n'est pas folle la **guêpe**
Qui, dans la noye, ô Calixto
Entrave ce jour pour bientôt.

Robert Desnos, « Hors du manteau... »,
Calixto

Mais plutôt cet Arcane aux promesses de vignes
Poussant l'être nouveau que je suis vers les **ceps**
Où chacun de mes mots sera mon chant du cygne
Dans l'enfer de créer, ce hachoir, ce ***forceps***...

Marc Alyn, « L'Adieu à l'enfance » IV,
Le Temps des autres

Mets tes mains en porte-voix,
Je suis loin de toi,

Séparé par cette ***nappe***
Qui est ***sel*** et **steppe**.

Marcel Thiry, « Mets tes mains en porte-voix »,
Le Jardin fixe

assonances	*contre-assonances*
122. ÈBE	*39. APE*
174. EPTE	*301. IPE*
172. ÈPRE	*394. OPE*
190. ERPE	*507. OUPE*

❒ *174 [Noailles]*

171. EPHTE

clephte/klephte

Elle porte les habits
Les habits dorés du **Klephte**,
Les habits dorés du **Klephte** ;
Elle porte le fusil,
Le fusil doré du **Klepthe**
Et le yatagan aussi.

Jean Moréas, « Air de danse» II,
Les Cantilènes

assonances	*contre-assonances*
136. EFFE	*16. AFT-E*
137. ÈFLE	*274. IFT-E*
205. ÈTE	*373. OFT*
154. ELFT	*491. OUFT-E*

❒

172. ÈPRE

LÈPRE
VÊPRES

Il allait hériter des métriques latines.
Il en ferait son nombre et son rythme et ses **vêpres**.
Il allait hériter des apparentes **lèpres**.
Il en ferait l'horreur des **lèpres** intestines.

......

ÈPRE

Il allait hériter de nos charnelles **lèpres**.
Il en ferait l'ordure et le péché mortel.
Il allait hériter du plus caduc autel.
Il en ferait l'autel de la messe et des **vêpres**.

Charles Péguy,
Ève, p. 1093

La **lèpre**, m'a-t-il dit, de mon amour la **lèpre**
recouvrira ton corps. À jamais ne guéris
et toujours de mon doigt j'irriterai ta ***lèvre***.
Te grifferai comme un oiseau le miroir de l'étang
tu crieras, tresseras tes mains comme du ***lierre***
tes cheveux baigneront dans le lit de tes pleurs
ta bouche épellera mon nom, tel d'un amant.

Bertrand d'Astorg, « Chanson cruelle »,
D'Amour et d'Amitié

assonances	*contre-assonances*
124. ÈBRE	*41. APRE*
207. ÈTRE	*303. IPRE*
190. ERPE	*396. OPRE*
170. ÈPE	*462. OMPRE*

❐ *175 [Merrill]*

173. EPS°-EPSE

(prison, arg.) une heps°
(imbécile, arg.) debs°
(Nicéphore) Niépce/Niepce
(képi, arg.) un kep's°
(répétition) épanalepse
(métonymie) métalepse
anableps°
(chien, arg.) un clebs°
syllepse
prolepse
turneps°
(dynamisme) du peps°
reps°
creps°
seps°
(Ferdinand de) **Lesseps°**
biceps°
quadriceps°
triceps°
édition princeps°
forceps°
(langue) le vêpse/vepse
(n. dép.) du Schweppes

Faudrait pas oublier…
La boussole à **Lesseps**
Le gros réveille-matin
La pompe à gonfler les **biceps**
Le tourne-broche pour lapins.

René de Obaldia, « Ouiquenne »,
Innocentines

Ouvrant votre ventre en filigrane,
Ô **forceps**
Du désir ! Tempête sous mon crâne !
Homme-**seps**
Et taureau, rampant sous l'estocade,
Je me tords ;
Et mon sang saccade après saccade
Boit mon corps…

Francis Lalanne, « Œil du vent : Ouvrant votre ventre »,
Le Roman d'Arcanie

Quels lugubres **épanalepses**
En des déités disparues
Viendront au cœur de l'absolu
Étouffer les pures **syllepses** !

Alexandre Vialatte, « Modern' pathetic »,
La Paix des Jardins

Alléluia !
Bénis soient tes parents
Qui ont pendant des ans
Grâce à Nicéphore **Niepce**
Eu le brillant ***réflexe***
De composer pour moi
L'album de toi

Charles Aznavour, « L'Album de toi »,
Un homme et ses chansons

assonances	*contre-assonances*
170. ÈPE-EP	*42. APS-E*
201. ES-SE	*304. IPS-E*
192. ERSE	*397. OPS-E*
211. EX-E	

❐ *170 [Alyn]*

174. EPTE-EPT°

INEPTE
ACCEPTE

l'Epte
adepte
lepte
INEPTE
transept°
il ACCEPTE
il **excepte**
précepte
concept°
percept°
il intercepte

– Ah! ta religion veut un souffre-douleur ?
Il te faut un Satan ? Eh bien, soit. Je l'**accepte**.
Le mal est un principe et l'enfer un **précepte** ;
Satan va résumer dans son être fatal
Tout ce qu'on peut garder de divin dans le mal.

Victor Hugo,
Dieu [Fragments] I, Cote 106.425 b

Voici mon front dur, forteresse
Où mon invincible vouloir
Masque son dangereux pouvoir
D'un fard de joie et de tendresse,

Tour d'ivoire des hauts **concepts**,
Cathédrale des saints mystères
Où l'encens bleu de mes prières
Monte au vertige des **transepts**.

Iwan Gilkin, « Le Portrait » II,
La Nuit

Il étrangle, écume, **épilepte**,
Jamais on n'ouït tant crier,
Il en ronge sa plume **inepte**,
En avale son encrier.

Raoul Ponchon, « Le Centaure de la rue d'Ulm »,
La Muse frondeuse

Cris légers, bonds légers d'oiseaux
Rouet aérien des ***guêpes***,
Frais chevrotement d'un ruisseau
Que la menthe rose **intercepte**.

Anna de Noailles, « Éveil d'une journée… »,
Les Forces éternelles

assonances
170. ÈPE-EP
205. ÈTE-ET
194. ERTE-ERT
130. ECTE-ECT

contre-assonances
43. APT-E
305. IPTE
398. OPTE
565. UPT-E

❐

175. EPTRE

SCEPTRE

Chère beauté jeune ***spectre***
Mêlant l'ivresse à l'ennui
Cinq anges s'élancent du **sceptre**
Cinq anges volent dans la nuit.

Jean Cocteau, « Chère beauté… »,
Clair-obscur. LXXXIV

Mais l'Archange noir qui veille à l'horloge du destin
Cria ! La couronne chut sur la pourpre avec le **sceptre**,
Et l'on vit aux doigts du roi les écailles de la ***lèpre***.

Stuart Merrill, « Funérailles »,
Le Jeu des épées in *Poèmes*

Ils m'ont lié comme le Christ au tronc d'un ***cèdre***,
Leur fustigation dénuda mes ***vertèbres***.

Et j'ai pour les bénir ployé le roseau-**sceptre**.

Charles Guérin, « Un moine extatique parle »,
Le Sang des crépuscules in *Premiers et derniers vers*

assonances
172. ÈPRE
207. ÈTRE
131. ECTRE
124. ÈBRE

contre-assonance
399. OPTRE

❐

176. ÈQUE-EC

BEC°
SEC°
AVEC°

un BEC°
(Henry) Becque
(imbécile, rég.) une cabèque
il embecque
blanc-bec°
avant-bec°
chebec°/chébec°
le **Québec°**
le Nouveau-Québec°
(musique) un **rebec°**
(il proteste, arg.)
il se rebèque
arrière-bec°
(bête imaginaire, Alg.)
chasse au tchibec(k)°
Ba(a)lbeck°
malbec°
Bolbec°
(John) Steinbeck°
gros-bec°
(bavard) un bon-bec°
(bonbons) des bonbecs°
Lübeck°
le Kazbek°
(l') (o)uzbek°
les Ouzbeks°

plum-/cake

(chef arabe)
cheikh°/(s)cheik°
chèque
(insuccès) un **échec°**
(jeu) les **échecs°**
compte(-)chèques
milk-shake
Tchang Kaï-Shek°
traveller's
check°/chèque
(un/e) **tchèque**
République tchèque

(policier, arg.)
un dec°/de(c)k°
(sans blague, arg.) sans dec'°
Melchisédech°
(Walter G.) Groddeck°
spardeck°
(nom d'un chien !, Belg.)
potferdek!°

il défèque

(coup de Jarnac, rég.)
coup de téméniek°
(Danube) le Lech°
(Rhin) le Lek°
(monnaie) un lek°
(du balais!, arg.) balek!°
(un) gallec°
des **salamalecs°**
(William) Blake
Abimélech°

cromlech°
(fou, arg.) foulek
Anderlecht°

mec°
(patriarche) Lamech°
(ville) La Mecque
remake
les Olmèques
(fantôme, rég.)
une roumèque
(Constant) Permeke

neck°
(vulve; chance, arg.)
le/la (s)chne(c)k°
Majdanek°
(Jan) Van Eyck°
(René) Laennec°
fennec°
Sénèque
l'Oleneck°
(frère, arg.) un ruffneck°

hareng pec°
(pécore, rég.) une pecque
(ville) Le Pecq°
sapèque
Tehuantepec°
(impeccable) impec°
kopeck°
(crasseux, arg.) craspec°
prospect°

arec°
varech°
tenrec°/tanrec°
(voiture) un **break°**
(danse) le break°
(tennis) faire le break°
(Bertolt) Brecht°
tie-break°
Dordrecht°
(un) **grec°**
(de Grèce) (une) **grecque**
(ornement) il/une grecque
I grec°/Y grec°
néogrec°/néogrecque
fenugrec°
Perros-Guirec°
treck°
Toulouse-Lautrec°
Utrecht°

le/être SEC°
des **obsèques**
(avare) Gobseck°
il résèque
pète-sec°
il **dissèque**
intrinsèque
extrinsèque
(François J.) Gossec°
Wozzeck°
keepsake
parsec°
plan ORSEC°

(unité de mesure) le tec°

Quand on est, comme vous, sculptée en marbre ***antique***
Et qu'on semble arrachée à quelque fronton **grec**,
Qu'on a toute l'ampleur d'un Praxitèle, **avec**
Je ne sais quel parfum de grâce ***romantique*** ;

Quand la robe se moule et se drape en ***tunique***,
Lorsque l'on a des chairs d'un grain nerveux et **sec**,
Une bouche ***plastique***, – et non ce joli **bec**,
Au dessin négligé, dont Paris tient ***boutique***...

Albert Mérat, « À une Athénienne du quartier Bréda »,
Avril, mai, juin... LXXXVI

Je suis l'homme à tête de chou
Moitié légume moitié **mec**
Pour les beaux yeux de Marilou
Je suis allé porter au clou
Ma Remington et puis mon **break**
J'étais à fond de cale à bout
De nerfs, j'avais plus un **kopeck**,
Du jour où je me mis **avec**
Elle je perdis à peu près tout,
Mon job à la feuille de chou
À scandales qui me donnait le **bifteck**
J'étais fini foutu **échec**
Et mat aux yeux de Marilou
Qui me traitait comme un **blanc-bec**
Et me rendait moitié coucou.

Serge Gainsbourg, « L'homme à la tête de chou »,
Dernières nouvelles des étoiles

Entrons chez ma cousine au moment du souper.
Son mari fit fortune à l'heure où l'**hypothèque**
Guettait mes limoniers et ma **bibliothèque**.
Mais le coup de sonnette a dû les syncoper.

Après un long silence, on ose enfin bouger,
Et je suis éconduit par une vieille **pecque**
Qui ne veut nous offrir ni radis ni **pastèque**,
Et qui rôde au logis comme un chien de berger.

Charles Boulen, « Arrivée chez la cousine »,
Sonnets pour la Servante

par-dessus ces rues incertaines
aux rouges maisons aux yeux **secs**
où rôde comme un lent ***insecte***
l'ombre de **Toulouse-Lautrec**.

Pierre Gamarra, « Albi »,
Romances de Garonne

Je les ai vus souvent le soir ils prennent l'air dans la rue
Et se déplacent rarement comme les pièces aux **échecs**
Il y a surtout des Juifs leurs femmes portent ***perruque***
Elles restent assises exsangues au fond des ***boutiques***

Guillaume Apollinaire, « Zone »,
Alcools

Ceci n'est pas un poème du **fait qu'**
Il comme au bout de la branche le corbeau dans son **bec**
Tient une rime va de temps en temps à la ligne **mais qu'**
Il est aux couleurs d'un enfant né juste **avec**
Anna Karénine en mil huit cent soixante-dix-huit...

Louis Aragon, « Paul Klee » I,
Les Adieux

❐

ÈQUE-EC°

(fleuve) le Tech°
(arbre) le te(c)k°
(gaine) la thèque
diathèque
médiathèque
cinémathèque
didacthèque
métèque
biftèque/**bifteck**°
high-tech°
logithèque
cercopithèque
galéopithèque
oréopithèque
australopithèque
anthropopithèque
semnopithèque
(remarquable, arg.)
d'altèque
(un/e) guatémaltèque
les Toltèques
pochotèque
pinacothèque
discothèque
bandothèque
ludothèque
vidéothèque
bibliothèque
filmothèque
iconothèque
œnothèque
phonothèque
sonothèque
les Zapothèques
il/une **hypothèque**
photothèque
glyptothèque
cartothèque
steak°
(un/e) **aztèque**
les Aztèques
pastèque
rumsteck°/romsteak°
sweepstake
les Huaxtèques
les Mixtèques

AVEC°
(avec, vx.) avecque
évêque
(Raymond) Lévesque
(ville) Pont-l'Évêque
(fromage)
un pont-l'évêque
archevêque

assonances
144. ÈGUE
130. ECTE
191. ERQUE

contre-assonances
44. AQUE
306. IQUE
400. OQUE

177. ER°-ÈRE

LUMIÈRE
MER°
TERRE

(lettre) un R°
(allure) un **air**°
(mélodie) un **air**°
(atmosphère) l'**air**°
(surface) une **aire**
(nid) il/une aire
(rivière) l'Aire
(Irlande) l'Eire
(époque) une **ère**
(vitesse) une erre
(il vague) il **erre**
(traces) des erres
(plante) un ers°
(lac) Eyre
(rivière) l'Eyre
(cerf) un haire
(chemise) une haire
un (pauvre) hère

il dés/aère

(charpente) un ber°
étang de Berre
aber°
syllabaire
D'Alembert°
camembert°
(Jacques) Hébert°
(Jean-Baptiste) Kléber°
(Carl Maria von) Weber°
(Max) Weber°
(unité) un weber°
Hildebert°
Childebert°
Sigebert°
(un/e) ibère
les Ibères
teddy-bear°
(tissu végétal) un liber°
(il relâche) il **libère**
il **délibère**
Philibert°
Caribert°

les Celtibères
Tibère
Humbert°
limbaire
Nuremberg°
Wurtemberg°
Gutenberg°
Albert°
monts Albères
(prénom) Gilbert°
(Nicolas) Gilbert°
Colbert°
bulbaire
Fulbert°
un (cheval) aubère
(argent, arg.) l'auber(t)°
(prénom) Aubert°
(cotte de mailles)
un haubert°
(il grève) il obère
fauber(t)°
Dagobert°
lobaire
(Gustave) Flaubert°
(prénom) Robert°
(Paul) Robert°
(n. dép.) un Robert°
(sein, arg.) un robert°
Carobert°
(une) lombaire
(Joseph) Joubert°
(Franz) Schubert°
(revolver, arg.) un ribarbère
(un/e) berbère
(Giacomo) Meyerbeer°
(mythologie) Cerbère
(gardien) un **cerbère**
(éclairage) un **réverbère**
(il reflète) il réverbère
Norbert°
Hubert°
(un/e) **im/pubère**
suber°
il exubère
tubaire

Macaire
spinnaker°
cracker°
vaccaire

Un signe de toi me mènera jusqu'à l'**Enfer**,
Un baiser de toi me donnera toute la **mer**
Et toutes les plaines, tous les bois et l'ombre et l'**air**
De toutes les ailes au-dessus du monde **amer**.
Un regard de toi – ton bon regard, ton regard **cher** ! –
Fera crépiter la triste cendre de ma **chair**,
Changeant en promesses les menaces des **éclairs**,
En chants délirants les sourdes plaintes de l'**Hiver**,
En cierges votifs toutes les flammes de l'**Enfer**…

Ô lèvres, ô doigts, ô sombres yeux si noirs, si **clairs** !

Armand Godoy, « Un signe de toi… »,
Monologue de la tristesse. XIII

Un beau soir, vieux bateau déhalé de son **erre**
Lourd vagabond perclus d'avoir rôdé sur **terre**
Je poserai ma canne avec ma **gibecière**
Ma montre d'or (aimée) ma pipe **familière**
L'on m'emportera vers le calme **cimetière**
Où les **fiers** tombeaux sont voilés sous le **lierre**
Non loin des poules « couasses » et des truies « **gorounnières** »
Insensible aux corbeaux et aux **canepetières**
Poussant en pissenlits violettes **primevères**
Bien au chaud, bien au froid dans ton ventre de **mère**
Terre, qui nous prends tous et nous **serres**, **aémères**,
Pour qu'il puisse mieux remodeler nos **poussières**
Et renflammer un jour tous ces corps glorieux
Pour enfin, après des éternités « **entières** ? »,
De solitude au fond d'un caveau sommeilleux
Nous asseoir innombrable, à la droite de Dieu.
Et retrouver ma **Mère**.

Maurice Fombeure, « Un beau soir ? »,
À chat petit

Dérisoire, tout est ***dérisoire***,
on s'**affaire**, on est des morpions.
Dérisoire, tout est **éphémère**,
pas d'***espoir***, tout est dérision.
Dérisoire, tout est **délétère**,
Marée ***noire***, tout est formica.
Dinatoire, tout est **réverbère**,
gazinière, la Bérézina.
Militaire, **cérébocostère**,
tralalère, migratons là-bas.

Nino Ferrer, « Ulysse »,
Textes ?

☞

à enquerre
bancaire
il/une **équerre**
(Josephine) Baker°
(n. dép.) guide Baedeker°
(Jacques) Necker°
précaire
un/e discothécaire
un/e sous-/bibliothécaire
hypothécaire
ficaire
salicaire
reliquaire
pulicaire
cimicaire
loricaire
matricaire
sicaire
persicaire
un/e **antiquaire**
urticaire
moustiquaire
vicaire
calcaire
jonkheer°
bunker°
cocker°
docker°
joker°
strip-/poker°
(femme, arg.) mouquère/moukère
(Charlie) Parker°
cercaire
un/e disquaire
(brigand) un trabucaire
verrucaire
(corps) la **chair**°
(tribune) une chaire
(coulée volcanique) une cheire
(rivière ; départ.) le Cher°
(onéreux) **cher**°/**chère**
(mon) **cher**°/(ma) **chère**
(repas) faire **bonne chère**
(il exagère, arg.) il chère/cherre
(aliment) cas(c)her°/kas(c)her°
ils cachèrent
en/une **jachère**
vachère
enchère
surenchère
(une) maraîchère
Loir-et-Cher°
pe(u)chère!
(agent) un happe-chair°
rocking-chair°
(Victor) Schœlcher°
pinscher°
(Jean de) Bosschère
phacochère
porte cochère
(une) gauchère
jonchère
une **bouchère**
ils bouchèrent

voucher°
archère
porchère
une torchère
ils torchèrent
(Margaret) Thatcher°
Blücher°

(Champagne) le Der°
(dernier) le/la (der des) der°
(Clément) Ader°
il **adhère**
décadaire
Abd el-Kader°
embarcadère
débarcadère
bayadère
(très nombreux) myriadaire
île de Madère
(vin) le madère
(un) hebdomadaire
dromadaire
(n. dép.) un canadair°
lampadaire
afrik(a)ander°
(fabuleux) **légendaire**
(recueil) un légendaire
un/e récipiendaire
(calendrier) calendaire
(moine mendiant) un calender°
(un) référendaire
tender°
un eider°
ils aidèrent
il con/fédère
Schneider°
raider°
abécédaire
un belvédère
(Vatican) le Belvédère
(n. dép.) un frigidaire
solidaire
(concis) **lapidaire**
(pierre) (un) lapidaire
spider°
(costume, arg.) un rider°
(chic, arg.) être rider°
il **sidère**
(un/e) suicidaire
il **considère**
il (se) déconsidère
il reconsidère
(Max) Linder°
(Alexandre) Calder°
(papier) van Gelder°
polder°
boulder°
des Länder°
(Rainer W.) Fassbinder°
l'Oder°
il (se) modère
podaire
(accessoire) **secondaire**
(école) (le) secondaire
ère/le secondaire
il pondère
(pré,rég.) un couderc°/coudert°

L'émotion les porte au **ministère**
Les mots scions leurs vertus **ordinaires**
Les motions les mordus les **chimères**
Les maux nous emportent au **cimetière**
Les maux sont les ports du **centenaire**
Les morts sont dodus au **cimetière**
Les taux sont le porto du **notaire**
Les émaux sont l'effort du **luminaire**
Les dos sont les torts du **phacochère**
Les taux font du tort à la vie **chère**
Les beaux sont l'essort de la **bouchère**
Les sots sont des sortes de **confrères**
L'écho est le sort du **tout-solaire**
Les potions confortent les **poitrinaires**
Les cautions réconfortent les **affaires**
Les lots dont tu portes le **contraire**
Les crocs font les chiens de la **colère**
Les mots sont les portes du **mystère**.

Jacques Charpentreau, « Les mots sont les portes du mystère », *Poésie en jeu*

...Goumiers. **Feudataires**. **Faussaires** ou gonfaloniers rangeant sous leurs **bannières** tout ce qui rime en « **ère** ». ***Leaders*** ou ***subalternes***. ***Mécènes*** ou **mercenaires lanlaire**. **Hastaires** troués ou **magisters** retapés. **Pater** familias. Sorciers ou **minnessingers** d'**arrière**-Palace. ***Lutteurs*** de pancrace ou **stadhouders**. **Aquaraires**. **Focaires**. **Boucs-émissaires**. **Factionnaires**. **Pamphlétaires** ou **folliculaires**. Tous les mots qui vont de **pairs** à **serfs**. Tous les mots **surnuméraires**. **Plagiaires** ou **lacunaires**. Tous les mots d'un **dictionnaire** dicté par les seules nécessités de notre irréversible analité.

Jean-Pierre Verheggen,
Pubères, Putains. Troisième partie, 2

Nerfs de vent **nerfs** de ciel ***Nerval*** en vain est mort
Néréides nerpruns **nerfs** de bœufs **nerfs** perclus
Nervosisme ô, **nerfs** !
Comment dire ? Enfin **nerfs**

Louis Calaferte, « Silex » 23,
Rag-time

Il s'enfuit emportant ses fils morts et sa femme,
Comme un spectre emportant les trois parts de son âme
Ou comme la victime échappée au **boucher***
Qui traîne dans son sang les lambeaux de sa **chair**.

Alphonse de Lamartine, « Quinzième vision »,
La Chute d'un ange

* rime normande

Toute étoile se *meurt* : les prophètes fidèles
Du destin vont souffrir éclipses éternelles.
Tout se cache de *peur* : le feu s'enfuit dans **l'air**,
L'**air** en l'eau, l'eau en **terre** ; au funèbre **mêler***
Tout beau **perd** sa *couleur*.

Agrippa d'Aubigné, « Jugement »,
Les Tragiques. Livre VII, v. 927-931

* rime normande
[cf. 214.6 ; 214.10 ; 214.12 ; 214.21 ; 214.23]

❒ 535.8 [Calaferte] ; 44 [Norge] ; 91.20 et 401 [Godoy] 148 [Queneau] ; 192 [Gainsbourg] ; *45 [Mouloudji] ; 354 [Leiris]*

ER°-ÈRE

stadhouder°
/stathouder°
cardère
(un/e) multi/**milliardaire**
(Henri) Lacordaire

(le) **nucléaire**
(un) antinucléaire
thermonucléaire
muscle soléaire
(courtisane) Néère
(ligne) linéaire
(écriture ; rayon)
le linéaire
alinéaire
juxtalinéaire
interlinéaire
station balnéaire

R.E.R.°

le/(se) **faire**
(métal) le **fer**°
(un cheval) il ferre
il s'/une **affaire**
(un/e) chirographaire
les **enfers**°/l'**enfer**°
(s'enfonce) il s'enferre
(Pierre) Schaeffer°
(se) défaire
(justice) il défère
(un cheval) il déferre
redéfaire
(faire mal) méfaire
stupéfaire
il (se) réfère
il **préfère**
laisser-faire
mâchefer°
chemin de fer°
(recommencer) refaire
(un cheval) il referre
contrefaire
brise-fer°
plombifère
(il retarde) il **diffère**
(il s'oppose) il diffère
cela l'indiffère
oléifère
il légifère
insecte alifère
corallifère
métallifère
(une) ombellifère
nickélifère
mellifère
chylifère
pilifère
fossilifère
être/il **prolifère**
pétrolifère
à mi-fer°
(un) **mammifère**
lanifère
uranifère
stannifère
Jennifer°
séminifère
vaccinifère
résinifère

vinifère
(un) **somnifère**
(charbon) carbonifère
(géologie) (le) carbonifère
conifère
alunifère
saccharifère
tarifaire
aérifère
célérifère
spirifer°
aurifère
sudorifère
(un) calorifère
florifère
cuprifère
baccifère
(un) laticifère
vélocifère
il **vocifère**
Lucifer°
(croix) crucifère
(plantes) les crucifères
cap d'Antifer°
argentifère
diamantifère
lactifère
fructifère
léthifère
rotifère
mortifère
(pestilentiel) pestifère
unguifère
aquifère
(botanique) infère
(il conclut) il infère
(faire du mal) malfaire
il a **offert**°
il **profère**
Christopher°
(cf) confer°
(il accorde) il confère
il a **souffert**°
savoir-faire
parfaire
il interfère
forfaire
surfaire
sphère
un transfert°
il transfère
lettre-transfert°
contre-transfert°
hémisphère
planisphère
bathysphère
satisfaire
biosphère
thermosphère
atmosphère
ionosphère
troposphère
hydrosphère
mésosphère
stratosphère
magnétosphère
lithosphère
photosphère

il gère

(rivière; départ.) le Gers°
(une) herbagère
bocagère
viagère
(un/e) fromagère
(une) **ménagère**
(cordelière)
une fourragère
plante fourragère
ils fourragèrent
(fugace) **passagère**
(voyageuse)
une passagère
messagère
il **exagère**
étagère
potagère
phalangère
(une) **boulangère**
harengère
Bérengère
(une) **étrangère**
manager°
ranger°
compteur Geiger°
à la/être **légère**
(mythologie) Mégère
(harpie) une **mégère**
il suggère
il digère
Scaliger°
proligère
(fleuve; pays) le Niger°
lanigère
il réfrigère
il ingère
lingère
(n. dép.) Singer°
(Saint-Germain, Paris)
Saint-Ger°
(Jerome) Salinger°
springer°
il cogère
(une) horlogère
congère
mensongère
une **fougère**
(ville) Fougères
gougère
(gardienne) **bergère**
(fauteuil) bergère
(Henri) Murger°

(individu, arg.) un (g)nière
Bagnères

(rarement) **guère**
(conflit) une **guerre**
Daguerre
(vent, rég.) la balaguère
naguère
va-t-en-guerre
un(e) avant-guerre
(Martin) Heidegger°
guéguerre
(Arthur) Honegger°
grégaire
entre-deux-guerres
(le) **vulgaire**
springer°

minnesänger°/
minnesinger°

(la veille) **hier**°
(ville) Hyères
îles d'Hyères
écaillère
quincaillière
crémaillère
(une) joaillière
cloyère
bétaillère
(boisson) **bière**
(cercueil) bière
jambière
la Canebière
daubière
une plombières
rombière
gerbière
(Tristan) Corbière
(vin) un corbières
(région) les Corbières
tourbière
archière
douchière
cartouchière
pissaladière
hebdomadière
grenadière
limonadière
radiaire
contrebandière
(fileuse) une filandière
(les Parques)
les sœurs filandières
(provocant) incendiaire
(pyromane)
(un/e) **incendiaire**
buandière
lavandière
vivandière
(un/e) intermédiaire
subsidiaire
chaudière
(poseuse)
(une) minaudière
(accessoire, n. dép.)
une minaudière
(lieu humide) crapaudière
pétaudière
coudière
cocardière
canardière
renardière
(marchande de vin, arg.)
pinardière
boulevardière
(métayère) une bordière
mer bordière
(fabricante) cordière
(montagnes) cordillère
caféière
clayère
rayère
(Carl) Dreyer°
frayère
conseillère
théière
métayère

œillère
(Edwige) Feuillère
(un/e) **fier**°/**fière**
montgolfière
truffière
tufière
langagière
un/e plagiaire
(une) imagière
(un/e) stagiaire
les spongiaires
anguillère
aiguière
le **lierre**
ils lièrent
alliaire
céréalière
(une) animalière
(quotidienne)
journalière
(ouvrière) une journalière
(une) toilière
porte palière
ils pallièrent
une **salière**
ils s'allièrent
(hôpitaux) hospitalière
(accueillante)
hospitalière
inhospitalière
(une) frontalière
(insolente) cavalière
(à cheval) une cavalière
(couleur) lavallière
(cravate) une lavallière
duchesse de
La Vallière
chevalière
(une) sablière
bélière
évangéliaire
du (papier) tellière
bachelière
cordelière
une (pierre) meulière
sommelière
chancelière
chapelière
oiselière
(une) roselière
muselière
(une) batelière
dentellière
(une) hôtelière
coutelière
tréflière
épinglière
biliaire
mobilière
immobilière
(noblesse) nobiliaire
(registre) un nobiliaire
filière
la (fièvre) miliaire
borne milliaire
familière
fourmillière
ciliaire
domiciliaire
conciliaire

ER°-ÈRE

sourcilière
(un/e) **auxiliaire**
courtilière
écolière
gondolière
geôlière
Molière
épaulière
parolière
pétrolière
une taulière/tôlière
épistolière
volière
oullière
une/en **bandoulière**
moulière
Mme Deshoulières
perlière
culière
féculière
séculière
(une) **particulière**
(porno, arg.) trouduculière
régulière
irrégulière
singulière
tullière
vendémiaire
crémière
rose trémière
(une) **première**
avant-première
heaumière
chaumière
jaumière
gentilhommière
fermière
infirmière
LUMIÈRE
les frères Lumière
costumière
coutumière
(conductrice d'âne)
une ânière
(ville) Asnières
bannière
porte-bannière
rubanière
(une) cancanière
(une) chicanière
magnanière
lanière
manière
bananière
(une) douanière
panière
safranière
(une) casanière
tisanière
tanière
printanière
lainière
baleinière
(une) porcelainière
plénière
semainière
Grimod de La Reynière
(une) meunière
(qui jardine)
(une) jardinière
(pots; légumes)
une jardinière
(une) sardinière
(une) linière
moulinière
une (jument) poulinière
(une) minière
parcheminière
pinière
lapinière
sapinière
moelle épinière
pépinière
taupinière
marinière
crinière
poussinière
(maison de bigots)
capucinière
gazinière
magasinière
(une) résinière
(qui cuisine) **cuisinière**
(fourneau) **cuisinière**
matinière
cantinière
(une) potinière
(une) tontinière
(une) **routinière**
alevinière
bonbonnière
(une) charbonnière
braconnière
(gardienne) dindonnière
cordonnière
chiffonnière
oignonière
champignonnière
(une) pionnière
perche goujonnière
salonnière
talonnière
sablonnière
(une) houblonnière
melonnière
limonière
aumônière
canonnière
caponnière
pouponnière
chaudronnière
héronnière
(fabricante) ferronnière
(ornement) ferronnière
saunière
(une) façonnière
(marchande)
poissonnière
(récipient)
poissonnière
chansonnière
cressonnière
école buissonnière
garçonnière
zonière
(une) saisonnière
(une) **prisonnière**
visonnière
cantonnière
(une) mentonnière
bétonnière
piétonnière
tétonnière
(une) cotonnière
nautonière
(ouvrière) boutonnière
(d'un vêtement)
boutonnière
moutonnière
(une) cartonnière
savonnière
charnière
marnière
herniaire
(la) **dernière**
(l')avant-dernière
luzernière
tavernière
ornière
(à l'angle) cornière
(d'un toit) une cornière
(une) rancunière
pécuniaire
falunière
cacaoyère
caloyère
(agriculture)
une ouill(i)ère
(houille) (une) houillère
rabouillère
genouillère
grenouillère
Pierre
une **pierre**
rapière
(une) drapière
il empierre
(plante) un épiaire
il épierre
guêpière
crêpière
tourne-pierre
casse-pierre(s)
chasse-pierre(s)
lance-pierre(s)
perce-pierre
équipière
Marie-Pierre
fripière
tripière
(villes) Saint-Pierre
(basilique) Saint-Pierre
(poisson) un saint-pierre
Bernardin de
Saint-Pierre
paupière
taupière
carton-pierre
croupière
soupière
serpillière
Robespierre
qu'il ac/quière
il acquiert°
banquière
qu'il s'enquière
il s'enquiert°
qu'il requière
il requiert°
boutiquière
bauquière
coquillière
qu'il re/conquière
il re/conquiert°
en/(l')**arrière**
(il diffère) il arrière
barrière
garde-barrière
(de pierre) **carrière**
(profession) **carrière**
(chemin, rég.) charrière
cigarière
tarière
la Grande-/Brière
chambrière
(une) marbrière
sucrière
fondrière
poudrière
(verso) le derrière
par-/derrière
guerrière
clairière
(une) cellérière
douairière
perrière
(impératrice) empérière
verrière
beurrière
(mine de soufre)
une soufrière
(volcan) la Soufrière
une (abeille) cirière
trésorière
avant-courrière
fourrière
une (sœur) tourière
prière
cyprière
(soldat) un triaire
(navire) une trière
ils trièrent
plâtrière
sous-/ventrière
arbalétrière
la Salpêtrière
nitrière
(une) huîtrière
vitrière
(criminelle)
(une) **meurtrière**
(d'un château fort)
une meurtrière
(une) procédurière
ordurière
usurière
aventurière
facturière
manufacturière
confiturière
teinturière
hauturière
(une) **roturière**
couturière
poivrière
(une) chanvrière
chevrière
(une) manœuvrière
(une) **ouvrière**
manouvrière
il acière
(une) jacassière
(une) tracassière
avocassière
matelassière
(glacier) glaciaire
(coffre à glace)
une glacière
placière
mulassière
populacière
massière
(une) grimacière
plumassière
finassière
(carnivore) carnassière
(sac) (une) carnassière
cache-/brassière
(une) paperassière
(une) écrivassière
(une) vacancière
(une) créancière
faïencière
ambulancière
romancière
tenancière
(finance) financière
une (sauce) financière
(une) dépensière
conférencière
outrancière
plaisancière
pénitentiaire
(un) plénipotentiaire
devancière
baissière
caissière
fessière
gibecière
indiciaire
extra/**judiciaire**
(un/e) bénéficiaire
officière
glissière
(une) **policière**
tapissière
épicière
nourricière
souricière
(une) patissière
(une) justicière
princière
(h)aussière
dossière
grossière
saucière
foncière
tréfoncière
annoncière
roncière
poussière
il dépoussière
cache-poussière
colon partiaire
le/ère tertiaire

ER°-ÈRE

le/secteur tertiaire
mercière
persillère
traversière
sorcière
(élève) (une) boursière
(Bourse) (une) boursière
coursière
fiduciaire
Lariboisière
ardoisière
croisière
vasière
chaisière
glaisière
braisière
fraisière
lisière
chemisière
rizière
visière
rosière
(une) éclusière
(un) **tiers**°
(Adolphe) Thiers°
tabatière
chatière
chocolatière
matière
antimatière
nattière
droitière
miroitière
ratière
regrattière
entière
gantière
passementière
pantière
rentière
débirentière
créditrentière
avant-hier°
bleuetière
(une) faîtière
(une) laitière
genêtière
rétiaire
têtière
sorbetière
cafetière
buffetière
tabletière
pelletière
giletière
(une) molletière
toletière
(une) muletière
émeutière
cimetière
ca(n)netière
panetière
grainetière
bonnetière
(une) lunetière
(une) papetière
canepetière
bouquetière
cabaretière

(une) charretière
une **jarretière**
ordre de la Jarretière
(Antoine) Furetière
corsetière
gazetière
buvetière
cubitière
litière
termitière
co/**héritière**
(une) **fruitière**
(une) usufruitière
altière
cocaotière
sabotière
barbotière
turbotière
cachottière
artichautière
côtière
échotière
anecdotière
condottiere
lingotière
escargotière
gargotière
barlotière
culotière
canotière
carottière
primesautière
pissotière
frontière
gouttière
bijoutière
cloutière
(une) routière
banqueroutière
autoroutière
(porte) une **portière**
brebis portière
tortillère
yaourtière
courtière
tourtière
(gladiateur) un bestiaire
(recueil de fables)
un bestiaire
(une) forestière
vestiaire
colistière
(portier) ostiaire
costière
postière
cuiller°/**cuillère**
écuyère
bruyère
(Jean de la) Bruyère
gruyère
tuyère
aviaire
la Bavière
sous-clavière
ravière
betteravière
gravière
Xavière
bréviaire

chènevière
sansevière
rivière
garde-rivière
porte-/étrivière
civière
ferroviaire
(poisson) bouvière
(gardienne) bouvière
épervière
Fourvière

la Leyre
cymbalaire
(un) intercalaire
(math.) scalaire
(poisson) un scalaire
phalère
(empereur) Galère
(bateau) une **galère**
(il trime) la/il **galère**
(refrain) **tralalère**!
(joue) malaire
(Gustav) Malher°
un **salaire**
ils salèrent
thaler°
Valère
ovalaire
faire lanlaire
pet-en-l'air°
monte-en-l'air°
(nez, arg.) un blair°
(aime) sans qu'il le blaire
(René) Clair°
être **clair**°/**claire**
(prénom) Claire
(huître) une (fine de) claire
(de notaire) un clerc°
(foudre) un **éclair**°
(n. dép.) fermeture éclair°
(gâteau) un éclair°
(illumine) il **éclaire**
(plante) grande éclaire
(Raymond T.) Chandler°
tabellaire
(John D.) Rockefeller°
flagellaire
lamellaire
gémellaire
il **accélère**
il décélère
parcellaire
best-seller°
(étoile) **stellaire**
(plante) une stellaire
circumstellaire
interstellaire
scutellaire
tutélaire
(une) vélaire
ils vêlèrent
(bavard, Belg.) un babelaire
(bredouilleur, Belg.)
un broubelaire
(tripoteur, Belg.)
un frouchelaire
(Charles) **Baudelaire**
maréchal Leclerc°

(Félix) Leclerc°
du flair°
il **flaire**
Boufflers°
il/une glaire
veuglaire
saint Hilaire
Geoffroy Saint-Hilaire
(un/e) atrabilaire
jubilaire
(Friedrich von) Schiller°
(fil) filaire
(ver) un filaire
(monnaie) un fillér°
ils filèrent
(sceau) sigillaire
(arbre fossile) une sigillaire
(Henry) Miller°
(Arthur) Miller°
(mamelon) mamillaire
(plante) une mamillaire
similaire
(champignon)
un armillaire
sphère armillaire
pilaire
(cheveux) capillaire
(fougère) un capillaire
(veines) les capillaires
papillaire
primipilaire
(orphelin) pupillaire
(prunelle) pupillaire
fibrillaire
(une) bacillaire
ancillaire
codicillaire
asilaire
axillaire
(un) maxillaire
sous-maxillaire
vexillaire
fritillaire
(Heinrich) Himmler°
spoiler°
être/une **colère**
(coller) ils collèrent
sans qu'il décolère
(décoller) ils décollèrent
protocolaire
(un) **scolaire**
(le) parascolaire
périscolaire
postscolaire
malléolaire
aréolaire
calcéolaire
(une) alvéolaire
(mole) molaire
(global) molaire
(dent) une **molaire**
une prémolaire
polaire
étoile Polaire
bi/uni/multi/polaire
circumpolaire
corollaire
(le) **solaire**
lunisolaire

il **tolère**
épistolaire
plaire
(parfait) **exemplaire**
(copie) un exemplaire
déplaire
(Johannes) Kepler°
complaire
(n. dép.) une Chrysler
(Adolf) Hitler°
(Arthur) Koestler°
Whistler°
bullaire
vocabulaire
tabulaire
mandibulaire
patibulaire
lobulaire
(globe) globulaire
(plante) une globulaire
(tube) tubulaire
(polype) une tubulaire
piaculaire
vernaculaire
tentaculaire
spectaculaire
macro/moléculaire
(miroir) spéculaire
(plante) une spéculaire
séculaire
(un) orbiculaire
radiculaire
(une) perpendiculaire
(poux) pédiculaire
(plante) une pédiculaire
le/langue véhiculaire
pelliculaire
(follicule) folliculaire
(journaliste)
un folliculaire
vermiculaire
caniculaire
(un) funiculaire
(oreille) auriculaire
(doigt) un auriculaire
ventriculaire
(une) utriculaire
aciculaire
vésiculaire
lenticulaire
réticulaire
articulaire
claviculaire
naviculaire
(œil) oculaire
(optique) un oculaire
(une) binoculaire
monoculaire
pédonculaire
avunculaire
operculaire
(cercle) circulaire
(lettre) une circulaire
cardio-/vasculaire
musculaire
crépusculaire
corpusculaire
adulaire
glandulaire

médullaire
modulaire
nodulaire
scrofulaire
angulaire
triangulaire
quadrangulaire
rectangulaire
(bride) une jugulaire
une (veine) jugulaire
(prison) (un/la) cellulaire
(biologie)
uni/pluri/cellulaire
(pilule) (un) pilulaire
(fougère) une pilulaire
formulaire
(une) nummulaire
tumulaire
(anneau) annulaire
(doigt) annulaire
ils annulèrent
granulaire
(épaule) (un) scapulaire
(religion) un scapulaire
(le) **populaire**
impopulaire
(un/e) **insulaire**
péninsulaire
pro/consulaire
capsulaire
(chapitral) capitulaire
(ordonnance)
un capitulaire
(un/e) **titulaire**
cartulaire
fistulaire
(ruisseau) rivulaire
(algue) une rivulaire
valvulaire
ovulaire
uvulaire

(commune) un maire
(Golda) Meir°
(océan) la MER°
(maman) une **mère**
(marine) un amer°
(amertume)
(l') **amer°/amère**
mammaire
doux-amer°
grammaire
tétramère
dure-mère
être **douce-amère**
(plante)
une douce-amère
(un) métamère
arrière-/**grand-mère**
(un/e) khmer°/khmère
(saint sans fête)
saint a(h)émère
(fugace) **éphémère**
(insecte) un(e) éphémère
mémère
Evhémère
bêche-de-mer°
oreille-de-mer°
belle-mère

(pierre ; bleu) (l')outremer°
(au-delà des mers)
outre-mer°
bessemer°
(monstre) Chimère
(fantasme) une **chimère**
(Georges) Guynemer°
polymère
pie-mère
(un/e) intérimaire
frimaire
ils frimèrent
(simpliste) être **primaire**
(école) (le) primaire
ère/le primaire
(élection) une primaire
ils primèrent
(botanique; chimie)
(un) trimère
(pêche) un trimmer°
victimaire
steamer°
(paume) palmaire
(instrument) un palmer°
(Hans) Bellmer°
ulmaire
Homère
il/une **commère**
il agglomère
il conglomère
(court) **sommaire**
(résumé) un **sommaire**
ils sommèrent
(un) isomère
Saint-Omer°
vomer°
Vermeer°
lord-maire
(Franz) Mesmer°
il **énumère**
brummaire
Sumer°

nerf°
afrikaner°
scanner°
phanère
planaire
sylvaner°
(William) Faulkner°
(Georg) Büchner°
(Anton) Bruckner°
il génère
(un/e) nonagénaire
(un/e) quinquagénaire
(un/e) quadragénaire
(un/e) septuagénaire
(un/e) sexagénaire
il **dégénère**
il régénère
(un/e) octogénaire
(un/e) **congénère**
(un) bi/**millénaire**
sénaire
(la) caténaire
(n. dép.) cubitainer°
container°
(un) septénaire
il **vénère**

ils veinèrent
Ordener°
tire-nerf°
entre-nerf°
(vénal) mercenaire
(soldat) un **mercenaire**
(un/e) cinquantenaire
(un/e) quarantenaire
(un/e) trentenaire
(un/e) **centenaire**
(un) bi/tri/centenaire
un/e **partenaire**
(Richard) Wagner°
binaire
(d'/à l'/l') **ordinaire**
(l') **extraordinaire**
(un/e) valétudinaire
(un/e) latitudinaire
(l') **imaginaire**
originaire
(cruel) **sanguinaire**
(plante) une sanguinaire
linaire
catilinaire
(Guillaume) **Apollinaire**
(militaire) un disciplinaire
pluri/inter/
trans/disciplinaire
culinaire
(physique) laminaire
(algue) une laminaire
gewur(t)ztraminer°
séminaire
liminaire
subliminaire
(préalable) préliminaire
(prélude)
des préliminaires
luminaire
(un) quinaire
(un/e) vétérinaire
tambourinaire
(un/e) **poitrinaire**
(un/e) doctrinaire
urinaire
il incinère
vinaire
ulnaire
débonnaire
antiphonaire
légionnaire
un/e religionnaire
un/e coréligionnaire
ganglionnaire
(un/e) multi/**millionnaire**
embryonnaire
un/e probationnaire
(un/e) rationnaire
concentrationnaire
(invariable) stationnaire
(navire) un stationnaire
géostationnaire
un/e
demi-/**pensionnaire**
un/e manutentionnaire
un/e actionnaire
(un/e) réactionnaire
un/e factionnaire
fractionnaire

dictionnaire
un/e **fonctionnaire**
discrétionnaire
dépressionnaire
un/e cessionnaire
(une) processionnaire
(un/e) concessionnaire
(un/e) traditionnaire
(un/e) expéditionnaire
(un/e) missionnaire
(un/e) démissionnaire
un/e commissionnaire
un/e soumissionnaire
(un/e) permissionnaire
munitionnaire
un/e pétitionnaire
un/e convulsionnaire
un/e réceptionnaire
(un/e) tortionnaire
(un/e) concussionnaire
(un/e) contre-/
révolutionnaire
lésionnaire
(un/e) **visionnaire**
(un) divisionnaire
un/e réclusionnaire
(un/e) gestionnaire
questionnaire
pavillonnaire
alluvionnaire
monère
limonaire
(poumon) pulmonaire
(plante) une pulmonaire
sermonnaire
saponaire
une (artère) coronaire
(policier) un coroner°
scorsonère
il exonère
(filet) thonaire
tonnerre
paratonnerre
Clermont-Tonnerre
ternaire
(le) quaternaire
Werner°
(football) un corner°
(entente) un corner°
ils cornèrent
sparring-partner°
lacunaire
(lune) **lunaire**
(plante) une lunaire
sublunaire
il **rémunère**
ampli-/tuner°

bec Auer°
(plantes) zédoaire
mohair°
(Konrad) Adenauer°
(Arthur) Schopenhauer°
métazoaire
sporozoaire
hématozoaire
anthozoaire
protozoaire

douaire
hardware
moëre/moere
rastaquouère
software
sportwear°

(semblable) un pair°
(nombre) pair°/paire
(deux) une paire
(perdre) il **perd°**
le **père**
yeux pers°
(appairer) il appaire
(apparoir) il appert°
(happer) ils happèrent
(policier, arg.) rapèr°
(André-Marie) Ampère
un ampère
milliampère
arrière-/**grand-père**
il **tempère**
il obtempère
voltampère
(papier) un épair°
(araignée) une épeire
le Dniéper°
(un) pépère
(antre) il/un **repaire**
(jalon) il/un **repère**
(reperdre) il reperd°
vipère
(gaffe) un impair°
(nombre)
impair°/impaire
(imperméable) un imper°
Quimper°
le Saint-Père
pulpaire
il **opère**
beau-père
il réopère
il coopère
(policier, arg.) dr(e)auper°
compère
(James Fenimore) Cooper°
il **exaspère**
il **espère**
il **désespère**
(planète Vénus) Vesper°
(prénom) Prosper°
(florissant),
il/être **prospère**
(habile) expert°
(spécialiste) un expert°
inexpert°
il **récupère**
(épatant) super°
(essence) du super°
ovaire supère
il **vitupère**

raire
araire
laraire
parère
braire
un/e **libraire**
thuriféraire

ER°-ÈRE

(un/e) **téméraire**
(un) numéraire
(un/e) surnuméraire
(cendre) cinéraire
(plante) une cinéraire
(un) **itinéraire**
(médicament)
(un) vulnéraire
(plante) une vulnéraire
funéraire
Pereire
(un/e) **littéraire**
paralittéraire
frère
demi-frère
beau-frère
confrère
agraire
(un) horaire
(excrémentiel) stercoraire
(oiseau) un stercoraire
(honneur) honoraire
(émoluments)
des **honoraires**
temporaire
madréporaire
praire
traire
attraire
(réparer) rentraire
(rentrer) ils rentrèrent
(l')**arbitraire**
(le) **contraire**
(s')abstraire
(se) **distraire**
soustraire
extraire
(Albrecht) Dürer°
ils durèrent
usuraire

(animal) un **cerf**°
(paysan) un serf°
(de plantes) une **serre**
(colline) une serre
(serrer) il **serre**
(griffes) des **serres**
(servir) il sert°
il acère
(lacérer) il **lacère**
(lacer) ils lacèrent
(lasser) ils lassèrent
il dilacère
(gisement d'or) un placer°
ils placèrent
(macérer) il macère
(masser) ils massèrent
Nasser°
racer°
il enserre
(maladie) **cancer**°
(zodiaque) **Cancer**°
un dispensaire
ils dispensèrent
sancerre
(desserrer) il desserre
(mets sucré) un dessert°
(une table) il dessert°
(il nuit) il dessert°

(il passe) le train dessert°
messer°
pessaire
(le) **nécessaire**
tessère
(resserrer) il resserre
(réserve) une resserre
(resservir) il ressert°
brachycère
(envoyé) un émissaire
(cours d'eau)
(un) émissaire
bouc émissaire
haut-/**commissaire**
janissaire
une **viscère**
ils vissèrent
navicert°
il éviscère
(cinéma) un insert°
(il introduit) il ré/insère
sincère
il/un **ulcère**
il exulcère
spencer°
Auxerre
un/e **faussaire**
glossaire
café-/**concert**°
il ré/incarcère
un/e **adversaire**
(un) **anniversaire**
un **corsaire**
ils corsèrent
(Louis) Althusser°
oxer°
un boxer°
ils boxèrent

laser°
un blazer°
ils blasèrent
maser°
Saint-Nazaire
panzer°
(Albert) Schweitzer°
kreu(t)zer°
(lieu) un **désert**°
(vide) être **désert**°
geyser°
kaiser°
zeuzère
(rivière; départ.) l'Isère
(fleuve) l'Yser°
disert°
il lisère
Val-d'Isère
apophysaire
hypophysaire
Bélisaire
la **misère**
ils misèrent
cache-misère
traine-misère
Tannhäuser°
schnauzer°
bulldozer°
la Lozère
mauser°

Buenos Aires
rosaire

(se) **taire**
(trois) ter°
il (se)/la TERRE
(atterrer) il atterre
(hâter) ils (se) hâtèrent
(un/e) grabataire
(un/e) **célibataire**
cataire
(un/e) vacataire
(un/e) abdicataire
(un/e) syndicataire
un/e adjudicataire
un/e **locataire**
un/e allocataire
un/e colocataire
un/e sous-locataire
chataire
dataire
un/e mandataire
(un/e) commendataire
caudataire
un/e feudataire
(un/e) retardataire
concordataire
un/e légataire
un/e délégataire
un/e colégataire
(un/e) obligataire
(un/e)
contre/co/signataire
consignataire
un/e résignataire
un/e renonciataire
un/e amodiataire
il blatère
il **déblatère**
quadrilatère
hyperbole équilatère
mater°
ils matèrent
ils mâtèrent
stabat mater°
climatère
(un/e) aliénataire
un/e destinataire
un/e donataire
(un/e) abandonnataire
(un/e) codonataire
(un/e) stellionataire
(prière) un Pater°
(père) le pater°
(porte-manteau)
une **patère**
Antipater°
quater°
les waters°
cratère
terre à terre
frater°
pied-à-terre
statère
prestataire
(un/e) protestataire
(un/e) contestataire
Lavater°
(un) réservataire

(étamine) une anthère
(enterrer) il **enterre**
(enter) ils entèrent
(hanter) ils hantèrent
canter°
trochanter°
dentaire
(un/e) **sédentaire**
excédentaire
plantaire
(un/e) diamantaire
(un/e) sacramentaire
testamentaire
élémentaire
(un) complémentaire
supplémentaire
anti/réglementaire
(un/e)
anti/**parlementaire**
extraparlementaire
fragmentaire
segmentaire
pigmentaire
sédimentaire
rudimentaire
régimentaire
(l')agro/alimentaire
vestimentaire
commentaire
(un) documentaire
tégumentaire
loi frumentaire
instrumentaire
Nanterre
panthère
(rapace) un serpentaire
(arum) une serpentaire
mésentère
un éventaire
ils éventèrent
un **inventaire**
ils inventèrent
acétobacter°
azotobacter°
(un) lactaire
phylactère
caractère
(un/e) **réfractaire**
nectaire
saint-nectaire
(un/e) **sectaire**
ictère
sphincter°
plansichter°
(ciel) l'**éther**°
(liquide) l'éther°
il **déterre**
forfaitaire
budgétaire
pariétaire
(un/e)
co/nu(e)/**propriétaire**
(un/e) sociétaire
délétère
un/e **pamphlétaire**
(un/e) **prolétaire**
un/e sous-prolétaire
Déméter°
cométaire

(mécanisme)
un planétaire
inter/**planétaire**
monétaire
(meuble) un secrétaire
(personne)
un/e **secrétaire**
sous-secrétaire
setter°
masséter°
cathéter°
(tête, arg.)
la téterre/tétère
ils tétèrent
il s'invétère
pomme de terre
Grande-Terre
saint Éleuthère
l'Angleterre
cimeterre
fumeterre
mousquetaire
Agence Reuter°
uretère
Basse-Terre
bitter°
orbitaire
presbytère
trochiter°
un/e commanditaire
héréditaire
(un/e) velléitaire
il réitère
Sagittaire
ils s'agitèrent
dignitaire
il allitère
égalitaire
totalitaire
il oblitère
élitaire
édilitaire
(un) **militaire**
ils militèrent
paramilitaire
trilitère
utilitaire
(diamant) un solitaire
(seul) (un/e, en) **solitaire**
(l') **humanitaire**
(santé) sanitaire
(toilettes) les sanitaires
(un/e) trinitaire
(unité) unitaire
(protestant)
(un/e) unitaire
auto-/immunitaire
Jupiter°
paritaire
critère
(un/e) prioritaire
(un/e) majoritaire
(un/e) minoritaire
autoritaire
sécuritaire
Cythère
ils citèrent
(un) capacitaire
(un) censitaire

ER°-ÈRE

plébiscitaire
déficitaire
(un/e) publicitaire
(un/e) **universitaire**
(un/e) sursitaire
parasitaire
(un) transitaire
un/e dépositaire
(un/e) entrepositaire
(un/e) ubiquitaire
pituitaire
cavitaire
(interurbain) inter°
(sport) inter°
pointer°
(placenta) placentaire
(mammifères)
les placentaires
(n. dép.) France Inter°
(il modifie) il **altère**
(poids) un haltère
spalter°
il (se) **désaltère**
statthalter°
Walter°
super/welter°
(écrivain) **Voltaire**
(fauteuil) un voltaire
(infidèle) (un/e) **adultère**
(il falsifie) il adultère
linter°
un cautère
ils cotèrent
thermocautère
électrocautère
Lothaire
Clotaire
un **notaire**
ils notèrent
pinnothère
protonotaire
(un/e) communautaire
acrotère
globe-trotter°
(un/e) **volontaire**
involontaire
scooter°
aptère
mégaptère
tétraptère
archiptère
(insecte) un diptère
temple diptère

polyptère
(un) hémiptère
(un) périptère
hélicoptère
phénicoptère
lépidoptère
coléoptère
mégaloptère
baleinoptère
(un) hyménoptère
(un) monoptère
ch(é)iroptère
névroptère
isoptère
orthoptère
artère
carter°
charter°
trachée-artère
parterre
starter°
(un/e) libertaire
pubertaire
Werther°
(bière) un porter°
ils portèrent
un reporter°
ils reportèrent
téléreporter°
radioreporter°
supporter°
il/une stère
(Fred) Astaire
(plante) un aster°
(soldat) un hastaire
géaster°
cotonéaster°
(l'estomac)
messer gaster°
mastère
(du testicule)
muscle crémaster°
monastère
phalanstère
Webster°
trickster°
roadster°
(chimie) un ester°
Esther°
chester°
Manchester°
winchester°
polyester°

le Dniester°
Gloucester°
dragster°
gangster°
(pédant) un magister°
(autorité) un magistère
blister°
clystère
familistère
(secret) **mystère**
(théâtre) mystère
(glace, n. dép.) mystère
le Finistère
cap Finisterre
ministère
(baptême) (un) baptistaire
(chapelle) un baptistère
(ville) Munster°
(fromage) un munster°
l'Ulster°
hamster°
Westminster°
(vent) l'Auster°
(sévère) **austère**
(affiche) un poster°
(derrière) un postère
ils postèrent
zostère
cluster°
tributaire
un/e attributaire
(un/e) distributaire
cutter°
(ciguë) cicutaire
(Martin) Luther°
ils luttèrent
salutaire
extra/statutaire

résiduaire
belluaire
annuaire
ripuaire
suaire
ossuaire
un/e statuaire
ils statuèrent
un/e actuaire
sanctuaire
électuaire
usufructuaire
un (registre) obituaire
(agité) tumultuaire

(recueil) un promptuaire
somptuaire
dépense voluptuaire
mortuaire
aéro/portuaire
estuaire
(texte sans glose)
un textuaire

(fourrure) le **vair**°
(animal) un **ver**°
(verrerie) le **verre**
(poème) un **vers**°
(en direction) vers°
(couleur) (le) **vert**°
(face) l'avers°
(se révèle) il s'avère
clavaire
papaver°
un/de/à **travers**°
(ville) Anvers°
(avec) envers°
(verso) à/l'**envers**°
landwehr°
dévers°
(révérer) il **révère**
(rêver) ils rêvèrent
(Jacques) Prévert°
(dur) **sévère**
Septime Sévère
Sulpice Sévère
il **persévère**
par(-)/devers°
cantilever°
primevère
Nevers°
revers°
contre-vair°
hiver°
divers°
fait(-)divers°
salivaire
(en olive) olivaire
Gulliver°
univers°
pic-vert°/pivert°
vétiver°
essuie-verre(s)
Calvaire/calvaire
valvaire
colvert°
volvaire
révolver°/revolver°

vulvaire
ovaire
pull-over
(n. dép.) une Landrover
au diable Vauvert
frère convers
il a/être **ouvert**
il a/être **couvert**
(abri) à/un couvert
(ustensiles) le couvert
(couver) ils couvèren
Vancouver
il a/être **découvert**
(clairement)
à découvert
(dette) à/un découvert
il a redécouvert
il a recouvert
il a **rouvert**
trouvère
il a/être **entrouvert**°/
entr'ouvert
sous-verre
îles du Cap-Vert
(Félix) Arvers
larvaire
(un) **pervers**
menu-vair

+ verbes en -e
3e pers. plur
du passé simple

rime normande
214. ER [e] *ou* [ɛR

assonances
148. EL-ÈLE
178. ERBE
188. ERM-E
189. ERN-E

contre-assonances
45. AR-E
228. EUR-E
307. IR-E
401. OR-E

178. ERBE

HERBE
SUPERBE

il/une HERBE
imberbe
(Louis) Faidherbe
(bouquet) il/une **gerbe**
(il vomit, arg.) il/une gerbe
il engerbe
(François de) **Malherbe**
il enherbe
(jardinet, rég.)
un jardinerbe
la/être SUPERBE
(un/e) serbe

J'ai rêvé posséder les œuvres de **Malherbe**.
Un exemplaire unique, admirable, un trésor !
Tout habillé de pourpre, et les fleurs de lys d'or
En étoilent les plats, nombreuses comme l'**herbe**.

Le vélin en est pur, l'impression **superbe**.
Messieurs les éditeurs, à cette époque encor,
Se montraient soucieux de soigner le décor
Qui faisait ressortir et resplendir le **verbe**.

Raoul Ponchon, « L'Exemplaire du Roy »,
La Muse au cabaret

☞

ERBE

acerbe
il (s') **exacerbe**
il désherbe
Malesherbes
(grammaire) un verbe
(parole) le Verbe/verbe
adverbe
proverbe
Viterbe

Jeune homme, ne t'emballe point,
Ta philosophie est **imberbe** ;
Ne montre le dos ni le poing
À ce siècle qui t'**exacerbe** ;
S'il est bête à manger de l'**herbe**
Tout autre le fut plus encor ;
Et puis souviens-toi du **proverbe**
Tout ce qui reluit n'est pas or.

Émile Bergerat, « Ballade en "erbe" »,
Ballades et Sonnets

Dans un pays plein de montagne et d'**herbe**,
fleuri d'été, fleuri d'immensité,
le mouton pâle et son grelot qui ***cherche***
nous ont parlé, nous l'avons mérité.

C'est l'horizon qui lia notre **gerbe** ;
C'est notre front qui s'y vint abriter.
Notre soif emplit les ***citernes***.
L'ombre des morts peupla notre clarté.

Roland Dubillard, « Oubliée » V,
Je dirai que je suis tombé

Le poil qu'on rase et qui revient chaque matin,
Le fils qui lève, **herbe *verte*** entre la vieille **herbe**,
Frais des parfums du neuf solfège et du latin,
Et tes dettes qui repoussent comme ta ***barbe***.

Marcel Thiry, « Voitures : La route aura râpé »,
Usine à penser des choses tristes

assonances
181. ERDE
189. ERNE
179. ERCHE
124. ÈBRE

contre-assonances
46. ARBE
402.ORBE
511. OURBE
568. URBE

❒ *122 [Jouve] ; 149 [Perret] ; 190 [Libbrecht, Fort] ; 568 [Queneau]*

179. ERCHE-ERSCH°

CHERCHE

il her(s)che
(ébréché, rég.) berche
il CHERCHE
il/une **recherche**
(cul, arg.) le derche
(avare, arg.)
un peigne-derche
(hypocrite, arg.)
un faux(-)derche
(cher, arg.) lerche
(pas beaucoup, arg.)
pas lerche
(Maxence)
Van der Meersch°

(région) le Perche
(poisson) une perche
(gaule) une **perche**
(il [se] juche)
il (se) **perche**
(il habite, arg.) il perche
Col de la Perche
(il récupère, Suisse)
il raperche
étemperche/
étamperche
écoperche
Uzerche
il reverche

Réponds-moi toi qui te **perches**
en suspens sur la crête des monts
et toi qui m'as dit guetter l'horizon.

Je voudrais fuir pour te savoir à ma **recherche** !

Luc Estang, « Blason franco-chinois »,
Corps à cœur

Mais tu n'apparais plus gosse blond que je **cherche**.
Je tombe dans un mot et t'y vois à l'envers.
Tu t'éloignes de moi un vers me tend la **perche**.
D'une ronce de cris je m'égare à travers.

Jean Genet, « Marche funèbre » IX,
Poèmes

Dis-moi consbiche, où l'as-tu arnaqué ?
Tu revenais de suite, le whisky dans le **derche**
La syllabe à la bouche… comprenne qui pouvait
Et puis ce parler gras qui ne pesait pas **lerche**

Léo Ferré, « L'amour est dans l'escalier »,
Annexe in *Testament phonographe*

Si j'ai aimé de grand amour,
Ce furent ta chair tiède et tes mains ***fraîches***,
Et c'est ton ombre que je **cherche**.

Henri de Régnier, « Odelette »,
Les Jeux rustiques et divins

assonances
125. ÈCHE
184. ERGE
192. ERSE

contre-assonances
48. ARCHE
403. ORCHE
512. OURCHE

❒ *178 [Dubillard] ; 204 [Minière] ; 512 [Romains]*

180. ERCLE

CERCLE
COUVERCLE

(Héraclès) Hercle
il/un CERCLE
il encercle
il décercle
il recercle
demi-cercle
COUVERCLE

Fauve captif au centre des tisons
je forcerai le point ***faible*** du **cercle**
pour dévorer les tendres horizons
si j'ose enfin m'arracher ce **couvercle**

Michel Calonne, « La Boîte aiguë »,
Un silex à la mer

Évohé, **Hercle**,
Éros et Cérès,
Fondez votre **cercle**,
Et gloire à Vallès !

Eugène Pottier, « Au cercle Vallès »,
Œuvres complètes

Pas de femme en notre **cercle**
Serrent les poings, montent les cris
La colombe a soumis l'***aigle***
Le marin n'est plus qu'un mari

Charles Aznavour, « Stenka Razine »,
Un homme et ses chansons

❒

assonances
128. ÈCLE
191. ERQUE
187. ERLE
140. ÈGLE

contre-assonance
49. ARCLE

181. ERDE-AIRD°

MERDE
PERDE

laird°
il/la/(interj.) MERDE
une/il **emmerde**
être/la/il se démerde
(avare, arg.)
un mange-merde
(curieux, arg.)
un fouille-merde
(bouche, arg.)
un claque-merde
(chaussure, arg.)
un/e écrase-merde
(incapable, arg.)
une sous-merde
qu'il PERDE
saperde
qu'il reperde
(verte, vx) verde

Les gens les gens Dieu les **emmerde**
Naître qui me le demanda
C'était l'époque de Dada
Qu'importe que l'on gagne ou **perde**

Louis Aragon, « Quatorzième arrondissement »,
Les Poètes

Après avoir franchi le ressac aux requins –
Ô **merde** en la richesse ! ô richesse en la **merde** ! –
Sachant que le salut exige qu'on se **perde**,
Je retrouve mon âme en déféquant enfin

Louis Montalte, « Mon âme m'encule »,
Roses de sable

Je jette mon feutre d'un **air de**,
D'un air de dire : « Je m'en fous !
« Je me fous pas mal qu'il se **perde** ! »
Et je quitte mon manteau flou. [...]

Que d'autres s'**entreschopenhauerdent**,
Moi je me bats… Tel est mon goût !
Et je traverserais la **mer de**
Chine pour porter un beau coup. [...]

Il me manque une rime en « **erde** »…
Mais l'orchestre joue un air doux,
C'est pour me fournir « **Monteverde*** ».
C'est un musicien, savez-vous !

Jean Bastia, « Ballade du duel »**,
in *L'Humour* [16-22 décembre 1922]

* Monteverdi ** cf. 256 [Rostand] ; 528 [Gripari]

Moi qui suis un charmant garçon,
J'dis à personn' qu'il est quel…

Et si j'avais l'***verbe superbe***
(Et l'assonanc' !) je dirais **…**

Paul Verlaine, « On dit que je suis un gaga », *Invectives.* XLVIII

❒ *190 [Fort]*

assonances
178. ERBE
187. ERLE
189. ERNE
181. ÈDRE

contre-assonances
50. ARDE
404. ORDE
513. OURDE
569. URDE

182. ERDRE

PERDRE

l'Erdre
(merde) **merdre**
PERDRE
reperdre

Car tout ce qui s'acquiert peut toujours se **reperdre**.
Mais tout ce qui se perd est à jamais perdu.
Et tout ce qui se gagne on peut toujours le **perdre**.
Mais tout ce qui se perd est vraiment dépendu.

Charles Péguy,
Ève, p. 1027

Et sans s'occuper de ce qu'il va **perdre**,
Il se dit : « Zut, **merdre** !
Je n'y puis tenir,
Il faut que je parte où le sort m'appelle. »
Et déjà, sa belle
N'est qu'un souvenir.

Raoul Ponchon, « Chanson de Provence »,
La Muse gaillarde

C'est pourquoi les marchands de thon, les hobereaux
Se rebiffent à la manière des taureaux,
Abominant le juif sur la Loire et sur l'**Erdre**.

L'eau bénite leur est un « sortilège bu ».
Ce qu'on leur voit d'esprit court en Drumont se **perdre** :
À ces causes, il sied de dire – tel Ubu, –

Pour la rime et pour la raison : « Vive l'**Armerdre** ! »

Laurent Tailhade, « Chauvinisme sardinier »,
Poèmes aristophanesques

Je reviens de si loin que je crains de me **perdre**
parmi les bombes, les otages et les corps pourrissants ;
je me récite encore quelques vers de ***Phèdre***,
mais mon enfance a les pieds tout en sang.

Jean Cayrol, « Poèmes en noir et blanc » 20,
De jour en jour in *Œuvre poétique*

assonances	*contre-assonances*
135. ÈDRE	*405. ORDRE*
181. ERDE	*51. ARDRE*
124. ÈBRE	*514. OURDRE*

❒ *195 [Moreau] ; 51 [Villon]*

183. ERF

(animal) **cerf**
(paysan) **serf**
(performance) une perf
(perfusion) une perf

J'entends les saintes voix de Jeanne aux bergeries ;
Mais les veneurs du Roi jappent aux jacqueries !
J'exècre les seigneurs tous à courre le **cerf**,
Au mépris des moissons besogneuses du **serf**.

Henri Pichette, « Les Naïvetés ardentes »,
Les Revendications

il se détourna d'un travail d'apôtre
visant à donner au peuple des ***chefs***
pires que ceux qui le tenaient si **serf**
et dégoûté de toute politique
il se décida à passer ***derechef***
l'âcreté du grand liquide atlantique

William Cliff, « Chant », I, 12
Conrad Detrez

assonances	*contre-assonances*
153. ELF	*406. ORF*
136. EF	*240. URF* [ɥrf]
197. ERVE	*570. URF* [yrf]

❒

184. ERGE

VIERGE

(rive) une berge
(année, arg.) une berge
(il médite, arg.)
une/il **gamberge**
flamberge
(bateau) une ramberge
une/il **héberge**
canneberge
alberge
auberge
il se **goberge**
autoberge
(cul, arg.) le derge
(hypocrite, arg.)
un faux(-)derge
cierge
un/e **concierge**
(il s'empêtre, rég.)
il s'empierge
(+comp.) acquiers-je?
une/être VIERGE
la (Sainte) **Vierge**
(il déflore, arg.) il dévierge
demi-vierge
il submerge
il **émerge**
il (s')immerge
que re/perds-je?
(plante) une asperge
(il arrose) il **asperge**
(prénom) Serge
(tissu) la **serge**
(+comp.) sers-je?
il déterge
(purifie) il (s')absterge
manuterge
(baguette) **verge**
(pénis) **verge**
(bedeau) un porte-verge
il diverge
il converge
(cheval) un sous-verge
(sous-fifre, arg.)
un sous-verge

assonances	*contre-assonances*
139. ÈGE	*53. ARGE*
179. ERCHE	*408. ORGE*
192. ERSE	*515. OURGE*
155. ELGE	*511. URGE*

Jurez pour nous, benoîte **Vierge**,
Et gardez-nous de Paradis
Où ne sont que puceaux confits
Honteuses, castrats et **faux derges** !

Où Saint-Michel, de sa **flamberge**,
Repousse d'Amour le déduit !
Jurez pour nous, benoîte **Vierge**,
Et gardez-nous de Paradis !

Que cent démons aux belles **verges**
Nous enfilent jusqu'au nombril,
Éclairés par grands et gros **cierges**
En leurs poings de soufre brandis !
Jurez pour nous, benoîte **Vierge** !

Pierre Gripari, « Rondeau naïf »,
Le Solilesse

La belle servante d'**auberge**
Bien en chair, aux dents de carlin,
D'un bras tanné par l'air salin
Verse à boire aux gars sur la **berge**.

Sa ***gorge*** où l'amour se **goberge**
A pour enseigne un fichu plein ;
La belle servante d'**auberge**
Bien en chair, aux dents de carlin !

Et moi, las du baiser câlin,
Jusqu'à l'heure où l'aurore **émerge**
J'aime, sous des rideaux de **serge**,
Dans des draps qui sentent le lin,
La belle servante d'**auberge**.

Catulle Mendès, « La Servante »,
Intermède

Je veux la réveiller sans art, ni ***sortilège***,
Mon poème est à bout, il est presque arrêté ;
Je n'ai pas de néant, mais un silence **vierge**
Où ma conscience reconnaît sa vanité...

Patrice de La Tour du Pin, « Le Poème de Bélivanie »,
Troisième livre in *Une Somme de poésie.* I

Dans l'**auberge** haute et ***large***
À l'enseigne des rieurs
On discute on se **goberge**
De volaille et de liqueurs

René Guy Cadou, « Noël »,
Hélène ou le Règne Végétal

❒ 435.23 [Dupont] ; 139 [Franc-Nohain] ; 186 [Cocteau]

185. ERGNE

AUVERGNE

(exciter une bête, rég.)
faire l'ergne
(poire, rég.) une quergne
(aulne, rég.) un **vergne**
l'AUVERGNE
(Antoine) d'Auvergne/
Dauvergne
La Tour d'Auvergne

En buvant à l'ombre des **vergnes**
Du cabaret,
La vieille grâce de l'**Auvergne**
M'a fait pleurer.

Alexandre Vialatte, « En buvant à l'ombre des vergnes... »,
La Paix des Jardins

Comme de l'aulne sort le **vergne**,
Comme du hêtre le fayard,
......

185. ERGNE

D'Assas produit **La Tour d'Auvergne**,
Du Guesclin, sans cesse, Bayard !

Edmond Rostand, « L'Ordre du Jour »,
Le Vol de la Marseillaise

Mon ami est un doux rêveur
Pour lui Paris c'est une ***caserne***
Et Berlin un petit champ de fleurs
Qui va de Moscou à l'**Auvergne**

Jacques Brel, « Le Caporal Casse-Pompon »,
Œuvre intégrale

❒

assonances	*contre-assonances*
189. ERNE	*54. ARGNE*
142. EGNE	*409. ORGNE*

186. ERGUE-ERG°

VERGUE

erg°
(Alban) Berg°
(rien, arg.) nibergue
(Auguste) Strindberg°
iceberg°
Heidelberg°
inselberg°
(citadelle) le Spielberg°
(Steven) Spielberg°
affaire Rosenberg°
(Arnold) Schönberg°/
Schœnberg°
(Josef von) Sternberg°
le **Spitzberg**°
(problèmes, arg.) des lergs°
(Gaston) Doumergue
le Rouergue
une VERGUE
il dés/envergue
il dévergue
exergue

Je vois le Christ amarré sur la **vergue** !...
Il danse à mort, sombrant avec les siens ;
Son œil sanglant m'éclaire cet **exergue** :
UN GRAND NAVIRE A PÉRI CORPS ET BIENS !...

Paul Valéry, « Sinistre »,
Mélange

Dans votre ville d'eaux, est-il vrai, Sainte ***Vierge***,
Que vous apparaissez aux borgnes, aux boiteux ?
Des matelots bretons vous virent dans les **vergues**,
Ce n'est pas moi qui le raconte, ce sont eux.

Jean Cocteau, « Miracles »,
Vocabulaire

Faut-il partir pour le ***polaire***
Horizon et rapporter
Le saxifrage du **Spitzberg**
Dans du papier glacé.

Julos Beaucarne, « La Tâtonneuse »,
J'ai 20 ans de chansons

Le targui se targuait de tâter de l'***orgue***
tant il arguait qu'irriguant l'**erg**
il y ferait nager l'**iceberg**
cristal des échos sahariens

Raymond Queneau, « Rue Flatters »,
Courir les rues

❒ *192 [Fondane]*

assonances	*contre-assonances*
144. ÈGUE	*55. ARGUE*
184. ERGE	*410. ORGUE*
177. ÈRE	*516. OURGUE*
143. ÈGRE	*572. URGUE*

187. ERLE-ERL°

PERLE

maërl°
(Emmanuel) Berl°
(herbe d'eau) une berle
il ferle
il **déferle**
(poisson) une gerle
(cuve) une gerle
(sable) le merl°
(oiseau) un **merle**
Pech-Merle
(blason) un pairle
il/une PERLE
(pet, arg.) une perle

Reine, acquiescez-vous qu'une boucle **déferle**
Des lames des cheveux aux lames du ciseau,
Pour que j'y puisse humer un peu de chant d'oiseau,
Un peu de soir d'amour né de vos yeux de **perle** ?

Au bosquet de mon cœur, en des trilles de **merle**,
Votre âme a fait chanter sa flûte de roseau.
Reine, acquiescez-vous qu'une boucle **déferle**
Des lames des cheveux aux lames du ciseau ?

Fleur soyeuse, aux parfums de rose, lys ou **berle**,
Je vous la remettrai, secrète comme un sceau,
......

ERLE-ERL°

il emperle
(il s'écoule) il s'éperle
(Edmund) Husserl°

assonances
148. ÈLE
177. ÈRE
188. ERME
189. ERNE

contre-assonances
56. ARLE
517. OURLE
573. URLE
230. EURLE

Fût-ce en Éden, au jour que nous prendrons vaisseau
Sur la mer idéale où l'ouragan se **ferle**.

Reine, acquiescez-vous qu'une boucle **déferle** ?

Émile Nelligan, « Placet pour des cheveux »,
Poésies

Le mica de l'estran où la lame **déferle**
Le ressac du chenal le hâvre de ses grâces
Le goulet du lagon où mon ancre s'enchâsse
Jouvence, sa marée, et mon ***électuaire***,
Narcisse qui se mire en la flave Ophélie
Dans l'onde de ses ziaux, l'orient de sa **perle**
Et l'iode du myrte à l'*i* grec de son **pairle**,
I, pourpre, sang craché, rire de ***Mirabelle***...

André Blavier, « La Cantilène de la mal-baisée »,
Le Mal du pays ou les travaux forc(en)és [v. 2769-2776]

Alors sautez-moi dessus
Mes poèmes pareils aux **merles**
Qui sautent à pieds joints et ***parlent***.
Ainsi vous serez bien reçus.

Jean Cocteau, « Pendant que je suis... »,
Clair-obscur. LIX

❐

188. ERME-ERM°

FERME
TERME

berme
risberme
derme
pachyderme
épiderme
synderme
mycoderme
endoderme
héloderme
mélanoderme
échinoderme
hypoderme
mésoderme
race xanthoderme
ectoderme
(dur) être FERME
(agriculture) une **ferme**
il **ferme**
il afferme
il **enferme**
il renferme
il referme

(pâturage, rég.) germ°
(graine) il/un **germe**
il d/égerme
Palerme
inerme
(ville) Perm°
(permission ; permanence)
une perm°/e
sperme
asperme
périsperme
endosperme
angiosperme
gymnosperme
monosperme
I.N.S.E.R.M.°
(fin) un TERME
(mot) un **terme**
(statue) un terme
(bains) des **thermes**
diatherme
homéotherme
pœcilotherme/
poïkilotherme
aérotherme
isotherme

Voici l'asile pur des champs : voici la **ferme**,
Le potager étroit, le grand clos de pommiers,
La cour vaste où les coqs grattent les bruns fumiers,
L'aire, et le grain fécond où sommeille le **germe**.

Voici la prison blanche où le far-niente **enferme**
Les pigeons, commensaux gourmands, jadis ramiers ;
Tout près d'eux, et mêlés aux hôtes coutumiers,
Le porc gras et la vache à la mamelle **ferme**.

Albert Mérat, « La Ferme »,
Les Chimères

Ils travaillent, ils sont nourris
La paix dans l'esprit
Ils vivent bien loin d'Paris
Le dimanche ils vont en **perme**
En faisant le tour d'la **ferme**

Charles Trenet, « Pain Beurré et Pain Doré »,
Tombé du ciel

Ce fut un amant dans toute la force du **terme** :
Il avait connu toute la chair, infâme ou ***vierge***,
Et la profondeur monstrueuse d'un **épiderme**,
Et le sang d'un cœur, cire vermeille pour son ***cierge*** !

Paul Verlaine, « Un conte »,
Amour

Moi je suis le téton et vous le **sperme**,
dans cette comédie au goût rectal.
Ô cadavre lettré, mettons un **terme**
à la littérature, notre mal !

Alain Bosquet, « Douteux poète... »,
Bourreaux et acrobates

☞

ERME-ERM°

le grelot d'un chien perdu
c'est le vent et ses ***lanternes***
l'avez-vous bien entendu ?
c'est les portes qui se **ferment**

l'avez-vous bien entendu ?
faites que les chiens ***s'endorment***

Jean-Claude Pirotte, « Air du grelot »,
18, avenue Gambetta in *La Vallée de Misère*

assonances	*contre-assonances*
189. ERNE	*57. ARME*
162. ÈME	*309. IRME*
184. ERGE	*412. ORME*

❒ *309 [Cocteau]*

189. ERNE-ERN°

TERNE
LANTERNE
CAVERNE

l'Erne
(ville) Berne
(en deuil) en **berne**
(il trompe) une/il **berne**
il hiberne
giberne
cairn°
Pitcairn°
(ivre, rég.) derne
vieille **baderne**
(prénom) Edern°
(il enivre, rég.) il éderne
(un) **moderne**
ultramoderne
Tissapherne
Holopherne
(il ennuie, rég.) il embierne
(ennuis, rég.)
des embiernes
baie d'Audierne
lierne
Falerne/falerne
galerne
Salerne
l'**hydre de Lerne**
Hohenzollern°
(laboratoire) le Cern
(d'un œil) le **cerne**
(il encercle) il **cerne**
il décerne
il **discerne**
cela concerne
Lucerne
il/une **caserne**
il encaserne
konzern°
luzerne
(fade) TERNE
(au jeu) un terne

(Paris)
place/avenue des Ternes
alaterne
il materne
(bon enfant) paterne
(modèle) un pattern°
quaterne
(fanal) une LANTERNE
(il traîne) il lanterne
(animal fabuleux, rég).
chasse à la piterne
chaland-/navire-/bateau-/
wagon-/camion-/avion-/
citerne
(intérieur) **interne**
(pensionnaire)
un/e interne
(il enferme) il **interne**
être/il **alterne**
(un/e) **subalterne**
Komintern°
poterne
Sauternes/sauternes
(Laurence) Sterne
(oiseau) une sterne
basterne
western°
lectisterne
il (se) **prosterne**
il **consterne**
(extérieur) **externe**
(élève) un/e externe
(Jules) Verne
(aulne, rég.) un verne
caverne
(entrée des enfers)
Averne
CAVERNE
taverne
la Severn°
il hiverne
des **balivernes**
sa/il **gouverne**
les Arvernes

L'aube à la fin s'enfuit d'une cruche brisée
Quand tu trébuches, Calixto, et ta **lanterne**
Change et le paysage, avec lui-même, **alterne**
Révélant des tessons sur la terre baisée.

Tes baisers Calixto dans la vague alizée
Sont roulés et polis et tes yeux dans leur **cerne**
Sombrent à fond de larme et ton regard en **berne**
N'atteint plus ton reflet sur la mer apaisée.

Robert Desnos, « L'aube à la fin s'enfuit... »,
Calixto

Les voleurs s'en iront
Dans leurs **cavernes**,
Les buveurs s'en iront
Dans les **tavernes**.
[...]
Bavards bavarderont
Des **balivernes**,
Cartouches verseront
Dans les **gibernes**.

Allumeront leur pipe
À la **lanterne**,
Jetteront les principes
Par la **poterne**.

Et tous les participes
Dans la **citerne**,
Et tous les municipes
Dans la **luzerne**.

Charles Péguy, « La Ballade de la peine »,
La Ballade du cœur qui a tant battu, p. 1335

Les ***konzerns***
Se mêlent de ce qui
Point ne les **concerne**.

Eugène Guillevic, « k »,
Lexiquer

Mille manteaux s'ouvrent et se ***referment***
Manteau-mémoire il est temps de saisir
Ces corps perdus dans tes ruelles **ternes**
Manteau-tristesse il ne faut pas t'ouvrir
Si tes amours sont mortes avant ***terme***
Tu n'as pas eu le temps de leur mentir
Manteau-misère il n'est blessures ***vaines***
Dans le pays qui vit de ses martyrs

Robert Sabatier, « La Terre des Hommes »,
Les Fêtes solaires

Mais dans le noir, nul n'ose, avec ou sans **lanterne**,
Aller mettre ses pas dans les traces laissées
Sur la neige et la boue par les passants ***nocturnes***...

Louis Brauquier, « L'hiver est un pays de campagnes désertes »,
Feux d'épaves

assonances	*contre-assonances*
188. ERME	*58. ARNE*
166. ÈNE	*413. ORNE*
177. ÈRE	*575. URNE*

❒ 333.3 [Fombeure] ; 535.18 [Tailhade]
185 [Brel] ; 163 [Verheggen] ; 519 [Jouet]

190. ERPE-ERP°

SERPE

(épaves)
herpes marines/herpes
(tout juste, Belg.) scherp°
(algue) une caulerpe
SERPE
Euterpe
(champignon) un verpe
(pénis) une verpe

assonances
178. ERBE
181. ERDE
170. ÈPE
172. ÈPRE

contre-assonances
59. ARPE
311. IRPE
576. URPE

Le D, c'est le triangle où Dieu pour Job se lève ;
Le T, croix sombre, effare Ezéchiel en rêve ;
Soit ; crois-tu le problème éclairci maintenant ?
Triptolème a-t-il fait tomber, en moissonnant,
Les mots avec les blés au tranchant de sa **serpe** ?
Le grec est-il éclos sur les ***lèvres*** d'**Euterpe** ?

Victor Hugo,
Dernière gerbe. XXIV

Ardeur souterraine : mot,
par toi prend forme le ***Verbe***,
plus tranchant que n'est la faux,
plus éclair que n'est la **serpe**
et souple roseau sur l'eau.

Géo Libbrecht, « Ardeur souterraine »,
Miroir du langage. I in *Poésie*

Le vent faisait voler sa bure : on l'eût dit oiseau de nature.
Mais supputant ses hauts destins ou, rêveur, humant le festin,
voilà qu'il laisse errer sa **serpe**. Elle va, tombe, elle est dans
l'***herbe***. À peu s'en fallût qu'il dit : **.....**

Paul Fort, « La Légende de saint Grelottin »,
Si Peau d'Âne m'était conté

❐

191. ERQUE-ERK°

DUNKERQUE

(râteau) une herque
(ville) Bercq°
(dégoût) berk!°
le **jerk**°
il jerke
(Frederik W.) De Klerk°
les Aulerques
luperque
Coudekerque
DUNKERQUE
Steinkerque
comte de Nieuwerkerke
(ville) Albuquerque
(Alfonso de) Albuquerque
(à longue queue)
(un) macrocerque
Sercq°
cysticerque
homocerque
hétérocerque
(altercation, vieux) il alterque

assonances
177. ÈRE
176. ÈQUE
180. ERCLE
129. ÈCRE

contre-assonances
60. ARQUE
414. ORQUE
313. IRQUE
577. URQUE

Enfants du Celte ou de l'**Aulerque**
Dont César brûla les forêts
De Marseille jusqu'à **Dunkerque**
Pour en faire un vaste marais
D'où, chassé par l'art de Cérès,
S'est enfui l'oiseau **macrocerque**,
Qui l'eût dit que je pleurerais
Le surintendant **Nieuwerkerke** !

Prêtre de Pan, vulgo : **luperque**,
Je dispute mes intérêts
– Au quinzième, on disait : j'**alterque** –
À des tas de coupe-jarrets
Fous d'or et d'autres minerais
Cachés sous le ciste ou la **lerque*** :
Ah ! plutôt que ces Turcarets
Le surintendant **Nieuwerkerke** !

Émile Bergerat, « Ballade gageure »,
Ballades et Sonnets

* plante

Je me souviens des yeux de ceux qui s'**embarquèrent**
Qui pourrait oublier son amour à **Dunkerque**

Je ne peux pas dormir à cause des fusées
Qui pourrait oublier l'alcool qui l'a grisé

Louis Aragon, « La Nuit de Dunkerque »,
Les Yeux d'Elsa

Il y a longtemps déjà que je n'ai pas vu mon copain ***Bismarck***
qui faisait cornac dans un ***cirque***
et traduisait ***Pétrarque***, en ***turc***, à **Dunkerque**.

Nino Ferrer, P. Sakka, « Mon copain Bismarck »,
Textes ?

❐ 155 [Lanzmann]

192. ERSE-ERS°

BERCE
PERCE

(gaélique) (l')erse
(anneau) une erse
(rivière) l'Hers°
(grille ; agric.) il/une **herse**
Diogène Laërce
(plante) une berce
(berceau, rég.) une berce
il BERCE
(Frans) Snyders°
(Wim) Wenders°
(maîtresse, arg.) une gerce
(il crevasse) une/il **gerce**
(rivière ; départ.) le Gers°
(Anna) Seghers°
(Pierre) Seghers°
(Hercule) Seghers°
(troisième) tierce
(musique ; cartes) une tierce
(gang, arg.) une tierce
(il laboure) il tierce
(chaussures, Belg.)
des kiekers°
des knickers°/
knickerbockers°
salers°
(Aulerques) les Aulerces
(Philippe) Sollers°
il/le **commerce**
mettre en/il PERCE
(poète latin) Perse
(Iran) la **Perse**
(de Perse) (un/e) **perse**

(tissu) le perse
(yeux) couleur perse
il reperce
Saint-John Perse
Properce
(Karl) Jaspers°
il **transperce**
il **disperse**
(gabarit) une cerce
(vent, rég.) le cers°
il **exerce**
il terse/terce
il reterse/reterce
sesterce
il **verse**
(pleuvoir) la/à **verse**
averse
une/il traverse
il retraverse
Anvers°
à la/il **renverse**
adverse
il déverse
il **bouleverse**
il reverse
autoreverse
diverse
il **tergiverse**
être/il **inverse**
(il détourne) il malverse
il/une **controverse**
sœur converse
(il parle) il converse
(une) **perverse**
transverse

Le jour, la nuit, partout, glissant sur le verglas,
Suant sous le soleil, ruisselant dans l'**averse**,
Tendant avec effort son nez que le vent **gerce**,
Trottant sa vie, il souffle, éternellement las.

Sa crinière aux poils durs qui tombe en rideaux plats
Tape son long cou sec que la fatigue **berce** ;
Sa peau, sous le harnais battant, s'use et se **perce** ;
Son mors tinte, il le suit comme son propre glas.

Edmond Haraucourt, « Le Cheval de fiacre »,
L'Âme nue

Des british aux niakouées jusqu'aux filles de **Perse**
J'ai tiré les plus belles filles de la ***terre***
Hélas l'amour est ***délétère***
Comme l'***éther*** et les **popers***

De mon buncœur j'ai abaissé la **herse**
Sarrasine je crains les invasions la ***der***
Des ***ders*** dur dur ***affaire***
Classée à la solitude aujourd'hui je m'**exerce**

Après avoir connu des fortunes **diverses**
Blondes brunettes red heads platines châtain ***claires***
En moi-même je me dis qu'il serait peut-être préférable de ***faire***
L'amour en allongeant quelques **sesterces**

De Jane au gin peut-être ***est-ce*** l'**inverse**
Je me suis pété la gueule au ***ginger***
Ale sait qu'au bout du compte je m'en irai ***amer***
Empoisonné tel le roi de **Perse *Artaxerxès***

Serge Gainsbourg, « Strike »,
Dernières nouvelles des étoiles

* (sic) *poppers*, excitant volatil

Ah, l'ancienne féerie ! **Commerces,**
métiers, chimies, études… Et ta statue
géante, Liberté ! – Qu'il est **amer ce**

terrible appel qui fuit et qui nous fuit
et qui soudain se pose sur nos ***vergues***
tel un oiseau de ***mer***…

Benjamin Fondane, « Le Mal des fantômes » XXII,
Le Mal des fantômes

Il règne des vues **diverses**
En matière de ***divorce***
On n'en tranche point en **Perse**
Comme en ***Corse***

Louis Aragon, « Il règne des vues diverses »,
Le Roman inachevé

assonances
201. ESSE
177. ÈRE
179. ERCHE
197. ERVE

contre-assonances
415. ORSE
522. OURSE
231. EURSE
315. IRSE

❒ 435.5 [Richepin]
315 [Le Cardonnel] ; 522 [Fondane]

193. ERSTE-ERST°

baron Amherst°
verste

assonances
192. ERS-E
194. ERT-E
196. ERTZ

194. ERTE-ERT°

VERTE

(père d'Ulysse) Laërte
Diogène de Laërte
Berthe
(col) une berthe
(il chambarde, rég.)
il chamberte
Alberte
Gilberte
Roberte
(George) Herbert°
(Louis) Calaferte
(bonne aventure, arg.)
dire la bonne ferte
offerte
soufferte
(châsse) une fierte
(vif) être **alerte**
il/une alerte
un/e némerte
la Nerthe
inerte
(villes) Perth°
une **perte**
(une) **experte**
inexperte
(oui) **certes**
(sertissage) une serte
(desservir) une desserte
(meuble) une desserte
(dissertation) une dissert°/e
(il discourt) il disserte
navicert°
il se concerte
il **déconcerte**
Caserte
Bizerte
diserte
il/être **déserte**
VERTE
sievert°
ouverte
être **couverte**
(émail) une couverte
être/une **découverte**
redécouverte
recouverte
semi-ouverte
rouverte
entrouverte/
entr'ouverte

Je suis encombré des amours perdues,
Je suis effaré des amours **offertes**.
Vous voici pointer, jeunes filles **vertes**.
Il faut vous payer, noces qui sont dues.

La neige descend, plumes assidues.
Hiver en retard, tu me **déconcertes**.
Froideur des amis, tu m'étonnes, **certes**.
Et mes routes sont **désertes**, ardues.

Charles Cros, « Pluriel féminin »,
Le Collier de griffes

Tes yeux ne sont pas ceux
d'une sorcière **experte**
mais c'est pourtant en eux
que se tisse ma **perte**

Que se tisse ma **perte** aux couleurs de tes yeux
et je me perds cent fois sur leurs îles **désertes**
le fil cent fois perdu qui tisse ce fiévreux
des enchevêtrements de troubles **découvertes**
sans que je sache enfin si j'y suis malheureux
ou si je n'aide pas à y tisser ma **perte**
repris pour me reperdre et nous y perdre à deux

Louis **Calaferte**, « Tes yeux ne sont pas ceux… »,
Londoniennes

J'aime mon amie **Berthe**
Parce qu'elle est très ***bête***
Se nourrit d'***omelette***
Et habite ***Bicêtre***.
Lorsque j'irai la voir
Je lui dirai bonsoir.

Pierre Gripari, « Jeu de société »,
Le Solilesse

La Ville au loin monte des vœux immolateurs…

Par les vitres en haut, la Ville, aux Yeux – à **perte**
du sang pauvre qui ***heurte*** aux roideurs de l'***aorte*** !
monte haut des quadratures de pierre, et lourd
le temps de dômes…

René Ghil, « La Ville au loin… »,
Le Vœu de vivre

assonances
205. ÈTE
207. ÈTRE
135. ÈDRE
160. ELTE

contre-assonances
62. ARTE
232. EURTE
417. ORTE
523. OURTE

❐ 121.16 [Mary] ; 435.3 [Vian]
205 [Robin] ; 174 [Pellerin] ; 195 [Mac Orlan] ; 316 [Brauquier]

195. ERTRE

TERTRE

TERTRE
(Paris) **place du Tertre**

Si vivre est ce long stage où tu apprends à ***perdre***
À n'aimer qu'à demi à n'être aimé que mal
À décorer tes plaies à penser boréal
Ton métier c'est de faire de funéraires **tertres**

Marcel Moreau, « Decrescendo »,
Chants de la tombée des jours (Cadex)

☞

ERTRE

C'est Paris aux yeux clos, à la bouche ***entr'ouverte***
Qui mange l'une et l'autre, selon les lois du jour.
C'est Paris, ses fripons, ses anges Pompadour
Le Cloître Saint-Benoît et la **Place du Tertre**.

Pierre Mac Orlan, « Transhumance »,
Poèmes retrouvés

Item, et au mont de ***Montmartre****,
Qui est un lieu moult ancien,
Je lui donne et adjoins le **tertre**
Qu'on dit de mont Valérien…

François Villon,
Le Testament. CXLVI

* prononcé *Montmertre* du temps de Villon.

assonances
194. ERTE
182. ERDRE
203. ESTRE
207. ÈTRE

contre-assonances
63. ARTRE
233. EURTRE

❐

196. ERTZ

(Heinrich) Hertz
un hertz
mégahertz
lord Roberts
kilohertz

assonances
194. ERT-E
192. ERS-E
203. ESTRE

contre-assonance
64. ARTZ

197. ERVE

MINERVE
RÉSERVE

plateau de Herve
(fromage, Belg.) du herve
conferve
il **énerve**
il innerve
(déesse) MINERVE
(appareil orthopédique)
une minerve
(paysanne) (une) **serve**
(servir) qu'il **serve**
(mare, rég.) une serve
il **observe**
(une table) qu'il desserve
(nuire) qu'il desserve
(passe)
que le train desserve
qu'il resserve
une/il **conserve**
(ensemble) de conserve
semi-conserve
(il pleure, verl.) il zerve
il/une RÉSERVE
il préserve
verve

Si tu me laissais goûter à loisir
des fragments de toi que tu te **réserves**
par pudeur ou par déni du désir
dont l'approche hétérodoxe t'**énerve**,

tu me verrais incontinent choisir
ton nez, comme offert pour que je m'en **serve**
à prendre et donner d'acides plaisirs
tels qu'en inventa quelque faune en **verve**.

Luc Estang, « Narines »,
Corps à cœur. XXXI

Ô sainte plaie, ô bouche avec tes lèvres denses
Par qui voici mon rire à jamais épuisé,
Palais oral pour un monarque de silence,

Garde ton doux volume et ton souffle inspirés
Par cet élancement de tes voûtes qu'**innervent**
Les crins filigranés d'une dure **Minerve**.

Fernand Imhauser, « Ouverture »,
Le Phoque mâle in *Œuvres poétiques complètes*

L'atmosphère est troublante et j'ai peur de la ***fièvre***.
J'ai peur de ton regard qui scrute et qui m'**observe** ;
J'ai peur de ta présence, j'ai peur de ta beauté,
J'ai très peur de tes mains et j'ai peur de t'aimer.

Blaise Cendrars, « Séquences : L'atmosphère est troublante… »,
Poésies complètes

☞

ERVE

Derrière chez mon père, un oiseau chantait
La chanson de mon ***rêve*** ;
Et, voix de la plaine, et voix de la ***grève***,
Et voix des bois qu'Avril **énerve**,
L'écho de l'avenir en riant mentait :
Du jeune cœur, l'âme est la folle **serve**,
Et tous deux ont chanté
Du Printemps à l'Été.

Francis Vielé-Griffin, « Un oiseau chantait », *Joies*

assonances
209. ÈVE
210. ÈVRE
178. ERBE

contre-assonances
65. ARVE
419. ORVE
579. URVE

❐

198. ERX

(Léon) Dierx
(Eddy) Merckx

Dierx ! dont le nom fait pour la gloire sonne ***clair***
Comme une bonne épée en la main d'un héros,
Qu'avons-nous de commun, nous, rois, avec ce gros
De rustres s'en allant en ***guerre*** de quel ***air*** ?

Paul Verlaine, « À Léon Dierx », *Dédicaces.* CIV

assonances
211. EX-E
192. ERS-E
191. ERQUE
177. ER-ÈRE

contre-assonance
66. ARX

❐

199. ÈSE-EZ°

AISE
BRAISE

à son/à l'/l'AISE
être bien **aise**

(il embrasse) il **baise**
(il coïte) une/il baise
(Théodore de) Bèze
le Zambèse
il rebaise
on s'entre-baise
(un/e) **obèse**

(une) sri lankaise
attaché-case
saint Nicaise
(niais) un nicaise
(une) martiniquaise
vanity-case
(Gabriel) Garcia Marquez°
(une) new-yorkaise
(une) basquaise
Vélasquez°

chaise
le **Père-Lachaise**
catéchèse
(foutaise) une fichaise
(James H.) Chase
steeple-chase

fadaise
(une) bangladaise

(une) ougandaise
(une) landaise
(une) néo-zélandaise
(une) thaïlandaise
(une) finlandaise
(une) groenlandaise
(une) hollandaise
(une) néerlandaise
(une) irlandaise
(une) islandaise
(une) ruandaise
Rodez°
arthrodèse

(ville) Fez°
(calotte) un fez°
Éphèse
terfèze

gaize
(une) camarguaise
merguez°
(famille ; villa) Borghèse
(Portugal) (une) **portugaise**
(oreilles, arg.) des portugaises

(jésuite, arg.) un jèze/jèse
exégèse
Vologèse

(une) versaillaise
être/il **biaise**
il/une dièse
(Marseille) (une) marseillaise

Sonneuse de sonnets, **Thérèse**
N'a pas de rimes qu'en ses vers :
Ses chers yeux sont deux saphirs verts,
Et sa lèvre double se **baise**.

Sa gorge aux deux ***roses*** de **braise**
Semble deux coupes à l'envers ;
Sonneuse de sonnets, **Thérèse**
N'a pas de rimes qu'en ses vers.

Mais il n'est point, même **mauvaise**,
De rime à tous les mots divers :
Je sais dans un fourré pervers
Un fraisier qui n'a qu'une **fraise**,
Sonneuse de sonnets, **Thérèse**.

Catulle Mendès, « Pour une petite Poétesse », *Intermède*

Quand de moi-même, en moi, les voix se **taisent**
et que le monde en mon cerveau s'est tu
comme un vieux conte ouï et rebattu ;
– quand, aux étoiles, les paupières **pèsent**,

que ces musiques du rien **apaisent**
le cœur sauvage, ténébreux, têtu,
du poids de tant de neiges courbatu
et qui n'a plus les songes qui lui **plaisent** !

Il voit ses jours – danseuses en tutu –
vieillir avant le soir de l'impromptu.
La houle ! Et tout-à-coup, la nappe d'**aise**.

Assis au coin du feu, sur une **chaise**,
il dit au Temps qui passe : « Où passes-tu ?
Où vont les fées ardentes de la **braise** ? »

Benjamin Fondane, « Quand de moi-même… », *Au temps du poème et Poèmes épars* in *Le Mal des fantômes*

☞

ÈSE-EZ°

(chant) la **Marseillaise**
(simple) (une) **niaise**
(il lambine, Can.) il niaise
il **déniaise**
pièze
(une) jersiaise
(une) antillaise

(largeur) une laize
(il nuit) il **lèse**
(d'un lit) une alaise/alèse
(il calibre) il alèse
balèse/balèze
il réalèse
falaise
(une) sénégalaise
(une) cinghalaise
(gêne) un **malaise**
(Malaisie) (une) malaise
(une) népalaise
(prénom) Blaise
(il zézaie) il blèse
épiclèse
mélèze
(Bordeaux)
(une) bordelaise
(bouteille) une bordelaise
(terre) il/la **glaise**
(Albert) Gleizes
(Angleterre)
(une) **anglaise**
(écriture) l'anglaise
(un cheval) il anglaise
(boucles) des anglaises
(une) angolaise
(une) togolaise
(une) congolaise
Pergolèse
(une) charolaise
(il se dorlotte, rég.)
il se doulaise
qu'il **plaise**
qu'il déplaise
qu'il se complaise

Émèse
hématémèse
cymaise/cimaise
Somaize
tmèse

(une) libanaise
(une) albanaise
(une) caennaise
Dodécanèse
(une) soudanaise
(une) orléanaise
ferro/manganèse
(une) perpignanaise
(une) guyanaise
(une) azerbaïdjanaise
(une) milanaise
planèze
(une) taïwannaise
(une) rouennaise
(une) botswanaise
Piranèse
(une) bhoutanaise
(une) pakistanaise

(une) havanaise
(une) javanaise
(une) rennaise
(une) ardennaise
la **Genèse/genèse**
(une) agenaise
épigenèse
psychogenèse
biogenèse
abiogenèse
phylogenèse
thermogenèse
parthénogenèse
anthropogenèse
photogenèse
ontogenèse
orthogenèse
antenaise
psychokinèse
(une) burkinaise
cinèse
anamnèse
(une) gabonaise
(Narbonne)
(une) narbonnaise
(Gaule) la Narbonnaise
(une) bourbonnaise
(une) lisbonnaise
(une) mâconnaise
la Tarraconaise
(une) avignonnaise
(une) aragonaise
(une) bayonnaise
mayonnaise
(Lyon) (une) lyonnaise
(Gaule) la Lyonnaise
(une) réunionnaise
(une) roussillonnaise
(une) dijonnaise
(une) barcelonaise
(une) bolonaise
(Pologne)
(une) polonaise
(danse ; gâteau)
une polonaise
(une) boulonnaise
(une) toulonnaise
(une) sénonaise
(une) japonaise
le **Péloponnèse**
(une) aveyronnaise
Véronèse
Chersonèse
(une) cantonaise
(une) camerounaise
(une) béarnaise
(famille ; palais) Farnèse
(une) nivernaise
fournaise
piton de la Fournaise
(insecte) une **punaise**
(fixation) il/une punaise

noèse

(poids) il **pèse**
(argent, arg.) du pèze
il **apaise**
il rapaise

Tu te sens claire et bienveillante et douce
Non pas à ceux qui se ***jalousent***
Et se battent pour ta beauté ;
Mais aux ***choses*** qui t'admirent et qui se **taisent** :
Feuilles souples, fleurs fragiles, herbes ***épaisses***,
Fragments de joie et de clarté.

Émile Verhaeren, « Promenade »,
Belle Chair

J'étais un grand poète né pour chanter la Joie
– mais je sanglote dans ma cabine,
des bouquets d'eau de mer se fanent dans les ***vases***
l'automne de mon cœur mène au **Père-Lachaise**,
l'éternité est là, œil calme du temps mort,
est-ce arriver vraiment que d'arriver au port ?
Armand ta cendre **pèse** si lourd dans ma ***valise***.

Benjamin Fondane, « J'étais un grand poète… »,
Ulysse in *Le Mal des fantômes*

La négresse **irlandaise** a soudain pour moi des airs de Manet
Sans doute est-elle comme moi lasse d'écouter leurs **fadaises**
Elle ne se sert que des mots qu'on connaît *You'll miss me Honey**
Un de ces jours *Some of these* **days**

Louis Aragon, « Malles Chambres d'hôtel »,
Le Roman inachevé

* « Vous me regretterez Chéri… » (trad. de l'auteur)

❐ 481.5 [Audiberti]
480 [Pichette] ; 581 [Roubaud]

trapèze
il dés/empèse
il **soupèse**

daraise
(Edgar) Varèse
(une) navarraise
(d'un feu) il/la BRAISE
(argent, arg.) la braise
(une) calabraise
tire-braise
catachrèse
antichrèse
aphérèse
diérèse
synérèse
Thérèse
Marie-Thérèse
exérèse
(fruit) une **fraise**
(de veau) une fraise
(collerette) une fraise
(outil) il/une fraise
(il mélange) il fraise
euphraise
il grèse
(rivière ; départ.) la Corrèze
diaphorèse
treize
soixante-treize
Louis Treize
(1793)
quatre-vingt-treize
diurèse

(nombre) **seize**
(rivière) la Cèze
ascèse
(une) **française**
garde-française
la Comédie-Française
franco-française
soixante-seize
Louis Seize
quatre-vingt-seize
in-seize
(une) écossaise
archi/**diocèse**
(Martin) Scorsese

mésaise

qu'il se **taise**
une thèse
diathèse
métathèse
anthèse
(une) nantaise
épenthèse
(des Charentes)
(une) charentaise
(pantoufle)
une charentaise
parenthèse
la Tarentaise
antithèse
(Antoine) Vitez°
synthèse

paracentèse
nucléosynthèse
biosynthèse
amniocentèse
photosynthèse
(Malte) (une) maltaise
(orange) une maltaise
hypothèse
prothèse
(une) piémontaise
foutaise
il/une mortaise
prosthèse

l'Alpe-d'Huez°
(port) Suez°
golfe/isthme/canal
de Suez°

(Cesare) Pavese
mauvaise

assonances
201. ESSE
139. ÈGE

contre-assonances
67. ASE
317. ISE
448. AUSE

200. ESQUE-ESC°

FRESQUE
PRESQUE
GIGANTESQUE
GROTESQUE

est-c' que?
arabesque
prince de Lambesc°
desk°
marivaudesque
cauchemardesque
(le) tudesque
caravagesque
michelangesque
(barbare) sauvagesque
gaguesque
phidiesque
Fiesque
simiesque
goyesque
grenouillesque
cannibalesque
raphaélesque
animalesque
sardanapalesque
carnavalesque
festivalesque
crocodilesque
vaudevillesque
rocambolesque
guignolesque
grand-guignolesque
(le) **burlesque**
funambulesque
hippopotamesque
prudhommesque
océanesque
aristophanesque
titianesque
(le) **romanesque**
rembranesque
courtisanesque

charlatanesque
titanesque
donjuanesque
courtelinesque
chaplinesque
(mythomane) tartarinesque
pharaonesque
caméléonesque
faunesque
bouffonesque
jargonnesque
feuilletonesque
mirlitonesque
clownesque
(il éclabousse, rég.)
il répesque
(un) barbaresque
picaresque
canularesque
tintamarresque
churrigueresque
moliéresque
chevaleresque
plateresque
FRESQUE
ingresque
(une)
moresque/mauresque
hispano-moresque/
hispano-mauresque
(le) **pittoresque**
PRESQUE
livresque
(la) soldatesque
dantesque
pédantesque
éléphantesque
GIGANTESQUE
abracadabrantesque
donquichottesque
giottesque
(le) GROTESQUE
(décors) des grotesques
ubuesque
gargantuesque

assonances
211. EXE
202. ESTE
176. ÈQUE

contre-assonances
70. ASQUE
320. ISQUE
582. USQUE

Oh ! peindre tes cheveux du bleu de la fumée,
Ta peau dorée et d'un ton tel qu'on croit voir **presque**
Une rose brûlée ! et ta chair embaumée,
Dans des grands linges d'ange, ainsi qu'en une **fresque**,

Qui font plus brun ton corps gras et fin de **mauresque**,
Qui fait plus blanc ton linge et ses neiges d'almée,
Ton front, tes yeux, ton nez et ta lèvre pâmée
Toute rouge, et tes cils de femme **barbaresque** !

Germain Nouveau, « Kathoum »,
Sonnets du Liban

Il me faudrait sculpter quelque sonnet **dantesque**
Pour te bien faire voir l'abîme **gigantesque**,
Le gouffre de douleur où je roulais perdu,
Quand vers moi ton amour sauveur est descendu !

Que n'ai-je le pouvoir, l'éclat **chevaleresque**,
D'un pair de Charlemagne ou d'un prince **mauresque** ?
Je voudrais, je saurais, d'un génie assidu,
Maintenir à tes pieds le règne qui t'es dû !

Philothée O'Neddy, « Actions de grâces »,
Sonnets in *Poésies posthumes*

Ô Lune, vous allez me trouver **romanesque**,
Mais voyons, oh ! seulement de temps en temps, **est-c' que**
Ce serait fol à moi de me dire, entre nous,
Ton Christophe Colomb, ô Colombe, à genoux ?

Jules Laforgue, « États »,
L'Imitation de Notre-Dame la Lune

Ithyphalliques et **pioupiesques** *
Leurs insultes l'ont dépravé !
À la vesprée ils font des **fresques**
Ithyphalliques et **pioupiesques**
Ô flots **abracadabrantesques**,
Prenez mon cœur, qu'il soit sauvé :
Ithyphalliques et **pioupiesques**
Leurs insultes l'ont dépravé !

Arthur Rimbaud, « Le Cœur du pitre »,
Poésies

* de *pioupiou*, jeune fantassin

Tout était beau ; c'était le soir
Les femmes pensaient à l'amour
et à des luttes où la sueur de l'homme prend l'odeur de son ***sexe***
Désirs en **arabesque**
même les fleurs sentaient la chair.

René Crevel, « Camille Desmoulins »,
Poèmes

❐

201. ESSE-ES°

CARESSE

(tennis) un ace
(préposition) ès°
(crochet) un esse
(cheville) un esse
est-ce?

(Rudolf) Hess°
(région) la Hesse
(Hermann) Hesse
(lettre) un S°

O.A.S.°

la/il **baisse**

Je suis ce mur que depuis deux cents ans **caresse**
L'ombre des saules anciens, l'ombre sans surprises.

Temps qui ***passe***, jours lointains, banale **détresse** !
Mouvements trop connus des branches dans les brises.

Ce n'est plus de l'art, ce n'est plus de la **paresse**.
Horreur, horreur ! Profonde horreur ! Mon cœur se brise.
……

ESSE-ES°

il (s') **abaisse**
(pâte) une abaisse
(religieuse) une abbesse
Gabès°
bouillabaisse
il **rabaisse**
tabès°
il rebaisse
Barbès°
il surbaisse

(coffre) une **caisse**
(pareil, arg.)
c'est du kès°/quès°
qu'est-ce?
(il boite, rég.) il baquesse
pataquès°
une/il encaisse
il rencaisse
il décaisse
les Tcherkesses
tiroir-caisse

être H.S.°
richesse
grande-/**duchesse**
archiduchesse

Dèce
Hadès°
grandesse
Édesse
(prénom) Mercedes°
(auto, n. dép.) une Mercedes°
morbidesse
druidesse
(Catulle) Mendès°
(Antoine) Fualdès°
(élégant) un cocodès°
rudesse

déesse
P.S.°

C.E.S.°

(ville) Fès°
(selles) des fèces
(cul) il/une **fesse**
il s'**affaisse**
tire-fesses
(bal, arg.) un pince-fesses
(religieux)
(un/e) profès°/professe
il professe
à/il **confesse**
terfès°/terfesse

gesse
sagesse
sauvagesse
Végèce
Gygès°
(guenon) singesse
largesse
aspergès°
(Jorge Luis) Borges°
(Anthony) Burgess°
Agnès°

ivrognesse
(borgne) borgnesse

hardiesse
Sieyès°
vieillesse
liesse
(Georges) Méliès°
joliesse
arrière-/nièce
arrière-/petite-nièce
(théâtre) une **pièce**
(monnaie) une pièce
(morceaux) en **pièces**
costume trois-pièces
il rapièce
(Antoni) Tàpies°
deux-pièces
un/à l'emporte-pièce
demi-pièce
il **acquiesce**
(Philippe) Ariès°
faciès°
gentillesse

il **laisse**
(lien) en/une **laisse**
(couplet) une laisse
(bords de mer) une laisse
Alès°
il coalesce
(Cristobal de) Morales°
(Luis de) Morales°
Thalès°
(Jules) Vallès°
il **blesse**
diablesse
faiblesse
noblesse
Héraclès°
Périclès°
Mnésiclès°
Horatius Coclès°
épée de Damoclès°
Androclès°
il **délaisse**
Méphistophélès°
pneu tubeless°
Los Angeles°
Argelès°
(Roland) Dorgelès°
il se relaisse
bufflesse
sot-l'y-laisse
mollesse
drôlesse
(candeur niaise) simplesse
topless°
souplesse
hammerless°

(cantine) un mess°
(rite) la **messe**
(ville) Metz°
Ahmès°
grand-messe
(ergotages, Belg.) des
quéquesses et mémesses
O.M.S.°

Soleil si lent, si blanc sur la muraille grise
Personne ! qu'un ivrogne y dorme son **ivresse**

Au moins, sous ce vieux mur si seul, – qu'une **pauvresse**
Y meure au moins de faim par quelque nuit de bise.

Joyeuses pierres des tombeaux et des églises !
Les calmes ossements vous content leurs **tristesses**

Défuntes, leurs amours, leurs crimes, leurs remords…

O. V. de L. Milosz, « Bachiques » I,
Les Sept Solitudes in *Poésies.* I

Le printemps
Sagesse
Le toit blanc
S'**abaisse**
Tous les autres rangs
Dans l'or qui les **presse**
Un nom en passant
Est-ce la **détresse**
Les plis du tournant
Une autre **maîtresse**
Sur le même champ
La fleur d'**allégresse**
À tous les penchants
Le soleil en **tresses**
Cet arbre inquiétant
Quand la nuit s'**empresse**
Entre les montants
Du décor qu'elle **laisse**

Pierre Reverdy, « Les Buissons blancs »,
Main-d'œuvre

Hé va-t'en voir le temps **presse**
Il n'y a pas un mot d'amant
Bien qu'on l'ait répété **sans cesse**
De **hardiesse** en **gentillesse**
Qui ne s'envole avec le vent
[…]
Retenez bien triste **allégresse**
Le mot d'amour dans le vent
Je suis nue comme la **tristesse**
Et très tendre **scélératesse**
J'ai trop aimé pour le moment

Jacques Baron, « Lumière d'août 1954 »,
L'Imitation sentimentale in *L'Allure poétique*

Pourquoi fait-on que des folies en la **jeunesse** ?
Et pourquoi piller les joies et les bons moments ?
S'il n'est trésor, dit-on, que de vivre à son ***aise***,
Au détour il y a la rançon du tourment.

Raymond Lévesque, « La folle jeunesse »,
Chansons in *Quand les hommes vivront d'amour…*

Je sens qu'une me frôle, et qu'une me ***repousse***,
Et qu'une autre m'***enlace*** ;
Ma main qui s'habitue aux ténèbres **caresse**
La peau d'échines ***lisses***.

Jules Romains, *Un être en marche.* V

❒ 121.13 [Vian (2 ex.)] ; 244.9 [Ronsard] ; 333.18 [Anonyme]
321 [Norge] ; 525 [Prévert]

ESSE-ES°

limes°
promesse
(dieu) Hermès°
(buste) un hermès°
(puceron) un chermès°
(chêne) un kermès°
(fête) une **kermesse**
alkermès°
Thoutmès°

qu'il **naisse**
n'est-ce?
ânesse
Manès°
(religieuse, péj.) moinesse
chanoinesse
vanesse
C.N.E.S.°
Meknès°
loch Ness°
droit d'**aînesse**
(pharaon) Ménès°
(femme, arg.) ménesse
Eumenês°
(femme, arg.) nénesse
saint Genès°
la **jeunesse**
qu'il **renaisse**
gneiss°
Inès°
finesse
qu'il mé/**re/connaisse**
diaconesse
faunesse
Garges-lès-/Gonesse
(voleuse) larronnesse
dame patronnesse
clownesse
bizness°/business°
show-business°
(Louis de) Funès°

un/e O.S.°
(philosophe) Boèce
(outil) une boësse
aloès°
Averroès°
Chosroês°
S.O.S.°
kakatoès°/cacatoès°

prouesse

(paître) qu'il paisse
(herbe d'eau) une pesse
C.A.P.E.S.°
papesse
épaisse
il **dépèce**
qu'il repaisse
typesse
herpès°
speiss°
sous-/**espèce**
(faillite, Suisse)
faire la cupesse

Arès°
(Maurice) Barrès°
il/une CARESSE
(général) Charès°
étang de Vaccarès°
Léocharès°
des soleares°
dogaresse
(arrêté, arg.) emballarès°
(fermé, arg.) bouclarès°
palmarès°
le Manzanares°
Bénarès°
il/la **paresse**
(+ comp.)
(paraître) qu'il **paraisse**
(fauché, arg.) couparès°
(Adolfo) Bioy Casares°
(ivre, arg.) défonçarès°
Antarès°
(André) Suarès°
comte-duc d'Olivares°
(Francisco) Alvares°
la Bresse
Bourg-en-Bresse
il **dresse**
(domicile) il/une **adresse**
(habileté) l'**adresse**
maladresse
(ranger, arg.) la/il endresse
(bru, rég.) gendresse
tendresse
il **redresse**
(un dur, arg.) à la redresse
battle-dress°
londrès°
le Menderes°
C.R.S.°
mairesse

C.N.R.S.°
pairesse
(ville) Jerez°
(vin) du jerez°
Cérès°
Cambacérès°
xérès°
il **intéresse**
il (se) désintéresse
notairesse
Verrès°
pécheresse
sécheresse
défenderesse
demanderesse
venderesse
guinderesse
vengeresse
(pitre) singeresse
quakeresse
bailleresse
charmeresse
panneresse
devineresse
serait-ce?
chasseresse
enchanteresse
forteresse
stratoforteresse
superforteresse
(gloutonne) piffresse
la Sofres°
(gras) il/la **graisse**
(pays) la **Grèce**
il agresse
il r/engraisse
il dégraisse
allégresse
négresse
il régresse
tigresse
ogresse
il **progresse**
bougresse
il transgresse
les/l'Aurès°
des conquistadores°
(Jean) Jaurès°
faire florès°
Dolorès°
doctoresse
(journaux) la **presse**
(foule) la presse

(il serre) il **presse**
(hâte) la/il (se) **presse**
il s'**empresse**
il **oppresse**
(pansement)
une compresse
(il serre) il compresse
il décompresse
(lettre) un exprès°
(formel/le)
exprès°/expresse
un (train) express°
un (café) express°
il/une **tresse**
mulâtresse
ad patres°
détresse
(maison ; école)
maîtresse
(amante) **maîtresse**
contremaîtresse
petite-maîtresse
sous-maîtresse
prêtresse
traîtresse
peintresse
le stress°
il stresse°
ivresse
pauvresse

(il finit) il **cesse**
(toujours) **sans cesse**
bassesse
S.S.°
U.R.S.S.°
Suissesse
princesse
Ramsès
grossesse
Narsès°
Xerxès°
Artaxerxès°

bonzesse
gonzesse
Uzès°

Phraatès
délicatesse
indélicatesse
étroitesse
scélératesse

Teutatès
(tournée, arg.)
un quand-est-ce?
Cervantès
sirventès
était-ce?
prophétesse
tagetes
poétesse
bretesse
politesse
impolitesse
périthèce
petitesse
vitesse
casse-vitesse
survitesse
népenthès
altesse
sveltesse
(Carlos) Fuentès
(titre) sa Hautesse
(hôte) une **hôtesse**
comtesse
vicomtesse
Orthez
(parlement) les cortès
(conquistador) Cortès
prestesse
tristesse
robustesse
justesse
Lutèce
(plante) une vesce
(pet) il/une vesse
le Devès
edelweiss

assonances
199. ÈSE
125. ÈCHE
211. EX-E

contre-assonances
71. AS-SE
321. IS-SE
423. OS-SE
525. OUS-SE

202. ESTE-EST°

CÉLESTE
RESTE

(orient)l l'**Est°/est°**
(estonien) l'este
(il poursuit) il este
(ville) Este
(famille ; villa d') Este
(bête, arch.) une beste
(fruit) le sébeste

asbeste
(c'est-à-dire) id est°
modeste
immodeste
le Nordeste
(le) sud-est°
(évident) être **manifeste**
(proclamation) un manifeste
(il [se] révèle)
il (se) manifeste
(il défile) il **manifeste**
il contre-manifeste

Cette source de mort, cette homicide **peste**,
Ce péché, dont l'enfer a le monde infecté,
M'a laissé, pour tout être, un bruit d'avoir été,
Et je suis de moi-même une image **funeste**.

L'Auteur de l'univers, le Monarque **céleste**
S'était rendu visible en ma seule beauté ;
Ce vieux titre d'honneur qu'autrefois j'ai porté,
Et que je porte encore, est tout ce qui me **reste**.

Jean Ogier de Gombauld, « Cette source de mort… », *Poésies*

☞

ESTE-EST°

il **infeste**
(mouvement) un **geste**
une (chanson de) geste
l'Almageste
Ségeste
(condensé) un digest°
(code) un digeste
(digestible) être digeste
indigeste
(Gestapo, arg.) la Gest°
Trieste
sieste
Thyeste
(poids) du **lest°**
(il charge) il leste
(agile) être **leste**
il déleste
être CÉLESTE
(prénom) Céleste
il **moleste**
dermeste
Préneste
la Grande Neste
(honnête, arch.) honneste
il admoneste
Ernest°
funeste
l'**Ouest°/ouest°**
le Midwest°
(le) sud-ouest°
le Middle West°
le Far West°
(le) nord-ouest°
passage du Nord-Ouest°
(maladie) la **peste**
(il fulmine) il peste
Budapest°
anapeste
il **empeste**

(irritation) malepeste!
un/il RESTE
Bucarest°
Brest°
paris-brest°
le mont Everest°
agreste
Oreste
(d'ailleurs) au reste
(le) nord-est°
passage du Nord-Est°
(Georges) Fourest°
(prompt) être **preste**
(effectue, Belg.) il preste
bupreste
du reste
ceste
inceste
(mythologie) Alceste
(Molière) Alceste
(un) palimpseste
entre le zist et le zest°
(écorce) un **zeste**
(enveloppe) un test°
(épreuve) un test°
(il contrôle) il teste
(testament) il teste
(tête, arch.) une teste
il **atteste**
(bagarre, rég.) une bateste
il **déteste**
baby-test°
(n. dép.) alco(o)test°
éthylotest°
il **proteste**
il conteste
sans conteste
veste
soubreveste

assonances
205. ÈTE
201. ESSE
203. ESTRE
194. ERTE

contre-assonances
72. ASTE
322. ISTE
424. OSTE
584. USTE

Nous nous serrions, hagards, en silencieux **gestes**,
Aux flamboyants juins d'or, pleins de relents, lassés,
Et tels, rêvassions-nous, longuement enlacés,
Par les grands soirs tombés, triomphalement **prestes**.

Debout au perron gris, clair-obscuré d'**agrestes**
Arbres évaporant des parfums opiacés,
Et d'où l'on constatait des marbres déplacés,
Gisant en leur orgueil de massives **siestes**.

Émile Nelligan, « Sous les faunes »,
Poésies complètes

Je te suis du regard, lubrique comme un singe,
Ivre comme un ballon sans **lest**.
Ton âme incertaine de Sphinge
Flotte entre le ***zist*** et le **zest**.
Et je ***halette*** vers l'amorce
Des seins vibrants, du souple torse
Où la grâce épouse la force,
Et des yeux verts comme l'**ouest**.

Renée Vivien, « L'Amour borgne »,
À l'heure des mains jointes

Ah ! ***Colette***, ***Colette*** !
Que la vie est **agreste** !
Et que mon cœur est **leste**
Et que l'Enfer est loin !
(Madame la Baronne se signe en un grand **geste**)

Ite missa **est**.*

René de Obaldia, « Les cuisses de Colette »,
Innocentines

* Allez, la messe est dite

Si t'avais été plus **modeste**
T'aurais dit qu' ta mère elle est ***modiste***
Et que ton papa **l'empeste**
Parce qu'il est ***lampiste***

Boby Lapointe, « T'a pas, t'as pas tout dit »,
Intégrale

❒ 91.3 [Verlaine] ; 535.6 [Le May]
203 [Queneau] ; 212 [Blavier] ; 526 [Prévert]

203. ESTRE

TERRESTRE

œstre
pédestre
Guillestre
palestre
(officier; mât) un meistre/mestre
(Joseph/Xavier) de Maistre
webmestre
vaguemestre
semestre
bourgmestre
bimestre
trimestre
(la) **sénestre/senestre**
il (se) défenestre
Clytemnestre

Serais-je une âme sous **séquestre**,
un corps qui n'admet pas de corps ?
je **défenestre**
l'***être*** en moi qui survit à mon remords.

Alain Bosquet, « Sous scellés »,
Stances in *Un jour après la vie*

Albâtre apôtre arbitre **alpestre**
dans l'*âtre* un *autre pitre* ***reste***

Raymond Queneau, « Cohérences courtes »,
Poèmes inédits

☞

ESTRE

Hypermnestre
alpestre
rupestre
équestre
un/sous/il **séquestre**
il/un **orchestre**
il réorchestre
homme-orchestre
TERRESTRE
supraterrestre
(un/e) **extraterrestre**
circumterrestre
aéroterrestre
(Armand) Silvestre
(Israël) Silvestre
(forestier) **sylvestre**
saint Sylvestre
(31 décembre)
la **Saint-Sylvestre**
(Émile) Souvestre
(Pierre) Souvestre

les trente trompettes sur le crâne du mort
lui font pousser poils par leur cornet en or
la harpe en haute position **équestre**
viole quatre corps avec l'**orchestre**
en accompagnement de cor
poussant en chasse Médor
qui dort comme un **orchestre**
d'un sommeil **terrestre**
d'un sommeil d'or
dans ldécor
d'**orchestre**
mort
funestre
mes remords
debout Médor
la chasse à l'**orchestre**
va sois grand sois **pédestre**
va sois aussi grand qu'Hector
vazi à tous fais-leur du tort
tu t'appelles Médor chien **terrestre**
monte fort toujours plus fort à l'**orchestre**
plonge dans l'arène où tu feras le mort
toi tu es le taureau il est toréador.

Pierre-Louis Péclat, « Les trente trompettes… »,
Midi, un Caméléon

On le traîne au supplice, on coupe sa main ***dextre***
Il la porte à la bouche avec sa main **senestre**,
La baise ; l'autre poing lui est coupé soudain,
Il met la bouche à bas et baise l'autre main.

Agrippa d'Aubigné, « Les Feux »,
Les Tragiques. Livre IV, v. 309-312

Ce qui nous attendait au carrefour **sylvestre**,
C'était la même paix qu'un vieux temps a connue.
Mais déjà se formaient les flocons du ***désastre***,
Et des éclairs muets s'aiguisaient dans la nue.

Jules Romains,
Pierres levées. XXVIII

assonances	*contre-assonances*
202. ESTE	*73. ASTRE*
205. ÈTRE	*323. ISTRE*
131. ECTRE	*585. USTRE*
213. EXTRE	*425. OSTRE*

❐

204. ETCH°-ETCHE

(pouah!, Belg.) bêtch!°
(voilier) un ketch°
(gamin, Belg.) un ketje
sketch°
glacier d'Aletsch°
(vaurien, Alg.)
un salaouètche
quetsche
(n. dép.) stretch°

Il y avait les ***corvettes***
Il y avait les **ketchs**

Xavier Grall, « Deuxième chant »,
Genèse et derniers poèmes

Ah, ça, c'est bon,
la bite à cul du ***derch'***
des ***brèches***
dans le ratio
des **sketches**…

Claude Minière, « Figures libres »,
Difficulté passagère, p. 16

assonances	*contre-assonances*
125. ÈCHE-ECH	*74. ATCH-E*
179. ERCHE	*324. ITCH-E*
205. ÈTE-ET	*426. OTCH-E*
127. ECHT	

❐

205. ÈTE-ET°

BÊTE
FÊTE
POÈTE
TÊTE

circaète
Gaète
gypaète
uraète

être/une BÊTE
(plante) une bette
(prénom) Babette
(bavarde, rég.) elle babette
le Lycabette
(un/e) alphabète
(un/e) **analphabète**
diabète
(croc-en-jambe, rég.)
une trabette
Élisabeth°
il **embête**
gambette
jambette
Macbeth°
il **hébète**
une/être bébête
(méchant) une malebête
pense-bête
(abribus, rég.) une aubette
(sotte, Suisse) bobette
(truie, rég.) mère gobette
zérumbet°
chienne barbette
(plateforme)
une barbette
herbette
courbette

(il acquiert) il **achète**
(hache) une hachette
éditions Hachette
Jeanne Hachette
(cache) une/en **cachette**
(il scelle) il cachette
il décachette
il recachette
gâchette
machette
il (se) **rachète**
il tachette
vachette
Fanchette
Blanchette
(loquet) clenchette
planchette
(bouton) de **manchette**
branchette
fléchette
pêchette
épeichette
(Louis-Honoré) Fréchette
bichette
barbichette
(chêne, rég.) chichette
affichette
lichette

(diarrhée, rég.) déclichette
(prostituée, arg.) michette
larmichette
(Henri) Pichette
fauchette
clochette
épinochette
pochette
brochette
il crochète
(bouche) bouchette
couchette
train autos-couchettes
(il marque) il mouchette
(ciseaux) des mouchettes
émouchette
il démouchette
souchette
touchette
fourchette
bûchette
(fête, Can.) épluchette

dette
(une) **cadette**
Bernadette
il (s')endette
grandette
il se désendette
vedette
asyndète
Odette
(femme légère) cocodette
Claudette
monts des Sudètes
studette

en/de/au **fait**°
bien/mal **faite**
(sommet) un **faîte**
(faire) vous **faites**
(festivités) il/une FÊTE
estafette
il r/enfaîte
(échec) une **défaite**
(abattue) être **défaite**
stupéfaite
sous-/préfète
trouble-fête
refaite
sur ces entrefaites
contrefaite
(prise de drogue, arg.)
sniffette
nymphette
mofette
prophète
bouffette
mou(f)fette
sous-faîte
parfaite
imparfaite
surfaite
satisfaite
insatisfaite
suffète

(peuple) les Gètes
(il balance) il **jette**

Soyez bon pour le **Poète**,
Le plus doux des animaux,
Nous prêtant son cœur, sa **tête**,
Incorporant tous nos maux,
Il se fait notre jumeau ;
Au désert de l'**épithète**,
Il ***précède*** les **prophètes**
Sur son douloureux chameau ;
Il ***fréquente***, très **honnête**,
La misère et ses tombeaux,
Donnant pour nous, bonne **bête**,
Son pauvre corps aux corbeaux ;
Il traduit en langue **nette**
Nos infinitésimaux,
Ah ! donnons-lui, pour sa **fête**,
La **casquette** d'**interprête** !

Jules Supervielle, « Soyez bon pour le Poète… »,
L'Escalier

Toi qui planes avec l'Albatros des **tempêtes**,
Et qui t'assieds sur les casques-à-mèche **honnêtes** !
SOMMEIL ! – Oreiller blanc des vierges assez **bêtes** !
Et Soupape à secret des vierges assez **faites** !
– Moelleux Matelas de l'échine en **arête** !
Sac noir où les chassés s'en vont cacher leur **tête** !
Rôdeur de boulevard extérieur ! **Proxénète** !
Pays où le muet se réveille **prophète !**
Césure du vers long, et Rime de **poète** !

Tristan Corbière, « Litanie du sommeil »,
Les Amours jaunes

L'araignée à moustaches
Porte de belles **lunettes**
Et joue de la **clarinette**
Du tambour de la **trompette**
Et chante d'une voix **nette**
Fait le jour maintes **pirouettes**
Toute la nuit fait la **fête**
Et charme les grosses **bêtes**

Robert Desnos, « L'araignée à moustaches »,
Destinée arbitraire

Le camarade seigle, comme il a su pousser !
Mon père prend son temps derrière la **charrette**,
Cherche à terre ses mots, butte et me dit : « Tu sais,
« J'apprends à lire maintenant que te voilà **poète** ! »
Mais ma jument, pas fière, me salue de biais !

Pour peupler d'airs humains l'épouvantail ***inerte***
De la Beauté, j'ai dû ravir de l'étoffe à mes ***gestes***
Et moi, les oiseaux noirs m'ont rompu ***motte*** à ***motte*** ;
Une fourmilière d'instants rongeurs recouvre et ***gratte***
Le dernier souvenir où je posais ma **tête**.

Armand Robin, « Mort d'un arbre » III,
Ma vie sans moi

À Thalie une **moulinette**,
À Polymnie une **épinette**,
Un sourire en coin aux héros ;
Pour le sphinx une **devinette**,
Des chemins pour ma **trotinette**,
À la paresse un albatros.
[…]
……

ÈTE-ET

cagette
suffragette
sagette
les Massagètes
Apollon musagète
tagette/tagète
vendangette
phalangette
orangette
mésangette
jet°
gadget°
jumbo-jet°
il budgète
il déjette
un/e **exégète**
il **végète**
il **rejette**
dieu indigète
(année, arg.) pigette
tigette
le Taygète
logette
il **projette**
targette
sergette
il interjette
vergette
il forjette
Georgette
courgette
il surjette
être/une **sujette**

des **castagnettes**
guignette
(cache-cache, rég.) clignette
(mauviette, rég.) grignette
(gravure) une **vignette**
(photographie) il vignette
lorgnette

(menuiserie)
une guète/guette
(tour de guet)
une guète/guette
(il épie) il **guette**
baguette
braguette
languette
il béguète
(effrontée, rég.)
pinéguette
maniguette
(à califourchon, Alg.)
à bourriguette
guinguette
linguette
ringuette
Mistinguett°
starting-gate
échauguette
en **goguette**
longuette
Watergate
Huguette
(il courtise) il muguette
(estomac) caillette

(bavarde) caillette
comtesse de
La Fayette/Lafayette
marquis de Lafayette
(n.dép.) Galeries Lafayette
gaillette
moyette
il/une **paillette**
(braguette) brayette
mitraillette
billette
rubiette
(régime) une **diète**
(assemblée) la diète
layette
balayette
clayette
oreillette
il saiette
œillette
cueillette
(un livre) il **feuillette**
(tonneau) une feuillette
(fille) **fillette**
(bouteille, rég.) fillette
aux/des **oubliettes**
Éliette
joliette
Juliette
miette
Damiette
il émiette
ramasse-miettes
chenillette
(à l'aventure)
à la gribouillette
débarbouillette
(sensible) **douillette**
(robe de chambre)
une douillette
andouillette
(verge) berdouillette
(poche, arg.) fouillette
(pain) mouillette
(fesses, arg.)
des mouillettes
grenouillette
grassouillette
il (se) piète
il **empiète**
il rempiète
paupiette
quiète
il (s')/être **inquiète**
coquillette
des rillettes
ariette
Mariette
sarriette
Henriette
gloriette
historiette
vrillette
assiette
pique-assiette
chauffe-assiette(s)
gentillette
(cordon) une aiguillette
(textile) il aiguillette

À la bêtise une **sonnette**,
Au temps, du sable et du ***granite***,
Des lueurs aux rhinocéros ;
À l'escamoteur, des ***menottes***,
Au bavard un oiseau ***mainate***,
À l'impatient une ***minute***

À ses amis Georges Perros.

Jacques Réda, « Testament de Georges Perros »,
Premier livre des reconnaissances

❐ 214.2 [Nelligan] ; 244.8 [Richepin] ; 333.17 [Lorrain] ; 258.13 [Brassens]
132 [Thomas ; Verheggen] ; 255 [Fondane]

un viet°
chevillette
mauviette
soviet°
serviette
porte-serviette

(laitance) une laite
(filet!) let!°
(letton) le lette
(un bébé) elle **allaite**
(il souffle) il **halète**
arbalète
sandalette
(gâteau; argent) la **galette**
(technique) il galette
(bavarde, Belg.) ragalette
singalette
Tafilalet°
mallette
(vêtements) la **toilette**
(se laver) il/une toilette
(cabinets) les toilettes
voilette
palette
transpalette
psallette
ta(l)leth°
La Valette
(bavarde, Belg.) canlette
branlette
(trop mûr) **blette**
(plante) une blette
ablette
tablette
gimblette
(vlan!, Belg.) klett!°
raclette
Polyclette
bicyclette
motocyclette
bouclette
sarclette
ailette
il délaite
biellette
brick-/**goélette**
il pellette
être sur la **sellette**

belette
(jeune fille) bachelette
échelette
bandelette
grandelette
odelette
rondelette
verdelette
cordelette
(jeune fille) angelette
vaguelette
(danse, rég.) giguelette
meulette
femmelette
(mets) **omelette**
(peu viril) hommelette
pipelette
squelette
aigrelette
maigrelette
seulette
côtelette
gouttelette
(croûte) croûtelette
tartelette
nivelette
(nouvelle) nouvelette
flette
il **reflète**
(cocaïne, arg.) reniflette
(guerre, arg.) riflette
(bavarde) foflette
gonflette
(sommeil, arg.) ronflette
mouflette
il **soufflette**
(baver, Belg.) il glette
aiglette
réglette
à l'aveuglette
(menue, rég.) minglette
épinglette
(coït, arg.) tringlette
onglette
(n. dép.) mobylette
il filète
tuilette
la Villette
Hamlet°

schibboleth
(prénom) Colette
(écrivain) Colette
(il se bat) il se collette
il décollette
Nicolette
follette
espagnolette
croquignolette
(jeune fille) gigolette
(prénom) Violette
(fleur) une **violette**
(couleur) il/être **violette**
ultraviolette
(molle) mollette
(roulette) il/une molette
mimolette
(prénom) Paulette
(impôt) la paulette
contre-/**épaulette**
escarpolette
Spolète
drôlette
pétrolette
cassolette
obsolète
(mince, Suisse) minçolette
(claie) une volette
(il voltige) il **volette**
sous la/une **houlette**
boulette
(rondelette, rég.) raboulette
ciboulette
goulette
(chétive, rég.) mingoulette
gargoulette
margoulette
poulette
roulette
(culbute, rég.) baroulette
emplette
replète
triplette
simplette
il/être **complète**
incomplète
(omoplates, rég.)
les acouplettes
(culbute, rég.) cuplette

ÈTE-ET°

Arlette
Charlette
starlette
merlette
un/e **athlète**
calculette
pendulette
mulette
amulette

(+comp.) qu'il **mette**
(Dashiell) Hammett°
a/gamète
(grand-mère, rég.) mamette
ramette
(prénom) Guillemette
(guillemets) il guillemette
mont Hymette
limette
(Albert) Calmette
palmette
(astre) une **comète**
(commettre) qu'il commette
gommette
pommette
to(m)mette
fermette
réformette
gourmette
allumette
porte-allumettes
Hadrumète

(filet!) net!°
être **net**°/**nette**
(plante) l'aneth°
(prénom) Annette
bannette
(petite cane) canette
(bouteille) ca(n)nette
(bobine) ca(n)nette
orcanette/orcanète
(prénom) Jeannette
(narcisse) une jeannette
planète
manette
(doucement, rég.)
doucemanette
Nannette
rouannette
Antoinette
Marie-Antoinette
chaînette
(bigote, rég.) ménette
(femme, arg.) nénette
(tête, arg.)
se casser la nénette
(outil) rénette
(grenouille) rainette
(pomme) reinette
(sketch) une saynète
(Mack) Sennet°
un/e **proxénète**
les Zénètes
(peuple) les Vénètes
(brosse) une veinette
pichenette
kitchenette
cadenette

(animal) une genette
(jeune) une jeunette
comprenette
venette
(outil) binette
(tête) binette
bobinette
(snobinarde) snobinette
dînette
pêcher à la dandinette
midinette
blondinette
finette
Ginette
linette
(n.dép.) moulinette
(chétive, rég.) mistoulinette
(chatte ; fille) minette
(minerai, rég.) minette
(luzerne, rég.) minette
(cunnilingus, arg.)
faire minette
(pastis, arg.) mominette
(h)erminette
sapinette
(cage) épinette
(épicéa, Can.) épinette
(musique) **épinette**
crépinette
des clopinettes
(coccinelle, rég.) cacarinette
clarinette
Marinette
(fête, arg.) foirinette
serinette
catherinette
cuisinette
tinette
patinette
satinette
trottinette
devinette
épine-vinette
honnête
bonnette
fourgonnette
mignonnette
sabre-/**baïonnette**
camionnette
marionnette
avionnette
jaunette
malhonnête
talonnette
madelonnette
bercelonnette
colonnette
nonnette
(poney femelle) ponette
(maîtresse arg.) po(n)nette
bergeronnette
argyronète
sonnette
chansonnette
cressonnette
déshonnête
maisonnette
(chansonnette)
une canzonette

savonnette
(sexe de fillette, rég.)
chounette
(pâle, rég.) blanchounette
(fillette, rég.) pitchounette
(vulve, arg.) fou/founette
(radoteur, rég.) tentounette
tristounette
(jolie, rég.) bravounette
Internet°
cornette
des **sornettes**
tournette
dunette
lunette
(une) **brunette**

être/un poëte/POÈTE
isoète

cacah(o)uète
(parler d'Algérie)
le pataouète
boëtte/bouette
(rapace) une **chouette**
(sympa) être **chouette**
(anus, arg.) le chouette
(embrasser, rég.)
il béchouette
(édredon) une couette
(mèches de cheveux)
des **couettes**
(bavarde, rég.)
elle/une bacouette
(zigzag, rég.) biscouette
il **fouette**
serfouette
(joueur, Belg.) (une) jouette
(malin, Alg.) louette
alouette
pied-d'alouette
il/une **silhouette**
(oiseau) une **mouette**
(il a peur, arg.) il mouette
(repoussante, Suisse)
pouette
(klaxon) pouêt!/pouêt!°
(médiocre, arg.)
pouet-pouet°
rouette
marouette
il/une **brouette**
girouette
il/une **pirouette**
il **souhaite**

il **pète**
(il désire) il appète
le C.A.P.E.T.°
(casquette, arg.) gapette
(bavarde, rég.) clapette
(grand-père) un papète
(avare, rég.) un crapette
(petite tape) **tapette**
(homosexuel, arg.) tapette
poudre
d'escampette
(coït, arg.) crampette
faire trempette

il/une **tempête**
népète
(argent, arg.)
des pépettes/pépètes
(frousse, Belg.) la pépette
(derrière, Belg.) le pépette
il **répète**
(fillette, rég.) chipette
galipette
pipette
(vulve, arg.) gri(p)pette
le Pripet°
ça ne vaut pas tripette
centripète
whippet°
(fripes, rég.) requimpette
grimpette
(parfait, arg.) olpette
escopette
(homosexuel, arg.) lopette
salopette
saperlipopette!
topette
pompette
il/un/une **trompette**
houppette
recoupette
entourloupette
(poupée, rég.) poupette
(testicules, arg.)
des roupettes
(courbettes, rég.)
faire des croupettes
(apprentie, arg.)
arpette/arpète
carpette
à perpette/perpète
serpette
il rouspète
jupette
(adjudant, arg.) un adjupète

(recherche)
il/une/en **quête**
(d'un mât) la quête
il **caquette/caquète**
(vêtement) **jaquette**
(de livre) jaquette
la cigogne claquette
(clap) une claquette
danse à claquettes
rouflaquette
plaquette
maquette
il r/empaquette
il dépaquette
(rançon) un racket°
(rançonner) il rackette
(sport ; semelle)
une **raquette**
il craquette
presse-raquette
il/une **enquête**
(siège) une **banquette**
(il festoie) il banquette
(vin) blanquette
(ragoût) blanquette
à la **bonne franquette**
contre-enquête

(Samuel) Beckett°
(picorer)
il bequette/becquette
Thomas Becket°
quéquette
(demande) une **requête**
le chien requête
biquette
il déchiquette
(jeune fille, Alg.) tchiquette
liquette
une/il cliquette
il encliquette
il décliquette
duplicate
(fille, arg.) miquette
(peur, arg.)
avoir les miquettes
(vin médiocre)
une piquette
(raclée) la piquette
(tacheter) il piquette
(pénis, rég.) quiquette
il/une briquette
cricket°
(coquette, rég.) friquette
musiquette
il/une **étiquette**
trinquette
il hoquette
elle/(une) **coquette**
il/une **moquette**
pickpocket°
(dans la poche, arg.)
in the pocket°
(fusée) roquette
(plante) roquette
(prison, Paris)
la Roquette
broquette
(Davy) Crockett°
(boulette) une croquette
lance-roquette(s)
socquette
conquête
reconquête
(pénis, arg.) bistouquette
barquette
il marquette
il parquette
turquette
skate
basket°
casquette
disquette
(prostituée, arg.)
gisquette
frisquette
zu(c)chette

(de poisson) une **arête**
(il retient) il **arrête**
(broche) barrette
(bonnet) barrette
(François de) Charette
(carriole) **charrette**
(canaille, Suisse) charrette
(joufflue, rég.) bouffarette
cigarette

ÈTE-ET°

fume-cigarette
porte-cigarette(s)
(en coude) il jarrette
(jarretière) il jarrette
le Filarète
sarrette/sarrète
Nazareth°
lac de Génésareth°
brette
ambrette
chambrette
celebret°
ombrette
soubrette
(île) la Crète
(faîte) une **crête**
il écrête
il **décrète**
il sécrète
(cachée) **secrète**
(des peaux) il secrète
colcrete
il (se)/être **concrète**
discrète
(une) **indiscrète**
il excrète
sucrette
quadrette
caudrette
poudrette
Pierrette
(peu épais) clairette
(vin) une clairette
Perrette
opérette
supérette
serrette
chaufferette
(bergère ; poésie)
bergerette
gorgerette
(pleurnicharde, rég.)
quignerette
guillerette
il/une/conter **fleurette**
crème fleurette
collerette
meurette
(petite dame, rég.)
damerette
pâquerette
sœurette
percerette
(cargaison) le fret°
(il loue) il frète
(virole) il/une frette
(blason) une frette
il affrète
gaufrette
aigrette
linaigrette
vinaigrette
il **regrette**
(sorcière, rég.) birette
lirette
(yeux, arg.) des mirettes
(cocaïne, arg.) respirette
tirette
(bien, arg.) olret°/olrette

anachorète
majorette
Laurette
(courtisane) une lorette
massorète
castorète
bourrette
courette
(sac, rég.) sacourette
(éveillée, rég.) vigourette
(aimer) une **amourette**
(plante, rég.)
une amourette
(cuisine) des amourettes
(préparée) être **prête**
(il fournit) il **prête**
il (s')**apprête**
il rapprête
proprette
il/un/une **interprète**
(banque) une traite
(esclavage) la traite
(traire) la traite
d'une (seule) traite
(il agit) il **traite**
(retraitement) il retraite
(repli ; abri) une **retraite**
(pension) pré-/retraite
il **maltraite**
il sous-traite
jument fortraite
strette
abstraite
distraite
(café, Suisse) un ristrette
soustraite
extraite
burette
(curetage) il curette
(instrument) une curette
il **furète**
belle lurette
(refrain) turlurette!
murette
surette
voiturette
facturette
œuvrette
(chèvre ; chevreuil)
une chevrette
(met bas)
la chèvre chevrette
(lévrier) en/une levrette
(met bas) la hase levrette
(une) **pauvrette**

(adj. dém.) **cet**°/**cette**
(chiffre) (un) **sept**°
(sport) un **set**°
(de table) un set°
(ville) Sète
(Bible) Seth°
un/e **ascète**
(marteau) une assète
(cagnotte) **cassette**
livre-/mini/vidéo/radio/
magnéto/ cassette
il/une **facette**
placette

massette
(pelle , Belg.) ramassette
Tamanrasset°
(musique) un tacet°
(armure) une tassette
gansette
lancette
Francette
caissette
piécette
la Knesset(h)°
recette
offset°
dix-sept°
eumycète
myxomycète
pissette
Mauricette
mysticète
des cuissettes
pincette
il épincette
rincette
twin-set°
l'ossète
les Ossètes
bossette
chaussette
cossette
fossette
crossette
avocette
(morphine, arg.)
la lili-pioncette
(douce) doucette
(mâche) la doucette
(menottes) des poucettes
(voiture) une poussette
une/il époussette
roussette
garcette
esparcette
le Somerset°
il corsète
le Dorcet°
jet(-)set°
Lucette
sucette

cazette/casette
gazette
mazette!
noisette
casse-noisettes
(croix) une croisette
(Cannes) la Croisette
braisette
pesette
disette
(prénom) Lisette
(maquereau) une lisette
chemisette
anisette
(n.dép.) sanisette
Louisette
faire **risette**
parisette
cerisette
(planche) une frisette

(boucles) des **frisettes**
grisette
nuisette
puisette
épuisette
(enfant tardif, rég.)
une ravisette
l'Alzette
(causerie) une causette
(personnage) Cosette
gosette
Josette
water-closet°
mozette/mosette
(nœud) une rosette
(anus, arg.) la rosette
pierre de Rosette
bronzette
cousette
(rapporteur, Belg.)
une raccusette
fusette
(n.dép.) infusette
vous êtes
(cornemuse) **musette**
(sac) **musette**
(musaraigne, rég.)
musette
amusette
(cache-cache)
cligne-musette
bal-musette

(pot) un têt°
(fleuve) la Têt°
fête du Têt°
la TÊTE
(il suce) il **tète**
(tétin) la tette
(prolétaire grec) un thète
tête-à-tête
(vignette) un en-tête
il (s') **entête**
Épictète
Philoctète
il étête
Zétète
serre-tête
casse-tête
repose-tête
lave-tête
épithète
appui(e)-tête
quintette
nomothète
thesmothète
quartette
(un/e) **esthète**
nu-tête
à tue-tête

luette
aluette
bluette
(étincelle, rég.) belluette
fluette
esperluette
(une) **muette**
(une) sourde-muette

vent de suet°
(maladie) une suette
désuète
statuette

qu'il (se) **vête**
bavette
lavette
il/une clavette
il déclavette
(instrument) navette
(plante) navette
(John) Cassavetes
qu'il dévête
échevette
il bêchevette
qu'il revête
il brevette
crevette
(arbrisseau) une ivette
(prénom) Yvette
divette
fivète
olivette
(Jacques) Rivette
il dé/rivette
(animal) civette
(ciboulette) civette
(un/e) helvète
velvet°
Sylvette
bowette
fauvette
à la sauvette
(met bas)
la louve louvette
jument louvette
bébé-/éprouvette
corvette
(gamine, rég.) morvette
buvette
cuvette
il se duvette

assonances
132. ÈDE-ET
194. ERT-E
202. EST-E
207. ÊTRE

contre-assonances
75. AT-E
325. IT-E
427. OT-E
586. UT-E

206. ETL

Popocatépetl
Citlaltépetl

assonances
205. ÈTE-ET
160. ELT-E
148. ÈLE-LE

contre-assonances
76. ATL
428. OTL

Trop popo (Oh lala!)
Trop poli ***Nononette***
Pour être ho **Popocatepetl**
Honono

René de Obaldia, « Rage de dents »,
Innocentines

❐ *75 [Neuhuys]*

207. ÈTRE

ÊTRE
MAÎTRE
FENÊTRE

(verbe) un ÊTRE
(lieux) les **êtres/aîtres**
(arbre) le **hêtre**
il (se)/une **guêtre**
piètre
(alphabet) une **lettre**
(épître) une **lettre**
(littérature) les lettres
mandat-lettre
mal-être
un gendelettre
des gens de lettres
les **belles-lettres**
contre-lettre
pèse-lettre
carte-lettre
un MAÎTRE
(vers) un mètre
(longueur) il/un **mètre**
(se) **mettre**
décamètre
diamètre
paramètre
tétramètre
un (vers) pentamètre
voltamètre
un (vers) heptamètre
un (vers) **hexamètre**
il emmètre
machmètre
parcmètre
ré/admettre
émettre
(destituer) démettre
(se luxer) se démettre
premier-maître
quartier-maître
télémètre
ondemètre
(Frédérick) Lemaître
remettre
ampèremètre
s'entremettre
contremaître
fréquencemètre

posemètre
tachymètre
acidimètre
applaudimètre
audimètre
éclimètre
millimètre
planimètre
saccharimètre
périmètre
calorimètre
colorimètre
trimètre
densimètre
décimètre
lucimètre
taximètre
dosimètre
bathymètre
centimètre
petit-maître
altimètre
multimètre
gravimètre
curvimètre
omettre
commettre
alcoomètre
endomètre
odomètre
podomètre
tachéomètre
un/e **géomètre**
oléomètre
rhéomètre
aréomètre
graphomètre
au **pifomètre**
lignomètre
ergomètre
radiomètre
eudiomètre
audiomètre
radio/goniomètre
(...à zéro : peur, arg.)
le trouillomètre
variomètre
tensiomètre
potentiomètre
fluviomètre
pluviomètre
éthylomètre
il/un **kilomètre**
bolomètre
dynamomètre
anémomètre

Yeux, lacs avec ma simple ivresse de **renaître**
Autre que l'histrion qui du geste évoquais
Comme plume la suie ignoble des quinquets,
J'ai troué dans le mur de toile une **fenêtre**.

De ma jambe et des bras limpide nageur **traître**,
À bonds multipliés, reniant le mauvais
Hamlet ! c'est comme si dans l'onde j'innovais
Mille sépulcres pour y vierge **disparaître**.

Stéphane Mallarmé, « Le Pitre châtié »,
Poésies

Je veux courir en ***Bièvre*** et je boucle mes **guêtres**
Mais, quand je poursuivrai l'ase ou la perdrix grise,
Viendrez-vous pas ici chasser la Peine, assise
Au seuil empoussiéré de la maison sans **maîtres** ?

Je vous réserverai – vous connaissez les **aîtres** –
Cette chambre carrée où vous plaît une frise
Multipliant la nymphe hostile à l'entreprise
– Où le rosier grimpant a cerné la **fenêtre**.

Jean Pellerin, « Sonnet : Je veux courir en Bièvre »,
Le Bouquet inutile

Je marche au **pifomètre**
Je vais sans foi ni **maître**
Sans loi, sans **chronomètre**
Je ne porte ni gants ni **guêtres.**

D'un petit air **champêtre**
j'***entre*** par cent mille **fenêtres.**

Andrée Chedid, « Le pifomètre »,
Fêtes et lubies

J'aime juin tes jardins jaunes
tes creux marins dans le **salpêtre**
tes ***trompettes*** de romarin
tes marins qui vont à la **paître**
tes **prêtres** doux tes loups romains
et ta paix où les mains s'**empêtrent**

Jean Lescure, « Le Sardinier »,
La Marseillaise bretonne in *Treize poèmes*

J'avais rêvé dormi **peut-être**
vécu à la place d'un ***autre***
moins démuni que moi La ***vitre***
avait été rayée mais l'***âtre***
fumait de cendres passées ***outre***.

Georges Perros, « Venezia »,
Papiers collés, III, p. 228

❐ *194 [Gripari] ; 124 [Guérin]*

ÈTRE

cinémomètre
thermomètre
manomètre
galvanomètre
in/clinomètre
(stupide, arg.)
faire péter le conomètre
un/e écon符omètre
(téléphone ; bouche, arg.)
un déconomètre
monomètre
il/un **chronomètre**
sonomètre
typomètre
baromètre
micromètre
hydromètre
hygromètre
gyromètre
pyromètre
spiromètre
promettre
compromettre
électromètre
spectromètre
uromètre

hypsomètre
gazomètre
piézomètre
pantomètre
lactomètre
galactomètre
hectomètre
magnétomètre
photomètre
potomètre
optomètre
(se) **soumettre**
(de manège)
un sous-maître
permettre
hypermètre
re/transmettre
luxmètre
fluxmètre
wattmètre
voltmètre
vumètre

naître
il **pénètre**
il interpénètre

il/une FENÊTRE
entrefenêtre
contre-fenêtre
porte-fenêtre
renaître
bien-être
connaître
méconnaître
reconnaître
non-être

paître
il (s') empêtre
champêtre
garde-champêtre
il (se) dépêtre
repaître
il impètre
il/du **salpêtre**
(outil préhist.) glossopètre
il perpètre

reître
paraître
ré/apparaître
re/comparaître

transparaître
disparaître
pyrèthre
prêtre
grand(-)prêtre
bonnet-de-prêtre
archiprêtre
(un) **traître**
urètre

un/e **ancêtre**
hospice de **Bicêtre**
Le Kremlin-Bicêtre

mieux-être

peut-être

chevêtre
il (s') e**nchevêtre**

assonance
194. ERT-E
210. ÈVRE
205. ÈTE-E
160. ELT-E

contre-assonance
77. ATRE
327. ITRE
453. AUTRE
528. OUTRE

208. ETS-ATES

stariets
le Donetz/Donets
tchervonets
(n. dép.) le Fouquet's
starets

Tcherepovets
Petrodvorets
le Massachusetts
(États-Unis, angl.)
les/the States°

assonances
205. ÈTE-ET
202. EST-E
201. ES-SE

contre-assonances
78. ATZ
328. ITZ
529. OUTZ

Les Quakers barbus dans les villages tristes du
Massachusetts
Les filles de milliardaires qu'on appelle Barbara ou bien
Margaret
Les séquoias des montagnes rocheuses débités à la dynamite
Rien de tout cela mon enfance et toi où étais-tu où étais-tu ?

Robert Goffin, « Amérique »,
Patrie de la poésie

❐

209. ÈVE-EV

RÊVE

(Bible) **Ève**
cap de la Hève
il (s') **achève**
il parachève
after-shave
il endêve
Lodève
fève
Megève
le Neguev°
Geneviève
abbaye
Sainte-Geneviève
(monnaie) un lev°
(tissage) la lève
il (se) **lève**
mont Salève
il **enlève**
il champlève

(ville) Clèves
la Princesse de Clèves
(éducation) il/un,e **élève**
(il monte) il (s') **élève**
il prélève
il surélève
la/il (se) **relève**
glaive
chevaliers Porte-Glaive
(poisson) un porte-glaive
sacolève
il **soulève**
Genève
il/un RÊVE
(succincte) **brève**
(syllabe) une brève
il embrève
(il éclate) il **crève**
(mort, arg.) il/la crève
(avenue, rég.) une drève
(rivage) une **grève**
(arrêt du travail) faire la grève

Laissez-moi dormir, encore… C'est la **trêve**
pendant de longs combats promise au dormeur ;
je guette dans mon cœur la lune qui se **lève**,
bientôt il ne fera plus si sombre dans mon cœur.

Ô mort provisoire, douceur qui nous **achève**,
mesure de mes cimes, très juste profondeur,
limbes de tout mon sang, et innocence des **sèves**,
dans toi, à sa racine, ma peur même n'est pas peur.

Mon doux seigneur Sommeil, ne faites pas que je **rêve**,
et mêlez en moi mes ris avec mes pleurs ;
laissez-moi diffus, pour que l'interne **Ève**
ne sorte de mon flanc en son hostile ardeur.

Rainer Maria Rilke, « Le Dormeur »,
Tendres impôts à la France. 1. *Vergers*

Est-ce un souvenir, ***est-ce*** un **rêve** ?
L'onde sent un frisson courir
À toute brise qui s'**élève** ;
Mon sein tremblait à tout désir.
……

ÈVE-EV°

(Paris) la (place de) Grève
(il charge) il grève
il dégrève
antigrève
(relâche) sans/une **trêve**

(ville) Trèves
(Maurice) Scève
(des végétaux) la **sève**
parascève
Stève
les Suèves

Est-ce un souvenir, ***est-ce*** un **rêve** ?
Ce souffle ardent qui nous **soulève** ?
[...]
Est-ce un souvenir, ***est-ce*** un **rêve** ?
Ma poitrine est pleine du bruit
Que font les vagues sur la **grève**,
Ma pensée hésite et me fuit.
Est-ce un souvenir, ***est-ce*** un **rêve** ?
Que je commence ou que j'**achève** ?

Guy de Maupassant, « L'Aïeul »,
Des Vers

Rêver un impossible **rêve**
Porter le chagrin des départs
Brûler d'une possible ***fièvre***
Partir où personne ne part

Jacques Brel, « La Quête »,
Œuvre intégrale

Le lac s'est dépouillé des ***rives***
pour vêtir d'écorce ténébreuse
cette liqueur verte des ***neiges***
où les fruits sont des chats qui **rêvent**

Roger Vitrac, « La barrière en feu » III,
Dés-lyre

assonances
210. ÈVRE
197. ERVE
139. ÈGE

contre-assonances
79. AVE
329. IVE
234. EUVE

❒ 121.16 [Desnos] ; 510 [Pichette]
197 [Vielé-Griffin] ; 234 [Claudel] ; 530 [Pirotte]

210. ÈVRE

LÈVRE

chèvre
Desvres
maréchal Lefebvre
orfèvre
l'Yèvre
(castor) un bièvre
(rivière) la Bièvre
fièvre
il **enfièvre**
lièvre
bec-de-lièvre
mièvre
(rivière ; départ.) la Nièvre
genièvre
Guenièvre
la Penthièvre
LÈVRE
balèvre
plèvre
col du mont Genèvre
(il prive) il **sèvre**
(ville) Sèvres
(porcelaine) un **sèvres**
(...Nantaise) la Sèvre
(...Niortaise) la Sèvre
(départ.) Deux-Sèvres

– Il faut m'aimer ! Je suis l'universel Baiser,
Je suis cette ***paupière*** et je suis cette **lèvre**
Dont tu parles, ô cher malade, et cette **fièvre**
Qui t'agite, c'est moi toujours ! Il faut oser

M'aimer ! Oui, mon amour monte sans biaiser
Jusqu'où ne grimpe pas ton ***pauvre*** amour de **chèvre**,
Et t'emportera, comme un aigle vole un **lièvre**,
Vers des serpolets qu'un ciel cher vient arroser !

Paul Verlaine, « Il faut m'aimer... »,
Sagesse II, IV, III.

Princesse ! à jalouser le destin d'une Hébé
Qui poind sur cette tasse au baiser de vos **lèvres**,
J'use mes feux mais n'ai rang discret que d'abbé
Et ne figurerai même nu sur le **Sèvres**.

Comme je ne suis pas ton bichon embarbé,
Ni la pastille ni du rouge, ni Jeux **mièvres**
Et que sur moi je sais ton regard clos tombé,
Blonde dont les coiffeurs divins sont des **orfèvres** !

Stéphane Mallarmé, « Placet futile »,
Poésies

Ces narines d'os et de peau
par où commencent les ***ténèbres***
de l'absolu, et la peinture de ces **lèvres**
que tu fermes comme un rideau

......

210. ÈVRE

Et cet or que te glisse en ***rêve***
la vie qui te dépouille d'os,
et les fleurs de ce regard faux
par où tu rejoins la ***lumière***

Momie…

Antonin Artaud, « Invocation à la momie »,
L'Ombilic des limbes

Comme sa couleur nous ***livre***
L'âme nue sans l'étancher
Dis si tu les connaîs, ces **lèvres**
Qui baisent sans nous toucher !

Paul Claudel, « Hortus conclusus »,
Poésies diverses in *Œuvre poétique*

assonances	*contre-assonances*
209. ÈVE	*80. AVRE*
197. ERVE	*330. IVRE*
124. ÈBRE	*235. EUVRE*
177. ÈRE	*531. OUVRE*

❐ 456.8 [Heredia] : 456.13 [Nelligan]
197 [Cendrars] ; 172 [Astorg]

211. EXE-EX°

RÉFLEXE	**perplexe**
CIRCONFLEXE	(Joseph Fr.) Dupleix°
SEXE	(appartement) un duplex°
	(télécom.) (un) duplex°
	il duplexe
	quadruplex°
(villes) Aix°	culex°
(ex-mari) un ex°	rumex°
cedex°	(secondaire) annexe
(doigt ; table) un **index**°	(dépendance) une annexe
mettre à l'**index**°	(il rattache) il annexe
il dés/indexe	(n. dép.) **kleenex**°
codex°	(n. dép.) Moulinex°
demodex°	connexe
Judex°	apex°
tubifex°	carex°
sphex°	sirex°
pays de Gex°	(n. dép.) pyrex°
(n. dép.) tampon Jex°	(n. dép.) Contrex°
un télex°	(n. dép.) lurex°
il télexe	murex°
(photo) un (appareil) reflex°	SEXE
(réaction) (un) RÉFLEXE	l'Essex°
des cornflakes/ corn-flakes	le Wessex°
(une) rétroflexe	cache-sexe
un/accent CIRCONFLEXE	unisexe
silex°	tex°
scolex°	latex°
(montre, n.dép.) Rolex°	(Pierre) Étaix°
(n. dép.) solex°	(Antoine) Étex°
(verre, n. dép.) triplex°	(n. dép.) télétex°
(appartement) triplex°	décitex°
multiplex°	(n. dép.) vidéotex°
implexe	narthex°
(télégraphie) simplex°	vertex°
(math.) simplexe	cortex°
(compliqué) être **complexe**	vortex°
(inhibé) un/il **complexe**	(n. dép.) lastex°
il décomplexe	il **vexe**
	plan-/bi/**convexe**

assonances	*contre-assonances*
200. ESQUE	*81. AXE*
201. ES-SE	*331. IXE*
212. EXTE	*432. OXE*

Corps à corps Âme d'âmes Ors
Diamants, hymnes, **réflexes**
Pause d'accents **circonflexes**
Et l'encore des encor

Pierre Nothomb, « Libère tes mots Planète… »,
L'Été d'octobre

Mon cœur de **silex**
Vite prend feu
Ton cœur de **pyrex**
Résiste mieux
Je suis bien **perplex**-
E je ne peux
Me résoudre aux adieux
[…]

Sous aucun **prétex**-
Te je ne veux
Devant toi **surex**-
Poser mes yeux
Derrière un **Kleenex**
Je saurai mieux
Comment te dire adieu

Serge Gainsbourg, « Comment te dire adieu »,
Dernières nouvelles des étoiles

La bague au doigt qu'on coupe a roulé sur la planche
« **Lex** dura **lex** – disait Caton (je crois) – sed **lex** ».
Il allait au ciné revoir tous les **Judex** * :
S'occupant d'Amélie, n'aimait pas les dimanches.
[…]
Aubépine et laurier se fanent à nos branches.
Nos experts animés cherchent des tampons **Gex** **
Caton coupant du pain s'était tranché le **sexe** :
il tombe des flocons d'Afrique en avalanche…

Paul Braffort, « L'homme est lie !… »,
Mes Hypertropes in *La Bibliothèque Oulipienne,* vol.1

* film à épisodes de Louis Feuillade.
** (sic) *Jex*

Tu sais que ce voyage au fond n'est qu'un ***prétexte***,
La distance est en toi, le départ n'y fait rien.
L'absence est sur ta bouche et tu n'es à la fin
Qu'un poète sans foi dans un taxi sans **sexe**.

Fernand Imhauser, « Taxi »,
Le Phoque mâle in *Œuvres poétiques complètes*

❐ *173 [Aznavour] ; 81 [Guitry] ; 357 [Roubaud]*

212. EXTE

TEXTE
PRÉTEXTE

sexte
bissexte
TEXTE
télétexte
(allégation)
il/un PRÉTEXTE
une (toge) prétexte
(texte souche) hypotexte
contexte
hypertexte
hors-texte

Je ne sais pas écrire de beaux **textes**
Qu'avec orgueil je verrais publiés.
Ce que j'écris sera vite oublié,
Mais à se taire il n'est pas de **prétexte**.

Mon dictionnaire a peu de rime en **exte**
Et malgré moi je mets au singulier
Un mot pluriel, pour être régulier.
Tout cela c'est affaire de **contexte**.

Claude Ernoult, « Je ne sais pas écrire… »,
Diptyques in *Six sots sonnets et autres textes rimés*

Dans des *Nota bene* je dis mes **hypotextes**
Et ne supporterai qu'on en prenne **prétexte**
Pour voir embrigadés parmi les ***Palimpsestes***
De Genette emmêlant parodie et le ***reste***,
Des écrits que je n'offre, en toute humilité
Qu'à la Femme, à l'Amour, à l'Impostérité.

André Blavier,
Le Mal du pays ou les travaux forc(en)és, [v. 2123-2128]

Mais déjà tu me fuis sans chercher de **prétexte**,
Et je reste rêveur à te voir ouvrager,
Avec une patience inlassable d'***insecte***,
Un coquillage si naïf en sa clarté

Que je doute soudain de ton immensité.

Maurice Carême, « Aurais-tu peur… »,
Mer du Nord

assonances
202. ESTE
130. ECTE
205. ÈTE
213. EXTRE

contre-assonances
332. IXTE
532. OUXTE

❒ *211 [Imhauser]*

213. EXTRE

(main droite, arch.)
la **dextre**
(adroit, arch.) adextre
ambidextre

Celui qui prenait double prix
De ceux qui sous un autre ***maistre***
L'art de la Lyre avait appris,
M'enseigne ce que je dois ***estre***.
Sus donques, oubliez, ma **dextre**,
De cette Lyre les vieux sons,
Afin que vous soyez **adextre**
À sonner plus hautes chansons.

Joachim du Bellay, « La Lyre chrétienne »,
Œuvre de l'invention de l'auteur

L'un tombé à ***senestre*** et l'autre à **dextre** :
Deux figures d'un masque au fronton des nations,
Contexte noir de l'un, pour l'autre nouveau ***texte***…

Paul Dewalhens, « N »,
Abécédaire pour saxophone

Puisque le monde est harmonie
Amour et batailles d'***insectes***,
Rois, sur vos chevaux **ambidextres**
Saluez l'aurore des génies.

Maurice Fombeure, « Le compositeur »,
Arentelles

assonances
212. EXTE
203. ESTRE
131. ECTRE

❒ *131 [Gilbert-Lecomte]*

214.0 É

(avoir) j'ai/aie°/qu'il ait
(être) tu es/il est
(prép.) **et**
eh!
hé!

Quoi ! – **Eh** !
Toi, Oui !
Si **Et**
Fi- Fi
Dèle… D'elle !

Alexandre Flan, « Les brunes aiment les blonds »,
Rhythmes impossibles et Jardin des Racines françaises

Cherche en ton cœur la poésie,
Cherche un voleur sous ton lit, – **et**
Quoi donc, quand tu l'auras saisie ?
Qu'en feras-tu donc, s'il y **est** ?

Robert Mélot du Dy, « Quatrains moraux » dans « Chansons de métier » 18,
Choix de poésies

sous-rimes voisines
214.5 ÉÉ
214.14 OÉ

contre-assonance
121.0 AIT

❐

214.1 AÉ

Pasiphaé
hippophaé
Aglaé
Mahé
Danaé
(Tycho) Brahé

Dansons ! – Et vous, Cinthie, Euphrosine, **Aglaé**,
Versez-nous à pleins flots vos brûlantes rasades ;
Notre patère est vide ; encore, mes Thyades !
Et buvons, et dansons ! – ***Évohé*** ! ***Évohé*** !…

Charles Monselet, « Le Médoc » VIII,
Poésies complètes

Cet heureux temps n'est plus. Tout a changé de face
Depuis que sur ces bords les dieux ont ***envoyé***
La fille de Minos et de **Pasiphaé**.

Jean Racine,
Phèdre, acte I, scène I

sous-rimes voisines
214.14 OÉ
214.10 IÉ

contre-assonance
121.1 AHAIE

❐ *121.1 [Neuhuys]*

214.2 BÉ-BÉE°

TOMBÉ

(lettre) un B
(béer) il bée°
(prêtre) un **abbé**
(de moulin) une abée°
cacaber
livre des Maccabées°
(cadavre, arg.)
un **macchabée**°
(blaguer) gaber
(Louise) Labé
(un) burkinabé
Barnabé
scarabée°
(imbécile, rég.) un tarabé
trabée°
Bethsabée°
bien/mal jambé/e°

une **enjambée**°
enjamber
être **flambé/e**°
une **flambée**°
flamber
Hébé
bébé
pèse-bébé
porte-bébé
(gueule de bois, arg.) G.D.B.
Phœbé/Phébé
K.G.B.
niébé
(baiser, verlan) zéber
Eubée°
bouche bée°
(être oisif, rég.) deuber
(bête, verl.) teubé
(gober, rég.) biber
(ivre, arg.) imbibé/e°

La litière se berce le long du chemin,
Du pas des porteurs las. Deux esclaves **courbées**
Chantent l'amant vainqueur et les pourpres **tombées**,
Et la reine s'évente, une fleur à la main.

Sur ses yeux d'eau brillante, avivés de carmin,
Battent d'un lourd désir les paupières **plombées**.
Sa bouche épèle, au dos sculpté des **scarabées**,
L'impur et cher cartouche armé d'un nom romain.

Pierre Louÿs, « Cléopâtre »,
Iris

Le désir assouvi n'achève pas l'amour
le cœur s'exalte au cri de la chair **retombée**
c'est encor te chérir qu'écouter ses coups sourds
comme au bout d'une course à longues **enjambées**.

……

BÉ-BÉE°

214. É

imbiber
(anus, arg.) un rondibé
(se disputer, rég.) se giber
(punir, rég.) escaliber
talibé
(silence!, arg.) nibé!
inhibé/e°
dés/inhiber
prohibé/é°
prohiber
(frustrer, arg.) ziber
(myth.) Alphésibée°
exhiber
(ennuyer, arg.) tiber
(incarcérer, arg.) enchtiber
regimber
nimber
galbé/é°
galber
les Foulbés
yohimbehe°
cobée°
jacobée°
(railler) dauber
(bâcler, rég.) adauber
gober
engober
Niobé
(travailler, Belg.) jober
(beau, arg.) laubé/e°
(en lobes) lobé/e°
(sport) lober
(flatter, rég.) lober
englober
snober
rober
(gras) enrobé/e°
(granulat) un enrobé
enrober
escalier/porte dérobé/e°
(furtivement) à la **dérobée**°
dérober
(se blottir, rég.) s'agrober
(essayer, Belg.) prober
(baiser, arg.) zober
bombé/e°
bomber
incomber
succomber
plombé/e°
(arme) une plombée°
plomber
aplomber
déplomber
surplomber
(d'un tissu) le tombé

être TOMBÉ/E°
(du jour) la tombée°
tomber
(danse) un retombé
une retombée°
retomber
(bourdonner, rég.)
vomber/zomber
adouber
radouber
(bout, arg.) un loubé
barber
ébarber
(fou, arg.) un/e tcharbé/e°
herber
(botte) une gerbée°
(empiler) gerber
(vomir, arg.) gerber
(condamner, arg.) gerber
(des céréales) engerber
(arrêter, arg.) engerber
enherber
désherber
exacerbé/e°
exacerber
ré/**absorber**
adsorber
résorber
(déranger, rég.) détorber
dés/embourber
débourber
courbé/e°
courber
recourbé/e°
recourber
(tromper) fourber
tourber
turbé
perturber
masturber
sigisbée°
Thisbé
cuber
incuber
jubé
tuber
(duper, arg.) entuber
retuber
tituber

+ verbes en -ber
part. passé masc./fém.
2e pers. pluriel
présent indic., impér.
1e pers. sing.
passé simple

Et toi-même après le voyage à ton retour
contre moi naufragée au chaud d'une **flambée**
n'entends-tu pas ton sang qui retrouve son cours
attentive à ce pouls, yeux clos et **bouche bée**.

Luc Estang, « Sommeil »,
Corps à cœur. XX

Grave en habit luisant, un vieux nègre **courbé**,
Va, vient de tous côtés à pas vifs d'estafette :
Le paon truffé qui fume envoie une bouffette
Du clair plateau d'argent jusqu'au plafond **bombé**.

Le triomphal service, au buffet **dérobé**,
Flambe. Toute la salle en lueur d'or s'est faite ;
À la table massive ils sont là pour la fête,
Tous, depuis le grand oncle au plus petit **bébé**.

Émile Nelligan, « Le Roi du souper »,
Poésies complètes

Le vieil Imâm à turban vert, maigre et **courbé**,
Égrène un chapelet qui glisse sous son pouce,
Et, devant nous, d'un geste très pieux, il pousse,
Silencieusement, la porte **Turbé**.

Henri de Régnier, « La Mouradie »,
Le Médaillier

Les sacristains et les **abbés**
Répètent des cantiques
Pour attirer les **machabé's**
Dans leurs sacré's boutiques

Aristide Bruant, « V'là l'choléra qu'arrive »,
Dans la Rue

Un coup pour a. Deux coups pour **b**.
Le monde bouge. Il va **tomber**.
Trois coups pour c. Quatre pour ***d***.
C'est le moment de ***regarder***.

Jacques Audiberti, « Prison »,
Des Tonnes de semence

Alors, ma probité aurait fait ma fortune.
Mon négoce eût fleuri comme un rayon de lune
sur l'imposante proue de mon vaisseau **bombé**.
J'aurais reçu chez moi les seigneurs de ***Bombay***
qu'eût tentés mon épouse à la belle ***santé***.

Francis Jammes, « Amsterdam »,
Le Deuil des Primevères

Elle me dit monsieur je crois que vous êtes bien **tombé**
À faire du stop la nuit je sens que je me suis **enrhubée**

Pierre Perret, « Le bouillon de canard »,
Chansons de toute une vie

rime normande
177. BER

sous-rime voisine
214.16 PÉ-E

contre-assonance
121.2 BET-BAIE

❒ 210 [Mallarmé]
214.16 [Verlaine]

214.3 CHÉ-CHÉE°

PÉCHÉ

chez

haché/e°
hacher
(camionnette) une bâchée°
bâcher
rabâcher
débâcher
caché/e°
cacher
écacher
(révéler) décacher
fâché/e°
(se) **fâcher**
(s'apaiser) se défâcher
gâcher
lâché/e°
(un) **lâcher**
relâché/e°
relâcher
flasher
re/mâcher
smasher
(bière) un panaché
panaché/e°
panacher
empanaché/e°
empanacher
en/dé/harnacher
gouacher
un/à l'arraché
arracher
portrait craché
(expectorer) **cracher**
(s'écraser) se crasher
(pleuvoir, rég.) dracher
recracher
(insulter, arg.) escracher
(méditer, arg.) excracher
s'amouracher
trachée°
(piétiner, rég.) patracher
(sac) une sachée°
(savoir) **sachez**!
ensacher
Zachée°
(sali) **taché/e°**
(salir) tacher
(essayer) **tâcher**
(lié) **attaché/e°**
(membre) un/e attaché/e°
r/attacher
entacher
(indifférent) **détaché/e°**
(délier) détacher
(nettoyer) détacher
soutacher
vacher
cravacher

(se) hancher
déhanché/e°
se déhancher
(démolir, rég.) dégognancher

(payer, arg.) billancher
(mourir, arg.) calancher
enclencher
déclencher
flancher
(tomber, rég.) écoulancher
(travailler, arg.) plancher
(sol) un **plancher**
r/emmancher
(musique) un démanché
démancher
endimanché/e°
s'**endimancher**
(corner, arg.) cornancher
pencher
épancher
rancher
(à la mode) branché/e°
(allumer) brancher
embrancher
ébrancher
débrancher
(se chamailler, rég.) se tirancher
(séparé) **tranché/e°**
(fossé) une tranchée°
(couper) trancher
(coïter, arg.) trancher
(remarquer, arg.) détrancher
retrancher
étancher
(boire, arg.) pitancher
se revancher
(dormir, arg.) rivancher

aicher/escher
(labourer) bêcher
(snober) bêcher
(dépenser, arg.) décher
(fignolé) léché/e°
lécher
allécher
fléché/e°
flécher
se pourlécher
mécher
éméché/e°
(s') émécher
(faute) un PÉCHÉ
(faillir) pécher
(un poisson) pêcher
(arbre) un **pêcher**
empêché/e°
empêcher
(se) dépêcher
repêcher
(un) **maraîcher**
ébréché/e°
ébrécher
(loger, arg.) crécher
prêcher
sécher
asséncher
dessécher
évêché
archevêché

bicher

– Tu vis, et c'est cela ton radieux **péché** !
Je le sens bien, ta vie est la cible éclatante
Que vise mon angoisse avide et haletante ;
Je rêve d'un désert où ton doux front, **penché**,
Souffrirait avec moi la soif et la famine…
– Ô mon cher diamant, je suis la sombre mine
Qui souhaite garder ton noble éclat **caché** !

Est-ce donc pour mourir que je t'ai **recherché** ?

> Anna de Noailles, « Vous emplissez ma vie »,
> *L'Offrande*

Nul n'entendait gémir l'éternelle victime,
Livrant au monde en vain tout son cœur **épanché** ;
Mais prêt à défaillir et sans force **penché**,
Il appela le *seul* – éveillé dans Solyme :

« Judas ! lui cria-t-il, tu sais ce qu'on m'estime,
Hâte-toi de me vendre, et finis ce **marché** :
Je suis souffrant, ami ! sur la terre **couché**…
Viens ! ô toi qui, du moins, as la force du crime ! »

> Gérard de Nerval, « Le Christ aux Oliviers » IV,
> *Petits Châteaux de Bohême*

Les armes de Jésus c'est sa tête **penchée**,
Son coude, son genou, son épaule **écorchée**,
Son estomac, ses reins, sa hanche **démanchée** ;

Sa barbe, ses cheveux, ses habits **arrachés**,
Sa poitrine, ses bras, ses poignets **attachés**,
Les plus savants ressorts à l'instant **décrochés** ;

C'est dans le vieux Paris la foule **endimanchée**,
Le dimanche matin, c'est la soif **étanchée**,
Au calice d'or pur, la pauvresse **penchée**

Sur une plus pauvresse et c'est l'amour **cachée**
Dans l'âme la plus pauvre et la douleur **couchée**
Dans le lit de tout homme et toute orge **fauchée**…

> Charles Péguy,
> *La Tapisserie de Sainte Geneviève.* VIII, p. 857

La jeune Chèvre **chez** le **Cocher**.
Capricieuse bête éblouissante,
Échevelée et barbe broutante
Dans les prés bleus jusqu'au **coucher**.

Ou bien ses sabots d'ocre sont **accrochés**
Au devant du char pour la montée pour la descente.
Ou bien au divan du chef, indécente,
Elle danse comme un coq sur le **clocher** !

> Gustave Lamarche, « La Chèvre »,
> *Énumérations des étoiles* in *Œuvres poétiques.* II

C'est beaucoup qu'une femme autrefois tant aimée,
Et dont l'amour peut-être encor vous peut **toucher**,
Doive à votre grand cœur ce qu'elle a de plus **cher** *

> Pierre Corneille,
> *Polyeucte,* acte IV, scène V

* rime normande

CHÉ-CHÉE°

214. É

(mettre en fiche) ficher
(planter) ficher
(foutre) (se) ficher
afficher
enficher
se contreficher
aguicher
(boire, arg.) licher
un **cliché**
clicher
(client, arg.) un miché
(Bible) Michée°
godemiché
une **nichée**°
nicher
dénicher
pleurnicher
(pleurnicher, rég.)
mornicher
défricher
(attraper, arg.) agricher
tricher
(mythologie) Psyché
(miroir) une psyché
(âme) la psyché
s'enticher
(exciter, arg.)auticher
pasticher
sandwicher

guincher
(manger) luncher
(molester) lyncher
(épier, arg.) espincher
(voler, arg.) grincher

hocher
(se battre, rég.) se baucher
(tomber, rég.) abocher
embaucher
bambocher
(boîter, rég.) clambocher
r(é)embaucher
ébaucher
(dépravé)
(un/e) **débauché/e**°
(dépraver) débaucher
(licencier) débaucher
rabibocher
(rire, arg.) rigolbocher
(fouler, rég.) chaucher
(conducteur) un **cocher**
(marquer) cocher
(féconder) côcher
encocher
décocher
ricocher
Mardochée°
(sans le sou) fauché/e°
(couper) **faucher**
(voler) faucher
(renflouer, arg.) défaucher
(un) gaucher
(tituber, rég.) guignocher
pignocher
(exciter, rég.) atigocher
(se battre, arg.)
se maillocher
guillocher

piocher
(ricaner, rég.) riocher
(Jean) Brioché
brioché/e°
locher
(embrasser, arg.) galocher
talocher
(être défectueux) clocher
(d'église) un **clocher**
(aller vite, arg.) filocher
(s') effilocher
boulocher
(parler, rég.) parlocher
amocher
nocher
(flâner) flânocher
poché/e°
pocher
r/empocher
(techn.) raucher
(pierre) un **rocher**
(techn.) rocher
enrocher
(tissu) un broché
brocher
embrocher
débrocher
crocher
r/accrocher
décrocher
dérocher
(approximatif)
approché/e°
r/approcher
reprocher
trochée°
(avoir peur, arg.) pétocher
bavocher
une **chevauchée**°
chevaucher
enchevaucher

(amas) une **jonchée**°
(fromage) une jonchée°
(couvrir) **joncher**
(rouspéter, rég.) roncher
broncher
(trébucher, rég.)
s'embroncher
(coïter, arg.) troncher

(fermé) bouché/e°
(morceau)
une **bouchée**°
(fermer) boucher
(François) Boucher
(boucherie) un **boucher**
aboucher
emboucher
(issue) un débouché
(aboutir) déboucher
(ouvrir) déboucher
reboucher
(fouler, rég.) choucher
couché/e°
(se) **coucher**
un **coucher**
une accouchée°
accoucher

…Elle rendit son corps au Dieu des Tubéreuses
Qui fait les Lis béats, les Jacinthes heureuses ;
Et, dans le Nirvânâ des fleurs, alla **chercher**
La Résurrection de rose de sa **chair***.

Robert de Montesquiou, « Odeur de sainteté »,
Les Chauves-souris. CLIII

* rime normande

❐ 5 [Marot] ; 258.21 [Ronsard]
260 [Lamarche] ; 121.3 [Klingsor]

découcher
recoucher
doucher
(Joseph) Fouché
loucher
(se) **moucher**
escarmoucher
effaroucher
(tomber, rég.) déroucher
essoucher
toucher
le toucher
retoucher

(principe de vie)
un/e archée°
(portée d'un arc)
une archée°
(soldat) un **archer**
(contrat ; halle) un **marché**
(aller) **marcher**
démarcher
remarcher
euromarché
bon marché
hypermarché
supermarché
(éparpiller, rég.)
escavarcher
her(s)cher
chercher
recherché/e°
rechercher
(tranchée) une perchée°
(jucher) (se) **percher**
(habiter, arg.) percher
(récupérer, Suisse)
rapercher
revercher
(plisser, rég.) borcher
(statue) un écorché
(sensible) **écorché/e**°
écorcher
porcher
(correction, arg.)
une torchée°
torcher
(retourner la terre, rég.)
revorcher
une fourchée°

fourcher
affourcher
enfourcher

(Che Guevara) le Che
catcher
tchatcher
matcher
smasher
in(-)pace
dispatcher
(s'enivrer, arg.)
s'embourratcher
(sport) scratcher
(quitter la route)
se scratcher
(musique) vivace
(musique) voceratrice
sandwicher
dolce
scotcher
mezza voce
duce

hucher
(engueuler, rég.) ahucher
(sucer, arg.) gamahucher
(travailler) bûcher
(feu) un **bûcher**
rembucher
le débuché/débucher
débucher
trébucher
duché
grand-duché
archiduché
une juchée°
jucher
déjucher
(caresser, arg.) palucher
p(e)luché/e°
p(e)lucher
fanfreluché/e°
fanfrelucher
éplucher
(ruche) un ruché
(production) une ruchée°
(techn.) rucher
(ruches) un rucher

+ verbes en -cher
part. passé masc./fém.
2e pers. pluriel
présent indic., impér.
1e pers. sing.
passé simple

rime normande
177. CHER

sous-rime voisine
214.7 GÉ-E

contre-assonance
121.3 CHET-CHAIE

214.4 DÉ-DÉE°

IDÉE°

(lettre) un D
(à jouer) un **dé**
(à coudre) un dé
(article) des
gambader
saccadé/e°
saccader
(se) **barricader**
cavalcader
cascader
(réussi, arg.) fadé/é°
(partager, arg.) fader
(remplir, arg.) refader
embrigader
taillader
(soigné, arg.) chiadé/e°
(travailler dur, arg.) chiader
(se) **balader**
escalader
pommadé/e°
pommader
(se pavaner) se panader
grenader
estrapader
rader
parader
pétarader
brader
dérader
(un/e) gradé/e°
(de couleur) un dégradé
(une couleur) dégrader
(s'avilir) se **dégrader**
rétrograder
extrader
palissader
torsadé/e°
torsader
saint Thaddée°
dissuader
persuader
(Jean Joseph) Vadé
(un/e) **évadé/e°**
s'**évader**
(blason) bandé/e°
(tendre) **bander**
(en érection) bander
(ôter une bande) débander
(sans érection) débander
(se disperser) se débander
(un) prébendé
scander
marchander
appréhender
(vagabonder, Belg.)
baligander
brigander
dégingandé/e°
(se dandiner)
se dégingander
légender
affriander
(se tuer, arg.) se viander
(tromper, arg.) enviander

achalandé/e°
achalander
(bordel, arg.) un clandé
(glands) une glandée°
(traînasser) glander
(tromper, arg.) englander
(travailloter, rég.) arlander
(bricoler, rég.) berlander
(enjoliver) enguirlander
(demander) mander
(peuples) les Mandés
(s')**amender**
ramender
quémander
demander
redemander
(parler allemand, rég.)
hallemander
réprimander
Saint-Mandé
commander
décommander
télécommander
(poste) un recommandé
recommandé/e°
recommander
gourmander
(travailloter, rég.)
guinander
vilipender
(goûter, rég.) marander
millerandé/e°
rio Grande
transcender
(pourri) faisandé/e°
(pourrir) faisander
(tromper, arg.) faisander
truander
la **Vendée°**
vous vendez
aider
B.D./bédé
scheider
(André, diminutif) Dédé
plaider
Médée°
Amédée°
pédé
exhéréder
s'entraider
(compact-disc, n. dép.) C.D.
céder
abcéder
(maniaque)
un/e obsédé/e°
(hanter) **obséder**
accéder
excéder
succéder
(rudiments) abécédé
décéder
P.G.C.D.
précéder
recéder
(démoniaque)
(un/e) possédé/e°
(détenir) **posséder**
déposséder

J'étais présent comme une odeur,
Comme l'arôme d'une **idée**
Dont ne puisse être **élucidée**
L'insidieuse profondeur !
Et je t'inquiétais, candeur,
Ô chair mollement **décidée**,
Sans que je t'eusse **intimidée**,
À chanceler dans la splendeur !

> Paul Valéry, « Ébauche d'un serpent »,
> *Charmes*

Sous une dune **dénudée**
par un sirocco sans façon
déesse nue sous tes frissons
que choisis-tu   chair ou **idée**

Palais de dix mille **coudées**
peuple blanc d'antiques maisons
choisirez-vous notre saison
et nos errances **saccadées**

> Michel Calonne, « Sous une dune »,
> *Un silex à la mer*

Colonne de saphir, d'arabesques **brodée**
Reparais ! Les ramiers s'envolent de leur nid,
De ton bandeau d'azur à ton pied de granit
Se déroule à longs plis la pourpre de **Judée**.

Si tu vois Bénarès, sur son fleuve **accoudée**,
Détache avec ton arc ton corset d'or bruni
Car je suis le vautour volant sur Patani,
Et de blancs papillons la mer est **inondée**.

> Gérard de Nerval, « À Madame Aguado »,
> *Les Chimères*

L'invisible banquier qui prend notre pécune
À ce tripot du monde est un pipeur de **dés**.
Cependant que, pensifs, sur la table **accoudés**,
Obstinés à boucher sans cesse une lacune,

Nous cherchons une marche et n'en trouvons aucune
Malgré nos yeux rougis et nos crânes **ridés**,
Lui, ramasse jusqu'aux vieux bas que vous **videz**,
Décavés éternels perdant tout sans rancune.

> Jean Richepin, « Banqueroute »,
> *Sonnets amers* [23] in *Les Blasphèmes*

Au milieu d'un cercle parfait de cafés-crème
Madame X écoutait en rêvant **des** poèmes
Et des propos révolutionnaires **et des**
Maquereaux **et des** artistes **et des pédés**

> Roger Vitrac, « Énigme qu'on ne sait sur quel pied danser »,
> *Dés-lyre*

Ah ! puisque je n'ai plus d'**idées**
Seigneur, envoyez-moi la rime
Seigneur, ô par pitié la rime
pour remplacer les **idées** !

> Georges Fourest, « Le nain et le cochon sous le crâne du poète
> *Le Géranium ovipare*

❒

214. É

un **procédé**
procéder
rétrocéder
concéder
intercéder
suédé/e°

C.Q.F.D.

IDÉE°
gadidé
turdidé
(acolyte) (un/e) affidé/e°
(puceron) un aphidé
strigidé
pongidé
guider
téléguidé/e°
téléguider
radioguider
filoguidé/e°
autoguidé/e°
rallidé
valider
invalider
élider
félidé
mustélidé
trochilidé
consolidé/e°
consolider
pyramider
intimider
phasmidé
canidé
ranidé
murénidé
delphinidé
hominidé
falconidé
salmonidé
apidé
lapider
dilapider
trépider
(agité) speedé/e°
(se droguer, arg.)
se speeder
vespidé
équidé
liquider
orchidée°
(flétri) **ridé/e°**
(filet) une ridée°
(rides) **rider**
paridé
bridé/e°
brider
débridé/e°
débrider
hybrider
scombridé
dérider
vipéridé
floridée
sciuridé
muridé
psittacidé
décidé/e°

décider
coïncider
scincidé
ursidé
élucider
muscidé
trucider
(un/e) **suicidé/e°**
se **suicider**
dés/per/sur/**oxyder**
résider
présider
(croire, arch.) cuider
suidé
(fourbu) vidé/e°
vider
r/envider
évider
dévider
bovidé
cervidé
corvidé
transvider

dundée°
guindé/e°
guinder
(char) un blindé
(endurci) blindé/e°
(cuirasser) blinder
re/scinder

la **Chaldée°**
solder

(femme, arg.) une lamdé

(Salvador) Allende
Yaoundé

clabauder
(gâteau) un échaudé
échaudé/e°
échauder
codé/e°
en/dé/trans/coder
(flâner) badauder
inféodé/e°
(s') **inféoder**
échafauder
(brûler, arg.) ri(f)fauder
(plisser) goder
(désirer, arg.) goder
(faire le sot) nigauder
(tromper) trigauder
margauder
iodé/e°
ioder
(h)élodée°
démodé/e°
se démoder
accommoder
raccommoder
incommoder
Asmodée°
(flâner) badauder
baguenauder
(râler, arg.) renauder
minauder

(rodage) roder
(rôdeur) **rôder**
marauder
tarauder
re/**broder**
éroder
déroder
frauder
corroder
(tourmenter, rég.)
(se) bourreauder
(traquer) levrauder
sodé/e°
désodé/e°
hyposodé/e°
(compiler) rhapsoder
courtauder
ravauder
marivauder
galvauder

(moiré) ondé/e°
(averse) une **ondée°**
bondé/e°
(bourrer) bonder
abonder
vagabonder
surabonder
(maison de) Condé
(policier, arg.) un condé
fécondé/e°
féconder
(redondance) redonder
(de pouvoir) un fondé
(justifié) **fondé/e°**
(créer) **fonder**
(+comp.) (fondre)
(vous) fondez
infondé/e°
bien-fondé
(affecté, arg.) profondé/e°
seconder
(un/e) **dévergondé/e°**
se dévergonder
monder
émonder
inondé/e°
inonder
(vous) pondez
(vous) répondez
spondée°
(vous) correspondez
fronder
gronder
(bourdonner, rég.) vronder
(un/e) sondé/e°
sonder
s'exonder
(vous) re/tondez

bouder
(plié) coudé/e°
(mesure) une **coudée°**
(plier) couder
accoudé/e°
s'accouder
des/res/souder

(cuirasser) barder
(se gâter) ça va barder
embardée°
chambarder
débarder
jobarder
bombarder
(tissu) un cardé
cardé/e°
carder
cacarder
placarder
(prendre rendez-vous, arg.)
rencarder/rancarder
(renseigner, arg.)
rencarder/rancarder
brancarder
recarder
bocarder
faucarder
brocarder
se pocharder
boucharder
moucharder
darder
fardé/e°
(grimer) **farder**
(gonfler) farder
cafarder
garder
regarder
s'entre-regarder
sauvegarder
(fainéanter)
s'a/cagnarder
poignarder
(dorloter) mignarder
(débaucher) paillarder
liarder
caviarder
larder
délarder
entrelardé/e°
entrelarder
(cracher, rég.) mollarder
flemmarder
cauchemarder
(se masturber, arg.)
se galimarder
(vagabonder) trimarder
canarder
(railler) goguenarder
(vomir, arg.) renarder
chaparder
léopardé/e°
mansardé/e°
hasardé/e°
hasarder
bazarder
lézardé/e°
lézarder
musarder
tarder
(un/e) attardé/e°
s'**attarder**
(tapage, arg.) pétarder
(incarcérer, arg.)
enchetarder
(un/e) retardé/e°
retarder

bavarder
merder
emmerder
se démerder
(a une belle-mère, arg.)
embellemerdé/e°
(vous) re/perdez
(marine) un bordé
(salve) une bordée°
border
aborder
saborder
déborder
reborder
transborder
(animal) un c(h)ordé
(en cœur) cordé/e°
(alpinisme) une cordée°
(lier) corder
(fiancé) un/e accordé/e°
accorder
raccorder
désaccordé/e°
désaccorder
s'encorder
(se) décorder
(une raquette) recorder
(prévenir, arg.) recorder
proc(h)ordé
concorder
discorder
(vous) dé/re/mordez
(aller et venir, rég.)
givorder
nordé
(vous) dé/re/dis/tordez
(ivre, arg.) ourdé/e°
(s'enivrer, arg.) s'ourder
(technique) hourder
(entendre, arg.)
esgourder
(journée, arg.) un jourdé
(congédier, arg.) lourder
débalourder
(ouvrir une porte, arg.)
délourder

L.S.D.
(en douce, arg.) en lousdé

(Guillaume) Budé
la **Judée°**
(un/e) impaludé/e°
éluder
préluder
dénudé/e°
dénuder
extruder
transsuder
exsuder

......

DÉ-DÉÉ° — 214. É

+ verbes en -der
part. passé masc./fém.
2e pers. pluriel
présent indic., impér
1e pers. sing.
passé simple

+ verbes en -endre
(sauf prendre et comp.)
2e pers. pluriel
présent indic., impér.

rime normande *177. DER*
sous-rime voisine *214.21 TÉ-E*
contre-assonance *121.4 DET-DAI*

214.5 ÉÉ-ÉÉE°

CRÉER

eh! eh!
hé! hé!
béer
(magique) féé/e°
(ensorceler) féer
guéer
(rendre malléable,) malléer
nucléé/e°
énucléer
suppléer
délinéer
capéer
réer
CRÉER
(se) récréer
recréer

(Dieu) l'Incréé
incréé/e°
procréer
gréer
un agréé
agréer
ragréer
dégréer
regréer
maugréer
congréer
toréer

+ verbes en -éer
part. passé masc./fém.
2e pers. pluriel
présent indic., impér.
1e pers. sing.
passé simple

Ainsi l'enfant dormait comme un être **créé**.
Il allait commencer quelle création.
Il plaisait, il était comme un fils **agréé**.
Venu nous proposer quelle imitation.

Cette nacelle était comme un bateau **gréé**.
Nous embarquerons-nous sur cette frêle barque.
Accompagnerons-nous notre premier monarque,
Notre amiral des mers sur son bateau ***paré***.

> Charles Péguy,
> *Ève,* p. 1063

Épouses, mères, que nous sommes,
Laissons ces héros **maugréer**.
Tous ceux qui massacrent les hommes
Ne sont pas dignes d'en **créer**.

> Eugène Pottier, « La grève des femmes »,
> *Œuvres complètes*

Qu'est-ce qu'Orphée et Zoroastre,
Et Christ que Jean vint **suppléer**,
En mêlant la rose avec l'astre,
Auraient voulu pouvoir **créer** ?

> Victor Hugo, « ΨΥΧΗ »,
> *Les Chansons des rues et des bois*

Comme aux sources du monde, aux heures **incréées**
Où dans les calmes eaux palpitaient les desseins
Formidables de Dieu, les mers toujours ***sacrées***
Cachent des univers de rêves dans leur sein.

> Nel Deschamps, « Pénétrons la mer »,
> *La Flamme Secrète*

sous-rimes voisines
214.18 RÉ
214.1 AÉ

contre-assonances
1.6 ÉA
244.4 ÉEUX

❐

214.6 FÉ-FÉE°

FÉE°

une FÉE°
(il ensorcelle) il fée°
(griffer, arg.) baffer
café
pousse-café
pause-café
cybercafé
(n. dép.) nescafé
autodafé

(un poisson) gaffer
(bévue) gaffer
(zieuter) gaffer
(étonner, arg.) égnaffer
piaffer
(souper, arg.) jaffer
s'esclaffer
mafé
nafé
coiffé/e°
coiffer
décoiffé/e°

Sachez que j'ai baisé sa chevelure, un soir,
Préludant aux douceurs d'une nuit **tarifée** !
Pareille aux rayons d'or d'un vivant ostensoir
Elle encadrait si bien sa tête **décoiffée**
Qu'elle a ravi mes yeux ! Ô blonde **ébouriffée**…

Au banquet de l'amour allez donc vous asseoir,
Naïf passant qu'appelle une voix **étouffée** !
Croyez donc aux cheveux qu'on déroule au boudoir !…
Le démon du désir, nocturne **coryphée**,
Guette avec des parfums votre tête **échauffée**…

……

FÉ-FÉE° 214. É

décoiffer
recoiffer
(boire, arg.) soiffer
assoiffé/e°
assoiffer
(injure, arg.) (un) empaffé
(sodomiser, arg.) empaffer
raphé
parafer/parapher
(tuer, arg.) scrafer
agrafer
dégrafer
Santa Fe
staffer
(drogue, arg.) des amphés
fieffé/e°
(baver, Belg.) bleffer
un/e greffé/e°
re/**greffer**
(surveillé, verl.) keufé/e°
bluffer
biffer
se rebiffer
(éclabousser, rég.) cliffer
nifé
(se droguer, arg.) sniffer
ne pas pif(f)er
tarifé/e°
tarifer
(informer) briefer
(manger, arg.) briffer
(marqué) griffé/e°
(égratigner) **griffer**
(mollusque) une gryphée°
s'agriffer
dégriffé/e°
coryphée°
ébouriffé/e°
ébouriffer
(myth.) Typhée°
(s')attifer
(rentrer, arg.) rentiffer
(barbouiller, rég.) empastifer
suiffer
nymphée°
l'Alphée°
(frapper, Alg.) calfer

(femme, arg.) lamfé
chauffer
(épier, arg.) chofer
échauffé/e°
(s')échauffer
du réchauffé
réchauffé/e°
réchauffer
préchauffer
surchauffé/e°
surchauffer
(sodomiser, arg.) en/dauffer
lofer
aulo(f)fée°
(dormir, arg.) schloffer
trophée°
catastrophé/e°
catastropher
apostropher
philosopher
étoffé/e°
étoffer
triompher
(souffle) une **bouffée°**
(gonfler) bouffer
(manger) bouffer
(péter, arg.) lou(f)fer
(se droguer, arg.) se (s)chnou(f)fer
pouffer
(s'essouffler) (s')époufer
esbroufer
à l'étouffée°
étouffer
surfer
Orphée°
Morphée°
(Honoré d') Urfé
(ivresse, arg.) une muffée°
truffé/e°
truffer

+ verbes en -fer part. passé masc./fém. 2e pers. pluriel présent indic., impér. 1e pers. sing. passé simple

rime normande
177. FER

sous-rime voisine
214.23 VÉ-E

contre-assonance
121.6 FET

Chauve à vingt ans ! J'ai fui sans avoir dit bonsoir,
Emportant avec moi les nattes de la **fée** !
Et depuis sa beauté n'a plus de repoussoir.
J'ai suspendu chez moi ce curieux **trophée**,
Muni d'une étiquette avec soin **paraphée** !

> Maurice Mac-Nab, « Ballade de la demoiselle chauve »,
> *Poèmes incongrus*

J'eus vécu l'Idéal. Au paradis des **Fées**
Elle était !… Je ne sais, mais elle avait de tels
Yeux que j'y voyais poindre, aux soirs, de grands castels
Massifs d'orgueil parmi des parcs et des **nymphées**…

> Émile Nelligan, « La Sorella dell'amore »,
> *Poésies complètes*

Pauvre nature **assoiffée**
trop prompte à voir une **fée**
dans une catin **surchauffée**.

> Paul Neuhuys, « Exil »,
> *Septentrion*

C'est l'époque où, tendant sur un mollet bien ***fait***
Un bas rouge et vulgaire,
Des filles en cheveux sirotent au **café**
L'absinthe de leur verre.

> Francis Carco, « Degas »,
> *La Bohème et mon cœur*

Pleure, Victoire ! Où sont tes péans, tes **trophées** ?
Où sont de l'Avenir les hautains messagers,
La lyre qui charmait rameurs et passagers,
Et la sainte Parole, ouvrage des **Orphées** ?

Ils ont banni, Vertu, tes sacrés **coryphées**,
Ils ont tué les dieux, les nymphes, les bergers.
Pleure, Victoire !

> André Mary, « Des Poètes bannis de la République »,
> *Les Rondeaux*. XXIII

Comme ces chevaux, qui après une poursuite,
Se déchirent une veine pour ne pas **étouffer**,
J'offrais au monde mon âme et ma fuite
Vers les temples oubliant les palais de l'**enfer**. *

> Michel Bulteau, « Les lacs d'argent frémissaient… »,
> *Masques et modèles*
>
> * rime normande

Cette femme semblait interroger l'haleine
Des cadavres sanglants épars sur cette plaine,
Elle écartait du doigt leur vêtement de **fer** *
Pour ouvrir leur poitrine et pour la **réchauffer**.

> Alphonse de Lamartine, « Septième vision : Le Prophète »,
> *La Chute d'un ange*
>
> * rime normande

❐ 1.6 [Montesquiou]

214.7 GÉ-GÉE°

ÉTRANGER
LÉGER

(lettre) un G
(la terre, myth.) Gé
(avoir) **j'ai**

âgé/é°
(mener paître) herbager
(éleveur) (un) herbager
pacager
saccager
encager
bocager
péager
gagé/e°
gager
engagé/e°
ré/**engager**
non-engagé/e°
un rengagé
rengager
désengager
dégagé/e°
dégager
voyager
treillager
(bavarder) verbiager
grillagé/e°
grillager
(un) viager
étalager
soulager
ramager
imagé/e°
endommager
dédommager
(fromage) (un) fromager
(arbre) un fromager
(«soulager» un homme, arg.)
défromager
nager
(ménage) ménager
(épargner) **ménager**
ré/aménager
emménager
déménager
électroménager
surnager
un/e affouagé/e°
affouager
([se] coucher, arg.) se pager
tapager
propager
rager
(un/e) enragé/e°
enrager
ombragé/e°
ombrager
dragée°
ne pas dérager
arrérager
(un/e) **naufragé/e°**
naufrager
outragé/e°
outrager
encourager

décourager
fourrager
affourager
ouvragé/e°
ouvrager
(un) **passager**
messager
présager
paysager
envisager
dévisager
(usé) usagé/e°
(utilisateur) un usager
dés/avantager
étager
potager
partagé/e°
dé/re/**partager**
quartager
ennuager
ravager

Angers
é/re/**changer**
inchangé/e°
danger
vendanger
vidanger
langer
phalanger
mélangé/e°
mélanger
(verbe)/(un) **boulanger**
général Boulanger
(le) **manger**
blanc-manger
démanger
garde-manger
remanger
s'entre-manger
louanger
la Pangée°
(sérieux) rangé/e°
(rang) une rangée°
(classer) **ranger**
ré/**arranger**
(hortensia)
une hydrangée°
(Pierre Jean de) Béranger
(rois) Bérenger
(fou) dérangé/e°
déranger
frangé/e°
franger
effranger
grangée°
engranger
(couleur) orangé/e°
(arbre) un **oranger**
(un) ÉTRANGER
essanger
losangé/e°
Tanger
(se) **venger**

(non-gitans, arg.) des gadjé
manager
bridger

Auprès de la fontaine éteinte
Et des odorants **orangers**,
Sous le crépuscule que teinte
L'oubli des rayons **dégagés**
De leurs serments bleus et **légers**
À l'eau de la fontaine éteinte,
Deux prêtres, deux rois, deux **bergers**,
Deux dieux amateurs de **vergers**,
Et deux étranges **étrangers**,
Sous la charmille d'ombre ceinte,
À l'approche de la nuit sainte,
Écoutent le passé qui tinte
Dans l'eau de la fontaine éteinte.

> Robert de Montesquiou, « Rustique »,
> *Les Chauves-souris.* CXXIV

Est-il rien de plus vain qu'un songe **mensonger**,
Un songe **passager**, vagabond, et muable ?
La vie est toutefois au songe comparable,
Au songe vagabond, muable, et **passager**.

Est-il rien de plus vain que l'ombrage **léger**,
L'ombrage remuant, inconstant, et peu stable ?
La vie est toutefois à l'ombrage semblable,
À l'ombrage tremblant sous l'arbre d'un **verger**.

> Jean-Baptiste Chassignet, « Est-il rien de plus vain... »,
> *Le Mépris de la vie et consolation contre la mort.* CCLIII

il n'y a plus d'amandes
les écureuils ont tout **mangé**
et les oiseaux ont **ravagé**
les vignes qui s'étendent
jusqu'au prochain **verger**

le foin sent la lavande
ta gorge chaude l'**oranger**
mes lèvres vont se **mélanger**
à tes lèvres gourmandes
rien ne viendra nous **déranger**

> Georges Moustaki, « Il n'y a plus d'amandes »,
> *En ballades.* 1

Elle est venue enfin, mais Ses yeux sont **changés**,
Ils semblent moins profonds, moins doux, moins **ombragés**,
Sa bouche au lieu de miel verse des **préjugés**.
Ses bras n'exaltent plus mes désirs **mitigés**.

> Armand Godoy,
> *Du Cantique des Cantiques au Chemin de la Croix.* XXIX

Sur quelle terre, **naufragé**,
Pour que paysage ait **changé**,
Pour que destin soit **engagé**,
Que rebelle soit **obligé**
À se reconnaître **protégé** ?

> Marietta Martin, « Le Choix », *Adieu Temps*

Un monde que l'amour, au plus fort du **danger**,
Rendait poignant et beau à se tordre les mains,
À ne plus savoir dans quel bleu se **mélange et**
Renaît l'aurore d'hier ni celle de demain.

> Albert Ayguesparse, « Mon Cœur, t'en souviens-tu ? »,
> *Le Vin noir de Cahors* in *Œuvre poétique*

❐ 333.18 [Montesquiou]
260 [Lamarche] ; 121.7 [Deville]

GÉ-GÉE°

214. É

(roi) Égée°
la mer Égée°
B.C.B.G.
S.G.D.G.
P.-D.G.
(dire des bêtises, rég.)
péguéjer
liégé/e°
piégé/e°
piéger
siéger
(un/e) **assiégé/e°**
assiéger
LÉGER
saint Léger
(Fernand) Léger
alléger
(blaguer, rég.) galéjer
(revenir, arg.) ralléger
(cligner des yeux, rég.)
parpeléjer
chevau-léger
neiger
enneigé/e°
enneiger
déneiger
reneiger
(bécoter, rég.) poutounéjer
(salir, rég.) salo(u)péjer
arpéger
(babiller, rég.) caquéjer
(craquer, rég.) craquéjer
(sommeiller, rég.)
clouquéjer
en/un **abrégé**
abréger
(professeur)
(un/e) agrégé/e°
(associer) (s')agréger
(se) **désagréger**
(s'aggraver) rengréger
ségrégé/e°
(gesticuler, rég.)
brasséjer
(rêvasser, rég.) ravasséger
B.C.G.
(remuer la tête, rég.)
cabousséjer
(péter, rég.) pétéger
(un/e) protégé/e°
sur/**protéger**

(courtiser, rég.) fastéjer
I.V.G.

rédigé/e°
rédiger
figé/e°
(se) dé/**figer**
(un/e) obligé/e°
obliger
désobliger
(un/e) **affligé/e°**
affliger
infliger
(déshabillé) un négligé
(délaissé) **négligé/e°**
négliger
ré/colliger
voliger
fumiger
(mesurer) piger
(comprendre, arg.) piger
épigé/e°
(avoir mal, arg.) aquiger
ériger
périgée°
diriger
un corrigé
re/**corriger**
(fréquenter, rég.) triger
transiger
exiger
(exagérer, arg.) attiger
anti-g
mitigé/e°
mitiger
voltiger
fustiger
léviger

méningé/e°
laryngé/e°
rhino/pharyngé/e°
bringé/e°
singer

Alger

augée°
(s'abriter) se bauger
endogé/e°
(habiter, arg.) pioger

jauger
déjauger
logé/e°
loger
déloger
reloger
un/e mal-logé/e°
horloger
limoger
apogée°
(sous terre) hypogé/e°
(tombeau) un **hypogée°**
Roger
s'arroger
(ruminer, rég.) broger
abroger
(un/e) subrogé/e°
subroger
déroger
interroger
proroger
patauger

congé
longer
allongé/e°
(s') **allonger**
rallonger
élonger
(tituber) flonger
prolonger
une plongée°
re/**plonger**
contre-plongée°
forlonger
maskinongé
pongé/e°
éponger
ronger
songer
mensonger

bouger
rembouger
fouger
gouger
(penser, rég.) brouger

(de mission)
un/e chargé/e°
(plein) chargé/e°

(attaquer) **charger**
dé/re/sur/**charger**
(entraver, Can.) enfarger
marger
émarger
(Rens. Généraux) R.G.
Hergé
(pâtre) **berger**
(chien) berger
(méditer, arg.) gamberger
héberger
se **goberger**
étoile du Berger
(s'empêtrer, rég.)
s'empierger
(déflorer, arg.) dévierger
clergé
submerger
émergé/e°
émerger
(s')immerger
asperger
sergé
déterger
(purifier) (s')absterger
(papier) du vergé
(vergeure) vergé/e°
(arbres) un **verger**
diverger
converger
(déborder, rég.) borger
forgé/e°
re/**forger**
une gorgée°
gorger
engorger
se **rengorger**
désengorger
égorger
dégorger
s'entre-égorger
regorger
(nettoyer, rég.) foumourger
(baver, rég.) bavourger
urger
(mur, rég.) un murger
(sortir, arg.) démurger
purger
expurgé/e°
expurger
(un/e) **insurgé/e°**

s'insurger

ignifuger
calorifuger
centrifuger
hydrofuger
au juger/jugé
juger
adjuger
se déjuger
méjuger
un **préjugé**
préjuger
rejuger
bien-jugé
mal-jugé
luger
gruger
égruger
Suger

+ verbes en -ger
part. passé masc./fém.
2e pers. pluriel
présent indic., impér.
1e pers. sing.
passé simple

rime normande
177. GER

sous-rimes voisines
214.3 CHÉ-E
214.20 S(Z)É-E

contre-assonance
121.7 GET

214.8 GNÉ-GNÉE°

ARAIGNÉE°

(mordre, rég.) hagner
(travailloter, rég.)
mascagner
re/**gagner**
se magner
(oindre) vous oign(i)ez
(+comp.) vous joign(i)ez
éloigné/e°
(poindre) vous poign(i)ez
éloigner

témoigner
une **poignée°**
empoigner
soigné/e°
soigner
accompagné/e°
r/**accompagner**
(se bagarrer, arg.)
se castagner
(amadouer, rég.) lavagner

baigner
daigner

La Chambre, as-tu gardé leurs spectres ridicules,
Ô pleine de jour sale et de bruits d'**araignées** ?
La Chambre, as-tu gardé leurs formes **désignées**
Par ces crasses au mur et par quelles virgules ?

Ah fi ! Pourtant, chambre en garni qui te recules
En ce sec jeu d'optique aux mines **renfrognées**
Du souvenir de trop de choses ***destinées***,
Comme ils ont donc regret aux nuits, aux nuits d'Hercules !

Paul Verlaine, « Le Poète et la Muse »,
Jadis et Naguère

☞

GNÉ-GNÉE°

214. É

dédaigner
vous feign(i)ez
vous geign(i)ez
(tromper) engeigner
(singer, rég.) rejeigner
vous plaign(i)ez
(tissu) le peigné
(fignolé) peigné/e°
(raclée) une peignée°
(coiffer) **peigner**
(artisan) un peignier
(peindre) vous peign(i)ez
(décoiffer) **dépeigner**
(dépeindre)
vous dépeign(i)ez
vous repeign(i)ez
régner
(Henri de) Régnier
(Mathurin) Régnier
ARAIGNÉE°
vous craign(i)ez
vous enfreign(i)ez
vous (vous) empreign(i)ez
vous épreign(i)ez
(s') **imprégner**
vous étreign(i)ez
vous contraign(i)ez
vous astreign(i)ez
vous restreign(i)ez
une saignée°
saigner
(ceindre) vous ceign(i)ez
enseigner
(enceindre)
vous enceign(i)ez
renseigner
ressaigner
vous teign(i)ez
vous atteign(i)ez
(frapper, arg.) châtaigner
(arbre) un **châtaignier**
vous éteign(i)ez
vous déteign(i)ez
vous reteign(i)ez

(cogner, rég.) (se) beugner
(flairer, rég.) feugner
(encrasser, rég.)
enqueugner
(décrasser, rég.)
déqueugner

igné/e°
(Agrippa d') Aubigné
s'esbigner
(écraser, rég.)
escachigner
(renfrogné) rechigné/e°
(renâcler) **rechigner**
indignée°
(s')indigner
(érafler, Can.) grafigner
(empoigner, rég.)
graffigner
(manger, arg.) morfigner
(convoiter) guigner
(cerisier) un guignier
(exciter, rég.) arguigner
sans barguigner

(rayé) ligné/e°
(descendance)
une **lignée°**
(rayer) ligner
aligné/e°
aligner
(courtiser, rég.) caligner
réaligner
non-aligné/e°
désaligner
cligner
souligner
interligner
forligner
(pleurnicher, rég.) ouigner
(pleurnicher, rég.) pigner
(correction, arg.)
une trépignée°
(piétiner) **trépigner**
(pincer, rég.) pimpigner
(cracher, rég.)
escoupigner
(saisir, arg.) (h)arpigner
(triturer, rég.) carpigner
(grignoter, rég.)
broquigner
grigner
(ridé, rég.) regrigné/e°
signé/e°
signer
ré/assigner
(prendre, arg.) pessigner
contresigner
dé/consigner
(un/e) sousigné/e°
désigner
(un/e) **résigné/e°**
(se) résigner
égratigner
marquise de Sévigné
provigner

(grogner) hogner
(se blottir, rég.)
s'agrobogner
(mâcher, rég.) chogner
(hache) une **cognée°**
cogner
(se) rencogner
(tricher, rég.) mascogner
(pleurnicher, rég.) fogner
(se masturber, arg.)
se pogner
(retrancher) rogner
(maugréer) rogner
renfrogné/e°
se renfrogner
grogner
(boire, arg.) lichetrogner
(tripoter, rég.) pitrogner
(s'écorcher, rég.)
s'abistrogner
(chercher, rég.) furogner
(s'enivrer) s'ivrogner
besogner
(occupé, rég.)
embesogné/e°
(occuper, rég.)
(s') embesogner

Comme au fond des vieux parcs déserts et **dédaignés**
Où dort en des bassins disjoints une eau verdie,
Il serait triste et doux d'errer, l'âme engourdie,
Sous l'abri reposant des arbres **alignés** ;

Il s'allume au couchant des lueurs d'incendie
Le vent passe dans les feuillages **éloignés** ;
C'est comme un bruit plaintif de sanglots **résignés**
Pleurant les deuils lointains de quelque perfidie [...]

Henri de **Régnier**, « Solitude »,
Premiers poèmes

Que la bouche lui saigne, et son front éperdu
Fasse noircir du ciel les voûtes **éloignées**,
Qu'elle éparpille en l'air de son sang deux **poignées**
Quand épuisant ses flancs de redoublés sanglots
De sa voix enrouée elle bruira ces mots [...]

Agrippa d'**Aubigné**, « Misères »,
Les Tragiques. Livre I, vers 84-88

Douce, mélancolique, altière **Sévigné**,
Vous m'écrivez, avec ce scrupule **indigné**
De l'admiration que trop tôt on élague,
Vous m'écrivez avec cet accent **résigné**,
Rédigé fier et beau comme un vers d'**Aubigné** :
« Dure ! la redescente au pays de la blague ! »

Robert de Montesquiou, « Rechute »,
Les Chauves-souris. CXVI

Adieu l'orme et le **châtaignier** !
Malgré ce que leur cime a d'or
S'en revient Henri de **Régnier**
Rue, au six même, Boccador.

Stéphane Mallarmé, « Les Loisirs de la poste » XLV,
Vers de circonstance

❐ *121.8 [Béart]*

(raclée, rég.)
une taugnée°
(mourir, rég.) crevogner
(pleurer, rég.) chougner
(griffonner, rég.) griffougner
(remuer, rég.) gigougner
(saisir, arg.) argougner
(griffer, rég.) escarrougner
(tirailler, rég.) tirougner
(décolleté, rég.)
dépitrougné/e°
(se gaver, rég.) s'entougner
(lessiver, arg.) lavougner

épargner
éborgner
(manger sans faim, rég.)
pichorgner
(se battre, rég.)
se bigorgner
lorgner

(zieuter, rég.) décalorgner

(heurter, rég.) em/bugner
répugner
(critiquer) impugner

+ verbes en -gner
part. passé masc./fém.
2e pers. pluriel
présent indic., impér.
1e pers. sing.
passé simple

sous-rimes voisine
214.10 IÉ-
214.13 NÉ-

contre-assonanc
121.8 GNE

214.9 GUÉ-GUÉE°

214. É

FATIGUÉ

(joyeux) **gai/e°**
(passage) à/un **gué**
(passage à gué) il guée°

bagué/e°
baguer
(déféquer) caguer
(frapper) daguer
(enquêter, Belg.) indaguer
(amadouer, rég.)
amagnaguer
blaguer
élaguer
(ronfler, arg.) ronflaguer
(fouiner, rég.) fournaguer
(arrêter, arg.) alpaguer
raguer
(flirter) **draguer**
nuraghe
(pêcher) draguer
(tousser, rég.) estoussaguer
taguer
vaguer
extravaguer
(se distraire) s'évaguer
divaguer
zigzaguer

écanguer
(s'embourber, rég.)
s'enfanguer
gangué/e°
langué/e°
haranguer
tanguer

(fureter, rég.) raféguer
léguer
alléguer
(un/e) sub/**délégué/e°**
sub/déléguer
(un/e) **relégué/e°**
reléguer
(remuer, rég.) bouléguer
(ronchonner, rég.) rouméguer
(se noyer, rég.) se néguer
(coller, rég.) em/péguer
(se dépatouiller, rég.)
se dépéguer
(le) **reggae**
ségrégué/e°
ségréguer
(ronger, rég.) rouséguer
(gémir, rég.) téguer
(grommeler, rég.)
répoutéguer
(manger, rég.) mastéguer
(grogner, rég.)
rémoustéguer

buggy

les Adygués
endiguer
prodiguer
(tripoter, rég.) fourgniguer

(se) **liguer**
(bousculer, rég.) bouliguer
(juron) jarnigué!
briguer
irriguer
intrigué/e°
intriguer
(grignoter, rég.) rousiguer
FATIGUÉ/E°
fatiguer
défatiguer
(juron) tétigué!
investiguer
(inciter, Belg.) instiguer
(agacer, rég.) boustiguer
naviguer
(ruiner, arg.) ziguer

envoyer val/dinguer
ralinguer
étalinguer
(puer, arg.) (s)chlinguer
élinguer
(désargenté, arg.)
flingué/e°
(tuer, arg.) flinguer
déglingué/e°
déglinguer
bourlinguer
(ridiculiser, arg.) ringuer
(se quereller, Suisse)
se bringuer
(s') embringuer
meringué/e°
meringuer
(drogué, arg.)
un/e seringué/e°
(tir, arg.) une seringuée°
(tuer, arg.) seringuer
se dé/fringuer
distingué/e°
distinguer
zinguer
(démolir, arg.) dézinguer
(s'enivrer, arg.)
brindezinguer

divulguer
promulguer

swinguer

(refrain) **ô gué**
(se battre) se doguer
jogger
dialoguer
cataloguer
épiloguer
homologué/e°
homologuer
monologuer
rogué/e°
(intoxiqué) (un/e) drogué/e°
(se) **droguer**
(attendre) faire droguer
voguer

diphtongué/e°
diphtonguer

Grenipille est si jolie
Que tout le monde en est **gai**.
Lorsque, le corps **fatigué**,
En plein jour elle s'oublie
À dormir, ou qu'en un **gué**
L'eau soudain s'est embellie
De ses beaux pieds nus : « **Morgué** ! »
Dit le bois, « j'ai **divagué**
Quand j'avais mélancolie. »
Et, vite, en style **fugué**
Il chante *ma mie* **oh ! gué** !
Grenipille est si jolie
Que tout le monde en est **gai**.

Jean Richepin, « Grenipille »,
La Bombarde

Quand Marilou danse **reggae**
Ouvrir braguette et **prodiguer**
Salutations **distinguées**
De petit serpent ***katangais***

Quand Marilou danse **reggae**
Sur Marilou passer à **gué**
Beaucoup caresses et **endiguer**
Spermatozoïdes aux ***aguets***
[...]
Quand Marilou danse **reggae**
Elle et moi plaisirs **conjugués**
En Marilou moi **seringuer**
Faire mousser en **meringué**

Quand Marilou danse **reggae**
Quand Marilou bien **irriguée**
Jamais jamais **épiloguer**
Record à corps **homologué**

Quand Marilou danse **reggae**
Petit détail à **divulguer**
En petit nègre **dialogué**
Après l'amour pisser ***sagaie***

Serge Gainsbourg, « Marilou reggae »,
Dernières nouvelles des étoiles

Mon beau navire ô ma mémoire
Avons-nous assez **navigué**
Dans une onde mauvaise à boire
Avons-nous assez **divagué**
De la belle aube au triste soir

Guillaume Apollinaire, « La Chanson du Mal-Aimé »,
Alcools

Je léguerai mon souffle au chêne **fatigué**
Pour qu'il puisse, le soir, monter sur la colline
Et me nommer, face à la mer, son **délégué**
Auprès des chênes morts et des fleurs clandestines.

Alain Bosquet, « Je suis en appétit… »,
Deuxième testament in *Poèmes, un*

❐

GUÉ-GUÉE°

carguer
(charger, arg.) farguer
(se débarrasser, arg.) défarguer
(les amarres) **larguer**
(abandonner) larguer
(démolir, arg.) démarguer
narguer
(parbleu!) pargué!
se **targuer**
dés/enverguer
déverguer
(morbleu!) morgué!
(braver) morguer
(refiler, arg.) fourguer
(blâmer) objurguer
(musique) fugué/e°
fuguer
(fuite) fuguer
enjuguer
subjuguer
conjugué/e°
conjuguer

+ verbes en -guer part. passé masc./fém. 2e pers. pluriel présent indic., impér. 1e pers. sing. passé simple

sous-rime voisine 214.17 QUÉ-E

contre-assonanc 121.9 GUET-GAI

214.10 IÉ-IÉE°

PIED

ailler
(donner) bailler
(de sommeil) **bâiller**
(aux corneilles) bayer
entrebâiller
un **cahier**
(lait) le caillé
(coaguler) (se) cailler
(geler) (se) cailler
écaillé/e°
(s') **écailler**
(d'huîtres) un écailler
protège-cahier
criticailler
quincaillier
carcailler
courcailler
(uriner, arg.) lanscailler
(ennuyer, arg.) emmouscailler
(s'en sortir, arg.) démouscailler
(rouspéter, arg.) rouscailler
(boire, arg.) lichailler
couchailler
(décoré) (un/e) médaillé/e°
(décorer) médailler
(meuble) un médaillier
(plisser) godailler
(festoyer, arg.) godailler
rôdailler
faillé/e°
se failler
vous défaill(i)ez
(manger, arg.) boustifailler
(grosse chaleur, rég.) toffaillée°
s'égailler
piailler
criailler
volailler
poulailler
maillé/e°
mailler
se **chamailler**
(magouiller, rég.) mamailler
(entraver, rég.) encramailler
remmailler
émailler
démailler
rimailler
s'encanailler
traînailler
dépenaillé/e°
grenailler
tenailler
pinailler
sonnailler
(embarrasser, rég) embernailler
tournailler
(un) **joaillier**
aboyer
flamboyer
(chasser) giboyer
choyer
(déchoir) vous déchoyez
plaidoyer
ondoyer
coudoyer
soudoyer
merdoyer
verdoyer
rudoyer
un **foyer**
(fouetter) fouailler
gouailler
jouailler
bajoyer
rougeoyer
loyer
ployer
un/e employé/e°
ré/**employer**
inemployé/e°
remployer
sous-employer
éployer
re/**déployer**
reployer
surloyer
moyé/e°

Mettez le coq dans l'*abreuvoir* et le cheval sur le **noyer**,
les pendus à sécher en *Loire*, la ficelle au cou des **noyés**,
mettez les impôts dans l'*armoire* et les écus dans le **fumier**,
un gai refrain sur la *mâchoire*, faisant flûte vos doigts de **pie**
mettez, pour mieux y *circuloir*, des baleines dans les **étiers**,
des rêves en tête à *Magloire* qu'est censément not' **charcuti**
mettez au cœur du diable un *soir* l'amour et ses douces **pitié**
mettez en cul ce qu'il faut *boire*, dans la goule ce qu'il faut .
mettez de l'eau dans l'*encensoir* et du feu dans le **bénitier**.

Paul Fort, « Pour changer enfin »,
Mon grand pays in *Ballades françaises*

De la cave au **grenier**
on monte l'**escalier**.
[...]
On compte les **paliers**.
On use les **souliers**.
Le soleil peut **briller**
sur les mains, sur les **pieds**,
sur la rampe et la pierre,

Sur le bois, sur le fer,
sur les os et la chair.
Ça finit par s'***user***.
Ça finit par **rouiller**.
L'ombre vient tout **brouiller**.

Georges Garampon, « L'Escalier des Pauvres »,
Le Jeu et la Chandelle

Si vous saviez comme ses **palefreniers** l'ont **travaillée** !...
Comme ils l'ont **chamaillée** !...
Comme ils l'ont **tiraillée** !...
Comme ils l'ont **éraillée** !.
Comme ils l'ont **bataillée** !...
Comme ils l'ont **bretaillée** !...
Comme ils l'ont **ferraillée** !...
Comme ils l'ont **harpaillée** !...
Comme ils l'ont **tenaillée** !...
Comme ils l'ont **fouaillée** !...
Comme ils l'ont **dépenaillée** !...
Comme ils l'ont **encanaillée** !...
[...]
Comme ils l'ont **dépouillée** !...
Comme ils l'ont **embrouillée** !...
Comme ils l'ont **barbouillée** !...
Comme ils l'ont **charbouillée** !...
......

É-IÉE°

214. É

paumoyer
larmoyer
atermoyer
(un/e) **noyé/e°**
(noyade) (se) **noyer**
(arbre) un **noyer**
ennoyer
dénoyer
bornoyer
tournoyer
carroyer
charroyer
broyer
vous **croy(i)ez**
foudroyer
poudroyer
guerroyer
hongroyer
corroyer
proyer
octroyer
destroyer
(sorbet) un soyer
(être) (que vous) **soyez**
vous (vous) r/assoy(i)ez
fossoyer
grossoyer
voussoyer
vous sursoy(i)ez
chatoyer
nettoyer
(s')apitoyer
re/jointoyer
côtoyer
festoyer
tutoyer
un (agent) voyer
(voir) vous **voy(i)ez**
dégravoyer
(un/e) envoyé/e°
r/**envoyer**
(un/e) dévoyé/e°
dévoyer
vous prévoy(i)ez
vous revoy(i)ez
vous entrevoy(i)ez
convoyer
louvoyer
vouvoyer
fourvoyer
vous pourvoy(i)ez
(fumier) un paillé
(jaune) paillé/e°
(rempailler) pailler
(meule) un pailler
papayer
(maladroit)
(un/e) empaillé/e°
empailler
rempailler
dépailler
(parler allemand, rég.)
hachepailler
ripailler
(pansu) entripaillé/e°
(éventrer) étripailler
copayer
coupailler
(se quereller) se harpailler

railler
brailler
débraillé/e°
un débraillé
se débrailler
éraillé/e°
s'érailler
dérailler
ferrailler
(crier) grailler
(manger, arg.) grailler
tirailler
(courir) courailler
(tirer, arg.) fourailler
(armer, arg.) enfourailler
(dégainer, arg.)
défourailler
dépoitraillé/e°
se dépoitrailler
mitrailler
vous assaill(i)ez
vous tressaill(i)ez
embrousaillé/e°
embroussailler
débroussailler
toussailler
gueusailler
grisailler
cisailler
taillé/e°
(couper) tailler
(s'enfuir, arg.) se tailler
batailler
(bavarder, rég.) tatailler
entailler
détaillé/e°
détailler
retailler
s'entretailler
r/avitailler
intailler
discutailler
enfutailler
disputailler
travaillé/e°
re/**travailler**
écrivailler

(techn.) biller
(foncer, arg.) biller
habillé/e°
(s') **habiller**
dahabieh
babiller
gabier
labié/e°
une labiée°
bilabié/e°
(se) rhabiller
moucharabié/
moucharabieh
crabier
un déshabillé
(se) **déshabiller**
îles Gambier
(pipe) une Gambier
(danser) gambiller
(un) jambier
gibier

Comme ils l'ont **tribouillée** !…
Comme ils l'ont **souillée**, **fouillée**, et **farfouillée** !…
Comme ils l'ont **croquevillée** !…
Comme ils l'ont **pretintaillée** !…
Comme ils l'ont **fretinfretaillée** !…
[…]
– La pauvre bête !!! –

Charles Nodier, « Imposition »,
Histoire du roi de Bohême et de ses sept châteaux

Mon frère Anatole
s'en va-t-à l'école
avec un **plumier**
tout rempli de plumes :
Plumes de **ramiers**
plumes de **pluviers**
plumes de **guêpiers**
plumes d'**éperviers**
plumes d'**échassiers**
plumes d'**officiers**
plum' de **romanciers**
plumes d'**écoliers**

Tu **y es** !

Pierre Ferran, « Chat ! »,
in *La Nouvelle Guirlande de Julie*

Le goût des petits poètes
Pour les variantes **avariées**
Empeste les anthologies
De rimes bêtes et **variées**.

Pour aider la culture
Un bocal dans le **panier** !
Pour sauver la grise culture
Le dictionnaire au **fumier** !

Jean Sénac, « Petite suite à variantes »,
Dérisions et Vertige

La nature est en nous plus diverse et plus sage ;
Chaque passion parle un différent langage :
La colère est superbe et veut des mots **altiers** ;
L'abattement s'explique en des termes moins **fiers***.

Nicolas Boileau, « Chant III »,
L'Art poétique

* rime normande

Mais les fous d'aujourd'hui, tout comme ceux **d'hier***,
Qui vont, la nuit, songer sous les lueurs menteuses,
Rêvent de voir le Ciel muet s'**irradier**
De cinq Lunes chanteuses !

Robert de Montesquiou, « Cinq Lunes autrefois… »,
Les Chauves-souris. CLVI

* rime normande

❐ 75 [Vitrac] ; 188 [Mérat] ; 212 [Ernoult] ; 413 [Lely] ; 540 [Fombeure]
121.10 [Jacob]

IÉ-IÉE°

214. É

col du Galibier
stibié/e°
(arbrisseau) un obier
(faux bois) l'aubier
dégobiller
colombier
plombier
(individu, arg.) rombier
caroubier
barbier
herbier
(meule) gerbier
(juge, arg.) gerbier
morbier
sorbier
bourbier
tourbier
écubier
jujubier

(réussi) c'est chié/e°
(flopée, arg.) une chiée°
(déféquer) **chier**
(flopée, arg.) mégachiée°
que vous **sachiez**
pistachier
un fichier
(vous foutiez) vous fichiez
(flopée, arg.) polychiée°
rochier
conchier
(chuchoter, rég.) chouchiller

muscadier
sous-/**brigadier**
(Édouard) Daladier
saladier
hebdomadier
grenadier
limonadier
(rayonné) radié/e°
(plante) une radiée°
(effacer) radier
(revêtement) un radier
bigaradier
(s') **irradier**
(James) Pradier
prébendier
contrebandier
(voyou, arg.) arcandier
fendillé/e°
(se) fendiller
(fendre) vous fendiez
taillandier
landier
alandier
(joueur de tripot) brelandier
mendier
un **amandier**
vous amendiez
dinandier
pendiller
(pendre) vous pendiez
stipendié/e°
stipendier
(balancer) brandiller
incendié/e°
incendier
buandier

vivandier
(Joseph) Bédier
dédié/e°
dédier
congédier
remédier
sine die
ré/expédier
Didier
des chlamydiae
iridié/e°
pourridié
(subventionner, Belg.)
subsidier
Saint-Dié
(barque; ski) godiller
(désirer, arg.) godiller
(un) boyaudier
amodier
psalmodier
(Charles) Nodier
baguenaudier
(un) minaudier
rhodié/e°
parodier
taxaudier/taxodier
(+comp.) vous fondiez
vous pondiez
vous répondiez
vous correspondiez
(palmier) rondier
(gardien) rondier
vous re/tondiez
soudier
hallebardier
bombardier
(représentant, arg.)
placardier
anacardier
brancardier
cocardier
fardier
pinardier
(soupe au lait, arg.)
(un) pétardier
moutardier
boulevardier
merdier
vous re/perdiez
verdier
bordier
cordier
mordiller
vous dé/re/mordiez
vous dé/re/dis/tordiez
paludier
répudier
étudié/e°
ré/**étudier**

(que vous) **ayez**
planchéier
caféier
pagayer
langueyer
(s'amuser) (s') **égayer**
(se disperser) s'égailler
bégayer
yé-yé/yéyé

layer
balayer
remblayer
déblayer
délayer
relayer
ensoleillé/e°
ensoleiller
volleyer
(agacer, rég.) émeiller
sommeiller
ensommeillé/e°
monnayer
payer
capeyer
repayer
un impayé
impayé/e°
sous-payer
surpayer
rayé/e°
rayer
(un navire) **appareiller**
(assortir) r/appareiller
dépareillé/e°
dépareiller
dés/enrayer
brayer
embrayer
débrayer
drayer
dérayer
(ornière) une frayée°
frayer
effrayer
défrayer
oreiller
(+ comp.) vous tray(i)ez
rentrayer
vous (vous) **assey(i)ez**
faseyer
vous (vous) rassey(i)ez
grasseyer
ré/**essayer**
un **conseiller**
dé/**conseiller**
zézayer
(riche, arg.) oseillé/e°
groseillier
(technique) teiller
(arbre) un théier
étayer
métayer
bouteiller
dés/embouteiller
une **veillée°**
veiller
éveillé/e°
(s') **éveiller**
(se) **réveiller**
émerveillé/e°
(s') émerveiller
surveillé/e°
surveiller

vous ac/re/**cueill(i)ez**
(bégayer, Suisse)
quequeuiller
endeuiller

(feuillu) feuillé/e°
(ramée) une **feuillée°**
feuiller
(s')enfeuiller
effeuiller
défeuiller
(éclore, rég.) épeuiller
(scruter, rég.) s'areuiller
(beugler, rég.) breuiller
(creuser, rég.) creuiller
héli/treuiller
veuillez

se **fier**
(voir, arg.) gafiller
gougnafier
(fermier, arg.) garnafier
télégraphier
calligraphier
radiographier
dactylographier
sténographier
reprographier
cinématographier
lithographier
autographier
photographier
cartographier
orthographier
estafier
rubéfier
(provoquer) **défier**
(douter) se défier
kéfié/keffieh
(se) liquéfier
cokéfier
se **méfier**
tuméfié/e°
se tuméfier
stupéfier
(se) raréfier
greffier
torréfier
(se) putréfier
barbifier
(moraliser) édifier
(re/bâtir) ré/**édifier**
rigidifier
solidifier
dés/humidifier
nidifier
lapidifier
acidifier
codifier
modifier
fluidifier
déifier
dragéifier
réifier
gazéifier
magnifier
dignifier
lignifier
un signifié
signifier
qualifié/e°
dé/dis/qualifier
salifier
gélifié/e°

gélifie
amplifie
exemplifie
simplifie
(annuler) nullifie
(n. dép.) lamifie
ramifié/e
se ramifie
momifie
plasmifie
planifie
nanifie
panifie
lénifie
vinifie
bonifie
saponifie
personnifie
tonifie
ré/unifie
saccharifie
scarifie
escarrifie
clarifie
starifie
lubrifie
(un/e) sacrifié/e
sacrifie
terrifie
éthérifie
estérifie
vérifie
(une dent) aurifie
(scandalisé) horrifié/e
(épouvanter) **horrifie**
scorifie
frigorifié/e
frigorifie
glorifie
électrifie
pétrifie
dé/nitrifie
dé/vitrifie
purifie
classifie
massifie
pacifie
opacifie
densifie
intensifie
spécifie
calcifié/e
(calcium) (se) décalcifie
(retirer son slip, arg.)
se décalcifie
recalcifie
falsifie
dulcifie
émulsifie
(s') ossifie
versifie
diversifie
russifie
(un/e) **crucifié/e**
crucifie
complexifie
dénazifie
chosifie
béatifie

É-IÉE°

214. É

gâtifier
ratifier
gratifier
stratifié/e°
stratifier
identifier
quantifié/e°
quantifier
authentifier
sanctifier
rectifier
fructifier
bêtifier
acétifier
dé/mythifier
notifier
pontifier
(professeur)
(un/e) certifié/e°
(attester) **certifier**
se désertifier
fortifier
mortifier
plastifier
dé/mystifier
justifier
injustifié/e°
re/vivifier
les frères Montgolfier
solfier
(tuer, arg.) escoffier
(Auguste) Escoffier
atrophié/e°
(s') **atrophier**
hypertrophié/e°
(s') hypertrophier
confier
aliboufier
(manger, arg.)
morfier/morfiller
cocufier
truffier
tufier
statufier

j'y ai
langagier
plagier
(un) imagier
(un/e) **privilégié/e°**
privilégier
fastigié/e°
(Marc Antoine)
Désaugiers
albergier
(un/e) **réfugié/e°**
se refugier

baguier
languier
manguier
harenguier
(dégringoler, Suisse)
déguiller
figuier
(figuier sauvage)
caprifiguier
viguier
carlinguier

piroguier
marguillier

lié/e°
lier
(soutien) (un/e) **allié/e°**
(s'associer) s'allier
(rivière ; départ.) l'Allier
(fourré) un **hallier**
(aller) vous alliez
(haler) vous haliez
(hâler) vous hâliez
cymbalier
timbalier
calier
escalier
localier
échalier
pédalier
(un) céréalier
(un) animalier
(un) **journalier**
poêlier
(un) toilier
voilier
(plateforme) un **palier**
(remédier) pallier
espalier
(un/e) rallié/e°
(se) **rallier**
minéralier
interallié/e°
se mésallier
étalier
métallier
(religieux) (un) hospitalier
(hôpital) hospitalier
(accueillant) **hospitalier**
inhospitalier
(un) frontalier
vous valiez
(désinvolte) cavalier
(à cheval) un **cavalier**
vous prévaliez
(Maurice) Chevalier
un **chevalier**
vous équivaliez
(un) festivalier
enlier
ablier
câblier
fablier
sablier
tablier
ensemblier
oublier
doublier
re/**publier**
bouclier
(sport) un ailier
(tribunal) l'Héliée°
(animal) un **bélier**
(zodiaque) le Bélier
vous bêliez
mirabellier
(d'une lettre) le délié
(mince) **délié/e°**
(agile) **délié/e°**
(détacher) **délier**

senellier/cenellier
(cave) un **cellier**
(selle) sellier
Saint-Hélier
bachelier
échelier
chandelier
cordelier
meulier
chamelier
sommelier
cannelier
tonnelier
prunellier
tunnelier
(un) chapelier
Montpellier
relier
bourrelier
boisselier
un **chancelier**
vous chanceliez
vaisselier
pincelier
oiselier
roselier
un **atelier**
vous (vous) atteliez
(marinier) un **batelier**
(bateleur) vous bateliez
ratelier
(un) dentellier
(un) **hôtelier**
coutelier
néflier
giroflier
muflier
bersaglier
manglier
un **sanglier**
vous sangliez
épinglier
onglier
bilié/e°
(un) **mobilier**
(l') immobilier
(un/e) affilié/e°
dés/(s') affilier
staphylier
millier
(un) **familier**
fourmilier
(un/e) **humilié/e°**
humilier
un **pilier**
vous piliez
cilié/e°
missilier
domicilier
concilier
réconcilier
sourcilier
résilier
fusilier
gattilier
boutillier
(un) huilier
tuilier
Gennevilliers

bougainvillier
Aubervilliers
un **collier**
vous colliez
écolier
alcoolier
gondolier
folié/e°
défolier
interfolier
(s')exfolier
geôlier
violier
poljé
spolier
rollier
parolier
azerolier
virolier
(un) **pétrolier**
(arbre) corossolier
(hôtelier) tôlier/taulier
(fabricant) tôlier
épistolier
(abaque) boulier
(filet) boulier
bancoulier
micocoulier
(moudre) vous mouliez
(mouler) vous mouliez
(remoudre) vous remouliez
semoulier
roulier
un **soulier**
vous (vous) soûliez
vous vouliez
plier
remplier
les Templiers/
un templier
déplier
un **peuplier**
vous peupliez
replier
dé/**multiplier**
surmultiplié/e°
supplier
Pontarlier
perlier
(un) séculier
(un) **particulier**
(porno, arg.) trouduculier
pendulier
(moine) (un) régulier
(normal) **régulier**
irrégulier
(unique) **singulier**
(grammaire) le singulier
pilulier
tullier

Mme Récamier
damier
badamier
lamier
(pigeon) un **ramier**
(paresseux, arg.)
(un) ramier
vous ramiez

(emmêler, rég.) encramiller
(démêler, rég.) décramiller
zamier
balsamier
tamier
cadmier
anémié/e°
anémier
crémier
(le) **premier**
un limier
vous limiez
cimier
palmier
baumier
(Honoré) Daumier
gommier
(ville) Coulommiers
(fromage) un coulommiers
(arbre) un **pommier**
(daim) un paumier
(paumer) vous paumiez
un **sommier**
(sommer) vous sommiez
goumier
larmier
un **fermier**
vous fermiez
vermiller
infirmier
ormier
cormier
vous en/ren/dormiez
fourmiller
smiller
fumier
légumier
plumier
(un) coutumier
costumier

nier
ânier
rubanier
(roseaux) canier
(rempailleur) cannier
pacanier
(un) **cancanier**
(s'enfuir, arg.) décaniller
(un) **chicanier**
boucanier
arganier
sparganier
organier
magnanier
lanier
manier
remanier
bananier
(un) **douanier**
panier
frangipanier
propanier
(un) **casanier**
latanier
lantanier
méthanier
printanier
quarta(n)nier

IÉ-IÉE°

214. É

mangoustanier
butanier
(vannerie) un vannier
vanillé/e°
un vanillier
caravanier
ébénier
un chaînier
(Marie-Joseph) Chénier
(André) Chénier
dénier
gainier
s'ingénier
(un) lainier
(un) baleinier
(un) porcelainier
plénier
semainier
mont Rainier
prince Rainier
grainier
arsénié/e°
dizainier
fontainier
chenillé/e°
écheniller
denier
(besogneux)
gagne-denier
(tituber, rég.)
ganguenillier
déguenillé/e°
un meunier
vous meniez
renier
palefrenier
grenier
(+comp.) vous **preniez**
mancenillier
(+comp.) vous **teniez**
centenier
quartenier
(+comp.) vous **veniez**
carabinier
bobinier
robinier
(un) **jardinier**
(un) sardinier
linier
salinier
avelinier
(un) boulinier
moulinier
minier
parcheminier
plaqueminier
épinier
maroquinier
mandarinier
stéarinier
(un) marinier
tamarinier
sous-marinier
lacinié/e°
vaccinier
médicinier
magasinier
(un) résinier
cuisinier

usinier
matinier
cantinier
clémentinier
(un) potinier
routinier
alevinier
calomnier
(un) **charbonnier**
bouchonnier
a(c)conier
braconnier
fauconnier
amidonnier
(gardien) dindonnier
cordonnier
plafonnier
chiffonnier
antiphonier
pigeonnier
brugnonier
dragonnier
wagonnier
(un) **pionnier**
gonfalonier
galonnier
palonnier
(un) salonnier
(un) houblonnier
(Henri) Monnier
limonier
timonier
antimonié/e°
aumônier
canonnier
rônier
marronnier
chaudronnier
ferronnier
(un) capro(n)nier
citronnier
faux/saunier
(maniéré) façonnier
(ouvrier) un façonnier
poissonnier
chansonnier
(Ernest) Meissonier
buissonnier
garçonnier
zonier
(un) saisonnier
(un) **prisonnier**
tisonnier
thonier
bâtonnier
cantonnier
mentonnier
piétonnier
(un) cotonnier
nautonier
pontonnier
boutonnier
moutonnier
(fabricant) (un) cartonnier
(meuble) un cartonnier
(un) savonnier
carnier
charnier
(s'enivrer, rég.) darniller

(Charles) Garnier
(Robert) Garnier
hernié/e°
(le) **dernier**
(l') avant-dernier
casernier
vernier
tavernier
cornier
cap-hornier
(boulanger) fournier
(oiseau) fournier
Alain-Fournier
chaufournier
(tourniquer) tourniller
hunier
(un) **rancunier**
communier
(un/e) excommunié/e°
excommunier
prunier

oh ye!
(ouïr) oyez!
cacaoyer
caloyer

(remplir de vin) ouiller
(houille) houiller
vous bouill(i)ez
écrabouiller
(escroquer, arg.)
carambouiller
scribouiller
gribouiller
barbouillé/e°
barbouiller
(s')embarbouiller
(se) débarbouiller
mâchouiller
crachouiller
rocouyer
(payer, arg.) douiller
(patauger, rég.) gadouiller
andouiller
(bander peu, arg.)
bandouiller
(traînasser, arg.)
glandouiller
pendouiller
bredouiller
bidouiller
(s'empêtrer) merdouiller
déhouiller
fouillé/e°
fouiller
affouiller
bafouiller
cafouiller
(voir,arg.) gafouiller
(empocher, arg.) enfouiller
refouiller
trifouiller
farfouiller
magouiller
zigouiller
gargouiller
mouillé/e°
(se) **mouiller**

remouiller
s'**agenouiller**
grenouiller
cornouiller
pouillé
(puer, arg.) tapouiller
(s')épouiller
(sobre) dépouillé/e°
(ôter) (se) **dépouiller**
(se hâter, rég.) s'aspouiller
(se laver, arg.)
se décraspouiller
rouillé/e°
(se) **rouiller**
brouillé/e°
brouiller
embrouillé/e°
s'embrouiller
(se) **débrouiller**
vadrouiller
(raclée) une dérouillée°
(battre) dérouiller
(se dégourdir)
(se) dérouiller
dé/**verrouiller**
(fourmiller) grouiller
(se hâter) se dé/**grouiller**
patrouiller
(se vautrer) se ventrouiller
(ennuyer, arg.)
embistrouiller
souiller
(radoter, rég.) bassouiller
(se débaucher, arg.)
s'arsouiller
gazouiller
vasouiller
(baiser, arg.) baisouiller
touiller
chatouiller
patouiller
se dépatouiller
tripatouiller
(tripoter, rég.) tatouiller
(tarder, Suisse) pétouiller
(cuisiner, Belg.) fristouiller
(barboter, rég.) gavouiller

un PIED
piller
(bavarder, rég.) japiller
un **clapier**
vous clappiez
papier
coupe-papier
(se pourlécher, rég.)
se rapapiller
(radoter, rég.) repapiller
presse-papiers
gâte-papier
gratte-papier
porte-papier
drapier
grappiller
(se disperser, rég.)
s'escampiller
(vaurien, arg.) ferlampier
estampiller
épier

guêpie
pépie
crêpie
trépie
d'arrache-pie
à cloche-pie
croche-pie
marchepie
cou-de-pie
chauffe-pied
cale-pie
tire-pie
un/à contre-pie
(un) chèvre-pie
couvre-pied
casse-pied(s
passe-pie
chausse-pie
(crustacé) pouce-pie
(bateau) pousse-pie
trousse-pie
repose-pie
gratte-pied
bipie
polypie
tulipie
pipie
co/**équipie**
fripie
(tirailler, rég.) tiripille
tripie
essuie-pie
de plain-pie
re/**copie**
polycopie
photocopie
(un/e) **estropié/e**
estropie
taupie
sapeur-/**pompie**
vous rompie
vous interrompie
vous corrompie
houppie
(se) goupille
dégoupille
(proxénète, arg.)
marloupie
roupille
(s'endormir, arg.)
s'enroupille
croupie
troupie
sous-pie
toupille
étoupille
(déshabiller, arg.)
décarpille
éparpille
torpille
pourpie
gaspille
houspille
expie
inexpié/e
(se rétablir, rég.)
(se) réchupille
jupie
nu-pied

va-nu-pieds

quillier
(bavarder, rég.) câquiller
icaquier
ja(c)quier
dé/re/**maquiller**
vraquier
sakieh
(entrer, arg.) (s')enquiller
un **banquier**
(boiter, rég.) banquiller
(rentrer, arg.) renquiller
béquiller
chéquier
(arrêter, arg.) déquiller
aréquier
Villequier
échiquier
vomiquier
piquier
(un) **boutiquier**
vous vainquiez
vous convainquiez
(se boursouffler)
coquiller
(coquille) un coquillier
(se blottir, rég.)
se recoquiller
kapokier
(râler, rég.) rauquiller
écarquiller
parquier
skier
resquiller
kiosquier
perruquier

vous **r(i)iez**
(façonner) gabarier
(manœuvre)
un gaba(r)rier
carié/e°
(gâter) carier
(mineur) un carrier
(transporter) charrier
(exagérer) charrier
(un/e) salarié/e°
salarier
des turbellariés
(un/e) **marié/e°**
dé/re/**marier**
vous boiriez
vous dé/choiriez
poirier
vous croiriez
vous (vous) r/assoiriez
vous prévoiriez
ivoirier
vous pourvoiriez
(jouer) **parier**
(parer) vous pariez
r/dés/apparier
déparier
contrarié/e°
contrarier
notarié/e°
varié/e°
varier

avarié/e°
(s') avarier
briller
fibrillé
chambrier
marbrier
vente à la criée°
crier
encrier
s'**écrier**
décrier
se **récrier**
vous vaincriez
vous convaincriez
sucrier
driller
quadrillé/e°
quadriller
madrier
scaphandrier
calendrier
cendrier
(+comp.) vous tiendriez
(+comp.) vous viendriez
baudrier
(+comp.) vous vaudriez
(arbre) un coudrier
(coudre) vous coudriez
poudrier
vous voudriez
vous re/perdriez
vous dé/re/mordriez
vous dé/re/dis/tordriez
lac Érié
férié/e°
(un) **guerrier**
pierrier
vous (vous) r/assiériez
cellérier
vous dé/com/plairiez
camérier
(Odilon-Jean) Périer
(eau, n. dép.) un Perrier
(Bonaventure)
Des Périers
(+comp.) vous trairiez
(+comp.) vous tairiez
(tanière) un terrier
(classer) sérier
(serrer) vous serriez
irish-/scottish-/
yorkshire-/skye-/
bull-/fox-/terrier
un verrier
vous re/entre/verriez
beurrier
(+comp.) vous feriez
vous ac/re/cueilleriez
vous seriez
camphrier
œufrier
chiffrier
gaufrier
(rôtir) **griller**
(grillager) griller
négrier
vinaigrier
vous **iriez**
kyrie

cirier
vous **auriez**
excorier
laurier
vous en/cloriez
(mettre au pilori) pilorier
colorier
armorier
(savoir) vous sauriez
(saurer) vous sauriez
essoriller
trésorier
inventorier
répertorier
historié/e°
historier
(Paul-Louis) Courier
un **courrier**
(+comp.) vous cou(r)riez
avant-courrier
moyen-courrier
long-courrier
(Charles) Fourier
un fourrier
vous mou(r)riez
vous pourriez
vous sour(i)iez
(un) tourier
prier
câprier
(adapté) approprié/e°
(s'emparer) (s')approprier
(nettoyer, Belg.)
approprier
inapproprié/e°
(se) rapproprier
(un/e) exproprié/e°
vous exproprier
vous rompriez
vous interrompriez
corrompriez
(choisir) **trier**
(musique) triller
(+comp.) vous **battriez**
plâtrier
vous ac/dé/croîtriez
(un/e) rapatrié/e°
rapatrier
dépatrier
(un/e) expatrié/e°
(s') expatrier
(de selle) **étrier**
(malmener) **étriller**
arbalétrier
(+comp.) vous mettriez
vous re/naîtriez
ménétrier
vous mé/re/connaîtriez
vous re/paîtriez
(+comp.) vous paraîtriez
(huître) huîtrier
(oiseau) un huîtrier
vitrier
vous (vous)
contre-/foutriez
chartrier
(un) **meurtrier**
strié/e°
destrier

(un) procédurier
verdurier
ordurier
injurier
vous incluriez
vous occluriez
vous concluriez
vous excluriez
un **mûrier**
(murer) vous muriez
(muer) vous mueriez
armurier
parurier
maréchal Sérurier
un **serrurier**
usurier
voiturier
aventurier
facturier
(un) manufacturier
confiturier
friturier
teinturier
hauturier
(un) **roturier**
couturier
(en vrille) vrillé/e°
(liseron) une vrillée°
(percer) vriller
poivrier
chanvrier
février
lévrier
genévrier
chevrier
vous re/devriez
(un) manœuvrier
vous décevriez
vous recevriez
vous concevriez
vous percevriez
vous entr/apercevriez
vous pour/suivriez
vivrier
vous re/sur/vivriez
(un) **ouvrier**
vous émouvriez
vous promouvriez
manouvrier
prêtre-ouvrier

(cligner) **ciller**
(couper) scier
(seoir) il **sied**
(seoir) qu'il siée°
(fer) l'**acier**
il (s') **assied**
calebassier
(arbre) un cassier
(arbrisseau) un quassier
vous cassiez
(un) jacassier
(un) tracassier
avocassier
échassier
rochassier
(blason) fascié/e°
(+comp.) que vous **fassiez**
préfacier

(arbre) un cognassier
que vous cognassiez
matelassier
(montagne) **glacier**
(sorbets) glacier
placier
mulassier
populacier
(huissier) massier
(collecteur) massier
émacié/e°
(s'amaigrir) s'émacier
que vous aimassiez
(un) **grimacier**
plumassier
finassier
(un) **carnassier**
vous ac/dé/croissiez
il (3c) rassied
crassier
terrassier
(un) paperassier
gracier
(renoncer, arg.) rengracier
(un/e) disgracié/e°
disgracier
cuirassier
(désordonné) (un) fatrassier
putassier
vaciller
écrivassier
(un) **vacancier**
correspondancier
échéancier
(un) **créancier**
indulgencier
faïencier
obédiencier
huissier audiencier
lancier
balancier
ambulancier
romancier
permanencier
tenancier
(un) **financier**
ordonnancier
(un) **dépensier**
duchesse
de Montpensier
différencié/e°
(distinguer) différencier
(calculer) différentier
se dédifférencier
indifférencié/e°
conférencier
outrancier
(un) censier
quintessencié/e°
quintessencier
(étudiant)
(un/e) licencié/e°
(chômeur)
(un/e) licencié/e°
(congédier) licencier
plaisancier
(condamner) sentencier
(prêtre) pénitencier
(prison) **pénitencier**

IÉ-IÉE°

214. É

(transformer)
transsubstantier
(se) distancier
circonstancié/e°
circonstancier
nuancier
devancier
(un) baissier
caissier
dessiller
(un) fessier
(messeoir) il messied
(officier) un messier
vous re/naissiez
vous mé/re/connaissiez
vous re/paissiez
(+comp.) vous paraissiez
(paresser) vous paressiez
pressier
apprécier
inapprécié/e°
(se) déprécier
préjudicier
(ensorceler) maléficier
canéficier
bénéficier
artificier
(célébrer) officier
(militaire) un **officier**
sous-officier
mégissier
licier/lissier
(un) **policier**
coulissier
un/e **supplicié/e°**
supplicier
ca(n)nissier
un/e **initié/e°**
(s') initier
(un/e) non-initié/e°
tunicier
tapissier
épicier
père **nourricier**
(un) souricier
(un) **pâtissier**
(punir) justicier
(un) **justicier**
huissier
que vous puissiez
(pollué) vicié/e°
(corrompre) vicier
(visser) vous vissiez
(voir) que vous vissiez
princier
(+comp.) que vous tinssiez
(+comp.) que vous vinssiez
(un) haussier
dossier
re/**négocier**
le (muscle) peaucier
(artisan) un peaussier
carrossier
brossier
grossier
saucier
associer
un/e co/associé/e°
dissocier

(le) foncier
tréfoncier
annoncier
roncier
pamplemoussier
(doigtier) poucier
(poussière) poussier
se **soucier**
autopsier
tarsier
(Louis Sébastien) Mercier
un mercier
(Népomucène) Lemercier
remercier
(persil) persillé/e°
(racoler, arg.) persiller
(de traverse) traversier
(bac, Can.) un traversier
(un) **sorcier**
(élève) (un) boursier
(bourse) (un) boursier
(cotiser) boursiller
(cheval) **coursier**
(commissionnaire) coursier
un sourcier
sans **sourciller**
balbutier
jussiée°
un pucier
(pouvoir) que vous pussiez
asphyxié/e°
(s') asphyxier
(extrême-onction, rég.)
extrémonctier

casier
gazier
nasiller
framboisier
ardoisier
Lavoisier
razzier
(raser) vous rasiez
un **brasier**
(briller) brasiller
rassasié/e°
se **rassasier**
apostasier
hypostasier
extasié/e°
s'extasier
Béziers
vous baisiez
chaisier
gésier
vous dé/plaisiez
vous vous complaisiez
brésiller
fraisier
(grêler) grésiller
(crépiter) grésiller
vous (vous) taisiez
anesthésier
(+comp.) vous **faisiez**
(+comp.) vous **disiez**
paradisier
vous confisiez
vous (vous) suffisiez
vous gisiez

(purin) le lisier
(lire) vous lisiez
alizier/alisier
balisier
vous ré/élisiez
vous relisiez
tamisier
chemisier
remisier
merisier
cerisier
vous circoncisiez
bêtisier
sottisier
vous re/cuisiez
(+comp.) vous déduisiez
vous re/luisiez
vous nuisiez
menuisier
vous vous entrenuisiez
vous (vous) entre/détruisiez
vous (vous) instruisiez
vous re/construisiez
l'**osier**
(oser) vous osiez
jambosier
gosier
s'**égosiller**
que vous en/closiez
rosier
Pilâtre de Rozier
bronzier
(scarabée) un bousier
(casser) bousiller
arbousier
vous dé/re/cousiez
argousier
cambusier
arquebusier
obusier
Le Corbusier
(exécuter) **fusiller**
(fuser) vous fusiez
éclusier
(Paul) Sérusier

tiller
hâtier
(+comp.) vous **battiez**
(bâter) vous bâtiez
avocatier
châtier
(arbre) un dattier
(dater) vous datiez
(un) alfatier
régatier
kolatier/colatier
chocolatier
nattier
(boîte) un boîtier
(boiter) boitiller
doigtier
moitié
Poitiers
(un) **droitier**
miroitier
un (chien) ratier
vous ratiez
cédratier

ferratier
(chatouiller, rég.) gratiller
regrattier
puisatier
colzatier
(bavarder, rég.) tatiller
gravatier
(un) **entier**
(enter) vous entiez
(hanter) vous hantiez
un **chantier**
vous chantiez
dentier
gantier
argentier
ferblantier
églantier
équipementier
passementier
cimentier
(Antoine) Parmentier
hachis Parmentier
(Georges) Carpentier
(Alejo) Carpentier
charpentier
rentier
débirentier
(un) crédirentier
(chemin) un **sentier**
(sentir) vous sentiez
(canal) un étier
(être) vous **étiez**
faîtier
(lait) un laitier
(scories) le laitier
gobeletier
un **métier**
(+comp.) vous mettiez
gâte-métier
limettier
allumettier
robinetier
pétiller
carpettier
casquettier
arêtier
(s'agiter) **frétiller**
(louer) vous frêtiez
(chicaner) vétiller
(vêtir) vous vêtiez
crevettier
guichetier
archetier
cafetier
buffetier
vergetier
layetier
alleutier
tabletier
(Jacques) Peletier
un pelletier
giletier
muletier
émeutier
panetier
chaînetier
grainetier
bonnetier
lunetier

papetie
briquetie
coquetie
cabaretie
charretie
setie
corsetie
gazetie
noisetie
savetie
louvetie
buvetie
liftie
amiti
inimiti
bénitie
piti
co/**héritie**
titille
biscuitie
(un) fruitie
(un) usufruitie
un/en pointill
pointille
scintille
altie
asphaltie
cacaotie
bottie
sabotie
(un) cachottie
côtie
échotie
abricotie
cocotie
anecdotie
(Théophile) Gautie
fagotie
indigotie
argotie
gargotie
griottie
lotie
bimbelotie
îlotie
culottie
bergamotie
canotie
minotie
dominotie
un **potie**
(Eugène) Pottie
sapotillier/sapotie
compotie
carottie
(secrétaire, Suisse)
un sautie
(sauter) **sautille**
primesautie
psautie
maltôtie
volontier
pontie
épontille
outillé/e
outille
vous (vous) contre/foutie
sagoutie
égoutie

É-IÉE°

214. É

bijoutier
cloutier
veloutier
moutier
Noirmoutier
époutier
(route) routier
(chauffeur) un **routier**
(homme habile)
un **vieux routier**
(barbouilleur) croûtier
banqueroutier
autoroutier
soutier
(n. dép.) Cartier
(Jacques) Cartier
(fabricant) un cartier
(quart) un **quartier**
franc-quartier
Maréchal Berthier
mortier
portier
(se) **tortiller**
dés/**entortiller**
détortiller
courtier
bastillé/e°
embastiller
(disputer) castiller
accastiller
(un) **forestier**
colistier
(un/e) amnistié/e°
amnistier
postier
apostiller
aérostier
langoustier
émoustiller
croustiller
bustier

flibustier
(un) **charcutier**
(fabricant) un luthier
vous luttiez
chalutier
minutier
putier
cajeputier
grutier
morutier

écuyer
vous **fuy(i)ez**
vous vous enfuy(i)ez
(fil) une aiguillé/e°
(orienter) aiguiller
(étui) un aiguillier
vous incluiez
vous occluiez
vous concluiez
vous excluiez
ennuyé/e°
(se) dés/**ennuyer**
(insistant) appuyé/e°
appuyer
berruyer
r/**essuyer**

(pénis, arg.) vier
vous **aviez**
davier
sous-clavier
goyavier
clavier
sous-clavier
ravier
betteravier
(cailloux) du **gravier**
vous graviez
vous **saviez**
Xavier

saint François Xavier
envier
saint Janvier
(mois de) **janvier**
obvier
bloc-/**évier**
dévier
févier
(fixer) cheviller
(musique) un chevillier
vous re/**deviez**
levier
terre-neuvier
recroquevillé/e°
se recroqueviller
vous déceviez
vous receviez
vous conceviez
vous perceviez
vous entr/aperceviez
(prénom) **Olivier**
(sir Laurence) Olivier
(arbre) un **olivier**
mont des Oliviers
(+comp.) vous **écriviez**
lessivier
(ville) Pithiviers
(gâteau) un pithiviers
vous pour/suiviez
un **vivier**
vous re/sur/viviez
vous absolviez
vous dissolviez
vous résolviez
convier
bouvier
amadouvier
vous é/pro/mouviez
vous **pouviez**
épervier
vous des/res/serviez

loup-cervier
Verviers
vous **buviez**
baron Cuvier
un cuvier
pluvier
palétuvier

+ verbes en -er, -ir, -endre, -ondre 2e pers. pluriel présent subj., condit.

+ verbes en -er, -ir 2e pers. pluriel imparfait indic., subj.

+ verbes en -ier, -yer, -ller part. passé masc./fém. 2e pers. pluriel présent indic., impér. 1e pers. sing. passé simple

+ verbes en -ire, -indre, -oudre 2e pers. pluriel présent condit.

rime normande
177. IER

sous-rime voisine
214.8 GNÉ-E

contre-assonance
121.10 IET

214.11 LÉ-LÉE°

ÉTOILÉ
BLÉ
PARLER

(avoir) l'ai/l'aie°/l'ait
(largeur) un lé
(article) les
(pronom) **les**

(chemin) une **allée°**
(partir) **aller**
(billet) un aller
(bronzé) **hâlé/e°**
(remorquer) haler
(bronzer) hâler
baller
(comploter) cabaler
(Montserrat) Caballé
(envelopper) **emballer**
(s'exciter) s'emballer
préemballé/e°
remballer

déballer
bringueballer/
brinqueballer
triballer
brimbaler
trimba(l)ler
(savant) calé/e°
(fixer) caler
(s'arrêter) caler
(baisser un mât) caler
(gitan) (un) kalé
écaler
(un/e) décalé/e°
décaler
(un/e) recalé/e°
recaler
(s') intercaler
daller
pédaler
déhaler
laisser-aller
(s') **affaler**
céphalée°
(manger, arg.) (se) morfaler

Ici gît, Étranger, la verte sauterelle
Que durant deux saisons nourrit la jeune **Hellé**,
Et dont l'aile vibrant sous le pied **dentelé**
Bruissait dans le pin, la cytise ou l'airelle.

Elle s'est tue, hélas ! la lyre naturelle,
La muse des guérets, des sillons et du **blé** ;
De peur que son léger sommeil ne soit **troublé**,
Ah ! passe vite, ami, ne pèse point sur elle.

José-Maria de Heredia, « Épigramme funéraire »,
Les Trophées

Quelques hommes trapus, à figure **hâlée**,
Et qu'à les voir marcher on devine marins ;
Braves gens qui s'en vont à jeun, la corde aux reins,
Battre à coups d'aviron la vague **échevelée**.

Albert Mérat, « Midi sur la côte »,
Avril, mai juin... XXXII

☞

LÉ-LÉE°

214. É

(Émile) Galle
égaler
(régaler, arg.) bégaler
inégalé/e°
(niveler) régaler
(manger) (se) **régaler**
signalé/e°
signaler
chialer
surjaler
(rend malléable) il mallée°
inhaler
a/walé
(chanter, arg.) goualer
(poêle) une poêlée°
(cuire) poêler
(rire, arg.) se poêler/poiler
(déshabiller, arg.)
se dépoiler
toilé/e°
r/dés/entoiler
ÉTOILÉE°
(s') étoiler
voilé/e°
(masquer) voiler
(un bâteau) voiler
(gauchir) s'en/se voiler
dévoiler
(héraldique) palé/e°
(pals) une palée°
(s') **empaler**
(se plaindre) **râler**
(bramer) raller
(bégayer, rég.) bograler
spiralé/e°
contre-allée°
salé/e°
saler
Grand Lac Salé
dessaler
pré-salé
resaler
petit salé
au pis aller
un pis-aller
exhaler
azalée°
(meurtrir) taler
(agriculture) taller
(s') **étaler**
détaler
ré/**installer**
une **vallée**°
(valoir) vous valez
avaler
cavaler
(partir, arg.) (se) navaler
Trois-Vallées°
(avilir) **ravaler**
(sa salive) ravaler
(un immeuble) ravaler
dévaler
vous vous prévalez
chevaler
vous vous équivalez
(dégringoler, rég.) dégrivaler
(se luxer, rég.) s'espanler
(chanceler) **branler**

(masturber) (se) branler
(danser) branler
(chanceler, Can.)
chambranler
ébranler
(se vautrer, rég.) s'évanler

BLÉ
(parler) hâbler
câblé/e°
câbler
accablé/e°
accabler
(rosser, arg.) châbler
endiablé/e°
endiabler
jabler
(trapu) râblé/e°
(techn.) râbler
scrabbler
(galette) un sablé
sablé/e°
sabler
dés/ensabler
dessabler
(table) une tablée°
(compter) tabler
s'attabler
entabler
établer
(équitation) ambler
(aussitôt) **d'emblée**°
un tremblé
tremblé/e°
trembler
(trébucher, rég.)
s'entrambler
sembler
(saut) un assemblé
(réunion)
une **assemblée**°
(s') **assembler**
rassembler
désassembler
ressembler
un meublé
meublé/e°
dé/re/meubler
cribler
dribbler
cibler
(connaître, arg.)
co(n)nobler
(reconnaître, arg.)
reconnobler
(inconnu, arg.) inconnoblé
(remplir) **combler**
(satisfaire) **combler**
candomblé
(s'empêtrer, Suisse)
s'encoubler
un doublé
doublé/e°
dé/doubler
redoublé/e°
redoubler
(ouvrir, arg.) caroubler
troublé/e°
troubler

Comme l'orage qui bondit sur la **vallée**
Par landes et forêts, apparaissait parfois
Dans ce refuge, le poète aux désarrois
Tumultueux, à l'imprévisible **foulée**.
Et très tard dans la nuit on entendait, **mêlée**
À la rumeur du vent sur l'eau sombre, sa voix
Redire la douleur de ses lettres : « Je crois
Que mon âme avec ma gaieté s'en est **allée**… »

Jacques Réda, « (Coleridge, 1802) »,
Le District des Lacs in *Le Sens de la marche*

Au sommet d'un léger coteau,
Qui seul interrompt ces **vallées**,
S'élèvent deux tours **accouplées**
Par la teinte des ans **voilées**,
Seul vestige d'un vieux château
Dont les ruines **mutilées**
Jettent de loin sur le hameau
Quelques ombres **démantelées** ;
Elles n'ont plus d'autres vassaux
Que les nids des joyeux oiseaux,
L'hirondelle et les passereaux
Qui peuplent leurs nefs **dépeuplées** ;
Le lierre au lieu des vieux drapeaux
Fait sur leurs cimes **crénelées**
Flotter ses touffes **déroulées**,
Et tapisse de verts manteaux
Les longues ogives **moulées**,
Où les vautours et les corbeaux,
Abattant leurs noires **volées**,
Couvrent seuls les sombres créneaux
De leurs sentinelles **ailées**.

Alphonse de Lamartine, « Épître familière à M. Victor H… »,
Épîtres

Je sais un rosier où s'ouvre une rose
Il n'est plus de nuit pour l'ombre qu'**elle est**
D'un parterre errant de lumières closes
Où vibrait l'essaim des jours **écoulés**

Nul feu dans le noir que le ciel ne **l'ait**
Avec mon amour mort à tant de choses
Contraint de **filer** aux vœux **envolés**
Le linceul d'un pleur où s'ouvre une rose.

Joë Bousquet, « L'aubaine des jours »,
Connaissance du Soir

Après cela, je peins en **l'air** *,
J'apprends aux ânes à **voler**,
Du bordel je fais la chronique,
Aux chiens j'apprends la rhétorique…

Mathurin Régnier, « Épître » III,
Œuvres

* rime normande

Il y en avait un seul. Il est parti, **envolé**.
Les abattoirs de la rue Frontenac ont été mis à sac.
Blé, **clé**, **dlé**, **flé**, **glé**, **klé**, **mlé**, **nlé**, **plé**, **rlé**, **slé** ;
Bac, cac, dac, fac, gac, hac, jac, kac, lac, mac, nac, pac, rac.

Réjean Ducharme,
La Fille de Christophe Colomb. 180

❒ 7 [Merrill] ; 139 [Rostand] ; 444 [Le Dantec]

_É-LÉE°

214. É

introublé/e°
(s') **affubler**

une **clef/clé**
(Paul) Klee°
bâclé/e°
bâcler
(glousser, rég.) câcler
maclé/e°
macler
renâcler
(correction) une raclée°
(gratter) racler
Héraclée°
tacler
contreclef
porte-clefs/porte-clés
recycler
chiclé
une giclée°
gicler
(voir mal, rég.) bornicler
demi-clé/demi-clef
(éclabousser, rég.) estricler
cochlée°
mot-clef
trochlée°
(démolir, rég.) dessocler
(rafistoler, rég.) rabistocler
bouclé/e°
dé/**boucler**
(tuer, arg.) charcler
sarcler
en/dé/re/**cercler**
démascler
musclé/e°
muscler
il énuclée°

yodler/iodler
puddler

(aile) **ailé/e°**
(ville antique) Élée°
elle est
(appeler) héler
(mythologie) Hellé
bêler
se rebeller
un libellé
libeller
ombellé/e°
fêlé/e°
(se) fêler
(flagelle) flagellé/e°
(protozoaires) les flagellés
(fouetter) (se) **flageller**
enfiellé/e°
(s') enfieller
miellé/e°
une miellée°
emmieller
démieller
(gâter) nieller
(graver) nieller
vieller
ukulélé
mêlé/e°
(cohue) une **mêlée°**

mêler
lamellé/e°
caramélé/e°
emmêler
la Champmeslé
sang-mêlé
(dispute) un démêlé
(dénouer) démêler
Sémélé
entremêler
anhéler
brêler
(se) **quereller**
grêlé/e°
grêler
engrêlé/e°
corrélé/e°
corréler
(rivière) le Célé
(cacheter) **sceller**
(cachet) des scellés
(un cheval) **seller**
ensellé/e°
(ouvrir) desceller
(un cheval) desseller
recéler
pédicellé/e°
ocellé/e°
exceller
zélé/e°
télé
constellé/e°
consteller
truellée°
vêler
révélé/e°
révéler

(bavarder, rég.) babeler
(boiter, rég.) gambeler
(bredouiller, rég.) broubeler
barbelé/e°
des **barbelés**
(secouer, rég.) tarbeuler
un **modelé**
re/**modeler**
(ronchonner, rég.) berdeler
cordeler
feuler
gelé/e°
la **gelée°**
geler
(correction) une dégelée°
(faire fondre) dégeler
regeler
un congelé
congelé/e°
dé/congeler
un surgelé
surgelé/e°
surgeler
une agnelée°
agneler
gueuler
engueuler
égueulé/e°
égueuler
dégueuler
(tomber, rég.) tieuler

meuler
(emmêler, rég.) s'acrameler
ressemeler
pommelé/e°
se pommeler
grommeler
jumelé/e°
jumeler
se grumeler
annelé/e°
anneler
cannelé/e°
canneler
épanneler
crénelé/e°
créneler
greneler
une prunelée°
(footballeur) Pelé
(râpé) pelé/e°
montagne Pelée°
(sans poil) peler
(geler, arg.) peler
un appelé
appelé/e°
appeler
dé/capeler
(un/e) rappelé/e°
(se) **rappeler**
(grommeler, rég.) rampeler
épeler
crêpelé/e°
interpeller
craquelé/e°
craqueler
nickelé/e°
nickeler
(bédé) les Pieds Nickelés
(indolent)
avoir les pieds nickelés
dé/re/carreler
(beugler, rég.) breuler
(secouer, rég.) greuler
bourrelé/e°
bourreler
(aller et venir, rég.) treuler
(blason) burelé/e°
celer
chanceler
déceler
esseulé/e°
(s') esseuler
receler
bien/mal ficelé/e°
dé/ficeler
ruisseler
enlinceuler
étinceler
dé/bosseler
amonceler
harceler
resarcelé/e°
morceler
dés/**ensorceler**
dépuceler
oiseler
ébiseler
ciselé/e°
ciseler

(traînasser, rég.) berzeler
fuselé/e°
fuseler
dé/**museler**
atteler
(charge) une batelée°
(faire des tours) bateler
une râtelée°
râteler
dentelé/e°
denteler
gantelée°
mantelé/e°
démanteler
panteler
dételer
botteler
côtelé/e°
potelé/e°
(sautiller) sauteler
écartelé/e°
écarteler
marteler
s'encasteler
(trépigner, Belg.) pesteler
(tousser, rég.) carcaveler
en/javeler
clavelé/e°
une clavelée°
gravelée°
tavelé/e°
taveler
échevelé/e°
écheveler
dé/niveler
un/e dénivelé/e°
(tacheté) grivelé/e°
(escroquer) griveler
renouveler
(un/e) écervelé/e°
décerveler
cuveler

rafler
érafler
r/**enflé/e°**
r/enfler
désenfler
tréflé/e°
gifler
renifler
(grapiller, rég.) écornifler
(frapper, arg.) mornifler
(épier, rég.) escournifler
(limer, rég.) rifler
(se bagarrer, arg.) rifler
(jouer au loto, rég.) rifler
siffler
persifler
(épouser, arg.) entifler
(rentrer, arg.) réentifler
giroflée°
(faire échouer, Belg.) mofler
(audacieux) (un/e) gonflé/e°
gonfler
(lâche) (un/e) dégonflé/e°
dégonfler
regonfler
ronfler

camoufler
maroufler
(mets) un soufflé
(stupéfait) soufflé/e°
souffler
(s') **essouffler**
boursouflé/e°
boursoufler
pantoufler
(s') emmitoufler
(miséreux, arg.)
emmistouflé
époustoufler
(subir, arg.) morfler
buffler
(ivresse, arg.) muflée°
insuffler

étranglé/e°
étrangler
des/sangler
(femme gracieuse) Églé
réglé/e°
régler
déréglé/e°
dérégler
prérégler
beugler
meugler
(tousser, rég.) teugler
aveugler
bigler
(payer, arg.) cigler
(marqué) siglé/e°
(arrêter, arg.) é/pingler
(fixer) **épingler**
(techn.) tringler
(coïter, arg.) tringler
(fou) (un/e) cinglé/e°
(fouetter) **cingler**
(naviguer) cingler
zooglée°
(ongle) onglé/e°
(gelure) une onglée°
jongler

il est
se biler
cantabile
assibiler
(fête) un **jubilé**
(se réjouir) **jubiler**
obnubilé/e°
obnubiler
achilée°
(trafiquer, arg.) dealer
(fil) un filé
filer
(aiguiser) affiler
(à la file) d'affilée°
r/**enfiler**
(frange) un effilé
(mince) effilé/e°
(allongé) (s') effiler
(passage; cortège)
un **défilé**
(marcher) **défiler**
(s'esquiver) se défiler
tréfiler

LÉ-LÉE°

214. É

refiler
(se) faufiler
d/éfaufiler
un profilé
profilé/e°
(se) **profiler**
parfiler
émorfiler
surfiler
transfiler
sigillé/e°
narghilé/narguilé
annihiler
Galilée°
un assimilé
assimilé/e°
assimiler
inassimilé/e°
désassimiler
fac-similé
(broyer) piler
(s'arrêter net) piler
empiler
(rengagé) (un) rempilé
rempiler
(jouer, arg.) (s)chpiler
épiler
(poil) dépiler
(pilier) dépiler
horripiler
un propylée°
les Propylées°
(se) désopiler
compiler
fibrillé
vaciller
ensiler
désiler
pénicillé/e°
verticillé/e°
osciller
Penthésilée°
(un/e) **exilé/e°**
(s') exiler
ventiler
stylé/e°
styler
distiller
instiller
un/e mutilé/e°
mutiler
s'automutiler
rutiler
huiler
ruiler
déshuiler
tuiler
bougainvillée°

o(l)lé!
bolée°
(bavarder, rég.) baboler
(se) caramboler
chauler
(tituber, rég.) brancholer
(adoubement) une colée°
coller
accoler
racoler

caracoler
encollé/e°
encoller
préencollé/e°
désencoller
(détacher) décoller
(s'envoler) décoller
récoler
recoller
contrecollé/e°
picoler
bricoler
(tituber, rég.) tricoler
(dandiner, rég.)
se bransicoler
alcoolé
(dorloter, Suisse) cocoler
doler
Chênedollé
(déformer) gondoler
(rire) se gondoler
être o(l)lé o(l)lé
auréolé/e°
(s') auréoler
lancéolé/e°
urcéolé/e°
alvéolé/e°
affolé/e°
(s') affoler
raffoler
batifoler
cajoler
flageoler
enjôler
fignoler
(masturber, arg.) pignoler
(chanter) rossignoler
gauler
rigoler
dégringoler
(neiger, rég.) parpailloler
(enjôler, rég.) embabioler
(maudire, rég.) patafioler
miauler
piauler
bariolé/e°
barioler
(un/e) variolé/e°
cabrioler
cambrioler
affrioler
vitrioler
pétiolé/e°
étiolé/e°
(s') **étioler**
(s'affubler, rég.)
s'affutiauler
violer
inviolé/e°
mollé
immoler
formoler
(prénom) Guénolé
goménolé/e°
somnoler
extrapoler
(haltérophilie) un épaulé
(vêtement) épaulé/e°
(charge) une épaulée°

(aider) **épauler**
interpoler
(égaler) équipoller
enrôler
(déranger, rég.) débrauler
(nager) crawler
(tousser, rég.) crôler
(bouclé, Belg.) crollé/e°
glycérolé
vérolé/e°
frôler
(traînasser, rég.) groller
viroler
(traîner) trôler
contrôler
incontrôlé/e°
saulée°
assoler
(un cheval) dessoler
(un champ) dessoler
entresolé/e°
rissoler
insoler
consoler
(un/e) **inconsolé/e°**
déboussoler
désolé/e°
désoler
(un/e) **isolé/e°**
isoler
frisolée°
grisoller
débenzoler
mausolée°
neige tôlée°
(clameur) un tollé
(voler, arg.) entôler
mentholé/e°
rafistoler
(dépouillé) (un/e) volé/e°
(essaim;salve) une **volée°**
(planer) **voler**
(dérober) voler
une envolée°
s'**envoler**
(planer) revoler
(dérober) revoler
demi-volée°
convoler
survoler

bouler
(donner, arg.) abouler
trabouler
(s'habiller, arg.)
se sabouler
taboulé
chambouler
blackbouler
(s') **ébouler**
débouler
roulé-boulé
tournebouler
giboulée°
(...des yeux) ribouler
(avoir des cloques)
échauboulé/e°
boubouler
(musique) un coulé

(flot) une coulée°
couler
écouler
découler
(choyer, rég.) coucouler
roucouler
une **foulée°**
fouler
(se) défouler
(un/e) refoulé/e°
refouler
goulée°
(proférer, arg.) dé/bagouler
encagoulé/e°
(avaler, arg.) engouler
iouler
(pleurer, rég.) piouler
moulé/e°
mouler
(moudre) vous moulez
remmouler
(émoudre) vous émoulez
démoulé/e°
démouler
remouler
(remoudre) vous remoulez
(se blottir, rég.)
se groumouler
se vermouler
surmouler
ampoulé/e°
roulé/e°
(râclée) une roulée°
rouler
(dévaler, rég.) débarouler
(s') **enrouler**
crouler
s'**écrouler**
dérouler
(crier, rég.) groûler
(s'accroupir, rég.)
s'agrouler
(se) saouler/**soûler**
dessaouler/dessoûler
vous re/voulez

(déchiqueter, rég.) chapler
(embêter, rég.) enchâpler
(tomber, rég.) s'estapler
contempler
peuplé/e°
peupler
(se) **dépeupler**
repeupler
sous-peuplé/e°
surpeuplé/e°
(trois succès) triplé
(enfants) des triplé(e)s°
tripler
un couplé
coupler
accouplé/e°
dés/accoupler
découplé/e°
découpler
décupler
(par 12) duodécupler
nonupler
des quadruplé(e)s°

quadruple
il supplée
centuple
octuple
des quintuplé(e)s
quintuple
vingtuple
septuple
des sextuplé(e)s
sextuple

le parl
parlé/e
PARLEF
franc-parle
(délirer, rég.) déparle
reparle
des pourparler
ferle
déferle
perlé/e
perle
emperle
(s'écouler) s'éperle
(crier, rég.) beurle
(secouer, rég.) gorle
ourlé/e
ourle
(mugir, rég.) bourle
hurle
(tempêter, rég.) burle
(se moquer, arg.) se burle

(n. dép.) Nestl

bullé/e
bulle
fabule
affabule
(s'entretenir) confabule
tintinnabule
tabul
déambule
noctambule
dénébule
infibule
démantibulé/e
démantibule
lobulé/e
subulé/e
tubulé/e
(contrefort) une culée
(reculer) cule
(embardée) une acculée
accule
éjacule
maculé/e
macule
immaculé/e
(un/e) **miraculé/e**
enculé/e
encule
éculé/e
fécule
spécule
(isolé) reculé/e
(géogr.) une reculée
(fuir) **recule**
pédiculé/e

LÉ-LÉE° — 214. É

véhiculer
pelliculé/e°
vermiculé/e°
paniculé/e°
géniculé/e°
auriculé/e°
immatriculer
turriculé/e°
fasciculé/e°
graticuler
denticulé/e°
lenticulé/e°
réticulé/e°
réticuler
articulé/e°
(prononcer) articuler
(s'assembler) s'articuler
inarticulé/e°
désarticuler
gesticuler
onguiculé/e°
re/**calculer**
loculé/e°
floculer
inoculer
pédonculé/e°
operculé/e°
désoperculer
circuler
basculer

émasculer
bousculer
aduler
penduler
striduler
acidulé/e°
aciduler
moduler
démoduler
ondulé/e°
onduler
coaguler
trianguler
stranguler
dé/réguler
ligulé/e°
un ongulé
ongulé/e°
(donner, arg.) virguler
juguler
(h)ululer
pulluler
émuler
trémuler
simulé/e°
simuler
dissimulé/e°
dissimuler
stimuler
re/**formuler**

informulé/e°
cumuler
accumuler
annuler
canuler
un granulé
granulé/e°
granuler
zinzinuler
Apulée°
manipuler
stipuler
copuler
(un/e) **brûlé/e**°
re/**brûler**
imbrûlé/e°
(grelotter, rég.) crûler
sporuler
dé/capsuler
roi de Thulé
spatulé/e°
(se) congratuler
capituler
récapituler
un intitulé
(s') intituler
postuler
ovuler

+ verbes en -ier
part. passé masc./fém.
2e pers. pluriel
présent indic., impér.
1e pers. sing.
passé simple

rime normande
177. LER

sous-rimes voisines
214.12 MÉ-E
214.10 IÉ-É (LLÉ)

contre-assonance
121.11 LET-LAIE

214.12 MÉ-MÉE°

AIMER

mes
(aimé, archaïsme) amé/e°
(pierre) un **camée**°
(drogué, arg.) (un/e) camé/e°
(se droguer, arg.) se
camer
damer
vidamé
bien/mal **famé/e**°
affamé/e°
affamer
(blason) diffamé/e°
(calomnier) **diffamer**
malfamé/e°
croix gammée°
engamer
amalgamer
un lamé
lamé/e°
lamer
blâmer
clamer
acclamer
déclamer
réclamer
s'auto/**proclamer**
s'**exclamer**
flammé/e°
enflammé/e°
r/dés/(s') enflammer
pâmé/e°

se pâmer
Apamée°
(se) desquamer
(blason) ramé/e°
(feuillage) une **ramée**°
ne pas en fiche une ramée°
(manœuvrer) **ramer**
(tuteurer) ramer
(un tissu) ramer
bramer
cramer
macramé
(manœuvrer) déramer
(des feuilles) déramer
framée°
programmé/e°
dé/re/programmé/e°
préprogrammé/e°
tramer
entamer
inentamé/e°
rentamer
étamer
(fatigué) rétamé/e°
(rétameur) rétamer
(tomber) se rétamer

acmé
Lakmé

Cadmée°
Edmée°

(prénom) Aimé/e°
(un/e) **aimé/e**°

Usez moins avec moi du droit de tout **charmer**,
Vous me perdrez bientôt si vous n'y prenez garde,
J'aime bien à vous voir, quoi qu'enfin j'y hasarde,
Mais je n'aime pas bien qu'on me force d'**aimer**.

Cependant mon repos a de quoi s'**alarmer**,
Je sens je ne sais quoi dès que je vous regarde ;
Je souffre avec chagrin tout ce qui m'en retarde,
Et c'est déjà sans doute un peu plus qu'**estimer**.

Pierre Corneille, « Sonnet »,
Poésies choisies du recueil Sercy

Les bras qui se nouent en caresses **pâmées**,
Le cordial bu du baiser animal,
Les cheveux qu'on tord, les haleines **humées**,
Des nerfs énervés apaisent-ils le mal ?

Ô nos visions les toujours **affamées** !
Ô les vœux sonnant ainsi qu'un faux métal !
En nos âmes, inéluctables **Némées**,
Qui viendra terrasser le monstre fatal ?

Jean Moréas, « Les bras qui se nouent… »,
Les Syrtes

Le soleil verse aux toits des chambres mal **fermées**
Ses urnes **enflammées** ;
En attendant le kief, toutes sont là, **pâmées**,
Sur les divans ***brodés*** de chimères **armées** ;

Annès, Nazlès, Assims, Bourbaras, **Zalimées**,
En lin blanc, la prunelle et la joue **allumées**
Par le fard, **parfumées**,
Tirant des ***narghilés*** de légères **fumées**,

……

MÉ-MÉE°

214. É

AIMER
(Marcel) Aymé
blasphémer
(pierre) gemmé/e°
(un arbre) gemmer
la Falémé
(un/e) **mal(-)aimé/e**°
Ptolémée°
Némée°
(un/e) **bien-aimé/e**°
(ripailler) se décarêmer
crémer
écrémé/e°
écrémer
s'entr'aimer
essaimer
désaimer
épistémé

(éplucher, rég.) pieumer
(beugler, rég.) breumer
res/**semer**
parsemer
clairsemé/e°
sursemer

diaphragmer
les Pygmées°/
(un) **pygmée**°

abîmé/e°
(s') **abîmer**
(boire, arg.) chimer
se rédimer
vidimer
(pleurer, rég.) gimer
limer
(chimie) un sublimé
(magnifier) **sublimer**
élimé/e°
élimer
mimer
animé/e°
ré/**animer**
inanimé/e°
ranimer
envenimé/e°
dés/envenimer
rimé/e°
(vers) **rimer**
(geindre, rég.) rimer
(brûler, rég.) rimer
dés/arrimer
(geler, rég.) blanc-rimer
brimer
la Crimée°
s'**escrimer**
(Prosper) Mérimée°
périmé/e°
se périmer
frimer
grimer
bout-rimé
primé/e°
(récompenser) primer
(l'emporter) primer
(un/e) déprimé/e°
déprimer
(un/e) immunodéprimé/e°

réprimer
un imprimé
imprimé/e°
ré/imprimer
(un/e) **opprimé/e**°
opprimer
(pastille) un comprimé
(pressé) comprimé/e°
dé/sur/comprimer
supprimer
(s') **exprimer**
inexprimé/e°
trimer
désensimer
écimer
décimer
millésimé/e°
millésimer
Timée°
(un/e) légitimé/e°
légitimer
(un/e) intimé/e°
intimer
sur/més/sous-/estimer

almée°
calmer
palmé/e°
(voler, arg.) empalmer
micro-/**filmer**

(aréomètre) un baumé
(marine) bômé/e°
embaumé/e°
embaumer
chômé/e°
(sans travail) **chômer**
(chaume) dé/chaumer
gommé/e°
gommer
engommer
dégommer
Lomé
slalomer
Salomé
plommée°
(un/e) diplômé/e°
diplômer
nommé/e°
dé/nommer
(le/la) sus/dénommé/e°
(le/la) prénommé/e°
prénommer
renommé/e°
(gloire) la renommée°
(réélire) renommer
inno(m)mé/e°
à point nommé
surnommer
(le/la) susnommé/e°
(égaré) (un/e) **paumé/e**°
(perdre) paumer
(légume) pommé/e°
(légume) pommer
empaumer
ipomée°
rhumer
bromé/e°
chromé/e°

Ou buvant, **ranimées**,
Les ongles teints, les doigts illustrés de **camées**,
Dans des dés d'argent fin des liqueurs **renommées**.

Sur les coussins vêtus d'étoffes **imprimées**,
Dans des poses d'**almées**,
Voluptueusement fument les **bien-aimées**.

Germain Nouveau, « Smala »,
Sonnets du Liban

Regardez-les tous deux : c'est un couple d'***amants***
Qui, les ***mains*** dans les ***mains***, causent sous la **ramée** ;
Du pétulant jeune homme à la voix **enflammée**
La jeune fille ***émue*** écoute les ***serments***.

Mais qu'ils sont loin déjà ces magiques ***moments*** !
Voici l'***amant*** qui craint et fuit la **bien-aimée**,
Et sa rancune, hélas ! résiste, **envenimée**,
Même aux douceurs qu'on trouve aux ***raccommodements***.

Amédée Pommier, « Quand l'amour
arrive. – Quand l'amour s'en va »,
Colifichets, jeux de rimes

Ne sois pas curieuse et, si tu sais m'**aimer**,
laisse ton doux silence emplir mon cœur **amer***.
Si nous nous promenons, écoute donc, songeuse,
comme si tu l'entendais pour la première fois,
le bruit continuel, sec et brisé des feuilles
qui tombent en tournant sur les débris des bois.

Francis Jammes, « Élégie seconde » II,
Le Deuil des Primevères

* rime normande

Et nous étions en paix avec cette nature,
Et nous aimions ces prés, ce ciel, ce doux murmure,
Ces arbres, ces rochers, ces astres, cette **mer** *;
Et toute notre vie était un seul **aimer** !

Alphonse de Lamartine, « Novissima Verba »,
Harmonies poétiques et religieuses. IV, XI

* rime normande

Monseigneur,
N'étant plus bel *art*
Que de combattre et d'**escrimer**,
À pied, à cheval, comme All*ar*,
Qu'entre les preux j'entends **nommer**,
Avecque son frère Guich*ard*,
Qui ne parlaient que d'**assommer** :
Sans oublier aussi Rich*ard*,
Qui savait des mieux se **gourmer**,
À coups de poings, faute de d*ard*,
Qui prenaient villes sans **sommer**,
Avecque pétard, et sans pét*ard*,
Je veux d'un désir m'**animer**,
Encor que je ne sois soud*ard*,
Pour vos faits d'armes **exprimer** [...]

Louis de Neufgermain, « Lettre envoyée par l'auteur à
Monseigneur. Le mot *armer* finissant les vers »,
Les Poésies et Rencontres. 2nde partie

cf. 1.5 [Voiture] ; 510 [La Fontaine] ; 224 [Roubaud]

❐ *121.17 [Nouveau] ; 121.12 [Garampon]*

MÉ-MÉE° 214. É

chromer
géromé
îles Borromées°
saint Charles Borromée°
(ordonner) **sommer**
(totaliser) sommer
assommer
(bouillon) un consommé
(parfait) consommé/e°
(accomplir) **consommer**
(absorber) consommer
tomer
diatomée°
épitomé
São Tomé
protomé
(se prélasser, Suisse)
(se) royaumer

(plaire, arg.) boumer
(humeur, arg.)
bien/mal boumé/e°
(flairer, rég.) choumer
(regarder, arg.) choumer
(en rogne, rég.)goumer
okoumé
(endetté, arg.)
encroumé/e°
(s'endetter, arg.)
s'encroumer
(protester, arg.) groumer
(bâcler, rég.) agroumer
zoomer

un armé
armé/e°
une **armée°**
(s') **armer**
(payer, arg.) carmer
charmer
se gendarmer
réarmer
alarmer
(Stéphane) **Mallarmé**
Gérardmer
interarmées°
désarmé/e°
désarmer
fermé/e°
fermer
affermer
r/enfermer
(remugle) le renfermé
(secret) renfermé/e°
refermer
germé/e°
é/dé/**germer**
vermée°
ré/**affirmer**
infirmer
confirmer
(s'enliser, rég.) s'emborner
vous en/ren/re/dormez
formé/e°
former
déformer
(un/e) réformé/e°
réformer
préformer
reformer

informé/e°
sur/dés/**informer**
sous-informé/e°
néoformé/e°
chloroformer
conformé/e°
conformer
(math.) une transformée°
transformer
ortho/normé/e°
(affectée) **gourmé/e°**
(brider un cheval) gourmer
(se battre) se gourmer

(s') **enthousiasmer**
fantasmer
mousmé

rythmé/e°
rythmer

humer
écumer
l'Idumée°
(gravure) un fumé
fumé/e°
(vapeur) la **fumée°**
(excréments) des fumées°
(brûler) **fumer**
(un champ) fumer
dés/**enfumer**
pare-fumée°
antifumée°
parfumé/e°
parfumer

(excité, arg.)
(un/e) allumé/e°
r/**allumer**
une plumée°
(dépouiller) **plumer**
(se coucher, arg.) se plumer
emplumé/e°
(se) r/**emplumer**
déplumer
inhumer
enrhumé/e°
(s') enrhumer
brumer
embrumer
assumer
subsumer
consumer
transhumer
en/un résumé
résumer
présumé/e°
présumer
exhumer
bitumer
accoutumé/e°
à l'accoutumée°
ré/(s') accoutumer
inaccoutumé/e°
désaccoutumer
costumé/e°
(se) costumer

+ verbes en -mer
part. passé masc./fém.
2e pers. pluriel
présent indic., impér.
1e pers. sing.
passé simple

rime normande
177. MER

sous-rimes voisines
214.11 LÉ-E
214.13 NÉ-E

contre-assonance
121.12 MET-MAIE

214.13 NÉ-NÉE°

ANNÉE°

(naître) **né/e°**
un **nez**
(charge d'un âne) ânée°
ANNÉE°
ahaner
(paresser, rég.) bambaner
haubaner
enturbané/e°
rubané/e°
enrubanner
(flancher, arg.) caner
(mourir, arg.) ca(n)ner
(chaise) canné/e°
canner
cancaner
chicaner
ricaner
boucaner
(puer, arg.) emboucaner
scanner
(un/e) **damné/e°**
damner
succédané
(un/e) **condamné/e°**
re/condamner

(flétri) **fané/e°**
(faire les foins) faner
(flétrir) se faner
effaner
profaner
(épris, arg.) morgané/e°
(manger, arg.) morganer
(en prison arg.) gourganer
des miscellanées°
flâner
glaner
(plante) solanée°
vol plané
(voler) **planer**
(polir) planer
émaner
romanée°
(incarcérer, arg.)
embourrmaner
(être dupe, arg.)
se faire bananer
dédouaner
(grillé) pané/e°
(griller) paner
(pauvre, arg.) pa(n)né/e°
(se pavaner) paonner
empanner
dépanner
trépaner

Cette fleur autrefois **donnée**
A gardé l'odeur d'un beau sein ;
Il s'en échappe tout l'essaim
Des souvenirs d'une autre **année**
Où la blancheur au pur dessin
Charma quelque âme **fortunée**.
Le temps fut-il prompt assassin ?
Tu le sais, toi, rose **fanée**,
Qu'on avait, une **matinée**,
Cueillie et cachée à dessein.
Heureuse fut la **matinée**
Qui t'embaumait, ô fleur **fanée** !
À qui le temps, doux assassin,
Fit une mort si **fortunée**.
Il n'a tué que ton dessin,
Non les rêves de cette **année**
Dont sur toi flotte tout l'essaim !
Et j'y sens au tour d'un beau sein
L'odeur d'amour par toi **donnée**,
Ô fleur que je garde à dessein !

Léon Dierx, « Parfum double »,
Poésies complètes

Seigneurs, arrêtez-vous ! Non, n'allons pas si vite.
Les nids de l'an ***dernier*** sont vides cette **année**.
Ah ! ce lièvre traqué, son angoisse, sa fuite !
Ne reverrai-je plus, plus jamais, **Dulcinée** ?
. . . . . .

NÉ-NÉE°

214. É

maharané
crâner
la **Méditerranée**°
safrané/e°
safraner
filigraner
extemporané/e°
suranné/e°
basané/e°
basaner
(hâle) **tanné/e**°
(raclée) une tannée°
(bronzer) tanner
(agacer) tanner
satané/e°
(abuser) charlataner
momentané/e°
un instantané
instantané/e°
prytanée°
simultané/e°
une simultanée°
spontané/e°
(prêtre, arg.)
(un) ensoutané
sous-/per/cutanée°
(fatigué) vanné/e°
(fatiguer) vanner
(blaguer) vanner
(du blé) vanner
se **pavaner**

acné
Arachné
strychnée°

adné/e°
échidné

(frère, sœur) (un/e) **ainé/e**°
(prince) **Énée**°
(teinture) le henné
nota bene
chaîné/e°
chaîner
enchaîné/e°
dés/enchaîner
déchaîné/e°
(se) déchaîner
gainer
r/engainer
dégainer
gêné/e°
gêner
morigéner
sur/oxygéné/e°
dés/oxygéner
halogéné/e°
hydrogéné/e°
dés/hydrogéner
(se réconcilier, rég.)
se rabienner
(fou) un/e aliéné/e°
dés/aliéner
(un) premier-né
dernier-né
(dignité) un doyenné
(poire) une doyenné
moyenner

lainer
baleiné/e°
gléner
hyménée°
Idoménée°
(sein, arg.) néné
peiné/e°
(chagriner) peiner
(botanique) penné/e°
empenner
bipenné/e°
rainer
caréner
parrainer
enrêner
créner
drainer
(se) rasséréner
freiner
chanfreiner
effréné/e°
(se) **refréner/réfréner**
a/grainer
(s') **égrainer**
(calomnier, arg.) dégrainer
(séduire, arg.) dégréner
Irénée°
les **Pyrénées**°
les Hautes-Pyrénées°
Midi-Pyrénées°
(trace) une **traînée**°
(prostituée) une traînée°
traîner
sur/**entraîner**
étrenner
séné
assener/asséner
(rhéteur) Athénée°
(lycée, Belg.) un athénée°
les panathénées°
veiné/e°
veiner

cache-nez
(farfouiller, rég.) feurgueuner
jeûner
(un) **déjeuner**
(un) petit-déjeuner
halener
(rêver, rég.) bleuner
(un/e) aveugle-né/e°
monts du Mené
(intrigue) des **menées**°
(guider) **mener**
(d'eau) une amenée°
(conduire) amener
(les voiles) amener
ramener
r/emmener
se démener
malmener
(se) **promener**
(se) surmener
Douarnenez
(coïter, arg.) queuner
haquenée°
René/e°
(souiller) embrener
(épuisé) halbrené/e°

Je voudrais devenir berger ou cénobite.
Mais elle alors pourrait se croire **abandonnée**.
Dites-lui que mon cœur pour elle encor palpite,
Attendant que la mort sacre notre **hyménée**.

Elle n'est pas Chimène, ou Laure, ou Marguerite,
Hélène, ou Béatrice, ou la mère d'**Énée**,
Ni la Belle aux yeux clos, ni la Fée insolite

Qui charme les vautours de chaque âme **damnée**.
Elle est l'Oubli, la Paix, la cendre et l'eau bénite
Que verse le Pardon sur notre **destinée**.

Armand Godoy, « Seigneurs, arrêtez-vous ! »,
Dulcinée. XIV

La tabatière où mon grand-oncle a mis le **nez**,
Le trictrac incrusté sur la petite table
Me ravissent. Ainsi dans un temps supputable
Mes vers vous raviront, vous qui n'êtes pas **nés**.

Charles Cros, « Avenir »,
Le Coffret de santal

Las du chœur énervé des modernes guitares,
Des rhythmes langoureux sur papier **satiné**,
Et des Muses de joie au chant **efféminé**,
Le poète écœuré remonte aux temps barbares.

Sa dédaigneuse main presse le cuir **tanné**
Des chefs aux longs cheveux, muscles durs, mœurs bizarres.
Sa voix mâle s'essaye aux sauvages fanfares,
Qui sous les sombres bois de Gaule ont **résonné**.

Albert Mérat, « À M. Leconte de Lisle »,
Avril, mai, juin... XV

L'an trente-cinq de mes **années**,
Ainsi que Villon ***prisonnier***,
Comme Cervantès **enchaîné**,
Condamné comme André ***Chénier***,
Devant l'heure des **destinées**,
Comme d'autres en d'autres temps,
Sur ces feuilles mal **griffonnées**
Je commence mon testament.

Robert Brasillach, « Le testament d'un condamné »,
Poèmes de Fresnes

Le sourd bourdonnement des heures violentes
D'une chaude ***journée***, en l'air faisant **stagner**
Sur l'herbe auréolée, et tout autour des plantes,
Un plein rinforzando de notes grésillantes
Comme en un très lointain orchestre de **Wagner***.

Robert de Montesquiou, « Infantillage »,
Les Hortensias bleus. XXXVI

* rime normande

Elle lui dit : « Pour **déjeuner**
Je veux la tête du Messie
en papillotes ou farcie
de confiture de ***genêts***. »

Karel Logist, « Elle lui dit... »,
Le Séismographe, p.52

❐ 535.9 [Richepin] ; 535.12 [Laforgue]
214.8 [Verlaine]

NÉ-NÉE°

214. É

(une) première-née°
dernière-née°
enchifrené/e°
(grenu) grené/e°
(émietter) grener
(grain) engrener
(se) **gangrener**
(grain) rengrener
(engrenage) rengrener
désengrener
(s') **égrener**
(+comp.) (vous) **prenez**
rime senée°
pince-nez
(un/e) **forcené/e°**
(+comp.) (vous) **tenez**
(+comp.) (vous) **venez**

(nymphe) Daphné
(arbrisseau) un daphné

stagner
igné/e°
(critiquer) impugner

inné/e°
vahiné
biner
carabiné/e°
lambiner
(se réconcilier, arg.)
rambiner
(dénigrer, arg.) débiner
(s'enfuir, arg.) se débiner
(enrouler) em/bobiner
(duper) embobiner
bobiner
r/embobiner
débobiner
un combiné
combiné/e°
combiner
(coïter, arg.) trombiner
(conique) turbiné/e°
(essorer) turbiner
(trimer, arg.) turbiner
(coloré) chiné/e°
(colorer) chiner
(railler) chiner
machiner
crachiner
s'échiner
(bouder, rég.) bouchiner
(repas en voyage) la dînée°
(repas;manger) (un) **dîner**
badiner
(se) radiner
(se) dandiner
après-dîner
dodiner
boudiné/e°
boudiner
jardiner
décaféiné/e°
déthéiné/e°
(s') affiner
(plaisanter, rég.) fafiner
raffiné/e°
raffiner

paraffiner
(mourir, rég.) petafiner
in fine
le Dauphiné
peaufiné°/e
peaufiner
confiné/e°
(se) confiner
imaginer
paginer
une borraginée°
invaginer
marginer
la Guinée°
(monnaie) une guinée°
s'embéguiner
la Nouvelle-Guinée°
Linné
câliner
du praliné
praliné/e°
praliner
décliner
(s') **incliner**
il délinée°
(rapiécer) rabobeliner
embobeliner
dodeliner
(jouer petit) grimeliner
vaseliner
pateliner
ripoliner
dégazoliner
(percer, arg.) bouliner
(se faufiler, rég.)
se couliner
dégouliner
mouliner
pouliner
discipliné/e°
discipliner
indiscipliné/e°
miner
aminé/e°
gaminer
un laminé
laminer
dé/se calaminer
graminée°
foraminé/e°
dé/vitaminé/e°
contaminé/e°
dé/contaminer
staminé/e°
ré/**examiner**
déminer
un efféminé
efféminé/e°
efféminer
géminé/e°
une (consonne) géminée°
géminer
trigéminé/e°
disséminer
inséminer
(âtre) une **cheminée°**
(marcher) cheminer
acheminer
parcheminé/e°

(se) parcheminer
contre-miner
éliminer
récriminer
incriminer
discriminer
encalminé/e°
culminer
fulminer
abominer
dominer
prédominer
se gominer
(un/e) nominé/e°
nominer
innominé/e°
carminé/e°
terminer
un déterminé°
in/déterminé/e°
pré/sur/déterminer
exterminer
albuminé/e°
acuminé/e°
aluminer
enluminer
(un/e) **illuminé/e°**
illuminer
ruminer
(forniquer, arg.) égoïner
koiné
(pleurnicher, rég.) ouiner
(singer; manger, arg.)
babouiner
(enjôler) embabouiner
(pleurer, rég.) chouiner
couiner
fouiner
(entre femmes, arg.)
se gouiner
baragouiner
(aboyer, rég.) mouiner
shampouiner
(ronchonner, rég.) rouiner
(réussi, arg.) piné/e°
(coïter, arg.) piner
lapiner
rapiner
(racoler, arg.) tapiner
(paresser) clampiner
épiner
épépiner
(pincer, rég.) pimpiner
opiner
(boire, arg.) chopiner
copiner
clopiner
inopiné/e°
taupinée°
(travailler, arg.) goupiner
toupiner
(parler, arg.) jaspiner
turlupiner
(réussir, arg.) rupiner
(kinésithérapeute) un kiné
(botanique) quiné/e°
taquiner
enquiquiner
du pékiné

pékiné/e°
s'acoquiner
maroquiner
bouquiner
damasquiner
(pleuvoir, arg.) lansquiner
trusquiner
(cinéma, arg.) riné
en/fariner
enfariné/e°
mariner
mariné°/e
amariner
mandriner
périnée°
glycériner
entériner
seriner
Phryné
(grenu) chagriné/e°
(une peau) chagriner
(peiner) **chagriner**
tambouriner
(tuer, arg.) chouriner
capriné
endoctriner
uriner
buriné/e°
buriner
(tuer, arg.) suriner
ciné
bassiner
(hypnotiser) **fasciner**
(fagoter) fasciner
raciner
(s') **enraciner**
un/e déraciné/e°
déraciner
assassiner
organsiner
lanciner
(angoisser, rég.)
estranciner
re/vacciner
dessiné/e°
dessiner
filicinée°
riciné/e°
vaticiner
calciné/e°
calciner
Dulcinée°
une dulcinée°
ratiociner
(baratiner) patrociner
unciné/e°
houssiner
(un/e) **halluciné/e°**
halluciner
muscinée°
magasiner
emmagasiner
a/voisiner
lésiner
(confiture) un raisiné
(sang, arg.) du résiné/raisiné
du (vin) résiné
(résine) résiner
cuisiné/e°

cuisiner
cousiner
usiner
(flopée, arg.) tinée°
gélatiné/e°
platiné/e°
platiner
(matin) une **matinée°**
(bâtard) mâtiné/e°
(croiser) mâtiner
ouatiner
patiné/e°
(patine) (se) patiner
(caresser) patiner
(glisser) patiner
ratiner
baratiner
(extraordinaire) gratiné/e°
(soupe) une gratinée
(gratin) gratiner
le satiné
satiné/e°
satiner
ratatiné/e°
(se) ratatiner
(acheter, arg.) cantiner
brillantiner
(marchander, rég.)
charlantiner
un (muscle) pectiné
pectiné/e°
piétiner
(se) coltiner
cabotiner
(un/e) guillotiné/e°
guillotiner
(sucer, arg.) glottiner
potiner
trottiner
tontiner
tartiner
libertiner
obstiné/e°
s'obstiner
la **destinée°**
destiner
(un/e) **prédestiné/e°**
prédestiner
(festoyer) festiner
butiner
lutiner
(avouer, arg.) blutiner
agglutiner
conglutiner
(un/e) mutiné/e°
se **mutiner**
puîné/e°
ruiné/e°
ruiner
bruiner
embruiné/e°
(branche) une vinée°
(alcooliser) viner
aviné/e°
aviner
raviné/e°
raviner
enviné/e°
deviner

NÉ-NÉE°

214. É

aleviner
pleuviner
oviné
boviné
pluviner

limnée°

(plante) une aunée°
(longueur) une aunée°
(mesurer) auner
(un/e) **abonné/e°**
ré/dés/abonner
(coïter, arg.) tromboner
carboné/e°
charbonner
mâchonner
bichonner
(festoyer) gobichonner
(portée) une cochonnée°
(mettre bas) cochonner
(salir) **cochonner**
ronchonner
bouchonné/e°
bouchonner
tire-bouchonné/e°
tire-bouchonner
(se) torchonner
(cambrioler, arg.)
balluchonner
(arrêter, arg.)
emballuchonner
(éblouir, rég.)
éberluchonner
capuchonné/e°
encapuchonner
décapuchonner
archidiaconé
braconner
(coïter, arg.) enconner
déconner
(puer, arg.) emboconner
floconner
(se vanter) gasconner
(élément) une donnée°
donner
s'adonner
abandonné/e°
abandonner
une **randonnée°**
randonner
bedonner
redonner
fredonner
(truqué) bidonné
(truquer) bidonner
(rigoler) se bidonner
dés/amidonner
dindonner
échardonner
lardonner
pardonner
(rangé) **ordonné/e°**
(maths) une ordonnée°
(sommer) ordonner
(un/e) **subordonné/e°**
subordonner
insubordonné/e°
cordonner

coordonné/e°
des coordonnées°
coordonner
désordonné/e°
bourdonner
dé/plafonner
(cogner, arg.)
emplafonner
téléphoné/e°
téléphoner
chiffonné/e°
dé/chiffonner
griffonner
(fou) siphonné/e°
(transvaser) siphonner
(téléphoner, arg.)
bigophoner
bouffonner
drageonner
badigeonner
pigeonner
goujonner
(s'enivrer, arg.)
se gorgeonner
é/bourgeonner
(malchanceux)
enguignonné/e°
maquignonner
rognonner
grognonner
wagonnée°
parangonner
(maugréer, rég.) gongonner
bougonner
jargonner
fourgonner
dé/bâillonner
(cracher) graillonner
(odeur) graillonner
décavaillonner
gabionner
tourbillonner
dionée°
clayonner
(étoilé) rayonné/e°
(irradier) **rayonner**
(rayonnage) rayonner
crayonner
réveillonner
contagionner
camionner
vermillonner
bouillonner
couillonner
brouillonner
(s'enivrer, arg.) se pioner
papillonner
(se tortiller, arg.)
croupionner
espionner
fransquillonner
carillonné/e°
carillonner
vibrionner
émerillonné/e°
tourillonner
sillonner
collationner
(un/e) **passionné/e°**

dé/passionner
rationner
stationner
ovationner
mentionner
re/dimensionner
susmentionné/e°
(un/e) pensionné/e°
pensionner
ascensionner
attentionné/e°
s'attentionner
intentionné/e°
(un/e) malintentionné/e°
manutentionner
subventionner
conventionné/e°
dé/conventionner
actionner
fractionné/e°
fractionner
sanctionner
affectionné/e°
se dés/affectionner
confectionner
perfectionner
sélectionné/e°
pré/sélectionner
collectionner
sectionner
frictionner
fonctionner
ponctionner
impressionner
con espressione
(défiler) processionner
ambitionner
additionner
auditionner
conditionné/e°
dé/conditionner
inconditionné/e°
fissionner
démissionner
commissionner
soumissionner
réquisitionner
perquisitionner
re/positionner
pétitionner
émulsionner
convulsionné/e°
convulsionner
cautionner
(se) précautionner
lotionner
motionner
émotionner
commotionner
réceptionner
bien/mal
proportionné/e°
proportionner
disproportionné/e°
se contorsionner
excursionner
solutionner
révolutionner
occasionner

étrésillonner
visionner
endivisionner
provisionner
ré/dés/approvisionner
fusionner
dés/illusionner
contusionner
(vétiller) tatillonner
échantillonner
bastionné/e°
suggestionner
dé/congestionner
questionner
postillonner
mixtionner
aiguillonner
gravillonner
égravillonner
écouvillonner
alluvionner
ballonné/e°
dé/ballonner
un galonné
galonner
jalonner
talonner
étalonner
détalonner
vallonné/e°
sablonner
houblonner
doublonner
cloner
échelonner
melonné/e°
mamelonné/e°
pilonner
violoné/e°
violoner
dé/boulonner
foulonner
ramoner
pulmoné
saumoné/e°
dipneumoné/e°
s'époumoner
marmonner
sermonner
ânonner
canonner
tenonner
chaponner
saponé
(se) **cramponner**
tamponner
(écœurer, arg.) dépo(n)ner
(escroquer) friponner
(tergiverser) lantiponner
componé/e°
(se) **pomponner**
pouponner
harponner
(jupon) juponné/e°
(jupon) juponner
(îvre, arg.) en/juponné/e°
(s'amouracher, arg.)
s'enjuponner
(être complice) baronner

(poésie burlesque)
macaronée°
fanfaronner
maronner
lazzarone
godronner
goudronner
erronné/e°
claironner
péroné
biberonner
moucheronner
fleuronné/e°
(fleurir) fleuronner
dé/chaperonner
éperonner
gironné/e°
environner
ronronner
couronné/e°
dé/couronner
(s'inquiéter, arg.)
se mouronner
prôner
trôner
patronner
(ivrogne, arg.)
(un/e) pochtronné/e°
détrôner
(boire, arg.) litroner
(décolleté, rég.)
dépitroné/e°
citronné/e°
plastronner
chevronné/e°
(faire du sel) sauner
(cinglé) sonné/e°
(tinter) **sonner**
assoner
façonné/e°
re/façonner
paillassonner
maçonner
moissonner
r/empoissonner
caparaçonner
chansonner
rançonner
charançonné/e°
étançonner
dissoner
palissonner
polissonner
hérissonner
frissonner
saucissonner
poinçonner
consoner
tronçonner
soupçonner
insoupçonné/e°
arçonner
désarçonner
personné/e°
écussonner
klaxonner
(minéralogie) zoné/e°
(informatique) zoner
(traînasser) zoner

NÉ-NÉE°

214. É

en/dé/gazonner
blasonner
foisonner
cloisonné/e°
dé/cloisonner
empoisonné/e°
empoisonner
liaisonner
maisonnée°
(rationnel) raisonné/e°
(penser) **raisonner**
(tinter) **résonner**
arraisonner
déraisonner
irraisonné/e°
assaisonner
grisonner
emprisonner
(tacheté) tisonné/e°
(un feu) tisonner
ozoné/e°
ozoner
canzone
tonner
bâtonner
chatonner
(partir, arg.) (se) ripatonner
(frapper, arg.) satonner
tâtonner
entonner
(se) **cantonner**
chantonner
étonné/e°
(s') **étonner**
bétonné/e°
bétonner
(exploser) détoner
(trancher) détonner
laitonner
(payer, arg.) cachetonner
(se prostituer, arg.)
michetonner
œilletonner
gueuletonner
molletonner
hannetonner
(être indécis, arg.) bitonner
mitonner

pitonner
capitonner
(chanter) barytonner
(irréfléchi, rég.)
évaltonné/e°
se cotonner
(se) **pelotonner**
dé/re/boutonner
(entre lesbiennes, arg.)
se tireboutonner
moutonné/e°
moutonner
cartonné/e°
cartonner
(se battre, arg.)
se bastonner
festonner
pistonner
bostonner
savonnée°
savonner
(un/e) **nouveau-né/e°**

(choyer, rég.) coucouner
(vrombir, rég.) viouner
(vermoulu, rég.) chitouné/e°
(piétiner, rég.) pîtouner
(baisoter, rég.) poutouner
(tripoter, rég.) tastouner

apnée°
polypnée°
dyspnée°

(Marcel) Carné
carné/e°
dés/**incarné/e°**
se ré/dés/incarner
acharné/e°
s'acharner
écharner
décharné/e°
(se) décharner
(amender) marner
(bosser, arg.) marner
(monter, rég.) marner
berner
hiberner

(enivrer, rég.) éderner
(œil) cerné/e°
(encercler) **cerner**
décerner
discerner
concerner
en/caserner
materner
lanterner
(un/e) interné/e°
interner
alterné/e°
alterner
(se) **prosterner**
consterner
hiverner
gouverner
orner
(obtus) **borné/e°**
(limiter) borner
suborner
(corne) corné/e°
(de l'œil) la cornée°
(claironner) corner
(plier) corner
encorné/e°
encorner
(bavarder, rég.) cancorner
d/écorner
(se battre, arg.)
se chicorner
(parer) adorner
(cacher, rég.) encaforner
flagorner
(souffrant, arg.)
mal bigorné/e°
(se battre, arg.) se bigorner
(geindre, Suisse) piorner
(blason) morné/e°
(un/e) **mort-né/e°**
tord-nez
fournée°
(se terrer, rég.)
se racafourner
(se blottir, rég.)
s'encafourner
enfourner
défourner

journée°
(un/e) ajourné/e°
ajourner
séjourner
demi-journée°
bien/mal tourné/e°
(tour) une **tournée°**
(se) **tourner**
(paré) atourné/e°
(se parer) (s') atourner
chantourner
détourné/e°
détourner
retourner
contourné/é°
contourner
bistourner
ristourner
éburné/e°

usnée°

bien/mal lunée°
aluner
faluner
(frapper, arg.) pruner
pétuner
fortuné/e°
îles Fortunées°
(un/e) **infortuné/e°**
importuner

+ verbes en -ner
part. passé masc./fém.
2e pers. pluriel
présent indic., impér.
1e pers. sing.
passé simple

rime normande
177. NER

sous-rimes voisines
214.12 MÉ-É
214.18 GNÉ-É

contre-assonance
121.13 NET-NAIE

214.14 OÉ

OHÉ!
NOÉ
ÉVOHÉ!

OHÉ!
G(u)elboé
(vase à vin) œnochoé
Chloé
méloé
Chiloé
(piscine, Bible) Siloé
(Gil/Diego de) Siloé
la/le Comoé
(arche de) NOÉ
canoë
Ivanhoé
Nominoë/Nominoé
Arsinoé
Antinoë
(mollusque) béroé

Qui vogue sur les flots ? **ohé** !
C'est l'Arche de Monsieur **Noé**.

Stéphane Mallarmé, « Autres dons de Nouvel An » XXXVI,
Vers de circonstance

Les passions et les dégoûts mènent leurs courses.
Que t'importe, mon cœur, ce banal **évohé** !
Tu sais qu'elle est pareille aux fonts de **Siloë**
Qui changeaient en douceur l'amertume des sources.

Laurent Tailhade, « Repose-toi, mon cœur… »,
Vitraux in *Poèmes élégiaques*

☞

OÉ

îles Féroé
Méroé
Callirhoé
(prénom) **Zoé**
(larve) une zoé
Robinson Crusoé
(myth.) Leucothoé
(plante) une leucothoé
évoé!/ÉVOHÉ!

Dans ton gîte obscur encore,
Clairs **béroés**,
Néréides de phosphore
Auraient mis comme une aurore
Des **Féroés**.

André Berry, « Berceuse de l'amante antillaise »,
L'Amant de la Terre

Au rebours d'Hyacinthe et de **Leucothoé**,
Éternelles fleurs brèves,
Nous n'allons qu'au travers d'un oubli ***gradué***
Éclore en nouveaux rêves !

Robert de Montesquiou, « Lucus et Luctus »,
Les Hortensias bleus. CLXXXIV

sous-rimes voisines
214.15 OUÉ
214.1 AÉ
214.22 UÉ

contre-assonance
1.15 OA

❒ 382 [Rostand]
214.1 [Monselet]

214.15 OUÉ-OUÉE°

LOUER
DÉNOUER

houer
où est
bouée°
Zimbabwe
tabouer
embouer
(Félix) Éboué
(ôter la boue) ébouer
dés/**échouer**
méthode Coué
accouer
(vietnamien, arg.)
un/e niacoué/e°
(fou, arg.) secoué/e°
(flopée, arg.) une secouée°
(agiter) **secouer**
rocouer
(crier) coucouer
doué/e°
douer
(concubin, rég.)
être adoué/e°
amadouer
(un/e) surdoué/e°
les Éwés/Éoués
fouée°
bafouer
engoué/e°
s'engouer
lapsus linguæ
Lilongwe
(techn.) une jouée°
(s'amuser) **jouer**
enjoué/e°
déjouer
rejouer

(embauche) la louée°
(louange) LOUER
(location) louer
allouer
en/dé/re/**clouer**
relouer
flouer
afflouer
renflouer
sous-louer
surlouer
noué/e°
nouer
énouer
la Bénoué
DÉNOUER
(plante) une renouée°
renouer
l'Ogooué
(rusé) (un/e) **roué/e**°
(battre) **rouer**
enroué/e°
(s') enrouer
rabrouer
s'ébrouer
encroué/e°
écrouer
frouer
(percé) **troué/e**°
(ouverture) **trouée**°
(percer) trouer
(mijaurée) pimpesouée°
(câble) une touée
(haler) touer
(un/e) tatoué/e°
tatouer
(se) **vouer**
(justice) un avoué
(reconnaître) **avouer**
inavoué/e°
désavouer

Tout ce que vous voudrez pour vous donner la preuve
De l'amour fort et fier que je vous dois **vouer** ;
Pas de noviciat, pas d'âpre et rude épreuve
Que mon cœur valeureux puisse **désavouer**.

Oui, je veux accomplir une œuvre grande et neuve !
Oui ! pour vous mériter, je m'en vais **dénouer**,
Dans mon âme tragique et que le fiel abreuve
Quelque admirable drame où vous voudrez **jouer**.

Petrus Borel, « Sonnets. 9 Octobre »,
Poésies diverses

Tant de fois s'appointer, tant de fois se fâcher,
Tant de fois rompre ensemble et puis se **renouer**,
Tantôt blamer Amour et tantôt le **louer**,
Tant de fois se fuir, tant de fois se chercher,

Tant de fois se montrer, tant de fois se cacher,
Tantôt se mettre au joug, tantôt le **secouer**,
Avouer sa promesse et la **désavouer**,
Sont signes que l'Amour de près nous vient toucher.

Pierre de Ronsard, « Tant de fois s'appointer… »,
Sonnets pour Hélène. 1er Livre, XIX in *Les Amours*

En liberté maintenant me promène,
Mais en prison pourtant je fus **cloué** :
Voilà comment Fortune me démène.
C'est bien, et mal. Dieu soit de tout **loué**.

Les Envieux ont dit que de **Noué** *
N'en sortirais : que la Mort les emmène !
Malgré leurs dents le nœud est **dénoué**.
En liberté maintenant me promène.

Pourtant, si j'ai fâché la Cour romaine,
Entre méchants ne fus oncq **alloué**.
Des bien famés j'ai hanté le domaine ;
Mais en prison pourtant je fus **cloué**.

……

OUÉ-OUÉE° — 214. É

dévoué/e°
se dévouer

+ verbes en -ouer
part. passé masc./fém.
2e pers. pluriel
présent indic., impér.
1e pers. sing.
passé simple

Car aussitôt que fus **désavoué**
De celle-là qui me fut tant humaine,
Bientôt après à saint Pris fus **voué** :
Voilà comment Fortune me démène.

J'eus à Paris prison fort inhumaine,
À Chartres fus doucement **encloué** ;
Maintenant vais où mon plaisir me mène.
C'est bien, et mal. Dieu soit de tout **loué**.

Au fort, Amis, c'est à vous bien **joué**,
Quand votre main hors du parc me ramène.
Écrit et fait d'un cœur bien **enjoué**,
Le premier jour de la verte Semaine,
En liberté.

Clément Marot, « Rondeau parfait à ses amis après sa délivrance »,
Rondeaux. LXVII in *L'Adolescence clémentine*

* « de Noué » : avant Noël.

Pourquoué ? **pourquoué** ?
Je l'sais-t-y, **moué**…
L' souleil se couch' sans dir' **pourquoué** ! [...]

Pourquoué ? **pourquoué** ?
Je l'sais-t-y, **moué**…
Les ros's fleuriss'nt sans dir' **pourquoué** !

Gaston Couté, « Pourquoi ? »,
La Chanson d'un gâs qu'a mal tourné. Volume 3

sous-rimes voisines
214.22 UÉ-E
214.14 OÉ

contre-assonances
121.14 OUET
1.16 OI-OIE

❐ 214.22 [Vielé-Griffin]

214.16 PÉ-PÉE°

FRAPPER
ÉPÉE°
TROMPER

un P

happer
(capéer, marine) il capée°
(un cigare) caper
(obtenir, arg.) encaper
décaper
(un/e) handicapé/e°
handicaper
(un/e) **rescapé/e**°
(blason) un chapé
(chape) chapé/e°
(danse) un échappé
(évadé) un échappé
(escapade) une **échappée**°
(s') **échapper**
réchapper
rechaper
C.A.P.
priapée°
japper
laper

(manger, arg.) claper
(de la langue) clapper
(s'accroupir, rég.) s'aclaper
(rosser, rég.) esclaper
(nymphe) une napée°
(recouvrir) **napper**
canapé
kidnapper
(vagabonder, arg.) gouaper
(fichu) c'est râpé
(fromage) du râpé
(éliminé) **râpé/e**°
(en poudre) raper
(chanter le rap) ra(p)per
varapper
drapé/e°
draper
déraper
(fou) frappé/e°
(battre) FRAPPER
égrapper
(chasser, Can.) trapper
r/**attraper**
(couper le chaume) étraper
(vêtu, arg.) bien sapé/e°
(miner) saper
(dés/r/habiller, arg.)
se dé/re/saper

Charmé par les oiseaux, et par l'amour **trompé**
Dans de noirs corridors, sous de sombres portiques,
L'amant recherchera la marque de l'**épée**
Qu'Isis au cœur de feu dans son cœur a **trempée**…
Ô lame au fil parfait, sœur des fleuves mystiques !

Robert Desnos, « The night of loveless nights »,
Fortunes

Souvent nous fuyons en petit **coupé**,
Car chez moi toujours la sonnette grince.
Et les visiteurs qu'en vain l'on évince
Chassent le plaisir de mon **canapé**.

Couple par l'amour et l'hiver **groupé**,
Nous nous serrons bien, car la bise pince ;
Sur mon bras se cambre un corps souple et mince,
D'un châle à longs plis bien **enveloppé**.

Théophile Gautier, « La fumée »,
Sonnets à Marie Mattei

Avec ces yeux d'émail, cette joue en carton,
Ces mains, – d'une étagère elle semble **échappée**…
On s'exclame en riant : Mais c'est une **poupée** !
Et pour s'en assurer on lui prend le menton.

……

PÉ-PÉE° 214. É

zapper
tapé/e°
(flopée) une tapée°
(battre) **taper**
(marine) taper
(réparer) retaper
(racoler, arg.) retaper
(hébété, arg.) envapé/e°

bien campé/e°
camper
décamper
(jeter, rég.) escamper
une **lampée**°
lamper
clamper
(coïter) acclamper
ramper
trempé/e°
tremper
attremper
détremper
retremper
étamper
(techn.) estamper
(tromper, arg.) estamper
vamper

(haute personnalité, arg.) H.P.

ÉPÉE°
(n. dép.) B.P.
canne-épée°
poisson-épée°
(vagabonder, arg.) gouêper
(grand-père) un pépé
(femme) une pépée°
dé/**crêper**
cépée°
C.C.P.
une recépée°
(tailler) recéper
(recevoir, rég.) recéper
R.A.T.P.
porte-épée°
(policiers, arg.) V.P.
S.V.P.

(voler) holdeuper
B.E.P.
(éructer, rég.) reuper

(n. dép.) A.F.-P.
(n. dép.) C.F.P.

chiper
V.I.P.
(se rebiffer, rég.) se regiper
guiper
franche lippée°
(angoisser, arg.) flipper
(se) nipper
Satire Ménippée°
(chasse) la pipée°
(des dés) piper
(se taire) ne pas piper
(sortie) une **équipée**°
sur/dés/équiper
sous-équipé/e°

riper
fripé/e°
dé/friper
(un/e) grippé/e°
(se) gripper
(s') agripper
dégripper
(se droguer, arg.) triper
stripper
étriper
(un/e) émancipé/e°
(s') émanciper
(indocile) **dissipé/e**°
dissiper
anticipé/e°
anticiper
participer
exciper
zipper
(commerce, Suisse) ti(p)per
(marqué) typé/e°
(marquer) typer
contretyper
ronéotyper
stéréotypé/e°
(un/e) constipé/e°
constiper
(crier, rég.) viper

(se vêtir) (se) guimper
(se parer) (se) pimper
(tomber, arg.) quimper
une grimpée°
re/**grimper**

scalper
s'inalper
(à poil, arg.) à loilpé
palper
(lever l'ancre, Alg.) salper
désalper
O.L.P.
(un/e) inculpé/e°
inculper
un/e coinculpé/e°
disculper
insculper
dépulper

(attraper) choper
(heurter) (s') a/chopper
échopper
(François) Coppée°
pharmacopée°
écoper
syncopé/e°
syncoper
apocopé/e°
télescoper
magnétoscoper
doper
Cassiopée°
escaloper
galoper
saloper
(avoir peur, Belg.) cloper
(un/e) **éclopé/e**°
mélopée°
(math.) une enveloppée°

La bouche en boutonnière étroite est **découpée** :
La langue rose y passe en guise de bouton…
– Un peigne sur le front dresse, blonde et **crêpée**,
La toison dévolue à ce petit mouton.

Albert Mérat, « Miniature »,
Avril, mai, juin… LXXXVI

Lorsque par lui le Cid tira sa jeune **épée**,
La France tressaillit d'un tragique frisson
À voir le fils venger – et de quelle façon ! –
La paternelle joue indignement **frappée**.

Puis ce furent Horace et, de pourpre **drapée**,
Rome tendant les bras à ce fier nourrisson,
La clémence d'Auguste et sa noble leçon
Et Rodogune avec Polyeucte et **Pompée**.

Henri de Régnier, « Corneille »,
Le Médaillier

Jadis l'homme vivait au travail **occupé**,
Et, ne trompant jamais, n'était jamais **trompé**.
On ne connaissait point la ruse et l'imposture ;
Le Normand même alors ignorait le parjure.
Aucun rhéteur encore, arrangeant le discours,
N'avait d'un art menteur enseigné les détours.

Nicolas Boileau, « Épître » IX,
Épîtres

Bricolons
la **prosopopée**

Brouettons
la **mélopée**

Frisons
l'**onomatopée**

Développons
l'**épopée**

Craignons
la **pharmacopée**

Luc Bérimont, « Bricolons »,
L'Esprit d'enfance

Arrière, robin crotté ! place,
Petit courtaud, petit ***abbé***,
Petit poète jamais las
De la rime non **attrapée** !…

Paul Verlaine, « Ariettes oubliées » VI,
Romances sans paroles

Oh ! là, là ! y'en a marre, en parlant par ***respect***.
On est quitt' moi et toi ? Tourn' la pag', **s.v.p.** !

Edmond Brua,
La Parodie du Cid, acte III, scène VI

❒ 93 [Ronsard]
535.14 [Bacri]

PÉ-PÉE° — 214. É

dés/**envelopper**
(math.) une développée°
développer
sous-développé/e°
surdéveloppé/e°
(multitude) une **flopée**°
(battre, arg.)
flauper/floper
(s'activer, arg.) pouloper
varloper
sténopé
conopée°
(impératrice) Poppée°
épopée°
(mélanges) ripopée°
prosopopée°
(larguer) dro(p)per
(courir, arg.) dro(p)per
(chapeau) un taupé
(feutre) taupé/e°
(surprendre, arg.) tauper
(accepter) toper
(portrait moral) éthopée°
onomatopée°
(arrêter) **stopper**
(raccommoder) stopper

(général) Pompée°
(aspirer) **pomper**
(vous) rompez
(vous) interrompez
(vous) corrompez
(se) TROMPER
détromper
(s') **estomper**

houpper
(voiture) un coupé
(tranché) **coupé/e**°
(marine) une coupée°
dé/couper
pré/**découpé/e**°
recouper
entrecoupé/e°
entrecouper
surcouper
(écimer) éhouper
un loupé
loupé/e°
louper
chaloupé/e°
chalouper

(duper, arg.) entourlouper
(boire, arg.) schnouper
poupée°
dé/re/**grouper**
(s') attrouper
(un) **souper**
après-souper
étouper

(saisir, arg.) harper
rhizocarpé/e°
(abrupt) **escarpé/e**°
(être abrupt) s'escarper
(tuer ; voler) escarper
écharper
(sacquer, arg.) sarper
(pétard, verlan) tarpé
V.R.P.
extirper
usurper

(tripoter, rég.) chasper
jaspé/e°
jasper
(courir, rég.) rasper
crispé/e°

dé/**crisper**

huppé/e°
occupé/e°
ré/occuper
préoccupé/e°
(se) préoccuper
inoccupé/e°
désoccupé/e°
duper
(ivre, arg.) jupé
(rouspéter, rég.) ruper
(gober, rég.) super

+ verbes en -per
part. passé masc./fém.
2e pers. pluriel
présent indic., impér.
1e pers. sing.
passé simple

sous-rime voisine
214.2 BÉ-E

contre-assonance
121.15 PET-PAIE

214.17 QUÉ-QUÉE°

MANQUER
COMPLIQUÉ

quai

en/caquer
(caqueter, rég.) codaquer
(bâfrer, rég.) miaquer
(mordre, rég.) niaquer
(jacasser, rég.) barjaquer
laqué/e°
laquer
(gifler) **claquer**
(mourir, arg.) claquer
(déféquer, arg.) dé/flaquer
du plaqué
plaqué/e°
plaquer
du contreplaqué
contreplaquer
(fromage blanc, Belg.)
la maquée°
(se marier, arg.)
(se) maquer
estomaqué/e°
estomaquer
(drogué, arg.) smaké/e°
arnaquer
cornaquer
(fouiner, rég.) fournaquer
bivouaquer
pacquer
(payer, arg.) raquer
(balèze) baraqué/e°
(s'accroupir) baraquer
(Jean) Barraqué
(des yeux) **braquer**

(une banque, arg.) braquer
embraquer
contrebraquer
(flopée, Suisse)
une craquée°
craquer
terraqué/e°
(fracturer, arg.) fraquer
traquer
matraquer
(un/e) détraqué/e°
détraquer
(renvoyer) sa(c)quer
(boisson) le saké
taquer
contre-/**attaquer**
vaquer

banquer
(trébucher, arg.)
s'estrabanquer
(marine) une palanquée°
(flopée, arg.)
une palanquée°
(soulever) palanquer
(cancaner, rég.) clanquer
(accompagner) flanquer
(lancer) **flanquer**
efflanqué/e°
(s') efflanquer
(un/e) planqué/e°
planquer
(sortir, arg.)
(se) déplanquer
(biscuit) un manqué
manqué/e°
MANQUER
(destin)
Anankê/Ananké

La Ventouse bâille et sourit,
Toujours neuve et toujours **masquée**
Pour notre œil fou, sage ou contrit ;
Corolle aspireuse, et **braquée**
Sur notre sang qui la fleurit.

Elle nous tente et nous flétrit
De son haleine âcre et **musquée**,
Puis, bientôt, elle nous tarit,
La Ventouse.

Jusqu'au fin fond de notre esprit
Sa succion est **pratiquée :**
La Mort, beaucoup moins **compliquée**,
Mange nos corps qu'elle pourrit ;
Mais c'est tout l'homme qui nourrit
La Ventouse.

Maurice Rollinat, « La Ventouse »,
Les Névroses

Les marionnettes de Brioché étaient si ***fatiguées***,

Si **tronquées**,
Si **pratiquées**,
Si **critiquées**,
Si **attaquées**,
Si **antiquées**,
Si **gothiquées**,
Si **mastiquées**,
Si **impliquées**,
Si **compliquées**,
Si **déloquées**,
Si **déplaquées**,

Si **disloquées**,
Si **interloquées**,
Si **emberelucoquées**,
Si **imbriquées**,
Si **intriquées**,
Si **étriquées**,
Si **détriquées**,
Si **défriquées**,
Si **défroquées**,
Si **détraquées**,
Si **patraquées**,
[...]

L'histoire de Polichinelle était si monotone –

Charles Nodier, « Dissertation »,
Histoire du roi de Bohême et de ses sept châteaux

☞

QUÉ-QUÉE°

(se cramponner, rég.) s'encranquer

(blanc créole) (un/e) béké
(bouchée) la be(c)quée°
embecquer
(protester, arg.) se rebéquer
(café, arg.) un lafèké
déféquer
les Bamilékés
grecquer
réséquer
disséquer
palmiséqué/e°
les Tékés/Batékés
hypothéqué/e°
hypothéquer

(tousser, rég.) teuquer

mosaïqué/e°
(falsifier, rég.) farlabiquer
alambiqué/e°
(raffiner) alambiquer
rebiquer
(frime) du **chiqué**
(mâcher) chiquer
(simuler, arg.) chiquer
(ergoter, arg.) chiquer
éradiquer
revendiquer
abdiquer
prédiquer
indiquer
contre-indiqué/e°
contre-indiquer
(un/e) syndiqué/e°
(se) syndiquer
claudiquer
trafiquer
(gober, rég.) bliquer
obliquer
(surveillé, arg.) fliqué/e°
(surveiller, arg.) fliquer
ombiliqué/e°
appliqué/e°
appliquer
inappliqué/e°
rappliquer
répliquer
impliquer
COMPLIQUÉ/E°
compliquer
dupliquer
expliquer
inexpliqué/e°
polémiquer
(baiser, arg.) niquer
paniqué/e°
paniquer
phéniqué/e°
pique-niquer
forniquer
tourniquer
un communiqué
communiquer
tuniqué/e°
(tissu; avion) un piqué
(marque) **piqué/e°**

piquer
apiquer
dépiquer
repiquer
surpiquer
prévariquer
briquer
fabriquer
un préfabriqué
préfabriqué/e°
imbriqué/e°
(s') imbriquer
rubriquer
friqué/e°
affriquée°
boriqué/e°
(coïter, arg.) bourriquer
triquer
(acheter, arg.) attriquer
étriqué/e°
étriquer
intriquer
métaphysiquer
(trépigner, rég.) tréfousiquer
musiquer
tiquer
pratiquer
authentiquer
(bouleverser, arg.) chancetiquer
politiquer
critiquer
s'autocritiquer
décortiqué/e°
décortiquer
astiquer
plastiquer
(mâcher) mastiquer
(coller) mastiquer
(ramasser, arg.) ramastiquer
démastiquer
remastiquer
(marcher, arg.) pastiquer
(changer, arg.) chanstiquer
(dénoncer, arg.) balanstiquer
domestiquer
sophistiqué/e°
(se) sophistiquer
encaustiquer
diagnostiquer
pronostiquer
démoustiquer
rustiquer
(vivre, rég.) viquer
détoxiquer
(un/e) intoxiqué/e°
dés/intoxiquer

(langue) le malinké
(peuple) les Malinkés
(reluire, Belg.) blinquer
(le coin, arg.) le loinqué
(au loin, arg.) au loinqué
requinqué/e°
(se) requinquer

Lune, argentez les immeubles d'hiver
Ampoules d'or n'éclairent pas le fer.
Par vous, Chaillot est couvert de **mosquées**.
Au coin du bal, attend un rat **musqué**.

> Max Jacob, « Au Bucentaure ! »,
> *Derniers poèmes*

Elle habitait
Quai *Malaquais*
Tout près des **quais**
Une H.L.M.
Ô **Ananké**
L'ami qu'elle aime
Qui l'a **maquée**
Quel malappris
Lui a **piqué**
Son bas de laine
Et l'a **plaquée**

> Dominique Noguez, « Chanson de geste avec refrain lettriste »,
> *Les Martagons*

❒ 34 [Bergerat]

trinquer
(vous) vainquez
(vous) convainquez

dé/calquer
défalquer
talquer
polker
inculquer
(opprimer) conculquer

Palenque

O.K.
karaoké
(épier, rég.) bauquer
(s'embrasser, rég.) se boquer
(rafistoler, rég.) rataboquer
(se gaver, rég.) s'emboquer
(agacer, rég.) étiboquer
choquer
(s') entrechoquer
(dénoncer, arg.) coquer
(s'éprendre) s'emberlucoquer
suffoquer
(salir, rég.) empatioquer
(s'habiller, arg.) se loquer
bloquer
(vendre, arg.) abloquer
débloquer
cloqué/e°
(se boursoufler) cloquer
(donner, arg.) cloquer

(rendre enceinte, arg.) encloquer
(se déshabiller, arg.) se déloquer
(se rhabiller, arg.) se reloquer
(laver le sol, rég.) reloquer
floquer
biloquer
soliloquer
colloquer
(en guenilles, rég.) déferloqué/e°
interloqué/e°
interloquer
(se) **disloquer**
(se) **moquer**
poquer
(feuler) rauquer
(échecs) roquer
(pisser, arg.) lisbroquer
croquer
escroquer
un défroqué
défroqué/e°
(se) défroquer
réciproquer
troquer
détroquer
(fou) (un/e) toqué/e°
(frapper) toquer
(s'enticher) se toquer
(marteler, rég.) martoquer
stocker
estoquer

déstocke
évoque
révoque
équivoque
invoque
provoque
convoque

tronqué/e
tronque

embouque
débouque
(le paraître, arg.) looké
(regarder, arg.) louque
relooke
souque
(baisotter, rég.) bisouque

(courbé) **arqué/e**
(courber) (s') arque
(marcher, arg.) ne plus arque
r/**embarque**
(un/e) débarqué/e
débarque
(mois, arg.) un marque
marqué/e
marque
démarque
remarque
contremarque
(client difficile, arg.) un lanarque
parque

QUÉ-QUÉE°

étarquer
jerker
(altercation, arch.)
alterquer
remorquer
rétorquer
extorquer
bifurquer
(danser) mazurker

casqué/e°
(payer) casquer
(déféquer, arg.) fiasquer
(s'enivrer, rég.)
se niasquer
(déféquer, arg.) flasquer
masqué/e°
masquer

(ensorceler, rég.)
emmasquer
démasquer
(se dépêcher, rég.)
trasquer
bisquer
confisquer
risqué/e°
risquer
mosquée°
(cabosser, rég.) gnosquer
busqué/e°
busquer
un embusqué
(s') **embusquer**
débusquer
(s') **offusquer**
musqué/e°

musquer
brusquer
(dés/habiller, arg.)
se dé/frusquer

bien/mal **éduqué/e°**
ré/éduquer
reluquer
s'énuquer
truquer
(épuisé, arg.) ensuqué/e°
(abrutir, arg.) ensuquer
netsuke
stuquer

+ verbes en -quer
part. passé masc./fém.
2e pers. pluriel
présent indic., impér.
1e pers. sing.
passé simple

sous-rime voisine
214.9 GUÉ-E

contre-assonance
121.16 QUET

214.18 RÉ-RÉE°

SACRÉ

(note) le **ré**
île de Ré
(réer) il rée°
(Rhéa, myth.) **Rhée°**

monts d'Arrée°
(musique) un barré
(fermé) **barré/e°**
(fermer) barrer
(s'enfuir) se barrer
embarrer
rembarrer
débarrer
(géométrie) un **carré**
(géométrie) carré/e°
(chambre, arg.) une carrée°
(se caler) se carrer
(partir, arg.) décarrer
contrecarrer
bicarré/e°
(Henri) Poincaré
(Raymond) Poincaré
ricercare
(pleurard, rég.) un badaré
(Ismaïl) Kadaré
méharée°
(claironner) fanfarer
effaré/e°
effarer
(se) garer
se bagarrer
égaré/e°
(s') égarer
bigarré/e°
bigarrer
diarrhée°
Briarée°
tiaré
déclarer
(mer) la **marée°**
(rire) se marrer
amarrer
chamarrer

(tapager) tintamarrer
re/démarrer
raz(-)de(-)marée°
chasse-marée°
Pomaré
narrer
vous boirez
vous dé/choirez
foirer
(imbécile, arg.)
(un/e) enfoiré/e°
le moiré
moiré/e°
moirer
(boisson) un poiré
(légume) une poirée°
(appréhender, arg.)
se faire poirer
vous croirez
soirée°
vous (vous) r/assoirez
vous surseoirez
vous prévoirez
vous pourvoirez
(Ambroise) Paré
(protégé) **paré/e°**
(orné) **paré/e°**
(se protéger) parer
(orner) (se) parer
accaparer
s'**emparer**
désemparé/e°
sans désemparer
déparer
réparer
préparer
séparé/e°
(se) séparer
comparé/e°
comparer
Césarée°
(blason) taré/e°
(idiot) (un/e) taré/e°
(peser) tarer
(tomber, rég.)
s'espatarer

Chez nos anciens c'était une bonne coutume
Que la dame de nos amis fût **célébrée**.
Je veux donc dire de ma voix la mieux **timbrée**,
Et les tracer du bec de ma meilleure plume,

Vos mérites et vos vertus dans l'amertume,
Douce de vous savoir d'un autre **énamourée**
Mais d'un autre… moi-même – et la tâche **sacrée**
D'exalter et de promouvoir, or je l'assume…

Paul Verlaine, « Pour Marie »,
Dédicaces. LXXIX

Quoi donc, grande princesse, en la terre **adorée**,
Et que même le Ciel est contraint d'**admirer**,
Vous avez résolu de nous voir **demeurer**
En une obscurité d'éternelle **durée** ?

La flamme de vos yeux, dont la cour **éclairée**
À vos rares vertus ne peut rien **préférer**,
Ne se lasse donc point de nous **désespérer**,
Et d'abuser les vœux dont elle est **désirée** ?

François de Malherbe, « À Madame la Princesse Douairière,
Charlotte de La Trémouille»,
Poésies

Rondeau frivole, où ma rime **dorée**
Vient **célébrer** une femme **adorée**,
Dis ses ***attraits*** dont s'affole chacun,
Et ses cheveux pleins d'un si doux parfum,
Qu'eût enviés la Grèce au temps de **Rhée**.

Dis les Amours qui forment sa **chambrée** ;
Et dis surtout à notre muse **ambrée**
Que son éloge ***aurait*** mieux valu qu'un
Rondeau !

Dis qu'en son nid, si cher à **Cythérée**,
Notre misère est souvent **préférée**
Au sac d'écus d'un Mondor importun,
Et que toujours, pour le poëte à jeun
S'ouvrent les bras charmants de **Désirée**
Rondeau.

Théodore de Banville, « À Désirée Rondeau »,
Odes funambulesques

☞

RÉ-RÉE°

214. É

denrée°

se **cabrer**
(divaguer) abracadabrer
palabrer
se **délabrer**
sabrer
ambré/e°
ambrer
cambré/e°
cambrer
(vin) chambré/e°
(dortoir) une **chambrée°**
(un vin) chambrer
(taquiner) chambrer
(luire, rég.) lambrer
bien/mal membré/e°
démembrer
remembrer
s'auto/con/**célébrer**
enténébré/e°
(s') enténébrer
décérébré/e°
décérébrer
un in/**vertébré**
in/vertébré/e°
zébré/e°
zébrer
défibrer
calibrer
sous-calibré/e°
équilibré/e°
ré/équilibrer
(un/e) déséquilibré/e°
déséquilibrer
vibrer
pervibrer
(voix; lettre) **timbré/e°**
(fou) (un/e) timbré/e°
timbrer
(connaître, arg.) connobrer
(reconnaître, arg.) reco(n)nobrer
(inconnu, arg.) inconobré
(agacer, rég.) sobrer
ombré/e°
ombrer
obombrer
encombré/e°
dés/encombrer
dé/nombrer
sombrer
marbré/e°
marbrer
élucubrer

il **crée°**
(attention!, arg.) acré!
nacré/e°
nacrer
SACRÉ/E°
(introniser) **sacrer**
(blasphémer) sacrer
massacrer
lombosacré/e°
consacré/e°
consacrer

(fixer) **ancrer**
(enduire) encrer
(manger, arg.) chancrer
échancré/e°
échancrer
(pêcher) palancrer
désancrer
(récréation) la récré
il (se) **récrée°**
(supplier) obsécrer
exécrer
il **recrée°**
vous vaincrez
vous convaincrez
ocrer
il procrée°
le sucré
sucré/e°
sucrer

(embêter, Can.) bâdrer
dés/**encadrer**
décadrer
(veiné) madré/e°
(retors) (un/e) **madré/e°**
(veiner) madrer
André/e°
engendrer
calandrer
germandrée°
(gris) **cendré/e°**
(piste) une cendrée°
(rendre gris) cendrer
(+comp.) vous **tiendrez**
(+comp.) vous **viendrez**
une cylindrée°
cylindrer
(diminuer, rég.) moindrer
(+comp.) vous vaudrez
bondrée°
effondrer
vous dé/re/coudrez
vous re/moudrez
poudré/e°
(se) poudrer
saupoudrer
vous absoudrez
vous dissoudrez
vous résoudrez
vous re/**voudrez**
vous re/**perdrez**
(ordonné, Suisse) ordré/e°
vous dé/re/mordrez
(+comp.) vous tordrez

(nicher) airer
(vaguer) **errer**
aéré/e°
dés/aérer
libéré/e°
libérer
(droit) un délibéré
(volontaire) **délibéré/e°**
(décider) délibérer
obérer
réverbérer
exubérer
(exagérer, arg.) chérer/cherrer

Veux-tu vivre, être **admiré**,
Et de graisse **rembourré**,
Et centenaire **enterré** ?
Crains le pourpoint trop **serré**,
Les gens en bonnet **carré**,
L'encre et le papier **timbré** ;
Fais usage **modéré**
Cibo, Baccho, **Venere** ;
Laisse aux manants le **poiré**,
Le champignon dans le **pré**,
Et ta servante au **curé**.

Victor Hugo, « Veux-tu vivre… »,
Toute la Lyre. VII, 16

Saint **Honoré**
Dans sa chapelle
Est **honoré**
Avec sa pelle.

Avec sa pelle
Est **honoré**
Saint **Honoré**
Dans sa chapelle.

Est **honoré**
Saint **Honoré**
Dans sa chapelle
Avec sa pelle.

Est **honoré**
Avec sa pelle
Saint **Honoré**
Dans sa chapelle.

Saint **Honoré**
Est **honoré**
Avec sa pelle
Dans sa chapelle.

Dans sa chapelle
Est **honoré**
Avec sa pelle
Saint **Honoré**.

Dans sa chapelle
Saint **Honoré**
Avec sa pelle
Est **honoré**.

Est **honoré**
Avec sa pelle
Dans sa chapelle
Saint **Honoré**.

Avec sa pelle
Saint **Honoré**
Est **honoré**
Dans sa chapelle.

Avec sa pelle
Dans sa chapelle
Est **honoré**
Saint **Honoré**.

Dans sa chapelle
Est **honoré**
Saint **Honoré**
Avec sa pelle.

Saint **Honoré**
Dans sa chapelle
Avec sa pelle
Est **honoré**.

Anonyme, d'après Laure Hesbois, *Les Jeux du langage,*
chapitre II
[12 des 24 versions différentes possibles]

❐ 121.11[Baudelaire] ; 348 [Mendès]
214.5 [Péguy, Deschamps] ; 121.17 [Rabearivelo]

adhérer
un Fédéré
fédéré/e°
con/fédérer
(un/e) confédéré/e°
sidérer
dé/re/**considérer**
inconsidéré/e°
(un/e) **modéré/e°**
(se) modérer
immodéré/e°
pondéré/e°
pondérer
(Léo) Ferré
ferré/e°
ferrer
affairé/e°
s'affairer
s'enferrer
(justice) déférer
(un cheval) déferrer

(procédure) un référé
(se reporter) (se) référer
(un/e) **préféré/e°**
préférer
referrer
en différé
différé/e°
(retarder) différer
(s'opposer) différer
indifférer
légiférer
proliférer
vociférer
(un/e) **pestiféré/e°**
inférer
proférer
conférer
interférer
transférer
gérer
exagéré/e°

exagérer
noli(-)me(-)tangere
suggérer
digérer
prédigéré/e°
réfrigéré/e°
réfrigérer
(avaler) ingérer
(s'immiscer) s'ingérer
cogérer
autogéré/e°
maniéré/e°
pierrée°
empierrer
épierrer
(attardé) (un/e) arriéré/e°
(différer) arriérer
aciéré/e°
aciérer
vous (vous) r/assiérez
empoussiérer

RÉ-RÉE°

214. É

dépoussiérer
cuillerée°
galérer
ne pas blairer
éclairé/e°
éclairer
accélérer
décélérer
flairer
glairer
ne pas décolérer
tolérer
vous dé/plairez
vous vous complairez
réméré
commérer
un aggloméré
s'agglomérer
conglomérer
énumérer
(arbre) le néré
(dieu) Nérée°
générer
(un/e) dégénéré/e°
dégénérer
régénéré/e°
régénérer
le Ténéré
vénérer
incinérer
exonérer
rémunérer
perré
appairer
tempéré/e°
tempérer
obtempérer
(être au gîte) repairer
(situer) (se) repérer
(repayer) vous repaierez
(un/e) opéré/e°
ré/opérer
coopérer
exaspérer
espérer
inespéré/e°
(un/e) **désespéré/e**°
désespérer
prospérer
récupérer
vitupérer
(+comp.) vous
acquérez/acquerrez
équerrer
vous brairez
(+comp.) vous trairez
(fromage) le séré
(comprimé) **serré/e**°
(saisir) **serrer**
acéré/e°
acérer
lacéré/e°
lacérer
dilacérer
macérer
enserrer
desserrer
resserré/e°
resserrer

éviscérer
ré/insérer
ulcéré/e°
ulcérer
exulcérer
ré/incarcérer
phyloxéré/e°
miserere/miséréré
un liséré
lisérer
(taire) vous (vous) tairez
(se) terrer
atterrer
a latere
blatérer
déblatérer
enterrer
cœlentéré
synanthéré/e°
éthéré/e°
(un/e) déterré/e°
déterrer
invétéré/e°
s'invétérer
réitérer
allitérer
oblitéré/e°
oblitérer
(Aphrodite) **Cythérée**°
altéré/e°
altérer
inaltéré/e°
désaltérer
adultérer
stérer
(blason) un vairé
(verre) verré/e°
(vin d'honneur, Suisse)
une verrée°
(+comp.) vous verrez
avéré/e°
s'avérer
vous r/enverrez
révérer
persévérer

(poire) un beurré
(ivre, arg.) beurré/e°
(ivresse, arg.) une beurrée°
(tartine, rég.) une beurrée°
(enduire) beurrer
(s'enivrer, arg.) se beurrer
écœurer
(+comp.) vous **ferez**
vous ac/re/cueillerez
prieuré
leurrer
fleurer
affleurer
enfleurer
effleurer
pleurer
(attardé)
(un/e) demeuré/e°
demeurer
panerée°
apeuré/e°
apeurer
(happer) vous happerez

épeurer
vous **serez**
(dérégler) désheurer
un liseré
liserer
nizeré
tuteurer

(une) bâfrée°
bâfrer
(s'empiffrer, rég.) yafrer
(un/e) **balafré/e**°
balafrer
galimafrée°
camphré/e°
(s'enivrer, arg.)
se camphrer
chiffré/e°
dé/chiffrer
(se goinfrer, rég.) fifrer
(injure, arg.) enfifré!
(coïter, arg.) enfifrer
s'empiffrer
se goinfrer
(vous) offrez
dé/**coffrer**
gaufrer
épaufrer
engouffrer
(vous) souffrez
en/soufrer

de son (plein)/au **gré**
(gréer) il grée°
les Alpes Grées°
il **agrée**°
déflagrer
des **simagrées**°
il ragrée°
il dégrée°
Pôrto Alegre
vinaigrer
intégré/e°
ré/intégrer
désintégrer
degré
il regrée°
pedigree°
migrer
(un/e) **émigré/e**°
émigrer
(un/e) immigré/e°
immigrer
transmigrer
dénigrer
(Éthiopie) le Tigré
tigré/e°
malgré
bon gré mal gré
il **maugrée**°
hongrer
il congrée°

vous **irez**
s'entre-/**déchirer**
(+comp.) vous **direz**
(égarer, rég.) adirer
avodiré
(confire) vous confirez

(confier) vous confierez
vous suffirez
(tourner) girer
(village) Liré
(lire) vous lirez
(lier) vous lierez
délirer
(délier) vous délierez
vous ré/élirez
(relire) vous (vous) relirez
(relier) vous relierez
(chanter, alouette) tirelirer
mirer
admirer
(se dégrader) empirer
(le ciel) l'**empyrée**°
Le Pirée°
soupirer
spirée°
h aspiré
aspirer
transpirer
respirer
(un/e) inspiré/e°
inspirer
conspirer
expirer
(expier) vous expierez
vous sou/rirez
(+comp.) vous écrirez
vous frirez
(imper) un ciré
ciré/e°
cirer
vous scierez
dies iræ
vous circoncirez
(prénom) Désiré/e°
désirer
tiré/e°
tirer
attirer
étirer
(se) détirer
retiré/e°
retirer
contre-tirer
soutirer
vous re/cuirez
(+comp.) vous déduirez
vous re/luirez
vous nuirez
vous détruirez
vous (vous) instruirez
vous re/construirez
(tournée) une **virée**°
virer
chavirer
(chambouler, rég.)
caravirer
dévirer
(dévier) vous dévierez
trévirer
(tourner, rég.) tournevirer

pécaïre!

l'**orée**°
(avoir) vous **aurez**

(Dieu) Borée°
(vent) le(s) **borée**(s)°
abhorrer
élaboré/e°
élaborer
collaborer
jamboree°
séborrhée°
corroborer
(arbre) arboré/e°
(afficher) arborer
pic du Marboré
(agité, rég.)
(un/e) échauré/e°
bronchorrhée°
(maladie) la chorée°
(pays) la Corée°
(statue) une coré/korê
(un/e) **décoré/e**°
décorer
leucorrhée°
(plante) la chicorée°
(se battre, arg.) se chicorer
picorer
édulcorer
(Gustave) Doré
(poisson) le doré
(jaune) **doré/e**°
(poisson) une dorée°
dorer
mon adoré/e°
adorer
dédorer
redorer
subodorer
mordoré/e°
mordorer
surdorer
(Gabriel) Fauré
per/forer
(phosphore)
phosphoré/e°
(réfléchir) phosphorer
déphosphorer
ignoré/e°
ignorer
monsignore
Gorée°
(gémir) plangorer
revigorer
logorrhée°
améliorer
pyorrhée°
détériorer
majorer
mijaurée°
lauré/e°
chloré/e°
(+comp.) (clore) vous clorez
déflorer
coloré/e°
dé/colorer
éploré/e°
déplorer
implorer
explorer
inexploré/e°
rio Mamoré
(se) remémorer

RÉ-RÉE°

214. É

commémorer
timoré/e°
blennorrhée°
aménorrhée°
minorer
saint Honoré
(estimé) honoré/e°
(célébrer) **honorer**
déshonorer
(Paris) rue Saint-Honoré
(gâteau)
un saint-honoré
rio Guaporé
(un/e) **évaporé/e°**
(s') évaporer
ré/incorporer
pérorer
(proxénète, arg.) un sauré
(fumer) saurer
(savoir) vous **saurez**
essorer
(toréer) il torée°
(feu, Suisse) une torrée°
centaurée°
expectorer
otorrhée°
(manger, arg.) tortorer
(rétablir) **restaurer**
(manger) (se) restaurer
instaurer
fluoré/e°
s'entre-/**dévorer**

(plein; ivre) bourré/e°
(danse) la bourrée°
(remplir) (se) bourrer
labourer
embourrer
rembourrer
d/ébourrer
(cour) une courée°
(+comp.) vous **cou(r)rez**
(buisson) un **fourré**
(garni) **fourré/e°**
(mettre) fourrer
échauffourré/e°
coup fourré
se gourer
ajouré/e°
ajourer
(musique) un louré
(musique) lourer
(louer) vous louerez
vous **mou(r)rez**
enamouré/e°/
énamouré/e°
s'enamourer/
s'énamourer
tamouré
(renverser, rég.) tourer
entourer
détourer
savourer

(pâturage) un **pré**
(prairie, vieux) une prée°
(Capri) Caprée°
diapré/e°
diaprer

épamprer
rosé-des-prés
reine-des-prés
(soirée, vieux) **vêprée°**
beaupré
vous romprez
vous interromprez
vous corromprez
pourpré/e°
(s') **empourprer**
la Sprée°
(soirée, vieux) **vesprée°**

Atrée°
(+comp.) vous battrez
un châtré
châtré/e°
châtrer
s'opiniâtrer
idolâtrer
folâtrer
(platée, arg.) une plâtrée
plâtrer
(chiffe molle, arg.) emplâtré
(cogner, arg.) emplâtrer
déplâtrer
replâtrer
cloîtré/e°
cloîtrer
une **entrée°**
entrer
centré/e°
dé/re/centrer
un concentré
concentré/e°
dé/concentrer
excentré/e°
excentrer
cache-entrée°
rentré/e°
rentrer
une pré/rentrée°
(platée, arg.) une ventrée°
éventrer
(Gabrielle) d'Estrées°
guêtrer
(un/e) **lettré/e°**
(un/e) illettré/e°
métré/e°
métrer
(+comp.) vous mettrez
emmétrer
millimétré/e°
kilométrer
chronométrer
vous naîtrez
fenêtrer
pénétré/e°
s'inter/**pénétrer**
vous renaîtrez
vous mé/re/connaîtrez
(pierreux) pétré/e°
(paître) vous paîtrez
empêtré/e°
s'empêtrer
se dépêtrer
impétrer
salpêtré/e°
salpêtrer

perpétrer
(+comp.) vous paraîtrez
(s') enchevêtrer
feutré/e°
dé/feutrer
(se) calfeutrer
arbitrer
(Émile) Littré
mitré/e°
nitré/e°
nitrer
chapitrer
mer/l'Érythrée°
titré/e°
titrer
attitré/e°
sous-titrer
(ville) Vitré
(œil) le vitré
(vitre) vitré/e°
vitrer
cintré/e°
cintrer
(engrosser, arg.)
enceintrer
décintrer
filtrer
(s') **infiltrer**
exfiltrer
se **vautrer**
(région) une **contrée°**
(s'opposer) contrer
rencontrer
surcontrer
montrer
démontrer
un/e prémontré/e°
remontrer
outré/e°
outrer
accoutré/e°
(s') accoutrer
(réparer, rég.) raccoutrer
vous (vous) foutrez
vous vous
en contrefoutrez
tartré/e°
entartrer
détartrer
Astrée°
castré/e°
castrer
encastrer
cadastrer
senestré/e°
défenestrer
(un/e) **séquestré/e°**
séquestrer
ré/orchestrer
bistré/e°
bistrer
registrer
ré/enregistrer
préenregistré/e°
calamistré/e°
calamistrer
(bricoler, rég.) chimistrer
un/e **administré/e°**
administrer

sous-administré/e°
(un/e) sinistré/e°
claustrer
prostré/e°
dé/lustrer
un illustré
illustré/e°
illustrer
(un/e) frustré/e°
frustrer
adextré/e°
Solutré

urée°
carburé/e°
dé/carburer
hachurer
(barbouiller) mâchurer
(déchirer) mâchurer
(prêtre) un **curé**
(chasse) une **curée°**
(nettoyer) curer
r/écurer
(se) **procurer**
manucurer
une **durée°**
durer
endurer
induré/e°
indurer
ioduré/e°
perdurer
(expulser, arg.) bordurer
sulfuré/e°
dé/sulfurer
au figuré
figuré/e°
(se) figurer
défigurer
préfigurer
configurer
transfigurer
fulgurer
augurer
inaugurer
(un/e) juré/e°
ab/ad/**jurer**
de jure
un/e conjuré/e°
conjurer
se parjurer
alluré/e°
vous inclurez
vous conclurez
vous exclurez
déluré/e°
délurer
moulurer
(s'illusionner, arg.)
se berlurer
peinturlurer
murer
amurer
emmurer
(se) **claquemurer**
(vin, arg.) bromuré
saumurer
murmurer
cyanurer

rainure
purée
apure
d/épure
presse-purée
suppure
chloruré/e
dé/chlorure
carbo/nitrure
(un/e) **assuré/e**
ré/assure
rassuré/e
rassure
s'auto/**censure**
pressure
fissure
un tonsur
tonsuré/e
tonsure
susurre
azuré/e
azure
em/présure
mesuré/e
mesure
démesuré/e
courbaturé/e
courbature
caricature
ligature
villégiature
miniaturé/e
(un/e) **prématuré/e**
dénaturé/e
dénature
une voiturée
voiture
pâture
rature
in/sur/**saturé/e**
sur/sature
aventuré/e
(s') **aventure**
obture
facture
manufacture
fracturé/e
(se) fracture
contracture
conjecture
architecture
structuré/e
dé/re/structure
portraiture
(s'enivrer, arg.) se bi(t)ture
(ornementer) fioriture
triture
ceinture
peinture
acculture
(inhumer, rég.) sépulture
clôture
bouture
couturé/e
capture
torture
suture
texture
ébavure

RÉ-RÉE°

nervurer

navrer
poivré/e°
poivrer
orfévré/e°
enfiévré/e°
enfiévrer
œuvrer
vous re/devrez
manœuvrer
(coïter, rég.) conœuvrer
(coïter, rég.) vitœuvrer
sevrer
vous décevrez
vous recevrez
vous percevrez
vous entr/apercevrez
(un/e) **désœuvré/e°**
givré/e°
dé/givrer
guivré/e°
(habits) une **livrée°**
(se) **livrer**
délivrer

(s') **enivrer**
désenivrer
cuivré/e°
dé/cuivrer
(+comp.) vous suivrez
vous re/sur/**vivrez**
(ouvragé) ouvré/e°
(ouvrir) (vous) ouvrez
(vous) dé/couvrez
(reprendre) recouvrer
(recouvrir)
(vous) recouvrez
vous é/pro/mouvrez
(vous) rouvrez
(vous) entrouvrez/
entr'ouvrez

+ verbes en -rer
part. passé masc./fém.
2e pers. pluriel
présent indic., impér.
1e pers. sing.
passé simple

+ verbes en -er, -ir
-endre, -indre, -ondre.
2e pers. plur. futur

sous-rime voisine
214.11 LÉ-E

contre-assonance
121.11 LET-LAIE

214.19 SÉ-SSÉE°

PASSÉ
PASSER
PENSÉE°

(lettre) un C
(démonstratif) **ces**
(être) **c'est**
(savoir) il **sait**
(possessif) ses

assez
une tabassée°
tabasser
sébacé/e°
herbacé/e°
cassé/e°
(briser) casser
(partir, arg.) se casser
jacasser
tracasser
(se) **tracasser**
dédicacer
salicacée°
micacé/e°
(ricaner, rég.) nicasser
(rafistoler, rég.) rapicasser
éricacée°
une fricassée°
fricasser
urticacée°
(plaider) avocasser
concasser
joncacée°
se décarcasser
(saut) un chassé
(chasse) **chasser**
(flopée, rég.) bachassée°

enchâsser
rechasser
pourchasser
orchidacée°
(crier après, rég.)
escridasser
iridacée°
(flopée, rég.) berdassée°
nymphéacée°
oléacée°
fascé/e°
effacé/e°
(s') **effacer**
préfacer
surfacer
agacer
(ennuyer, arg.) escagasser
(bavarder, rég.) jargasser
(fouiller, rég.) fourgasser
grognasser
(traîner au lit, rég.)
pougnasser
rubiacée°
alliacé/e°
enliasser
méliacée°
liliacée°
tiliacée°
foliacé/e°
magnoliacée°
géraniacée°
brouillasser
opiacé/e°
opiacer
jacée°
(nouer) lacer
(ennuyer) **lasser**
échalasser
dés/**enlasser**

J'ai **traversé** les **ponts de Cé**
C'est là que tout a **commencé**

Une chanson des temps **passés**
Parle d'un chevalier **blessé**

D'une rose sur la **chaussée**
Et d'un corsage **délacé**

Du château d'un duc **insensé**
Et des cygnes dans les **fossés**

De la prairie où vient **danser**
Une éternelle **fiancée**

Et j'ai bu comme un lait **glacé**
Le long lai des gloires **faussées**

La Loire emporte mes **pensées**
Avec les voitures **versées**

Et les armes **désamorcées**
Et les larmes mal **effacées**

Ô ma France ô ma **délaissée**
J'ai **traversé** les **ponts de Cé**

Louis Aragon, « C »,
Les Yeux d'Elsa

Tu ne **sais** pas ce que je **sais**
tu n'as pas l'âge d'un **passé**
et c'est moi qui suis l'**insensé**

Le temps est un miroir **glacé**
pour lentement nous **détrousser**
à la fin de tout **énoncé**
[...]
Dans l'enjeu d'un destin **pressé**
qui voudrait se **recommencer**
le faussaire est **embarrassé**
[...]
......

SÉ-SSÉE°

classer
(un/e) déclassé/e°
déclasser
reclasser
interclasser
surclasser
(dénouer) délacer
(se reposer) (se) **délasser**
se **prélasser**
dégueulasser
entrelacer
un matelassé
matelassé/e°
matelasser
glacé/e°
glacer
(se refroidir, rég.)
se sang-glacer
déglacer
verglacé/e°
verglacer
argilacé/e°
amylacé/e°
(violet) violacé/e°
(herbe) une violacée°
(violet) se violacer
placer
remplacer
(choquant) **déplacé/e**°
(bouger) déplacer
replacer
déculasser
renonculacée°
campanulacée°
convolvulacée°
(billard) un massé
(réunir) masser
(pétrir) masser
(billard) masser
amasser
damassé/e°
damasser
ramassé/e°
ramasser
(rimailler) rimasser
grimacer
(agir mollement)
foutimacer
palmacée°
ulmacée°
brumasser
solanacée°
panacée°
ébénacée°
arénacé/e°
traînasser
dé/cadenasser
menacé/e°
menacer
finasser
linacée°
gallinacé
pinacée°
farinacé/e°
saponacé/e°
coasser
croasser
(un/e) **angoissé/e**°
angoisser

em/poisser
(vous) ac/dé/croissez
dé/**froisser**
(après, prép.) passé
(histoire) le PASSÉ
(révolu) **passé/e**°
(trace) une passée°
PASSER
estrapasser
lampassé/e°
dépassé/e°
dépasser
un/e **trépassé/e**°
trépasser
laissez-passer
repasser
contre-passer
outrepassé/e°
outrepasser
in(-)pace
compassé/e°
compasser
(trébucher, rég.)
s'estroupasser
surpasser
espacer
racé/e°
(plante) une aracée°
(fatigué) **harassé/e**°
harasser
embarrassé/e°
embarrasser
débarrasser
(tomber, rég.) patarasser
une brassée°
brasser
(blason) embrassé/e°
rimes embrassées°
(étreindre) **embrasser**
dés/encrasser
décrasser
(salir, rég.) pocrasser
tubéracée°
pipéracée°
(travaux) terrasser
(abattre) terrasser
papavéracée°
paperasser
(grommeler, rég.)
bougrasser
(navire) un cuirassé
(blindé) cuirassé/e°
(se) cuirasser
(encrasser) encuirasser
lauracée°
moracée°
un tracé
tracer
(chuter, rég.) patrasser
retracer
ostracé/e°
sasser
ressasser
mimosacée°
(rose) rosacé/e°
(plante) une rosacée°
musacée°
tasser
(piétiner, rég.) patasser

Quel est ce chantage **inversé**
et qui fait que te **délaisser**
me laisserait le cœur **percé**
[…]
De tes jardins jamais **assez**
jusqu'au jour où même **offensé**
j'en serai le démon **chassé**

Louis Calaferte, « Tu ne sais pas ce que je sais »,
Londoniennes

Qui vous a dict : Cazals n'est poinct malade ?
M'en cuydez ci de grand douleur **blessé** :
Si ie me suis payé ceste balade,
Bien allégié d'ung or mal **despensé**
[…]
Or le voycy maschant de la salade,
Des yeulx beulvant le nez bien **retroussé**
D'une servante de nuyct dont l'œillade
Eust faict bender l'arc d'Amour **trespassé**.
Las ! Tost luy fault rentrer sa roucoulade,
Pour sommeiller F.-A. **s'est effacé**
Dans ses drappeaulx, resvant quelle accolade !
Amys, venez veoir le pauvre **F.-A.C.**…

Là hault le ciel qui fort me feut maulsade
Picque ung soleil dont ie süis **traversé**.
De chaulds rayons caressent l'enfilade
Des licts tout blancs, ce pendant que **bercé**,
Ie lis VERLAINE et la neufve Pleïade ;
Passe ung docteur, il me treuve **affaissé**,
M'ausculte et dict : « Le bon iour à TAILHADE ! »
Amys, venez veoir le pauvre **F.-A.C.**..

Fréderic-Auguste Cazals, « Épistre en forme de ballade »,
Le Jardin des Ronces

❐ 202 [Nelligan] ; 333.14 [Jaccottet]
91.21 [Garampon]

(bavarder, rég.) tatasser
entasser
cactacée°
le crétacé
crétacé/e°
(mammifère) un **cétacé**
(soie) sétacé/e°
c'est assez
(bavarder, rég.)
jappetasser
rapetasser
cucurbitacée°
pultacé/e°
(s'affaler, rég.)
s'abotasser
potasser
rotacé/e°
myrtacée°
testacé/e°
crustacé
(faire la putain, arg.)
putasser

rutacée°
bavasser
rêvasser
pleuvasser
crevasser
olivacé/e°
écrivasser
malvacée°
ansé/e°
(battre, rég.) bourbancer
danser
cadencé/e°
cadencer
maître-à-danser
un condensé
condensé/e°
condenser
mordancer
(un/e) **offensé/e**°
offenser
ganser

manigance
agence
faïencé/e
(animer, Afr.) ambiance
un/e **fiancé/e**
(se) fiance
un/(se) **lance**
balancé/e
balance
(se) contrebalance
élancé/e
s'élance
(contaminer, arg.)
enchaudelance
relance
forlance
ré/ensemence
commence
recommence
romancé/e
romance
décontenance

SÉ-SSÉE°

214. É

co/auto/financer
ordonnancer
assonancé/e°
assonancer
(soigner) panser
(réflexion) une PENSÉE°
(songer) **penser**
(pensée, vieux) un **penser**
dépenser
repenser
libre-pensée°
arrière-pensée°
compensé/e°
compenser
décompensé/e°
décompenser
récomposer
dispenser
expansé/e°
Rancé
carencer
garancer
référencer
sérancer
(se tromper, arg.)
se gourancer
concurrencer
(présumé) censé/e°
(sage) sensé/e°
encenser
recencer
(un/e) **insensé/e°**
tancer
quittancer
potencé/e°
distancer
influencer
nuancé/e°
nuancer
avancé/e°
une avancée°
avancer
devancer

baisser
(alphabet) un abécé/**a b c**
(s') **abaisser**
rabaisser
rebaisser
surbaissé/e°
surbaisser
(boiter, rég.) baquesser
(enserré) encaissé/e°
(enserré) encaisser
(argent) r/encaisser
décaisser
une **fessée°**
fesser
s'**affaisser**
professer
confesser
rapiécé/e°
rapiécer
acquiescer
(fientes) des laissées°
laisser
coalescer
(un/e) **blessé/e°**
blesser

(un/e) **délaissé/e°**
délaisser
se relaisser
(vous) re/naissez
gynécée°
(vous) mé/**re/connaissez**
(parti communiste) P.C.
(poste commandem.) un P.C.
(bus) le P.C.
(micro-ordinateur) un PC/P.C.
(paître) vous re/paissez
caresser
(fainéanter) paresser
(+comp.) (paraître)
(vous) **paraissez**
dresser
adresser
(ranger, arg.) endresser
redresser
(un/e) intéressé/e°
(s') **intéresser**
désintéressé/e°
(se) désintéresser
graisser
agresser
r/engraisser
dégraisser
régresser
progresser
transgresser
(urgent) **pressé/e°**
(suc) une pressée°
(serrer) **presser**
(hâter) (se) presser
(un/e) **empressé/e°**
s'empresser
oppressé/e°
oppresser
dé/compresser
turbocompressé/e°
tresser
stresser
cesser
T.T.C.
(péter) vesser
(toilettes) des W.C.
PVC/P.V.C.

les Ponts-de-Cé
(mourir, arg.) clamecer
dépecer

hisser
bisser
(Homère) l'Odyssée°
(voyage) une **odysée°**
Laodicée°
théodicée°
(vous) maudissez
(se barbouiller, rég.)
(se) bardisser
mégisser
M.J.C.
treillisser
(cuisine) un lissé
(lisse) lissé/e°
(lisse) lisser
(marine) lisser
(enseignement) un **lycée°**

(pâlir) vous pâlissez
(agric.) dé/palisser
clisser
éclisser
délisser
un glissé
(se) **glisser**
(raffiné) policé/e°
(civiliser) policer
(polir) (vous) polissez
coulisser
un plissé
plissé/e°
dé/re/plisser
s'immiscer
Nicée°
vernissé/e°
vernisser
pisser
(scruter, rég.) espapisser
(tendre) **tapisser**
(se tapir)
vous vous tapissez
épicé/e°
(pimenter) épicer
(marine) épisser
récépissé
compisser
esquisser
lambrisser
crisser
hérissé/e°
hérisser
(crier, hirondelle) trisser
(répéter 3 fois) trisser
(s'enfuir, arg.) se trisser
tisser
pâtisser
ratisser
métisser
rapetisser
retisser
entre-tisser
non-tissé
écuisser
bruisser
dé/re/visser

un émincé
émincé/e°
émincer
coincé/e°
dé/**coincer**
(contraint) **pincé/e°**
(quantité) une **pincée°**
(serrer) pincer
épincer
(arrêter, arg.)
arquepincer
(coups; pluie) une rincée°
(laver) **rincer**
grincer
évincer

slicer

(poète grec) Alcée°
(mauve) une alcée°
(coïter, arg.) calcer

valser
pulser
impulser
propulser
autopropulsé/e°
s'autopropulser
compulser
(un/e) expulsé/e°
expulser
révulsé/e°
révulser
convulsé/e°
convulser

clamser
(n.dép.) R.M.C.

I.N.S.E.E.°

hausser
bosser
cabosser
embosser
(rue) une **chaussée°**
(enfiler) **chausser**
enchausser
déchaussé/e°
(se) déchausser
sénéchaussée°
maréchaussée°
rez-de-chaussée°
rechausser
cosser
écosser
adossé/e°
(s') adosser
r/endosser
(sodomiser, arg.)
encaldosser
rehausser
(altérer) **fausser**
(fosse) un **fossé**
(ville antique) Phocée°
(redresser) défausser
(cartes) se défausser
se gausser
(bavarder, rég.) bagosser
(bambocher) nocer
(s'étrangler, rég.)
s'encanosser
panosser
une rossée°
rosser
carrosser
brosser
abbé crossé
(pousser) crosser
(quereller, arg.) crosser
drosser
androcée°
engrosser
dégrosser
surhaussé/e°
surhausser
(monnaie) saucé/e°
(pluie) une saucée°
(essuyer) saucer
désosser
(contenter) **exaucer**

(élever) exhausser
tosser

(sombre) **foncé/e°**
(assombrir) foncer
(aller vite) foncer
enfoncé/e°
r/enfoncer
(drogué, arg.)
(un/e) défoncé/e°
(briser) (se) défoncer
engoncer
(dormir, arg.) pioncer
joncer
semoncer
annoncer
un énoncé
énoncer
dénoncer
renoncer
(marqué) prononcé/e°
(dire) **prononcer**
poncer
dé/froncer

(couvrir) housser
(épousseter) housser
éclabousser
glousser
mousser
émousser
se trémousser
une **poussée°**
pousser
un repoussé
repoussé/e°
repousser
débrousser
rebrousser
courroucer
troussé/e°
(coït, arg.) une troussée°
trousser
détrousser
retroussé/e°
retrousser
tousser

(mourir, arg.) clapser
(s'effondrer, angl.) collapser
(mourir, arg.) crapser
éclipser

herser
bercer
gercer
(course) le tiercé
(blason) tiercé/e°
(labourer) tiercer
commercer
percé/e°
(trouée) une percée°
(myth.) Persée
re/percer
transpercer
dispersé/e°
disperser
exercé/e°
s'exercer

SÉ-SSÉE°

inexercé/e°
terser/tercer
reterser/retercer
(savant) versé/e°
(basculer) **verser**
une **traversée**°
re/**traverser**
renversé/e°
(revirement, arg.)
une renversée°
renverser
déverser
bouleverser
reverser
tergiverser
inverser
(détourner) malverser
controversé/e°
controverser
converser
(dépiler une peau)
queurcer/queurser
Circé
corsé/e°
corser
(supporter, rég.) encorser
écorcer
forcé/e°
forcer
renforcer
s'**efforcer**
déforcer
ré/dés/amorcer
(un/e) divorcé/e°
divorcer
(encaisser) embourser
rembourser
débourser
courser
(poursuivre, rég.)
accourser
(harceler, rég.) pidourcer
(se) ressourcer

tsé-tsé
(nettoyer, Suisse) poutser

caducée°
laïusser
musser
épucer
sucer
resucée°

axer
faxer
(sac, arg.) laxé/lacsé
malaxer
(relâcher) relaxer
(se détendre) se relaxer
(un/e) désaxé/e°
désaxer
(extorquer, arg.) taxer
dé/sur/**taxer**
dés/indexer
télexer
(un/e) **complexé/e**°
dé/complexer
duplexer
annexer
vexer
fixer
affixé/e°
préfixé/e°
(préfixe) préfixer
(fixer) préfixer
suffixer
mixer
boxer
(attraper, arg.) coxer
foxé/e°
(exciter, rég.) houksser
luxer

+ verbes en -cer,
-(s)ser et -xer
part. passé masc./fém.
2e pers. pluriel
présent indic., impér.
1e pers. sing.
passé simple

+ verbes en -ir
(2e groupe)
2e pers. pluriel
présent indic., impér.

sous-rime voisine
214.20 S(Z)É-E

contre-assonance
121.19 SSET-AI

214.20 S(Z)É-S(Z)ÉE°

BAISER
BRISER
ROSÉE°

zée°

baser
re/**caser**
déphasé/e°
déphaser
biphasé/e°
diphasé/e°
polyphasé/e°
triphasé/e°
monophasé/e°
(intoxiqué) (un/e) gazé/e°
(déguiser) gazer
(foncer) gazer
dé/gazer
jaser
(un/e) **blasé/e**°
boisé/e°
boiser
framboiser
déboiser
reboiser
ratiboiser
ardoisé/e°
se dés/embourgeoiser
dégoiser
moiser
chamoiser
chinoiser
(croisade) un croisé
(en croix) **croisé/e**°
(de chemin) une **croisée**°
(se) croiser
bec-croisé
décroiser
chassé-croisé
entrecroiser
mots croisés
un toisé
(se) **toiser**
patoiser
entretoiser
voisé/e°
dévoisé/e°
pavoisé/e°
pavoiser
apprivoisé/e°
(s') apprivoiser
inapprivoisé/e°
(déshabituer)
se désapprivoiser
rasé/e°
raser
araser

Ce hall de gare **pavoisé**
De rouge à lèvres et de hasard
Où bat le cœur des banlieusards
Plein de sanglots et de **baisers**
N'aura jamais su me **griser**
Ce hall de gare **pavoisé**
De solitude à plein tarif
Et de marques d'apéritifs
Et de bonheur **synthétisé**
Je m'en suis **désapprivoisé**

Et ce boulot qui m'***usait*** tant
Qui me laissait tant **épuisé**
Devant ma machine à **fraiser**
Que j'en suais l'eau et le sang
N'aura jamais su me **griser**
Et de ce patron si charmant
Et du banquet de fin d'***année***
Et des médailles **arrosées**
Et de mes copains militants
Je m'en suis **désapprivoisé**

Pierre Perret, « Ma nouvelle adresse »,
Chansons de toute une vie

J'aime la liberté, & languis en service,
Je n'aime point la Cour, & me faut **courtiser,**
Je n'aime la feintise, & me faut **déguiser,**
J'aime simplicité , & n'apprends que malice.
……

S(Z)É-S(Z)ÉE° — 214. É

braser
abraser
embraser
ébraser
débraser
écraser
déraser
(cuisine) fraser
(musique) un phrasé
(articuler) phraser
paraphraser
périphraser
métastaser
s'extravaser
dés/envaser
évasé/e°
s'évaser
transvaser

chimpanzé
zwanzer

aisé/e°
un BAISER
(embrasser) **baiser**
(coïter) baiser
rebaiser
s'entre-baiser
mal-baisé/e°
biaisé/e°
biaiser
diéser
(lambiner, Can.) niaiser
déniaiser
léser
(blason)
alaisé/e°/alésé/e°
(calibrer) ré/aléser
malaisé/e°
bléser
glaiser
anglaiser
(se dorloter, rég.)
se doulaiser
(vous) dé/**plaisez**
vous (vous) complaisez
punaiser
apaisé/e°
(s') **apaiser**
inapaisé/e°
rapaiser
braiser
(usiner) fraiser
(mélanger) fraiser
gréser
(taire) vous vous **taisez**
communauté de Taizé
(myth.) **Thésée°**
mortaiser
(Cesare) Pavese

gueuser
(rendre gracieux)
gracieuser
peser
(guindé) **empesé/e°**
(amidonner) empeser
soupeser
dé/re/**creuser**

des billevesées°

Isée°
judaïser
hébraïser
(banaliser) prosaïser
(embrasser) biser
(noircir) biser
arabiser
fasciser
franchiser
catéchiser
anarchiser
hiérarchiser
nomadiser
emparadiser
vous vous dédisez
(vous) médisez
(vous) prédisez
(vous) contredisez
fluidiser
anodiser
(se) clochardiser
standardiser
(ridiculiser, arg.)
ringardiser
(Ronsard) ronsardiser
(vous) interdisez
homogénéisé/e°
homogénéiser
dépaysé/e°
dépayser
(vous) confisez
métamorphiser
(vous) suffisez
vous gisez
champagniser
aiguiser
déguisé/e°
déguiser
(lire) vous **lisez**
(détruire) lyser
les (vents) **alizés**
baliser
cannibaliser
radiobaliser
globaliser
verbaliser
radicaliser
sous-/médicalisé/e°
dé/sur/médicaliser
dé/syndicaliser
tropicaliser
grammaticaliser
lexicalisé/e°
se lexicaliser
focaliser
localiser
vocaliser
dé/fiscaliser
scandaliser
vandaliser
idéaliser
dé/**réaliser**
irréalisé/e°
égaliser
légaliser
madrigaliser
signaliser

Je n'adore les biens, & sers à l'avarice,
Je n'aime les honneurs, & me les faut **priser**,
Je veux garder ma foi, & me la faut **briser**,
Je cherche la vertu, & ne trouve que vice.

Joachim du Bellay, « J'aime la liberté »,
Les Regrets. XXXIX

Oui, mes trésors Seigneur, mes gemmes **irisées**,
Ma cuirasse d'argent qui défend les sillons,
Mes larmes sur les monts, mes étoiles **brisées**
Par l'appel déchirant de la plaine en haillons…

Dans quelle aube d'amour, dans quels **Champs-Élysées**
Tes doigts ont-ils forgé les lys de ces flocons
Qui tissent, aux **baisers** des premières **rosées**,
Mon rêve diaphane et mes linceuls féconds ?

Ô Seigneur, laisse-moi, sur la terre **embrasée**,
Serrer longtemps les nœuds de ma froide ***prison***,
Devant chaque clairière et sur chaque **croisée**

Masquer de ma blancheur ce brûlant ***horizon***,
Pour que l'homme, arrêtant sa course **inapaisée**,
Te demande à genoux les grâces d'***oraison*** !

Armand Godoy, « Prière de la neige »,
Bréviaire

Secrète éclosion que caressent **les airs***,
Que le soleil affirme et que la pluie éduque,
Que le soin rajeuni de la terre caduque
Te rendent tes parfums en maternels **baisers**.

Robert de Montesquiou, « Ô petite Adrienne… »,
Les Hortensias bleus. XXIX

* rime normande

Jeune, petit, raillé, cœur âgé, cœur usé,
Je ne peux, tiraillé, que rager, que ruser.

Daniel Marmié, « Une adolescence difficile »,
De la Reine à la Tour. Cent poèmes holorimes

❐ 189 [Desnos] ; 210 [Verlaine] ; 218 [Montesquiou]
121.19 [Ferré]

labialiser
un/e dialysé/e°
dialyser
mondialiser
filialiser
dé/matérialiser
dés/industrialiser
spatialiser
potentialiser
spécialiser
officialiser
initialiser
re/socialiser
commercialiser

trivialiser
animaliser
minimaliser
décimaliser
maximaliser
optimaliser
(formel) formaliser
(se vexer) se formaliser
normalisé/e°
normaliser
un/e analysé/e°
analyser
banaliser
canaliser

psychanalyser
dé/pénaliser
finaliser
marginaliser
dé/criminaliser
nominaliser
régionaliser
nationalisé/e°
dé/inter/nationaliser
rationalisé/e°
rationaliser
correctionnaliser
fonctionnaliser
professionnaliser

S(Z)É-S(Z)ÉE° 214. É

institutionnaliser
constitutionnaliser
dé/personnaliser
désaisonnaliser
communaliser
(un/e) coalisé/e°
(se) coaliser
municipaliser
opaliser
(un/e) **paralysé/e**°
paralyser
dé/sacraliser
libéraliser
fédéraliser
généraliser
minéralisé/e°
dé/minéraliser
latéralisé/e°
oraliser
moraliser
démoraliser
caporaliser
théâtraliser
dé/centraliser
neutraliser
contre-alizé
(un/e) naturalisé/e°
dé/naturaliser
vassaliser
universaliser
dé/nasaliser
catalyser
palataliser
occidentaliser
mentaliser
départementaliser
métallisé/e°
métalliser
digitaliser
dé/capitaliser
hospitaliser
dévitaliser
revitaliser
totaliser
chaptaliser
immortaliser
cristallisé/e°
re/**cristalliser**
brutaliser
individualisé/e°
individualiser
annualiser
mensualiser
dé/sexualiser
visualiser
ré/actualiser
contractualiser
intellectualiser
ritualiser
spiritualiser
conceptualiser
mutualiser
(abandonner, arg.) valiser
avaliser
dévaliser
rivaliser
ovaliser
(s') **enliser**
cycliser

(prophète) Élisée°
(élire) vous élisez
(l'au-delà) l'**élysée**°
palais de/l'**Élysée**°
fidéliser
modéliser
bordéliser
vous réélisez
(angélique) angéliser
évangéliser
caramélisé/e°
caraméliser
parcelliser
(l'au-delà)
les **champs Élysées**°
(Paris)
les **Champs-Élysées**°
diéséliser
dé/satelliser
cartelliser
javelliser
fleurdelisé/e°
fleurdeliser
vous relisez
malléabiliser
ré/imperméabiliser
sociabiliser
viabiliser
dé/culpabiliser
dé/responsabiliser
vulnérabiliser
rentabiliser
comptabiliser
dé/stabiliser
dé/crédibiliser
dé/in/sensibiliser
flexibiliser
dé/im/**mobiliser**
in/solubiliser
fragiliser
similiser
lyophiliser
tranquilliser
stérilisé/e°
stériliser
dé/viriliser
fossiliser
volatiliser
infantiliser
subtiliser
fertiliser
styliser
ré/sous-/**utiliser**
inutilisé/e°
(un/e) **civilisé/e**°
civiliser
métaboliser
symboliser
le Colisée°
alcoolisé/e°
alcooliser
créoliser
bémoliser
noliser
monopoliser
hydrolyser
électrolyser
dé/nébuliser
ridiculiser

miser
macadamiser
islamiser
dynamiser
tamiser
en/chemiser
remiser
minimiser
optimiser
maximiser
randomiser
sodomiser
économiser
chromiser
(un/e) atomisé/e°
atomiser
anatomiser
vasectomiser
scotomiser
uniformiser
anisé/e°
aniser
urbaniser
mécaniser
américaniser
africaniser
balkaniser
volcaniser
vulcaniser
européaniser
paganiser
organisé/e°
ré/organiser
inorganisé/e°
désorganiser
italianiser
parisianiser
dé/re/christianiser
solenniser
romaniser
germaniser
dés/**humaniser**
naniser
tympaniser
tyranniser
ta(n)niser
méthaniser
tétaniser
(herboriser) botaniser
vanisé/e°
galvaniser
helléniser
pérenniser
(rendre infini) infiniser
dévirginiser
alcaliniser
déstaliniser
masculiniser
féminiser
hominisé/e°
siniser
latiniser
crétiniser
dénicotiniser
diviniser
indemniser
carboniser
préconiser
([se] parer) (s') adoniser

francophoniser
agoniser
ioniser
(un/e) colonisé/e°
dé/coloniser
harmoniser
canoniser
dé/post/synchroniser
japoniser
ironiser
s'impatroniser
introniser
ozoniser
(Platon) platoniser
moderniser
materniser
fraterniser
(s') **éterniser**
verduniser
immuniser
tabouiser
(regarder, arg.) rebouiser
squeezer
pisé
sinapisé/e°
pétrarquiser
(rafale) une risée°
(moquerie) être la **risée**°
a(r)riser
précariser
se dé/solidariser
pindariser
dé/nucléariser
vulgariser
se **gargariser**
(se) familiariser
parcellariser
polarisé/e°
dé/polariser
dé/scolariser
séculariser
particulariser
circulariser
vascularisé/e°
re/vasculariser
régulariser
singulariser
dé/populariser
titulariser
fonctionnariser
accessoiriser
césariser
sédentariser
prolétariser
re/dé/militariser
stariser
sanctuariser
brisé/e°
(traces) les **brisées**°
(rompre) BRISER
tubérisé/e°
madériser
polymériser
numériser
paupériser
upériser
se cancériser
squattériser
cratérisé/e°

caractérisé/e
caractérise
éthérise
cautérise
(tirer, arg.) révolvérise
pulvérise
(flatter) monseigneurise
émerise
conteneurise
(fardé) poudrerizé/e
mercerise
pasteurise
(boche) un fris
(bouclé) **frisé/e**
(salade) une frisée
(dé/boucler) dé/frise
(teinte) un gris
(s'enivrer) (se) **grise**
un/e égrisée
égrise
dégrise
vert-de-grisé/e
irisé/e
irise
vampirise
satirise
martyrise
arborisé/e
herborise
désodorise
théorise
météorise
métaphorise
euphorise
allégorise
catégorise
infériorise
intériorise
extériorise
dé/re/valorise
taylorise
mémorise
marmorise
ténorise
in/sonorise
vaporise
temporise
terrorise
sponsorise
thésaurise
réflectorisé/e
sectorise
autorisé/e
autorise
motorisé/e
motorise
transistorise
dé/**favorise**
défavorisé/e
(évaluation) une prisée
(estimer) **prise**
(du tabac) prise
déprise
méprise
reprise
cicatrise
(un/e) psychiatrisé/e
psychiatrise
rime fratrisée

S(Z)É-S(Z)ÉE° — 214. É

électrisé/e°
électriser
maîtriser
sécuriser
sulfurisé/e°
dé/pressuriser
miniaturiser
(exclure) ostraciser
franciser
gréciser
préciser
laïciser
angliciser
techniciser
inciser
(vous) circoncisez
exorciser
russiser
exciser
marxiser
attiser
un/e baptisé/e°
dé/re/**baptiser**
mithridatiser
agatisé/e°
médiatiser
dé/dramatiser
épigrammatiser
mathématiser
anathématiser
schématiser
télématiser
systématisé/e°
systématiser
stigmatisé/e°
stigmatiser
dogmatiser
climatiser
axiomatiser
aromatiser
achromatiser
traumatiser
(un/e) polytraumatisé/e°
somatiser
automatiser
informatiser
fanatiser
sympathiser
démocratiser
technocratiser
dé/bureaucratiser
(rendre distingué) (s') aristocratiser
dératiser
dés/étatiser
privatiser
pédantiser
néantiser
élégantiser
conscientiser
(courtiser) galantiser
pactiser
dialectiser
désinsectiser
alphabétisé/e°
alphabétiser
prophétiser
gadgétiser

dé/budgétiser
dé/**magnétiser**
soviétiser
palettiser
dé/monétiser
dé/**poétiser**
concrétiser
synthétiser
esthétiser
dé/politiser
robotiser
(se) cotiser
hypnotiser
érotiser
aseptiser
expertiser
courtiser
démutiser
(vous) re/cuisez
(+comp.) (vous) déduisez
désambiguïser
(vous) re/luisez
(vous) nuisez
menuiser
s'amenuiser
(vous vous) entrenuisez
puiser
épuisé/e°
épuiser
inépuisé/e°
(vous vous) entre-/détruisez
(vous vous) instruisez
(vous) re/construisez
tirer au visé
(objectif) des **visées°**
(pointer) **viser**
(un visa) viser
(averti) **avisé/e°**
(s'apercevoir) (s') aviser
(avertir) pré/aviser
malavisé/e°
slaviser
se raviser
téléviser
radio/**télévisé/e°**
réviser
deviser
divisé/e°
sub/**diviser**
relativiser
adjectiviser
dé/collectiviser
improviser
superviser
susvisé/e°

(risqué) **osé/e°**
(prophète) Osée°
(roi) Osée°
(risquer) **oser**
dé/re/**causer**
(un/e) silicosé/e°
glucosé/e°
doser
métamorphoser
José
vous enclosez
gloser

ankylosé/e°
(s') ankyloser
imploser
exploser
anastomoser
nausée°
cyanoser
(attendre) faire pauser
(réfléchi) posé/e°
(placer) **poser**
apposer
juxtaposé/e°
juxtaposer
déposer
un/e préposé/e°
préposer
antéposer
(délassé) **reposé/e°**
(vénerie) une reposé/e°
(replacer) reposer
(délasser) (se) **reposer**
entreposer
(obligatoire) imposé/e°
(impôts) (un/e) imposé/e°
ré/sur/imposer
à l'opposé
opposé/e°
(s') opposer
ménopausée°
proposer
composé/e°
(math.) une composée°
(plantes) des composées°
(agencer) **composer**
décomposé/e°
décomposer
recomposer
photocomposer
surcomposé/e°
superposer
interposer
(math.) (une) transposée°
transposer
in/**disposé/e°**
pré/in/disposer
postposer
pré/**supposé/e°**
pré/supposer
un présupposé
(rapport) un exposé
exposer
surexposer
sous-exposer
(rose) **rosé/e°**
(vapeur) la ROSÉE°
(rosir) roser
arrosé/e°
arroser
nécroser
sclérosé/e°
se scléroser
couperosé/e°
(écrire en prose) proser
(sodomiser, arg.) emproser
(un/e) névrosé/e°

(un/e) **bronzé/e°**
bronzer
(tomber, rég.) s'abouser
(tuer, arg.) ébouzer/ébouser
(vous) dé/re/cousez
mildiousé/e°
jalouser
(abandonner, arg.) mallouser
(abandonner, arg.) valouser
(gonfler) blouser
(tromper) blouser
(emperlé, arg.) emperlousé/e°
(puer, arg.) tapouser
une **épousée°**
épouser
(regarder, arg.) matouser
(débaucher, arg.) partouzer/partouser

Zuiderzee°

usé/e°
user
(recaler, Belg.) buser
abuser
(radoter, rég.) rabuser
(un/e) **désabusé/e°**
désabuser
(tirer, arg.) arquebuser
un/e accusé/e°
accuser
un/e coaccusé/e°
(dénoncer, Belg.) raccuser
s'entraccuser
récuser
(s') **excuser**
méduser
(engin) une **fusée°**
(jaillir) fuser
(un/e) refusé/e°
refuser
re/diffuser
télédiffuser
radiodiffuser
infuser
rétrofusée°
perfuser
transfuser
jusée°
une éclusée°
(écluse) écluser
(boire, arg.) écluser
(collection) un **musée°**
(flâner) muser
(bourdonner, Belg.) muser
(s') **amuser**
écomusée°
(un/e) **rusé/e°**
ruser
décruser
mésuser

+ verbes en -s(z)er
part. passé masc./fém.
2e pers. pluriel
présent indic., impér.
1e pers. sing.
passé simple

rime normande
177. S(Z)ER

sous-rime voisine
214.20 SSÉ-E

contre-assonances
121.19 S(Z)ET-AIE
S(Z)ON

214.21 TÉ-TÉE°

ÉTÉ
BEAUTÉ

(lettre) en/un T
(règle) un té
(surprise) té!
(boisson; arbre) un **thé**

(incroyant) (un/e) **athée°**
(presser) (se) **hâter**
(récipient) une batée°
(mettre un bât) bâter
(de porte) une battée°
(+comp.) (battre) vous battez
aba(t)tée°
(tapager, rég.) tarabater
(un âne) débâter
(débattre) (vous) débattez
âne bâté
(de Milet) Hécatée°
dater
mandater
antidater
horodaté/e°
postdater
calfater
sulfaté/e°
sulfater
phosphaté/e°
phosphater
gâté/e°
(se) gâter
(gâtifier, rég.) gagater
régater
frégater
(boire, arg.) tafiater
jattée°
latter
Galatée°
ablater
(bavarder, arg.) blablater
(dessin) un éclaté
(s') **éclater**
relater
frelaté/e°
frelater
flatter
(grelotter, arg.) glaglater
(se) **dilater**
chocolaté/e°
platée°
(boisson; houx) un maté
(dompter) **mater**
(dépolir) mater
(regarder, arg.) mater
(mât) dé/mâter
trémater
casemater
(s') acclimater
colmater
formater
dé/natter
dé/carbonater
bi/carbonaté/e°
ouaté/e°
ouater
boiter

emboîter
remboîter
déboîter
(adresse) du doigté
(musique) doigter
déwatté/e°
(un/e) exploité/e°
exploiter
inexploité/e°
surexploiter
sous-exploiter
squatter
(cheval) miroité/e°
(briller) **miroiter**
convoiter
(charcuterie) un **pâté**
(pitance) une **pâtée°**
les frères Pathé
(blason) patté/e°
appâter
(s'enfuir, arg.) se carapater
(bouffi) **empâté/e°**
(grossir) s'empâter
(étayer) empatter
(écrasé) épaté/e°
(ébahir) épater
(d'un moteur) le raté
(personne) (un/e) raté/e°
(manquer) **rater**
baratter
karaté
ré/dés/hydrater
courir comme
un/e dératé/e°
re/**gratter**
pirater
(draguer, rég.) courater
nitraté/e°
nitrater
re/**tâter**
constater
cravater

(géant) Antée°
(blason) enté/e°
(greffer) enter
(fantôme) **hanté/e°**
hanter
décanter
fréquenté/e°
fréquenter
infréquenté/e°
brocanter
chanter
dés/enchanté/e°
dés/**enchanter**
déchanter
denté/e°
une dentée°
(blason) endenté/e°
(techn.) endenter
(mammifère) un édenté
(sans dents) **édenté/e°**
édenter
redenté/e°
tridenté/e°
(un/e) accidenté/e°
accidenter
rudenté/e°

Mon roseau noir, ma tour d'opale,
  Mon enfant, mon matin d'**été**,
Mon hirondelle et ma cymbale,
  Ma douceur, ma **sévérité**,

Mon liseron, ma transparence,
  Mon ombre et mon **opacité**,
Mon remords et ma complaisance
  Mon mensonge et ma **vérité**,

Ma Chine et ma rive étrangère,
  Mon lointain, ma **proximité**,
Mon pilote et ma passagère,
  Ma conteuse et ma **racontée**,
Mon horizon, ma familière,
  Et mon **impossibilité**,

Ma mélodie et mon silence,
  Ma halte et ma **mobilité**,
Ma maison, mon fleuve et ma danse,
  Mon départ et mon ***arrivée***,

Mon roseau noir, ma tour d'opale,
  Mon masque et ma **solennité**
Mon hirondelle et ma cymbale
  Mon luxe et ma **nécessité**,

Mon pain, mon vin, ma fausse oronge,
  Mon pardon, ma **complicité**,
Herbe du rite et fleur du songe,
  Porte de mes **Félicités**.

Alexandre Vialatte, « Chanson de Fred »,
La Paix des Jardins

Ce n'est pas la **beauté**
pas seulement la **cruauté**
ce n'est pas l'**antiquité**
pas seulement la **qualité**
ce n'est pas l'**intensité**
pas seulement la **majesté**
ce n'est pas la **papauté**
pas seulement la **variété**
c'est surtout l'**humanité**
avant tout l'***amitié***
qu'il fallait découvrir
  à Rome

Philippe Soupault, « Ode à Rome »,
Poèmes retrouvés

La plus stricte **intimité**
La plus douce **complicité**
La plus âpre **hostilité**
La plus rare **intégrité**
La plus haute **autorité**
La plus chaude **fraternité**
La plus large **facilité**
La plus simple **charité**
La plus vague **parenté**
La plus nette **austérité**
La plus franche **imbécillité**

Luc Bérimont, « La plus stricte intimité »,
L'Esprit d'enfance

TÉ-TÉE°

214. É

fainéanter
enfanter
ganté/e°
(se) dé/ganter
(balancer, rég.) charganter
(un/e) déjanté/e°
déjanter
régenter
diligenter
contingenter
dés/**argenté/e**°
ré/dés/argenter
fienter
ébouillanter
brillanté/e°
brillanter
dés/orienté/e°
ré/**dés/orienter**
im/patienter
(draguer, rég.)
pourgalanter
ensanglanter
violenter
dé/re/**planter**
ré/implanter
transplanter
supplanter
(vous) mentez
médicamenter
diamanté/e°
diamanter
endiamanté/e°
se **lamenter**
aimanter
(vous) démentez
agrémenter
cémenter
désaimanter
dé/réglementer
parlementer
ornementer
parementer
passementer
(agité) mouvementé/e°
(banque) mouvementer
fragmenter
segmenter
pigmenter
augmenter
sédimenter
enrégimenter
sur/sous-/alimenter
complimenter
bonimenter
pimenté/e°
pimenter
expérimenter
in/expérimenté/e°
cimenter
(assaisonner, rég.)
acimenter
compartimenter
commenter
fomenter
sarmenter
fermenté/e°
fermenter
(un/e) assermenté/e°
assermenter

insermenté
tourmenter
documenté/e°
documenter
argumenter
instrumenter
(suprême)
divinité panthée°
vous vous repentez
arpenter
charpenté/e°
charpenter
serpenter
(effrayer, rég.) espanter
renter
arrenter
parenté
(un/e) apparenté/e°
s'apparenter
warranter
cranter
(sain) la **santé**
(prison) la Santé
(sentir) (vous) sentez
s'**absenter**
(vous) pressentez
(vous) ressentez
ex ante
innocenter
(vous) consentez
plaisanter
présenter
représenter
(un/e) exempté/e°
exempter
tenter
attenter
patenté/e°
patenter
retenter
intenter
contenter
mécontenter
(se) sustenter
cruenté/e°
(louer) **vanter**
(venteux) venté/e°
(souffler) venter
éventé/e°
(s') éventer
ré/inventer
épouvanter

actée°
cactée°
jacter
lacté/e°
Voie lactée°
compacter
bractée°
réfracter
diffracter
tracter
détracter
(se) rétracter
autotracté/e°
(crispé) **contracté/e**°
(se raidir) (se) contracter
(s'engager) contracter

La **griffonnabilité** de la **perpétuabilité** de l'**équivocabilité**
de l'**invraisemblabilité** de l'**haltérophilité** de l'**hellénité**
La **gribouillité** de la **griffonnabilité** de la **perpétuabilité**
de l'**équivocabilité** de l'**invraisemblabilité** de l'**haltérophilité**
La **fulgurabilité** de la **gribouillité** de la **griffonnabilité**
de la **perpétuabilité** de l'**équivocabilité** de l'**invraisemblabilité**

Michèle Métail,
Compléments de noms, v. 1109-1111

En vain je saurai, ô livres
propagateurs de la force
à prendre aux espaces libres
des savanes et des mornes ;
en vain je saurai **goûter**,
grâce à vous, le ***clair* éther**…*

Jean-Joseph Rabearivelo, « Trois préludes » I,
Chants pour Abéone in *Poèmes*

* rime normande

Soubeyran, marchand de vin, pale ale, porter*,
Sous Berr, en marchant, devint pâle à le porter.

Alphonse Allais, « Half and half »,
Le Parapluie de l'escouade

* rime normande et vers holorimes

❐ 39 [Mallarmé] ; 114 [Estang] ; 178 [Dubillard] ;
442 [Franc-Nohain] ; 448 [Leconte de Lisle]
121.20 [Klingsor]

décontracté/e°
(se) décontracter
contacter
(manger, arg.) ne pas becter
(dégoûter, arg.) débecter
(réconforter, arg.)
se rebecter
(maniéré) **affecté/e**°
(feindre) affecter
(s'affliger) (s') affecter
(imputer) affecter
désaffacter
dés/**infecter**
objecter
éjecter
injecté/e°
injecter
se **délecter**
sélecter
collecter
(sentir, arg.) schmecter
humecter
dé/inter/connecter
respecter
inspecter
prospecter
suspecter

intersecté/e°
détecter
une **dictée**°
dicter
édicter
autodictée°
(cligner des yeux) nicter
(boire, arg.) picter
(décoction) un décocté
(déféquer, arg.) décocter
concocter
(insomniaque) pernocter
éructer

AZT

(saison) l'ÉTÉ
(être) **été**
(bavarder, rég.) babetter
embêter
(un/e) **hébété/e**°
hébéter
s'endetter
surendetté/e°
désendetter
D.D.T.
C.F.D.T.

Papeete
fêter
affété/e°
r/enfaîter
(joie) la **gaîté/gaieté**
(épier) **guetter**
budgéter
C.G.T.
végéter
saietter
émietter
(dévotion) la **piété**
(raidir) se piéter
empiéter
rempiéter
mont-de-piété
impiété
(s') **inquiéter**
contrariété
variété
ébriété
sobriété
notoriété
propriété
impropriété
copropriété
nue-propriété

TÉ-TÉE°

214. É

assiettée°
satiété
société
îles de la Société
anxiété
(arrêter, arg.) servietter
(laitance) laité/e°
(fleuve des Enfers)
le Léthé
allaiter
toiletter
délaiter
refléter
(baver, Belg.) gletter
compléter
(+comp.) (vous) mettez
guillemeter
Prométhée°
(promettre)
(vous) promettez
lunetté/e°
(embrasser, rég.)
béchouetter
(bavarder, rég.) bacouetter
fouetter
silhouetter
(avoir peur, arg.) mouetter
une brouettée°
brouetter
pirouetter
souhaiter
(ivre, arg.) pété/e°
(ivresse, arg.) une pétée°
(vesser; casser) **péter**
(désirer) appéter
tempêter
répéter
trompeter
rouspéter
quêter
racketter
un/e enquêté/e°
enquêter
(soldat) un requêté
(chercher) requêter
(décision) un arrêté
(ferme) **arrêté/e**°
(cesser) s'**arrêter**
accrété/e°
crêté/e°
écrêter
décréter
sécréter
secréter
(se) concréter
excréter
(louer) fréter
(un moyeu) fretter
affréter
aigretté/e°
regretter
un prêté
prêté/e°
prêter
apprêté/e°
(s') apprêter
rapprêter
interpréter
un traité

traiter
prétraité/e°
(pensionné)
(un/e) **retraité/e**°
(retraitement) retraiter
(un/e) préretraité/e°
maltraiter
sous-traiter
chevretter
(ventre) levretté/e°
(mettre bas) levretter
facetter
une têtée°
téter
entêté/e°
(s') entêter
étêter
P.T.T.
(vous) dé/re/vêtez

acheter
cacheté/e°
dé/re/cacheter
lâcheté
(se) **racheter**
tacheté/e°
tacheter
mocheté
(niais; laid, arg.)
pochetée°
crocheter
moucheté/e°
moucheter
démoucheter
vigneter
bégueter
(courtiser) mugueter
(se coucher, arg.) se pieuter
(sortir du lit, arg.)
se dépieuter
zyeuter/zieuter
(danse) un jeté
(fou) jeté/e°
(digue) une **jetée**°
(lancer) (se) **jeter**
étrangeté
déjeté/e°
déjeter
épaulé-jeté
rejeter
projeter
interjeter
vergeté/e°
forjeter
surjeter
pailleté/e°
pailleter
(en feuille) feuilleté/e°
(un livre) **feuilleter**
aiguilleté/e°
aiguilleter
haleter
(s'enfuir, arg.) caleter
galeter
saleté
bleuté/e°
bleuter
une **pelletée**°
pelleter

souffleter
in/**habileté**
fileter
se colleter
un **décolleté**
décolleté/e°
décolleter
violeter
moleter
voleter
(coïter, arg.) culeter
r/ameuter
pommeté/e°
fermeté
plumeté/e°
soudaineté
doyenneté
mitoyenneté
citoyenneté
ancienneté
riveraineté
souveraineté
suzeraineté
putter
(billard) queuter
(coïter, arg.) queuter
caqueter
claqueter
r/empaqueter
dépaqueter
craqueter
banqueter
équeuter
(picorer) bequeter/
becqueter
(manger, arg.) becqueter
(vomir, arg.) débéqueter
(réconforter, arg.)
rebéqueter
échiqueté/e°
déchiqueté/e°
déchiqueter
cliqueter
encliqueter
décliqueter
piqueter
briqueter
tiqueté/e°
étiqueter
hoqueter
coqueter
moquetter
bouqueté/e°
marqueter
parqueter
charretée°
jarreté/e°
(en coude) jarreter
(jarretière) jarreter
rareté
âcreté
tendreté
légèreté
grossièreté
entièreté
débonnaireté
fleureter
âpreté
propreté

malpropreté
opiniâtreté
cureter
dureté
fureter
pureté
impureté
sûreté
chevret(t)er
pauvreté
méchanceté
épicentrer
passe-thé
fausseté
cochonceté
(sottise, arg.) conceté
épousseter
corseter
(malignité) mauvaiseté
joyeuseté
gracieuseté
rose-thé
immédiateté
netteté
honnêteté
malhonnêteté
sainteté
chasteté
dé/claveter
brièveté
bêcheveter
breveté/e°
breveter
naïveté
tardiveté
(grâces; bibelots)
des jolivetés
dé/riveter
lasciveté
oisiveté
chétiveté
rétiveté
sauveté
louveter
duveté/e°
se duveter

cafter
Jephté
lifter
(broncher, arg.)
ne pas moufter

judaïté
(comprendre, arg.)
ne pas bit(t)er
in/dés/**habité/e**°
co/dés/**habiter**
(découper) **débiter**
(d'une somme) débiter
im/**probité**
acerbité
exorbité/e°
un/e commandité/e°
commanditer
ré/auto-/éditer
méditer
préméditer
créditer

accrédite
décrédite
discrédite
hérédit
morbidit
turbidit
sordidit
rigidit
frigidit
algidit
in/validit
solidit
timidit
humidit
rapidit
sapidit
intrépidit
insipidit
limpidit
cupidit
stupidit
liquidit
aridit
hybridit
(le vert) viridit
putridit
acidit
placidit
flaccidit
lucidit
translucidit
fétidit
fluidit
quiddit
avidit
gravidit
lividit
vividit
in/commodit
in/**fécondit**
rotondit
surdit
absurdit
nudit
(brutalité) la crudit
(légumes) des crudité
étanchéit
déit
judéit
velléit
diaphanéit
planéit
contemporanéit
extranéit
instantanéit
simultanéit
spontanéit
homogénéit
hétérogénéit
innéit
incorporéit
eccéit
ipséit
(bleu) bleuit
(taguer) graffite
(enduire) graphite
profite
gîte
(un/e) **agité/e**

TÉ-TÉE°

214. É

agiter
sagitté/e°
digité/e°
cogiter
dégurgiter
régurgiter
ingurgiter
(animaux) une litée°
(superposer) liter
aliter
globalité
qualité
musicalité
a/grammaticalité
verticalité
localité
para/fiscalité
féodalité
modalité
idéalité
ir/**réalité**
égalité
il/légalité
inégalité
Philippe Égalité
prodigalité
frugalité
cordialité
collégialité
domanialité
génialité
im/matérialité
ex/territorialité
spatialité
confidentialité
potentialité
con/substantialité
spécialité
officialité
superficialité
a/socialité
nuptialité
im/partialité
divortialité
bestialité
trivialité
convivialité
jovialité
molalité
animalité
thermalité
formalité
a/normalité
(anus) analité
(année) annalité
banalité
pénalité
vénalité
finalité
originalité
marginalité
criminalité
supra/inter/nationalité
ir/rationalité
intentionnalité
extensionnalité
fonctionnalité
inconditionnalité
proportionnalité

in/constitutionnalité
im/personnalité
a/tonalité
municipalité
cérébralité
libéralité
généralité
bi/latéralité
littéralité
oralité
a/**im/moralité**
in/temporalité
théâtralité
neutralité
dextralité
pluralité
vassalité
universalité
nasalité
causalité
fatalité
dé/morti/sur/natalité
mentalité
sentimentalité
monumentalité
continentalité
létalité
hospitalité
vitalité
totalité
frontalité
horizontalité
mortalité
immortalité
surmortalité
brutalité
dualité
individualité
annualité
mensualité
sensualité
bi/homo/hétéro/
sexualité
casualité
éventualité
in/actualité
intellectualité
ponctualité
spiritualité
virtualité
gestualité
intertextualité
mutualité
rivalité
péricliter
schlitter
déliter
fidélité
haute-fidélité
infidélité
gémellité
(capacité) l'habilité
(autoriser) habiliter
im/**probabilité**
imperturbabilité
implacabilité
impeccabilité
insécabilité
applicabilité

incommunicabilité
im/praticabilité
ir/révocabilité
décidabilité
fécondabilité
malléabilité
im/perméabilité
réhabilité/e°
réhabiliter
affabilité
fatigabilité
navigabilité
interchangeabilité
fiabilité
maniabilité
in/variabilité
friabilité
insatiabilité
appréciabilité
négociabilité
in/sociabilité
dissociabilité
viabilité
serviabilité
labilité
inviolabilité
calculabilité
amabilité
inflammabilité
in/aliénabilité
inhabilité
impressionnabilité
culpabilité
comparabilité
désidérabilité
impondérabilité
in/vulnérabilité
in/altérabilité
honorabilité
inexorabilité
im/pénétrabilité
in/curabilité
durabilité
incommensurabilité
ir/responsabilité
in/faisabilité
in/opposabilité
dilatabilité
rentabilité
respectabilité
héritabilité
irritabilité
in/excitabilité
flottabilité
notabilité
comptabilité
adaptabilité
acceptabilité
in/stabilité
irréfutabilité
im/mutabilité
incommutabilité
permutabilité
transmutabilité
imputabilité
immuabilité
ir/recevabilité
in/solvabilité
(idiotie) la débilité

(déprimer) débiliter
indélébilité
in/crédibilité
audibilité
in/tangibilité
in/éligibilité
in/intelligibilité
in/exigibilité
in/faillibilité
pénibilité
in/disponibilité
impassibilité
irascibilité
in/compréhensibilité
expansibilité
in/sensibilité
hypersensibilité
in/extensibilité
in/flexibilité
réflexibilité
in/compressibilité
im/putrescibilité
cessibilité
in/accessibilité
successibilité
incessibilité
miscibilité
in/admissibilité
in/transmissibilité
invincibilité
im/possibilité
insubmersibilité
incoercibilité
ir/réversibilité
il/lisibilité
in/visibilité
im/prévisibilité
in/divisibilité
plausibilité
explosibilité
in/fusibilité
in/compatibilité
rétractibilité
indéfectibilité
perfectibilité
déductibilité
ir/réductibilité
productibilité
reproductibilité
conductibilité
indestructibilité
im/perceptibilité
susceptibilité
imprescriptibilité
incorruptibilité
in/convertibilité
suggestibilité
digestibilité
comestibilité
in/combustibilité
in/amovibilité
im/mobilité
in/solubilité
in/dissolubilité
volubilité
nubilité
édilité
agilité
fragilité

militer
humilité
sénilité
juvénilité
tranquillité
fébrilité
stérilité
puérilité
virilité
la **facilité**
faciliter
gracilité
imbécillité
in/**docilité**
volatilité
versatilité
gentilité
subtilité
rétractilité
contractilité
érectilité
ductilité
motilité
in/fertilité
hostilité
utilité
futilité
inutilité
in/**civilité**
servilité
(grâces; bibelots) des jolités
frivolité
le poplité
poplité/e°
in/crédulité
nullité
mité/e°
se miter
calamité
dynamiter
extrémité
imiter
limité/e°
limiter
sublimité
délimiter
illimité/e°
longanimité
magnanimité
pusillanimité
unanimité
équanimité
inimité/e°
il/légitimité
intimité
proximité
sous-/**comité**
sommité
une marmitée°
marmiter
infirmité
difformité
uniformité
non-/conformité
énormité
urbanité
mondanité
solennité
romanité

TÉ-TÉE

214. É

humanité
inhumanité
sous-humanité
inanité
un granité
granité/e°
graniter
insanité
vanité
aménité
pérennité
sérénité
obscénité
affinité
infinité
virginité
consanguinité
alcalinité
salinité
félinité
masculinité
féminité
trinité/Trinité
sinité
latinité
clandestinité
divinité
indemnité
médiumnité
modernité
maternité
paternité
con/**fraternité**
éternité
taciturnité
unité
auto-/immunité
impunité
importunité
in/opportunité
coïter
(se hâter, rég.) se couiter
décapiter
(s'activer, rég.)
se décrapiter
dépité/e°
dépiter
crépiter
décrépiter
(dépôt) un précipité
(hâtif) **précipité/e°**
(se) précipiter
stipité/e°
palpiter
quitter
un/e acquitté/e°
acquitter
(dédommager)
(se) racquitter
équité
requitter
iniquité
antiquité
karité
précarité
charité
solidarité
co/linéarité
vulgarité

familiarité
hilarité
similarité
capillarité
pupillarité
scolarité
molarité
bi/polarité
exemplarité
particularité
circularité
ir/régularité
singularité
im/**popularité**
insularité
primarité
im/parité
scissiparité
ovo/viviparité
oviparité
disparité
sédentarité
complémentarité
littérarité
abrité/e°
abriter
inabrité/e°
célébrité
in/salubrité
alacrité
médiocrité
hériter
célérité
dé/**mériter**
témérité
immérité/e°
cohériter
aspérité
prospérité
in/**sincérité**
(un/e) **déshérité/e°**
déshériter
(léser, Suisse) prétériter
altérité
austérité
postérité
dextérité
vérité
sévérité
contrevérité
(battre, arg.) friter
(technique) fritter
(s') effriter
intégrité
irrité/e°
(s') **irriter**
séniorité
infériorité
supériorité
antériorité
intériorité
postériorité
extériorité
priorité
majorité
minorité
in/**sonorité**
autorité
in/**sécurité**

obscurité
pré/im/**maturité**
(ville) une **cité**
île de la Cité
(citation) **citer**
in/**efficacité**
perspicacité
loquacité
mordacité
sagacité
fugacité
pugnacité
coriacité
salacité
ténacité
(obstination) pertinacité
in/sur/**capacité**
rapacité
opacité
compacité
véracité
voracité
vivacité
densité
immensité
francité
intensité
réciter
grécité
précité
cécité
la **nécessité**
nécessiter
judaïcité
laïcité
plébisciter
sporadicité
mendicité
bénédicité
véridicité
périodicité
modicité
nordicité
im/pudicité
spécificité
scientificité
liciter
analycité
contre-/**publicité**
(prénom) Félicité
(bonheur) **félicité**
(louer) féliciter
solliciter
catholicité
multiplicité
simplicité
complicité
duplicité
expliciter
endémicité
épidémicité
atomicité
thermicité
s(é)ismicité
rythmicité
technicité
œcuménicité
conicité
canonicité

chronicité
tonicité
unicité
héroïcité
lubricité
sphéricité
historicité
excentricité
radio/thermo/hydro/
photo/**électricité**
psycho/motricité
basicité
automaticité
in/authenticité
facticité
herméticité
septicité
élasticité
plasticité
toxicité
domesticité
mysticité
causticité
rusticité
inciter
précocité
phagocyter
vélocité
(petit nombre) paucité
raucité
férocité
réciprocité
atrocité
univocité
adversité
diversité
université
perversité
caducité
susciter
ressusciter
laxité
(un/e) **excité/e°**
exciter
complexité
perplexité
connexité
surexciter
désexciter
convexité
fixité
prolixité
siccité
matité
entité
identité
quantité
quotité
audi/surdi/mutité
(s'enivrer, arg.) se cuiter
acuité
vacuité
ubiquité
obliquité
(clarté) perspicuité
in/nocuité
court-circuiter
biscuiter
promiscuité

assiduit
viduit
(fuir, arg.) fuite
ambiguït
contiguït
exiguït
superfluit
absoluit
une nuitée
(passer la nuit) nuite
(redevance) une annuit
(s'obscurcir) s'anuite
ingénuit
ténuit
dis/continuit
bruite
ébruite
fruité/e
affruite
défruite
incongruït
truité/e
suitée
fatuit
gratuit
perpétuit
cavit
concavit
(austérité) la **gravit**
(gravitation) gravite
suavit
évite
longévit
brévit
récidivit
déclivit
lascivit
massivit
passivit
expansivit
agressivit
dégressivit
progressivit
expressivit
récessivit
possessivit
permissivit
impulsivit
nocivit
récursivit
réflexivit
dé/parasite
transite
hésite
obésit
blésit
exquisit
visite
gibbosit
verbosit
aquosit
viscosit
mucosit
verrucosit
nodosit
fongosit
rugosit
spéciosit
préciosit

contagiosité
religiosité
spongiosité
ingéniosité
impécuniosité
obséquiosité
in/**curiosité**
pluviosité
callosité
pilosité
frilosité
nébulosité
méticulosité
animosité
venimosité
luminosité
vinosité
adiposité
tubérosité
générosité
sérosité
dangerosité
morosité
porosité
sinuosité
monstruosité
flatuosité
anfractuosité
défectuosité
onctuosité
impétuosité
somptuosité
virtuosité
tortuosité
flexuosité
nervosité
in/usité/e°
approbativité
combativité
créativité
négativité
relativité
normativité
nativité
représentativité
captativité
commutativité
inventivité
activité
réactivité
inactivité
non-activité
radioactivité
rétroactivité
interactivité
suractivité
in/affectivité
effectivité
objectivité
subjectivité
sélectivité
collectivité
non-/directivité
im/productivité
supra/conductivité
destructivité
exclusivité
rétivité
permittivité

in/transitivité
positivité
séropositivité
répétitivité
compétitivité
in/hyper/émotivité
captivité
réceptivité
absorptivité
sportivité
festivité
suggestivité
résistivité
exhaustivité
distributivité
évolutivité
un/e **invité/e°**
ré/inviter
curriculum vitæ

rewriter

shunter
feinter
(mourir, arg.) défunter
chrétienté
s'accointer
jointé/e°
ajointer
bas-jointé/e°
éjointer
long-jointé/e°
court-jointé/e°
pointer
appointer
désapointé/e°
désapointer
épointer
dépointer
pinter
esquinté/e°
(s') esquinter
éreinté/e°
éreinter
(contraint) **emprunté/e°**
(s'endetter)
r(é)/emprunter
synthé
(engrosser, arg.) enceinter
teinté/e°
(colorer) teinter
(sonner) **tinter**
chuinter
suinter
dessuinter

(plaisanter, Belg.) balter
(s'enfuir, arg.) se calter
asphalter
malter
Amalthée°
(un/e) **exalté/e°**
exalter
pelté/e°
récolter
volter
dévolter
(un/e) **révolté/e°**
révolter

virevolter
survolté/e°
survolter
(capacité) **faculté**
(université) **faculté**
difficulté
occulter
sculpter
ausculter
catapulter
(un/e) insulté/e°
insulter
consulter
résulter
exulter

GMT/G.M.T.

andante
al dente
T.N.T.
aguardiente
farniente
sprinter
discounter

(excepté) ôté
(enlever) **ôter**
(contenu) une hottée°
(transporter) hotter
cahoter
cacaoté/e°
la BEAUTÉ
île de Beauté
(botte) **botter**
caboter
le Chat botté
jaboter
(mécanique) claboter
(mourir, arg.) claboter
raboter
craboter
(lambiner, rég.) graboter
saboter
(à l'improviste) au déboté
(déchausser) (se) débotter
(faire la noce, arg.) riboter
(exagérer, arg.) chariboter
(patauger) **barboter**
(voler) barboter
(s'en sortir, arg.)
se débarboter
bachoter
crachoter
chuchoter
(bord) de/à/un **côté**
(estimé) coté/e°
(estimer) coter
(auprès) **à côté**
(accessoire) un à-côté
(s'appuyer) s'accoter
bas-côté
(bavarder, rég.) cacotter
(se salir, rég.)
s'empacoter
écoté/e°
bécoter
chicoter
traficoter

emberlificoter
tournicoter
(piqueté) picoté/e°
(irriter) picoter
(chicaner, rég.) haricoter
abricoté/e°
fricoter
tricoter
massicoter
boursicoter
(parler, arg.) phrasicoter
asticoter
boycotter
(trembler, arg.) chocotter
coco(t)ter
marcotter
(réparer, rég.) rabiscoter
tarabiscoté/e°
tarabiscoter
doter
radoter
(partir, arg.) déhoter
ronéoter
fauter
nageoter
(coucher, arg.) (se) pageoter
mangeoter
mijoter
(radoter, rég.) jarjoter
(se coucher, arg.)
(se) pagnoter
(sortir du lit, arg.)
se dépagnoter
clignoter
mignoter
(amadouer, rég.) amignoter
grignoter
(puer, arg.) cognoter
(entre lesbiennes, arg.)
gougno(t)ter
(puer, arg.) rougnotter
(épier, arg.) borgnoter
(marcher, arg.) bago(t)ter
mal fagoté/e°
(se) fagoter
(cancaner) ragoter
dégo(t)ter
mégoter
mendigoter
gigoter
(lier) **ligoter**
(lire, arg.) ligoter
aligoté
ravigoter
(tirer, arg.) flingoter
(parler argot) argoter
(bâfrer salement) gargoter
margo(t)ter
(ergot) ergoté/e°
(chicaner) **ergoter**
(flatter, arg.) fayoter
r/**emmailloter**
démailloter
(rire, arg.) se boyauter
loyauté
îles Loyauté
déloyauté
noyauter
dénoyauter

vice-/**royauté**
travailloter
rabioter
(injure, arg.) enfiotté!
folioter
(déraisonner, arg.) yoyoter
bouillotter
(puer, arg.) trouilloter
(embrasser, rég.) pioter
(enivrer, rég.) se pioter
papilloter
(réconcilier, arg.)
rapapilloter
dépiauter
rioter
charioter
un tuyauté
tuyauter
(cracher, arg.) glavio(t)ter
pleuvioter
ballotter
calotter
décalotter
(bavarder, rég.) bablotter
trembloter
(trembler, arg.) blobloter
(patraque, Suisse) pécloter
(collectionner)
bibelo(t)ter
(siroter) gobelo(t)ter
(vendre) cameloter
peloter
grelotter
flotter
siffloter
sangloter
(guider) piloter
(mettre des pilotis) piloter
(manger, arg.) boulotter
roulotté/e°
roulotter
comploter
dorloter
(effronté) **culotté/e°**
(une pipe) culotter
(culotte) dé/re/**culotter**
(raclée) une déculottée°
se motter
escamoter
emmoté/e°
émotter
primauté
Timothée°
marmotter
noter
annoter
canoter
pianoter
panneauter
dénoter
menotter
connoter
communauté
potée°
(échouer) capoter
(une voiture) dé/capoter
chapeauté/e°
chapeauter
clapoter

TÉ-TÉE

214. É

(pape) la **papauté**
(bavarder) papoter
tapoter
(maladroit)
(un/e) empoté/e°
(en pot) r/empoter
dépoter
chipoter
galipoter
(puer, arg.) schlipoter
(raclée ; kyrielle)
une tripotée°
(trifouiller) **tripoter**
principauté
roter
(voler, arg.) carotter
garrotter
poireauter/poiroter
taroté/e°
crotté/e°
dé/crotter
numéroter
terreauter
(avilir, arg.)
maquereauter
(raclée) une frottée°
(se) **frotter**
amirauté
îles de l'Amirauté
siroter
Dorothée°
(Dieu) Protée°
(homme versatile) un protée°
trotter
chevroter
(s'enivrer, arg.) se poivroter
un sauté
sauté/e°
sauter
(rendre sot) r/assoter
danso(t)ter
tressauter
ressauter
pissoter
toussoter
sursauter
suçoter
azoté/e°
baisoter
biseauter
frisotté/e°
frisotter
créosoter
zozoter
cruauté
voter
(bavarder) pavoter
prévôté
pleuvoter
revoter
(dépérir, Suisse) crevoter
pivoter
privauté
vivoter
nouveauté
(boire) buvoter

bonté
(calculer) **compter**

(domaine) un comté
(fromage) un comté
(Nicolas) Conté
(narrer) **conter**
raconter
décompter
précompter
la Franche-Comté
recompter
vicomté
ré/escompter
dompter
indompté/e°
éhonté/e°
volonté
une **montée°**
monter
démonté/e°
(se) démonter
(en colère) remonté/e°
une remontée°
remonter
surmonter
(pont) ponté/e°
(marchandises) une pontée°
(une barque) ponter
(miser) ponter
apponter
(radoter, rég.) baronter
(Charlotte/Emily) Brontë
(blason) affronté
(s') **affronter**
(un/e) **effronté/e°**
confronter

aoûté/e°
(sodomiser, arg.)
empapa(h)outer
bouter
r/abouter
(jeter un sort, Afr.)
marabouter
embouter
(s') arc-bouter
ébouter
un/e débouté/e°
débouter
rebouter
(football) shooter
(se droguer, arg.)
se shouter/shooter
chouchouter
caoutchouter
coûter
ré/**écouter**
inécouté/e°
lock-outer
douter
(Pierre J.) Redouté
redouter
(savourer) **goûter**
(collation) un **goûter**
(goutte) goutter
égoutter
(un/e) **dégoûté/e°**
(écœurer) (se) dégoûter
(suinter) dégoutter
caillouter
(pépier, rég.) piouter

jouter
r/sur/**ajouter**
clouté/e°
clouter
le velouté
velouté/e°
(se) velouter
glouglouter
filouter
router
brouter
(manger, arg.) croûter
encroûté/e°
(s') encroûter
écroûter
dérouter
ferrouter
froufrouter
(se fâcher, arg.) prouter
dé/mazouter
voûté/e°
voûter
dés/**envoûter**

capter
ré/**adapter**
(un/e) inadapté/e°
(un/e) désadapté/e°
désadapter
(un/e) exempté/e°
exempter
accepter
excepté/e°
excepter
intercepter
dé/crypter
opter
(sonner la cloche) copter
(un/e) adopté/e°
adopter
coopter
dompter
indompté/e°
volupté

(n. dép.) Arte
(technique) carter
(pari) le quarté
(mine) quarter
encarter
(jeu de cartes) l'écarté
(isolé) écarté/e°
(éloigner) **écarter**
(cartes) écarter
farter
clarté
commedia dell'arte
(vous) **partez**
en/un aparté
(vous) départez
(vous) repartez
Astarté
(chambarder, rég.)
chamberter
liberté
im/puberté
cherté
fierté
alerter

disserter
concerté/e°
(se) concerter
déconcerter
déserter
heurter
(s'obstiner) s'aheurter
fleurter/flirter
s'entre-heurter
Tyrtée°
escorter
forte
piano-forte
conforter
(décourager) déconforter
réconforter
une **portée°**
porter
apporter
rapporté/e°
rapporter
prêt-à-porter
emporté/e°
r/**emporter**
un/e déporté/e°
déporter
reporter
héliporté/e°
(intéresser) **importer**
(commerce) ré/importer
colporter
aéroporté/e°
comporter
transporté/e°
transporter
ré/exporter
in/**supporter**
(vous) res/**sortez**
exhorter
avorté/é°
avorter
écourter

hasté/e°
ballaster
contrasté/e°
contraster
(goûter, rég.) taster
dévaster
ester
D.S.T.
manifester
lèse-/**majesté**
dé/lester
molester
M.S.T.
admonester
pester
empester
rester
(effectuer, Belg.) prester
(contrôler) tester
(testament) tester
attester
détester
protester
contester
incontesté/e°
zester

truste
enkysté/e
s'enkyste
liste
piste
(découvrir) dépiste
(déjouer) dépiste
Aristée
(incarcérer, arg.)
enc(h)riste
Eurysthée
attriste
contriste
(un/e) assisté/e
assiste
insiste
consiste
persiste
subsiste
désiste
résiste
pré/co/**existe**
twiste
accoste
lépidostée
posté/e
poste
aposté/e
aposte
riposte
composte
toaste
(expulser, rég.)
campouste
(radoter, rég.) barouste
tarabuste
flibuste
déguste
ajusté/e
r(é)/dés/ajuste
vénust
dés/**incruste**
vétust
prétexte
jouxte

transbahute
chahute
(tuer, arg.) capahute
(marcher, arg.)
crapaüter/crapahute
(têtu) buté/e
(butoir) une butée
(trébucher) **bute**
(tuer, arg.) bute
(battre) bute
(changer, arg.) cambute
(partir, arg.) décambute
débute
rebute
contrebute
culbute
chute
parachute
rechute
(un/e) persécuté/e
persécute
exécute
inexécuté/e

·É-TÉE

214. É

électrocuter
charcuter
percuter
répercuter
discuté/e°
re/**discuter**
indiscuté/e°
(rusé) **futé/e°**
(mastic) une futée°
affûter
enfûter
raffûter
réfuter
irréfuté/e°
(dénigrer, rég.) maufuter
juter
verjuté/e°
verjuter
(boucher) luter
(combattre) **lutter**
bluter
déluter
flûté/e°
flûter
soluté

involuté/e°
convoluté/e°
(éblouir, rég.) aberluter
(déplacer) muter
(un moût) muter
(fou) azimuté/e°
(tuer, arg.) azimuter
commuter
co/permuter
transmuter
minuter
(un/e) **amputé/e°**
amputer
un/e **député/e°**
députer
réputé/e°
réputer
imputer
disputer
supputer
recruter
scruter
gruter
(sucer, rég.) tuter

+ verbes en -ter
part. passé masc./fém.
2e pers. pluriel
présent indic., impér.
1e pers. sing.
passé simple

rime normande
177. TER

sous-rime voisine
214.4 DÉ-E

contre-assonance
121.20 TET-TAIE

214.22 UÉ-UÉE°

NUÉE°
des **huées°**
huer
buée°
Cimabue
dés/**embuer**
attribuer
rétribuer
contribuer
distribué/e°
re/distribuer
écobuer
(un/e) évacué/e°
évacuer
(progressif) gradué/e°
(diplômé, Belg.)
(un/e) gradué/e°
(augmenter) graduer
vicomte de Voguë
arguer
saluer
évaluer
dévaluer
réévaluer
surévaluer
sous-évaluer
(laver) (s') abluer
fluer
affluer
refluer
influer
confluer
dés/engluer
dégluer
diluer
pollué/e°
dé/polluer

(pur) **impollué/e°**
évolué/e°
évoluer
éberlué/e°
éberluer
muer
remué/e°
remuer
commuer
transmuer
(nuancé [couleur]) nué/e°
(nuage) une NUÉE°
(nuancer [couleur]) nuer
dénué/e°
se dénuer
atténuer
exténué/e°
exténuer
diminué/e°
diminuer
sinuer
insinuer
continuer
discontinuer
éternuer
puer
conspuer
la **ruée°**
(se) **ruer**
décruer
tonitruer
dés/obstruer
une suée°
res/**suer**
bossuer
sexué/e°
asexué/e°
bisexué/e°
ambisexué/e°

Sur son miroir, où tu regardes qui **tu es**,
L'haleine, déjà, du jeune hiver, pose en **buée** ;
Tout s'est **atténué**
D'une poussière de songe ;
Tu ne voudrais **remuer**
Les feuilles tassées en **nuées**
Tout au fond du bassin **obstrué**
Où ton ombre sur leur ombre s'allonge ;
Elles l'ont fait profond et ***muet*** ;
Le mystère des bois s'y prolonge :
Car la chanson y gît **tuée**
Des feuillées d'Avril, ***nouées***,
En guirlandes flétries de mensonges ;
Ton regard qui, pensif, s'y plonge
A pleuré et ri de ses songes
Et s'y est **habitué**…

Francis Vielé-Griffin, « La Source »,
Chansons à l'ombre

Pour ne pas voir choir les roses d'automne
Cloître ton cœur mort en mon cœur **tué**.
Vers les soirs souffrants mon deuil s'est **rué**
Parallèlement au mois monotone.

Le carmin pâli de la fleur détonne
Dans le bois dolent de roux **ponctué**.
Pour ne pas voir choir les roses d'automne
Cloître ton cœur mort en mon cœur **tué**.

Là-bas, les cyprès ont l'aspect atone :
À leur ombre on est vite **habitué**.
Sous terre un lit frais s'ouvre **situé**,
Nous y dormirons tous deux, ma mignonne,

Pour ne pas voir choir les roses d'automne.

Émile Nelligan, « Roses d'octobre »,
Poésies complètes

☞

UÉ-UÉE

unisexué/e°
Josué
un/e tué/e°
tuer
tu es
infatué/e°
s'infatuer
statuer
accentué/e°
accentuer
inaccentué
effectuer
ponctué/e°
ponctuer
fluctuer
perpétuer
s'entre-tuer
un/e habitué/e°
ré/dés/**habituer**
bien/mal situé/e°

situer
si tu es
substituer
destituer
restituer
instituer
un/e **prostitué/e**°
prostituer
constitué/e°
constituer
reconstituer
(s'agiter) tumultuer
s'évertuer

+ verbes en -uer
part. passé masc./fém.
2e pers. pluriel
présent indic., impér.
1e pers. sing.
passé simple

Ils sont la foule en joie,
Cloaque où tout s'écrase
– Informe, immonde, **asexuée**,
Pluie, sang et vase !
Et qui dévale, hurlante de **huées**,
Entre ces murs,
Charriant, comme l'égout un lys **tué**,
Une enfant pure,
Au repaire des **prostituées**…

Francis Vielé-Griffin, « Sainte Agnès »,
L'Amour sacré

L'une sur l'autre leurs forces se sont **ruées**,
Et le mont a frémi de formidables heurts
Quand ils se sont chargés, par la brume, aux lueurs
De grands éclairs suivis d'ombres **tumultuées**.

José-Maria de Heredia, « Le Combat »,
Autres sonnets et poésies diverses

Le ciel triste, alourdi d'orage et de **nuée**,
Rabat sur les chemins, dans l'ombre **exténuée**,
Les parfums exaltés des rosiers amoureux,
Des sanglotants rosiers qui se plaignent entre eux.

Anna de Noailles, « Volupté »,
Les Éblouissements

sous-rime voisine
214.15 OUÉ-E

contre-assonance
121.21 UET

❐ *214.14 [Montesquiou] ; 333.21 [Romains]*

214.23 VÉ-VÉE°

RÊVER

(lettre) en/un V
(mécanique) un vé

(prière) un **Ave**
(avoir) vous **avez**
(techn.) haver
baver
(chemin, rég.) une cavée°
(miser) caver
(se creuser) se caver
encaver
(un/e) décavé/e°
décaver
(un indécis, rég.) carcavé
excaver
(partir, arg.) (se) natchaver
(se) **gaver**
Iahvé/Yahvé
(boire, arg.) pillaver
(manger, arg.) criaver
lavé/e°
laver
r/emblaver
claver

dés/enclaver
(sida) LAV
(déteint) élavé/e°
délavé/e°
délaver
relaver
(gifle, arg.)
un/e va-te-laver
un **pavé**
(pavage) pavé/e°
(plante) une pavée°
dé/re/paver
(tuer, arg.) maraver
braver
draver
graver
(inflammation)
une aggravée°
(empirer) (s') **aggraver**
engraver
pyrograver
(voler, arg.) chouraver
(un/e) **dépravé/e**°
dépraver
travée°
entravé/e°
(gêner) **entraver**

Il était sûr de n'avoir pas **rêvé**,
S'étant pincé la peau sur la chair vive ;
Il croyait donc que c'était **arrivé**,
De ce côté du monde où rien n'arrive ;

Et pénétré de cette foi naïve
En son pouvoir sur le destin **bravé**,
Pour son salut terrestre, il n'a **sauvé**
Qu'une fumée, une ombre fugitive…

Robert Mélot du Dy, « Le vivant »,
Choix de poésies

Quand j'ai revu la ville où je fus **élevé**,
Enfant à mon départ, et maintenant presque homme,
On aurait ri de voir mon embarras, et comme
Je m'en allais rêveur, les yeux sur le **pavé**.

Tout change : les objets, le nom dont on les nomme…
Combien de traits perdus, pour un seul **retrouvé**,
Dans ce passé lointain – par l'absence **aggravé** !
Esquisse déjà vague, où l'on passe la gomme.

Albert Mérat, « Après dix ans »,
Avril, mai, juin… LXIV

(comprendre, arg.)
ne pas entraver
désentraver
architravée°
vous **savez**
(bavard, rég.) bartavé

C.V.
P.C.V.
endêver
T.G.V.
névé
P.V.
rêvé/e°
RÊVER

œuvé/e°
achevé/e°
achever
inachevé/e°
parachever
(vous) re/devez
(plan) un levé
(haussé) levé/e°
(digue) une levée°
un/(se) **lever**
(avec brio) enlevé/e°
(hisser) **enlever**
champlever
un W
(n. dép.) une B.M.W
(noble) élevé/e°
éduqué) bien/mal élevé/e°
(éduquer) élever
(monter) (s') **élever**
prélever
surélever
(copie) un relevé
(noble; épicé) relevé/e°
(se) **relever**
mainlevée°
soulever
sénevé
abreuver
embrever
(percé) crevé/e°
(fatigué; mort) crevé/e°
(éclater) **crever**
(mourir) crever
dé/grever
(vous) décevez
(vous) recevez
(vous) concevez
(vous) percevez
(vous) entr/apercevez

HIV
archiver
récidiver
saliver
cliver
enjoliver
esquiver
river
arrivé/e°
une **arrivé/e°**
arriver
(+comp.) (vous) écrivez
(mot) un dérivé

(dérivation) dérivé/e°
(math.) une dérivée°
(dévier) dériver
(à la dérive) dériver
(ôter des rivets) dériver
le privé
privé/e°
priver
passiver
lessiver
substantiver
activé/e°
ré/in/dés/activer
suractivé/e°
adjectiver
objectiver
subjectiver
invectiver
cultivé/e°
cultiver
dé/im/motivé/e°
dé/motiver
captiver
estiver
(vous) pour/suivez
(vous) **vivez**
r/aviver
(vous) revivez
(vous) survivez

driver

salve/salvé
valvé/e°
(vous) absolvez
(vous) dissolvez
(vous) résolvez

ové/e°
(pendiller, rég.) pendover
(monnaie, arg.) des lovés
(vélo, verl.) un lové
(s'enrouler) se lover
(étoiles) des novæ
(droit) nover
rénover
innover
des supernovæ
Mérovée°
sauver

une **couvée°**
couver
(un/e) interviewé/e°
interviewer
louver
(bouger, Can.) mouver
(mouvoir) (vous) mouvez
(vous) émouvez
(vous) promouvez
(vous) **pouvez**
prouver
dés/**approuver**
éprouvé/e°
éprouver
inéprouvé/e°
(un/e) réprouvé/e°
réprouver
trouvé/e°

Un autre effacera de nos livres de haine
La trace du chiendent, le grain de **sénevé**.
Un autre effacera de l'écorce du frêne
La trace du seul nom que nous ayons **gravé**.

Mais nul n'effacera de nos livres de peine
La trace d'un *Pater* ni celle d'un **Ave**.
Car nul n'effacera de l'écorce du chêne
La trace du tourment qui nous fut **réservé**.

Charles Péguy,
Ève, p. 1102

Ô vous meurtris ! cœurs de travers
qui cherchez en vain dans un verre
le sens de vos destins **larvés**
venez ! venez ! avancez vers
le comptoir en forme de **V**

LE DÉSESPOIR NOUVEAU EST **ARRIVÉ**.

Daniel Lander, « Frêle fraternité des zincs »,
Les Choses comme elles sont

Il est amer et doux, pendant les nuits d'**hiver***,
D'écouter, près du feu qui palpite et qui fume,
Les souvenirs lointains lentement s'**élever**
Au bruit des carillons qui chantent dans la brume.

Charles Baudelaire, « La Cloche fêlée »,
Les Fleurs du mal

* rime normande

Si ces poèmes sont ***mauvais***,
C'est qu'inspirés vous les **avez**,
Madame ; et s'ils ont quelque prix,
Par moi c'est qu'ils furent écrits.

Tristan Derème,
L'Enlèvement sans clair de lune, p. 63

❒

trouver
retrouver
controuvé/e°

larvé/e°
Hervé
énervé/e°
énerver
innerver
trinervé/e°
(vous) servez
observer
inobservé/e°
(table) (vous) desservez
(nuire) (vous) desservez
(vous) resservez
conservé/e°
conserver
(pleurer, verlan) zerver
réservé/e°
réserver
préserver

corvée°
morver
incurvé/e°
(s') incurver
(unité de valeur) une U.V.
(ultraviolets) des U.V.
(œil) une uvée°
une buvée°
(vous) **buvez**
une **cuvée°**
en/dé/cuver
une/à l'étuvée°
étuver

+ verbes en -ver
part. passé masc./fém.
2e pers. pluriel
présent indic., impér.
1e pers. sing.
passé simple

rime normande
177. VER

sous-rime voisine
214.6 FÉ-E

contre-assonance
121.22 VET-VAIE

215. EUBE°-UE

CLUB

piper-cub
(être oisif, rég.) il deube°
(bouffe, verl.) la feube°
(maladroit, rég.) leube°
(de golf) club
(association) CLUB
Jockey Club
automobile-club
ciné-club°/cinéclub
Touring Club
racing-club

fan-club
vidéoclub
aéroclub
night-club
yacht-club
interclubs
pub
(arabe, verl.) (un/e) reube°
(souche, rég.) une greube°
scrub
(bus, verl.) (un/e) seub
(rassasié, rég.) teube°
(bite, verl.) une teube°
(bassin) un **tub**

La truite est un gentleman [...]
le soir elle se rend à son **club**
jouer au whist boire du porto
le matin elle se lève tôt
elle prend le thé dans son **tub**

Jacques Roubaud, « La truite : poème fade »,
Les Animaux de tout le monde

Joue-moi des airs de vacances
Qu'on n'peut pas entendre dans les **night-clubs**
Des airs qui sentent encore si bon l'enfance
Quand grand-père chantait dans son **tub**
Un peu comme ça :
« Poum, poum, poum, poum
Entrons dans la danse »

Charles Trenet, « Joue-moi de l'électrophone »,
Tombé du ciel

assonance
216. EUBLE

contre-assonances
92. AMBE
335. IMBE
457. OMBE

❐

216. EUBLE

MEUBLE
IMMEUBLE

il/un MEUBLE
sol meuble
biens meubles
il démeuble
garde-meuble
il remeuble
un IMMEUBLE
biens immeubles
essuie-meubles
(sombre, rég.) neuble
(brouillard, rég.)
le/la neuble
(éteule, Can.) une esteuble

L'un veut son or, l'autre ses **meubles**,
Qui ses bijoux, qui ses bib'lots
Qui ses forêts, qui ses **immeubles**,
Qui ses tapis, qui ses tableaux…

Georges Brassens, « La ballade des cimetières »,
Poèmes et chansons

Ton ami, ô mon Dieu, l'as-tu donc préféré
Si tu l'as dans tes bras dès longtemps enserré ?
L'as-tu levé comme un étendard sur les ***peuples***
Si son reste au vent d'août est plus vain que l'**esteuble** ?

Gustave Lamarche, « David pêcheur »,
Essences et figures in *Œuvres poétiques*. III

Que vos pattes étreignent l'espace **meuble**
anciens Romains
et vos antiennes la nuit ***aveugle***
vers les moules des quatre vérités

Jean Queval, « Les Soldats de Marine »,
En somme

Hommes et dieux habitent le même **immeuble**
Et parfois se rencontrent dans l'escalier.
C'est la Grèce. Hommes et dieux parlent ***ensemble***
Ou voyagent, faisant dans les îles escale.

Jean Cocteau, « Le Rythme grec » II,
Poèmes 1916-1955

assonances
220. EUGLE
227. EUPLE
223. EUL-E

contre-assonances
93. AMBLE
458. OMBLE
483. OUBLE
359. UMBLE

❐ *483 [Romains]*

217. EUCH-EUCHE°- USH

(2CV Citroën)
une deu/deuche°
(règles, arg.) les deuches°
(perchoir, rég.) une guieuche°
blush
flush
(souche, rég.) une coleuche°
(ruée) un **rush**
(rouge-gorge, rég.)
une marie-la-/reuche°
(pénis, arg.) un breuch
(haschisch, verl.) du teuch
(«chatte», verl.) une teuche°
(cheveux, verl.) les veuches°

Vas-y pas Gaston
Un lion doit être ***vache***
Dis-lui que tu es en plein **rush**
Souviens-toi de Paulo
Qui nous disait toujours
Too much c'est ***too much****

Jacques Brel, « Le Lion »,
Œuvre intégrale

* Trop c'est trop

Polaire nous a vus et fait des gorges chaudes
En détaillant ses vieux poumons en quinte **flush**
Le hasard aboli comme un taxi maraude
Les dés étaient pipés monsieur c'est pas du ***bluff***

Léo Ferré, « La Terre est soûle »,
Poète... vos papiers !

C'est **marie-la-reuche**
Qui dit tic tic tic
Et piqu' les lombrics
Aux pieds en sabots du monsieur qui ***bêche***.

Henri Pichette, « Les petites maries »,
Les Enfances

assonances
218. EUF
237. UNCH

contre-assonances
101. ANCHE
341. INCHE
484. OUCHE

❐

218. EUF-EUFFE°

NEUF

(feu, verl.) euf
œuf
bœuf
(Gracchus) Babeuf
saint Jean de Brébeuf
foie-de-bœuf
langue-de-bœuf
garde-bœuf
œil-de-bœuf
pique-bœuf
arrête-bœuf
Rutebeuf
(drap d') Elbeuf
Jœuf
(flic, verl.) un keuf
du **bluff**
il bluffe°
(femme, verl.) une meuf
du/être NEUF
(9) (un) **neuf**
Charles IX/Neuf
(tête-bêche)
soixante-neuf
(Révolution)
quatre-vingt-neuf
(ville) Châteauneuf
(vin) du châteauneuf
(Paris) le Pont-Neuf
(vieux habits, rég.)
une peuffe°
(ébauche) un rough
(copain, arg.) un reuf
(affaire, verl.) une areuf
(frère, arg.) un dareuf

Le soir, à table, je le force
À prendr' du vin. Ça donn' des forces...
Il adore le **châteauneuf**...
C'est douloureux, quand on est **veuf**...
Et dans sa chambre bien chauffée
Il tomb' dans les bras de Morphée
Monsieur l' baron, rond comme un **œuf**...
C'est douloureux quand on est **veuf**...

Et pour oublier sa malchance
Les jours suivants, il recommence :
Le kilo d' **bœuf**, le drap d'**Elbeuf**
Teuf-teuf, cinq à **neuf**, **châteauneuf**...
Mais, en dépit des apparences
Des racontars, des médisances
Vous le voyez : y' a rien de **neuf**
Depuis que m'sieur l' baron est **veuf** !

Jean-Roger Caussimon, « Monsieur l' baron est veuf »,
Mes chansons des quatre saisons (version chantée)

Vous êtes un Printemps de Botticelli, **neuf** ;
Vous êtes sa Vénus, jeune et modernisée.
La jupe en fleurs de l'une est un peu bien usée
Et l'autre à présent doit savoir jouer l'**éteuf**.

La perle vous siérait au toquet **Charles Neuf**
Sur le velours grenat dûment infinisée ;
Ou la robe à paniers de nuance anisée
En des caquètements royaux à l'**Œil-de-bœuf**.

Robert de Montesquiou, « Palpebræ »,
Les Hortensias bleus. CXLVIII

☞

EUF-EUFFE

(pomme de terre, rég.) une treuffe°
(fesse, verl.) une seuf
(fête, verl.) une teuf

éteuf
teuf-teuf
(un) **veuf**

Commence à paniquer pi surtout y s'énerve
Il avait un rencard à Paris avec une **meuf'**
S'il arrive à la bourre il a perdu l'affaire
Y manquerait plus qu'y s'fasse arrêter par les **keuf's**

> Renaud, « Le retour de Gérard Lambert »,
> *Le Temps des noyaux*

Cependant elle considère
Dans le petit matin sévère

Les journaux gras les coques d'**œuf**
Sa modeste pension de ***veuve***

> René Guy Cadou, « Sainte Véronique »,
> *Hélène ou le Règne Végétal*

…existences jaunies –
ne savais-je donc pas leur racine enfouie
sous terre – et le voyage inutile et la ***soif*** ?
C'est dans leur tubercule qu'il y avait du **neuf** !

> Benjamin Fondane, « J'ai quitté les trottoirs de la ville… »,
> *Ulysse* in *Le Mal des fantômes*

assonances
234. EUVE
240. URF [œʀf]

contre-assonances
13. AF
136. EF
488. OUF

❒ 240 [Renaud]
271 [Prévert] ; 370 [Gainsbourg]

219. EUG°-EUGUE-UG

bug°
(gauche, verl.) la cheug°
D.E.U.G.°
(gueule, verl.) une leugue

assonance
220. EUGLE

contre-assonances
108. ANG-UE
351. INGUE
474. ONG-UE

220. EUGL

AVEUGLE

il **beugle**
il **meugle**
(il tousse, rég.) il teugle
il/(un,e) AVEUGLE

Que chacun s'observe ou que chacun s'ignore
que chacun se regarde ou que chacun s'**aveugle**
que chacun se refuse ou que chacun se subodore
il y a dans le fond quelque chose qui **beugle**

Que l'homme s'envole ou que la femme s'enceinte
que l'enfant pleurniche ou que le vieillard s'**aveugle**
que le curé fornique ou que la bonne sœur se croie sainte
il y a dans le fond quelque chose qui **beugle**

> Raymond Queneau, « Il y a dans le fond quelque chose qui beugle
> *Le Chien à la mandoline*

Le porphyre estoqué par un ***aigle*** tu **meugles**
Blême et double taureau qu'une ombre de requin
Lèche allant et venant dans cette mer **aveugle**
Dont une perle émut le cœur de Charles Quint

> Jean Cocteau, « Troisième mouvement »,
> *Cérémonial espagnol du Phénix*

EUGLE

Ayez pitié d'un faux **aveugle**
Qui délaissant mère et maison
S'en est allé ***veule*** et tout ***seul***
Frapper à l'huis des horizons

René Guy Cadou, « Ode à Serge Essénine »,
Hélène ou le Règne Végétal

Dans le soleil d'août un ***seul*** être **aveugle**
seul un chat qui fuit lui donne du pain
il rentre chez lui modeste ***remugle***
obscure mémoire et rien que la main

Jean Queval, « Navigation du silence et du port »,
En somme

Au débouché de cett' **merdeugle**
je me r'luque en plein Sahira.
Les chameaux sorte. Ah ! ce qu'ils **beugle** !
Y en eut ! Y en i ! Y en o ! Y en a !

Jacques Audiberti, « Par voie de souffrance »,
Toujours

assonances
223. EULE
216. EUBLE
227. EUPLE

contre-assonances
546. UGLE
349. INGLE
472. ONGLE

❐ *216 [Queval] ; 227 [Lebesgue] ; 106 [Romains] ; 140 [Pichette]*

221. EUGNE

(coup, rég.)
il (se)/une beugne
(il flaire, rég.) il feugne
(monticule, rég.)
une meleugne

(salit, rég.) il enqueugne
(nettoie, rég.) il déqueugne
(souche, rég.) une greugne
(vêtements, rég.)
des beseugnes

assonances
222. EUIL-LE
225. EUNE

contre-assonances
20. AGNE
142. ÈGNE
493. OUGNE

222. EUIL°-EUILLE

ŒIL°
CERCUEIL°
DEUIL°
FEUILLE
ORGUEIL°
SEUIL°

ŒIL°
(fanfaron, rég.) un batibeuil°
il **cueille**
un **accueil**°
il **accueille**
écueil°
(il bégaye, Suisse)
il quequeuille
un **recueil**°
il (se) **recueille**
Arcueil°
CERCUEIL°
(débâcle, Can.)
un bouscueil°

DEUIL°
il **endeuille**
demi-deuil°
clin d'œil°
(commissaire, arg.)
un cardeuil°/quart d'œil°
(film) un feuil°
une FEUILLE
il effeuille
il défeuille
(gâteau) un millefeuille
(plante) une millefeuille
quatre-feuilles
chèvrefeuille
tiercefeuille
quintefeuille
quartefeuille
portefeuille
(portefeuille, arg.)
un larfeuil°/le
cerfeuil°
ORGUEIL°
(ville) Bourgueil°
(vin) du bourgueil°
tape-à-l'œil°

Le gaz pleure dans la brume,
Le gaz pleure, tel un **œil**.
– Ah ! prenons, prenons le **deuil**
De tout cela que nous eûmes.

L'averse bat le bitume,
Telle la lame l'**écueil**.
– Et l'on lève le **cercueil**
De tout cela que nous fûmes.

Jean Moréas, « Never more »,
Les Cantilènes

Le mur est blanc ; la grille, rose
Et, au-dessus du **seuil**,
On entend glisser sur les roses
L'ariette d'un **bouvreuil**.

Sur une porte jamais close,
Tremble l'ombre des **feuilles**.
Le ***bonheur*** est un **écureuil**
Qui vit de peu de chose.

Maurice Carême, « Le mur est blanc »,
Brabant

☞

EUIL°-EUILLE

trompe-l'œil°
(nuit, arg.) la neuille
Verneuil°
(il éclot, rég.) il épeuille
(il scrute, rég.) il s'areuille
(Henri) Breuil°
(taillis) un breuil°
(il beugle, rég.) il breuille
Toussaint Dubreuil°
(il creuse, rég.) il creuille
un **treuil°**
il héli/treuille

Montreuil°
écureuil°
chevreuil°
bouvreuil°
SEUIL°
Luxeuil°
Argenteuil°
Breteuil°
Auteuil°
fauteuil°
qu'il **veuille**

assonances
223. EUL-E
221. EUGNE

contre-assonances
24. AIL-LE
145. EIL-LE
496. OUIL-LE

J'étais, dans les halliers, l'invité du **chevreuil** ;
Je lui rendais visite au calme de son **breuil** ;
Les branches de son front pour un peu verdissaient ;
Il reposait, bien aise aux rayons qui passaient…

Henri Pichette, « Les Naïvetés ardentes »,
Les Revendications

Plus de ces souvenirs qui m'emplissent de larmes,
Si vivants que toujours je vivais de leurs charmes ;

Plus de ***famille*** au soir assise sur le **seuil**,
Pour bénir son ***sommeil*** chantant devant l'***aïeul***…

Marceline Desbordes-Valmore, « Les Sanglots »,
Poésies inédites

Le loup criait sous les **feuilles**
En crachant les belles plumes
De son repas de ***volailles*** :
Comme lui je me consume.

Arthur Rimbaud, « Le loup criait sous les feuilles »,
Délires. II in *Une saison en enfer*

Ne croua pas, rémon, que je **vœil**
de ton repos trancher le fil
j'aimerais mieux m'araché l'**œil**
me plumer l'arbre **fœil** à **fœil**
me l'accomoder au **cerfœil**
que de nourrir des seins si vil

Boris Vian, « Lettre en vers adressée à Raymond Queneau, satrape… »,
Cantilènes en gelée

❒ 86 [Ferré]

223. EUL°-EULE

GUEULE
SEUL

la Heule
(n. dép.) scrabble
(Clark) Gable
feldwebel°
(il secoue, rég.) il tarbeule
Saint-Acheul°
scull°
(casserole, rég.) gandeule
strudel°
il/une GUEULE
(blason) des gueules
il **engueule**
il égueule
bégueule
il dégueule
brûle-gueule
casse-gueule
amuse-gueule
spiegel°
shingle
jingle
single
un/e **épagneul°/e**
ligneul°
cargneule
un/e **aïeul°/e**

Chair ! ô **seul** fruit mordu des vergers d'ici-bas,
Fruit amer et sucré qui jutes aux dents **seules**
Des affamés du **seul** amour, bouches ou **gueules**,
Et bon dessert des forts, et leurs joyeux repas,

Amour ! le **seul** émoi de ceux que n'émeut pas
L'horreur de vivre, Amour qui presses sous tes **meules**
Les ***scrupules*** des libertins et des **bégueules**
Pour le pain des damnés qu'élisent les sabbats…

Paul Verlaine, « Luxures »,
Jadis et Naguère

La pluie efface tout
Vos surmuseaux, vos **gueules**
Les toits et les matous
Les ormes les **éteules**

La pluie encage tout
Engrange l'âme **seule**
Abonde pour tertous
D'ennui nous **enlinceule**

Maurice Fombeure, « Pluie ou le charron de la Grande Ourse »,
Les Étoiles brûlées

EUL°-EULE

glaïeul°
un/e bisaïeul°/e
un/e **trisaïeul°/e**
un/e **filleul°/e**
un **tilleul°**
(il tombe, rég.) il tieule
(foin) une **meule**
(broyeur) il/une **meule**
(moto, arg.) une meule
(fesses, arg.) des meules
(khôl) koheul°
boat people
steeple
(il beugle, rég.) il breule
(il secoue, Suisse) il greule
SEUL°/E
il (s') esseule
linceul°
il enlinceule
duc de/passage Choiseul°
puzzle
éteule
Seattle
Newcastle
(argot) le veul°
(lâche) **veule**
(vouloir) ils **veulent**

assonances	*contre-assonances*
222. EUIL-LE	*249. EULE* [øl]
225. EUNE	*381. OL-E*
228. EUR	*498. OUL-E*
227. EUPLE	*549. UL-E*

Elle n'est pas la tombe, Enfant, ma solitude
Et mon habit n'a rien du classique **linceul**.
Partir d'autrui c'est aborder la multitude,
On devient innombrable dès qu'on devient **seul**.

Les modes me rivant à l'âpre servitude,
Autrefois je baissais ma tête d'**épagneul**.
Aujourd'hui je me hausse à la béatitude
Où se meut comme un sceptre mon bâton d'**aïeul**.

Saint-Pol Roux, « Le Solitaire »,
Les plus belles pages

il rencontra plus tard alors qu'il n'était plus très ***jeune***
une mignonne nonne en rupture avec sa clôture
je me souviens de sa gaieté d'enfin n'être plus **seul**
et rêver à de grands projets d'existence future

William Cliff, « Il rencontra plus tard… »,
Autobiographie. 27

Je m'arrête au bord du trottoir
Et je tâte si je suis **seul** ;
Un brin qui m'attachait se tord,
Mais j'ai les membres las et ***saouls***.

La fatigue m'appuie au ***sol***
Comme un paveur pose la hie [...]

Je vais pourrir comme un vieux ***saule***
Sur la rive de cette ***foule***
Qui emportera mes morceaux.

Jules Romains, « Mon corps se décourage… »,
Un être en marche. IV

❒ *222 [Desbordes-Valmore] ; 227 [Grosjean] ; 230 [Ferré] ; 249 [Audiberti]*

224. EUM°-EUME-UM°

hum!°
(il épluche, rég.) il pieume
(mec, verl.) un keum°
(mère, verl.) une reum°
(beugle, rég.) il breume
angström/angstroem°

assonances	*contre-assonances*
222. EUIL	*290. IM-E*
225. EUN-E	*392. OM-E*
228. EUR-E	*502. OUM-E*

hum hum

Certains font ***zaoum***
d'autres plus ou moins ***sublime***
mais la tarte aux ***pommes*** ? *

Jacques Roubaud, « Io et le loup » 14,
Bibliothèque Oulipienne, vol.1

* ouliporime : zaOUm + subLIme + POmmes = OULIPO
rime syllabique : 435.19 [collectif]

❒

225. EUNE-UN°

JEUNE

(cigale, rég.) une beune
(pain au lait) un bun°
bacon°
fun°
(il farfouille, rég.)
il feurgueune
(un/e) JEUNE
trudgeon°
il **déjeune**
il petit-déjeune
(il rêve, rég.) il bleune
homespun°
(soleil, angl.) sun°

On rit, on se baise, on **déjeune**…
Le soir tombe : on n'est plus très **jeune**.

Paul-Jean Toulet, « On rit… »,
Coples. LVIII in *Les Contrerimes*

Oui, le pauvre est le pauvre. **Jeune**
Ou vieux, malgré ses appétits,
Après le dur travail, il ***jeûne***
Avec sa femme et ses petits.

Théodore de Banville, « Politique »,
Nous tous. XXXV

☞

EUNE-UN

Des femmes qui n'étaient plus **jeunes**
qui n'avaient plus que leurs bijoux
aux ***fontaines*** de **Wiesbaden**
venaient jeter leur dernier sou

Louis-Philippe Kammans, « Autre flash-back, l'automne à Wiesbaden »,
Poisons des profondeurs in *Poèmes choisis*

« Alors, dit-elle, qu'est-ce que l'amour ? » **Je ne**
Peux pas répondre. Pas encor. Suis trop **jeune**.
Mais on vous prête cinquante ans. Me prête. Exact.
(À d'inflatoires taux.) J'ai l'âge de mes actes.

Liliane Wouters, « Alors dit-elle… »,
L'Aloès

J'aime la **jeune** fille éternellement **jeune**
Dont les seins sont éclos pour ne jamais fleurir
Et dont l'amour s'épand ainsi que l'eau d'un ***fleuve***
Toujours égale et bienfaisante et sans tarir…

Jean-Marc Bernard, « La Mort de Narcisse »,
Premiers poèmes in *Œuvres*

Montmartre a connu d'autres ***jeux***,
D'autres voix, d'autres rires **jeunes**,
Mais cela n'importe, le ***jaune***
Matin brille dans les carreaux.

Francis Carco, « Montmartre »,
La Bohème et mon cœur

Disez donc les fill's, disez les gas !
Qui qu'en fait sauter **eune** !
Ah ! la bell' crêpe que voilà !
Alle est rond' comme **eune leune**… *

Gaston Couté, « La Chandeleur »,
La Chanson d'un gâs qu'a mal tourné. Volume 1

* une lune

assonances	*contre-assonances*
223. EUL-E	*251. EÛNE*
228. EUR-E	*445. AUNE*
241. URN-E [œʀn]	*561. UNE*

❐ *223 [Cliff]*

226. EUP-EUPE°-UP

ketch-up
check-up
(maquillage) du make-up
pick-up
un **hold-up**
(voler) il holdeupe°
gallup
pin-up
(père, verl.) un reup
(éructer, rég.) un/il reupe°
(pute, verl.) une teup

Laisse quimper Lucien **pick-up**
C'est vrai que tu as mal tourné
Et que ta tête moutonnée
Bêle aux sillons d'une **pin up**

Léo Ferré, « Testament phonographe »,
Testament phonographe

Une bouteille
De fluid **Make-up**
Un flash
Un Browning
Et un **pick-up**
Un recueil
D'Edgar Poe
Un briquet Zippo

Serge Gainsbourg, « Ford Mustang »,
Dernières nouvelles des étoiles

☞

EUP-EUPE°-UP

Z'avaient des joues roses de **pin-up**
Comme des hamburgers au **ketchup**
Y penchaient comme la tour de Pise
Le crâne fendu en tronc d'église

Pierre Perret, « Vive le quinze »,
Chansons de toute une vie

Voici : l'oie a, l'espèce de canaille, la ferme intention

De s'introduire dans la première porte d'éleveur
Qu'ils rencontreront et d'y commettre un **hold-up** !
Avec le revolver de Colombe, elle n'aura pas peur.
« Ô les mains ! C'est les bandits comme moi qui ***écopent*** ! »

Réjean Ducharme,
La Fille de Christophe Colomb. 133

assonances	*contre-assonances*
227. EUPLE	*394. OP-E*
228. EUR-E	*562. UP-E*

❐

227. EUPLE

PEUPLE

être/il/(un) PEUPLE
il dépeuple
il repeuple

Le tub lavera le plaisir,
Tant pis si la Franc' se **dépeuple**,
Les enfants, c'est bon pour le **peuple**,
Ça coûte trop cher à nourrir.

Gaston Habrekorn, « Les Bourgeois »,
Les Sacrilèges

La grange est pleine de paille.
La mère est pleine de marmaille.

Le château est plein de son **peuple**,
De vieux bouquins et de vieux ***meubles***.

Paul Claudel, « Trois petits poëmes d'automne » I. Maturité,
Poésies diverses

Sur le tas de vieilles frusques
Que pêle-mêle amoncela
L'épouvante du départ brusque,
Elle se laisse emporter cahin-caha
Dans la fuite de tout un **peuple**.

La route est sans but et le soleil mord ;
Des chiens aboient, des troupeaux ***meuglent***.

Philéas Lebesgue, « L'enfant mort »,
La Grande Pitié in *Œuvres poétiques.* I

Suis-je pas devenu homme, aujourd'hui, dis-moi ?
Je te questionne au mépris de mes propres lois.
J'ose et demain je serai couché sous la ***meule***.
Je voudrais vivre jusqu'à délivrer mon **peuple**.

Jean Grosjean, « Saül à Endor »,
Fils de l'homme

Jésus Médiateur, c'est d'humanité ***simple***
Qu'il Vous fallut partir vers le souverain **peuple**,
Compagnons charpentiers,
Frères métallurgistes,
Camarades étalagistes,
Sourds-muets savetiers […]

Henri Pichette, « Ode aux quatre points cardinaux »,
Odes à chacun (1re éd.)

assonances	*contre-assonances*
216. EUBLE	*98. AMPLE*
220. EUGLE	*339. IMPLE*
223. EULE	*508. OUPLE*
226. EUPE	*563. UPLE*

❐ *499 [Leiris]*

228. EUR-EURE

COEUR
FLEUR

(rivière; départ.) l'Eure°
(chance) avoir l'heur
(temps) une **heure**°
(coup) un heurt

(arabe, verl.) (un/e) beur/e°
(graisse) il/le **beurre**°
(il s'enivre, arg.)
il se beurre°
babeurre°
labeur
(joueur, arg.) flambeur
petit-beurre°
(un) regimbeur
(un) daubeur
gobeur
bombeur
plombeur
tombeur
(cambrioleur, arg.)
caroubeur
ébarbeur
gerbeur
absorbeur
débourbeur
(escroc, arg.) entubeur

hacheur
(un) rabâcheur
(baratineur, arg.)
(un) tchatcheur
gâcheur
lâcheur
mâcheur
arracheur
cracheur
ensacheur
détacheur
blancheur
déclencheur
trancheur
(buveur, arg.) pitancheur
yorkshire°
bêcheur
(dépensier, arg.) décheur
lécheur
(péché) **pécheur**
(pêche) **pêcheur**
empêcheur
martin-pêcheur
fraîcheur
(un) prêcheur
trécheur/trescheur
sécheur
afficheur
(un) **aguicheur**
(buveur, arg.) licheur
clicheur
(pleurard, arg.) larmicheur
dénicheur
(un) pleurnicheur
défricheur
(un) **tricheur**
féticheur

pasticheur
(danseur, arg.) guincheur
lyncheur
embaucheur
(un) bambocheur
ébaucheur
(pervertir) débaucheur
(peureux, arg.) bandocheur
faucheur
(qui mange peu) pignocheur
piocheur
effilocheur
raucheur
brocheur
(un) accrocheur
raccrocheur
décrocheur
déboucheur
mauvais coucheur
accoucheur
doucheur
loucheur
toucheur
retoucheur
New Hampshire°
(un) **marcheur**
démarcheur
her(s)cheur
(un) chercheur
percheur
écorcheur
catcheur
puncheur
bûcheur
éplucheur

(d'église; chorale) **chœur**
CŒUR
(Jacques) Cœur
en/caqueur
laqueur
plaqueur
arnaqueur
(voleur, Alg.) sarraqueur
(voleur, arg.) braqueur
(biscuit) cracker
(raffinerie) craqueur
(cambrioleur, arg.) fraqueur
traqueur
(un) matraqueur
rancœur
sans-cœur
tanker
(homo, arg.) pétanqueur
supertanker
il **écœure**°
shaker
pacemaker
bookmaker
spinnaker
quaker
le Sacré-Cœur
disséqueur
accroche-cœur
rai-de-cœur
haut-le-cœur
arrière-chœur
(malgré soi) à contre-cœur
(âtre) un contrecœur

Est-il vrai, me dis-tu, qu'en dépit des romances,
Notre **cœur** ne soit pas qu'un pauvre mot en **eur**
Qui pour justifier un semblant d'existence
A besoin de rimer avec **bon'** ou **mal'heur** ?

Jean-Victor Pellerin, « Est-il vrai, me dis-tu… » VIII,
Pièces détachées

Pourquoi qu'tu **pleur'** ma p'tit' **sœur** ?
Mets d'la moustache à ton **cœur**.

Tu dis qu' ton **cœur** ***perd*** sa **fleur**
Avec un drôl' d'**enjôleur**.

Tu dis qu' tu **sues** des **sueurs**
De sang pour un triste **sieur**.

Faut d'la moustache à ton **cœur**.

Mais tu réponds qu'c'est **meilleur**,
Que c'est si bon quand tu **pleures**.

C'est que t'as l'goût, ma p'tit' **sœur**,
C'est que t'as l'goût du **malheur**.

Faut plus d'moustache à ton **cœur**.

Ça vaut bien l'coup, **cœur** de **beurre**,
Quand c'est d'***amour*** que l'on **meurt**.

Faut plus d'moustache à ton **cœur**.

Géo Norge, « Cœur de beurre »,
Le Gros Gibier

Yeux rougis pleins de piteux **pleurs**,
Fourcelle* d'espoir refroidie,
Tête enrhumée de **douleurs**
Et troublée de frénésie,
Corps percé, sans plaisance lie,
Cœur du tout pâmé en **rigueurs**
Vois souvent avoir à **plusieurs**
Par le vent de mélancolie.

Migraine de plaignants **ardeurs**,
Transe de sommeil mi-partie,
Fièvres frissonnant de **malheurs**,
Chaud ardent fort en rêverie,
Soif que confort ne rassasie,
Deuil baigné en froides **sueurs**,
Bégayant et changeant **couleurs**
Par le vent de mélancolie.

Goutte tourmentant en **langueurs**,
Colique de forcenerie,
Gravelle de soins **assailleurs**,
Rage de désirant folie,
Ennuis enflant d'hydropisie,
Maux étiques aussi **ailleurs**,
Assourdissent les **écouteurs**
Par le vent de mélancolie.

L'envoi

Guérir ne se peut maladie
Par physique ni chirurgie,
Astrologues ni **enchanteurs**,
Des maux que souffrent pauvres **cœurs**
Par le vent de mélancolie.

Charles d'Orléans, « Ballade » 85,
Ballades et Rondeaux

* poitrine

☞

EUR-EURE°

seersucker
crève-cœur
(de tabac) chiqueur
simulateur, arg.) chiqueur
(un) trafiqueur
liqueur
pèse-liqueur
pique-niqueur
chroniqueur
(ouvrier) piqueur
(voleur, arg.) piqueur
marteau-piqueur
speaker
rhétoriqueur
tiqueur
critiqueur
sticker
plastiqueur
raudeur, arg.) pastiqueur
pronostiqueur
trinqueur
(un) **vainqueur**
(danseur) polkeur
(golf) bunker
(casemate) bunker
junker
(délateur, arg.) coqueur
(tailleur, arg.) loqueur
autobloqueur
(un) **moqueur**
rocke(u)r
broker
croqueur
escroqueur
troqueur
(John Lee) Hooker
marqueur
démarqueur
parqueur
remorqueur
extorqueur
truqueur

(un) gambadeur
cascadeur
fadeur
travailleur, arg.) chiadeur
(un) baladeur
grenadeur
roideur
froideur
paradeur
bradeur
grader
ambassadeur
persuadeur
(excité, arg.) bandeur
candeur
marchandeur
fendeur
défendeur
pourfendeur
paresseux, arg.) glandeur
highlander
splendeur
ramendeur
quémandeur
(un) réprimandeur
(un) co/demandeur

commandeur
îles du Commandeur
épandeur
dépendeur
grandeur
descendeur
tendeur
à bon entendeur
détendeur
extendeur
(un) **vendeur**
revendeur
covendeur
tiédeur
laideur
plaideur
raideur
trader
hideur
feeder
(chef) un leader
(musique) des lieder
(bruit perçant) strideur
gentleman-rider
décideur
videur
renvideur
dévideur
outsider
soldeur
boulder
des Länder
odeur
(aboyeur) clabaudeur
codeur
encodeur
décodeur
vocodeur
(paillard, arg.) godeur
raccommodeur
rôdeur
maraudeur
taraudeur
brodeur
fraudeur
ravaudeur
(vagabond, rég.) galvaudeur
fondeur
profondeur
blondeur
émondeur
pondeur
répondeur
transpondeur
rondeur
(un) **frondeur**
grondeur
sondeur
tondeur
(un) **boudeur**
baroudeur
soudeur
ardeur
débardeur
(ouvrier) cardeur
quart d'heure°
(représentant, arg.) placardeur

Où finit le voyage ? En quel endroit de menace et **terreur**
En quelle **douceur** de bras blancs et ***sourires***
Dans quelle région où l'arbre aussi prend **peur**
Dans quel accomplissement souple de ***nature*** ?

Pierre Jean Jouve, « Où finit le voyage ? »,
Mélodrame

Le cheval de l'**artilleur**
n'est pas celui du **coureur**,
Le chapeau du **vendangeur**
n'est pas celui du **pasteur**,
le bâton du **moniteur**
n'est pas celui du **grimpeur**,
le marteau qui rebondit
aux mains du **démolisseur**
n'est pas celui du commis
du **commissaire-priseur**,
le couteau du **rôtisseur**
n'est pas celui du **rôdeur**,
le soupir de l'**accordeur**
n'est pas celui du **chanteur**,
l'horizon du **mareyeur**
n'est pas celui du **danseur**,
le sommeil de l'**Empereur**
n'est pas celui du **chauffeur**,
le soulier du **glob'trotteur**
n'est pas celui du **serveur**,
le silence du **facteur**
n'est pas celui du **menteur** […]

Jean Tardieu, « Deux chansons : 1. Chanson de l'amour
et des métiers »,
Margeries

❐ 13 [Banville] ; 122 [Nelligan] ; 143 [Vian] ; 214.4 [Valéry]
235 [Thiry] ; 45 [Mouloudji]

cafardeur
gardeur
regardeur
(avare) (un) liardeur
(vagabond, arg.) trimardeur
chapardeur
emmerdeur
(débrouillard, arg.) (un) démerdeur
verdeur
(un) transbordeur
accordeur
(un) mordeur
re/tordeur
lourdeur
pudeur
impudeur

gréeur

(un) gaffeur
piaffeur
coiffeur
parafeur/parapheur
(bombeur) graffeur
(logiciel) grapheur
(poltron, arg.) taffeur

staffeur
(buveur, Belg.) bleffeur
greffeur
bluffeur
(menteur, Alg.) tchalifeur
(drogué, arg.) sniffeur
(mangeur, arg.) briffeur
griffeur
golfeur
chauffeur
réchauffeur
surchauffeur
bouffeur
esbroufeur
touffeur
étouffeur
woofer
surfeur

(un) saccageur
gageur
(un) **voyageur**
treillageur
grillageur
(doigt) le majeur
lac Majeur
(primordial) **majeur/e°**
nageur

aménageur
déménageur
tapageur
rageur
naufrageur
fourrageur
partageur
ravageur
changeur
échangeur
vendangeur
vidangeur
mélangeur
mangeur
(un) **louangeur**
arrangeur
(un) **vengeur**
packager
manage(u)r
challenge(u)r
ranger
teen-ager/teenager
bridgeur
piégeur
corrigeur
mitigeur
voltigeur
springer

EUR-EURE

jaugeur
logeur
pataugeur
plongeur
(un) **rongeur**
(un) **songeur**
rougeur
chargeur
déchargeur
largeur
margeur
forgeur
égorgeur
purgeur
centrifugeur
jugeur
lugeur
(dupeur) grugeur

gagneur
soigneur
(bagarreur, arg.)
castagneur
baigneur
peigneur
(tueur) (un) saigneur
(noble) (un) **seigneur**
(Dieu) le **Seigneur**
monseigneur
pince-monseigneur
(un indécis) barguigneur
surligneur
(un) égratigneur
rogneur
(un) grogneur
lorgneur

(un) blagueur
élagueur
(bateau) dragueur
(séducteur) dragueur
(sœur, arg.) sagœur
langueur
harangueur
tangueur
bootlegger
jigger
ligueur
rigueur
brigueur
outrigger
vigueur
(tireur, arg.) flingueur
bourlingueur
zingueur
(Ernst) Jünger
dogger
jogge(u)r
(rameur) vogueur
demi-/**longueur**
largueur
burger
hamburger
(receleur, arg.) fourgueur
fugueur
subjugueur

ailleurs
(bail) bailleur

(bâiller) bâilleur
entrebâilleur
écailleur
rocailleur
squire°
esquire°
(rouspéteur, arg.)
rouscailleur
d'ailleurs
médailleur
(fêtard, Belg.) guindailleur
(débaucheur, arg.)
godailleur
(goinfre) boustifailleur
(un) piailleur
(un) criailleur
volailleur
mayeur/maïeur
(un) chamailleur
émailleur
rimailleur
(un) pinailleur
aboyeur
gouailleur
employeur
larmoyeur
(un) broyeur
(un) guerroyeur
hongroyeur
corroyeur
fossoyeur
nettoyeur
jointoyeur
tutoyeur
voyeur
envoyeur
convoyeur
pourvoyeur
r/empailleur
ripailleur
orpailleur
(un) **railleur**
(un) **brailleur**
dérailleur
ferrailleur
tirailleur
corailleur
pistolet-/fusil-/
mitrailleur
tailleur
(un) **batailleur**
r/avitailleur
discutailleur
disputailleur
(un) **travailleur**
écrivailleur
r/habilleur
(danseur, arg.) gambilleur
(juge, arg.) gobilleur
(un) chieur
godilleur
(n. dép.) Goodyear
pagayeur
bégayeur
hockeyeur
balayeur
relayeur
volleyeur
(le/la) **meilleur/e°**

monnayeur
faux-monnayeur
(un) **payeur**
mareyeur
amareyeur
appareilleur
embrayeur
frayeur
trayeur
essayeur
conseilleur
teilleur
stayer
veilleur
éveilleur
cueilleur
vérifieur
rectifieur
lieur
relieur
plieur
multiplieur
demi-heure°
manieur
ingénieur
destroyer
bouilleur
rabouilleur
carambouilleur
rebouilleur
scribouilleur
gribouilleur
barbouilleur
(paresseux, arg.)
glandouilleur
(un) bredouilleur
bidouilleur
fouilleur
(un) bafouilleur
(un) cafouilleur
farfouilleur
(un) magouilleur
mouilleur
(intrigant, arg.) grenouilleur
brouilleur
(soldeur, arg.) drouilleur
(un) vadrouilleur
verrouilleur
(tricheur, rég.) frouilleur
patrouilleur
gazouilleur
tripatouilleur
pilleur
grappilleur
épieur
copieur
télécopieur
photocopieur
roupilleur
toupilleur
contre-/torpilleur
(un) gaspilleur
houspilleur
quilleur
maquilleur
skieur
(un) resquilleur
(un) **rieur**
(escroc, arg.) charrieur

marieur
parieur
crieur
(un/e) **inférieur/e°**
lac Supérieur
(un/e) **supérieur/e°**
antérieur/e°
citérieur/e°
à l'/un intérieur
intérieur/e°
ultérieur/e°
le postérieur
postérieur/e°
à l'/un **extérieur**
extérieur/e°
(un/e) prieur/e°
trieur
(de bois) scieur
(monsieur) sieur
nasilleur
bousilleur
fusilleur
plusieurs
tilleur
(un) vétilleur
outilleur
artilleur
aiguilleur
essuyeur

(pronom) **leur**
(piège) il/un **leurre°**
haleur
emballeur
handballeur
chaleur
dalleur
pédaleur
signaleur
(un) chialeur
malheur
(mal à propos)
à la malheure°
(gueux) traîne-malheur
porte-malheur
(chanteur, arg.) goualeur
rentoileur
pâleur
(un) râleur
saleur
dessaleur
valeur
avaleur
(un) cavaleur
ravaleur
contre-valeur
non-valeur
(incapable, arg.) branleur
(un) hâbleur
câbleur
scrabbleur
sableur
tableur
ambleur
(un) trembleur
assembleur
rassembleur
cribleur
dribbleur

doubleu
(voleur, arg.) caroubleu
racleu
gicleu
sarcleu
shipchandle
hurdle
puddleu
(ronchon, Belg.) berdelleu
nielleu
vielleu
(Norman K.) Maile
(un) **querelleu**
recéleu
best-selle
(bavard, Belg.) babeleu
Chandeleu
modeleu
carreleu
receleu
(un) **ensorceleu**
oiseleu
ciseleu
bateleu
râteleu
botteleu
marteleu
javeleu
niveleu
griveleu
une FLEU
(il embaume) il fleure
il affleure
il enfleure
il **effleure**
mille-fleur
pique-fleur
arrière-fleu
gifleu
(un) renifleu
écornifleu
(faux-monnayeur, arg.)
mornifleu
(un) **siffleu**
(un) persifleu
Honfleu
gonfleu
(lâche, arg.)
(un) dégonfleu
ronfleu
chou-fleu
souffleu
(un) étrangleu
régleu
(baiseur, arg.) tringleu
jongleu
deale(u)
(filature) fileu
(granulat) fille
enfileu
effileu
tréfileu
pileu
empileu
(joueur, arg.) schpileu
épileu
thrille
déshuileu
mile

EUR-EURE°

spoiler
footballeur
boucholeur
colleur
(un) racoleur
encolleur
(un) picoleur
bricoleur
batifoleur
fignoleur
(un) rigoleur
(un) miauleur
(sauteur) (un) cabrioleur
cambrioleur
(un) vitrioleur
violeur
(un) **cajoleur**
(un) **enjôleur**
monopoleur
enrôleur
crawleur
frôleur
(vagabond) trôleur
contrôleur
(voleur, arg.) entôleur
pistoleur
(un) **voleur**
chouleur
couleur
Vaucouleurs
roucouleur
les Toucouleurs
douleur
souffre-douleur
fouleur
mouleur
émouleur
démouleur
rémouleur
rouleur
enrouleur
dérouleur
(frayeur) souleur
en/des **pleurs**
il **pleure**°
ampleur
chantepleure°
coupleur
beau **parleur**
haut-parleur
(un) hurleur
(Samuel) Butler
enculeur
véhiculeur
basculeur
onduleur
brûleur
décapsuleur

qu'il meure°
il **meurt**
(conduite) les **mœurs**
affameur
clameur
rameur
analyste-/
programmeur
cyclorameur
r/étameur

gemmeur
il/une **demeure**°
drummer
semeur
limeur
rimeur
arrimeur
escrimeur
frimeur
primeur
imprimeur
trimmer
steamer
maladie d'Alzheimer
embaumeur
chômeur
slalomeur
(escroc, arg.) empaumeur
chromeur
assommeur
boomer
bloomer
(un) **charmeur**
(un) **dormeur**
endormeur
gentleman-farmer
reformeur
humeur
écumeur
non-/**fumeur**
parfumeur
allumeur
plumeur
rumeur
(dégustateur, rég.)
grumeur
tumeur

canneur
(un) chicaneur
(un) **ricaneur**
scanneur
faneur
flâneur
glaneur
(avion) planeur
(ouvrier) planeur
lamaneur
dépanneur
(un) crâneur
tanneur
vanneur
(Georg) Bückner
(Anton) Bruckner
chaîneur
gêneur
laineur
draineur
graineur
traîneur
entraîneur
home-trainer
senneur
jeûneur
meneur
(prétentieux, arg.) rameneur
promeneur
greneur
engreneur

re/preneur
entrepreneur
Elseneur
teneur
mainteneur
trans/conteneur
porte-conteneurs
souteneur
veneur
bineur
(dénigreur, arg.) débineur
bobineur
(travailleur, arg.)
(un) turbineur
chineur
dîneur
affineur
raffineur
(gaspilleur, rég.) pétafineur
amphineure°
(flatteur) patelineur
moulineur
(ouvrier) un mineur
(secondaire) **mineur/e**°
(enfant) (un/e) **mineur/e**°
lamineur
démineur
enlumineur
(un) fouineur
baragouineur
shampouineur
(prostitué, arg.) tapineur
(voleur, arg.) goupineur
(bavard, arg.) jaspineur
enquiquineur
bouquineur
tambourineur
(assassin, arg.) chourineur
burineur
(tueur, arg.) surineur
(un) lésineur
patineur
(un) baratineur
satineur
guillotineur
butineur
liner
eye-liner
designer
honneur
le **bonheur**
à la/de **bonne heure**°
porte-bonheur
(bambocheur)
gobichonneur
(un) ronchonneur
(cambrioleur, arg.)
ba(l)luchonneur
(plaisantin, arg.)
déconneur
donneur
randonneur
(menteur, arg.) bidonneur
plafonneur
griffonneur
badigeonneur
(cul, arg.) un gongonneur
(grognon, rég.)
(un) gongonneur

(un) bougonneur
(un) jargonneur
rayonneur
crayonneur
camionneur
papillonneur
carillonneur
actionneur
confectionneur
sélectionneur
collectionneur
sectionneur
additionneur
conditionneur
positionneur
approvisionneur
échantillonneur
(un) questionneur
avionneur
jalonneur
talonneur
ramoneur
(un) marmonneur
(un) sermonneur
tamponneur
harponneur
goudronneur
(ivrogne, arg.) biberonneur
coroner
prôneur
sonneur
façonneur
moissonneur
rançonneur
palissonneur
poinçonneur
empoisonneur
déshonneur
(un) **raisonneur**
ozoneur
(acteur médiocre, rég.)
cachetonneur
(prostitué, arg.)
michetonneur
schooner
crooner
marneur
gouverneur
(William) Turner
(un) suborneur
cosy-corner
(un) flagorneur
(Maurice) Tourneur
(Cyril) Tourneur
(ouvrier) un tourneur
derviche tourneur
tuner

(Konrad) Adenauer
é/boueur
secoueur
(un) **joueur**
loueur
(escroc) floueur
(Dwight D.) Eisenhower
horse-power
toueur
tatoueur

peur
il apeure°
décapeur
handicapeur
jappeur
kidnappeur
(vagabond, arg.) gouapeur
varappeur
scraper
(ouvrier) un frappeur
esprit frappeur
trappeur
sapeur
tapeur
(bateau) un vapeur
(brume) une **vapeur**
cheval-vapeur
campeur
trempeur
étampeur
estampeur
il épeure°
steppe(u)r
(un) chipeur
kipper
skipper
clipper
flipper
(trompeur, arg.) pipeur
ripper
stripper
(un) grimpeur
palpeur
épulpeur
dumper
(outil) chopper
(moto) chopper
(voleur, arg.) holdopeur
galopeur
(couture) stoppeur
(football) stoppeur
auto-/stoppeur
photostoppeur
pompeur
(un) **trompeur**
(Gary) Cooper
(William) Cowper
(tailleur) un coupeur
découpeur
(vagabond, arg.) loupeur
soupeur
torpeur
dupeur
stupeur

barreur
(un) bagarreur
démarreur
moireur
pareur
accapareur
anticabreur
sabreur
cambreur
défibreur
calibreur
(un) équilibreur
vibreur
marbreur

EUR-EURE

massacreur
encreur
cadreur
encadreur
calandreur
cylindreur
erreur
ferreur
dépoussiéreur
éclaireur
flaireur
cohéreur
ampère-heure°
co/acquéreur
terreur
(Révolution) la Terreur
enterreur
déterreur
(un) pleureur
saule pleureur
empereur
bâfreur
chiffreur
déchiffreur
offreur
coffreur
gaufreur
soufreur
aigreur
maigreur
(un) dénigreur
hongreur
mireur
cireur
tireur
franc-tireur
étireur
vireur
sous-vireur
survireur
horreur
picoreur
doreur
foreur
(un) péroreur
(un) dévoreur
laboureur
(un) **coureur**
avant-coureur
secoureur
discoureur
fourreur
châtreur
(goûter)
un quatre-heures°
(il goûte, rég.)
il quatre-heure°
centreur
éventreur
métreur
chronométreur
pupitreur
montreur
détartreur
(un) enregistreur
procureur
(chef) le führer
(rage) la **fureur**
(un) jureur

ré/assureur
pressureur
mesureur
(un) tortureur
dégivreur
livreur
délivreur
ouvreur
couvreur
découvreur

(monsieur, angl.) sir
une **sœur**
casseur
(un) jacasseur
(gargotier) fricasseur
concasseur
chasseur
martin-chasseur
pourchasseur
effaceur
laceur
classeur
glaceur
placeur
masseur
ramasseur
vibromasseur
finasseur
passeur
repasseur
(Pierre) Brasseur
(bière) un brasseur
(un) embrasseur
traceur
sasseur
ressasseur
entasseur
(travailleur) potasseur
vavasseur
rêvasseur
danseur
condenseur
préhenseur
défenseur
offenseur
lanceur
(délateur, arg.) balanceur
(infirmier) panseur
(philosophe) **penseur**
libre-penseur
(un) maître(-)penseur
(un) suspenseur
séquenceur
garanceur
(juge) **censeur**
(capteur) senseur
ascenseur
encenseur
recenseur
(un) tenseur
(un) hypotenseur
hypertenseur
(un) extenseur
(un) abaisseur
encaisseur
fesseur
professeur
confesseur

apiéceur
(un) **connaisseur**
épaisseur
racer
(un) caresseur
dresseur
redresseur
(un) **agresseur**
engraisseur
dégraisseur
transgresseur
presseur
antidépresseur
immunodépresseur
neurodépresseur
répresseur
(un) **oppresseur**
dé/turbo/compresseur
rouleau compresseur
tresseur
assesseur
(obsédant) obsesseur
successeur
prédécesseur
possesseur
multi/co/micro/
processeur
intercesseur
(péteur) vesseur
belle-sœur
dépeceur
(un) **envahisseur**
fourbisseur
blanchisseur
(un) fléchisseur
(voleur, arg.) grinchisseur
refroidisseur
agrandisseur
raidisseur
applaudisseur
ourdisseur
régisseur
lisseur
affaiblisseur
(un) ensevilisseur
glisseur
hydroglisseur
aéroglisseur
(un) avilisseur
démolisseur
polisseur
plisseur
remplisseur
demi-sœur
(un) bénisseur
assainisseur
finisseur
définisseur
(camelot, arg.)
bo(n)nisseur
garnisseur
vernisseur
fournisseur
(un) punisseur
brunisseur
(un) fouisseur
enfouisseur
(un) **jouisseur**
pisseur

équarrisseur
attendrisseur
r/sur/enchérisseur
guérisseur
saurisseur
nourrisseur
(un) pétrisseur
adoucisseur
noircisseur
durcisseur
tisseur
bâtisseur
aplatisseur
ralentisseur
lotisseur
rôtisseur
emboutisseur
(un) engloutisseur
sertisseur
(un) avertisseur
convertisseur
(un) pervertisseur
(un) amortisseur
(un) travestisseur
investisseur
(un) abrutisseur
ravisseur
asservisseur
minceur
rinceur
(danseur) valseur
(derrière, arg.) valseur
émulseur
turbo/auto/propulseur
spencer
(un) bosseur
chausseur
endosseur
(un) gausseur
(un) noceur
(querelleur, arg.) crosseur
grosseur
(géniteur) engrosseur
consœur
fonceur
enfonceur
annonceur
ponceur
douceur
pousseur
rousseur
trousseur
détrousseur
tousseur
(un) **farceur**
noirceur
herseur
berceur
perceur
asperseur
verseur
inverseur
écorceur
torseur
curseur
(un) **précurseur**
(un) laïusseur
fidéjusseur
suceur

malaxeu
indexeu
multiplexeu
mixeu
boxeu

déphaseu
(un) **jaseu**
blaze
boiseu
chamoiseu
croiseu
apprivoiseu
raseu
écraseu
phraseu
paraphraseu
(blagueur, Belg.) zwanzeu
baiseu
(il dérègle, rég.) il désheure
faiseu
aléseu
fraiseu
peseu
franchiseu
diseu
confiseu
aiguiseu
liseu
baliseu
égaliseu
dialyseu
analyseu
catalyseu
métalliseu
totaliseu
avaliseu
dévaliseu
électrolyseu
nébuliseu
tamiseu
économiseu
atomiseu
synchroniseu
syntoniseu
ozoniseu
polariseu
briseu
septembriseu
numériseu
pulvériseu
freeze
thésauriseu
priseu
commissaire-priseu
exerciseu
exorciseu
dogmatiseu
climatiseu
magnétiseu
palettiseu
synthétiseu
hypnotiseu
auto/cuiseu
viseu
téléviseu
réviseu
diviseu
proviseu

EUR-EURE°

rétroviseur
superviseur
kaiser
(un) **causeur**
doseur
angledozer
bulldozer
gloseur
exploseur
schnauzer
poseur
entreposeur
imposeur
composeur
décomposeur
roseur
arroseur
dame-d'onze-heures°
bronzeur
couseur
l(o)oser
épouseur
cruiser
cabin-cruiser
(un) abuseur
diffuseur
amuseur
cornemuseur

batteur
abatteur
rabatteur
débater/débatteur
(un) approbateur
désapprobateur
réprobateur
(un) improbateur
(un) perturbateur
(un) incubateur
imprécateur
sécateur
(un) revendicateur
prédicateur
(un) indicateur
adjudicateur
(un) édificateur
dés/humidificateur
(un) codificateur
(un) modificateur
qualificateur
(un) amplificateur
simplificateur
(un) planificateur
vinificateur
unificateur
scarificateur
sacrificateur
vérificateur
(un) glorificateur
(un) purificateur
(un) classificateur
(un) pacificateur
falsificateur
versificateur
(un) identificateur
quantificateur
(un) sanctificateur
rectificateur
certificateur

(un) dé/mystificateur
(un) justificateur
(un) vivificateur
(un) applicateur
(un) dé/multiplicateur
duplicateur
fornicateur
(un) communicateur
(un) prévaricateur
fabricateur
dessicateur
(un) masticateur
locateur
évocateur
invocateur
(un) **provocateur**
(un) éducateur
stucateur
(un) dateur
(un) prédateur
(un) déprédateur
intimidateur
(un) dilapidateur
liquidateur
laudateur
(un) horodateur
(un) fécondateur
(un) **fondateur**
(un) retardateur
délinéateur
(un) **créateur**
(un) procréateur
sulfateur
(un) **triomphateur**
(un) propagateur
délégateur
(un) négateur
fumigateur
(un) irrigateur
(un) investigateur
instigateur
(un) **navigateur**
divulgateur
subrogateur
(un) interrogateur
(un) prolongateur
(un) accompagnateur
gladiateur
cache-/radiateur
médiateur
amodiateur
villégiateur
(un) conciliateur
réconciliateur
(un) auxiliateur
(un) spoliateur
ampliateur
(un) **calomniateur**
expiateur
variateur
(un) expropriateur
(un) différenciateur
appréciateur
dépréciateur
initiateur
viciateur
négociateur
(un) annonciateur
(un) dénonciateur

renonciateur
scintillateur
aviateur
(un) déviateur
inhalateur
installateur
nomenclateur
éclateur
(un) chélateur
(un) délateur
(un) flagellateur
congélateur
surgélateur
interpellateur
corrélateur
(un) **révélateur**
zélateur
frelateur
(un) **flatteur**
insufflateur
filateur
(un) assimilateur
horripilateur
compilateur
oscillateur
ventilateur
distillateur
(un) mutilateur
collateur
percolateur
violateur
immolateur
interpolateur
(un) **consolateur**
isolateur
contemplateur
(un) législateur
(un) fabulateur
tabulateur
(un) éjaculateur
spéculateur
articulateur
(intéressé)
(un) **calculateur**
(ordinateur) un calculateur
osculateur
(un) **adulateur**
dé/modulateur
coagulateur
(un) régulateur
autorégulateur
émulateur
simulateur
(un) dissimulateur
(un) stimulateur
accumulateur
(un) manipulateur
(voyeur, arg.) mateur
(un) **amateur**
(un) **diffamateur**
acclamateur
(un) déclamateur
proclamateur
radioamateur
programmateur
(un) **blasphémateur**
dans le collimateur
(un) animateur
réanimateur

décimateur
estimateur
consommateur
armateur
(un) formateur
(un) réformateur
informateur
(un) désinformateur
conformateur
(un) transformateur
(un) **profanateur**
aliénateur
frénateur
sénateur
combinateur
(religieux) (un) ordinateur
(machine) un **ordinateur**
mini-ordinateur
(un) coordinateur
micro-ordinateur
(un) contaminateur
examinateur
(un) inséminateur
éliminateur
(un) récriminateur
(un) **dominateur**
dénominateur
terminateur
(un) **exterminateur**
(un) supinateur
machinateur
fascinateur
vaccinateur
(un) buccinateur
dessinateur
vaticinateur
destinateur
divinateur
co/donateur
(un) ordonnateur
(un) coordonnateur
phonateur
(un) pronateur
résonateur
ozonateur
détonateur
turbo/alternateur
wattheure°
exploiteur
moiteur
l'**équateur**
(pays) l'Équateur
kilowattheure°
squatte(u)r
épateur
(un) émancipateur
(un) dissipateur
extirpateur
usurpateur
narrateur
(un) **réparateur**
préparateur
(un) séparateur
(un) comparateur
per/vibrateur
(un) consécrateur
aérateur
(un) **libérateur**
(un) fédérateur

(un) modérateur
pondérateur
(un) vociférateur
(un) exagérateur
réfrigérateur
(un) accélérateur
numérateur
(un) générateur
(un) régénérateur
sur(ré)générateur
vénérateur
incinérateur
rémunérateur
opérateur
(un) coopérateur
tour-opérateur
récupérateur
(un) macérateur
littérateur
oblitérateur
gratteur
intégrateur
(un) **migrateur**
admirateur
(un) aspirateur
respirateur
(un) **inspirateur**
(un) **conspirateur**
(un) expirateur
orateur
collaborateur
décorateur
adorateur
(un) perforateur
(un) explorateur
évaporateur
(réparateur)
(un) restaurateur
(aubergiste)
un restaurateur
instaurateur
dévorateur
castrateur
orchestrateur
administrateur
démonstrateur
illustrateur
carburateur
curateur
procurateur
conjurateur
(un) épurateur
saturateur
(un) obturateur
triturateur
condensateur
(un) compensateur
dispensateur
glossateur
renforçateur
(un) taxateur
(un) vexateur
(un) fixateur
(un) homogénéisateur
globalisateur
(un) verbalisateur
(un) localisateur
vocalisateur
(un) idéalisateur

réalisateur
égalisateur
(un) normalisateur
généralisateur
(un) minéralisateur
(un) moralisateur
démoralisateur
dé/centralisateur
(un) totalisateur
(un) évangélisateur
(un) stabilisateur
déstabilisateur
(un) sensibilisateur
dé/mobilisateur
stérilisateur
utilisateur
(un) civilisateur
monopolisateur
(n.dép.) brumisateur
(un) ré/dés/organisateur
(un) colonisateur
(un) modernisateur
(un) vulgarisateur
pulvérisateur
herborisateur
vaporisateur
(un) temporisateur
improvisateur
prosateur
(un) **accusateur**
tâteur
(un) dilatateur
expérimentateur
commentateur
fomentateur
argumentateur
présentateur
(le) **tentateur**
télé/**spectateur**
sectateur
dictateur
agitateur
prestidigitateur
(un) imitateur
citateur
incitateur
excitateur
notateur
annotateur
(un) rotateur
captateur
adaptateur
(un) importateur
(un) exportateur
(un) **dévastateur**
testateur
contestateur
dégustateur
réfutateur
mutateur
commutateur
(un) scrutateur
évacuateur
évaluateur
continuateur
excavateur
(fanfaron, arg.) cravateur
(un) dépravateur
(un) élévateur

autoélévateur
(un) activateur
cultivateur
salvateur
(un) **novateur**
(un) rénovateur
(un) innovateur
(un) observateur
(un) conservateur
(un) préservateur

quanteur
(un) décanteur
brocanteur
chanteur
(un) **enchanteur**
argenteur
brillanteur
orienteur
lenteur
planteur
(un) **menteur**
(un) complimenteur
bonimenteur
fomenteur
tourmenteur
arpenteur
senteur
accenteur
a/im/**pesanteur**
co/détenteur
rétenteur
puanteur
inventeur

acteur
rédacteur
bi/quadri/turbo/
réacteur
(élément) facteur
(postier) **facteur**
liquéfacteur
torréfacteur
contrefacteur
cofacteur
compacteur
(un) réfracteur
chiropracteur
(un) tracteur
attracteur
(un) **détracteur**
locotracteur
abstracteur
soustracteur
extracteur
contacteur
exacteur
(un) effecteur
(un) désinfecteur
objecteur
éjecteur
(un) injecteur
projecteur
lecteur
électeur
pré/sélecteur
déflecteur
(un) réflecteur
collecteur

humecteur
connecteur
inspecteur
prospecteur
vice-/recteur
érecteur
(un) co/**directeur**
(un) autodirecteur
sous-directeur
(un) correcteur
bi/tri/**secteur**
dissecteur
vivisecteur
prosecteur
sous-secteur
détecteur
(un) **protecteur**
vecteur
convecteur
licteur
contradicteur
(un) constricteur
(un) extincteur
docteur
conjoncteur
disjoncteur
acupuncteur/
acuponcteur
(un) adducteur
traducteur
(un) abducteur
(un) réducteur
(un) **séducteur**
(un) inducteur
(un) producteur
(un) reproducteur
surproducteur
(un) introducteur
(guide) un **conducteur**
(un) supra/semi-/
conducteur
transducteur
(un) **destructeur**
autodestructeur
(un) instructeur
(un) **constructeur**

(un) **bienfaiteur**
malfaiteur
guetteur
metteur
(un) émetteur
réémetteur
photoémetteur
entremetteur
prometteur
neuro/transmetteur
(un) fouetteur
péteur
répéteur
(un) rouspéteur
quêteur
(extorqueur) racketteur
raquetteur
enquêteur
basketteur
rhéteur
bretteur
sécréteur

excréteur
fréteur
affréteur
(magistrat) un préteur
(usurier) (un) **prêteur**
apprêteur
propréteur
interpréteur
traiteur

(un) **acheteur**
(voleur) crocheteur
(porteur) crocheteur
pailleteur
jeteur
projeteur
pelleteur
flutter
colleteur
décolleteur
bonneteur
putter
(un) caqueteur
paqueteur
banqueteur
déchiqueteur
piqueteur
briqueteur
étiqueteur
marqueteur
parqueteur
(un) **fureteur**
(un) **sauveteur**

cafteur
drifter

(ouvrier) débiteur
(argent) co/débiteur
(un) inhibiteur
orbiteur
traditeur
co/éditeur
expéditeur
(un) créditeur
accréditeur
provéditeur
auditeur
graffiteur
profiteur
schlitteur
dynamiteur
limiteur
délimiteur
(un) géniteur
définiteur
(entraîneur) moniteur
(technique) moniteur
sapiteur
appariteur
(un) apériteur
lithotriteur
baby-sitter
solliciteur
(un) inquisiteur
visiteur
ovipositeur
compositeur
photocompositeur

(un) transpositeu
répétiteu
compétiteu
partiteu
départiteu
répartiteu
bruiteu
poursuiteu
serviteu
sweate
tweete

gauleite
rewrite

feinteu
(chien) pointe(u)
(pointage) pointeu
(ouvrier) pointeu
(un) éreinteu
(un) **emprunteu**

(un) malteu
statthalte
récolteu
dévolteu
survolteu
aquaculteu
oléiculteu
ostréiculteu
trufficulteu
capilliculteu
pomiculteu
apiculteu
agriculteu
arboriculteu
pisciculteu
sériciculteu
riziculteu
viticulteu
horticulteu
aviculteu
sylviculteu
motoculteu
sculpteu
(un) **insulteu**
consulteu

hunte
sprinte(u)
discounte(u)

(créateur) un **auteu**
(élévation) une **hauteu**
botteu
(un) caboteu
jaboteu
raboteu
saboteu
(noceur) riboteu
barboteu
bachoteu
bouchoteu
(un) chuchoteu
coteu
emberlificoteu
fricoteu
tricoteu
boursicoteu

EUR-EURE°

boycotteur
radoteur
fauteur
grignoteur
(gagne-petit, arg.)
mégoteur
(un) **ergoteur**
noyauteur
dénoyauteur
agioteur
folioteur
(rieur) rioteur
tuyauteur
(un) peloteur
flotteur
comploteur
(un) **moteur**
escamoteur
bloc-moteur
(un) émoteur
marémoteur
(un) bimoteur
(un) quadrimoteur
sensori-moteur
(un) trimoteur
turbomoteur
psychomoteur
locomoteur
idéomoteur
cyclomoteur
vélomoteur
oculomoteur
monomoteur
aéromoteur
promoteur
électromoteur
vasomoteur
(un) automoteur
servomoteur
(bredouilleur) marmotteur
canoteur
coauteur
chipoteur
tripoteur
(rapporteur, Belg.)
raccuspoteur
carotteur
décrotteur
numéroteur

frotteur
trotteur
siroteur
globe-trotter
(un) sauteur

(appareil) compteur
(conte) **conteur**
raconteur
(n.dép.) volucompteur
(un) escompteur
dompteur
monteur
remonteur
apponteur

bouteur
rebouteur
écouteur
douteur
goûteur
jouteur
computer
(défonceuse) rooter
(marine) routeur
envoûteur

capteur
(un) phonocapteur
coapteur
(le) **rédempteur**
contempteur
(un) accepteur
(un) récepteur
précepteur
concepteur
(un) **percepteur**
intercepteur
scripteur
téléscripteur
transcripteur
descripteur
prescripteur
proscripteur
souscripteur
télé/prompteur
rupteur
interrupteur
(un) **corrupteur**

écarteur
déserteur
(un) flirteur
escorteur
(un) porteur
apporteur
(un) rapporteur
(journaliste) reporter
(ouvrier) reporteur
triporteur
colporteur
(un) caloporteur
gros-porteur
autoporteur
transporteur
supporte(u)r
avorteur

(Louis) Pasteur
(pâtre; prêtre) un **pasteur**
bourse-à-pasteur
digesteur
questeur
testeur
cluster
trusteur
pisteur
imposteur
composteur
toaste(u)r
exhausteur
ajusteur

(un) chahuteur
(joueur) buteur
(tueur, arg.) bu(t)teur
(charrue) butteur
distributeur
culbuteur
chuteur
cutter
persécuteur
exécuteur
locuteur
interlocuteur
(un) percuteur
(un) discuteur
affûteur

coadjuteur
lutteur
minuteur
recruteur
(personne) **tuteur**
(tige) tuteur
(soiffard, Belg.) tûteur
(agriculture) il tuteure°
cotuteur
protuteur
instituteur

lueur
(écoulement) des flueurs
(un) pollueur
remueur
sueur
(ouvrier, arg.)
pue-la-sueur
tueur

haveur
faveur
défaveur
gaveur
laveur
flaveur
paveur
motopave(u)r
draveur
graveur
héliograveur
photograveur
saveur
(coup d'œil, arg.)
coup de saveur
cantilever
(un) **rêveur**
éleveur
releveur
receveur
enjoliveur
riveur
Red River
Snake River
dériveur
retriever
activeur
(un) suiveur

viveur
driver
crossing-over
walk-over
pull-over
game over
(un) **sauveur**
(le Christ) le **Sauveur**
accouveur
interviewe(u)r
trouveur
ferveur
serveur
buveur
étuveur

assonance
223. EUL-E

contre-assonances
510. OUR-E
567. UR-E
177. ER-ÈRE

229. EURK

beurk!
patchwork

Et maintenant que ma voix module…
C'est le mot qui me vient pour peindre le **patchwork** *
De ***New York*** d'aube d'or au rouge crépuscule
Et puis la nuit son brasier de ***blocks***

Claude Nougaro, « Stances à New York »,
Nougaro sur paroles

* prononciation francisée [rk]

assonance
228. EUR

contre-assonances
60. ARC
191. ERK
414. ORK
577. URC

230. EURLE-IRL

(il crie, rég.) il beurle
girl°
taxi-girl°
call-girl°
cover-girl°
script-girl°

Le boudin créole fristouillait au Bal Nègre
De la rue Blomet, dans un relent de bière aigre,
Django parlait aux anges, à la « Villa d'Este »,
Chez « Florence », Arthur Briggs nous fusillait d'un zeste
De trompette dorée, dans la troupe des **girls**,
Et les femmes, pour nous, étaient toujours en ***fleurs***…

Carlos de Radzitzky, « Les Semeurs de feu »,
Le Commun des mortels

C'est ma **call girl**
Ma savourex
Qu'effac' sa ***gueule***
À coups d'kleenex

Léo Ferré, « La langue française »,
Testament phonographe

Je suis l'amour en ***trompe-l'œil***
La décalcomanie **girl**
Le danger immédiat
Et l'amour fiction
Je suis la **Roller Girl**
Roll, Roll, Roll
Roller Girl

Serge Gainsbourg, « Roller Girl »,
Dernières nouvelles des étoiles

assonances
223. EUL-E
228. EUR-E

contre-assonances
56. ARL-E
187. ERL-E
517. OURLE
573. URLE

❒

231. EURS°-EURSE-URS

(coutumes) des **mœurs**°
(police, arg.) les Mœurs°
nurse
(pierre à aiguiser)
il/une queurce/queurse
des knickers°
des knickerbockers°
autoreverse

À Paris les fourreurs écrivent en anglais
Selon d'anciennes **mœurs**
Le mot **furs*** que la rime enseigne s'il vous plaît
À mieux prononcer **FURS**

Louis Aragon, « C'est un sale métier »,
Le Roman inachevé

* fourrures

assonance
228. EUR-E

contre-assonances
61. ARS-E
192. ERS-E
415. ORSE
522. OURS-E

❒

232. EURTE-IRT

HEURTE

il HEURTE
(il se bute) il (s') aheurte
(il s'assoit, rég.) il se cheurte
sweat-shirt°
t-shirt°/tee-shirt°
un flirt°
il fleurte/flirte
(rivière ; départ.) la
Meurthe
(Henry)
Deutsch de La Meurthe
il s'entre-heurte

Avec l'aurore glaciale
Vite, chez dame Lebrun, **heurte**
Au 20 de la Primatiale
Nancy, tout là-bas, dans la **Meurthe**.

Stéphane Mallarmé, « Les Loisirs de la poste » XCIV,
Vers de circonstance

On le prit pour un fou, un être dangereux,
Fut accusé à tort de crimes et de feux,
Mis au pied du mur pour vol, adultère et ***meurtre***.
……

EURTE-IRT°

sievert°

Il sentit à ses flancs des anges le frôler.
Il vit les éclairs les barrages déchirer
Puis sombra lentement dans les flots de la **Meurthe**.

Paul Dewalhens, « M »,
Abécédaire pour saxophone

Mon Dieu, aux ***meilleures heures***
Voilà le temps qui nous **heurte** !

Jules Supervielle,
L'Étoile de Séville, acte I, scène VII

Vous incrustiez dans les redans des ***portes***
L'obscurité casquée des tueurs à gage.
Nous errions sur vos quais que parfois **heurte**
Un front noyé d'enfant perdu…

Jean Grosjean, « Bénie entre les femmes »,
Majestés et passants

assonances
233. EURTRE
228. EUR-E

contre-assonances
62. ART-E
194. ERT-E
417. ORT-E
523. OURT-E

❒ *194 [Ghil]*

233. EURTRE

MEURTRE

(manche ; soudard) un maheurtre
MEURTRE

Au secours ! au secours ! on a commis deux **meurtres** !
Au secours ! va chercher le juge John **Desneurtres**.
Dépêche-toi, coquin ! – Dressons procès-verbal.
La tête est perforée. Hémorrhagie. Un mal
Très grave. Il est bien mort. À l'autre !

Alfred Jarry, « La Clochette ou Shadow's home et Death-Castle »,
acte III, scène II in *Ontogénie*

L'oiseau vient droit sur moi, c'est presque moi qu'il ***heurte***
Je te savais naïf, mais non pas à ce point !
Le premier coup de feu dans l'aube : il claque bien.
Personne ne saura le charme de ce **meurtre**.

Patrice La Tour du Pin, « Mort d'un destin »,
Sixième livre in *Une Somme de poésie.* I

Allez-vous-en de moi qui reviens pour vos **meurtres**
Dans ces pays légers où sommeillent les loirs
Ne suis-je aussi le maître d'ombres des parloirs
Où les vitraux bleuis vous font un mur de ***feutre*** ?

Rouben Melik, « Miroir »,
Saisons souterraines in *La Procession*

assonance
232. EURTE

contre-assonances
63. ARTRE
195. ERTRE

❒

234. EUVE

FLEUVE
NEUVE
VEUVE

Sainte-Beuve
(parents, verl.) les yeuves
FLEUVE
roman-fleuve
qu'il **pleuve**
qu'il (se) **meuve**
qu'"il (s') **émeuve**
qu'il promeuve
NEUVE
(Catherine) Deneuve
Villeneuve
(île) Terre-Neuve

Pleurer un peu, si je pouvais pleurer un peu,
Pleurer comme l'orphelin, et comme la **veuve**,
Et comme le ***pécheur*** naïf implorant Dieu.
Simple qu'il soit mon ***cœur***, simplement qu'il s'**émeuve** !

Sur ma guirlande fanée et ma robe **neuve**
Tissée au ciel avec du blanc, avec du bleu,
Sur ma guirlande fanée emportée au **fleuve**,
Pleurer un peu, pouvoir pleurer serait mon vœu.

Jean Moréas, « Pleurer un peu… »,
Les Cantilènes

☞

(chien) un **terre-neuve**
Maisonneuve
La Courneuve
ils peuvent
il s'**abreuve**
preuve
épreuve
contre-épreuve
(il trouve, arch.) il treuve
(femme) (une) VEUVE
(oiseau) une veuve
(guillotine, arg.) la veuve

La tombe et la nuit m'ont quitté.
Vienne la femme qui s'**émeuve**
Sous mon baiser ressuscité !

J'étais pareil au lit d'un **fleuve**,
Dans les jours brûlants de l'été,
Sec et morne, attendant qu'il **pleuve** ;

L'ennui du mal m'avait hanté ;
Mais j'ai triomphé de l'**épreuve**
Et rompu le joug détesté.

Mon désir de nouveau s'**abreuve**
Aux pures sources de beauté,
Et je répands mon âme **neuve**

Dans un amour illimité !

Catulle Mendès, « Épilogue »,
Philoméla

Mais en l'état où je me **treuve**,
Qu'est-il besoin de cette **preuve**,
Pour vous montrer que ma langueur
Et que ma constance est extrême ?

Vincent Voiture, « Stances écrites sur des tablettes »,
Poésies

Des léopards, des pumas,
Et des tigres qui se **meuvent**
Dans leur brousse ***intérieure***,
Tournent comme en une cage…

Jules Supervielle, « Alarme »,
Gravitations

soudain nous voyions apparaître un bras de **fleuve**
qui portait des bateaux remontant vers la France
et d'autres descendant pour porter en Hollande
la charge de leur ventre empli de lourdes ***œuvres***

William Cliff, « Nous partions en forêt… »,
Autobiographie. 29

Un seul nuage dans le ciel
Seule ma barque sur le **fleuve**
Voici la lune qui se ***lève***
Dans le ciel, sur le **fleuve**

Il fait moins sombre dans le ciel
Il fait moins triste dans mon ***cœur***.

Tchan Jo Sou.

Paul Claudel, « Sur la rivière »,
Autres poèmes d'après le chinois

Les Morts. Car ils sont là. Détachés du visible
Ils ne se séparent pas. De nous à nous
Ils errent mais félicieusement se **meuvent**
Dans les tons les pensées les montagnes d'air doux
Les jades les perles de vapeur et ils se ***suivent***

Pierre Jean Jouve, « Doctrine »,
Diadème

assonances	*contre-assonances*
235. EUVRE	*79. AVE*
228. EURE	*209. ÈVE*
	454. AUVE
	530. OUVE

❒ 214.15 [Borel]
218 [Cadou] ; 225 [Bernard]

235. EUVRE

ŒUVRE
COULEUVRE

il/un/une ŒUVRE
grand œuvre
à pied d'œuvre
chef-d'œuvre
main-d'œuvre
hors-d'œuvre
pieuvre
COULEUVRE
il/un/une **manœuvre**
(il coïte) il conœuvre
sous-œuvre
(il coïte) il vitœuvre

J'ai vu. Les autres n'ont point d'yeux ; que verraient-ils ?
Sorcière empoisonneuse aux rampantes **manœuvres**,
J'ai vu tous tes pensers, tes désirs et tes **œuvres**
Sourdre dans tes cheveux en reptiles subtils.

Hideux, gluants, glacés, écaillés de béryls,
Par torsades, aspics, vipères et **couleuvres**
Couronnent de ***terreur*** ton front pareil aux **pieuvres**
Échevelant dans l'eau leurs tentacules vils.

Iwan Gilkin, « Méduse »,
La Nuit

Si tu crois qu'en amour y a pas besoin de **hors-d'œuvre**
Va donc chercher ***ailleurs*** qui peut faire ton ***bonheur***
Pour gagner une guerre il faut faire des **manœuvres**
Mets du miel sur ton piège pour attraper mon ***cœur***

Boby Lapointe, « L'ami Zantrop »,
Intégrale

Puisque la grâce passe les **œuvres**,
Que le plaisir passe les exploits,
Passe la gloire et passe les ***heures*** :
J'adulerai la reine aux pieds froids.

Marcel Thiry, « Crime »,
Statue de la fatigue

Je cingle le bras de la **pieuvre**
et son pouvoir, fils de l'oubli.
Je tranche le bandeau de ***poivre***.
Frapper convient à qui faiblit.

Jacques Audiberti, « La vallée »,
Toujours

assonances
234. EUVE
228. EURE

contre-assonances
80. AVRE
210. ÈVRE
455. AUVRE
531. OUVRE

❐ *234 [Cliff] ; 531 [Thiry]*

236. LES [œls]

des pickles
les Beatles

assonance
223. EULE

contre-assonances
33. ALSE
158. ELSE
556. ULSE

237. UNCH-UNCHE° [œntʃ]

lunch
il lunche°
punch
brunch
(chocolat, n.dép.) Crunch
(broiement) gruntch!

Frôle
Y manque ; puis **Lunch**
Et son ami **Punch** ;
On n'y voit pas *Steppe*
Rimer avec *Dieppe*,
Pas plus que *Caïd*
Rimer avec *Cid*.

Alexandre Flan, « 30 rimes inédites »,
Rhythmes impossibles et Jardin des Racines françaises

assonances
217. EUCH/E-USH
225. EUNE-UN

contre-assonance
293. INCH [intʃ]

❐

238. UND [œnd

le Bund
Lund
Øresund/Sund

Il ne reste plus au ***monde***
Que trois voiliers de long cours :
Ports d'attache : ceux du **Sund***
Et Riga, Sydney, Hamburg.

Louis Montalte, « Chanson bête de mer »,
Roses de sable

* prononciation francisée *«sonde»*

assonance
225. EUNE-UN

contre-assonances
165. END [ɛnd]
504. OUND [und]

❐

239. UNK [œnk

(le) funk
(un/e) junk
(un/e) **punk**

Alors, pour détendre l'atmosphère,
très glauque, très **punk**,
j'mets une cassette de Starshooter
dans mon **Blaupunkt***.

Renaud, « L'auto-stoppeuse »,
Le Temps des noyaux

* marque déposée

assonance
225. EUNE-UN

contre-assonance
297. INK [ink]

❐

240. URF°-URFE [œʀf

le smurf°
il smurfe
le **surf**°
il surfe
(n.dép.) windsurf°
turf°

Les rues sales du centre ville de Mars est mon ***turf***
Mac aussi puissant que ce putain d'argent sur le ***surf***
J'ai tout pris en main et condés se tâtent
Pas de racket, je suis libre des vapeurs d'eau écarlate

IAM, « Chez le Mac », *L'École du Micro d'Argent*

Sur ma planche de **surf**
Moi je fendais l'écume
Je suais comme un ***bœuf***
Mais bon, j'avais un rhume

Renaud, « Allongés sous les vagues »,
Le Temps des noyaux

assonances
218. EUF-UFF/E
228. EUR-E

contre-assonances
52. ARF
183. ERF
406. ORF-ORPHE

❐

241. URN°-URNE-EURNE

auburn°
Bannockburn°
chadburn°
(Henry) Raeburn°
(Algernon Ch.) Swinburne
(Katharine) Hepburn°
pattern°
Veurne

Les châtaines
les extasiées d'la gaine
les huilées
les **auburn** ***au beurre***
noir aux ***sueurs***
acidulées
les adulées

Christian Prigent, « Histoire des actions »,
Peep-show, p. 29

assonances
225. EUNE-UN
228. EUR-E

contre-assonances
58. ARN-E
189. ERN-E
512. OURNE

❐

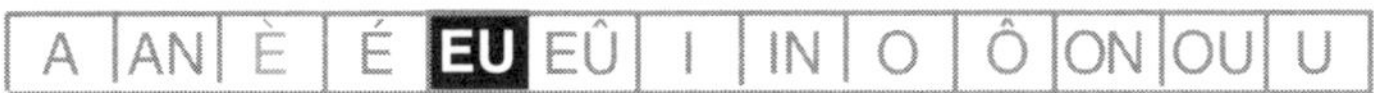

242. UST°-USTE-EUST°-EUSTE

breakfast°
(style, verl.) un leust°
must°
dipneuste
entéropneuste
un **trust**°
il truste
antitrust°
brain-trust°

assonance
231. EURS/E-URSE

contre-assonances
72. AST-E
202. EST-E
450. AUST-E

243. UZZLE [œzl]

puzzle

Mais loin d'elle, je joue à quoi ?
À me complaire en ***préambules*** [...]
à souffler des mots dans des ***bulles***
Avec les pièces d'un **puzzle** *
Je compose une demoiselle

Karel Logist, « Mais loin d'elle… »,
Force d'inertie

* prononciation française en [yzl]

assonances
223. EUL-E
220. EUGLE
227. EUPLE

❒

244.0 EUX

un E
(hésitation) euh!
(pronom) **eux**
(doute) heu!
(navire côtier) un heu
des **œufs**

Vois dans son nid la muette femelle
Du rossignol qui couve ses doux **œufs**,
Comme l'amour lui fait enfler son aile
Pour que le froid ne tombe pas sur **eux**.

Alphonse de Lamartine, « Quatrième époque »,
Jocelyn

Elle a les ***yeux*** de ciel, tout donc y sera ***bleu*** :
Pignon, châssis, seuil, porte, **heu !**
Dedans peut-être un ***peu.***

Émile Nelligan, « Château rural »,
Poésies complètes

– Pur ou impur. Pair ou impair. Passe ou impasse. Propre ou impropre. Pie ou impie. Prévu ou imprévu. Pitoyable ou impitoyable. Immonde ou monde. Immense ou anse. Œil ou cercueil. Riche ou friche. Dessert ou désert. ***Milieu*** ou ***lieu. Lieu*** ou ***Dieu***. ***Dieu*** ou ***feu***. ***Feu*** ou ***bleu***. ***Bleu*** ou **euh**.

Jésus-Christ *chez* Victor Hugo,
Les Tables tournantes de Jersey. LVIII

sous-rime voisine
244.4 ÉEUX

contre-assonance
333.0 IN-UN
481.0 OU

❐

244.1 BEUX

BŒUFS

(dégoût) beuh!
des BŒUFS
(cépage, rég.) le macabeu
(Adam, néol.) le glébeux
(pleurs) beuh! beuh!
(niais, rég.) beubeu
(herbe, arg.) la beubeu
(abruti, arg.) nez-de-bœuf
des garde-bœufs

des pique-bœufs
(arabe, verl.) un rebeu
des arrête-bœufs
gibbeux
(chic, arg.) galbeux
bulbeux
(flatteur, rég.) lobeux
herbeux
(vomitif, arg.) gerbeux
verbeux
bourbeux
tourbeux

Les corneilles et les margots
Adorent ce pacage **herbeux**.
En voilà des oiseaux **verbeux**
Qui ne sont pas du tout nigauds !

Aussi lents que des escargots,
Çà et là paissent les grands **bœufs**.
Les corneilles et les margots
Adorent ce pacage **herbeux**.

Là-bas, sur les tas de fagots,
Et sur les vieux chênes **gibbeux**,
Tout autour du marais **bourbeux**,
En font-elles, de ces ragots,
Les corneilles et les margots !

Maurice Rollinat, « Les Margots »,
Dans les brandes

sous-rime voisine
244.14 PEUX

contre-assonances
333.2 BIN-BUN
481.2 BOU

❐

244.2 CHEUX

(un) **fâcheux**
(boueux) gâcheux
flacheux
avalancheux
(miséreux, arg.) décheux
mécheux
(un) **grincheux**
faucheux
(morveux, rég.) locheux
rocheux

Le vent semble une brut' raffolant de nuire à tout l'monde…
Mais une attention profonde
Prouv' que c'est chez les **fâcheux**
Qu'il préfèr' choisir les victim's de ses petits ***jeux*** !

Georges Brassens, « Le vent »,
Poèmes et chansons

☞

(guérisseur, rég.) toucheux
coquelucheux
p(e)lucheux
pucheux

On dit que le chef des Lamas noirs,
Ayant à vider sa querelle avec un Maître-des-Savoirs,
On dit qu'il provoqua la dispute :
Lequel des deux montant plus vite au plus haut du **Cang-ri-mo-tcheu**…
(On disait ce mont inaccessible),
Prouverait par là son pouvoir, gagnerait le plus bel ***enjeu***…

Victor Segalen,
Thibet. XXVIII

sous-rime voisine
244.6 GEUX

contre-assonances
333.3 CHIN
481.3 CHOU

❒ *436 [Vian]*

244.3 DEUX

DEUX

(préposition) **de**
(pronom) **d'eux**
(un) DEUX
(miséreux, arg.) panadeux
trois-deux
(sale, arg.) cradeux
à la six-quatre-deux
entre-deux
in-trente-deux
hideux
(gluant, rég.) libodeux
(rôdeur, rég.) galvaudeux
(hard rock, arg.) hardeux
cafardeux
cauchemardeux
(clochard, rég.) trimardeux
hasardeux
(un) merdeux
(attention!) vingt-deux!

Pourquoi dans un couple d'amants un tel amas de solitude
C'est une brume qui se lève et sépare le monde en **deux**
C'est comme un besoin de s'enfuir un peu moins des autres que **d'eux**
Le plein midi d'aimer mortellement porte sa lassitude

Louis Aragon, « Quand je me retourne en arrière… »,
Le Roman inachevé

C'est ainsi que l'on fait trépasser les vampires,
Au fond d'une achellème, à l'É trois de l'**I deux*** ;
Que l'on ensevelit les fragiles empires
Des matins incertains et des soirs **hasardeux**.

Jacques Bens, « Chant premier »,
Le Retour au pays

* hideux

J'ai l'honneur **de**
Ne pas ***te*** **de**-
mander ta main,
Ne gravons pas
Nos noms au bas
D'un parchemin.

Georges Brassens, « La non-demande en mariage »,
Poèmes et chansons

sous-rime voisine
244.19 TEUX

contre-assonances
333.4 DIN-DUN
481.5 DOU

❒

244.4 ÉEUX

O.C.D.E.
A.N.P.E.
O.P.E.
malgré eux
caséeux
nauséeux

Allons ami allons faut boire
À l'avenir et au présent
Aux lampistes et au Président
À l'Ursafe à l'**Ahainepéeux***
Aux gentils et même aux ***haineux***

Pierre-Robert Leclercq, « Allons ami… »,
Do Mi Bémol Sol

* A.N.P.E.

sous-rimes voisines
244.9 IEUX
244.20 UEUX

contre-assonances
91.6 ÉAN
333.5 ÉEN

❒

244.5 FEU-FEUE°

FEU

le FEU
(défunt) **feu/e°**
enfeu
Terre de Feu
garde-feu
cessez-le-feu
(femme, verl.) une meufeu
allume-feu
coupe-feu
pique-feu
pare-feu
contre-feu
couvre-feu
boutefeu
(garde du corps, arg.)
un porte-feu
suiffeux
bateau-feu
pot-au-feu
(mépris) pff!

J'ai jeté dans le noble **feu**
Que je transporte et que j'adore
De vives mains et même **feu**
Ce Passé ces têtes de morts
Flamme je fais ce que tu ***veux***

Guillaume Apollinaire, « Le brasier »,
Alcools

Est-elle almée ?… aux premières *heures* ***bleues***
Se détruira-t-elle comme les *fleurs* **feues**…
Devant la splendide étendue où l'on sente
Souffler la ville énormément florissante !

Arthur Rimbaud, « Est-elle almée ? »,
Vers nouveaux et chansons

Je ne dénombrais plus le délire des **feux**.
Les astres les plus ***fous*** étaient les astres **feus**.
La nouvelle à venir est longue s'ils s'éteignent.

Jean Cocteau, « Léone » 84,
Poèmes 1916-1955

Charite, communique
Au reste de mes **feux**
L'unique
Gloire dont brille **Orpheus***…

Maurice du Plessys, « Ode aux Grâces et à Diane Armigère »,
Odes Olympiques

* Orphée

sous-rime voisine
244.21 VEUX

contre-assonances
333.6 FIN-FUN
481.7 FOU-E

❐ *481.7 [Prévert]*

244.6 GEUX

JEU

(prénom) **je**
un JEU
marécageux
moyenâgeux
ombrageux
orageux
(un) **courageux**
outrageux
avantageux
désavantageux
(un) partageux
nuageux
enjeu
fangeux
franc-jeu
(liège) liégeux
neigeux
(rebouteux, rég.) remigeux
hors-jeu

Si j'hésite si souvent entre ***le*** moi et ***le*** **je**
Si **je** balance entre l'émoi et ***le*** **jeu**
C'est que mon propre équilibre mental en est l'**enjeu**
J'ignore tout des règles ***de ce*** **jeu**

Jeu de l'amour du hasard éprise de ***vertiges***
Ayant conscience que c'est un **jeu dange-**
Reux tu abuses du **je** alors **je** cache mon **jeu**
Sans pour autant gagner sur toi moi **je**

Serge Gainsbourg, « Le moi et le je »,
Dernières nouvelles des étoiles

Tu contiens dans ton œil le couchant et l'aurore ;
Tu répands des parfums comme un soir **orageux** ;
Tes baisers sont un philtre et ta bouche une amphore
Qui font le héros lâche et l'enfant **courageux**.

Charles Baudelaire, « Hymne à la Beauté »,
Les Fleurs du mal

Toute beauté les cabre et les rend **ombrageux**
Ils ont le désespoir pour hygiène et pour **jeu**
Pourrissant sur la paille épaisse du non-être
Ils respirent le monstre et leur est **outrageux**
……

Tout ciel qui jusqu'au soir nulle part **nuageux**
Sait mourir en mettant des œillets aux fenêtres.

Louis Aragon, « Le cri du butor, VII : Dans leurs habits de deuil »,
Le Nouveau Crève-cœur

Je, c'est amour ou c'est ***Dieu***
Et tout ce qu'il y a ***d'ange***
Dans **JE***!
Sable et ciel, mais quel ***vertige***
Si tous les **JE** tout en ***feu***
Si **JE**,
JE moi seul ou **JE** nous ***deux***,
Si **JE**,
Si **JE** n'est personne au monde !

Géo Norge, « Je »,
Le Stupéfait

* JE rime à la fois avec Dieu/feu et ange (dans je) ou vertige (si je)

sous-rimes voisines	*contre-assonances*
244.2 CHEUX	*214.7 GÉ*
244.18 S(Z)EUX	*333.7 GIN-JUN*
244. 9 IEUX	*456.8 GEON*

❐ 244.2 [Brassens, Ségalen] ; 244.18 [Verheggen]

244.7 GNEUX

Bagneux
(genoux) **cagneux**
(élève, arg.)
un cagneux/khâgneux
soigneux
montagneux
(un) **dédaigneux**
(douteux, arg.) craigneux
saigneux
(un) **teigneux**
(niais, rég.) gneugneu
(un) scrogneugneu!
(moqueur, rég.) chigneux
ligneux
(brumeux) caligneux
libéro-ligneux
(un) pyroligneux
(grincheux, Belg.) grigneux
(honteux, rég.) vergogneux
(galeux) **rogneux**
(bougon) rogneux
(infect) charogneux
(un) besogneux
(rebouteux, rég.) gougneux
hargneux

Dans le brouillard s'en vont un paysan **cagneux**
Et son ***bœuf*** lentement dans le brouillard d'automne
Qui cache les hameaux pauvres et **vergogneux**

Guillaume Apollinaire, « Automne »,
Alcools

Et son chant ***rugueux***
A des mots ***osseux***
Sur un air ***baveux***
Verdâtre ou **rogneux**
Et tout va **cagneux**
Puant et ***gibbeux***

Pierre Albert-Birot, « Sabbat »,
Miniatures

Il est certains esprits d'un naturel **hargneux**
Qui toujours ont besoin de guerre ;
Ils aiment à piquer, se plaisent à déplaire,
Et montrent pour cela des talents ***merveilleux***.

Jean-Pierre Claris de Florian, « Le Hérisson et les Lapins »,
Fables complètes. Livre V, XVII

Et peut-être au matin des triomphes ***haineux***
Rêverais-je seulement de mort expiatoire ;
J'étais l'aventurier morose et **dédaigneux**
Qui méprise la guerre à cause de la gloire.

Ephraïm Mikhaël, « Florimond »,
Poèmes en vers et en prose

Cinglés qu'ils étaient ! Demi-doux. Arrière-demeurés.
Pour nous toucher les ***œufs***. **Scrogneugneu** ! Nous sussurer
des billevesées. Insensées.

Jean-Pierre Verheggen,
Pubères, Putains. Deuxième partie, 7

sous-rimes voisines	*contre-assonances*
244.9 IEUX	*214.8 GNÉ*
244.12 NEUX	*456.9 GNON*

❐

244.8 GUEUX

GUEUX

GUEUX
(sale, arg.) dégueu
(poisseux, rég.) pégueux
(ville) Périgueux
(pierre à polir) un périgueux
(loucheur, rég.) gogueux
fongueux
fougueux
rugueux

Tas de traîne-cul-les-housettes,
Race d'indépendants **fougueux** !
Je suis du pays dont vous êtes :
Le poète est le Roi des **Gueux**.
[…]
Vous dont l'habit mince et **fongueux**
Paraît fait de vieilles gazettes,
[…]
Momignards nus sans chemisettes,
Vieux à l'œil cave, au nez **rugueux**,
Au menton en casse-noisettes,
Le poète est le Roi des **Gueux**.

Ô **Gueux**, mes sujets, mes sujettes,
Je serai votre maître ***queux***.
Tu vivras, monde qui végètes !
Le poète est le Roi des **Gueux**.

Jean Richepin, « Ballade du Roi des Gueux »,
La Chanson des Gueux

sous-rime voisine
244.15 QUEUX

contre-assonances
214.9 GUÉ
456.10 GON

❒

244.9 IEUX-IEUE°

YEUX
DIEU(X)
CIEUX

île d'Yeu
les YEUX

les **aïeux**
Bayeux
cayeu/caïeu
écailleux
rocailleux
(ripailleur, rég.) godailleux
(désordonné, arg.) pagailleux
camaïeu
giboyeux
joyeux
moyeu
soyeux
pailleux
(mouchard, arg.) railleux
broussailleux

(bavard, rég.) babilleux
scabieux
morbilleux
(lunatique, rég.) lubiyeux

DIEU(X)
adieu
radieux
(difficile, arg.) glandilleux
compendieux
dispendieux
pédieux

sacredieu!
Fête-Dieu
demi-dieu
prie-Dieu
insidieux
fastidieux
hôtel-Dieu
odieux
mélodieux
pardieu!
(Gérard) Depardieu
(Jean) Tardieu
miséricordieux
mordieu!
tudieu!
vertudieu!
studieux

sommeilleux
crayeux
(le) **merveilleux**

(un) **orgueilleux**
(nombril, rég.) un breuilleut

(fils, rég.) fieu
(un) ma(f)fieux
(bavard, Belg.) tafieux
(malingre, Belg.) croufieux

contagieux
prodigieux
irréligieux
(un) **religieux**
areligieux
antireligieux
litigieux
prestigieux

Je suis plus aise en mon cœur que les **Dieux**,
Quand chaudement tu me baises, Maîtresse :
De ton baiser la douceur larronnesse
Tout éperdu m'envole jusqu'aux **Cieux**.

Baise-moi donc, mon cœur, car j'aime **mieux**
Ton seul baiser, que si quelque Déesse
Au jeu d'amour d'une accolade épaisse
M'embrassait nu d'un bras **délicieux**.

Pierre de Ronsard, « Je suis plus aise en mon cœur… »,
Amours de Cassandre. CCXIII in *Les Amours*

Du temps que je pouvais contempler ton visage
tout à loisir, soudain il me montait aux **yeux**
une bruine et je le voyais **précieux**
comme un nénuphar à fleur d'eau, comme un mirage

ou transfiguré comme à travers un voilage.
Aujourd'hui je n'ai plus que regards **anxieux**
Vers ton profil, presque à la dérobée au **lieu**
du face à face adorateur, muet langage.

Luc Estang, « Du temps que je pouvais… »,
Corps à cœur. XC

Je n'ai plus très envie
D'écrire des pohésies
Si c'était comme avant
J'en fairais plus souvent
Mais je me sens bien **vieux**
Je me sens bien **sérieux**
Je me sens **consciencieux**
Je me sens **paressieux**

Boris Vian, « Je n'ai plus très envie… »,
Cantilènes en gelée

☞

EUX-IEUE°

244. EÛ

élogieux
spongieux

(endroit) un **lieu**
(poisson) un lieu
(mesure) une **lieue°**
banlieue°
oublieux
cardinal de Richelieu
(soulier) un richelieu
chef-lieu
(un) bilieux
milieu
le juste-milieu
non-lieu
tonlieu
courlieu

(le) **mieux**
tant mieux

sanieux
ingénieux
sélénieux
arsénieux
(loqueteux)
(un) guenilleux
ignominieux
calomnieux
(un) insomnieux
cérémonieux
acrimonieux
parcimonieux
harmonieux
inharmonieux
hernieux
(fortuné) pécunieux
impécunieux

houilleux
(bon à rien, rég.)
gadouilleux
(difficile, arg.)
glandouilleux
(bon à rien, rég.)
brandouilleux
cafouilleux
(un) pouilleux
(rouillé) rouilleux
chatouilleux

(poteau) un pieu

(lit, arg.) un pieu
(dévôt) **pieux**
papilleux
épieu
(rugueux, rég.) répilleux
copieux
(morveux) roupieux

obséquieux
(coquille) coquilleux
(esquille) esquilleux
Montesquieu

carieux
scarieux
(Danielle) Darrieux
Saint-Brieuc
(La Rochelle) Drieu
périlleux
impérieux
sérieux
mystérieux
laborieux
glorieux
inglorieux
victorieux
industrieux
(un) **curieux**
incurieux
furieux
injurieux
luxurieux

les CIEUX
chassieux
(un) **audacieux**
fallacieux
(chic, arg.) classieux
spacieux
gracieux
malgracieux
disgracieux
tendancieux
consciencieux
(muet) **silencieux**
(d'arme) un silencieux
révérencieux
irrévérencieux
licencieux
sentencieux
(un) **prétentieux**
(un) contentieux

Péripatétisant en pantelante extase
J'endrofiais les corps **Démocriticieux**,
Quand le grand Chéaré Eurimède des **cieux**
M'anathématisa d'une antipéristase.

J'omiatélepté qu'au terr'orgueil Caucase
Le Cœlivole feu paissait **prodigieux**,
L'oiseau cardiofage, alors **présagieux**,
J'entithèse mes sens d'une écliptique phrase.

> Anonyme, « Péripatétisant en pantelante extase »,
> *Le Cabinet satyrique*

On chante au graduel : ***Fi-li-a*** !
D'une voix si lentement joyeuse
Qu'il faudrait croire que c'est l'extase
D'à jamais voir la Reine des **cieux**…

> Paul Verlaine, « L'autel bas s'orne de hautes mauves… »,
> *Bonheur.* XXXIX

❒ 62 [Jodelle] ; 98 [Du Bellay] ; 507 [Nelligan]
244.7 [Florian]

(un) factieux
(écœuré, rég.) naxieux
(un) **anxieux**
infectieux
essieu
messieurs
spécieux
précieux
(un) facétieux
monsieur
croque-monsieur
(un) **ambitieux**
(un) **séditieux**
judicieux
artificieux
officieux
(un) **malicieux**
délicieux
pernicieux
suspicieux
(un) avaricieux
(un) **capricieux**
(un) superstitieux
(un) **vicieux**

(oisif, arch.) ocieux/otieux
(pieux) dévotieux
soucieux
insoucieux
captieux
sourcilleux
Jussieu
minutieux
astucieux

(minutieux, rég.) besilleux
Lisieux
(gouffre, rég.)
un emposieu

(Georges) Mathieu
(prénom) Mathieu
saint Matthieu
fesse-mathieu
(minutieux, rég.) patilleux
vétilleux
(affectueux, rég.) amitieux
pointilleux
le Ponthieu

(grivois) croustilleux

ennuyeux

(un) **vieux**
(risqué, rég.) gavilleux
(un) **envieux**
rouvieux
(minutieux, rég.)
(un) cuvilleux
pluvieux

sous-rime voisine
244.7 GNEUX

contre-assonances
244.10 IÉ
333.9 IEN
456.11 ION

244.10 LEUX-LEUE°

BLEU

(pronom; article) **le**
(monnaie) un leu
saint Leu

alleu
(paresseux, rég.) caleux
(cal) **calleux**
franc-alleu
scandaleux

(gale) (un) **galeux**
(gallium) galleux
(niais, rég.) laleu
(journaliste, arg.)
journaleux
moelleux
(fainéant, rég.) rouâleux
(radin, arg.) râleux

(couleur)
(le) BLEU/BLEUE°
(coup; soldat) un bleu

Rare comme l'Oisel et l'Hortensia **bleus**,
Comme le diamant noir, étoile morose,
Comme le merle blanc au plumage **frileux**,
Comme le merle blanc, comme la perle rose,

Désespérant tout vers, défiant toute prose,
Naïve, elle accomplit son rite **fabuleux**,
Qu'une étrange clarté crépusculaire arrose
De raideur gracieuse et de charme **anguleux**.

> Robert de Montesquiou, « Cara rara »,
> *Les Chauves-souris.* CXXXVIII

☞

LEUX-LEUE°

bas-bleu
sableux
(homme sûr, arg.) blanc-bleu
palsambleu!
Barbe-Bleue°
sacrebleu!
maugrebleu!
ventrebleu!
têtebleu!
jarnibleu!
col-bleu
cordon-bleu
parbleu!
corbleu!
morbleu!
vertubleu!

(clubiste) cercleux

(berbères) les Chleuh(s)
(allemand) (un/e) schleu/e°/chleuh/e°

cérébelleux
fielleux
mielleux
vielleux
lamelleux
chancrelleux
grêleux

(dernier-né, rég.) tieuleu
à la **queue leu leu**
grumeleux
(petiot, rég.) caqueleu
(éleveur de coqs, Belg.) coqueleux
cauteleux
claveleux
graveleux

(marmotte, Can.) siffleux

(un) bigleux

bileux
argileux
pileux
(un) **frileux**
huileux

villeux
(bon à rien, rég.) bricoleux
(geignard, rég.) doleux
(un) rubéoleux
(crâneur, rég.) feignoleux
(collant, rég.) pégoleux
(un) varioleux

houleux
(musclé) (un) bouleux
(croulant) ébouleux

il re/**pleut**
(moulin ; promesse) un écoute-s'il-pleut
(pauvre type, rég.) pleu-pleu

bulleux
fabuleux
nébuleux
lobuleux
globuleux
tubuleux
miraculeux
pelliculeux
utriculeux
vésiculeux
méticuleux
calculeux
loculeux
(un) furonculeux
(un) tuberculeux
(un) antituberculeux
flosculeux
musculeux
glanduleux
médulleux
striduleux
noduleux
frauduleux
onduleux
(un) scrofuleux
anguleux
granuleux
papuleux
crapuleux
populeux
scrupuleux
fistuleux
pustuleux

L'âpre armure d'airain de tes chênes **calleux**
Aurait blessé le sein des dryades antiques ;
La blonde fée, enfant des forêts germaniques,
Ne saurait sous leur ombre où mirer ses ***yeux*** **bleus**.

La source, simple fille aux allures rustiques,
Aurait peine à courir parmi ces rocs **houleux** ;
Là pas d'ailes d'azur, pas de gosiers **frileux**,
Mais des corbeaux heurtant leurs notes métalliques.

Albert Mérat, « Sur un salvator »,
Avril, mai, juin... XLVII

Mais tous les oiseaux ont des ailes
même le vieil oiseau **bleu**
même la grenouille verte
elle a deux L avant **l'E**

Jacques Prévert, « Les animaux ont des ennuis »,
Histoires et d'autres histoires

Ô Vierge, au secret de l'Eau vive,
Je sens sous mes mains le flot **bleu**
Frémir de miracle... Ôte-**le**,
Ce péché, sans que mal arrive,
De ces cœurs, le mauvais lien,
Ôte-le sans leur ôter rien.

Marie Noël, « Confession à la Fontaine »,
Chants et Psaumes d'automne in *L'Œuvre poétique*

Je suis né au milieu des industries champêtres.
La garrigue crevait de boutons **pustuleux** :
Mines et fours à chaux versaient sous nos fenêtres
Des torrents de sanies et de jus **glanduleux**...

Jacques Bens, « Chants huitième, neuvième et dixième »,
Le Retour au pays

Écoutez les maximes
les plus sublimes
que rime

le maître ***Lao-Tseu***
au bord du ***Fleu***
ve **bleu**

Pierre Gripari, « Maximes chinoises »,
Fables et confidences

Les tramways, peints en jaune, glissent
en crépitant sur le rail lisse

Un pigeon ***blanc*** sur le toit **bleu**
est un spectacle ***agréable****

Paul Neuhuys, « Cloches de Pâques »,
L'Arbre de Noël

* rime avec bleu (prononcé *agréableû*)
ou assone avec spectacle (prononcé *agréabl'*)

sous-rime voisine
244.9 IEUX-IEUE

contre-assonances
333.10 LIN-LUN
481.11 LOU-E

❐ 20 [Derème] ; 53 [Béart] ; 258.9 [Verlaine]
121.15 [Rimbaud] ; 258.11 [Klingsor]

244.11 MEUX

244. EÛ

ÉMEUT
BRUMEUX

(pronom) **me**
(meuglement) meuh!
(mouvant) il (se) **meut**
fameux
squameux
rameux
(oiseau) un émeu
(émouvoir) il ÉMEUT
crémeux
(femme, arg.) une feumeu
(vache) une meumeu
(drogue, arg.) la meumeu
(excellent, arg.) c'est meumeu
venimeux
antivenimeux
le Vimeu
Malmœ/Malmö
comme eux
(gomme) gommeux
(jeune homme) un gommeux
chromeux
Font-Romeu
il promeut
écumeux
fumeux
plumeux
spumeux
BRUMEUX
(scrofuleux) strumeux
bitumeux

Quand l'aube sent la saumure et les pêcheries
Dans l'aquarium d'algue où le couchant ***se* meut**
Il voyait des reflets d'empire et de patrie
Et les monstres phosphorescents des fonds **brumeux**

Robert Goffin, « L'Île du poète »,
Corps combustible

Et la reine… on eût dit un tremble
Que le zéphyre **émeut**.
– Ah ! bâilla-t-elle, ***que je* me**
Réjouis d'être ensemble

Paul-Jean Toulet, « Hachichinn »,
Nouvelles contrerimes

Grandis à l'appel de ta cime,
Toi qui dans l'or très pur **promeus**
Tes bras durs, tes ***rameaux* fumeux** […]

Paul Valéry, « Ébauche d'un serpent »,
Charmes

Plus tard, un œil contre la vitre, en vain je l'écarquille :
On est sur l'Øresund entre Copenhague et **Malmö** ;
Il ***pleut*** encore, on ne voit rien mais l'occurrence **émeut**

Car de cet étrange bateau qui navigue sans quille,
Glissant sur les flots agités comme un long patineur,
On devrait pouvoir admirer le château d'Elseneur.

Jacques Réda, « D'un bord à l'autre »,
L'Incorrigible

sous-rimes voisines
244.10 LEUX
244.12 NEUX

contre-assonances
333.11 MIN-MUN
456.13 MON

❒

244.12 NEUX

NŒUD

(négation) **ne**
un NŒUD

manganeux
couenneux
membraneux
uraneux
stanneux

haineux
laineux
vénéneux
antivénéneux
(triste, Belg.) peineux
(sablonneux) aréneux
(merdeux) breneux
gangréneux
migraineux
veineux
intraveineux

(niais, arg.) neuneu
fête à Neuneu

gangreneux
entre-nœud

(moqueur, rég.) chineux
tendineux
libidineux
jardineux
(un) oléagineux
(un) protéagineux
mucilagineux
cartilagineux
angineux
rubigineux
uligineux
fuligineux
serpigineux
anti/prurigineux
impétigineux
vertigineux
lanugineux
érugineux
ferrugineux
lamineux
pharamineux/
faramineux
vermineux

Dans les jardins d'hiver, des fleuristes bizarres
Sèment furtivement des végétaux **haineux**,
Dont les tiges bientôt grouillent comme les **nœuds**
Des serpents assoupis aux bords boueux des mares.

Leurs redoutables fleurs, magnifiques et rares,
Où coulent de très lourds parfums **vertigineux**,
Ouvrent avec orgueil leurs vases **vénéneux**.
La mort s'épanouit dans leurs splendeurs barbares.

Iwan Gilkin, « Le mauvais jardinier »,
La Nuit

Tout à l'heure j'ai pu voir à travers les choses.
Très loin, je distinguais du blanc très **lumineux**
éblouissant la route ; un arbre **boutonneux**
révélait son écorce embellie d'ecchymoses.

Plus près, c'était un mur qui me montrait sa prose.
Devant lui s'attardait un buisson d'**épineux**.
Le contraste irisait le méplat **bétonneux**
dont j'admirai longtemps l'élégance et la pose.

Thieri Foulc, « Transparence »,
Whââáh

☞

NEUX

albumineux
légumineux
lumineux
alumineux
volumineux
cérumineux
bitumineux
(un) **épineux**
trichineux
(un) farineux
fibrineux
urineux
(un) résineux
gélatineux
(un) matineux
chitineux
glutineux
ruineux
bruineux
vineux

charbonneux
floconneux
jargonneux
haillonneux
précautionneux

sablonneux
violoneux
phlegmoneux
limoneux
goudronneux
(bavard, rég.) prôneux
poissonneux
buissonneux
soupçonneux
molletonneux
cotonneux
(un) boutonneux
moutonneux
cartonneux
savonneux

pneu
démonte-pneu

(marne) marneux
(ronchon, rég.) un marneux
caverneux

lacuneux
(rancunier, Belg.)
rancuneux

Apollon démoli par la foudre et qui **ne**
Veut pas tomber et tombe, et, dans sa folle rage,
Fait de sa chute habile un temple **ruineux**,
Une autre majesté sans nom et sans visage.

Jean Cocteau, « Cherchez Apollon »,
Poèmes 1916-1955

Or sus donc, serrez fort, liez fort, ô canaille,
Celui qui vient à vous pour dénouer vos **nœuds**,
Tiraillez, travaillez, celui-ci qui travaille,
Pour soulager les griefs de vos travaux **peineux**.

Resserrez, captivez dans un roc **caverneux**
Cil, qui sa liberté pour vos libertés baille :
Combattez, abattez, celui-ci qui bataille
Pour abattre (abattu) vos antiques **haineux**.

Jean de La Ceppède, « Or sus donc, serrez fort... »,
Théorèmes sur le sacré mystère de notre rédemption

Je me risquerai page folle
oiseau frêle au péril des **pneus**
Que lettre à lettre la Parole
rende mon livre **lumineux**

Michel Calonne, « Des oiseaux plats »,
Un silex à la mer

sous-rimes voisines
244.7 GNEUX
244.11 MEUX

contre-assonances
333.12 NIN
456.14 NON

❒ *244.7 [Mikhaël]*

244.13 OUEUX

(bourbeux) **boueux**
(éboueur) un boueux
noueux

Vêtu comme l'étaient nos aïeux dans les Gaules,
De longs cheveux châtains pendaient sur ses épaules ;
Il portait un bâton d'un houx vert et **noueux**,
Et menait par la corne une paire de ***bœufs***.

Auguste Brizeux, « Rencontre sur Ar-Voden »,
Marie

sous-rime voisine
244.20 UEUX

contre-assonances
214.15 OUÉ
333.14 O(U)IN

❒

244.14 PEUX

PEU

(adverbe) (un) PEU
(dédain) peuh!
(pouvoir) il **peut**
(laid, rég.) peut
râpeux
adipeux
polypeux
sauve-qui-peut
pulpeux
pompeux
(loup-garou) lupeux
sirupeux

Te fait rire leur parole.
Toujours du mensonge y colle.
Dents cruelles ; langue molle.

Tout se débat comme il **peut**
Dans la bouse à nom **pompeux**.
Ton rire te venge un **peu**.

Jules Romains, « Rien peut-être... »,
Pierres levées. XVI

☞

PEUX

244. EÛ

Sers-nous, ô Farceur, tu le **peux**,
Sur un plat de vermeil splendide
Des ragoûts de Lys **sirupeux**
Mordant nos cuillers Alfénide !

Arthur Rimbaud, « Ce qu'on dit au poète à propos de fleurs » IV,
Poésies

Tu brises jusqu'à soi fini
l'espace, silence grenu.
L'ultime article et Jupiter
te livrent, qualificateur !
la danse où le plus et le **peu**
répondent au même ***pipeau***.

Jacques Audiberti, « Au soldat noyé »,
Toujours

sous-rime voisine
244.1 BEUX

contre-assonances
333.15 PIN
456.16 PON

❐

244.15 QUEUX-QUEUE°

QUEUE°
(pronom ; conj.) **que**
(appendice) une QUEUE°
(futaille) une queue°
qu'eux
(pierre à aiguiser)
une queue°/queux
maître **queux**
aqueux
(merdeux, rég.) caqueux
laqueux
tête-à-queue°
pendant que
paille-en-queue°
tant que
avant que
dès que
après que
avec eux
hochequeue°
(flic, arg.) feuckeu
rouge-queue°
est-ce que
trousse-queue°

parce que
fouette-queue°
porte-queue°
(chien; cheval)
(un) courte-queue°
(cerise)
une courte-queue°
tandis que
belliqueux
(un) demi-queue°
piqueux
variqueux
afin que
bien que
talqueux
(folk, arg.) folkeux
(pauvre hère, rég.)
manoqueux
selon que
alors que
visqueux
attendu que
muqueux
verruqueux
vu que
pourvu que

Au diable, les maîtresses **queux**
Qui attachent les cœurs aux **queu's**
Des casseroles !

Georges Brassens, « La non-demande en mariage »,
Poèmes et chansons

Tu regardais dormir ma belle négligence…
Mais avec mes périls, je suis d'intelligence,
Plus versatile, ô Thyrse, et plus perfide **qu'eux**.
Fuis-moi ! du noir retour reprends le fil **visqueux** !

Paul Valéry, « La Jeune Parque »,
Poésies

Femmes d'une beauté insolente
Qui prennent le train en robe à **queue**
Et se meuvent, selon le rythme des plantes
D'une serre **tchécoslovaque***.

Jean Cocteau, « L'incendie »,
Poèmes 1916-1955

* prononcé « tchécoslovaqueû »

Femme je t'aime **parce que**
une bagnole entre les pognes
tu n'deviens pas aussi ***con* qu'eux**
ces pauvres tarés qui se cognent
[…]
Femme je t'aime, surtout, enfin
pour ta faiblesse et pour tes ***yeux***
quand la force de l'homme ne tient
que dans son flingue ou dans sa **queue**

Renaud, « Miss Maggie »,
Le Temps des noyaux

sous-rimes voisines
244. 8 GUEUX
244.9 IEUX-IEUE

contre-assonances
333.16 QUIN-CUN
456.4 CON

❐ *244.8 [Richepin]*

244.16 REUX

HEUREUX
MALHEUREUX
AFFREUX
AMOUREUX

areu/areu!
macareux
(calcaire, Belg.) calcareux
(dégoûté, Belg.) nâreux
(un) **foireux**
(mondain) soireux
par eux
(un) catarrheux
(frisson) brrr!
scabreux
(hardi) escalabreux
(un) **hébreu**
(un) **ténébreux**
fibreux
ombreux
nombreux
(un) **creux**
chancreux
(maladif, rég.)
(un) chêcreux
songe-creux
ocreux
Dreux
filandreux
cendreux
poudreux
(fécond) ubéreux
subéreux
tubéreux
(un) pondéreux
ferreux
pierreux
poussiéreux
scléreux
(un) artérioscléreux
glaireux
(un) **coléreux**
généreux
onéreux
séreux
(un) cancéreux
anticancéreux
(un) ulcéreux
(un) **miséreux**
terreux
cul-terreux
véreux
cadavéreux
(un) HEUREUX
(pauvre hère, rég.) nichereux
(écœuré, rég.)
malaucœureux
dangereux

chaleureux
(un) MALHEUREUX
valeureux
(pleureur, rég.) pleureux
(un) **bienheureux**
(un) **peureux**
doucereux
freux
(un) AFFREUX
(grognement) grrr!
(un) pellagreux
mire-œufs
squirr(h)eux
cireux
désireux
butyreux
vireux
(fétide) nidoreux
hypo/phosphoreux
hypo/chloreux
poreux
vaporeux
(endormant) soporeux
stuporeux
ichoreux
liquoreux
stertoreux
langoureux
rigoureux
vigoureux
douloureux
(un) AMOUREUX
pour eux
savoureux
(premier, arg.) (le) preu
(brave) (un) **preux**
(un) **lépreux**
théâtreux
plâtreux
(un) goitreux
entre eux
pétreux
salpêtreux
nitreux
vitreux
malencontreux
(religieux) chartreux
(chat) chartreux
dartreux
tartreux
désastreux
mercureux
sulfureux
tellureux
sur eux
plantureux
aventureux
Évreux
fiévreux
givreux
cuivreux

sous-rime voisine
244.10 LEUX

contre-assonances
333.17 RIN-RUN
456.17 RON

Baise m'encor, rebaise-moi et baise ;
Donne m'en un de tes plus **savoureux**,
Donne m'en un de tes plus **amoureux** :
Je t'en rendrai quatre plus chauds que braise.

Las ! te plains-tu ? Çà, que ce mal j'apaise,
En t'en donnant dix autres **doucereux**.
Ainsi, mêlant nos baisers tant **heureux**,
Jouissons-nous l'un de l'autre à notre aise.

Louise Labé, « Sonnet » XVIII,
Œuvres poétiques

Les courlis parlent **entre eux**
Leur volant vocabulaire
C'est l'heure où le ciel est **creux**
D'un subit départ solaire
Les noyés au cœur **ombreux**
Lorsque le soir est si clair
Voyez-vous sont **malheureux**
Ils n'ont personne à qui plaire
Les courlis parlent **entre eux**
Courlis courlis **coléreux**

Louis Aragon, « Courlis »,
Le Nouveau Crève-cœur

Ô royauté tragique ! ô vêtement infâme !
Ô poignant diadème ! ô sceptre **rigoureux** !
Ô belle, et chère tête ! ô l'amour de mon âme !
Ô mon Christ, seul fidèle et parfait **amoureux** !

On vous frappe, ô saint chef, et ces coups **douloureux**
Font que votre couronne en cent lieux vous r'entame.
Bourreaux, assénez-le d'une tranchante lame,
Et versez tout à coup ce pourpre **généreux**.

Faut-il pour une mort qu'il en souffre dix mille ?
Hé, voyez que le sang, qui de son chef distille,
Ses prunelles détrempe, et rend leur jour **affreux**.

Ce pur sang, ce nectar, profané se mélange
À vos sales crachats, dont la sanglante fange
Change ce beau visage en celui d'un **lépreux**.

Jean de La Ceppède, « Ô royauté tragique… »,
Théorèmes sur le sacré mystère de notre rédemption

Seigneur qui les avez pétris de cette terre,
Ne vous étonnez pas qu'ils soient trouvés **terreux**.
Vous les avez pétris de vase et de poussière,
Ne vous étonnez pas qu'ils marchent **poussiéreux**.

Seigneur qui les avez frappés de votre foudre,
Ne vous étonnez pas qu'ils soient trouvés **peureux**.
Vous qui les avez fait sortir de cette poudre,
Ne vous étonnez pas qu'ils soient trouvés **poudreux**.

Vous les avez pétris de cette humble matière,
Ne vous étonnez pas qu'ils soient faibles et **creux**.
Vous les avez pétris de cette humble misère.
Ne soyez pas surpris qu'ils soient des **miséreux**.

Vous qui les avez faits d'une argile grossière,
Ne soyez pas surpris qu'ils soient trouvés **lépreux**.
Et vous qui les avez livrés aux vers de terre,
Ne vous étonnez pas qu'ils soient trouvés **véreux**.

Charles Péguy,
Ève, p. 1040

❒ 258.13 [Mallarmé] ; 545 [Gilkin]
535.15 [Romains]

244.17 SSEUX

244. EÛ

CEUX
PARESSEUX

(pronom; adj. dém.) **ce**
(pronom dém.) CEUX
(pronom personnel) se
(paresseux, rég.)
pougnasseux
chiasseux
glaceux
(angoissé) (un) angoisseux
poisseux
crasseux
(un) **chanceux**
(un) **malchanceux**
(guérisseur, rég.) panseux
gneisseux
(un) PARESSEUX
graisseux
iceux
siliceux
pisseux
osseux
interosseux
ponceux
ronceux
(écumeux) mousseux
(vin) (un) mousseux
(tousseur) (un) tousseux
gypseux
Tchouang-tseu
(Mencius) Mong-tseu
Lao-tseu
quartzeux

Que n'ai-je encor la harpe thracienne,
Pour réveiller de l'enfer **paresseux**
Ces vieux Césars, et les ombres de **ceux**
Qui ont bâti cette ville ancienne ?

Joachim du Bellay, « Que n'ai-je encor… »,
Les Antiquités de Rome. XXV

Son front chauve est haché de rides, son œil vague
Regarde sans rien voir. Sur un des doigts **osseux**
Une opale larmoie au chaton d'une bague.

Hâlé par de lointains soleils, il est de **ceux**
Que, jadis, le César Souabe à barbe rousse
Emmena pour aider aux Chrétiens **angoisseux**.

Charles Leconte de Lisle, « Le Lévrier de Magnus »,
Poèmes tragiques

Alle avait quéqu's ***cheveux*** **graisseux**,
Perdus dan' un filet **crasseux**
Qu'avait vieilli su' sa tignasse,
À Montpernasse

Aristide Bruant, « À Montpernasse »,
Dans la Rue

savourez quelques vers
De Verlaine ou de Prévert
Une pensée de **Lao-Tseu**
Apitoyez-vous sur **ce**
Pauvre César Birotteau
Qui a croqué tout son gâteau

Pierre Perret, « Lire »,
Chansons de toute une vie

Est-ce que les arbres sont pauvres **ceux**
que je regarde au loin dans le temps l'**espace***
à travers deux trois mots un ***jeu***
de rimes tellement simple un ***jeu***
du cœur avec les mots […]

James Sacré, « Les arbres »,
Ancrits

* prononcé « espaceux »

Je méprise, vrai ! ces vers-***ci***,
Mais j'aime le sujet d'**iceux** !
Sont-ils tendres ! Sont-ils **pisseux** ?
Mais le sujet est ***réussi***.

Paul Verlaine, « À E…, pour ses étrennes »,
Dédicaces. XLVIII

– Ah ! Sacré nom de ***Zeus***,
Les temps sont bien changés ! Jadis, j'étais de **ceux**
Qui dorment sur des peaux de tigres d'Hyrcanie […]

Maurice Donnay, « Phryné » premier tableau,
Autour du Chat Noir

sous-rimes voisines
244. 18 S(Z)EUX
244. 2 CHEUX

contre-assonances
333.18 SSIN
456.18 SON
358.19 SSI

❐

244.18 S(Z)EUX

deS œufs
verS eux
(molasson, rég.) baseu
gazeux
oiseux
vaseux
(niais, Can.) (un) niaiseux
(glaise) glaiseux
(paysan, arg.) un glaiseux
(riche, arg.) braiseux
gréseux
(taciturne, Belg.) (un) taiseux
Yseu(l)t/Iseu(l)t
(Auguste) Brizeux
(nerveux, Suisse) criseux
(un) bouseux
(clochard, rég.) vestibouseux
(barbu, arg.) barbouseux
cornemuseux

sous-rimes voisines
244. 6 GEUX
244.17 SSEUX

contre-assonances
333.19 S(Z)IN
456.19 S(Z)ON
214.20 S(Z)É

Tout l'hiver, le regard **oiseux**,
Trahi par la vitre bossue,
Sur la touffe où furent **les œufs**
Compose un songe sans issue !

Paul Valéry, « Pour votre hêtre "suprême" »,
Pièces diverses

votre corps roula,

roula jusqu'à l'aine,
en l'oubli **vaseux**…
Tristan et **Yseut**,
Pâris et Hélène…

Benjamin Fondane, « Tristan et Yseut » III ,
Au temps du poème et Poèmes épars in *Le Mal des fantômes*

Nous détestions les travailleurs des champs tous entiers
[…]
Les soigneurs attitrés.
Bousés.
Bouseux.
Beaucoup trop ***courageux***.

Jean-Pierre Verheggen,
Porches, Porchers. 1

❐

244.19 TEUX

HONTEUX

te
(un) **gâteux**
(un) érysipélateux
matheux
œdémateux
(un) myxœdémateux
(cinématographique, arg.) cinémateux
(un) eczémateux
(un) emphysémateux
exanthémateux
érythémateux
parenchymateux
(un) **comateux**
sarcomateux
carcinomateux
fibromateux
lépromateux
(un) **boiteux**
convoiteux
pâteux
(riche, arg.) argenteux
médicamenteux
ligamenteux
filamenteux
excrémenteux
pavimenteux
tomenteux
sarmenteux
(tempétueux) tourmenteux
venteux

laiteux
(riche, arg.) galetteux
(à lunettes) lunetteux
(un) péteux
(sans appétit, rég.) regretteux
acéteux
(un) disetteux
(sans appétit, rég.) niqueteux
(un) loqueteux
souffreteux
(drogue, arg.) du teuteu
duveteux
aphteux
(peureux, rég.) chiteux
(un) chichiteux
(un) bronchiteux
graphiteux
(pauvre) (un) **miteux**
(mioche, Suisse) un miteux
(affectueux, rég.) amiteux
calamiteux
(misérable) (un) marmiteux
graniteux
(un) **vaniteux**
séléniteux
piteux
capiteux
(misérable) (un) maupiteux
anthraciteux
(un) nécessiteux
(travailleur de nuit, arg.) nuiteux
pituiteux

Ah, quel feu ! quelle colique !
Quel hoquet ! J'en suis **honteux**.
Sors, Esculape hydraulique !
Ton remède peu **coûteux**
Est **venteux**
Et **douteux**.
Ne crois pas que je me pique
De décéder hydropique,
Quand je peux vivre **goutteux**.

Antoine-Pierre-Augustin de Piis, « Dialogue »,
Chansons. Livre II

Croûtelevés et **marmiteux**
De Nevers, de Chartre ou de Tulle,
Spatalocinèdes **piteux**
Couverts de gale et de pustule,
[…]
Philistins **gâteux**, ce son**t eux**,
Les **miteux**, que chacun gratule,
Malgré leurs gestes **comateux**,
Leur ventre et leurs doigts en spatule […]
C'est de la viande de cochon.

Tous, notaires **galipoteux**,
Monteurs de coups et de pendule,
Dentistes, avoués **quinteux**,
Tous, le jobard et l'incrédule […]
C'est de la viande de cochon.

Laurent Tailhade, « Ballade touchant l'ignominie
de la classe moyenne »,
Poèmes aristophanesques

'EUX

244. EÛ

quinteux
cahoteux
raboteux
(bricoleur, rég.) graboteux
(minutieux, rég.)
(un) chicoteux
motteux
clapoteux
(sale, arg.) crapoteux
(sale, arg.) galipoteux
azoteux
HONTEUX
ce sont eux
rebouteux
caoutchouteux

coûteux
(distrait) cheval écouteux
douteux
(succulent) goûteux
(malade) (un) goutteux
caillouteux
velouteux
croûteux
grisouteux
(lumineux, rég.) clarteux
pesteux
schisteux
(jus) **juteux**
(adjudant, arg.) un juteux

Renonçons, Valimbert, au monde **convoiteux**
Où les hommes mauvais ont liberté de rire,
Les bons occasions de pleurer et maudire
Du variable sort les efforts **dépiteux**.

Personne ne boit plus notre air **calamiteux**,
Sinon à celle fin qu'il pleure le martyre
De ceux qui sont vivants et lamente et soupire
Avec les morts cachés sous les tombeaux **nuiteux**.

Jean-Baptiste Chassignet, « Renonçons, Valimbert… »,
Le Mépris de la vie et consolation contre la mort. CCCIV

Si j'étais **pohéteû**
Je serais ***ivrogneû***
J'aurais un nez ***rougeû***
Une grande **boîteû**
Où j'empilerais
Plus de cent sonnais
Où j'empilerais
Mon ***nœuvreû*** complait.

Boris Vian, « Si j'étais pohéteû »,
Cantilènes en gelée

sous-rime voisine
244.3 DEUX

contre-assonances
333.20 TIN-TUN
456.20 TON

❒ 186 [Cocteau]

244.20 UEUX

MONSTRUEUX
VOLUPTUEUX

sinueux
MONSTRUEUX
flexueux
luxueux
(flatulent) flatueux
talentueux
torrentueux
(crevassé) anfractueux
affectueux
défectueux
respectueux
irrespectueux
délictueux
onctueux
(grave) componctueux
(instable) **fluctueux**
fructueux
infructueux
tempétueux
impétueux
halitueux
(un) **spiritueux**
difficultueux
tumultueux
vultueux
montueux
somptueux
(un) **présomptueux**
(un) VOLUPTUEUX
vertueux
tortueux
fastueux
(un) incestueux
majestueux

Lorsque je serai riche et que tu seras morte,
Je saurai le néant de tes goûts **fastueux** ;
Mais au miroir éteint je serai **monstrueux**
De t'avoir fait rêver aux grand-ouvertes portes

Qu'il me faudra trente ans pour franchir sous escorte,
Sans pouvoir ranimer ton front **voluptueux**.

Louis Montalte, « Deux jarres à Bruniquel » 2,
Roses de sable

Père Océan, commencement des choses,
Des Dieux marins le sceptre **vertueux**,
Qui maint ruisseau, et fleuve **impétueux**
En ton sein large enfermes, et composes :

Tu ne sens point, quand moins tu te reposes,
Plus s'irriter de flots **tempétueux**
Contre tes bords, qu'en mon cœur **fluctueux**
Je sens de vents, et tempêtes encloses.

Joachim du Bellay, « Père Océan »,
L'Olive. XLVIII

Vous n'avez plus connu les flots **tumultueux**
Jaillis de la fontaine à nulle autre pareille.
Vous n'avez plus connu les manteaux **somptueux**
Jetés sur le muguet et la salsepareille.
[…]
Vous n'avez plus connu les flots **impétueux**
Jaillis de la fontaine à nulle autre seconde.
Vous n'avez plus connu dans la clarté d'un monde
L'image et le reflet d'un soleil **fastueux**.
[…]
……

UEUX

244. EÛ

Vous n'avez plus connu les blés **présomptueux**
Gouvernant les saisons comme une éternité,
Anticipant le temps en toute impunité,
Vous n'avez plus connu les blés **torrentueux.**

Vous n'avez plus connu les blés **majestueux**
Et le manteau royal au seuil de votre cour.
Vous n'avez plus connu les enfants **fructueux**
Et le manteau royal au seuil de votre amour.

Vous n'avez plus connu les blés **tempétueux**
Soulevant tout un monde en leur énorme vague,
Et l'homme sur son sol, et la senne et la drague,
Et le dénombrement des blés **affectueux**.

Charles Péguy,
Ève, p. 948

sous-rimes voisines
244.9 EUX
244.13 OUEUX

contre-assonances
214.22 UÉ
91.24 UAN
333.21 UIN

❐

244.21 VEUX

VEUX
VŒU
CHEVEUX

il VEUT/je VEUX
(souhait) un VŒU
aveu
(bave) baveux
(avocat, arg.) un baveux
désaveu
des CHEVEUX
sèche-cheveux
neveu
arrière-/petit-neveu
arrière-neveu
il reveut
(hautain, rég.)
(un) grandiveux
(baveux) saliveux
(un) **nerveux**
hypernerveux
verveux
(un) **morveux**

Parle-moi, de ta voix pareille à l'eau courante,
Lorsque s'est ralenti le souffle des **aveux**.
Dis-moi des mots railleurs et cruels si tu **veux**,
Mais berce-moi de la mélopée enivrante.

De ce timbre voilé qui m'attriste et m'enchante,
Lorsque mon front s'égare en tes vagues **cheveux**,
Exprime tes espoirs, tes regrets et tes **vœux**,
Ô mon harmonieuse et musicale amante !

Renée Vivien, « Sonnet »,
Études et Préludes

Non! Dis-lui que la vie accablait le **nerveux**.
Je renonce l'or pâle et le sexe **morveux**.
Ma lèvre d'os choisit l'écume pour abeille.
La carène frémit et le large s'éveille.
Les sirènes de l'urne embrassent mes **cheveux**.
Je ne me connais plus d'égaux ni de **neveux**.
Et je pénètre, enfin, la couleur de mes **vœux**.

Jacques Audiberti, « Chanson pour mourir un jour »,
Race des hommes

vous souvenez-vous de l'avant-guerre
les cuillères à absinthe les omnibus à ***chevaux***
les épingles à **cheveux**

Jacques Prévert, « Le Temps des noyaux »,
Paroles

sous-rime voisine
244.5 FEU

contre-assonances
333.22 VIN
456.22 VON
453.25 VO

❐ *244.5 [Apollinaire]*

245. EUCTE

Polyeucte

assonances
255. EUTE
252. EUQUE

contre-assonances
9. ACTE
130. ECTE
344. INCTE

246. EUDE-EUD°

(roi) Eude(s)
saint Jean Eudes
(rien, arg.) queude
(disque, verl.) un skeud°
leude
(dire, verl.) reude
(Sigmund) Freud°

L'un ***d'eux***, **Eudes**
De Montfort,
Fut des **leudes**
Le plus fort,
Son épaule
Jusqu'au pôle
Portait Dôle,
Sans effort.

Victor Hugo, « Le Prince fainéant »,
Toute la Lyre. VII, 2

❒

assonance
255. EUTE

contre-assonances
345. INDE
438. AUDE

247. EUGE-EUJ°

(jambes, verl.) les beujes
Maubeuge
(juif, verl.) un feuj°
émeus-je?
promeus-je?
veux-je?

m'émeus-je ?
Parce qu'un régiment arrive de **Maubeuge** ?

Victor Hugo,
Suite de Châtiments, cote 69.294 in *Chantiers*

Parler d'***orage*** et d'***herbage*** d'avant l'***orage***
À quelqu'un au secret des prisons, qui le peut
Sinon celle qui sans ***irais-je*** et sans qu'y **peux-je**
Sait traverser, moderne aux pieds nus, le ***blindage***,
Sait dissiper de paumes d'***ange*** le ***blindage***
De cette chambre forte où quelqu'un est captif ?

Marcel Thiry, « Parler d'orage et d'herbage »,
Le Festin d'attente

❒

assonance
254. EUSE

contre-assonances
105. ANGE
19. AGE
139. ÈGE

248. EUGME

zeugme

assonance
250. EUME

contre-assonances
19. AGME
141. EGME
277. IGME

249. EULE-EUL°

MEULE

(Heinrich) Böll°
la Deûle
il feule
(de foin) une MEULE
(broyeur) il/une MEULE
(moto, arg.) une meule
(fesses, arg.) des meules
(un/e) peu(h)l°/e
(il beugle, rég.) il breule
(il secoue, Suisse) il greule
(il va et vient, rég.) il treule
éteule

Midi plombe, et va changeant,
Même à l'ombre, au pied des **meules**,
Les pointes d'or des **éteules**
En blancs braisillons d'argent.

Pauvre *chasseur diligent*,
Depuis l'aube en vain tu **treules**.
Les chiens bavent, mous et **veules**.
Pas de gibier ! C'est rageant.

Jean Richepin, « Les mois. 9. Septembre »,
Interludes

☞

EULE-EUL

veule

vous Niam-Niam, vous Saxons, toi **Peuhl**,
cuirassés du même uniforme
que chacun croit qu'il porte ***seul***,
toujours sur lui qu'il pisse ou dorme.

Jacques Audiberti, « Ababab »,
Ange aux entrailles

Le Dauphin très obèse, fils de **feu le**
Roi Ruc, à son tour maintenant tient
Le sceptre et non d'une façon **veule**.

Géo Norge, « Le roi Moume »,
Les Quatre vérités

un jour de plus pour les **éteules**
un jour de pluie pour les ***étoiles***

Julien Torma, « Automnatone »,
Le Grand Troche

assonance
251. EÛNE

contre-assonances
223. EUL-E [œl]
442. AULE-ÔL
498. OUL-E

❐

250. EUME-EUM

(Jakob) Böhme
(il épluche, rég.) il pieume
(mec, verl.) un keum°
neume
(mère, verl.) une reum°
(Ernst) Röhm°

(il beugle, rég.) il breume
(maigre, verl.) greum°
empyreume
(premier, arg.) (le) preum°
angström°/angstroem°
Maelström°/
maelström°

Ils ont, pour vivant amulette,
Touché ma gorge qui halète
Sous les ornements vipérins ;
Étourdie, ivre, d'**empyreumes**,
Ils m'ont, au murmure des **neumes**,
Rendu des honneurs souterrains.

Paul Valéry, « La Pythie »,
Charmes

assonances
249. EUL-E
251. EÛNE

contre-assonances
444. AUME
559. UME

❐

251. EÛNE-ŒHN

JEÛNE

la Dheune
fœhn°
il/un JEÛNE
(épuisé, arg.) queune
(il coïte, arg.) il queune

Un cahier d'anciens croquis
Plein de portraits de femmes ***jeunes***
Un vieux vin dont le goût exquis
En retour réclame des **jeûnes**.

Guillaume Apollinaire, « Un cahier d'anciens croquis… »,
Le Guetteur mélancolique

je suis sombre, je suis en cendres
dans mes timbales le temps ***sonne***
Je suis au désert et je **jeûne**
ma tête crie à faire esclandre

je me déchire je m'***adonne***
aux routes froides sans rencontre
et rares airelles se montrent
à mes buissons d'autan de **fœhn**

Jacques Roubaud, « Octobre »,
∈

☞

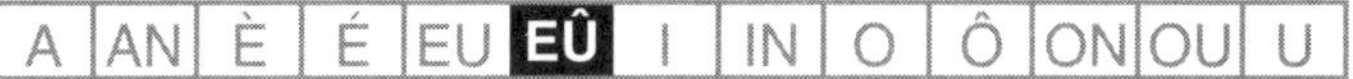

EÛNE-ŒHN°

Nous y vînmes par un faux cadavre de ***jeune***
Page au centre d'une étoile de vin d'Espagne
Sur la route en haut de laquelle un ***jaune*** **jeûne**
Pompait les corps érotiques malgré le pagne.

Jean Cocteau, « Hommage au Greco »,
Poèmes 1916-1955

Nous étions des Français, assez mauvais Anglais,
Méprisant Bonaparte, observant mal le **jeûne**,
Pauvres, proscrits vaincus, dignes d'**expioulcheune***.

Victor Hugo,
Suite de Châtiments, cote 69.305 in *Chantiers*

* *expulsion* prononcé à l'anglaise et transcrit à la française

assonance — *249. EULE*

contre-assonances — *225. EUNE-UN* [œn], *445. AUNE*, *393. ONE*

❒

252. EUQUE

les **Leuques**
(vers) un **phaleuque**
(il tousse, rég.) il **teuque**
le **Pentateuque**

Nous étions réservistes ou vétérans devenus latifundistes. [...] Adeptes béjaunes ou evzones baisés par leurs Grecs dans leur zone à minettes. Gendelettres ou manipulateurs de gégène. **Leuques**. ***Pleutres***.

Jean-Pierre Verheggen,
Pubères, Putains. Troisième partie, 2

– Nous vous ferons pareils au vieil Israélite
Qui menait sa nation par les mers ***spleenétiques***
Et les juifs qui verront vos cornes ***symboliques***
Citant Genèse et Décalogue et **Pentateuque**
Viendront vous demander le sens secret des rites

Robert Desnos, « Le Fard des Argonautes »,
Corps et biens

assonances — *245. EUCTE*, *254. EUSE*

contre-assonances — *111. ANQUE*, *353. INQUE*, *306. IQUE*

❒

253. EUS°-EUSSE

ZEUS°
(mollasson, rég.) une **beusse**
(pardessus, arg.)
un **lardeuss°/e**
pardeusse
(Albrecht) **Goes°**
(100 F, verl.) un **keuss°/e**
(brebis, rég.) une **queusse**
(limon) le **lœss°**
(Gaulois) les **Leuces**
(vers) un **phaleuce**
basileus°
(femme volage, rég.)
une **torleûsse**
Neuss°
(morveux, Belg.)
un **snotteneus°**
la **Reuss°**
(sœur, verl.) une **reusse**
(ceux, populaire) **ceuss°/es**
ZEUS°
(il tête, rég.) il **teusse**

Au-delà de l'Araxe où bourdonne le gromphe,
Il regardait, sans voir, l'orgueilleux **Basileus**,
Près du rose granit que poudroyait le **leuss***,
La blanche floraison des étoiles du romphe.

Accoudé sur l'Homère au coffret chrysogomphe,
Revois-tu ta patrie, ô jeune fils de **Zeus**,
La plaine ensoleillée où roule l'**Ænipeus****,
Et le marbre doré des murailles de Gomphe ?

Philippe Berthelot, « Alexandre à Persépolis »,
in Bechtel/Carrière, *Dictionnaire de la bêtise* [article "Triomphe"]

* lœss ** Énipée, rivière de Thessalie

Voilés par les flocons de nos pipes,
(Comme autrefois Héra copulait avec **Zeus**),
Nos vits tels que des nez joyeux de **Karragheus***
Qu'eussent mouchés nos mains d'un geste délectable,
Éternuaient des jets de foutre sous la table.

Paul Verlaine, « Dans ce café bondé d'imbéciles... »,
Hombres. XI

* polichinelle priapique

☞

EUS°-EUSSE

assonance
254. EUSE

contre-assonances
449. AUSSE-OS
469. ONCE

À tous les potes qui ont la cerise
Elle donne son **lardeusse**
Elle leur file même sa chemise
Bien qu'elle soit ***frileuse***

Pierre Perret, « Rebecca »,
Chansons de toute une vie

T'arring' ben tout cha, fichu' **gueusse** !
Te pri' l'bon Diu d'êt' **malheureusse**.
Te fil'ras pour chés p'tiots martyrs.

Marceline Desbordes-Valmore, « Dialogue »,
Poésies en patois

❒ *244.17 [Donnay]*

254. EUSE

AMOUREUSE

(joyeuse, arg.) flambeuse
gibbeuse
regimbeuse
(chic, arg.) galbeuse
bulbeuse
(une) daubeuse
gobeuse
(flatteuse, rég.) lobeuse
enrobeuse
bombeuse
ébarbeuse
herbeuse
(vomitive, arg.) gerbeuse
(appareil) une gerbeuse
verbeuse
bourbeuse
tourbeuse
(une) rabâcheuse
(baratineuse, arg.)
(une) tchatcheuse
(une) **fâcheuse**
(boueuse) gâcheuse
(qui gâche) une gâcheuse
lâcheuse
flacheuse
mâcheuse
arracheuse
cracheuse
ensacheuse
détacheuse
avalancheuse
trancheuse
(buveuse, arg.)
pitancheuse
bêcheuse
(dépensière, arg.)
décheuse
(miséreuse, arg.) décheuse
lécheuse
mécheuse
pêcheuse
empêcheuse
(une) prêcheuse
sécheuse
afficheuse

(une) **aguicheuse**
(buveuse, arg.) licheuse
clicheuse
(pleurarde, arg.)
larmicheuse
dénicheuse
(une) pleurnicheuse
défricheuse
(une) **tricheuse**
pasticheuse
(danseuse, arg.) guincheuse
lyncheuse
(une) **grincheuse**
embaucheuse
(une) bambocheuse
(pervertisseuse)
débaucheuse
(prostituée, arg.) flibocheuse
faucheuse
(qui mange peu)
pignocheuse
piocheuse
(morveuse, rég.) locheuse
effilocheuse
pocheuse
rocheuse
montagnes Rocheuses
brocheuse
(une) accrocheuse
raccrocheuse
décrocheuse
coucheuse
accoucheuse
doucheuse
loucheuse
retoucheuse
(une) **marcheuse**
démarcheuse
her(s)cheuse
(une) chercheuse
percheuse
catcheuse
bûcheuse
coquelucheuse
p(e)lucheuse
éplucheuse

(deuxième) la deuze
(une) gambadeuse

La **moissonneuse-batteuse-lieuse**
s'en va par monts et par vaux
elle n'est point **paresseuse**
c'est une bonne **travailleuse**
et vaut bien le prix qu'elle vaut

le taureau roulant ses gros yeux
se dit : oh la belle bête
Pasiphaë pesait bien peu
à côté de cette conquête

il la séduit aussitôt
elle en tombe **amoureuse**
il me fera un petit veau
songe-t-elle toute **rêveuse**

elle devint mère effectivement
d'une **égraineuse-écosseuse-dénoyauteuse**
et le taureau fut bien content
car il approuvait les mutants
et les histoires **fabuleuses**

Raymond Queneau, « Une histoire fabuleuse »,
Battre la campagne

J'ai connu la Pépette
Aux **autos tamponneuses**
Elle, elle avait la sept
Et moi, j'avais la **deuze*** [...]
J'ui ai dit : Tu viens souvent
Aux **autos tamponneuses** ?
Elle m'a dit qu'elle venait souvent
Que ça la rendait **joyeuse** [...]

... On est allé boire une **Gueuze**
Près des **autos tamponneuses**,
L'avait l'air beaucoup **heureuse**
Dans sa robe jaune,
L'était pas vraiment **bêcheuse**,
L'était pas du tout **affreuse,**
Moi, j'avais des idées **vicieuses**
Sous mes ch'veux jaunes...

J'ai offert à Pépette
Un tour d'**autos tamponneuses**,
Elle, elle a gardé la sept
Moi, j'ai repris la ***onze*** [...]

Renaud, « Près des autos tamponneuses »,
Le Temps des noyaux

* la deuxième

EUSE

cascadeuse
(travailleuse, arg.) chiadeuse
(une) baladeuse
(prostituée, arg.) radeuse
paradeuse
bradeuse
(sale, arg.) cradeuse
persuadeuse
(excitée, arg.) bandeuse
marchandeuse
pourfendeuse
(paresseuse, arg.) glandeuse
ramendeuse
quémandeuse
demandeuse
(une) réprimandeuse
épandeuse
dépendeuse
descendeuse
tendeuse
(une) **vendeuse**
revendeuse
plaideuse
hideuse
valideuse
décideuse
videuse
dévideuse
soldeuse
(boyeuse) clabaudeuse
(gluante, rég.) libodeuse
codeuse
décodeuse
(paillarde, arg.) godeuse
raccommodeuse
rôdeuse
maraudeuse
taraudeuse
brodeuse
fraudeuse
ravaudeuse
(rôdeuse, rég.) galvaudeuse
fondeuse
émondeuse
pondeuse
répondeuse
(une) frondeuse
grondeuse
sondeuse
tondeuse
(une) boudeuse
baroudeuse
soudeuse
(hard rock, arg.) hardeuse
cardeuse
(triste) (une) cafardeuse
(moucharde) une cafardeuse
gardeuse
regardeuse
(avare) (une) liardeuse
cauchemardeuse
chapardeuse
hasardeuse
(une) merdeuse
(débrouillarde, arg.) (une) démerdeuse
(une) emmerdeuse
accordeuse
(une) mordeuse
tordeuse
retordeuse

caséeuse
nauséeuse

(une) gaffeuse
piaffeuse
(personne) **coiffeuse**
(table) coiffeuse
graffeuse
agrafeuse
staffeuse
greffeuse
bluffeuse
(droguée, arg.) sniffeuse
(mangeuse, arg.) briffeuse
griffeuse
suiffeuse
golfeuse
chauffeuse
bouffeuse
esbroufeuse
étouffeuse
surfeuse
(prostituée, arg.) turfeuse

(une) saccageuse
marécageuse
gageuse
(une) **voyageuse**
nageuse
moyenâgeuse
aménageuse
déménageuse
tapageuse
rageuse
ombrageuse
naufrageuse
orageuse
(une) **courageuse**
outrageuse
avantageuse
désavantageuse
(qui partage) (une) partageuse
(communiste) une partageuse
nuageuse
ravageuse
changeuse
(viticult.) **vendangeuse**
(fleur) vendangeuse
fangeuse
mangeuse
(une) **louangeuse**
arrangeuse
manageuse
bridgeuse
liégeuse
piégeuse
neigeuse
corrigeuse
Bételgeuse
logeuse

Adieu à ces vies **plantureuses**
Aux villages dorés dans le vent du matin
Tapis, capis au pied des collines **heureuses**
Parfumées des rosiers, des menthes et du thym,

Adieu fille aux lèvres **chanteuses**
Adieu bistrots, adieu putains
La mort n'est pas moins **généreuse**
Étendards, charge **aventureuse**
Cri des trompettes au lointain
Quand le vent du galop berce nos têtes **creuses**,
Quand nos chevaux cabrés hennissent au destin.

Maurice Fombeure, « La paix, la guerre… »,
Les Étoiles brûlées

C'est pire que vendre de l'opium, que c'est semer l'hérésie ?
Amitié ! C'est une des inventions **pernicieuses**
Des écœurés de la Grèce antique ! Il n'y a plus d'amis,
Qu'il n'y a eu de Bacchus et de ***Zeus*** !

Réjean Ducharme,
La Fille de Christophe Colomb. 86

Tous les fleuves sont nos amis.
Le plus rebelle porte un nom.
L'ancienne terre s'est ***soumise***.
Rhin et ***Tamise***, Rhône et **Meuse**.

Jules Romains, « Chant de mer »,
L'Homme blanc

❐ *255 [Fondane] ; 581 [Laforgue]*

pataugeuse
plongeuse
rongeuse
(une) **songeuse**
chargeuse
margeuse
forgeuse
égorgeuse
ultra/centrifugeuse
jugeuse
lugeuse
(dupeuse) grugeuse
jument cagneuse
(élève, arg.) une cagneuse/khâgneuse
gagneuse
soigneuse
montagneuse
baigneuse
(une) **dédaigneuse**
peigneuse
(douteuse, arg.) craigneuse
(sanglante) saigneuse
(ouvrière) une saigneuse
(une) teigneuse
(moqueuse, rég.) chigneuse
(indécise) barguigneuse
ligneuse
déligneuse
libéro-ligneuse

pyroligneuse
(grincheuse, Belg.) grigneuse
(une) égratigneuse
(honteuse, rég.) vergogneuse
(galeuse) rogneuse
(bougonne) rogneuse
(ouvrière) une rogneuse
(infecte) charogneuse
(une) grogneuse
(une) besogneuse
hargneuse
lorgneuse
(catin) une **gueuse**
(il mendie) il gueuse
(fonte) une gueuse
(bière) une gueuse/gueuze
(une) blagueuse
dragueuse
harangueuse
tangueuse
(poisseuse, rég.) pégueuse
ligueuse
bourlingueuse
(loucheuse, rég.) gogueuse
joggeuse
fongueuse
fougueuse

(receleuse, arg.) fourgueuse
fugueuse
subjugueuse
rugueuse

yeuse
bâilleuse
écailleuse
rocailleuse
(rouspéteuse, arg.) rouscailleuse
(ripailleuse, rég.) godailleuse
(bâfreuse) boustifailleuse
(désordonnée, arg.) pagailleuse
(une) piailleuse
(une) criailleuse
(une) chamailleuse
émailleuse
rimailleuse
(une) pinailleuse
aboyeuse
giboyeuse
gouailleuse
joyeuse
duc de Joyeuse
employeuse
larmoyeuse
broyeuse

EUSE

soyeuse
fossoyeuse
nettoyeuse
tutoyeuse
voyeuse
envoyeuse
convoyeuse
pourvoyeuse
pailleuse
r/empailleuse
ripailleuse
(une) **railleuse**
(une) brailleuse
ferrailleuse
corailleuse
mitrailleuse
cinémitrailleuse
automitrailleuse
broussailleuse
tailleuse
(une) batailleuse
ravitailleuse
discutailleuse
disputailleuse
(une) **travailleuse**
écrivailleuse
habilleuse
(bavarde, Belg.) babilleuse
(galeuse) scabieuse
(plante) une scabieuse
rhabilleuse
(danseuse, arg.)
gambilleuse
morbilleuse
(lunatique, rég.) lubiyeuse
(une) chieuse
radieuse
(dangereuse, arg.)
glandilleuse
compendieuse
compendilleuse
dispendieuse
pédieuse
insidieuse
fastidieuse
odieuse
godilleuse
mélodieuse
miséricordieuse
studieuse
pagayeuse
bégayeuse
hockeyeuse
balayeuse
remblayeuse
relayeuse
volleyeuse
sommeilleuse
(une) payeuse
mareyeuse
amareyeuse
appareilleuse
crayeuse
trayeuse
essayeuse
conseilleuse
teilleuse
veilleuse
éveilleuse

merveilleuse
cueilleuse
effeuilleuse
(une) **orgueilleuse**
(une) ma(f)fieuse
(bavarde, Belg.) tafieuse
vérifieuse
rectifieuse
(malingre, Belg.) croufieuse
contagieuse
prodigieuse
irréligieuse
(religion) (une) **religieuse**
(gâteau) une religieuse
areligieuse
antireligieuse
litigieuse
prestigieuse
élogieuse
spongieuse
moissonneuse-/lieuse
oublieuse
relieuse
(une) bilieuse
plieuse
manieuse
sanieuse
ingénieuse
(loqueteuse)
(une) guenilleuse
ignominieuse
calomnieuse
(une) insomnieuse
cérémonieuse
acrimonieuse
parcimonieuse
harmonieuse
inharmonieuse
hernieuse
(fortunée) pécunieuse
impécunieuse
houilleuse
rabouilleuse
carambouilleuse
scribouilleuse
gribouilleuse
barbouilleuse
(dangereuse, arg.)
glandouilleuse
(paresseuse, arg.)
une glandouilleuse
(une) bredouilleuse
bidouilleuse
fouilleuse
(une) bafouilleuse
(une) cafouilleuse
farfouilleuse
(une) magouilleuse
(intrigante, arg.)
grenouilleuse
(une) pouilleuse
(rouillée) rouilleuse
(une) vadrouilleuse
gazouilleuse
chatouilleuse
tripatouilleuse
(dévote) **pieuse**
(voleuse) pilleuse
papilleuse

grappilleuse
épieuse
(rugueuse, rég.) répilleuse
(abondante) **copieuse**
(tricheuse) une copieuse
photocopieuse
(morveuse) roupieuse
(dormeuse) roupilleuse
toupilleuse
(une) gaspilleuse
houspilleuse
quilleuse
maquilleuse
obséquieuse
coquilleuse
skieuse
esquilleuse
(une) resquilleuse
(rire) (une) **rieuse**
(mouette) une rieuse
carieuse
scarieuse
marieuse
parieuse
crieuse
périlleuse
impérieuse
sérieuse
mystérieuse
laborieuse
glorieuse
îles Glorieuses
inglorieuse
victorieuse
trieuse
industrieuse
(une) **curieuse**
incurieuse
furieuse
injurieuse
luxurieuse
scieuse
chassieuse
audacieuse
fallacieuse
(chic, arg.) classieuse
spacieuse
gracieuse
malgracieuse
disgracieuse
tendancieuse
consciencieuse
silencieuse
révérencieuse
irrévérencieuse
licencieuse
sentencieuse
(une) **prétentieuse**
contentieuse
(une) factieuse
(écœurée, rég.) naxieuse
(une) **anxieuse**
infectieuse
spécieuse
(chère) **précieuse**
(mondaines) les Précieuses
(une) facétieuse
(une) **ambitieuse**
(une) séditieuse

judicieuse
artificieuse
officieuse
(une) **malicieuse**
délicieuse
pernicieuse
suspicieuse
(une) avaricieuse
(une) **capricieuse**
(une) superstitieuse
(une) vicieuse
(oisive, arch.)
ocieuse/otieuse
(pieuse) dévotieuse
soucieuse
insoucieuse
captieuse
(prostituée, arg.) persilleuse
sourcilleuse
minutieuse
astucieuse
nasilleuse
(minutieuse, rég.) bésilleuse
bousilleuse
tilleuse
(minutieuse, rég.) patilleuse
(une) vétilleuse
(affectueuse, rég.) amitieuse
pointilleuse
pastilleuse
(grivoise) croustilleuse
ennuyeuse
essuyeuse
(risquée, rég.) gavilleuse
(une) **envieuse**
(minutieuse, rég.)
(une) cuvilleuse
pluvieuse

haleuse
emballeuse
handballeuse
(paresseuse, rég.) caleuse
(cal) calleuse
scandaleuse
pédaleuse
(gale) (une) galeuse
(gallium) galleuse
(une) chialeuse
(journaliste, arg.)
journaleuse
(chanteuse, arg.)
goualeuse
moelleuse
toileuse
rentoileuse
(radine, arg.) râleuse
(ronchonne) (une) râleuse
saleuse
étaleuse
valleuse
avaleuse
(une) cavaleuse
(fillette, arg.) branleuse
(une) hâbleuse
câbleuse
scrabbleuse
sableuse
ambleuse

(une) trembleus
assembleus
rassembleus
cribleus
dribbleus
doubleus
racleus
sarcleus
(clubiste) cercleus
cérébelleus
fielleus
mielleus
vielleus
lamelleus
chancrelleus
(une) querelleus
grêleus
recéleus
vêleus
(Gilles) Deleuz
modeleus
grumeleus
(éleveuse de coqs, Belg.)
coqueleus
receleus
(une) **ensorceleus**
ciseleus
bateleus
râteleus
botteleus
cauteleus
javeleus
claveleus
graveleus
niveleus
griveleus
gifleus
(une) renifleus
écornifleus
(une) siffleus
(une) persifleus
(lâche, arg.) dégonfleus
ronfleus
souffleus
étrangleus
régleus
(une) bigleus
jongleus
bileus
fileus
enfileus
effileus
défileus
tréfileus
argileus
(poil) pileus
(piler) une pileus
empileus
épileus
(une) **frileus**
ensileus
ventileus
huileus
villeus
footballeus
chauleus
colleus
(une) racoleus
encolleus

EUSE

(une) picoleuse
bricoleuse
(geignarde, rég.) dôleuse
(une) rubéoleuse
batifoleuse
(crâneuse, rég.)
feignoleuse
fignoleuse
(collante, rég.) pégoleuse
(une) rigoleuse
(une) miauleuse
(une) varioleuse
(une) cabrioleuse
cambrioleuse
(une) vitrioleuse
violeuse
(une) **cajoleuse**
(une) **enjôleuse**
monopoleuse
crawleuse
frôleuse
pétroleuse
contrôleuse
sous-soleuse
(voleuse, arg.) entôleuse
(une) **voleuse**
houleuse
(musclée) bouleuse
(croulante) ébouleuse
roucouleuse
fouleuse
rouleuse
enrouleuse
dérouleuse
parleuse
(une) hurleuse
bulleuse
fabuleuse
nébuleuse
lobuleuse
globuleuse
tubuleuse
miraculeuse
pelliculeuse
utriculeuse
vésiculeuse
méticuleuse
calculeuse
loculeuse
(une) furonculeuse
(une) tuberculeuse
antituberculeuse
flosculeuse
musculeuse
glanduleuse
médulleuse
striduleuse
noduleuse
frauduleuse
onduleuse
(une) scrofuleuse
anguleuse
granuleuse
papuleuse
crapuleuse
populeuse
scrupuleuse
brûleuse
fistuleuse

pustuleuse

(fleuve ; départ.) la **Meuse**
dameuse
fameuse
affameuse
squameuse
(branchue) rameuse
(ramer) une rameuse
analyste-/
programmeuse
gemmeuse
crémeuse
écrémeuse
semeuse
limeuse
anti/**venimeuse**
rimeuse
escrimeuse
frimeuse
chômeuse
déchaumeuse
gommeuse
slalomeuse
(arnaqueuse, arg.)
empaumeuse
chromeuse
assommeuse
armeuse
(une) **charmeuse**
(une) **dormeuse**
endormeuse
(mousseuse) écumeuse
(plagiaire) une écumeuse
(brumeuse) fumeuse
(de tabac) une **fumeuse**
non-fumeuse
parfumeuse
allumeuse
(plume) plumeuse
(machine) une plumeuse
spumeuse
brumeuse
(scrofuleuse) strumeuse
bitumeuse

canneuse
(une) chicaneuse
(une) **ricaneuse**
faneuse
effaneuse
flâneuse
glaneuse
planeuse
couenneuse
dépanneuse
membraneuse
(une) crâneuse
tanneuse
vanneuse
haineuse
chaîneuse
gêneuse
(laine) laineuse
(ouvrière) une laineuse
anti/**vénéneuse**
(triste, Belg.) peineuse
(sablonneuse) aréneuse
(merdeuse) breneuse

draineuse
graineuse
gangréneuse
égraineuse/égreneuse
migraineuse
traîneuse
entraîneuse
intra/veineuse
jeûneuse
meneuse
(prétentieuse, arg.)
rameneuse
promeneuse
greneuse
engreneuse
gangreneuse
preneuse
entrepreneuse
teneuse
bineuse
(dénigreuse, arg.)
débineuse
bobineuse
(travailleuse, arg.)
(une) turbineuse
(brocante) chineuse
(moqueuse, rég.) chineuse
dîneuse
tendineuse
libidineuse
boudineuse
jardineuse
affineuse
raffineuse
oléagineuse
protéagineuse
mucilagineuse
cartilagineuse
angineuse
rubigineuse
uligineuse
fuligineuse
serpigineuse
anti/prurigineuse
impétigineuse
vertigineuse
lanugineuse
érugineuse
ferrugineuse
(flatteuse) patelineuse
moulineuse
(anatomie) lamineuse
(ouvrière)
(une) lamineuse
pharamineuse/
faramineuse
vermineuse
albumineuse
légumineuse
lumineuse
alumineuse
enlumineuse
volumineuse
cérumineuse
bitumineuse
(une) fouineuse
baragouineuse
shampouineuse
épineuse

(prostituée, arg.) tapineuse
(bavarde, arg.) jaspineuse
enquiquineuse
trichineuse
bouquineuse
farineuse
fibrineuse
tambourineuse
urineuse
(une) lésineuse
résineuse
gélatineuse
(une) matineuse
patineuse
ratineuse
(une) baratineuse
satineuse
chitineuse
guillotineuse
butineuse
glutineuse
ruineuse
bruineuse
vineuse
charbonneuse
(bambocheuse)
gobichonneuse
(une) ronchonneuse
(blagueuse, arg.)
déconneuse
floconneuse
donneuse
randonneuse
griffonneuse
badigeonneuse
(grognonne, rég.)
(une) gongonneuse
(une) bougonneuse
(une) jargonneuse
haillonneuse
décavaillonneuse
crayonneuse
papillonneuse
carillonneuse
confectionneuse
sélectionneuse
collectionneuse
conditionneuse
précautionneuse
visionneuse
approvisionneuse
échantillonneuse
(une) questionneuse
jalonneuse
sablonneuse
phlegmoneuse
limoneuse
(une) marmonneuse
(une) sermonneuse
tenonneuse
auto tamponneuse
(une) goudronneuse
(ivrogne, arg.)
biberonneuse
toronneuse
prôneuse
façonneuse
moissonneuse
poissonneuse

rançonneuse
buissonneuse
poinçonneuse
tronçonneuse
soupçonneuse
empoisonneuse
(une) raisonneuse
bétonneuse
(actrice médiocre, arg.)
cachetonneuse
(prostituée, arg.)
michetonneuse
molletonneuse
cotonneuse
(une) boutonneuse
moutonneuse
cartonneuse
savonneuse
écharneuse
(marne) marneuse
(ronchonne, arg.)
une marneuse
caverneuse
(une) suborneuse
(une) flagorneuse
tourneuse
lacuneuse
(rancunière, Belg.)
rancuneuse

boueuse
(une) **joueuse**
loueuse
(voleuse) floueuse
noueuse
tatoueuse

décapeuse
jappeuse
kidnappeuse
(vagabonde, arg.)
gouapeuse
(rugueuse) râpeuse
(chanteuse)
une ra(p)peuse
varappeuse
frappeuse
tapeuse
campeuse
étampeuse
estampeuse
(une) chipeuse
adipeuse
polypeuse
(prostituée, arg.) pipeuse
(une) grimpeuse
pulpeuse
galopeuse
(couture) stoppeuse
auto-/stoppeuse
photostoppeuse
(emphatique) **pompeuse**
(pompage) une pompeuse
(une) **trompeuse**
coupeuse
découpeuse
soupeuse
dupeuse
sirupeuse

aqueuse
(merdeuse, rég.) caqueuse
en/caqueuse
laqueuse
plaqueuse
arnaqueuse
(voleuse, arg.) braqueuse
traqueuse
matraqueuse
disséqueuse
chiqueuse
(une) trafiqueuse
belliqueuse
pique-niqueuse
chroniqueuse
piqueuse
variqueuse
tiqueuse
critiqueuse
plastiqueuse
pronostiqueuse
trinqueuse
talqueuse
(folk, arg.) folkeuse
(danseuse) polkeuse
(une) **moqueuse**
rockeuse
(urinoir, arg.) lisbroqueuse
croqueuse
escroqueuse
troqueuse
marqueuse
démarqueuse
parqueuse
remorqueuse
extorqueuse
visqueuse
(une) **muqueuse**
verruqueuse
truqueuse

barreuse
(une) bagarreuse
(dégoûtée, Belg.) nâreuse
(une) foireuse
(mondaine) soireuse
pareuse
accapareuse
(une) catarrheuse
vareuse
scabreuse
(hardie) escalabreuse
sabreuse
(une) **ténébreuse**
fibreuse
défibreuse
calibreuse
équilibreuse
ombreuse
nombreuse
marbreuse
(vide) être/il **creuse**
(rivière ; départ.) la Creuse
macreuse
massacreuse
chancreuse
(maladive, rég.)
(une) chêcreuse

il décreuse
il recreuse
ocreuse
cadreuse
encadreuse
calandreuse
filandreuse
cendreuse
cylindreuse
poudreuse
saupoudreuse
(féconde) ubéreuse
subéreuse
tubéreuse
pondéreuse
ferreuse
(caillouteuse) pierreuse
(prostituée, arg.) pierreuse
poussiéreuse
éclaireuse
scléreuse
(une) artérioscléreuse
flaireuse
glaireuse
(une) **coléreuse**
généreuse
onéreuse
acquéreuse
séreuse
(une) cancéreuse
anticancéreuse
(une) ulcéreuse
(une) **miséreuse**
terreuse
déterreuse
véreuse
cadavéreuse
heureuse
(écœurée, rég.)
malaucœureuse
dangereuse
chaleureuse
(une) **malheureuse**
valeureuse
(une) **pleureuse**
(une) **bienheureuse**
(une) **peureuse**
doucereuse
(une) **affreuse**
bâfreuse
chiffreuse
déchiffreuse
offreuse
gaufreuse
soufreuse
(Jean-Baptiste) Greuze
(une) pellagreuse
(une) dénigreuse
mireuse
squirr(h)euse
(jaunâtre) cireuse
(qui cire) cireuse
désireuse
tireuse
étireuse
détireuse
butyreuse
vireuse
sous-vireuse

surviveuse
ichoreuse
liquoreuse
picoreuse
doreuse
(fétide) nidoreuse
foreuse
hypo/phosphoreuse
chloreuse
poreuse
vaporeuse
(endormante) soporeuse
stuporeuse
(une) péroreuse
essoreuse
stertoreuse
dévoreuse
(une) coureuse
secoureuse
discoureuse
langoureuse
rigoureuse
vigoureuse
(triste) **douloureuse**
(addition, arg.)
une douloureuse
(une) AMOUREUSE
savoureuse
(une) lépreuse
théâtreuse
plâtreuse
(une) goitreuse
métreuse
chronométreuse
pétreuse
salpêtreuse
nitreuse
pupitreuse
titreuse
vitreuse
malencontreuse
montreuse
(religieuse) chartreuse
massif de la
(Grande-)Chartreuse
dartreuse
tartreuse
désastreuse
enregistreuse
sulfureuse
tellureuse
plantureuse
aventureuse
tortureuse
fiévreuse
vallée de Chevreuse
givreuse
livreuse
cuivreuse
ouvreuse
découvreuse

casseuse
jacasseuse
(gargotière) fricasseuse
chasseuse
surfaceuse
(paresseuse, rég.)
pougnasseuse

chiasseuse
laceuse
interclasseuse
(givreuse) glaceuse
(machine) une glaceuse
placeuse
masseuse
ramasseuse
finasseuse
(angoissée, arg.)
(une) angoisseuse
poisseuse
passeuse
repasseuse
brasseuse
(une) embrasseuse
crasseuse
traceuse
sasseuse
ressasseuse
(travailleuse) potasseuse
entasseuse
rêvasseuse
(une) **chanceuse**
(une) **malchanceuse**
danseuse
lanceuse
(délatrice, arg.) balanceuse
(infirmière) panseuse
(philosophe) **penseuse**
(une) libre(-)penseuse
encenseuse
recenseuse
fesseuse
apiéceuse
gneisseuse
(une) connaisseuse
(une) caresseuse
(une) **paresseuse**
dresseuse
redresseuse
graisseuse
dégraisseuse
presseuse
tresseuse
dépeceuse
blanchisseuse
dégauchisseuse
ourdisseuse
lisseuse
(une) ensevilisseuse
glisseuse
siliceuse
(une) avilisseuse
démolisseuse
polisseuse
plisseuse
remplisseuse
(une) bénisseuse
finisseuse
garnisseuse
vernisseuse
fournisseuse
(une) punisseuse
brunisseuse
fouisseuse
(une) jouisseuse
(urine) pisseuse
(fillette) une pisseuse

r/sur/enchérisseus
guérisseus
saurisseus
(une) pétrisseus
tisseus
bâtisseus
lotisseus
rôtisseus
emboutisseus
(une) engloutisseus
sertisseus
avertisseus
(une) pervertisseus
amortisseus
(une) travestisseus
investisseus
(une) abrutisseus
visseus
ravisseus
rinceus
(danseuse) valseus
(testicules, arg.)
les valseuse
osseus
(une) bosseus
déchausseus
écosseus
(une) noceus
interosseus
fonceus
enfonceus
défonceus
annonceus
(pierre ponce) ponceus
(machine) ponceus
ronceus
mousseus
tousseus
gypseus
(une) **farceus**
herseus
(apaisante) berceus
(chanson) une **berceus**
perceus
verseus
écorceus
quartzeus
(une) laïusseus
suceus

gazeus
(une) **jaseus**
oiseus
chamoiseus
apprivoiseus
raseus
écraseus
phraseus
paraphraseus
vaseus
baiseus
faiseus
(niaise, Can.)
(une) niaiseus
aléseus
glaiseus
(riche, arg.) braiseus
fraiseus
gréseus

EUSE

(taciturne, Belg.)
(une) taiseuse
mortaiseuse
peseuse
diseuse
confiseuse
aiguiseuse
liseuse
baliseuse
analyseuse
avaliseuse
dévaliseuse
tamiseuse
briseuse
(nerveuse, Suisse)
criseuse
thésauriseuse
priseuse
exorciseuse
magnétiseuse
hypnotiseuse
strip-teaseuse
réviseuse
diviseuse
(une) **causeuse**
gloseuse
poseuse
composeuse
photocomposeuse
arroseuse
bronzeuse
bouseuse
couseuse
(une) abuseuse
amuseuse

batteuse
(prostituée, arg.)
abatteuse
rabatteuse
moissonneuse-/
batteuse
(une) dateuse
sulfateuse
(une) **gâteuse**
(une) érysipélateuse
frelateuse
(une) flatteuse
(voyeuse) mateuse
(étudiante) matheuse
œdémateuse
myxœmateuse
(cinématographique, arg.)
cinémateuse
eczémateuse
(une) emphysémateuse
exanthémateuse
érythémateuse
parenchymateuse
(une) comateuse
sarcomateuse
carcinomateuse
fibromateuse
lépromateuse
(une) **boiteuse**
exploiteuse
convoiteuse
pâteuse
épateuse

gratteuse
décanteuse
brocanteuse
chanteuse
(riche, arg.) argenteuse
(ouvrière) une argenteuse
orienteuse
planteuse
(une) **menteuse**
médicamenteuse
ligamenteuse
filamenteuse
excrémenteuse
(une) complimenteuse
bonimenteuse
pavimenteuse
fomenteuse
tomenteuse
sarmenteuse
tourmenteuse
(une) arpenteuse
venteuse
laiteuse
(riche, arg.) galetteuse
entremetteuse
prometteuse
fouetteuse
(peureuse) (une) péteuse
(qui pète) une péteuse
(une) rouspéteuse
quêteuse
raquetteuse
enquêteuse
basketteuse
secréteuse
(sans appétit, rég.)
regretteuse
(une) prêteuse
apprêteuse
acéteuse
(une) disetteuse
navetteuse
(une) **acheteuse**
jeteuse
pelleteuse
décolleteuse
(une) caqueteuse
paqueteuse
banqueteuse
déchiqueteuse
(sans appétit, rég.)
niqueteuse
piqueteuse
étiqueteuse
(une) loqueteuse
souffreteuse
(une) **fureteuse**
riveteuse
bouveteuse
duveteuse
aphteuse
cafteuse
débiteuse
(peureuse, rég.) chiteuse
(une) chichiteuse
(une) bronchiteuse
(bombeuse)
une graffiteuse
(graphite) graphiteuse

profiteuse
(pauvre) (une) **miteuse**
(gamine, Suisse)
une miteuse
(affectueuse, rég.)
amiteuse
calamiteuse
dynamiteuse
(misérable)
(une) marmiteuse
graniteuse
(une) **vaniteuse**
séléniteuse
piteuse
capiteuse
(misérable)
(une) maupiteuse
friteuse
anthraciteuse
(une) nécessiteuse
solliciteuse
visiteuse
bruiteuse
pituiteuse
feinteuse
(machine) pointeuse
(ouvrière) pointeuse
quinteuse
éreinteuse
(une) emprunteuse
récolteuse
(une) insulteuse
sprinteuse
cahoteuse
jaboteuse
(rugueuse) raboteuse
(machine) une raboteuse
saboteuse
(noceuse) riboteuse
(qui barbote) barboteuse
(vêtement) barboteuse
chuchoteuse
(minutieuse, rég.)
(une) chicoteuse
emberlificoteuse
fricoteuse
tricoteuse
boursicoteuse
boycotteuse
radoteuse
(une) grignoteuse
(une) ergoteuse
agioteuse
folioteuse
(rieuse) rioteuse
tuyauteuse
(n. dép.) mijoteuse
(une) peloteuse
comploteuse
escamoteuse
(une) émotteuse
(bredouilleuse)
marmotteuse
canoteuse
clapoteuse
(sale, arg.) crapoteuse
chipoteuse
(sale, arg.) galipoteuse
tripoteuse

(rapporteuse, Belg.)
raccuspoteuse
(champagne, arg.) roteuse
carotteuse
frotteuse
trotteuse
(une) sauteuse
azoteuse
(confuse) **honteuse**
(homo, arg.) une honteuse
conteuse
raconteuse
(une) escompteuse
dompteuse
monteuse
remonteuse
rebouteuse
(seringue, arg.)
shooteuse/shouteuse
caoutchouteuse
coûteuse
(distraite)
jument écouteuse
(incertaine) **douteuse**
(sceptique) (une) douteuse
(succulente) goûteuse
(dégustatrice)
une goûteuse
(malade) (une) goutteuse
caillouteuse
jouteuse
velouteuse
routeuse
(lesbienne, arg.) brouteuse
croûteuse
grisouteuse
envoûteuse
accepteuse
encarteuse
(lumineuse, rég.) clarteuse
(une) flirteuse
(une) porteuse
(une) rapporteuse
colporteuse
autoporteuse
transporteuse
avorteuse
pesteuse
schisteuse
ajusteuse
(une) chahuteuse
discuteuse
décuscuteuse
affûteuse
juteuse
lutteuse
recruteuse

(une) pollueuse
remueuse
sinueuse
monstrueuse
flexueuse
luxueuse
tueuse
(flatulente) flatueuse
talentueuse
torrentueuse
(crevassée) anfractueuse

affectueuse
défectueuse
respectueuse
irrespectueuse
délictueuse
onctueuse
(grave) componctueuse
(instable) fluctueuse
fructueuse
infructueuse
tempétueuse
impétueuse
halitueuse
spiritueuse
difficultueuse
tumultueuse
vultueuse
montueuse
somptueuse
présomptueuse
voluptueuse
vertueuse
tortueuse
fastueuse
(une) incestueuse
majestueuse

haveuse
baveuse
gaveuse
laveuse
draveuse
graveuse
héliograveuse
(une) **rêveuse**
éleveuse
releveuse
receveuse
(hautaine, Belg.)
grandiveuse
(baveuse) saliveuse
enjoliveuse
riveuse
lessiveuse
(une) suiveuse
viveuse
couveuse
accouveuse
intervieweuse
trouveuse
(une) **nerveuse**
hypernerveuse
serveuse
verveuse
(une) morveuse
buveuse
étuveuse

assonance
253. EUSSE

contre-assonances
448. OSE
524. OUSE
581. USE

255. EUTE-EUTH

MEUTE
ÉMEUTE

(bavarde, rég.)
il/une babeute
(Johann W. von) **Gœthe**
(il regarde, arg.) il yeute
(lieutenant, arg.) lieute
(se couche, arg.) il se pieute
(sort du lit, arg.)
il se dépieute
(ruelle, rég.) une rieute
il zyeute/zieute
il **bleute**
(rime en prose)
un/e homéotéleute
(il trépigne, rég.) il beleute
(il défriche, rég.) il dépleute
une MEUTE
il **ameute**
il rameute
ÉMEUTE
(h)yponomeute
(il tousse, rég.) il aneute
(laide, rég.) peute
(ascète juif) un Thérapeute
(médecin) un/e thérapeute
un/e kinésithérapeute
un/e psychothérapeute
un/e ergothérapeute
un/e radiothérapeute
un/e physiothérapeute
un/e phytothérapeute
il queute
il équeute
(il radote, rég.) il bareute
(il s'embourbe, rég.)
il s'enreute
Bayreuth°
choreute
(moustique, rég.)
une tafoureute

Le journal ce matin dit Bombay en **émeute**,
Des hommes tirés à vue, des quartiers embrasés,
Des hordes appointées et des flics si blasés
Qu'ils gèrent le carnage en rackettant la **meute**.

André Velter, « Le monde est un autre monde »,
Du Gange à Zanzibar

Harcelé des abois horribles de la **meute**,
Harrassé de fatigue et de souffrance plein,
Dans l'eau de l'étang noir, que la nuit déjà **bleute**,
Le cerf tombe, devant le noble et le vilain.

Robert de Montesquiou, « Offrande symbolique »,
Les Offrandes blessées. XXXVII

Va, philosophe, essaie, insurge la pensée,
La raison, la sagesse humaine, la clarté,
Contre la nuit, l'horreur et la fatalité,
Appelle en aide et mêle à ces saintes **émeutes**
Job, les Esséniens, Philon, les **Thérapeutes**,
Voltaire, Diderot, Vico, Beccaria…

Victor Hugo, « Et vous ne voulez pas que nous disions : assez
La Pitié suprême. XIV

Je veux une vierge où l'on **queute**,
Et dont le seul baiser
Me sache encor déniaiser…
Oui, j'ai lu ça dans **Gœthe**.

Paul-Jean Toulet,
Nouvelles contrerimes. IV

mais les affiches parlent de fêtes ***crapuleuses***,
affiche de meetings, de grèves, de saisies,
de bals à l'Opéra, de films en Malaisie,
de songes et d'**émeutes**
– suis-je vraiment celui qu'on attend pour la ***fête***,
dois-je montrer mes reins,
dois-je crier à ***tue-tête***…

Benjamin Fondane, « Les paysages vus… »,
Ulysse in *Le Mal des fantômes*

Avec moi, stropiats de l'harmonie, pieds-bots de la grandiloquence, janotistes fervents et amphibologues patent
Avec moi, **homéotéleutes** à ***tûtûte***, cagons de l'abscons et cagarons de l'énumération sans suite !

Jean-Pierre Verheggen, « Jusqu'au trou du tronc d'sa miola ! »,
in *Objet perdu*

assonances
253. EUSE
246. EUDE

contre-assonances
205. ÈTE
586. UTE

❒ *256 [Goffin]*

256. EUTRE

FEUTRE (manche ; soudard)
un maheutre
il (se)/un FEUTRE
il défeutre
il (se) **calfeutre**
stylo-feutre
crayon-feutre
carton-feutre
neutre
pleutre
(il défriche, rég.) il dépleutre

Je jette avec grâce mon **feutre**,
Je fais lentement l'abandon
Du grand manteau qui me **calfeutre**,
Et je tire mon espadon [...]

Vous auriez bien dû rester **neutre** ;
Où vais-je vous larder, dindon ?...
Dans le flanc, sous ***votre*** **maheutre** ?...
Au cœur, sous votre bleu cordon ?...

Il me manque une rime en **eutre**...
Vous rompez, plus blanc qu'amidon ?
C'est pour me fournir le mot **pleutre** !
– Tac ! je pare la pointe dont
Vous espériez me faire don [...]

Edmond Rostand, « Ballade du duel »,
Cyrano de Bergerac, acte I, scène IV

cf. 181 [Bastia] ; 528 [Gripari]

J'écris ces vers au **crayon feutre**
pour rendre mon chagrin plus **neutre**

Paul Neuhuys, « J'écris ces vers... »,
Ça n'a encore une fois pas marché in *Le Pot-au-feu mongol*

Quand il eut coiffé le **feutre**
Le pauvre tremblait encor.
Ah ! dit l' saint, quoi donc lui **feutre***,
Pour l'arracher à la mort ?

Maurice Mac-Nab, « Complainte du bienheureux Labre »,
Poèmes incongrus

* foutre

La nuit s'effeuille à chaque aboi des blêmes ***meutes***
Dans les chiens de colchicine aux sombres abois
À mes margelles la mort rôde à pas de **feutre**
Elle trouble la transparence où j'entrevois
Le legs de sable qui me restera sur terre

Robert Goffin, « Mensonge bleu »,
Le Versant noir

À cause des lumières qu'il ***rencontre***
Et des ***autres*** voitures et des passants,
Le charretier se cache sous son **feutre**
Et dans le brouhaha...

Charles Vildrac, « La seule chanson »,
Livre d'amour

❐ *252 [Verheggen]*

assonance
354. EUTE

contre-assonances
453. AUTRE
528. OUTRE
114. ANTRE
478. ONTRE

257. EUXE

(répétition d'un mot)
une épizeuxe
(parallélisme)
une hypozeuxe

assonances
252. EUQUE
253. EUS-SE
254. EUSE

contre-assonances
81. AXE
211. EXE
588. UXE

258.0 I-IE° 258.

(rire) (hi!) **hi**!
(instrument) la hie°
(lettre) un i
(adverbe) y
(il, populaire) y

que vois-je, mon bon Dieu qui fis ciel et rosée !
Des ruines ?… oh ! que déjà ces ruines sont ***jolies*** !
Trois ouvriers enfoncent des pavés à la **hie** […]

> Paul Fort, « Pontoise ou la folle journée »,
> *Repos de l'âme au bois de l'Hautil*
> in *Ballades françaises*

Papa t'es vraiment pas ***gentil***
tu m'as piqué ma pe pe pe pe petite ***amie***
Lili Lili Gribouille
qu'avait une si bonne bouille au ***lit*** **hi hi hi hi**

> Serge Rezvani, « Lili Gribouille »,
> *Chansons*

Et son p'tit short glisse
ho! hisse !
Et son glau ***cheese chie***
hi ! **hi** !

> Christian Prigent, « Chanson »,
> *Voilà les sexes*. 42

sous-rime voisine
257.1 AÏ-E

contre-assonances
1.0 A
214.0 É

❒

258.1 AÏ-AÏE°

HAÏ
ÉBAHI
TRAHI

(mammifère) l'aï
(champagne) l'ay
(déteste) HAÏ/E°
ÉBAHI/E°
l'Achaïe°
haïkaï
(gros effort, rég.)
coup d'ahi
entre-haï/e°
le **Sinaï**
Adonaï/Adonai
Hawaii/Hawaï
spahi
TRAHI/E°
saï
Hokusaï
(prophète) **Isaïe**°
(violoniste) (Eugène) Ysaye°
(montagne; Républ.) l'Altaï
(archipel des) Tubuaï
envahi/e°

Comment vois-je ces Anglais **ébahis** !
Réjouis-toi, franc royaume de France !
On aperçoit que de Dieu sont **haïs**,
Puisqu'ils n'ont plus courage ni puissance.
[…]
Quand les Anglais as piéça* **envahis**,
Rien n'y valait ton sens ni ta vaillance.
Lors étais ainsi que fut ***Thaïs***
Pécheresse qui, pour faire penance**,
Enclose fut par divine ordonnance
[…]
N'ont pas Anglais souvent leurs rois **trahis** ?
Certes oui, tous en ont connaissance,
Et encore le roi de leur ***pays***
Est maintenant en douteuse balance.

> Charles d'Orléans, « Ballade » 76,
> *Ballades et Rondeaux*
>
> * jadis ** pénitence

Il passe au milieu des tempêtes
Par les foudres du **Sinaï**,
Par les verges de ses prophètes,
Par les temples d'**Adonaï** !

> Alphonse de Lamartine, « Regardez donc, race insensée… »,
> *Les Révolutions*. II

Quinze ans d'un pareil exercice
Ne m'ont laissé que – la malice.
Je suis par la prose **envahi** ;
D'autres disent – et par l'**Aï** *.

> Charles Monselet, « Préface »,
> *Poésies complètes*
>
> * Ay (champagne)

AÏ-AÏE°

258. I

Le sabre **haï**
D'un **samouraï** *
Luit comme un **haï-kaï** **

Jacques Charpentreau, « Haï-kaï »,
Poésie en jeu

* prononcé *samourahi* ** prononcé *hahi-kahi*

C'est une chevauchée extravagante et sombre :
« Allah ! Mektoub ! Allah ! À moi les vieux ***Arbis*** !
À moi, chasseurs d'Afrique ! À moi, turcos, **spahis** ! »

Camille Santerre, « La Victoire du rêve »,
La Chanson de mon Automne

sous-rimes voisines	*contre-assonances*
258.5 ÉI-E	*333.1 AÏN*
258.12 LLI-E	*214.1 AÉ*

❐ *258.6 [Glissant]*

258.2 BI-BIE°

BREBIS
RUBIS

bis
habit
(nabab) une nababie°
acabit
(Eugène) Dabit
(hune) une gabie°
(prénom) Gaby
panjabi
wallaby
(prophète) un nabi
(peintres) les Nabis
al-Mutanabbi
rabbi
(arabe, arg.) un Arabi
l'**Arabie**°
Ibn(al-)'Arabi
la Bessarabie°
Hammourabi
(soie) un tabis
Stabies°
(pays; fleuve) la Gambie°
(échecs) un gambit
lambi
la Zambie°
(un) baby
débit
éphébie°
ourébi
la Trébie°
(pénis, arg.) un zébi
(rien, arg.) peau de zébi
(bite, verl.) une tébi
BREBIS
rugby
(moi, arg.) bibi
(chapeau) un bibi
(s'évader, arg.) faire chibi
(un) **amphibie**°
cagibi
la **Libye**°
alibi
Galibi

(rien, arg.) peau de libi
collybie°
la Namibie°
(camp disciplinaire) Biribi
(jeu, arg.) le biribi
C.B.
lac d'Abitibi
(Edward F.) Albee°
(ville) Albi
(boisson, rég.) le halbi
(n. dép.) Dolby
(ceinture) une obi
(passe-temps) un hobby
Boby
ébaubi/e°
phobie°
agoraphobie°
francophobie°
anglophobie°
germanophobie°
xénophobie°
zoophobie°
acrophobie°
hydrophobie°
cancérophobie°
claustrophobie°
éreuthophobie°
photophobie°
désert de Gobi
(nègre, arg.) un gobi
(poisson) un gobie°
(nigaud, rég.) un djobi
(peuple) Lobi
(groupe de pression) un lobby
(un) troglobie°
anobie°
Zénobie°
nécrobie°
an/aérobie°
Nairobi
Tobie°
hématobie°
lithobie°
(pénis, arg.) un zobi
(nul, bidon, verl.) dombi

Et je marche je fuis ô jour l'émoi de l'aube
Ferma le regard fixe et doux de vieux **rubis**
Des hiboux et voici le regard des **brebis**
Et des truies aux tétins roses comme des lobes

Guillaume Apollinaire, « L'ermite »,
Alcools

Vingt Cipayes, la main sur leurs pommeaux **fourbis**
Et le crâne rasé ceint du paliacate,
Gardent le vieux Nabab et la Begum d'Arkate ;
Autour danse un essaim léger de **Lall-Bibis**.

Le Mongol, roide et grave en ses riches **habits**,
Égrène un chapelet fait d'ambre de Maskate ;
La jeune femme est belle, et sa peau délicate
Luit sous la mousseline où brûlent les **rubis**.

Charles Leconte de Lisle, « Le Conseil du Fakir » I,
Poèmes barbares

Le temple enseveli divulgue par la bouche
Sépulcrale d'égout bavant boue et **rubis**
Abominablement quelque idole ***Anubis***
Tout le museau flambé comme un aboi farouche

Ou que le gaz récent torde la mèche louche
Essuyeuse on le sait des opprobres **subis**
Il allume hagard un immortel ***pubis***
Dont le vol selon le réverbère découche

Stéphane Mallarmé, « Le Tombeau de Charles Baudelaire »,
Poésies

Ce petit croquis d'Afrique
Fut composé par **Boby** [...]
Tandis que toute la clique
Entonnait « Pan, pan, l'**Arbi** »,
Quelque part entre le Gange
Et le bled à **Biribi**,
Dans les pays où l'Archange
Ouvrit les yeux de **Tobie**.

Alexandre Vialatte, « Aux confins du Sahara »,
La Paix des Jardins

☞

BI-BIE° 258.

la Colombie°
il vrombit
un zombi/e°
(angl.) to be or not to be
(arabe, arg.) un Arbi
(n. dép.) une poupée Barbie°
(charbon, arg.) du carbi
(bizarre, verl.) zarbi/e°
derby
la Serbie°
urbi et orbi
la Dourbie°
(attirail) un fourbi
(astiqué) **fourbi/e°**

gourbi
estourbi/e°
Lesbie°
(n. dép.) un frisbee°
(argent, arg.) du grisbi
(Georges) Duby
lubie°
la Nubie°
RUBIS
(enduré) **subi/e°**
(endurer) il subit
(brusque) **subit**
la Vésubie°

sous-rime voisine
258.15 PI-E

contre-assonance
91.2 BAN

Dis-moi consbiche, t'en auras du **grisbi**
Pour tes vieilles soirées dorées dans la misère
Les parfums de la nuit montant de ton **gourbi**
Ton derrière grimé aura perdu l'affaire

Léo Ferré, « L'amour est dans l'escalier »,
Testament phonographe

Moi, quand j' crèv'rai,
Ej' m'en irai
Sans qu'on amène
L' corps et l' **corbi-**
-llard à **bibi**,
À la Mad'leine.

Aristide Bruant, « À la Madeleine »,
Dans la Rue

❐ *258.1 [Santerre] ; 1.2 [Verheggen]*

258.3 CHI-CHIE°

il chie°
hachis
gâchis
Malachie°
la Valachie°
(épuisé, rég.) afflachi/e°
(poème burlesque)
la Batrachomyomachie°
naumachie°
logomachie°
tauromachie°
gigantomachie°
rachis
arrachis
(ville; n. dép.) Hitachi
avachi/e°
re/**blanchi/e°**
des branchies°
franchi/e°
(un/e) **affranchi/e°**
(intimidé, Belg.) défranchi/e°
(n. dép.) Givenchy
entéléchie°
fléchi/e°
défléchi/e°
ir/**réfléchi/e°**
infléchi/e°
synéchie°
fraîchi/e°
rafraîchi/e°
défraîchi/e°
pétéchie°
(n. dép.) Mitsubishi
chichi
(ridé, rég.) rachichi/e°
Clichy
kamichi
enrichi/e°
bradypsychie°
tachypsychie°
(ville) **Vichy**
(toile) du vichy

pastille/eau de Vichy
taï chi/tai-chi
(volé, arg.) grinchi/e°
dé/gauchi/e°
guillochis
des lochies°
il conchie°
(oust!, rég.) houchi!
couchis
(dignitaire) mamamouchi
(picard) le rouchi
(voyou, arg.) un rouchi
(putain, arg.) une rouchie°
marquis de Grouchy
sushi
(éternuement) apchi!
oligarchie°
dyarchie°
polyarchie°
(maréchal des logis, arg.)
un marchis
anarchie°
énarchie°
synarchie°
monarchie°
ethnarchie°
éparchie°
hipparchie°
hiérarchie°
tétrarchie°
pentarchie°
la Heptarchie°
perchis
torchis
mariachi
(éternuement) atchi!
(rien du tout, arg.) que tchi
letchi/litchi
baloutchi
(Bernardo) Bertolucci
(Amerigo) Vespucci

sous-rime voisine
258.8 GI-E

contre-assonance
214.3 CHÉ-E

Malgré les ans passés et mon torse **fléchi**,
Je pénètre, hardi, dans la nuit, sous les tentes,
Où je cherche, à tâtons, des femmes consentantes.
Je garde ma vigueur si j'ai le chef **blanchi**.

Et je sais, au besoin, quand le seuil est **franchi**,
Si la femme déçoit, hargneuse, mes attentes,
L'amener, sans un mot, aux faciles détentes
En versant les douros d'un vieil homme **enrichi**.

François Onffroy, « Malgré les ans passés… »,
Le Chant après la Conquête

Son respect accroît mon audace.
Bouche en cœur, genou mi-**fléchi** :
« Puis-je, Belle, au kiosque d'en face
Aller vous quérir un **sushi** ? »

André Berry, « Lai de la Fête au jardin »,
L'Amant de la Terre

A rouspète, a fait du **chichi**,
A r'naude, a crâne, a rogne, a gueule,
A tient l'boul'vard, à ell' tout' seule,
Dedpuis Montmart' jusqu'à **Clichy**.

Aristide Bruant, « Crâneuse »,
Dans la Rue

Enfin j'aborde ici, mouillé de grosses pluies.
Ô vent ! j'ai de l'humeur. Laisse-moi ! Tu m'ennuies.
Va-t'en (*Il éternue.*) – puisque tu m'as à ce point **rafraîchi** –
Faire de la musique avec quelque autre… – **Apchi** !

Victor Hugo, « Les Gueux »,
Théâtre en liberté

C'est Judex à l'écarté
c'est l'intrigue que l'art tait

c'est l'ordre et la **hiérarchie**
la vie mange et puis l'***art* chie**

Paul Braffort, « L'explication et la légende »,
Mes Hypertropes in *La Bibliothèque Oulipienne,* vol. 1

❐ *258.20 [Topor]*

258.4 DI-DIE°

258. I

DIS
PARADIS

(clairette de) Die°
il DIT/je DIS
(poème) un dit
(10) dix

(magistrat) cadi
(tissu) cadis
(n. dép.) caddie°
(golf) caddy/caddie°
l'Acadie°
décadi
sainte Léocadie°
l'Arcadie°
affadi/e°
(par licence) **jadis**
maladie°
touladi
mahdi
roidi/e°
refroidi/e°
paddy
(il efface) il radie°
un **radis**
PARADIS
il **irradie°**
Sa'di/Saadi
(prénom) Andy
bandit
sucre candi
(Crète) Candie°
(prénom) Candy
la Fennoscandie°
dandy
(+ comp.) il fendit
il défendit
Gandhi
organdi
(pâture) un viandis
lendit
il **resplendit**
il **mendie°**
Basse-/Haute-/
Normandie°
(titre) un pandit
(+ comp.) il pendit
il r/épandit
il stipendie°
il rendit
(levé) brandi/e°
(tapage, arg.) un brandi
(eau-de-vie) un brandy
grandi/e°
agrandi/e°
jaborandi
maurandie°
(prénom) Sandy
(+ comp.) il descendit
il/un **incendie°**
(...que, loc. conj.) **tandis**
(+ comp.) il tendit
il re/vendit

(prénom) Eddie°/Eddy
(loi) un édit

(policier, arg.) un bédi
(dédier) il **dédie°**
(dédire) un/il se dédit
tragédie°
il **congédie°**
tiédi/e°
attiédi/e°
lady
milady
enlaidi/e°
il (se) désenlaidit
(prénom) Mehdi
(Iran) la Médie°
(médire) il **médit**
il remédie°
comédie°
tragi-comédie°
Nicomédie°
(John F.) Kennedy
(un) **inédit**
(Philotée) O'Neddy
logopédie°
encyclopédie°
orthopédie°
il ré/expédie°
(durci) raidi/e°
(parasite) une rédie°
crédit
discrédit
déraidi/e°
Freddy
il **prédit**
cédi
z.i.
(monnaie) un maravédis

lieudit/lieu-dit
jeudi
ledit
samedi
il **redit**
mercredi
vendredi
un/il contredit

(doigt, arg.) un didi
perfidie°
Lydie°
(12h) **midi**
(le Sud) le **Midi**
pic, aiguille du Midi
canal du Midi
avant-midi
après-midi
primidi
la Numidie°
conidie°
nonidi
oïdie°
polyploïdie°
triploïdie°
hypothyroïdie°
hyperthyroïdie°
(drogué, arg.) speedy
anthéridie°
bactéridie°
néphridie°
tigridie°
tridi

La femelle de l'alcyon,
L'Amour, les volantes Sirènes,
Savent de mortelles chansons
Dangereuses et inhumaines.
N'oyez pas ces oiseaux **maudits**,
Mais les Anges du **paradis**.

Guillaume Apollinaire, « Orphée »,
Le Bestiaire ou cortège d'Orphée

Je suis un rameau sec durci par trois hivers.
Et qui donc m'a ravi l'âme ? C'est **Canidie**,
C'est vous, ange fatal, charmeresse aux yeux verts !

J'ai bu tous les poisons de votre **perfidie**,
Et, dompté par un charme adorable et pervers,
Spectre que le tombeau lui-même **répudie**,

Étrange, méconnu, je me jette à travers
La fange, sous les pieds de la foule **étourdie**,
Fruste comme un vieux sou sans face ni revers !

Mais je veux vous maudire en quelque **psalmodie**
Avant que mon corps soit la pâture des vers,
Et c'est pourquoi, mon cher amour, je vous **dédie**

Ces poèmes sur deux rimes, en treize vers.

Catulle Mendès, « Canidie » I,
Philoméla

Elle se baigne avec sa grande urne de grès
À l'abri des rocs noirs dans un lac d'**Arcadie**,
Eau glaciale où meurt le suprême **incendie**...
Elle se baigne avec l'image des forêts.

Son long ventre émergé mollement du marais
Respire en secouant ses colliers d'eau **verdie**.
Elle regarde fuir une moire **agrandie**,
Trouble du ciel inverse et flot sur les cyprès.

Pierre Louÿs, « La Nuit »,
La Forêt des Nymphes

Comme le Parisien agit en **étourdi** !
À festoyer le drame il s'était **enhardi**,
Et, par un Figaro follement **applaudi**,
Le voilà sous mes yeux encor **ragaillardi** !
Pour moi, que la gaîté n'aura point **affadi**,
Je tiens de ma semaine un plan bien **arrondi** :
Un joli requiem pour dimanche à **midi** ;
Item, chez Curtius, les Grands Voleurs **lundi** ;
Item, chez Arlequin, Jenneval pour **mardi** ;
Item, chez Pocquelin, Béverley **mercredi** ;
Le Combat du Taureau, près de Pantin, **jeudi** ;
Un spectacle infernal où l'on sait **vendredi** ;
Ah ! si pour la clôture on pendait **samedi** !

Antoine-Pierre-Augustin de Piis, « La Semaine du Dramomane »,
Épigrammes et Madrigaux in *Mélanges*

À ce festin déjà je brûle de me rendre ;
Mon appétit se trouve, à chaque heure, **agrandi**
Et je vous **dis** à vendre-
Di.

Tristan Derème, « Invitation »,
in Noël Ruet, *Derèmiana ou Jeux, Impromptus et Divertissements de Tristan Derème*

❒ 100 [Laforgue] ; 214.8 [Régnier]
481.5 [Lapointe]

DI-DIE° 258.

apatridie°
sidi
ascidie°
coccidie°
écidie°
cécidie°
(subventionner, Belg.)
il subsidie°
ommatidie°
octidi
quintidi
septidi
quartidi
sextidi

éfendi/e(f)fendi
lundi
Gassendi
modus vivendi

(Giuseppe) Garibaldi
Grimaldi
(Antonio) Vivaldi
(Giuseppe) Arcimboldi
(Auguste) Bartholdi

hindi
Cindie°/Cindy
dundee°
le Burundi

body
il s'ébaudit
(Antonio) Gaudi

(se gausser) il se gaudit
Lodi
Claudie°
Élodie°
mélodie°
applaudi/e°
il/(un) **maudit**
il amodie°
il/une **psalmodie°**
palinodie°
monodie°
tripodie°
il/une **parodie°**
arthrodie°
r(h)apsodie°
prosodie°
(bouge) un **taudis**
(Alpes) Tödi
duodi
voïévodie°/voïvodie°

on-dit
il **bondit**
forêt de Bondy
(dodu) **rebondi/e°**
(bond) il rebondit
(affaissement) un fondis
(+ comp.) il re/par/fondit
il confondit
il se morfondit
approfondi/e°
salmigondis
il blondit
non-dit

il pondit
il répondit
il correspondit
un arrondi
arrondi/e°
(crépuscule, rég.)
la brondie°
(il déssoûle, arg.) il dérondit
il re/tondit

(idiot, arg.) doudi
bigoudi

hardi/e°
(Thomas) Hardy
Laurel et Hardy
enhardi/e°
bardis
la Lombardie°
tachycardie°
bradycardie°
la Picardie°
embryocardie°
sefardi
gaillardie°
ragaillardi/e°
mardi
(couard) accouardi/e°
pardi!
(Giacomo) Leopardi
abâtardi/e°
il re/**perdit**
il/(un) **interdit**
(Giuseppe) Verdi

verdi/e°
(Claudio) Monteverdi
reverdi/e°
(Pierre) Reverdy
il dé/re/mordit
le vent a/nordit
(+ comp.) il tordit
(tramé) ourdi/e°
(technique) un hourdis
dés/**engourdi/e°**
(un/e) **dégourdi/e°**
alourdi/e°
(balourd) il s'abalourdit
(il assomme, rég.)
il estamourdit
assourdi/e°
abasourdi/e°
(un/e) **étourdi/e°**
à l'étourdie°

dudit
il **répudie°**
(prénom) Rudy
(un) **érudit**
(le) susdit
il ré/**étudie°**

sous-rime voisin
258.21 TI-

contre-assonanc
333.20 TI

258.5 ÉI-ÉIE°

PAYS

abbaye°
obéi/e°
désobéi/e°
(prière) l'**Agnus Dei**
(médaillon) un agnus-Dei
l'Opus Dei
vox populi, vox Dei
(patrie) PAYS
(compatriote) pays
avant-pays
arrière-pays
Pompéi
l'Ienisseï
Véies°

Ma solitude au moins voulut être savante ;
cet enfant exilé riait de son **pays,**
et s'il se souvenait d'avoir **désobéi**
aux règles que gardait un brûlant paysage,
il tenta d'élever tous ces parfaits ouvrages [...]

Odilon-Jean Périer, « In memoriam »,
La Vertu par le chant in *Poèmes*

À quel désir ai-je **obéi**
D'aller, ce matin de dimanche,
Petit temple de **Pompéi,**
À votre solitude blanche ?

Paul Morin, « La Malmaison »,
Le Paon d'Émail

***Vox populi*, *Vox* Dei.**
J'ai constamment **obéi,**
Peuple, à tes leçons de gueule,
Et ma muse peu bégueule
Aux proverbes de ton cru
A cru, a cru…

Antoine-Pierre-Augustin de Piis, « Vive la Panse »,
Chansons. Livre IV

ÉI-ÉIE° 258. I

Déjà peut-être il est venu,
Ni vu dans l'ombre ni connu,
Quand nous chantions **Agnus Dei**,
Pour t'emmener dans son **pays**.

Marie Noël, « Convoi »,
Chants et Psaumes d'automne

Adieu, belle île, adieu, fruiteux **pays**
Où sont cocos, goyaves et **féis*** !

André Berry, « Adieu à Tahiti » II,
L'Amant de la Terre

* féhi (bananier)

Et par-dessus le mur muet,
Aveugle et sourd de l'**abbaye**
Cette cendre qui remuait
Sous l'or du couvercle, ***ébahie***...

Robert de Montesquiou, « Quia Pulvis»,
Les Hortensias bleus. CIII

sous-rimes voisines
258.1 AÏ-E
258.12 LLI-E

contre-assonances
1.6 ÉA
214. SÉÉ-É

❒

258.6 EUI-EUIE°

bleui/e°
il **bleuit**
Ts'eu-hi

La frégate dans les airs qui la salue d'un rond d'écumes, et **bleuit**,
Ou la frégate sur la mer, sommet de ce sillage qu'aucune écume
ne ***trahit*** !

Édouard Glissant, « Le Voyage »,
Les Indes. XIX in *Poèmes complets*

Nous nous en irons les premiers
Sur les côteaux blancs de pommiers
Sans penser à rien, sans rien dire,
Les yeux vaguement ***éblouis***
De nos beaux horizons **bleuis**
Qui recommencent à sourire.

Albert Mérat, « Avril parisien »,
Poèmes de Paris

sous-rimes voisines
258.1 AÏ-E
258.15 OUI-E
258.22 UI-E

contre-assonances
91.7 EHAN
435.7 EHAU

❒

258.7 FI-FIE°

PHOTOGRAPHIE°
PHILOSOPHIE°

(dédain) fi!/faire **fi**
(avoir confiance) il se **fie°**
(lettre) un phi
(faire) il **fit**

(moustaches, arg.) les baffis
Kadhafi
graphie°
(rempli, rég.) clafi/e°
agraphie°
diagraphie°
gammagraphie°

il/la télégraphie°
radiotélégraphie°
chorégraphie°
digraphie°
il/la calligraphie°
épigraphie°
sérigraphie°
stratigraphie°
scintigraphie°
cacographie°
échographie°
musicographie°
lexicographie°
chalcographie°
discographie°
idéographie°
vidéographie°

Ô fol, qui se laisse envieillir
En la vaine **philosophie**,
Dont l'homme ne peut recueillir
L'esprit, qui l'âme **vivifie** !
Le Seigneur, qui me **fortifie**
Au labeur de ces vers plaisants,
Veut qu'à lui seul je **sacrifie**
L'offrande de mes jeunes ans.

Joachim du Bellay, « La lyre chrétienne »,
Œuvre de l'invention de l'auteur

Un livre n'aurait pas **suffi**
Pour peindre la mignarde flèche
De ton fin regard qui m'allèche
Avec son éternel **défi** !
......

FI-FIE°

258.

géographie°
paléographie°
muséographie°
(n. dép.) infographie°
biographie°
autobiographie°
il/une radiographie°
cardiographie°
hagiographie°
bio/bibliographie°
héliographie°
artériographie°
historiographie°
électro-/
encéphalographie°
métallographie°
cristallographie°
myélographie°
sigillographie°
il/la dactylographie°
sténodactylographie°
xylographie°
holographie°
soûlographie°
mammographie°
démographie°
filmographie°
nomographie°
momographie°
tomographie°
thermographie°
cosmographie°
scanographie°
océanographie°
scénographie°
il/la sténographie°
remnographie°
iconographie°
monographie°
pornographie°
ethnographie°
typographie°
topographie°
macrographie°
micrographie°
hydrographie°
(n. dép.) xérographie°
orographie°
il/la reprographie°
spectrographie°
pétrographie°
urographie°
nosographie°
il/la cinématographie°
pictographie°
il/une lithographie°
il/l'autographie°
il/une PHOTOGRAPHIE°
cryptographie°
il/une cartographie°
il orthographie°
dysorthographie°
flexographie°
dysgraphie°
(Constantin) Cavafy

amphi

il rubéfie°

(bravade) un **défi**
(il provoque) il **défie°**
(il doute) il se défie°
(défaire) il défit
il redéfit
F.F.I.
il se **méfie°**
il se tuméfie°
il **stupéfie°**
il (se) liquéfie°
il cokéfie°
il (se) raréfie°
il torréfie°
il (se) putréfie°

il refit
il contrefit

hifi
il (se) barbifie°
(il moralise) il édifie°
(il re/bâtit) il ré/**édifie°**
il rigidifie°
il solidifie°
il dés/humidifie°
il nidifie°
il lapidifie°
il acidifie°
il codifie°
il **modifie°**
il fluidifie°
il **déifie°**
il dragéifie°
il réifie°
il gazéifie°
(terme affectif) fifi
(bagarre, arg.) du rififi
il magnifie°
il dignifie°
il lignifie°
il **signifie°**
il dé/dis/qualifie°
il salifie°
il gélifie°
il amplifie°
il exemplifie°
il simplifie°
il nullifie°
il se ramifie°
il momifie°
il plasmifie°
il planifie°
il nanifie°
il panifie°
il lénifie°
il vinifie°
il bonifie°
il saponifie°
il personifie°
il tonifie°
il ré/unifie°
il saccharifie°
il **scarifie°**
il escarrifie°
il clarifie°
il starifie°
il lubrifie°
il sacrifie°
il **terrifie°**

Plus d'une belle à front **bouffi**,
Plus d'une guêpe à taille sèche,
En désespoir de ta calèche,
De tes attraits veut faire **fi**.

Alexandre Privat d'Anglemont, « Sonnet »,
La Tribune dramatique [26.9.1847]

Autrefois ai-je été sous le joug inhumain
Du péché ***asservi***, mais tu m'en **sanctifie** *,
Mais tu m'en ***affranchis***, mais tu m'en **justifie** *
Au nom du Créateur, ton Père Souverain.

En toi seul j'ai posé le fondement certain
Et la pierre du coin sur lequel j'**édifie**
Et d'autre que de toi je ne me **glorifie**
Qui me prends en tutelle et conduis sous ta main.

Jean-Baptiste Chassignet, « Autrefois ai-je été… »,
Le Mépris de la vie et consolation contre la mort. CCXLVII

* licence poétique

Dommage : nous avions une **photographie**
Excellente de Dieu couché dans son tombeau,
Grandeur nature, en pied, et non pas un copeau
De pellicule, mais en scope sur un beau
Large écran de lin blanc et fin qui **purifie**.

Et voici qu'un savant nous la **disqualifie** :
On a tout fait passer menu sous le flambeau
D'impassibles rayons et, le moindre lambeau
Analysé, ne reste plus qu'un oripeau
Devant lequel la foi chancelle ou s'**atrophie**.

Jacques Réda, « Sur le saint suaire de Turin »,
Lettre sur l'univers et autres discours en vers français

2e servante : De nous voilà qu'on se **méfie**…
Elle : Mais non, c'est un secret, je vous le **certifie**.
1re servante : Eh bien ! mais un secret, Madame, on le **confie**
Votre discrétion vraiment nous **stupéfie** !
2e servante : Rien ne la **justifie**.
Nous en savons assez déjà… ça nous **suffit** !
1re servante : Nous en ferons notre **profit**…
2e servante : Et nous nous souviendrons que de nous l'on **fit fi**
Ah ! **Phi-Phi** !
Tu te souviens, **Phi-Phi**…
Elle : Eh bien ! j'attends ce soir, si rien ne **modifie**
Les projets que je **fis**,
Le monsieur…
1re servante : Qui posa…
2e servante : Pour la ***pho***…
Elle : …**tographie** !

Sacha Guitry,
L'Amour masqué, acte II

2 guerres, 2 fois le ***feu***
pas de chance avec sa fille,
pas de chance avec son ***fils***,
veuve dès 42
(tuberculose), **suffit** ?*
Il lui faut tourner la feuille

pour raconter d'autres morts…

Jacques Jouet, « Élise Eisenberg »,
107 âmes

* rime berrychonne : Feu + fIls = sufFIt

❐

FI-FIE°

258. I

il éthérifie°
il estérifie°
il **vérifie**°
(une dent) il aurifie°
(il épouvante) il **horrifie**°
il scorifie°
il frigorifie°
il **glorifie**°
il électrifie°
il **pétrifie**°
il dé/nitrifie°
il dé/vitrifie°
il **purifie**°
il classifie°
il massifie°
il **pacifie**°
il opacifie°
il densifie°
il intensifie°
il spécifie°
(calcium) il (se) décalcifie°
(il retire son slip, arg.)
il se décalcifie°
il recalcifie°
il falsifie°
salsifis
il dulcifie°

il émulsifie°
il (s') ossifie°
il versifie°
il diversifie°
il russifie°
il **crucifie**°
un **crucifix**
il complexifie°
il dénazifie°
il chosifie°
il béatifie°
il gâtifie°
il ratifie°
il gratifie°
il stratifie°
il identifie°
il quantifie°
il authentifie°
il **sanctifie**°
il rectifie°
il fructifie°
il bêtifie°
il acétifie°
il dé/mythifie°
il notifie°
il pontifie°
il **certifie**°

il désertifie°
il **fortifie**°
il **mortifie**°
il plastifie°
il dé/mystifie°
il **justifie**°
il re/**vivifie**°

Philadelphie°
il solfie°

(testicule, rég.) alibofi
irish-coffee°
(il tue, arg.) il escoffie°
profit
superprofit
il (s') /une **atrophie**°
amyotrophie°
hypotrophie°
autotrophie°
il (s') /une hypertrophie°
exstrophie°
dystrophie°
(shah) un sofi/sophi
(prénom) Sophie°
théosophie°

PHILOSOPHIE°
anthroposophie°

(il s'épanche) il (se) **confie**°
(conserve) il/(un) **confit**
déconfit

bouffi/e°
(hirsute, rég.) espéloufi
(un/e) soufi/e°

orphie°
(il mange, arg.) il morfie°
zoomorphie°
dysmorphie°

il satisfit

il cocufie°
(Raoul) Dufy
il **suffit**
il statufie°

sous-rime voisine
258.23 VI-E

contre-assonances
214.6 FÉ-E
244.5 FEU-E

258.8 GI-GIE°

ROUGI
ORGIE°

(d'accord, arg.) gi!/gy!
(gésir) il **gît**
(lettre) un J

il **agit**
tabagie°
il réagit
il abréagit
hippophagie°
anthropophagie°
aérophagie°
coprophagie°
dysphagie°
Pélagie°
il **plagie**°
magie°
il rétroagit
il interagit
hémorragie°
blennorragie°
ménorragie°
assagi/e°
il vagit

hadji
kanji
(gardien du sérail)
un bostandji/bostangi
(disc-jockey) D.J.
îles Fidji
(prénom) Gigi
Luigi
Mouloudji

(poème) une **élégie**°
(menuiserie) il élégit
il privilégie°
paraplégie°
tétraplégie°
hémiplégie°
monoplégie°
(tanné) mégi/e°
(bain) (un) mégis
P.J.
régi/e°
une régie°
chorégie°
géo/**stratégie**°

gabegie°
(fromage, arg.) un fromegi

Hygie°
effigie°
ligie°
la Phrygie°
ci-gît
(rétameur, rég.) un bjiji
Ogygie°
(Délos) Ortygie°
vigie°
syzygie°

taiji
ère meiji

la Lotharingie°

algie°
lombalgie°
pubalgie°
cardialgie°

Ce soir, au réduit sombre où ronfle l'athanor,
Le grand feu prisonnier de la brique **rougie**
Exalte son ardeur et souffle sa **magie**
Au cuivre que l'émail fait plus riche que l'or.

Et sous mes pinceaux naît, vit, court et prend l'essor
Le peuple monstrueux de la **mythologie**,
Les Centaures, Pan, Sphinx, la Chimère, l'**Orgie**
Et, du sang de Gorgo, Pégase et Chrysaor.

José-Maria de Heredia, « Rêves d'émail »,
Les Trophées

Ses mains qu'elle tend comme pour des **théurgies**,
Ses deux mains pâles, ses mains aux bagues barbares ;
Et toi son cou qui pour la fête tu te pares !
Ses lèvres rouges à la clarté des **bougies** ;

Et ses cheveux, et ses prunelles **élargies**
Lourdes de torpeur comme l'air autour des mares ;
Parmi les bêtes fabuleuses des simarres,
Vous ses maigreurs, vous mes suprêmes **nostalgies** [...]

Jean Moréas, « Ses mains qu'elle tend... »,
Les Cantilènes

Ta main sur moi : **thaumaturgie**
imposition de velours
dispensatrice d'**énergie**
allègement de songes lourds.

Ta main dans la mienne : **magie**
ce fluide aller et retour
au creux de ma main **assagie**
courant continue de l'amour.

Luc Estang, « Main »,
Corps à cœur. XII

☞

GI-GIE°

céphalalgie°
entéralgie°
arthralgie°
gastralgie°
névralgie°
coxalgie°
antalgie°
otalgie°
odontalgie°
nostalgie°

(fromage, arg.) un fromgi

bogie°
pédagogie°
démagogie°
anagogie°
apagogie°
mystagogie°
logis
généalogie°
mammalogie°
analogie°
minéralogie°
tétralogie°
sans-logis
trilogie°
antilogie°
phlébologie°
amphibologie°
cacologie°
pharmacologie°
écologie°
gynécologie°
mycologie°
psychologie°
parapsychologie°
métapsychologie°
neuropsychologie°
lexicologie°
toxicologie°
musicologie°
monadologie°
(enfant) pédologie°
(géologie) pédologie°
podologie°
méthodologie°
archéologie°
idéologie°
géologie°
spéléologie°
téléologie°
néologie°
phraséologie°
muséologie°
théologie°
ostéologie°
graphologie°
morphologie°
ufologie°
oto-rhino-/
laryngologie°
biologie°
sociobiologie°
microbiologie°
radiologie°
cardiologie°
bibliologie°
myologie°

épidémiologie°
sémiologie°
craniologie°
embryologie°
bactériologie°
artériologie°
assyriologie°
glaciologie°
psycho/sociologie°
axiologie°
sémasiologie°
onomasiologie°
électro/physiologie°
ichtyologie°
étiologie°
philologie°
haplologie°
épistémologie°
pneumologie°
mimologie°
étymologie°
ophtalmologie°
filmologie°
homologie°
entomologie°
sismologie°
cosmologie°
volcanologie°
océanologie°
technologie°
œnologie°
phénoménologie°
phrénologie°
criminologie°
terminologie°
endocrinologie°
sinologie°
iconologie°
phonologie°
démonologie°
chronologie°
ethnologie°
immunologie°
zoologie°
apologie°
typologie°
topologie°
anthropologie°
nécrologie°
andrologie°
hydrologie°
sérologie°
cancérologie°
gastroentérologie°
caractérologie°
neurologie°
néphrologie°
sophrologie°
papyrologie°
virologie°
météorologie°
patrologie°
métrologie°
astrologie°
urologie°
futurologie°
périssologie°
sexologie°
doxologie°

Charmant ***bourgeois***
Qui décampas du **logis**
L'œil tout en ***joie***,
Ton nez comme ***aubergine rougeoie***
Aux **bougies**.

Tristan Klingsor, « Fréjol »,
Humoresques

Apollinifié je Tripotanisais
Apocyphiquement et d'**amphibologie** :
Puis Léthéifiant l'**antigraphologie**,
Tout enthousiasmé j'apophtegmatisais.

Quintessencifié je transmontanisais,
Néoptolémisé en l'aigre **Astrologie** :
Étrange paradoxe enflé de **léthargie**,
Grammatophilacé je Philologisais.

Gabriel Robert, « Apollinifié… »,
Le Violier des Muses

❒

marxologie.
nosologie°
posologie°
(pléonasme) battologie°
scatologie°
eschatologie°
hématologie°
climatologie°
traumatologie°
symptomatologie°
stomatologie°
dermatologie°
rhumatologie°
thanatologie°
pathologie°
psychopathologie°
tératologie°
anthologie°
dialectologie°
éthologie°
cosmétologie°
planétologie°
(h)erpétologie°
politologie°
mythologie°
ornithologie°
(site) sitologie°
(biologie) cytologie°
otologie°
érotologie°
tautologie°
ontologie°
odontologie°
déontologie°
paléontologie°
gérontologie°
égyptologie°
histologie°

christologie°

(jargon, arg.) le largonji

bougie°
ROUGI/E°
il dérougit

r/élargi/e°
(maréchal des logis, arg.)
un margis
léthargie°
allergie°
clergie°
anergie°
l'**énergie**°
(n. dép.) NRJ
bioénergie°
synergie°
asynergie°
Cergy
ORGIE°
(Caucase) la Géorgie°
(États-Unis) la Géorgie°
théurgie°
métallurgie°
sidérurgie°
chirurgie°
surgi/e°
re(s)surgi/e°
dramaturgie°
thaumaturgie°
liturgie°

(d'accord, arg.) ligoduji
il se **réfugie**°
il mugit
il **rugit**

sous-rime voisin
258.3 CHI-

contre-assonanc
214.7 GÉ-

258.9 GNI-GNIE°

COMPAGNIE°

algolagnie°
urolagnie°
(Olivier de) Magny
(Félix) Houphouët-Boigny
(+ comp.) il **joignit**
COMPAGNIE°
il **feignit**
il **geignit**
il **plaignit**
il dé/re/**peignit**
il **craignit**
il enfreignit
il empreignit
il épreignit
il **étreignit**
il contraignit
il astreignit
il restreignit
il ceignit
il enceignit
il teignit
il atteignit
il éteignit
il déteignit
il reteignit
Bobigny
(Charles Fr.) Daubigny
Coligny
Champigny
de Lattre de Tassigny
le Faucigny
Isigny
(gendarme, arg.) prastigni
(Alfred de) **Vigny**
Savigny
les Zuñis

Tout se comporte-t-il là-bas comme il te plaît,
Ta perruche, ton chat, ton chien ? La **compagnie**
Est-elle toujours belle, et cette ***Silvanie***
Dont j'eusse aimé l'œil noir si le tien n'était bleu,
Et qui parfois me fit des signes, palsambleu !
Te sert-elle toujours de douce confidente ?

Paul Verlaine, « Lettre »,
Fêtes galantes

Un jour Van Dongen la **peignit**
Et dans sa gaine, fou d'elle, il l'**étreignit**
C'était au temps du cinéma muet
Plus proche de nous que celui de Bossuet

Charles Trenet, « Tempéramentale »,
Tombé du ciel

Après tout un long jour haletant de locomotives,
On descendait avec le soir en gare de **Chagny**.
Il fallait changer : l'autorail aux cabines alternatives
Cuisait, rouge et blanc sur sa voie et, sans qu'on s'en **plaignît**,
Il fallait entrer dans ce four pour finir le voyage…

Jacques Réda, « Éloge modéré de la lenteur »,
Recommandations aux promeneurs

sous-rimes voisines
258.14 NI-E
258.12 LLI-E

contre-assonances
214.8 GNÉ-E
456.9 GNON

❐

258.10 GUI-GUIE°

GUI

(plante) le GUI
(marine) un gui
saint Gui/Guy
(prénom) Guy
nœud d'agui
laguis
Maggy
des pagi
des nuraghi
Bangui
l'Oubangui
il **languit**
alangui/e°
(prénom) Tanguy
(Yves) Tanguy
(prénom) Peggy
(Charles) Péguy
malpighie°
le Rig(h)i
danse de Saint-Guy
dinghy
boggie°
yogi
groggy
Missolonghi
sloughi
boogie-woogie°
(un/e) targui/e°
chergui
buggy

Je paye de savoir Phénix ce qu'il me coûte
À suivre des ardents la danse de **Saint Guy**
Au lieu de recueillir la précieuse goutte
D'une liqueur pareille aux opales du **gui**

Jean Cocteau, « Premier mouvement. Cadence »,
Cérémonial espagnol du Phénix

Un gentil toutou vit un jour un brin de **gui**
　　Tombé d'un chêne
Il allait lever la patte dessus sans gêne
　　Quand sa maîtresse ***qui***
L'observe l'en empêche et d'un air **alangui**
　　Ramasse le **gui**

Guillaume Apollinaire, « Le toutou et le gui »,
Poèmes à Lou. LXVIII

Berger votre houlette
s'enrubanne de **gui**,
et dans une brouette
Huguette pousse **Gui**.

Paul Neuhuys, « Petite fugue »,
Le Marchand de sable

Paysan **alangui**
Et danseur de **Saint-Guy**,
Guignes-tu, grand **yogi**,
Un Éden pour – **groggy** –
Y languir sous le **gui** ?

Clovis Maërl, « Charles Péguy »,
Acrostiches postiches

sous-rime voisine
258.17 QUI-E

contre-assonance
121.9 GUET-GAIE

❐

258.11 LI-LIE°

LIT
FOLIE°

(mesure) un li
(rebut) la **lie°**
(lier) il lie°
(lire) il **lit**
(meuble) un LIT
(fleur, par licence) un **lis/lys**

(calife) Ali
(allier) il (s') **allie°**
Bali
(ville) Cali
(divinité) Kali
(plante) un kali
kathakali
alcali
teoca(l)li
didascalie°
châlit
(Salvador) Dali
acidalie°
ordalie°
anencéphalie°
acrocéphalie°
macrocéphalie°
microcéphalie°
hydrocéphalie°
la Westphalie°
Magali
acromégalie°
Kigali
(oiseau) un bengali
(Bengale) (un/e) bengali/e°
hallali
Eulalie°
palilalie°
écholalie°
coprolalie°
glossolalie°
dyslalie°
(pays) le Mali
(déficit, Belg.) un mali
anomalie°
(pays) la Somalie°
(habitant) (un/e) somali/e°
(langue) le pali
(pâlir) **pâli/e°**
(pieu) un palis
(pallier) il pallie°
(pâle) a(p)pâli/e°
népali
(rallier) il (se) **rallie°**
(course) un rallye°
des féralies°
Coralie°
des floralies°
l'Australie°
sali/e°
resali/e°
la Thessalie°
il se mésallie°
physalie°
Rosalie°
Thalie°
Athalie°

Nathalie°
des parentalies°
Méhémet Ali
l'**Italie°**
Castalie°
des vestalies°
(fille, arg.) une gavalie°
wali

il enlie°
chienlit
(un/e) osmanli/e°
pissenlit

(vin) du chablis
(arbre abattu) un chablis
(table) un **établi**
(certain) **établi/e°**
(il s'installe) il (s') **établit**
préétabli/e°
connétablie°
rétabli/e°
il **faiblit**
affaibli/e°
ameubli/e°
anobli/e°
ennobli/e°
(omission) un **oubli**
(il omet) il **oublie°**
(gaufre) une oublie°
doublis
il re/**publie°**

(clitoris, arg.) un clicli

(prophète) Élie°
(élire) il élit
(grand prêtre) Héli
souahéli/e°
(Benjamin) Disraeli
(beau) **embelli/e°**
(éclaircie) une **embellie°**
lobélie°
casus belli
(ville) Delhi
(délier) il **délie°**
(forfait) un **délit**
(fente) un délit
terre Adélie°
quasi-délit
New Delhi
il réélit
aphélie°
Ophélie°
périhélie°
(Gene) Kelly
Amélie°
homélie°
parmélie°
dysmélie°
Nelly
(prénom) Cornélie°
Farinelli
canapé-lit
(enjouement) eutrapélie°
la Carélie°
par(h)élie°
(Victor) Vasarely
(prénom) Aurélie°

Quel pavillon, jadis, flotta sur cette hampe
un peu de sel aux lèvres, une amertume au **lit**.
Vas-tu vomir enfin ton âcre mort, **scolie** ?
La vie ça te connaît comme une vieille crampe.

La Terre quelque part. C'est la même **folie**
et la même ***insomnie***…et c'est la même hampe.
Oh finir proprement en un coin de l'estampe !
Et que le vent t'emporte, duvet du **pissenlit**…

Benjamin Fondane, « Quel pavillon, jadis… »,
Ulysse in *Le Mal des fantômes*

Au fond d'un vieux ***palais*** toscan **enseveli**,
C'est un portrait sinistre à force d'être étrange,
Tête idéale et folle aux yeux de mauvais ange,
Visage ovale et fin d'adolescent **pâli**,

Le cou frêle et trop ***long*** penche, comme **affaibli**,
Sous le poids du front haut, mi-voilé d'une frange
De raides cheveux ***longs*** d'un ***blond*** roux, presque orange,
Et semés d'iris ***bleus***, signés **Botticelli**.

Jean Lorrain, « Sur un portrait », I
L'Ombre ardente

Je suis le Ténébreux, – le Veuf, – l'***Inconsolé***,
Le Prince d'Aquitaine à la Tour **abolie** :
Ma seule *Étoile* est morte, – et mon luth ***constellé***
Porte le *Soleil noir* de la **Mélancolie**.

Dans la nuit du Tombeau, Toi qui m'a ***consolé***,
Rends-moi le Pausilippe et la mer d'**Italie**,
La *fleur* qui plaisait tant à mon cœur ***désolé***,
Et la treille où le Pampre à la Rose s'**allie** !

Gérard de Nerval, « El Desdichado »,
Les Chimères

L'**ancolie** au **joli** *col*
Au *col* alpin se **relie**
Mélancolique **ancolie**
Que je voudrais **en colis**
De mes mains te *coltiner*
– Oh, la *câline* **folie** –
Jusqu'au cou de mes **jolies**
À qui je ferais *collier*
De tes *corolles* ***cueillies***
Ô ma fragile **ancolie**

Georges-Emmanuel Clancier, « Écho d'ancolie »,
in *La Nouvelle Guirlande de Julie*

Le cœur fatigué des amantes
La dérive des **Ophélie**
Le philtre bu jusqu'à la **lie**
L'amour des femmes finissantes
Le noir luisant de leur **folie**
Les réveilleuses de l'***envie***
Les décharnelles réamantes
Le redésir sans ***paradis***
Les désâgées les indécentes
Le spasme la honte l'**oubli**

Louis Pauwels, « Vieille »,
Dix ans de silence

☞

LI-LIE°

258. I

(méduse) une aurélie°
Botticelli
Zélie°
philatélie°
hypertélie°
vélie°

saut-de-lit
dessus-de-lit
(vomi, arg.) un dégueulis
(Jean) Tinguely
(relier) il **relie**°
(relire) il relit
(chant de l'alouette)
un tireli(s)
voiture-lit
couvre-lit
friselis
aveuli/e°
enseveli/e°

(gros lard, rég.) un tartifli
conflit

glie°
l'Agly
(chatouiller) faire gligli
(Ulrich) Zwingli
névroglie°

l'Ili
swahili/e°
la Kabylie°
le Chili
Piccadilly
phyllie°
il s'affilie°
il désaffilie°
la Pamphylie°
colombophilie°
francophilie°
discophilie°
pédophilie°
bibliophilie°
aquariophilie°
anglophilie°
hémophilie°
anémophilie°
spasmophilie°
germanophilie°
xénophilie°
zoophilie°
scripophilie°
nécrophilie°
haltérophilie°
coprophilie°
gérontophilie°
cartophilie°
guili-guili
(diminutif) Lili
Émilie°
simili
il **humilie**°
des fontanili
des lapilli
pili-pili
le Tassili/tassili
il domicilie°
il concilie°

il **réconcilie**°
lucilie°
il résilie°
polydactylie°
syndactylie°
r/**avili/e**°

aboli/e°
embolie°
le Stromboli
colis
ancolie°
mélancolie°
(Michel) Piccoli
torticolis
brocoli
un/e sc(h)olie°
la Podolie°
l'Éolie°
FOLIE°
il défolie°
il interfolie°
il (s') exfolie°
gaulis
la Mongolie°
ailloli/aïoli
(gazouillis) un piaulis
(bigarrure) un bariolis
ravioli
joli/e°
Mantes-la-Jolie°
(mou) il mollit
(ail) un moly
(prénom) Molly
amolli/e°
(un/e) **ramolli/e**°
démoli/e°
nolis
(éclat) le poli
(lisse) **poli/e**°
(courtois) **poli/e**°
(polycopie) un poly
dépoli/e°
il repolit
(ville) Tripoli
(roche) le tripoli
impoli/e°
(un/e) malpoli/e°
(n. dép.) un Monopoly
il **spolie**°
faire paroli
néroli
des soli
rossolis
l'Anatolie°
l'Étolie°
volis
Rivoli
Tivoli

wagon-lit

niaouli
aboulie°
éboulis
(malingre, rég.)
escrébouli/e°
patchouli
(porteur) un coolie°

– Fille, fais ton choix :
Ces saints que tu vois
Chantant d'une voix
Austère
Regina Caeli
En frocs ou **surplis**
Sont toujours **céli-**
bataires.

Marie Noël, « Chant de la folle Morte »,
Chansons de Mortes in *L'Œuvre poétique*

Du soir tout gris au matin ***bleu***
Plus d'une fille **oublie**
Son propre aveu ;
Qu'en dites-vous, Monsieur de la **Mélancolie** ?

Tristan Klingsor, « Quand il pleut à Blois »,
Humoresques

❒ 91.5 [Verlaine] ; 214.9 [Richepin] ; 445 [Rostand]
1.12 [Duteil] ; 92 [Carco]

(sauce) un **coulis**
vent coulis
mâchicoulis
(il trépigne, rég.) il tréfoulit
poulie°
anti/**roulis**
des trulli

(plissé) un **pli**
(contreplaqué) un pli
(plier) il **plie**°
(poisson) une plie°
(amplificateur) un ampli
(emplir) il **emplit**
(ourlet) un rempli
(plein) **rempli/e**°
(remplier) il remplie°
désempli/e°
il déplie°
un **repli**
il (se) replie°
il dé/**multiplie**°
panoplie°
des complies°
in/non-/**accompli/e**°
assoupli/e°
surplis
il **supplie**°

(Éric) Tabarly
la Dalécarlie°
Charly/Charlie°
(bord d'un plat) un marli
(ville, château) Marly
wienerli
sirli

Orly
(vacarme, rég.) un bourlis
courlis

Leslie°
muesli

grizzli/grizzly

des oculi
dulie°
hyperdulie°
Julie°
(Jean-Baptiste) Lulli/Lully
simulie°
des stimuli
(amas) un accumulis
des tumili
granulie°
l'Apulie°
épulis/épulie°
vox populi
brûlis
Sully
lapis-lazuli

sous-rimes voisines
258.12 LLI-E
258.18 RI-E

contre-assonances
1.12 LA
214.11 LÉ-E
244.10 LEU-E

258.12 LLI-LLIE°

TAILLIS

bailli
(faillir) il a **failli**
(faillite) (un/e) failli/e°
il a défailli
il a **jailli**
il a rejailli
(tapage) **chamaillis**
(pâtre, Suisse) armailli
paillis
(relief, boutade) une saillie°
(accouplement) une saillie°
(il s'accouple) il saillit
(il déborda) il saillit
assailli/e°
Janson-de-Sailly
il a **tressailli**
TAILLIS
vieilli/e°
envieilli/e°
pays
(claire-voie) **treillis**
(toile) treillis
cueilli/e°
accueilli/e°
recueilli/e°
enorgueilli/e°
Neuilly

(vomis, arg.) dégobillis
(Jacqueline de) Romilly
(ville) Chantilly
une (crème) chantilly
(dentelle) du chantilly
Barbey d'Aurevilly
(pot-au-feu) un bouilli
(bouillir) boulli/e°
(liquide pâteux)
une **bouillie°**
il débouillit
gribouillis
barbouillis
crachouillis
bredouillis
fouillis
bafouillis
cafouillis
(désordre) trifouillis
gargouillis
margouillis
Bo Juyi/Po Kiu-yi
(empereur) Puyi/P'ou-yi
(vin) un pouilly
brouilly
(grouillement) grouillis
(bourbier) patrouillis
gazouillis
chatouillis

Je souffre, je me tais ; et, dans ce **chamaillis**,
  Seul, de sang-froid et sans colère,
M'esquivant doucement de taillis en **taillis**,
Je regagne à la fin ma retraite si chère.

Jean-Pierre Claris de Florian, « L'Aigle et le Hibou »,
Fables complètes. Livre V, XVII

Mon crime s'est longtemps caché sous le silence,
Mes maux en sont accrus, mon visage **envieilli**,
Et les cris que m'arrache enfin leur violence
Sont le fruit douloureux que j'en ai **recueilli**.

Pierre Corneille, « Psaume XXXI. Les Sept Psaumes pénitentiaux
L'Office de la Sainte Vierge

Je reviens à ce siècle où nos mignons **vieillis**,
À leur dernier métier voués et **accueillis**,
Pipent les jeunes gens, les gagnent, les courtisent [...]

Agrippa d'Aubigné, « Princes »,
Les Tragiques. Livre II, v. 1313-1315

marvoyé * méhain** et **failli**
qui de nul n'attend recouvrance
    en tel exil
si gît perclus sur son **paillis**
cil qui négligea pourvéance
    et n'a mesnil

Jean-Claude Pirotte, « Or me voici en quarantaine… »,
La Prescription des peines
in *La Vallée de Misère*

* égaré ** malade

Oyez, ***oui***, ***ouïs***
Sous la ***feuillée***,
Sous le **fouillis**,
Oyez, ***oyez***

Dans le **taillis**
Oyons, ***oyons***
Le **gazouillis**
De l'***oisillon***.

Alfred Jarry,
L'Objet aimé, scène I

sous-rime voisine
258.11 LI-E

contre-assonance
214.10 IÉ-E/LLÉ-E

❐ 258.11 [Clancier]

258.13 MI-MIE°

AMI

(moi, angl.) **me**
(note) un mi
(demi) mi-
(de pain) la mie°
(ne…pas) ne… **mie°**
(aimée) ma **mie°**
(mettre) être/je/il a **mis**
(mollusque) une mye°

(un/e) AMI/E°
(linge) un amict
(plante) un ammi
vidamie°
infamie°
(oiseau) un agami

(reproduction) une agamie°
bigamie°
polygamie°
origami
endogamie°
allogamie°
homogamie°
monogamie°
apogamie°
hétérogamie°
isogamie°
exogamie°
autogamie°
Miami
kami
lamie°
lapsus calami
salami

J'aime devenir nul et me fondre **parmi**
les flics, les professeurs, les marchands qui m'entourent,
les vieux, les vérolés qui crient aux carrefours,
le nez sur leur guichet les postiers **endormis**,

les bœufs au cul bouseux, les ânes, les **fourmis**,
les mouches, l'escargot qui broute avec amour
la feuille dans laquelle il fait passer le jour,
les poubelles, les os, le gravier – mes **amis** !

Thieri Foulc, « De l'eau »,
Whâââh

L'un semblable aux tourments de ce grand paysage,
L'autre à la profondeur de son calme **soumis** :
Que plus rien désormais ne les divise, **amis**,
Presque jumeaux par la matrice du langage

……

258. I

MI-MIE°

Bel-Ami
(mon aimée)
mamie°/m'amie°
(grand-mère)
ma(m)my/mamie°
adynamie°
tsunami
(jeu) le rami
(plante) une ramie°
brahmi
gin-rummy/gin-rami
gourami
(tissu) un samit
(prénom) Sammy
(soldat) un sammy
tamis
tatami
la Mésopotamie°

admis
(cadmium) il cadmie°
(résidus) des cadmies°
réadmis

(au milieu de, arch.)
emmy/emmi
(émettre) **émis**
démis
académie°
endémie°
pandémie°
épidémie°
lipidémie°
Néhémie°
F.M.I.
gémi/e°
blêmi/e°
(apôtre) saint Barthélémy
(massacre)
la Saint-Barthélémy
alcoolémie°
il/une **anémie**°
Noémie°
lipémie°
Rémy/Rémi
R.M.I.
Jérémie°
il **frémit**
Domrémy
wagon-/trémie°
urémie°
leucémie°
hypo/hyper/glycémie°
polysémie°
septicémie°
toxémie°
atémi

à **demi**
(et, un/e) **demi/e**°
(Jacques) Demy
(un/e) **ennemi/e**°
(absolument de même)
queussi-queumi
remis
entremis
semis

(science) la **chimie**°

(danse) le shimmy
alchimie°
biochimie°
thermochimie°
agrochimie°
électrochimie°
pétrochimie°
photochimie°
Jimmy
boulimie°
(diminutif) Mimi
(mignon) (un) mimi
(minet; caresse) un mimi
amimie°
pathomimie°
homonymie°
synonymie°
éponymie°
anthroponymie°
toponymie°
paronymie°
antonymie°
métonymie°
autonymie°
thymie°
athymie°
(un/e) chtimi/ch'timi
cyclothymie°
lipothymie°

il calmit
accalmie°
salmis
opthalmie°
exophtalmie°
Valmy

omis
(commettre) **commis**
(employé) un commis
fidéicommis
sodomie°
prud'homie°
ergonomie°
dolomie°
momie°
anomie°
antinomie°
taxinomie°
bonhomie°
macro/micro/
économie°
ergonomie°
physionomie°
hétéronomie°
agronomie°
astronomie°
gastronomie°
sexonomie°
autonomie°
polychromie°
quadrichromie°
trichromie°
homochromie°
monochromie°
autochromie°
orthodromie°
loxodromie°
(promettre) **promis**

Où, relisant leurs vers, à mon tour je m'engage
Et soupèse les miens comme dans un **tamis**
Trop fin. Et je me sens un indigent, **hormis**
Pour celle dont on sait à peine le visage [...]

Jacques Réda, « Coleridge, William et Dorothy »,
Le District des Lacs in *Le Sens de la marche*

Le soleil, sur le sable, ô lutteuse **endormie**,
En l'or de tes cheveux chauffe un bain langoureux
Et, consumant l'encens sur ta joue **ennemie**,
Il mêle avec les pleurs un breuvage amoureux.

De ce blanc flamboiement l'immuable **accalmie**
T'a fait dire, attristée, ô mes baisers peureux,
« Nous ne serons jamais une seule **momie**
Sous l'antique désert et les palmiers heureux ! »

Stéphane Mallarmé, « Tristesse d'été »,
Poésies

Durant son sommeil, indiscrète,
Une **fourmi**
Se glissa dans sa collerette,
Quelle **infamie** !
Moi, pour secourir la pauvrette,
Vite je **mis**
Ma patte sur sa gorgerette :
Elle a **blêmi**.

Crime de lèse-bergerette
J'avais **commis**.
Par des gifles que rien n'arrête
Je suis ***puni***,
Et pas des gifles d'opérette,
Pas des **demies**.
J'en ai gardé belle lurette
Le cou **démis**.

Quand j'ai tort, moi, qu'on me maltraîte,
D'accord, **admis** !
Mais quand j'ai rien fait, je regrette,
C'est pas **permis**.
Voilà qu'à partir je m'apprête
Sans **bonhomie**,
C'est alors que la guillerette
Prend l'air **soumis**.

Georges Brassens, « Clairette et la fourmi »,
Poèmes et chansons

Turlurette et Turlulu
rêvent d'un jeu farfelu
C'est le jeu de you and **me**
toi Youyou et moi **Mimi**

Paul Neuhuys, « Les comptines d'Octavie »,
Octavie in *Le Pot-au-feu mongol*

Pour **amis**, j'ai des ***mots***
Que je ***mets*** sur des **MI**
Et qui font dans ***mon*** dos
D'étranges ***mélodies***

Yves Duteil, « Les mots »,
Les mots qu'on n'a pas dits...

❒ 378 [O'Neddy] ; 121.13 [Molinet]

MI-MIE°

(fiancé) un promis
(compromettre) **compromis**
(accord) un compromis
Tommy
des latomies°
anatomie°
lobectomie°
iridectomie°
mammectonie°
hystérectomie°
gastrectomie°
vasectomie°
otomi
phlébotomie°
lobotomie°
dichotomie°
trachéotomie°
stéréotomie°
laparotomie°

dystomie°
Suomi
un vomi
vomi/e°

(matraque, arg.) goumi
(femme, arg.) (l)loumi
un/e roumi/e°
soumis
(un) **insoumis**

parmi
pachydermie°
taxidermie°
fermi
r/affermi/e°
(permettre) **permis**
(licence) un permis
thermie°
géothermie°

hypothermie°
hyperthermie°
hormis
il **dormit**
(un/e) **endormi/e°**
rendormi/e°
il renformit
fourmi
(stagnant, rég.) gourmi/e°

re/transmis
anosmie°

ketmie°
arythmie°
eurythmie°

sous-rime voisine
258.14 NI-E

contre-assonance
214.12 MÉ-

258.14 NI-NIE°

NID
BÉNI
INFINI

(conjonction) **ni**
un NID
(nier) il **nie°**

(plante) l'**anis**
(prénom) Annie°
(un/e) **banni/e°**
(bohémien, rég.) un cabani
(vieillard, Alg.) un chibani
l'Albanie°
sesbanie°
leucanie°
l'Hyrcanie°
la Jordanie°
la Transjordanie°
la Cisjordanie°
l'Océanie°
(prénom) Fanny
(lumière) la phanie°
Stéphanie°
épiphanie°
Tiffany/Tiphanie°
(révélation de Dieu) théophanie°
vitrophanie°
lithophanie°
afghani
(Anna) Magnani
(Amedeo) Modigliani
(Marcello) Mastroianni
Mélanie°
vélani
aplani/e°
(manichéisme) Mani
(il manœuvre) il **manie°**
(obsession) une manie°
Gethsémani
il remanie°

l'Illimani
pharmacomanie°
(goût des antiquités) antiquomanie°
toxicomanie°
décalcomanie°
nymphomanie°
bibliomanie°
opiomanie°
mégalomanie°
anglomanie°
cocaïnomanie°
morphinomanie°
héroïnomanie°
monomanie°
démonomanie°
romani
éthéromanie°
pyromanie°
métromanie°
claustromanie°
barbituromanie°
dipsomanie°
bruxomanie°
mythomanie°
potomanie°
érotomanie°
cleptomanie°/
kleptomanie°
la Roumanie°
la Germanie°
la Birmanie°
la Tasmanie°
la Rhénanie°
l'Acarnanie°
Hernani
la Campanie°
l'Hispanie°
rani
maharani
les Guaranis
la Poméranie°
tyrannie°
des soprani

Sur cette neige immaculée où le Silence
Rythme les chants mystérieux de l'**Infini**,
Mon bonheur d'autrefois grelotte, et se balance
Dans l'air, tel un oiseau qui cherche en vain son **nid**.

Ah ! tes jeux éperdus ! Ta douce nonchalance !
Ta voix fière et joyeuse et ton regard **béni** !
Les prés sonores que scrutait ma vigilance,
Si loin des oliviers sourds de **Gethsémani** !

Je sens le froid des Clous et le froid de la Lance.
J'ai péché, j'ai péché. Dieu m'a-t-il trop **puni** ?
Je ne puis contenir mon désespoir qui lance

Le cri terrible : ***Eli***, *lamma* **sabacthani**…*
Mais Jésus m'a ***souri***. J'écoute le Silence.
L'oiseau de mon amour a retrouvé son **nid**.

Armand Godoy,
Mon fils ! Mon fils ! XX

* Mon Dieu, pourquoi m'avez-vous abandonné ?
(Saint Matthieu XXVII, 46)

Combien s'est-il coûté de Pâques solitaires
Mon rêve oiseau sans ciel, nébuleuse **honnie**
Depuis que les cadrans s'enroulent sous les verres
Combien d'apprêts pascals voués aux **démonies** ?

Depuis que les cadrans sont las des jours qu'ils oblitèrent
Depuis que les mains sans bouquets et les fleurs d'**insomnie**
Ne se mêlent qu'au bout des temps aux bonheurs exemplaires
Combien seul un fervent cercueil tint lieu des **harmonies** !

Quoi ! Nul don d'un fruit mûr, mais dans un coin par terre
La robe de latence adorable et **bannie**
Mais nul soulier qui va : mais l'ordre de se taire
Et tous les chemins poudre à des vitres **ternies**…

Pourquoi ces lents calculs brouillés de tempête et de terre
Et ces heures si tôt toujours, pourtant jamais **finies**
Sinon parce qu'il est, non mûr, un projet du mystère
Qui fait s'attendre en pleurs mon âme au fond de quel **génie** ?

Simone de Carfort, « Pâques solitaires »,
Ermarindor

☞

(muse) Uranie°
(papillon) une uranie°
sanie°
za(n)ni
la Tanzanie°
vésanie°
zizanie°
Béthanie°
tétanie°
litanie°
la Mauritanie°
l'Occitanie°
la Lusitanie°
hindoustani
la Lituanie°
avanie°
(Luigi) Galvani
la Transylvanie°
la Pennsylvanie°
Giovanni
Don Giovanni

zootechnie°
pyrotechnie°

il hennit
BÉNI/E°
bénit
cul-bénit
un déni
il **dénie°**
(esprit; talent) un **génie°**
(prénom) Jenny
(machine à filer) une jenny
Eugénie°
mule-jenny
Iphigénie°
épigénie°
il s'ingénie°
cryogénie°
thermogénie°
phonogénie°
anthropogénie°
androgénie°
orogénie°
pathogénie°
tératogénie°
photogénie°
ontogénie°
orthogénie°
maréchal Galliéni
blennie°
ximénie°
(nouvelle lune) néoménie°
ayatollah Khomeiny
l'Arménie°
(chant funèbre) des nénies°
(non) **nenni**
penny
paraphrénie°
hébéphrénie°
schizophrénie°
assaini/e°
décennie°
la Messénie°
asthénie°
psychasthénie°
neurasthénie°

chenil
(prénom) Denis
saint Denys/Denis
(tyran) Denys
Saint-Denis
fenil
rajeuni/e°
chapellenie°
châtellenie°
vilenie°
il **renie°**
Mont-Cenis

daphnie°

Agni

(Luigi) Cherubini
(Niccolò) Piccinni
(Concino) Concini
(Giacomo) Puccini
pleurodynie°
le fini
fini/e°
le défini
re/**défini/e°**
un indéfini
indéfini/e°
semi-fini/e°
l'INFINI
être INFINI/E°
transfini/e°
androgynie°
misogynie°
(prénom) Virginie°
(États-Unis) la Virginie°
(tabac) du virginie°
(fromage) des stracchini
(île) Bikini
(n. dép.) un bikini
monokini
blini
Bellini
(Federico) Fellini
(Benvenuto) Cellini
(Roberto) Rossellini
(Benito) Mussolini
(Pier Paolo) Pasolini
(écoulement) dégoulinis
mini
em/brouillamini
en catimini
ignominie°
(diminutif) Nini
(réponse négative) un ni-ni
(...c'est fini !) N, i, ni,
(Arturo) Toscanini
(Niccolo) Paganini
bauhinie°
(pénis) un totoquini
Tarquinies°
Vivarini
les Érinyes°
des acini
Cassini
l'Abyssinie°
(Gioacchino) Rossini
puccinie°
actinie°

Ainsi, du sort la **félonie**
Me réservait cette **avanie**.
Mais qu'importe le sort brutal ?
Ne pleurons pas, ô mon **génie**,
D'être logés à l'hôpital.

Eh ! Qu'importe quand l'**insomnie**,
Sur ce dur chevet d'**agonie**
Te crée un monde oriental...

Que le présent l'outrage ou **nie**,
Ma muse, un jour, sera **bénie**,
Le malheur est mon piédestal...

> Aloysius Bertrand, « Plainte »,
> *Œuvres poétiques*

C'était un vase étrange ; on y voyait courir,
Pantelante sous la torche des **Érinyes**,
Une foule mouvante en spires **infinies**...
Et l'argile vivante avait l'air de souffrir.

Quelque ouvrier terrible avait dû la pétrir
Avec de la chair âpre et des pleurs d'**agonies** ;
Des hydres s'y tordaient, et les Voix **réunies**,
Clamaient la double horreur de naître et de mourir.

> Albert Samain, « Le Vase »,
> *Au Jardin de l'Infante*

Tout au long des parfums que distillent les jours
Dont l'attente aux yeux clairs prolonge l'**agonie**,
Le silence incertain des gracieux ***ennuis***
Pénètre nos désirs et nos rêves d'amour [...]

> Alain Defossé, « Heures vaines »,
> *Reflets*

Et toi, fleuve jeté aux flots ***océaniques***,
Et toi, le temps, et vous, l'espace et l'**infini**,
Et vous enfin, cerveaux d'Ève et d'Adam, **unis**
Pour la vie innombrable et pour la mort ***unique***.

> Émile Verhaeren, « Paradis », II
> *Les Rythmes souverains*

De Péronne au Rhône **Rosny**
manie en héros l'**ironie**,
on voit de l'Escobar **honni**
de Péronne au Rhône **Rosny**.
Mais, subtil comme **Alberoni**,
de l'Art il fait sa **baronnie** :
de Péronne au Rhône **Rosny**
manie en héros l'**ironie**.

> Georges Fourest, « Quelques chers maîtres »,
> *Le Géranium ovipare*

❒ 214.4 [Nerval] ; 263 [Salmon] ; 435.8 [Mallarmé]
258.9 [Verlaine] ; 244.14 [Audiberti]

NI-NIE° 258.

la Bithynie°
(n. dép.) un Martini

Pol(h)ymnie°
il/une **calomnie°**
insomnie°
hypersomnie°

honni/e°
(excédent) un boni
(il raconte, arg.) il bo(n)nit
il r/abonnit
(vieux garçon, rég.)
un bichoni
la Laconie°
la Franconie°
(Écosse) la Calédonie°
la Nouvelle-Calédonie°
(fête d'Adonis)
les Adonies°
Sidonie°
(Carlo) Goldoni
(Giambattista) Bodoni
Léonie°
phonie°
aphonie°
diaphonie°
téléphonie°
euphonie°
polyphonie°
symphonie°
cacophonie°
francophonie°
stéréophonie°
radiophonie°
homophonie°
apophonie°
orthophonie°
dysphonie°
agoni/e°
une **agonie°**
la Paphlagonie°
la Patagonie°
théogonie°
cosmogonie°
gorgonie°

l'Ionie°
Fionie°
amphictyonie°
jauni/e°
Johnny
Céphalonie°
la Wallonie°
clonie°
félonie°
cannelloni
la Babylonie°
colonie°
Chamonix
vouer aux **gémonies°**
hégémonie°
cérémonie°
broncho/pneumonie°
acrimonie°
simonie°
parcimonie°
physiognomonie°
harmonie°
philharmonie°
enharmonie°
inharmonie°
dysharmonie°/
disharmonie°
(bêta, rég.) un bénoni
(Tomaso) Albinoni
la Laponie°
(écrivains) Rosny
(villes) Rosny
(baron) une baronnie°
(massif) les Baronnies°
macaroni
des lazzaroni
(mort, arg.) crôni/e°
diachronie°
synchronie°
(Giulo) Alberoni
ironie°
sonie°
l'Amazonie°
(Alessandro) Manzoni
(prénom) Tony
(son) la tonie°

atonie°
catatonie°
(prénom) Ant(h)ony
(ville) Antony
architectonie°
la Lettonie°
syntonie°
vagotonie°
monotonie°
hypotonie°
hypertonie°
l'Estonie°
dystonie°
la Livonie°
la Slavonie°

(nombril, rég.)
un lambouni
(mort, arg.) crouni/e°

(il châtie, rég.) il escarnit
(meublé) un garni
(rempli) **garni/e°**
dégarni/e°
regarni/e°
(Évariste) Parny
(Paul) Gavarni
cirque de Gavarnie°
hernie°
derny
terni/e°
verni/e°
du vernis
déverni/e°
reverni/e°
(grognon, rég.) tchorni/e°
racorni/e°
la Californie°
duc de Morny
(il assomme, rég.)
il estabournit
(fournir) **fourni/e°**
(de boulanger) un fournil
tournis
saturnie°

la Bosnie°

ethnie°

l'uni
uni/e°
réuni/e°
il alunit
Cluny
muni/e°
démuni/e°
prémuni/e°
il **communie°**
il excommunie°
le Royaume-Uni
puni/e°
impuni/e°
bruni/e°
rembruni/e°
États-Unis
désuni/e°
Émirats arabes Unis

ovni

sous-rimes voisine
258.13 MI-
258.9 GNI-

contre-assonance
214.13 N
333.12 NI

258.15 OUI-OUIE°

ÉBLOUI
ÉVANOUI
INOUÏ

(acquiescement) (un) **oui**
(ouïr) **ouï/e°**
(audition) l'ouïe°
(branchies) des ouïes°
(canard, Can.) un cacaoui
(métropolitain, Alg.)
un frangaoui/francaoui
(groggy, rég.) échaoui/e°
Malawi
(testicules, arg.)
des glaouis/claouïs
(un/e) sahroui/e°
(bordel, arg.) un bouis
(écervelé, rég.) essaboui/e°
cambouis
bouiboui(s)/boui-boui
(chaussures, arg.)
des ribouis
méchoui

Sur cette toile de **Jouy**
sont peints des ***fruits*** **épanouis**
et des oiseaux qui disent : **oui**…
à tous ces ***fruits*** **épanouis**.
Oyez ce concert **inouï** :
la jungle chère aux ***colibris***,
la jonque où jongle un ***ouistiti***
et des poissons dont les **ouïes**
sont comme des ***joailleries***
du jeu des océans ***jaillies***.
Le fossé plein de ***pissenlits***,
la fille aux fesses **réjouies**
et la marchande d'***oublies***
sous le chêne de **Saint Louis**.
[…]
……

OUI-OUIE° 258. I

(source, rég.) un **douix**
fouï/e°
(il tombe, rég.) il s'écafouit
enfoui/e°
(flic, verl.) une neufoui
serfoui/e°
(oiseau) un kiwi
(fruit) un kiwi
(néo-zélandais, arg.)
(un/e) kiwi
(sexe; machin, arg.)
un zigouigoui
béni-oui-oui
(jouir) **joui/e°**
toiles de Jouy
(ouïr) j'ouïs
réjoui/e°
(rois; prénom) Louis
(monnaie) un **louis**
Jean-Louis
ÉBLOUI/E°
(roi) **saint Louis**
(ville, U.S.A.) Saint Louis
(Paris) île Saint-Louis
Mont-Louis
(oui dubitatif) moui!
épanoui/e°
ÉVANOUI/E°
INOUÏ/E°
(David) Bowie°
Longwy
Dame de Brassempouy
roui/e°
écroui/e°
(oui inquiet) voui!

J'en ai le cœur tout **ébloui**
de cette toile de **Jouy**
et de Thélème l'***Abbaye***
n'aura jamais tant qu'***aujourd'hui***
ouï Jouy dire : **Jouis**…

Paul Neuhuys, « Impression »,
La Joueuse d'ocarina

Vous avez conservé la grâce **évanouie**
Et le charme légué d'un siècle antérieur
Où vous eussiez été Nymphe d'un bois rieur
Et plein d'échos joyeux de votre ***voix* ouïe**.

N'avez-vous pas filé les blonds chanvres **rouis**
En quelque féodale et massive demeure,
Et désolé du don de votre amour qui leurre
Les Trianons et les Versailles **éblouis** ?

Henri de Régnier, « Sites », XIII
Premiers poèmes

Ô classes d'autrefois rêves **évanouis**
Quinze seize dix-sept écoutez Ils fredonnent
Comme nous cette rengaine et comme **nous y**
Croient et comme nous alors Le ciel leur pardonne
Préfèrent à leur vie un seul moment d'ivresse

Louis Aragon, « La valse des vingt ans »,
Le Crève-cœur

À Jeannot le mécanicien
Noirci sous les soleils **cambouis**
Je dédie l'encre de ***minuit***
À noter le ciel calepin

Léo Ferré, « Testament phonographe »,
Testament phonographe

Or, voilà qu'il me tombe un **louis**
Comme Mars en Carême.
Je vais me payer des **ribouis**
D' la morue et d' la brême…

Frédéric-Auguste Cazals, « Le Culte du mois » III,
Le Jardin des Ronces

sous-rimes voisines	*contre-assonances*
258.22 UI-E	*1.16 OI-E*
258.12 LLI-E	*121.14 OUET*
258.5 ÉI-E	*214.15 OUÉ-E*

❒ 114 [Heredia]
258.6 [Mérat]

258.16 PI-PIE°

TAPI
TAPIS
IMPIE°

(3,1416) π/pi
(papes) Pie°
(oiseau) une **pie°**
(noir et blanc) être pie°
(pieux) œuvre **pie°**
(mammelle) un **pis**
(pire) (le) pis

pomme d'api
okapi
(il crie) il clapit
(il se tapit) il se clapit
flapi/e°
il **glapit**
papy/papi
(ridé, rég.) crapi/e°
thérapie°
aromathérapie°
kinésithérapie°
psychothérapie°
balnéothérapie°

Ô la langueur douce et terne du crépuscule
Où l'on s'esseule au fond des rêves **assoupis**,
Tandis que le feu morne empourpre les **tapis**
Et dans la cheminée agonise et recule.

Cloison pleine de bruits. La plainte se module
Des grillons familiers dans la cendre **tapis** ;
Et sous le bronze aux deux satyres **accroupis**
Le rythme mollissant et lent de la pendule…

Charles Guérin, « La Berceuse »,
Fleurs de neige in *Premiers et derniers vers*

☞

PI-PIE°

258.

ergothérapie°
biothérapie°
radiothérapie°
héliothérapie°
chimiothérapie°
physiothérapie°
mécanothérapie°
hydrothérapie°
sérothérapie°
électrothérapie°
thalassothérapie°
phytothérapie°
gestalt-thérapie°
satrapie°
(se tapir) être TAPI/E°
un TAPIS
scampi
(un) champi
réchampi/e°
(courbaturé, rég.)
accrampi/e°
un réchampis
sampi
tant pis
estampie°
(de blé) un **épi**
(épier) il **épie**°
(et puis) et pis
dépit
képi
génépi
orthoépie°
(avoir soif) avoir la pépie°
(il crie) il **pépie**°
répit
du crépi
crépi/e°
(décrépir) décrépi/e°
(usé) **décrépit**
recrépi/e°
queue-de-pie°
nid-de-pie°
œil-de-pie°
(un/e) hippy/hippie°
chipie°
pipi
touche-pipi
dame pipi
le Mississippi
tipi
atypie°
stéréotypie°
sténotypie°
linotypie°
phototypie°
(un/e) IMPIE°
Olympie°
les Hopis
il/une **copie**°
(Fausto) Coppi
télécopie°

il recopie°
(journaliste, arg.)
un pisse-copie°
porte-copie°
il/une polycopie°
autocopie°
il/une photocopie°
scopie°
diascopie°
stroboscopie°
bronchoscopie°
endoscopie°
stéréoscopie°
laryngoscopie°
radioscopie°
cryoscopie°
ophtalmoscopie°
fibroscopie°
hygroscopie°
spectroscopie°
gastroscopie°
autoscopie°
amblyopie°
myopie°
l'Éthiopie°
nyctalopie°
diplopie°
entropie°
lycanthropie°
philanthropie°
misanthropie°
hémitropie°
hypermétropie°
il **estropie**°
ectopie°
utopie°
il rompit
il interrompit
il corrompit
goupil
(hourra!) youppie°!/youpi!
(jeune cadre) un yuppie°
(morve) roupie°
(monnaie) roupie°
croupi/e°
accroupi/e°
un/e groupie°
assoupi/e°
toupie°
une **harpie**°
les Harpyes°/Harpies°
charpie°
il déguerpit
(spinnaker) spi
(aspirant) aspi
(gaspillage) gaspi
(avare, rég.) raspi/e°
thlaspi
il **expie**°
guppy
(un/e) tupi

sous-rime voisine
258.2 BI-E

contre-assonances
435.19 PO
333.15 PIN

Sous les portiques d'**Utopie**,
Quand tu parais si hardiment,
Sage il n'est qui ne soit dément :
Tournez, beau cœur, tournez, **toupie** !

Tu mènes, par joie et tourment
Aux noirs péchés que rien n'**expie**,
Les Hommes et l'Olympe, **impie** !
Et la Nature également.

Vincent Muselli, « Séduire »,
Les Sonnets à Philis

Mon âme donne sur la cour
Où quelques ***canaris*** **pépient**,
Une bonne dans l'ombre **pie**
Repasse ses vieilles amours.

Jules Supervielle, « Matinale »,
Débarcadères

Grâce à son triangle et son **pis**
Aussi rond que le nombre π
Elle augmenta mon **entropie**

Vive la nouvelle Vénus mathématique

Guy Béart, « La Vénus mathématique »,
Couleurs et Colères du temps

Ils piétinent ma substance grise
et mes méninges ! Ma pauvre **pie-**
mère, ils en ont fait de la **charpie**
et c'est bien **pis**
pour l'arachnoïde et la dure-mère :
elles ne sont plus que souvenir et chimère !

Georges Fourest, « Le nain et le cochon sous le crâne du poète
Le Géranium ovipare

Vacquerie
À son **Py-**
Lade **épi-**
Que : « Qu'on ***rie***

« Ou qu'on ***crie***,
Notre **épi**
Brave **pi-**
Aillerie. »

Charles Baudelaire, « Sonnet burlesque »,
Poésies diverses

J'ai dit Non !
Au **répit**
J'ai dit Non !
Au ***repos***

Roland Bacri, « Poème têtu »,
Refus d'obtempérer

❒ *279 [Béart]*

258.17 QUI-QUIE°

258. I

QUI
CONQUIS
MARQUIS
EXQUIS

(lettre) un khi
(pronom) QUI
(acquérir) **acquis**
(savoir) l'acquis
(quittance) un acquit
Jacky
(couleur) le **kaki**
(arbre; fruit) un kaki
(rabais, arg.) un kaki
Malachie°
souvlaki
(lémurien) un maki
(végétation) le **maquis**
(plante) la lysimachie°
il re/**naquit**
(pâturage, rég.) un pâquis
raki
saki
(sultane) une assaki
Nagasaki
(n. dép.) une Kawasaki
(Junichiro) Tanizaki
sirtaki
(Georges) Moustaki
la Slovaquie°
la Tchécoslovaquie°
il s'enquit
(Louis Auguste) Blanqui
(américain) (un/e) yankee°
(marine) un yankee°
(voiture à cheval)
un droschki
pirojki
rudbeckie°
requis
quiqui/kiki
rikiki/riquiqui
(chant du coq)
kikiriki/quiquiriki
t'ai-ki
il vainquit
il convainquit

talkie-walkie°
Sulky
Helsinki
(le) funky
(un/e) junky/junkie°
gnocchi
somniloquie°
ventriloquie°
croquis
(Jan) Potocki
CONQUIS
reconquis
kabuki
(stupéfait, rég.) couqui/e°
clérouquie°
buzuki/bouzouki
harki
MARQUIS
(Maxime) Gorki
la **Turquie**°
le **ski**
il skie°
tabaski
téléski
après-ski
husky
whisky
(Noam) Chomsky
(Pierre) Alechinsky
(Wassily) Kandinsky
(Vaslov) Nijinski
kolinski
(Igor) Stravinski
véloski
monoski
motoski
Curnonsky
zakouski
monts Tcherski
(Modest) Moussorgski
(Léon) Trotski
(Russe, arg.) Ruski
Alexandre Nevski
Daniel Nevski
(Fedor) Dostoïevski
(Vladimir) Maïakovski
(Piotr) Tchaïkovski
(Andreï) Tarkovski
(prince) Poniatowski
EXQUIS

Qu'ils aient ***vaincus*** l'***Inca***, l'Aztèque, les **Hiaquis***,
Les Andes, la forêt, les pampas ou le fleuve,
Les autres n'ont laissé pour vestige et pour preuve
Qu'un nom, un titre vain de comte ou de **marquis**.

Toi, tu fondas, orgueil du sang dont je **naquis**,
Dans la mer caraïbe une Carthage neuve,
Et du Magdalena jusqu'au Darien qu'abreuve
L'Atrato, le sol rouge à la croix fut **conquis**.

José-Maria de Heredia, « Au même »,
Les Trophées

* ou *Yaquis,* Indiens du Mexique

Je suis comme le vieux **Blanqui**,
Je dis aussi : « Ni Dieu ni maître. »
Ni maîtresse… c'est **riquiqui**.
Je suis comme le vieux **Blanqui**.
Je me fous de n'importe **qui**,
Je jette tout par la fenêtre,
Et je me fous bien de **Blanqui**,
Comme de son « Ni Dieu ni maître. »

Germain Nouveau, « Athée »,
Valentines

Mia ***amica Mica***,
Mica **qui**, ***maquillée***,
Brilles comme le ***mica***,
Ma chi *sei* ? **Ma chi** ? *
Par quel miracle, ***Mica***,
Mica, m'as-tu **conquis** ?
Je suis ton bien si mal **acquis**,
Ton toutou noir, ton mistigri,
Ton mignon **maki kaki**.
Entre nous, que de ***tracas*** !
C'est la guerre, ne crois-tu pas ?
Je vais prendre le **maquis**…

Dominique Noguez, « 8e, 9e et 10e photos »,
Les trente-six photos que je croyais avoir prises à Séville

* Mais qui es-tu ? Mais qui ?

N'ayant pas lu **Dostoïewski**,
Nous conservons des airs peu rogues,
Et certes, ce n'est pas nous **qui**
Nous piquons d'être psychologues.

Théodore de Banville, « Lapins »,
Sonnailles et Clochettes

sous-rime voisine
258.10 GUI-E

contre-assonance
1.3 CA

❐ 448 [Aragon]
258.10 [Apollinaire]

258.18 RI-RIE°

PARIS
ESPRIT

(rire) il **rit**/qu'il **rie**°
(un rire) un **ris**
(marine) un ris
(de veau) des ris
(céréale) le **riz**

désert du Kalahari
Mata Hari
(tonneau) un baril
(barrir) il barrit
(pression) la barye°
il gabarie°
un gabarit
(cruauté) la **barbarie**°
(Afrique du Nord)
la Barbarie°
figue de Barbarie°
orgue de Barbarie°
canard de Barbarie
Mme du Barry
(épice) ca(r)ry/cari
(pays antique) la Carie°
(dent) elle/une **carie**°
Zacharie°
équarri/e°
pécari
Icarie°
des ricercari
muscari
(fleuve) le Chari
(il transporte) il charrie°
(il exagère) il charrie°
dari
méhari
safari
(un/e) rastafari
(farine) le gari
(prénom) Gary
deva/nagari
angarie°
des zingari
la Bulgarie°
la Dzoungarie°/
Djoungarie°
le Soungari
(Alfred) Jarry
l'Adjarie°
il salarie°
(cité antique) Mari
(époux) un **mari**
(marier) il (se) **marie**°
(prénom) Marie°
la Vierge **Marie**°
(fâché) **marri/e**°
puy Mary
la Samarie°
Jean-Marie°
il démarie°
il remarie°
Rose-Marie°
bain-marie°
(oiseau) un **canari**
îles Canaries°
(fessier, rég.) un tafanari

les carbonari
panaris
(héritage) une hoirie°
(marine) un houari
plaidoirie°
des **armoiries**°
corroierie°
soierie°
voirie°
(enjeu) un pari
(parier) il parie°
(ville) PARIS
(logique) a pari
il r/dés/apparie°
il déparie°
île Lipari
(Pierre) Gripari
le Tout-Paris
(rixe, arg.) un barari
(n. dép.) une Ferrari
il contrarie°
sari
alizari
tari/e°
monogatari
(un/e) qatari/e°
manu militari
(Mika) Waltari
otarie°
pelotari
rotary
détroit de Tartarie°
Néfertari
es/starie°
surestarie°
il **varie**°
il/une **avarie**°
la Godavari
le Javari
charivari
Mme Bovary
hourvari

(rois) Henri
(prénom) **Henri/Henry**
(unité de mesure) un henry

(région) la Brie°
(fromage) le brie°
(casse) un bris
abri
cabri
labri(t)
sans-abri
tente-abri
lambris
débris
(10000 F, verl.) une quebri
colibri
l'Ombrie°
nombril
assombri/e°

un **cri**
il **crie**°
(Indiens) les Crees°/Cris
Conakry
prâkrit
(œuvre) un **écrit**

Ô masse de béatitude,
Tu es si belle, juste **prix**
De la toute sollicitude
Des bons et des meilleurs **esprits** !
Pour qu'à tes lèvres ils soient **pris**
Il leur suffit que tu soupires !
Les plus purs s'y penchent les pires,
Les plus durs sont les plus **meurtris**…
Jusques à moi, tu m'**attendris**,
De qui relèvent les vampires !

Paul Valéry, « Ébauche d'un serpent »,
Charmes

Dimanche et ***Lundi*** nettoyez **Paris**
Dimanche ***pleurons*** que ***mardi*** je **rie**
Lundi domino sans poudre de **riz**
L'amour se ***perdra*** dans ta **féerie**
Mardi Mardi gras tous les toits sont **frits**
Mardi Mardi gras Mardi Mardi **gris**
Par où t'en viens-tu ***Mercredi*** des Cendres

Louis Aragon, « Chanson pour mourir d'amour
au temps du Carnaval »,
Le Mouvement perpétuel

Couleur de sang, couleur de cardinal,
Couleur de feu, couleur de **seigneurie**,
Couleur de lèvre et couleur de fanal,
Couleur de rêve et couleur de **féerie**,
Couleur d'amour : votre **Sorcellerie**
N'avait besoin de tant pour me charmer ;
Mais, sans regret, sans peur, sans **fourberie**,
En robe rouge, il faut bien vous aimer.

La soie éclate ainsi qu'un air royal
Dans sa gloire et dans sa **forfanterie**,
Et brûle comme un baiser nuptial,
Et brille comme une **joaillerie**,
Lorsqu'un rayon bleu, gente **tricherie**,
En l'ombre tiède est venu s'allumer :
Vaincu, l'on dit tout bas : Je vous en **prie**…
En robe rouge, il faut bien vous aimer.

Remy de Gourmont, « Ballade de la robe rouge »,
Lettres à Sixtine

Je perds tous mes **paris**
J'ai trop trompé **Marie** :
Avec **Mata-Hari**,
Avec la **Du Barry**,
Avec le **Tout-Paris**,
Une Hindoue sans **sari**,
Une vieille **otarie**
Qui était un peu **pourrie**,
(Elle avait des **caries**
Et l'air d'un **canari**.)
Une **Houri** mal **nourrie**
Qui avait un **panaris**

Et d'autres **avaries**,
Et bien d'autres **souris**,
Mais j'en suis fort **marri**.
C'en était trop, je **crie** :
« Oh ! tu **charries**, **chéri** !

Va donc, eh ! **mari** honnête* ! »

Et ton **mari**
marri
m'a ri,
Marie

Boby Lapointe, « La rime a ri »,
Intégrale

* marionnette

258. I

(écrire) (il) **écrit**
(s'écrier) il s'écrie°
(discrédit) un décri
(décrier) il décrie°
(décrire) il décrit
il réécrit
(se récrier) il se récrie°
(récrire) il récrit
cricri/cri-cri
(il) re/transcrit
(le) **sanscrit/sanskrit**
rescrit
(il) prescrit
(il)/(un) inscrit
(il) réinscrit
(un) non-inscrit
exinscrit
(il)/(un) **proscrit**
(un) **conscrit**
(il) circonscrit
(il) **souscrit**
(un) **manuscrit**
tapuscrit
Jésus-Christ

polyandrie°
misandrie°
Alexandrie°
attendri/e°
hydrie°
indri
amoindri/e°
hypocondrie°
(Jean-Baptiste) Oudry
perdrix
œil-de-perdrix

(région) le Berry
duc de Berry
Chambéry
l'Ibérie°
béribéri
la Sibérie°
(aimé) (un/e) **chéri/e°**
(il aime) il chérit
(liqueur) du cherry
(xérès) du sherry
il enchérit
(un/e) renchéri/e°
il surenchérit
Pondichéry
Pulchérie°
vauchérie°
des voceri
(des refrains) tradéri
Madeleine de Scudéry
(jour) une **férie°**
(enchantement) une féerie°
(Jules) Ferry
(navire) un ferry
périphérie°
car-ferry
(nymphe) Égérie°
(inspiratrice) une égérie°
l'Algérie°
guéri/e°
aguerri/e°
Dante Alighieri
aciérie°

Thierri/Thierry
Château-Thierry
des condottieri
un kerrie°
gallérie°
(prénom) Valérie°
(Paul) Valéry
mairie°
il amerrit
métamérie°
polymérie°
Montgomery
mésomérie°
isomérie°
vallisnérie°
(bureau) une paierie°
(titre) la pairie°
(Gabriel) Péri
(fée) une péri
(périr) **péri/e°**
(blason) péri/e°
intempérie°
il dépérit
(réprimande) vespérie°
(Antoine de) Saint-Exupéry
librairie°
(Marco) Ferreri
frairie°
confrérie°
archiconfrérie°
ségrairie°
prairie°
pré/**série°**
glycérie°
(un/e) azéri/e°
terri(l)
il atterrit
bactérie°
hétérie°/hétairie°
métairie°
diphtérie°
gaulthérie°
astérie°
hystérie°

plomberie°
herberie°
fourberie°
rabâcherie°
fâcherie°
flacherie°
sacherie°
vacherie°
pêcherie°
sécherie°
clicherie°
pleurnicherie°
tricherie°
gaucherie°
boucherie°
coucherie°
loucherie°
cartoucherie°
archerie°
supercherie°
(abattoir) écorcherie°
porcherie°
camaraderie°

Et gaie ! arrivé-je ou m'en vais-je,
Elle **rit**. Ris-je, elle **rerit**.
Pleuré-je, elle **rererit**. Fais-je
Des vers, elle **rereririt**.

André **Berry**, « Lai de Manureva »,
L'Amant de la Terre

Laisse aussi sombrer tes déboires, et dépêche !
L'attrait : (**puis sens** !) **une omelette au lard nous rit**,
Lait, saucisse, ombres, thé, des poires et des pêches,
La, **très puissant**, **un homme l'est tôt. L'art nourrit**.

Jean Goudezki, « Sonnet olorime »,
Hercule ou la vertu récompensée

Je pense aussi aux musiciens des ***rues***,
Au violoniste aveugle, au manchot qui tourne l'**orgue de Barbarie**,

À la chanteuse au chapeau de paille avec des roses de papier ;
Je sais que ce sont eux qui chantent durant l'éternité.

Blaise Cendrars, « Les Pâques à New York »,
Du monde entier

❐ 91.8 et 214.17 [Rollinat] ; 102 [Lalanne] ; 456.6 [Richepin] ; 456.7 [Scarron]
333.11 [Gangotena]

braderie°
maussaderie°
taillanderie°
commanderie°
dinanderie°
penderie°
descenderie°
faisanderie°
tenderie°
étenderie°
buanderie°
truanderie°
clabauderie°
(débauche) ribauderie°
badauderie°
nigauderie°
(tromperie) trigauderie°
boyauderie°
finauderie°
minauderie°
broderie°
rustauderie°
pudibonderie°
fonderie°
gronderie°
bouderie°
escobarderie°
jobarderie°
garderie°
homarderie°
(ironie) goguenarderie°
(flânerie) musarderie°
(objet laid, arg.) tarderie°
vantarderie°
bavarderie°

borderie°
corderie°
(maladresse) lourderie°
étourderie°
pruderie°
chefferie°
chaufferie°
tartu(f)ferie°
bagagerie°
imagerie°
fromagerie°
ménagerie°
messagerie°
sauvagerie°
boulangerie°
orangerie°
lingerie°
singerie°
horlogerie°
songerie°
bergerie°
une conciergerie°
(Paris) la Conciergerie°
beignerie°
seigneurie°
grognerie°
ivrognerie°
figuerie°
viguerie°
dinguerie°
droguerie°
(police, arg.) flicaillerie°
politicaillerie°
quincaillerie°
piaillerie°

criaillerie°
chamaillerie°
émaillerie°
rimaillerie°
canaillerie°
joaillerie°
gouaillerie°
raillerie°
tiraillerie°
taillerie°
vieillerie°
bouteillerie°
(chant d'oiseau) guilleri
artillerie°
pouillerie°
fripouillerie°
brouillerie°
(argent, arg.) calleri
maréchalerie°
galerie°
animalerie°
toilerie°
voilerie°
métallerie°
cristallerie°
cavalerie°
chevalerie°
hâblerie°
câblerie°
diablerie°
sablerie°
sensiblerie°
sommellerie°
tonnellerie°
chapellerie°

RI-RIE°

bourrellerie°
(plante) le céleri
(selle) une sellerie°
boissellerie°
chancellerie°
vaissellerie°
ficellerie°
sorcellerie°
oisellerie°
batellerie°
hôtellerie°
coutellerie°
hostellerie°
grivèlerie°
gueulerie°
bégueulerie°
veulerie°
fleuri/e°
il effleurit
défleuri/e°
refleuri/e°
reniflerie°
soufflerie°
muflerie°
espièglerie°
épinglerie°
jonglerie°
tréfilerie°
distillerie°
huilerie°
une tuilerie°
palais des/les **Tuileries**°
cajolerie°
drôlerie°
tôlerie°
volerie°
foulerie°
semoulerie°
soûlerie°
(bavardage) parlerie°
féculerie°
crapulerie°
brûlerie°
tullerie°
(de Narbonne) Aymeri
toile émeri
crémerie°
imprimerie°
(noblesse)
gentilhommerie°
momerie°
rhumerie°
gendarmerie°
infirmerie°
fumerie°
parfumerie°
ânerie°
rubanerie°
chicanerie°
ricanerie°
(abattoir, rég.) carcanerie
magnanerie°
flânerie°
chouannerie°
moinerie°
crânerie°
paysannerie°
courtisanerie°
tannerie°

charlatanerie°
vannerie°
gainerie°
chiennerie°
lainerie°
capitainerie°
vénerie°
meunerie°
machinerie°
badinerie°
radinerie°
(bêtise, rég.) bredinerie
gredinerie°
jardinerie°
sardinerie°
finerie°
affinerie°
raffinerie°
câlinerie°
gaminerie°
rapinerie°
copinerie°
(tromperie, arg.)
marloupinerie°
taquinerie°
coquinerie°
maroquinerie°
bouquinerie°
mesquinerie°
lésinerie°
crétinerie°
mutinerie°
charbonnerie°
cochonnerie°
connerie°
fauconnerie°
amidonnerie°
cordonnerie°
bouffonnerie°
avionnerie°
(bêtise, arg.) cavillonnerie°
pavillonnerie°
couillonnerie°
boulonnerie°
timonerie°
aumônerie°
japonnerie°
friponnerie°
fanfaronnerie°
chaudronnerie°
ferronnerie°
poltronnerie°
sonnerie°
maçonnerie°
franc-maçonnerie°
poissonnerie°
polissonnerie°
salaisonnerie°
cotonnerie°
gloutonnerie°
moutonnerie°
cartonnerie°
savonnerie°
clownerie°
flagornerie°
râperie°
draperie°
crêperie°
piperie°

friperie°
triperie°
saloperie°
(fabrique, Belg.)
siroperie°
tromperie°
duperie°
maniaquerie°
jacquerie°
(mensonge) craquerie°
(peur, arg.) tracquerie°
(usine) cokerie°
(cuisine) coquerie°
loufoquerie°
moquerie°
roquerie°
escroquerie°
rookerie°
turquerie°
brusquerie°
ivoirerie°
bizarrerie°
marbrerie°
sucrerie°
ladrerie°
maladrerie°
cidrerie°
poudrerie°
des **pierreries**°
secrétairerie°
verrerie°
beurrerie°
la Cafrerie°
goinfrerie°
gaufrerie°
vinaigrerie°
pingrerie°
trésorerie°
sénatorerie°
factorerie°
(démarches, Belg.)
des courreries°
folâtrerie°
plâtrerie°
pleutrerie°
pitrerie°
vitrerie°
cuistrerie°
lustrerie°
rustrerie°
armurerie°
parurerie°
serrurerie°
confiturerie°
teinturerie°
orfèvrerie°
mièvrerie°
jacasserie°
tracasserie°
cocasserie°
avocasserie°
agacerie°
lasserie°/lacerie°
(bedaine, rég.) boyasserie
dégueulasserie°
glacerie°
mollasserie°
grimacerie°
finasserie°

bonasserie°
brasserie°
paperasserie°
grasserie°
(saloperie, arg.)
putasserie°
rêvasserie°
faïencerie°
pénitencerie°
caisserie°
blanchisserie°
mégisserie°
tapisserie°
épicerie°
saurisserie°
mûrisserie°
pâtisserie°
rôtisserie°
huisserie°
visserie°
(raillerie) gausserie°
peausserie°
rosserie°
carrosserie°
brosserie°
grosserie°
tousserie°
mercerie°
forcerie°
nursery
jaserie°
lamaserie°
boiserie°
gauloiserie°
chamoiserie°
viennoiserie°
chinoiserie°
sournoiserie°
matoiserie°
grivoiserie°
niaiserie°
japonaiserie°
gueuserie°
bondieuserie°
maïserie°
confiserie°
tamiserie°
chemiserie°
rizerie°
griserie°
menuiserie°
causerie°
glucoserie°
closerie°
écloserie°
léproserie°
bonzerie°
batterie°
contrebatterie°
chatterie°
daterie°
gâterie°
goujaterie°
(fraude) frelaterie°
flatterie°
chocolaterie°
ouaterie°
boiterie°
miroiterie°

baraterie
piraterie
manécanterie
pédanterie
infanterie
forfanterie
ganterie
argenterie
galanterie
ferblanterie
(erreur, arg.) planterie
menterie
passementerie
cimenterie
charpenterie
dysenterie
plaisanterie
afféterie°/**affèterie**
billetterie
laiterie
tabletterie
gobeleterie
buffleterie
paneterie
robinetterie
bonneterie
lunetterie
papeterie
contrepèterie
caqueterie
briqueterie
coquetterie
marqueterie
parqueterie
mousqueterie
louveterie
pelleterie
graineterie
literie
dynamiterie
friterie
biscuiterie
fruiterie
malterie
saboterie
cachotterie
chuchoterie
coterie
(taquinerie) picoterie
biscotterie
(radotage) radoterie
cagoterie
bigoterie
ergoterie
tuyauterie
loterie
bimbeloterie
(niaiserie) janoterie
minoterie
dominoterie
poterie
verroterie
sauterie
effronterie
bijouterie
clouterie
filouterie
carterie
sparterie

RI-RIE° 258. I

porterie°
foresterie°
fumisterie°
ébénisterie°
lampisterie°
herboristerie°
dentisterie°
(escroquerie, arg.)
flibusterie°
(bêtise, arg.) cuterie°
charcuterie°
(niaiserie, arg.) cucuterie°
(ineptie, arg.)
trouducuterie°
lutherie°
bluterie°
minuterie°
(Tex) Avery
laverie°
(audace) braverie°
rêverie°
beuverie°
juiverie°
fauverie°
bouverie°
conserverie°

frit
(vulve, arg.) fri-fri
(cache-sexe, arg.)
cache-fri-fri
il **offrit**
il **souffrit**

(grille) un gril
(couleur) (le) **gris**
aigri/e°
maigri/e°
amaigri/e°
il démaigrit
vert-de-gris
gri-gri/grigri
petit-gris
mistigri
la Hongrie°
rabougri/e°

(ragots, rég.) des diries°
des giries°
la Bachkirie°
hara-kiri
(n. dép.) la Vache qui rit
daiquiri
valkyrie°/walkyrie°
l'Illyrie°
saïmiri
la Kroumirie°
ingénierie°
crierie°
(de bois) une scierie°
(pays) la **Syrie°**
l'Assyrie°
(Marcel) Thiry
la Styrie

yeomanry
I.N.R.I./INRI

(un/e) maori/e°

borie°
jamboree°
cauri(s)
hickory
scorie°
il excorie°
théorie°
euphorie°
(fête de Déméter)
les Thesmophories°
dysphorie°
des monsignori
fantasmagorie°
allégorie°
Grégory
catégorie°
frigorie°
millefiori
a posteriori
(un) a priori
a fortiori
Marjorie°
(prénom) Laurie°
(perroquet) un lori
(primate) un loris
(Guillaume de) Lorris
(wagonnet) un lorry
(Malcolm) Lowry
kilo/calorie°
(prénom) Florie°
un **pilori**
(met au pilori) il pilorie°
il colorie°
un **coloris**
endolori/e°
Amauri/Amaury
il armorie°
aporie°
(désolé, angl.) sorry
Satory
(saumure) un sauris
tory
satori
lavatory
il inventorie°
il répertorie°
il historie°
(préféré) (un) **favori**
(rouflaquettes) des favoris

(femme) une **houri**
(Suisse) Uri
la Mandchourie°
(affaibli, vieux) alangouri/e°
amphigouri
(pénis) mistigouri
(tromperie) flouerie°
nourri/e°
pourri/e°
pot-pourri
rouerie°
(rongeur) une **souris**
(un sourire) un souris
(sourire) il **sourit**
oreille-de-souris
chauve-souris
le Missouri
l'Oussouri
tourie°

bistouri

(prier) il **prie°**
(occupé) pris
(prendre) (je) **pris**
(valeur) un **prix**
(j')**appris**
Capri
réappris
malappris
(je) rappris
(je) désappris
(je m')épris
(je me) dépris
(dédain) le **mépris**
(se tromper)) il se méprit
(reprendre) (je) **repris**
(de justice) un repris
(j')entrepris
(n. dép.) Monoprix
(nettoie, Belg.) il approprie°
(s'empare) il s'approprie°
il (se) rapproprie
il exproprie°
(je) **compris**
(un) **incompris**
(enclos) **pourpris**
(je) **surpris**
ESPRIT
pèse-esprit
le **Saint-Esprit**

un tri
il trie°
anti/pédo/neuro/
psychiatrie°
pédiatrie°
phoniatrie°
hippiatrie°
gériatrie°
sociatrie°
latrie°
verbolâtrie°
musicolâtrie°
idolâtrie°
hugolâtrie°
ophiolâtrie°
démonolâtrie°
iconolâtrie°
zoolâtrie°
astrolâtrie°
patrie°
il rapatrie°
il dépatrie°
il (s') expatrie°
(frères et sœurs) fratrie°
(clans) phratrie°
flétri/e°
(Julien/Offray de)
La Mettrie°
télémétrie°
tachymétrie°
acidimétrie°
audimétrie°
planimétrie°
biométrie°
barymétrie°
saccharimétrie°
calorimétrie°

colorimétrie°
symétrie°
asymétrie°
densimétrie°
dissymétrie°
vélocimétrie°
bathymétrie°
altimétrie°
gravimétrie°
psychométrie°
alcoolométrie°
odométrie°
tachéométrie°
géométrie°
aréométrie°
stéréométrie°
ergométrie°
eudiométrie°
audiométrie°
radio/goniométrie°
cryométrie°
sociométrie°
pluviométrie°
thermométrie°
manométrie°
œnométrie°
économétrie°
phonométrie°
trigonométrie°
chronométrie°
axonométrie°
anthropométrie°
topométrie°
micrométrie°
hydrométrie°
hygrométrie°
pyrométrie°
astrométrie°
hypsométrie°
isométrie°
photométrie°
optométrie°
volumétrie°
pétri/e°
(Sacha) Guitry
Dimitri
(gamine, rég.) un tritri
gentry
(le/la) country
cross-country
contrit
dioptrie°
anarthrie°
dysarthrie°
meurtri/e°
il/une strie°
l'Estrie°
la Neustrie°
l'Istrie°
(vulve) calibistri
bio-/agro-/**industrie°**
(un/e) dénutri/e°

(un/e) **ahuri/e°**
(Ray D.) Bradbury
tilbury
Canterbury
(Pierre/Marie) Curie°
(unité de mesure) le curie°

(sénat; Saint-Siège) la curie°
(épice) du curry
écurie°
décurie°
pédicurie°
incurie°
(Irène/Frédéric)
Joliot-Curie°
la **furie°**
(déesses) les Furies°
la Ligurie°
polyurie°
jury
il injurie°
mûri/e°
anurie°
pénurie°
l'Étrurie°
suri/e°
dysurie°
glycosurie°
tuerie°
hématurie°
centurie°
venturi
nycturie°
holothurie°
les Asturies°

havrit
Évry
Ivry
appauvri/e°
il **ouvrit**
il re/couvrit
il re/découvrit
il rouvrit
il entrouvrit

sous-rime voisine
258.12 LI-E

contre-assonances
1.18 RA
535.15 RU-E

258.19 SI-SSIE° 258.

AUSSI

(ceci) ça et ci
(ici) ce...(-)**ci**
(outil) il/une **scie**°
(oui!) **si**!
(tellement) **si**
(condition) (un) **si**
(note) un si
(situé) sis
(6) six

je m'/être **assis**
acrobatie°
(arbre) une cassie°
(creux) un cassis
la Circassie°
(des yeux) la chassie°
(charpente) un chassis
la Dacie°
chien-assis
(réseau) lacis
(tissu) lassis
la Galatie°
(dépravation du goût)
malacie°
glacis
(abruti, rég.) afolassi/e°
macis
ramassis
(amaigrir) il s'émacie°
(globule rouge)
une hématie°
suprématie°
primatie°
la Dalmatie°
diplomatie°
chrestomathie°
para/**pharmacie**°
la Sarmatie°
donacie°
la Croatie°
Poissy
Roissy
(froissement) froissis
voici
revoici
Passy
(dur) rassie°/**rassis**
(se rasseoir) (je me) rassis
(règne des femmes)
gynécocratie°
théocratie°
médiocratie°
physiocratie°
phallocratie°
démocratie°
social-démocratie°
technocratie°
monocratie°
bureaucratie°
méritocratie°
autocratie°
gérontocratie°
ploutocratie°
voyoutocratie°
aristocratie°
il **gracie**°

(renonce, arg.)
il rengracie°
il disgracie°
procuratie°

Hansi
chanci/e°
il indulgencie°
mancie°
rhabdomancie°
géomancie°
cristallomancie°
arithmomancie°
nécromancie°
chiromancie°
gyromancie°
oniromancie°
ornithomancie°
cartomancie°
(ville) Nancy
(prénom) Nancy
(angine) esquinancie°
le ranci
ranci/e°
Drancy
(il distingue) il différencie°
(il calcule) il différentie°
il se dédifférencie°
(famille) Montmorency
(ville) Montmorency
(cerise)
une montmorency
transi/e°
(angoissé, rég.) un estranci
il quintessencie°
il licencie°
(il condamne) il sentencie°
(il transforme)
il transsubstantie°
il distancie°
il circonstancie°

déci
(un) **indécis**
prophétie°
Jessy/Jessie°
messie/Messie°
mais si
paramécie°
la Vénétie°
(Étienne de) La Boétie°
goétie°
dés/**épaissi/e**°
péripétie°
alopécie°
(histoire) un **récit**
(région) la R(h)étie°
Crécy
(clair) **précis**
(abrégé) un précis
il **apprécie**°
il déprécie°
imprécis
étréci/e°
rétréci/e°
facétie°
homothétie°
vessie°
crève-vessie°

C'est l'heure d'aller dans les branches
Voyager à deux pas d'**ici**,
À Chaville, à **Montmorency**,
Rêvant choses roses et blanches,
Choses couleur d'azur **aussi**,
Et de s'arrêter, Dieu **merci** !
Pour lire cela, puis **ceci**
Dans le livre doré sur tranches
De l'amour jeune et sans **souci**.

> Albert Mérat, « Lettre »,
> *Les Chimères*

Marcher d'un grave pas et d'un grave **sourcil**,
Et d'un grave ***souris*** à chacun faire fête,
Balancer tous ces mots, répondre de la tête,
Avec un *Messer non*, ou bien un *Messer* **si**,

Entremêler souvent un petit *Et* **cosi**,
Et d'un *Son servitor* contrefaire l'honnête,
Et, comme si l'on eut sa part en la conquête,
Discourir sur Florence, et sur Naples **aussi** [...]

> Joachim du Bellay, « Marcher d'un grave pas... »,
> *Regrets*. LXXXVI

Je t'ai limée, à l'œuvre et **scie** ;
À coups de dents ou bien par **facétie**,
Scie, **scie**, **scie** !
Les gros gêneurs et les monteurs de **scie** :
Scie, **scie**, **scie** !
Le roi de Prusse et le czar de **Russie** :
Scie, **scie**, **scie** !
Prince Plon-Plon, gonflé comme **vessie** ;
Scie, **scie**, **scie** !
Le roy ***Moisi***, la **moisissocratie**,
Christianisme et sa fable **rancie**,
Les empaillés de chaque **orthodoxie**,
Les vieux fagots de la **théocratie**,
Le *Syllabus* et la dinde **farcie**,
La foi qui court la foire et **négocie**,
Jules Simon quand sa grâce **officie**,
Scie, **scie**, **scie** !

Je t'ai limée, à l'œuvre et **scie**
L'opportunisme engendrant l'**asphyxie**,
Le Gambetta qu'on prend pour le **Messie**,
Nos députés gonflés dans l'**inertie**,
Gens sérieux – voyez leur **calvitie**,
– Les satisfaits à la langue **épaissie**,
Entripaillés frisant l'**apoplexie**,
Défunt Sénat, redoutant l'**autopsie**,
Les vieux raseurs de la **Démocratie**,
Le colonel Langlois : l'**Épilepsie**,
Les paons criards de la **Bureaucratie**,
Garnier, le sot roi de la **Béotie**,
De par Malthus et par droit d'**ineptie**
Molinari, cervelle **rétrécie**,
Zola qui calque et qui parfois **vicie**,
Les mirlitons que craint ma ***poésie***.
Victor Hugo, quand il **quintessencie**. [...]

> Eugène Pottier, « Les Litanies de la scie »,
> *Œuvres complètes*

Enfant, dans cette étable où nous sommes **aussi**,
Venus de Brest ou de **Nancy**
De Bergerac ou d'**Annecy**,
De Dunkerque ou de **Beaugency**,
......

SI-SSIE° 258. I

l'Helvétie°
celle(s)-ci
(villes) Séleucie°
Annecy
ceci
ceux-ci

(là) **ici**
(ville) Issy
la BBC
presbytie°
les Médicis
il préjudicie°
(ensorcelle) il maléficie°
il bénéficie°
il **officie°**
superficie°
la Lycie°
la Galicie°
(Bernard) Palissy
Félicie°
Tbilissi
la Cilicie°
il **supplicie°**
canitie°
la Phénitie°
il initie°
des missi dominici
(chants de victoire)
des épinécies°
(clef des songes)
onirocritie°
impéritie°
Sissi
celui-ci
(il punit) il justicie°
il vicie°
(latin) veni, vidi, vici
calvitie°

ainsi
il mincit
aminci/e°
(il roussit, rég.) il crincit
Léonard de Vinci

style Regency

AUSSI
la Béotie°
il re/négocie°
idiotie°
diglossie°
épizootie°
(Luigi) Rossi
(Tino) Rossi
grossi/e°
dégrossi/e°
il regrossit
il ('s)**associe°**
il dissocie°
eutocie°
couteau-scie°
dystocie°

concis
(je)/(un) circoncis
(un) incirconcis

orthodontie°
froncis
poisson-scie°

(couci-couça) couci-couci
(Constantin) Brancusi
douci/e°
adouci/e°
radouci/e°
le roussi
roussi/e°
retroussis
(plante) le **souci**
(peine) un **souci**
(s'inquiéter) il se **soucie°**
d'Assouci
sans-souci
insouci

(lettre grecque) le psi
(médecin) (un) psy
des lapsi
éclampsie°
catalepsie°
épilepsie°
narcolepsie°
ineptie°
apepsie°
dyspepsie°
asepsie°
antisepsie°
adipsie°
(bohémien) un/e gipsy
biopsie°
synopsie°
zoopsie°
nécropsie°
a/dys/chromatopsie°
il/une **autopsie°**

(farce) **farci/e°**
(persan) le farsi
noirci/e°
(..., par-là) par-ci
(zoroastrien) (un/e) parsi/e°
autarcie°
Bercy
éclairci/e°
une éclaircie°
(remerciement) (un) **merci**
à la/sans/Dieu **merci**
(royaume) la Mercie°
il **remercie°**
inertie°
persil
(il meurt, rég.) il quercit
(région) le Quercy
reversi(s)
forci/e°
accourci/e°
un raccourci
raccourci/e°
à bras raccourcis
sourcil
uva-ursi
obscurci/e°
durci/e°
endurci/e°
(surseoir) (je) sursis

De Douai, d'Auxerre, d'Auxonne,
De Sissonne ou de Carcassonne,
De Montmirail ou de **Poissy**,
De la Villette ou de **Bercy**,
De Picpus ou de la Sorbonne,
De Croulebarbe ou de Charonne,
De Vaugirard ou de **Passy**,
De Grenoble ou de Montparnasse,
Dissipe enfant cette menace
Qui nous donne tant de **souci**.

> Tristan Derème, « Noël »,
> *Poèmes des griffons*

Bonjour Monsieur **Sans-Souci**
Combien pour ***ces* six *cents saucisses*-ci** ?
Six *cent* six *sous* pour ***ces* six *cents saucisses*-ci**
C'est* six *cents fois **six *cent* six** fois trop Monsieur **Sans-Souci.**

> Virelangue, d'après Edmée Arma
> in *Am Stram Gram*

Continuez sans moi jusqu'à **sati-**
été
Ce ravissant petit jeu de **soci-**
été

> Louis Aragon, « Ce que dit le troisième »,
> *Les Poètes*

❐ 91.21 [Lander]
100 [Lebesgue] ; 244.17 [Verlaine] ; 333.9 [Allais]

(ajournement) un **sursis**

rickettsie°
les Tutsis

(Claude) Debussy
il **balbutie°**
fiducie°
réussi/e°
argutie°
Lucy/Lucie°
Sainte-Lucie°
minutie°
la **Russie°**
la Biélorussie°

ksi/xi
galaxie°
agalaxie°
prophylaxie°
maxi
le Cotopaxi
ataraxie°
a/praxie°
chiropraxie°
thanatopraxie°
dyspraxie°
(auto) (un) **taxi**

(faussaire) un taxi
(biologie) la taxie°
ataxie°
radio-taxi
zootaxie°
cachexie°
lexie°
(aphasie) une alexie°
(prénom) Alexis
cataplexie°
apoplexie°
dyslexie°
a/pyrexie°
anorexie°
dysorexie°
sexy
jingxi
dixie°
il (s') /une **asphyxie°**
riccie°
(tuer) (j') **occis**
(auxiliaire, arg.) un auxi
Eudoxie°
hétérodoxie°
orthodoxie°
anoxie°
staphylococcie°
gonococcie°

streptococcie°
(administre un mourant, rég.)
il extrémonctie°

sous-rime voisine
258.20 S(Z)I-E

contre-assonance
214.19 SSÉ-E

258.20 S(Z)I-S(Z)IE° 258.

CHOISI
POÉSIE

(verbe à l'impér. + y)
va**s-y**/alle**z-y**
Asie°
(presque) quasi
(cuisine) un quasi
la Transcaucasie°
aphasie°
jargonaphasie°
paraphasie°
schizo(para)phasie°
dysphasie°
jazzy
lazzi
xénélasie°
l'Australasie°
(Octave) Crémazie°
docimasie°
(paronomase)
paronomasie°
(un/e) **nazi/e**°
euthanasie°
ashkenazi
(un/e) antinazi/e°
(un/e) néonazi/e°
(choisir) CHOISI/E°
(ville) Choisy
abbé de Choisy
bourgeoisie°
le moisi
moisi/e°
cramoisi/e°
Noisy
la Papouasie°
ambroisie°
groisil
Soisy
courtoisie°
discourtoisie°
(village) Malvoisie°
(vin) le malvoisie°
Aspasie°
il razzie°
idiosyncrasie°
l'Eurasie°
frasil
(prénom) Euphrasie°
fatrasie°
l'Austrasie°
il (se) **rassasie**°
Anastasie°
il/une apostasie°
il hypostasie°
isostasie°
(drogue) l'ecstasy
(il s'émerveille) il s'**extasie**°
(sculpture) un transi
(gelé) **transi/e**°
zanzi
les pupazzi
les paparazzi
aisy
(Count) Basie°
géodésie°
la Rhodésie°

analgésie°
(Grèce) la Magnésie°
(magnésium) magnésie°
la Malaisie°
rafflésie°
la Silésie°
la Polésie°
la Mélanésie°
tanaisie°
agénésie°
palingénésie°
frénésie°
revenez-y
kinésie°
télékinésie°
psychokinésie°
dyskinésie°
la Polynésie°
amnésie°
paramnésie°
hypermnésie°
dysmnésie°
l'Indonésie°
la Micronésie°
(puanteur) punaisie°
POÉSIE°
la Gaspésie°
parésie°
le Cambrésis
hérésie°
pleurésie°
énurésie°
fraisil
grésil
(saisir) **saisi/e**°
(débiteur) (un/e) saisi/e°
(séquestre) la saisie°
dessaisi/e°
ressaisi/e°
fantaisie°
esthésie°
radiesthésie°
il/une **anesthésie**°
cénesthésie°
kinesthésie°
synesthésie°
paresthésie°
hyperesthésie°
dysesthésie°
le Beauvaisis
agueusie°
Brindisi
(fête d'Aphrodite)
les Aphrodisies°
anaphrodisie°
la Kirghisie°
speakeasy
paralysie°
Vélisy
des Dionysies°
la Tunisie°
hydropisie°
(Île-de-France) le Parisis
monnaie parisis
brisis
hypocrisie°
étisie°/hectisie°
phtisie°
hémoptysie°

Et ce ne sera pas leurs plates **poésies**
Qui nous introduiront dans un siècle nouveau.
Et ce ne sera pas leurs pauvres **hérésies**
Qui viendront nous chercher dans le dernier caveau.
[...]
Et ce ne sera pas parmi leurs **aphasies**
Que nous rechercherons le Verbe nouveau-né.
Et ce ne sera pas leurs **paronomasies**
Qui nous baptiseront notre Verbe incarné.
[...]
Et ce ne sera pas leurs tonneaux d'**ambroisie**
Qui nous remplaceront le vin du dernier jour.
Et ce ne sera pas leurs fleurs de **malvoisie**,
Le vin du dernier sang et du dernier amour.

Et ce ne sera pas à leurs **analgésies**
Que nous demanderons l'oubli de la douleur.
Et ce ne sera pas à leurs **anesthésies**,
L'oubli de la souffrance et l'oubli du malheur.

Et ce ne sera pas leurs **palingénésies**,
Qui nous réveilleront d'entre les pâles morts.
Et ce ne sera pas leurs **hyperesthésies**
Qui nous feront sentir le plus horrible mors.

Charles Péguy,
Ève, p. 1125-1126

Mes intimes douleurs, surtout celles d'amour,
Dans mon cœur ont le sort des femmes de l'**Asie**.
Sous les lois du harem elles y font séjour.
Prison. Mystère. Ainsi le veut ma **jalousie**.

Quand parfois elles sont dehors – l'œil du giaour
Ne peut pas m'inspirer de sombre **frénésie** ;
Car elles ont un voile impénétrable au jour,
Le voile du symbole et de la **fantaisie**.

Philothée O'Neddy, « Spleen »,
Sonnets in *Poésies posthumes*

Au feu, qui mon cœur a **choisi**,
Jetez-y, ma seule Déesse,
De l'eau de grâce et de liesse,
Car il est consommé **quasi**.

Amour l'a de si près **saisi**,
Que force est qu'il crie sans cesse
Au feu.

Si par vous en est **dessaisi**,
Amour lui doit plus grand' détresse,
Si jamais sert autre maîtresse :
Doncques, ma Dame, **courez-y**
Au feu.

Clément Marot, « De l'amoureux ardant »,
L'Adolescence clémentine

Je m'accroche à un livre je décroche un **fusil**
Je suis un coup parti de la parole ancienne
Et qui revient brûlant dans mon ventre **transi**
Après avoir manqué les cibles aériennes

Marcel Moreau, « Decrescendo »,
Chants de la tombée des jours

☞

258.20 S(Z)I-S(Z)IE°

258. I

il re/cuisit
(+comp.) il conduisit
il s'entre/nuisit
il s'entre/détruisit
il (s') instruisit
il re/construisit
Juvisy
(oiseau) zizi
(sexe) **zizi**
(incapable, arg.) un peigne-zizi
le Mackenzie°
(douillet) cosy
(divan) un cosy
Nicosie°
des tifosi
gnosie°
agnosie°
des ma(f)fiosi
syndrome de Kaposi
(rosie) **rosi/e**°

(prénom) Rosie°
téphrosie°
(esclave) Sosie°
un sosie°
(moi, arg.) maouzi
(toi, arg.) taouzie°
(lui, arg.) saouzi
il cousit
(n. dép.) jacuzzi
dysacousie°
il décousit
il recousit
(machin, arg.) un zigouzi
l'Andalousie°
jalousie°
parousie°
bilharzie°
gambusie°
fusil
amusie°

S'il est un nom bien doux fait pour la **poésie**,
Oh ! dites, n'est-ce pas le nom de la **Voulzie** ?
La Voulzie, est-ce un fleuve aux grandes îles ? Non ;
Mais, avec un murmure aussi doux que son nom,
Un tout petit ruisseau coulant visible à peine…

Hégésippe Moreau, « La Voulzie »,
Le Myosotis

Pour la faire la **posie**
Faut pas ***chichis***
La **posie** belle
L'est naturelle

Roland Topor,
Pense-bêtes, p. 121

C'est ***pas par hasard*** si les **paparazzi**
Dans la presse people veulent le ***pape pas rasé***
Avec un peu d'pot y'a des **paparazzi**
Qui n'***paparasit'***raient plus pour paresser

Jean-Pierre Joblin, « Les paparazzi »,
in *Luxe, Bordel et Voluptés*

sous-rimes voisines
258.20 SSI-E
258.3 CHI-E

contre-assonances
214.20 S(Z)É-E
91.22 S(Z)AN

❐ 1.3 [Thiry] ; 535.6 [Muselli]

258.21 TI-TIE°

PETIT

tee°

un bâti
bâti/e°
(battre) il **battit**
(terrain) un aba(t)tis
(de volaille) des abattis
(r/abattre) il r/abattit
il embattit
il s'ébattit
(débâtir) débâti/e°
(débattre) il débattit
(rebâtir) il rebâti/e°
(rebattre) il rebattit
il contrebattit
(un/e) malbâti/e°
il **combattit**
(lustrage) du cati
(lustré) cati/e°
(prénom) Cathy/Cathie°
décati/e°
des pizzicati
il **châtie**°
(n. dép.) une Bugatti
lattis
il glatit
r/aplati/e°
Scarlatti
scaferlati
mati/e°
(rendu mat) amati/e°

(crustacé) une amathie°
chrestomathie°
Cincinnati
coati
moiti/e°
(friche) un pâtis
(souffrir) il **pâtit**
apathie°
empathie°
télépathie°
Hypatie°
antipathie°
sympathie°
psychopathie°
homéopathie°
ostéopathie°
idiopathie°
cardiopathie°
myopathie°
étiopathie°
allopathie°
encéphalopathie°
hémopathie°
naupathie°
zoopathie°
aéropathie°
neuropathie°
compati/e°
gujarati
marathi
des serrati
(Panait) Istrati
(coutume) le/la sati
(Erik) Satie°

La tribu prophétique aux prunelles ardentes
Hier s'est mise en route, emportant ses **petits**
Sur son dos, ou livrant à leurs fiers **appétits**
Le trésor toujours prêt des mamelles pendantes.

Les hommes vont à pied, sous leurs armes luisantes
Le long des chariots où les leurs sont **blottis**,
Promenant sur le ciel des yeux **appesantis**
Par le morne regret des chimères absentes.

Charles Baudelaire, « Bohémiens en voyage »,
Les Fleurs du mal

Un jour que je marchais parmi des **spaghettis**,
traînant mes pieds sanglants dans la sauce tomate,
je m'aperçus soudain que j'étais sans savates,
puis que j'avais perdu tout reste d'**appétit**.

– C'est trop gros ! c'est trop long ! m'écriai-je **abruti**
par l'odeur et le goût qui me serraient la rate.
Comment mettre tout ça derrière ma cravate ?
Comment tout engloutir sans y être **englouti** ?

Thieri Foulc, « L'ascète dans la pâte »,
Whââåh

Fier Aquilon, horreur de la **Scythie**,
Le chasse-nue, et l'ébranle-rocher,
L'irrite-mer, et qui fais approcher
Aux enfers l'une, aux cieux l'autre **partie**,
[…]
……

TI-TIE° 258.

(Dino) Buzzati
(magasin, n. dép.) Tati
(Jacques) Tati
(..., patata) patati

mercanti
marchantie°
anéanti/e°
(aimable) **gentil**
(païen) un gentil
chianti
au/un **ralenti**
ralenti/e°
menti
un **démenti**
démenti/e°
(un/e) **nanti/e°**
dénanti/e°
appentis
(un/e) repenti/e°
tutti quanti
un garanti
(garantir) garanti/e°
une **garantie°**
un/e **apprenti/e°**
senti/e°
pressenti/e°
ressenti/e°
consenti/e°
xanthie°
appesanti/e°
il retentit
empuanti/e°
ventis

(chtimi) (un) ch'ti
(chétif, rég.) ch'tit
frichti
(galette, Suisse)
des rœsti/rösti

agalactie°
chiropractie°

Betty
abêti/e°
confetti
spaghetti
assujetti/e°
bletti/e°
Arletty
(Alberto) Giacometti
(Elias) Canetti
(Filippo T.) Marinetti
appétit
des gruppetti
(Giuseppe) Ungaretti
des libretti
spermaceti
concetti
affaire Sacco et Vanzetti
il dé/re/**vêtit**
yéti

mouchetis
feuilletis
plumetis
grènetis
(un) PETIT

gagne-petit
(Claude) Le Petit
tout-petit
(peu à peu, rég.)
à chopetit
(bruit sec) craquetis
cliquetis
(bruit aigre) criquetis

fifty-fifty
muphti/mufti

(extraterrestre, angl.) E.T.
Haïti
Tahiti
des arditi
graffiti
pythie°
wapiti
lithotritie°
(Londres) la City
(Russie) la Scythie°
Kansas City
(gamin) un titi
(sein, rég.) un titi
(soutien-gorge, rég.)
un relève-titi
Néfertiti
ouistiti

(retaillé) ra(p)pointi/e°
(pointe) un ra(p)pointis

penalty
des royalties°

penty
inti
le Bounty

caillebotis
chuchotis
(meurtri, rég.) coti/e°
(René) Coty
scotie°
néottie°
sifflotis
(ronflement) ronflotis
grignotis
(Pierre) Loti
bien/mal **loti/e°**
alloti/e°
blotti/e°
pilotis
zloty
enzootie°
épizootie°
clapotis
(potins) papotis
(viande) un **rôti**
(cuit) **rôti/e°**
(pain grillé) une rôtie°
frottis
so(t)tie°
frisottis

(maison de) Conty/Conti
quai Conti
(Luchino) Visconti

S'il te souvient de la belle **Orithye**,
Toi de l'Hiver le ministre et l'archer,
Fais à mon Loir ses mines* relâcher,
Tant que ma Dame à rive soit **sortie**.

> Pierre de Ronsard, « Fier Aquilon »,
> *Amours de Cassandre.* CCVI in *Les Amours*
>
> * menaces

Pour jouer au ***loto*** **Loti**
estimait surtout le frère Yves.
Morbleu ! comme il fut bien **loti**
pour jouer au ***loto***, **Loti** !
En vain les filles de **Loth i-**
raient le chatouiller sur les rives ;
pour jouer au ***loto*** **Loti**
estimait surtout le frère Yves.

> Georges Fourest, « D'abord quelques trépassés d'hier ou d'avant-hier »
> *Le Géranium ovipare*

❐ *535.18 [Vildrac]*

fontis
(Maurice) Merleau-Ponty

outil
abouti/e°
inabouti/e°
embouti/e°
Djibouti
coutil
clafoutis
agouti
cailloutis
(rajout) rajoutis
englouti/e°
machine-outil
des putti
(il écrase, rég.) il écrapoutit
époutì/e°
tutti frutti
tutti
porte-outil

(politique) un **parti**
(partir) **parti/e°**
(ivre) parti/e°
(morceau) une **partie°**
sans-parti
départi/e°
(distribué) réparti/e°
(répliqué) réparti/e°
(réplique) une répartie°
(repartir) **reparti/e°**
contrepartie°
surprise-party
charte-partie°
biparti/e°
mi-parti/e°
triparti/e°
antiparti
garden-party
(Jacques) Audiberti
(n. dép.) du liberty

serti/e°
desserti/e°
averti/e°
(Jean-Christophe) Averty
(un/e) extraverti/e°
subverti/e°
diverti/e°
(invertir) inverti/e°
(homosexuel)
un/e inverti/e°
(un/e) introverti/e°
(un/e) **converti/e°**
reconverti/e°
interverti/e°
(un/e) perverti/e°
clavier QWERTY
clavier AZERTY
ortie°
un amorti
amorti/e°
(mené) **sorti/e°**
(issue) une **sortie°**
(il partit) il sortit
(il obtient, droit) il sortit
assorti/e°
réassorti/e°
désassorti/e°
(sortir) il ressortit
(dépendre) il ressortit
tortis
(jardinet, rég.) courtil
Trimourti/Trimurti

asti
plastie°
anaplastie°
ostéoplastie°
galvanoplastie°
rhinoplastie°
autoplastie°
nastie°
dynastie°

pédérastie
le Tibes
modestie
immodestie
(homosexuel) un traves
(déguisé) **travesti/e**
(investiture) investi/e
(investissement)
investi/e
réinvesti/e
désinvesti/e
trustee
il/une **amnistie**
eucharistie
(Agatha) Christie
lacryma-chris
(juron) sacrist
(d'église) une **sacristie**
sapris
(instituteur) ins
(ville) Ostie
la sainte **hostie**
(il barbouille, rég.)
il embarbous
(rôti, rég.) rousti/e
(volé, arg.) rousti/e

(pagaille) culbut
cu
dégluti/e
(un/e) **abruti/e**
tut(h)ie

sous-rime voisin
258.4 DI-

contre-assonance
214.21 TÉ-
435.23 T

258.22 UI-UIE°

NUIT

(aujourd'hui) hui
(porte) un huis
(8) huit
buis
(être)/il **cuit**
(quotient intellectuel) un Q.I.
précuit
(cuir, verl.) un recui
(recuire) il **recuit**
(technique) un recuit
(un) cui-cui!
incuit
circuit
coupe-circuit
microcircuit
court-circuit
surcuit
biscuit
duit
il re/traduit
un/il enduit
(déduire) il déduit
(ébats amoureux) le **déduit**
(réduire) être/il **réduit**
(cagibi) un **réduit**
il **séduit**
(induire) il induit
(électricité) (un) induit
un/il **produit**
il reproduit
demi-produit
semi-produit
il coproduit
sous-produit
il surproduit
il ré/introduit
(conduire) il **conduit**
(tube) un conduit
il éconduit
il se méconduit
il reconduit
sauf-conduit
aujourd'hui
(colombier, rég.) une fuie°
(fuir) qu'il **fuie**°/(il) **fui(t)**
cap G(u)ardafui
qu'il s'**enfuie**°/
(il) (s') **enfui(t)**
(pronom) **lui**
(luire) (il) **lui(t)**
chez-lui
celui

icelui
(il) **relui(t)**
glui
pluie°
parapluie°
porte-parapluies°
muid
amuï/e°
(nuire) (il) **nui(t)**
la NUIT
(vin) un nuits
un **ennui**
il (s') **ennuie**°
il (se) désennuie°
belle-de-nuit
(on) s'entrenui(t)
minuit
(adverbe) (et) **puis**
(pouvoir) je **puis**
(puiser) un **puits**
(montagne) un puys
chaîne des Puys
un **appui**
il **appuie**°
depuis
Le Puy
(bruir) il bruit
(bruire) il bruit
(son) un **bruit**
antibruit
fruit
usufruit
truie°
on s'entre-/s'auto/**détruit**
autrui
être/il **instruit**
il dé/**re/construit**
(noir de fumée) la **suie**°
(être) je **suis**
(suivre) il **suit**
il s'**ensuit**
(essuyer) il **essuie**°
(essuie-mains, Belg.)
un essuie°
(vénerie) un ressui
(ressuyer) il ressuie°
il **poursuit**
gratuit
étui
pertuis
mille-pertuis/
millepertuis
Maupertuis
fortuit

Quand on se réveillait la **nuit**
Il fut un temps que tous les **bruits**
Comme les pierres dans un **puits**
Un pied dans la forêt qui **fuit**
Le gibier qu'on lève et **poursuit**
Un vin fermentant dans le **muid**
Ou la dent qui mord dans un **fruit**
Un restant de braise qui **luit**
Le couteau que la manche **essuie**
Au mur une main qui s'**appuie**

Pour toi pour moi pour elle et **lui**
Disaient la France

Louis Aragon.« Quand on se réveillait la nuit… »,
Le Roman inachevé

Le soleil s'est couvert d'un crêpe. Comme **lui**,
Ô Lune de ma ***vie*** ! emmitoufle-toi d'ombre ;
Dors ou fume à ton gré ; sois muette, sois sombre,
Et plonge tout entière au gouffre de l'**Ennui** ;

Je t'aime ainsi ! Pourtant, si tu veux **aujourd'hui**,
Comme un astre éclipsé qui sort de la pénombre,
Te pavaner aux lieux que la Folie encombre,
C'est bien ! Charmant poignard, ***jaillis*** de ton **étui** !

Charles Baudelaire, « Le Possédé »,
Les Fleurs du mal

Hélas ! pourquoi ces pleurs dans mes yeux que j'**essuie**
Et pourquoi ces soupirs dans ma gorge crevant ?
Je ne puis rappeler le passé décevant,
Ni ranimer le feu dans l'âtre plein de **suie**.

L'amour s'est envolé, la flamme s'est **enfuie**.
À quoi bon soupirer, pleurer, en y rêvant,
Comme un hautbois plaintif qui se nourrit de vent,
Comme un vieux toit rompu qui se repaît de **pluie** ?

Jean Richepin, « Peines perdues »,
Les Caresses

Qu'est-ce qui **bruit** — c'est le **buis**
Qu'est-ce qui **cuit** — la **nuit**
Qu'est-ce qui **fuit** — le **puits**
Qu'est-ce qui **luit** — la **suie**
Qu'est-ce qui **nuit**
Qu'est-ce qui **suit** — **lui**

Jean Lescure, « L'aile d'elle »,
in *La Nouvelle Guirlande de Julie*

Nuit
Ennui
Ça rime à quoi ?
À rien.
Qui s'**ennuie**
La **nuit** ?
Vous ? Moi ?
Nuit
Plaisir
Ça ! ça rime !
Ça, ça se marie !

Roland Bacri, « Essai de dictionnaire de rimes pour vers libres »,
Refus d'obtempérer

sous-rimes voisines
258.15 OUI-E
258.12 LLI-E

contre-assonances
214.22 UÉ-E
214.20 UEUX

❐113 [du Bellay]
258.15 [Neuhuys, Ferré]

258.23 VI-VIE° **258.**

VIE°

la VIE°
(vivre) il **vit**
(voir) il **vit**
(pénis) un vit
(saint Guy) saint Vit
(opinion) un **avis**
saint Avit
(brûlé) havi/e°
(repentir) peccavi
(prénom) Davy
la Moldavie°
préavis
lavis
(dynastie) Pahlavi
(langue) pahlavi
(prénom) Flavie°
la Yougoslavie°
la Scandinavie°
(ville; bataille) Pavie°
pêche pavie°
(rivière) la Ravi
(enlevé) **ravi/e°**
(enchanté) **ravi/e°**
des bravi¯
gravi/e°
la Moravie°
contravis
vis-à-vis
Octavie°
(à qui mieux mieux) à l'**envi**
(désir) il/une **envie°**
(il remédie) il obvie°
(évident) sens obvie°
il **dévie°**
(Bible) Lévi
(Primo) Levi
des nævi
(Jules) Grévy
il prévit
sévi/e°
cochevis
devis
eau-de-vie°
pont-levis
chènevis
(revivre) il **revit**
(revoir) il **revit**

il entrevit
(fougère) sauve-vie°
in/divis
Livie°
la Bolivie°
demi-vie°
il r/écrivit
il décrivit
il re/transcrivit
il prescrivit
il ré/inscrit
il proscrivit
il circonscrivit
il souscrivit
(contrôle) un suivi
(régulier) suivi/e°
(suivre) **suivi/e°**
il s'ensuivit
poursuivi/e°
Calvi
pehlvi
(prénom) Sylvie°
(anémone) une sylvie°
Cracovie°
la Moscovie°
il chauvit
Ségovie°
Argovie°
Gergovie°
Thurgovie°
mauvis
synovie°
Varsovie°
il **convie°**
œuf couvi
(affamé, rég.) allouvi/e°
assouvi/e°
inassouvi/e°
carvi
parvis
chervis
nervi
servi/e°
asservi/e°
desservi/e°
resservi/e°
la **survie°**
il **survit**
induvie°
exuvie°

Dans un monde au futur du temps où j'ai la **vie**
Qui ne s'est pas formé dans le ciel d'***aujourd'hui***,
Au plus nouvel espace où le vouloir **dévie**
Au plus nouveau moment de l'astre que je ***fuis***
Tu vivras, ma splendeur, mon malheur, ma **survie**
Mon plus extrême cœur fait du sang que je ***suis***,
Mon souffle, mon toucher, mon regard, mon **envie**,
Mon plus terrestre bien perdu pour l'***infini***.

Évite l'avenir, Image **poursuivie** !

Catherine Pozzi, « Nova »,
Poèmes

L'HEURE me vient sourire et se faire sirène :
Tout s'éclaire d'un jour que jamais je ne **vis** :
Danseras-tu longtemps, Rayon, sur le **parvis**
De l'âme sombre et souveraine ?
Voici l'HEURE, la soif, la source et la sirène.

Pour toi, le passé brûle, HEURE qui m'**assouvis** ;
Enfin, splendeur du seul, ô biens que j'ai **ravis**,
J'aime ce que je ***suis*** : ma solitude est reine !
Mes plus secrets démons, librement **asservis**
Accomplissent dans l'or de l'air même où je **vis**
Une sagesse pure aux lucides **avis** :
Ma présence est toute sereine.

Paul Valéry, « Heure »,
Pièces diverses de toute époque in *Œuvres*

Satan par le bois vert notre aïeule **ravit**,
Jésus par le bois sec à Satan l'a **ravie** ;
Le bois vert à l'Enfer notre aïeule **asservit**.
Le bois sec a d'Enfer la puissance **asservie**.

Satan sur le bois vert **vit** sa rage **assouvie**,
Jésus sur le bois sec son amour **assouvit**,
Le bois vert donna mort à tout âme qui **vit**,
Le bois sec, ô merveille ! à tous morts donne **vie**.

Jean de La Ceppède, « Antithèses de la Croix à l'arbre défendu »,
Les Théorèmes

Nous n'entrons point d'un pas plus avant en la **vie**
Que nous n'entrions d'un pas plus avant en la mort ;
Notre vivre n'est rien qu'une éternelle mort
Et plus croissent nos jours plus décroît notre **vie**.

Quiconque aura vécu la moitié de sa **vie**
Aura pareillement la moitié de sa mort ;
Comme non usitée on déteste la mort
Et la mort est commune autant comme la **vie**.

Jean-Baptiste Chassignet, « Nous n'entrons point d'un pas… »,
Le Mépris de la vie et consolation contre la mort. XLIV

C'est ça la **vie** c'est ça la
Vi
Laine compagne
Vi
Olente campagne
Vi
Ctoire décisive
Vi
V'ment qu'ça arrive !

Claude Nougaro, « C'est ça la vie »,
Nougaro sur paroles

sous-rime voisine
258.23 FI-E

contre-assonance
214.23 VÉ-E

❐

259. IBDE

(...en Scylla)
tomber de Charybde

Fais assemblée, et que l'on me ***lapide***.
Sers-toi des yeux des filles d'Arion,
En me blessant, crie tout haut ton nom,
Si verras-tu un jour vomir **Charybde**.

Christofle de Beaujeu, « Pour te venger… »,
Les Amours. XCVII

assonances
268. IDE
260. IBE
261. IBLE

❐

260. IBE-IB°

SCRIBE

(un/e) **caraïbe**
mer (des) **Caraïbe(s)**
(région) la/les **Caraïbe(s)**
sahib°
(il gobe, rég.) il bibe
(prénom) Habib°
il **imbibe**
toubib°
(il se dispute, rég.) il se gibe
(il punit, rég.) il escalibe
(Léo) Delibes
Polybe
amibe
(rien, arg.) nib de nib°
(étoile) Algénib°
il inhibe
il désinhibe
il prohibe
R.I.B.°
les Caribes
bribe
crib°
(Eugène) Scribe
un SCRIBE
diatribe
(distribution, arg.) la distribe
(il frustre, arg.) il zibe
(rasoir, arg.) un rasibe
il **exhibe**
(ça m'ennuie, arg.) ça me tibe
(prison, arg.) le chtibe
(il m'emprisonne, arg.)
il enchtibe
Antibes

Il met sa lâche injure au service du prince.
Il échappe au talon vengeur tant il est mince.
La platitude peut braver l'écrasement.
Il a l'infecte odeur de la bouche qui ment.
Tel qui naît chiffonnier finit par être **scribe**.
Il porte sur son dos sa hotte à **diatribe**.

Victor Hugo, « Cet être est si petit qu'il est presque invisible »,
Les Années funestes. XLIII

Que prétend-elle, d'**Antibe**,
l'odeur qui, toujours, m'**imbibe**
l'adolescent inhumain
qui, les doigts ardents, se flatte
de la jupe ouverte et plate
d'un livre, au bord d'un chemin [...]

Jacques Audiberti, « La colline de la Garoupe »,
L'Empire et la Trappe

Janvier n'est pas un nom forcément **caraïbe**
la souffrante Haïti pourtant me l'a donné
il fait avec mon corps un métis étonné
qui a son ombre à l'intérieur et qui l'**exhibe**

Ludovic Janvier, « Negro spirituel »,
La Mer à boire

Du soufflant, c'est quoi : moins que **nib** ;
Nib, c'est zeuro et c'est personne,
On n'a jamais zyeuté ta **bribe**,
T'existes mêm' pas, tu boufonnes.

Géo Norge, « Le soufflant et le raciné »,
La Langue verte

Je me dis que j'aurai peut-être des remords
À l'endroit des humains, des ormeaux, des **amibes**,
De l'***anonyme*** amas des choses ***putrescibles*** [...]

Jean Rousselot, « Le pari »,
Agrégation du temps in *Les Moyens d'existence*

(Ne l'ont-il point noté vos notaires et **scribes** ?
C'est mon tourment, si je vois un homme égorgé,
Ou fût-ce un simple petit d'oiseau écorché,
De le refaire en vie jusqu'au bout de ses ***fibres***.)

Gustave Lamarche, « Ah ! vous souviendrez-vous à partir du principe ? »,
Impropères in *Œuvres poétiques*. I

assonances
261. IBLE
262. IBRE

contre-assonances
2. AB-E
122. ÈBE-EB

❐ *457 [Thiry] ; 536 [Queneau]*

261. IBLE

TERRIBLE
CIBLE

Bible/bible
crédible
in/audible
réfrangible
infrangible
in/tangible
ré/in/éligible
(l') intelligible
inintelligible
in/corrigible
in/exigible
fongible
inextinguible
faillible
infaillible
pénible
in/disponible
à pible
il rible
il/un **crible**
il/un dribble
TERRIBLE
(l') **horrible**
(le) futurible
il/une CIBLE
passible
impassible
irascible
in/compréhensible
expansible
(ensemble, arg.) ensible
(le) **sensible**
suprasensible
ultrasensible
extrasensible
insensible
photosensible
(un) hypersensible
in/extensible
ostensible
irrépressible
in/compressible
(culotte) inexpressible
im/putrescible
in/cessible
accessible
inaccessible
successible
immarcescible
fermentescible
(l')**indicible**
fissible
miscible
inamissible
in/admissible
rémissible
irrémissible
in/transmissible
invincible

(le) **possible**
(l') **impossible**
(un) submersible
insubmersible
in/coercible
ir/réversible
(un) inversible
(souple) flexible
(tuyau) un flexible
réflexible
inflexible
loisible
paisible
il/lisible
risible
in/traduisible
(néfaste) nuisible
(parasite) un nuisible
(le) **visible**
im/prévisible
(l') **invisible**
in/divisible
plausible
in/explosible
(un) fusible
`diffusible
infusible
in/compatible
extractible
indéfectible
im/perfectible
déductible
réductible
(un) irréductible
productible
reproductible
conductible
reconductible
destructible
indestructible
in/constructible
perceptible
imperceptible
susceptible
descriptible
indescriptible
im/prescriptible
inscriptible
consomptible
corruptible
incorruptible
(un) convertible
inconvertible
suggestible
digestible
comestible
(denrées) des comestibles
incomestible
résistible
irrésistible
(un) combustible
incombustible
in/amovible

assonances
262. IBRE
260. IBE
281. ILE

contre-assonances
3. ABLE
93. AMBLE
361. OBLE

Celui qu'étoiles, vous avez pris comme **cible**
de vos cris anxieux et qu'allez pourchassant,
ne vous irritez plus s'il se rejette errant
aux bords du monde ardent et se fait **invisible** ;

rien qu'un méchant fantôme, une ombre **inaccessible**
et pareille – vous rappelez-vous ? – à l'Enfant
Prodigue de Rainer Maria s'enfuyant
pour ne pas être aimé de cet amour **terrible**.

Jean Cassou, « Celui qu'étoiles... »,
Trente-trois sonnets composés au secret. XVIII

Nous ne sommes pas des **nuisibles**
Nous sommes frères des hiboux
On n'est pas des marchands de **bibles**
Ni tire-laine, ni voyous...
Le cœur à gauche, c'est la **cible**
Où la vie fait mouche à tout coup
Chantons pour les âmes **sensibles**
Même s'il n'en est plus beaucoup...

Jean-Roger Caussimon, « La manche »,
Mes chansons des quatre saisons

La sainte Providence est un enfant **terrible** :
Famine, guerre, peste et Révolution
Sont ses jeux turbulents ; le grotesque, l'**horrible**,
Rien n'arrive ici-bas sans sa permission.

De notre mélodrame elle a l'invention
Et l'homme en est l'acteur soufflé, pompeux, **risible**,
Donc, des coups de couteau dont le traître nous **crible**
Elle est coupable avec préméditation.

Eugène Pottier, « La sainte Providence »,
Œuvres complètes

Enlève cet **inexpressible** *
en coton, qui te vient de ta mère,
ces lunettes et cette jupe **nuisible**,
ces chaussures de nonagénaire.
[...]
T'as plus qu'à rentrer chez toi,
dans ta chambre **inconcupiscible**,
avec ta faim, ta soif, ton lit froid,
tes lunettes et ton **inexpressible**.

Nino Ferrer, « L'inexpressible »,
Textes ?

* culotte

Vous aurez d'autres jeux à courir, les plus ***libres***,
Comme ceux des amours d'enfants et des dauphins,
Toutes les tragédies, tous les mythes **possibles**
Que rencontre un adolescent sur son destin [...]

Patrice de La Tour du Pin, « Les sept jours de Genèse »,
Petite Somme de poésie

Tournent les martinets dans les hauteurs de l'air :
plus haut encore tournent les astres **invisibles**.
Que le jour se retire aux extrémités de la terre,
apparaîtront ces feux sur l'étendue de sombre ***sable***...

Philippe Jaccottet, « Les Distances »,
L'Ignorant

❒ *260 [Rousselot] ; 276 [Lamarche] ; 302 [Rodenbach]*

262. IBRE

LIBRE

(pénis, arg.) un chibre
fibre
il défibre
guibre
LIBRE
il/un **calibre**
félibre
il/un **équilibre**
il rééquilibre
il/un déséquilibre
le **Tibre**
il **vibre**
il pervibre

Tout est consommé. Mon cœur est nu. Mon âme est **libre** !
Libre comme l'astre qui reflète Ta lumière,
Comme les sanglots de l'Océan dolent qui **vibre**
Au moindre soupir de Ton angoisse tutélaire ;

Libre comme l'*arbre* de Ta Croix dont chaque **fibre**
Verse Ton azur dans les ***ténèbres*** du Mystère
Et comme l'oiseau que Tu maintiens en **équilibre**
Entre le ciel pur et la souffrance de la terre.

Armand Godoy, « Tout est consommé... »,
De vêpres à matines

L'art c'est le doux conquérant !
À lui le Rhin et le **Tibre** !
Peuple esclave, il te fait **libre** ;
Peuple **libre**, il te fait grand !

Victor Hugo, « L'Art et le Peuple »,
Châtiments

J'ai cru, c'est bien normal, que l'âme fière et **libre**
Du vieux peuple latin s'allait ragaillardir :
C'était, naïvement, croire le bon **félibre**
Dont les rêves fiévreux commencent à tiédir.

Jacques Bens, « Chant septième »,
Le Retour au pays

L'âme émue et les doigts tremblants, pieux, il touche
Les roseaux desséchés, le clavecin qui **vibre**,
Les estampes, les maroquins ouatés de mousses :
Ah ! ces mousses qui sont les cheveux blancs des ***livres*** !
L'enfant morne, oppressé de souvenirs, étouffe,
Et son fragile cœur frémit comme une ***vitre***.

Charles Guérin, « Le tiède après-midi... »,
Le Cœur Solitaire. LV

Est-il d'autres tissus tramés des mêmes **fibres** ?
Combien faut-il de fois mourir pour naître encor ?
Ou les poids inégaux sont-ils jetés au sort
Inexorablement marqué par la ***clepsydre*** ?

Yves-Gérard Le Dantec, « Josaphat »

Mains des anges, bras ***invisibles***,
venez d'un mastic plus doux
composer un autre **calibre**
à mon cœur trop dur aux coups.

Max Jacob, « Voyages »,
Les pénitents en maillots roses in *Ballades*

Il n'y avait qu'un lit dans la ***chambre***
Dans une chambre un grand lit blanc
Il n'y avait pas de temps **libre**
Il n'y avait que le ciel ***vide***
Qu'on voyait par la fenêtre

Jacques Baron, « Lied »,
L'Imitation sentimentale in *L'Allure poétique*

assonances	*contre-assonances*
330. IVRE	*4. ABRE*
261. IBLE	*124. ÈBRE*
270. IDRE	*94. AMBRE*
327. ITRE	*336. IMBRE*

❒ *260 [Lamarche] ; 538 [Jouet]*

263. ICHE-ICH

RICHE
(animal) une **biche**
(ça va, arg.) ça biche
(Eugène) Labiche
(pot de vin, Afr.)
un matabiche
grébiche
pied-de-biche
ventre-de-biche
sauce gribiche
(cigarette, arg.) une cibiche
(père, arg.) un dobiche
(beau, arg.) laubiche
barbiche
(avare) **chiche**
(défi) chiche!
pois chiche
ha(s)chi(s)ch°
bakchich°
matchiche
kaddish°
yiddish°
(une) godiche
(fichage) il/une fiche
(ça lui est égal)
il s'en/se **fiche**
il/une **affiche**
porte-affiche
il enfiche
stockfisch°
(il se moque)
il s'en/se contrefiche
(charpente) une contrefiche
microfiche
guiche
(elle excite) elle **aguiche**
(accroche) une aguiche
(il boit, arg.) il liche
caliche
(technique) il cliche
(colique, arg.) une cliche
(place de Clichy, arg.)
la Cliche
flysch°
(anglais, arg.)
(un/e) angliche
pouliche
(tétasses, rég.) des pliches
(pourboire, arg.) un pourliche
(naturellement, arg.)
naturlich°
(de pain) une **miche**
(fesses; seins, arg.)
des miches
flamiche
(grand-mère, rég.)
une mâmiche
(bd St. Michel, arg.)
le Boul' Mich'°
Karkemish°
(de chien) une **niche**
(il se loge) il (se) niche

(blague) faire une niche
caniche
(juron, rég.) macaniche!
(saumon, Can.)
une ouananiche
il déniche
péniche
finish°
photo-finish°
(sobriquet) Niniche
(vulve, arg.)
une mouniche/moniche
(moue, rég.)
faire la mouniche
il **pleurniche**
corniche
(il pleurniche, rég.)
il morniche
ouiche!
un **sandwich**°
îles Sandwich°
(il serre) il sandwiche
homme-sandwich°
(grand-père, rég.)
un pâpiche
(cité antique) Kish°
(tourte) une quiche
(il comprime, rég.)
il esquiche
(un/e) RICHE
(Caspar D.) Friedrich°
(pâtis) en/une **friche**
(Max) Frisch°
une/il défriche
(il attrape, arg.) il agriche
bourriche
la/il **triche**
(Marlène) Dietrich°
l'**Autriche**
lagotriche
sporotriche
Maëstricht°/Maastricht°
bostryche
(prostituée, arg.) une catiche
(dent, arg.) une ratiche
il s'entiche
fétiche
(anglais, arg.)
(un/e) britiche
(elle excite, arg.)
elle autiche
scottish°
potiche
(chiffe molle, rég.)
une tontiche
(argent, arg.) l'artiche
l'Irtych°
fortiche
il/un **pastiche**
hémistiche
(d'un seul vers) monostiche
(un) **postiche**
(un) acrostiche
derviche

On ne t'aime peu ni prou,
Roudoudou si doux, si roux.
T'es pas joli, t'es pas **riche**
Et t'as tifs et poils en **friche**.

Pas pour toi, ventres de **biche**,
Bisous, frisous et minous
De ***Moumouche*** et de **Mimiche**.
Toujours tout seul à la **niche**.

Roudoudou s'en fout, s'en **fiche**,
Car avec un' ***branch'*** de houx,
Car avec six feuill' de chou
Il fait un' femm' qui lui **biche**.

Tout ça tient par quatre clous ;
V'la qu'elle est mignonn' comm' tout
Avec ses ouill' de **caniche**
Et ses nénés de nounou.

Roudoudou n'est pas si fou :
S'enticher d'un' fill', ah **ouiche** !
Il aim' mieux sa femm' **postiche**,
Il aim' mieux ses feuill' de chou.

Géo Norge, « Roudoudou »,
La Langue verte

Lune, sempiternelle **affiche**
Sur le mur noir de l'infini,
Spectacle, Panacée, **Haschisch**,
Que vante ce placard jauni ?

Un volet qui bat la **corniche**
Réveille l'hirondelle au nid ;
Le voleur fuit, l'assassin **triche**,
La fille hurle en son garni…

André Salmon, « Vigile »,
Carreaux

Son penchant prononcé pour les « **ich** liebe **dich** »* ,
Pour les « **ich** liebe **dich** »,
Lui valut de porter quelques cheveux **postich's**,
Quelques cheveux **postich's**.

Georges Brassens, « La tondue »,
Poèmes et chansons

* « Je t'aime » (en allemand)

Ah ! venez donc, tous les cœurs indigents,
Ceux qu'aucun amour n'a faits **riches**,
Ceux dont l'ennui s'***afflige***,
Un secours vous éclôt du ciboire d'argent.

Georges Rodenbach, « Les Hosties » XIV,
Le Miroir du ciel natal

Vous avez décidé qu'elle était mon **affiche**.
Qu'une main de colère un jour l'**affiche** ***arrache***
Et griffe votre face avec.
[…]
Seulement je verrai sans être vu l'**affiche**
Voler flotter claquer plaquer sur votre ***bouche***
Cet étendard de mon mépris.

Jean Cocteau, « Vous avez décidé… »,
Clair-obscur. XLI

ICHE-ICH°

Et plus de miel dans les ***ruches***
Au rucher des **riches** ***ruches***
Et partout des ***rimes*** **riches**
Partout la rime à miel
Du poète abeille

Pierre Albert-Birot, « Vingt-quatrième poème »,
Aux trente-deux vents

assonances
275. IGE
321. IS-SE
324. ITCH-E

contre-assonances
5. ACHE
125. ÈCHE
484. OUCHE
539. UCHE

❐ 121.6 [Colletet] ; 269 [Obaldia] ; 535.4 [Goudeau]
125[Cadou]

264. ICHT°-ICHTE

(Johann G.) Fichte
Maëstricht/Maastricht°

Fichtre de **Fichte**, Engels, et la propédeutique !

André Blavier,
Le Mal du pays ou les travaux forc(en)és [v.112]

assonances
263. ICH-E
324. ITCH
325. IT-E

contre-assonance
127. ECHT

❐

265. ICHTRE

fichtre!

Elle bondit comme une ***biche***,
– Comme on le voit sur les ***affiches***, –
Touchant presque les girandoles, –

Et la jument baie caracole,
Haute école,
Pas espagnol, –
Les habits noirs ont crié : **Fichtre** !...

Franc-Nohain, « L'écuyère »,
Dites-nous quelque chose

– ***Huître***, **fichtre**, vous avez là
Huître, une perle dont l'éclat,
Ma chère, dont l'éclat ***mérite***
Qu'un rajah
En fasse l'achat...

Franc-Nohain, « L'huître perlière »,
Fables. II, XIII

assonances
263. ICHE
327. ITRE
323. ISTRE
264. ICHTE

❐ *264 [Blavier]*

266. ICLE

CYCLE
GICLE

chicle
(série) CYCLE
(véhicule) cycle
(monnaie) sicle
mégacycle
il recycle
bicycle
hémicycle
épicycle
péricycle

Non, l'Histoire n'a rien, dans aucun de ses **cycles**,
De plus ***tragique*** et de plus beau
Que l'apparition de ce vieux à **besicles**
Avec ce crêpe à son chapeau !

Edmond Rostand, « À Krüger »,
Le Cantique de l'aile

☞

ICLE

tricycle
kilocycle
monocycle
motocycle
hétérocycle
il GICLE
(couleuvre, rég.) un jicle
manicle
sanicle
(coquillage) une bernicle
(lunettes, arg.)
des bernicles
(il voit mal, rég.) il bornicle
(diarrhée, rég.) une ricle
(loupe) une béricle
(fausse pierre) un véricle
(il éclabousse, rég.)
il estricle
des **bésicles/besicles**
article

Ah, je me garde bien de vous faire l'**article** !
Bien trop de vos pareils sont venus nous troubler.
N'allez pas plus avant, tournez votre **tricycle**,
Et sous d'autres soleils courez vous assembler !

Jacques Bens, « Chant douzième »,
Le Retour au pays

Vrai don rien à payer pas un **sicle**
Sous mains bonheur est là bien frisé
Suffit parfois d'aller contre **cycle**
Un fol geste et vieil ordre est brisé

Pierre Albert-Birot, « Poèmes de midi et demi » IX,
Les Amusements naturels

Ô âmes massacrées est-ce vous qui venez
avec ces coups de vent pleurer sur les menées
qui vous firent mourir ? âmes frappant mon toit
que voulez-vous sinon que je recourre à toi
parole cadencée comme ce sang qui **gicle**
en moi comme la pluie **gicle** sur la ***Belgique*** ?

William Cliff, « La Tempête »,
Fête nationale. 49

Sur son **bicycle**
D'un autre ***siècle***
Rivé
Rêvant
L'homme titube
Chavire et tombe

Guy Béart, « Anachroniques »,
Couleurs et Colères du temps

Fernand dans ton tiroir mes vers ne sont pas mal
Mais demande au patron s'il veut de mon **article**
Sinon adresse-le vers le secteur postal
Où ma vie et mon fort poursuivent leur **curricle** *

Guillaume Apollinaire, «Fernand dans ton tiroir… »,
Poèmes épistolaires

* course (curriculum)

assonances
306. IQUE
276. IGLE
281. ILE

contre-assonances
7. ACLE
128. ÈCLE
364. OCLE
466. ONCLE

❐

267. ICT°-ICTE

STRICT°

il **dicte**
un addict°
il **édicte**
Bénédicte
vindicte
verdict°
halicte
(il boit, arg.) il picte
(peuple) les Pictes
STRICT°/E
Maëstricht°/Maastricht°
district°
Lake District°
convict°

Sans mon conseil on me manœuvre, on **dicte**
Le temps compris entre vivre et mourir.
En vertu de quel droit, de quelle **stricte**
Obédience, tel chemin à parcourir ?

Liliane Wouters, « Escales » 10,
L'Aloès

Mais qu'importent la fièvre et le Mot du **verdict**
Si la Terre aussi bien que le Ciel est ***unique*** !

René Guy Cadou, « D'où venons-nous ? Qui sommes-nous ?
Où allons-nous ? » III,
Hélène ou le Règne végétal

☞

ICT°-ICTE

Tous ses gardiens ***insist'nt*** pour qu'il apprenn' la ***liste***
Des choses qui ne se font point.
(Et la règle est moins **strict'** pour le commun des **Pictes***
Qui n'y est jamais entraîné…)
[…]
il sait, de façon rude, à la fin des études,
Les Choses Qui ne se Font Pas.
(Et ces lois qu'on **édict'** sont étrang's pour le **Picte***,
À qui l'on n'a point révélé…)

Rudyard Kipling, « Le Gaspilleur »,
Trad. Jules Castier. *Poèmes*

* c'est-à-dire les étrangers, les non-Britanniques (N. d. T.)

Oui, j'écris rarement, et me plais de le faire,
Non pas que la paresse en moi soit ordinaire,
Mais sitôt que je prends la plume à ce dessein,
Je crois prendre en galère une rame en la main ;
Je sens au second vers que la Muse me **dicte***,
Que contre sa fureur ma raison se ***dépite***.

Mathurin Régnier, « Oui, j'écris rarement… »,
Satire. XV

* prononcé |it| du temps de Régnier

Voici que tu as tout exaucé. Tes désastres
Sont plus nombreux que le grand nombre épais des astres.

À la mesure ***gigantique*** de ton ***acte***,
Tu as exécuté nos vouloirs de **vindicte**.

Marcel Thiry, « Allemagne » II,
Âges in *Toi qui pâlis au nom de Vancouver…*

Mots sublimes sentiments cotés
qu'elle est belle l'humanité !
la perle est à chaque **district**.
Leur intelligence est d'***instinct****
marchands, héros, gens de la terre
la mère et le fils, l'adultère ?

Max Jacob, « Amour ! je suis vieux… »,
Actualités éternelles

* contre-assonance pour l'œil

assonances	*contre-assonances*
306. IQUE-IC	*9. ACT-E*
325. IT-E	*130. ECT-E*
322. IST-E	*366. OCTE*
	344. INCT-E

❒

268. IDE-ID°

VIDE

(poisson) un ide
(calendrier) les **ides**

(Égypte) la Thébaïde
(retraite) une **thébaïde**
caïd°
moudjahid°
Adélaïde
(papillon) une danaïde
[t]onneau des/les **Danaïdes**
Port-Saïd°

bide

les Aghlabides
(très maigre) tabide
(blanchâtre) albide
morbide
turbide

Rachid°
arachide
la Colchide

les Hammadides
(ingénu) **candide**
(Voltaire) Candide
splendide
Thucydide
sordide

Hey Johnny Jane
Toi qui traînes tes baskets et tes yeux **candides**
Dans les no man's land et les lieux **sordides**
Hey Johnny Jane
Les décharges publiques sont des **atlantides**
Que survolent les mouches **cantharides**
Hey Johnny Jane
Tous les camions à benne
Viennent y verser bien des peines **infanticides**

Hey Johnny Jane
Tu balades tes cheveux courts ton teint **livide**
À la recherche de ton amour **suicide**
Hey Johnny Jane
……

aldéhyde
céphéide
ophicléide
nucléide
aranéide
l'**Énéide**
(ver) une néréide
(nymphes) les **Néréides**
uréide
séide
les perséides

raphide
bifide
quadrifide
trifide
sylphide
(dépeignée, rég.)
espéloufide
(un/e) **perfide**

(André) Gide
les Agides
les Lagides
égide
rigide
sainte Brigide
frigide
(un/e) psychorigide
algide
turgide

(peintre) le Guide
(il conduit) un,e/il **guide**
(rênes) des guides
languide
il téléguide
il radioguide
topoguide

lied°
les Alides
(Muses) les Castalides
chrysalide
(n. dép.) ozalid°
(vigoureux) **valide**
(il ratifie) il valide
(infirme) (un/e) **invalide**
(il annule) il invalide
(Paris) les Invalides
oxalide
les Héraclides
Euclide
nuclide
(Grèce) l'Élide
(élision) il élide
éphélide
annélide
(anneau de jambe)
une périscélide
Bacchylide
anthyllide
bolide
Valladolid°
l'Éolide
l'Argolide
un/être **solide**
il consolide
épulide

Hamid°
amide
sulfamide
polyamide
chlamyde
pélamyde/pélamide
cyanamide
(l') aramide
il/une **pyramide**
cnémide
(un/e) **timide**
les Fatimides
il intimide
thalidomide
(gnome femelle)
une gnomide
Armide
(l') **humide**
(un/e) numide

océanide
les Sassanides
lanthanide
Cnide
arachnide
lychnide
alfénide
les Achéménides
les **Euménides**
Parménide
les Mérinides
actinide
adonide
les Alcméonides
(Moïse) Maimonide
Simonide
péponide
les Tulunides

(un) rhomboïde
(le) cuboïde
(un) hélicoïde
corticoïde
(une) conchoïde
discoïde
(n. dép.) rhodoïd°
géoïde
(le) scaphoïde
xiphoïde
sciphoïde
typhoïde
lymphoïde
(l') hyoïde
(une) cardioïde
ichtyoïde
alcaloïde
phalloïde
hyaloïde
métalloïde
(un/e) cristalloïde
(n. dép.) tabloïd°/e
épi/cycloïde
paraboloïde
(un) hyperboloïde
colloïde
(un/e) mongoloïde
(n. dép.) **celluloïd**°
(un) sésamoïde
(le) sigmoïde

Du souvenir veux-tu trancher la **carotide**
À coups de pied dans les conserves **vides**
Oh Johnny Jane
Un autre camion à benne
Te transportera de bonheur en bonheur sous les cieux **limpide**

Serge Gainsbourg, « Ballade de Johnny Jane »,
Dernières nouvelles des étoiles

Poisons
poissons de mai anadromes **perfides**
montant frayer montant ces ruelles **liquides**
soir et matin
à contre-flot nageant très obstinés **candides**
l'interminable et forcené chemin
à quelle pureté marier ces **régicides** ?
[...]
Poisons
poissons trop doux catadromes **livides**
mordant cherchant mâchant l'amer troupeau **avide**
partant matin et soir
à des bouillons épais de sel sable **aride**
mêler la dilection des **spermatozoïdes**
noirs

Louis-Philippe Kammans, « Le grand manège »,
Poisons des profondeurs in *Poèmes choisis*

L'hippopotame est un monsieur **placide**
qui trempe dans le fleuve Limpopo
ses bajoues ses pattes comme des poteaux
faisant des bulles qui troublent l'eau **limpide**

La vase fraîche caresse son gros **bide**
il en mugit et trouble le repos
du crocodile qui furieux fend les eaux
mais sans ardeur **hippopotamicide**

Jacques Roubaud, « L'hippopotame »,
Les Animaux de tout le monde

Des yeux de sable jaune d'eau **épaissie de**
gel, des yeux de fille de Mémoire traver
sés du sel des lagunes de troubles d'**acides**
bleu fermenté, jaune parfois ou glacier vert

Jacques Roubaud, « Nikonova »,
∈

Je vis de plus en plus ***vite***
Je vais de plus en plus loin
Pourtant dans la coque **vide**
Qui me ressemble en tous points
Je bouge de moins en moins

Jean Rousselot, « Je vis… »,
À qui parle de vie in *Les Moyens d'existence*

Sur ***Conrad***
Une **ride**
Raide et ***rude***
Rôde.

Michel Deville, « Thème et variations (septième variation) »,
Poézies

❐ 10 [Gilbert-Lecomte]
270 [Régnier] ; 325 [Carco] ; 468 [Gangotena]

IDE-ID°

ethmoïde
(un/e) humanoïde
paranoïde
arachnoïde
(le) sphénoïde
solénoïde
(un) conoïde
hypnoïde
lipoïde
(un) **anthropoïde**
(n. dép.) **polaroïd°**
bizarroïde
cancroïde
(un) androïde
héroïde
sphéroïde
stéroïde
astéroïde
négroïde
(la) thyroïde
(la) choroïde
des **hémorroïdes**
(un) ellipsoïde
(le) trapézoïde
(un/e) schizoïde
spermatozoïde
sinusoïde
planétoïde
(le) deltoïde
(la) mastoïde
(un) ovoïde

il **lapide**
il dilapide
rapide
sapide
les Gépides
Lépide
(sandale) une crépide
il trépide
intrépide
lipide
Euripide
insipide
limpide
torpide

turpide
(drogué, arg.) speed°
(il se drogue, arg.)
il se speede
argyraspide
hispide
bi/tri/cuspide
cupide
stupide

kid°
(fluide) un/être **liquide**
(argent) (du) liquide
(il élimine) il liquide
les Riourikides

il/une **ride**
aride
poly/saccharide
ascaride
semi-aride
Farid°
cantharide
il/une **bride**
îles Hébrides
il (se) débride
Nouvelles-Hébrides
(auberge) un tournebride
il/(un) **hybride**
la Locride
Madrid°
ibéride
il déride
piéride
éphéméride
Hypéride
(nymphes) les Hespérides
(îles) les Hespérides
glycéride
îles Cassitérides
stéride
Si(e)gfried°
Wilfried°
Gottfried°
Ingrid°
antiride(s)

(vert) viride
les Zirides
la Doride
les Ghorides
la **Floride**
(Crimée) la Tauride
(météores) les taurides
(brûlant) **torride**
bourride
les Tim(o)urides
les Nasrides
les Atrides
(un/e) apatride
les Eupatrides
Astrid°
putride
(un) antiputride

le **Cid°**
(aigre) **acide**
(chimie) un **acide**
les Abbassides
saint Placide
(paisible) **placide**
les Arsacides
pèse-acide
il **décide**
les Seulicides
les Hafsides
(un) herbicide
(un/e) **régicide**
(un) fongicide
(un/e) déicide
(un/e) **homicide**
germicide
(un) spermicide
(un) vermicide
(un/e) tyrannicide
un/e lapicide
(un/e) **parricide**
(un) bactéricide
coricide
(un/e) matricide
(un/e) **fratricide**
raticide
(un/e) **infanticide**

(un) insecticide
(un) parasiticide
(un/e) liberticide
(un) pesticide
il se/un **suicide**
il **coïncide**
Alcide
écocide
la Phocide
biocide
génocide
ethnocide
(un) virocide
(d'église) abside
(astronomie) apside
capside
lucide
(un/e) extralucide
il **élucide**
pellucide
glucide
translucide
(un) virucide
il trucide
il/un **oxyde**
bioxyde
dioxyde
il/un peroxyde
il suroxyde
il désoxyde
protoxyde

baside
subside
il **réside**
il **préside**
glucoside
rutoside

les Abbatides
caryatide/cariatide
l'**Atlantide**
les Laurentides
l'Antarctide
fétide
(la) carotide

(la) parotide
la Propontide
peptide
bastide
Aristide

(il croit, arch.) il cuide
(un) **fluide**
(un) superfluide
druide

il/le/être VIDE
avide
David°
les Ghaznavides
impavide
gravide
les Almoravides
il r/envide
il évide
il dévide
livide
vivide
Ovide
il transvide

(tissu) du **tweed°**
(rivière) la Tweed°

assonances
259. IBE
270. IDRE
325. ITE
329. IVE

contre-assonances
10. AD-E
132. ÈDE-ED
367. OD-E
542. UD-E

269. IDGE

BRIDGE

(William D.) Coolidge
(hôtel) le Claridge
(jeu) il/le BRIDGE
(dent) un bridge
(Eadweard) Muybridge
Cambridge
Oak Ridge
(Samuel T.) **Coleridge**
(réfrigérateur, arg.) un fridge
porridge

You spique angliche ?
Faut drôlement être fortiche
Pour parler anglais,
La langue du **bridge** !
Une langue au **porridge** :
Beaucoup de son et peu de lait.

René de Obaldia, « You spique angliche », *Innocentines*

La saucisse de **Cambridge**
Qui m'a piqué mon **bridge**
M'est restée en travers
Bloquée par les pois verts

Pierre Perret, « J'ai dîné à London », *Chansons de toute une vie*

☞

IDGE

la lune est à califourchon
juste au-dessus de **Tower Bridge**
me diras-tu dans ton jargon
où est l'orphelin **Coleridge**

Louis Calaferte, « Cette ville en chapeaux melons… »,
Londoniennes

Raides comme ***tiges***
Sujets de **Coolidge**,
Anglais qui se ***figent***
Mangent à côté…

Pierre Dac, « La prière sur Montmartre » V,
Mon maître soixante-trois, p. 78

Tout ira bien, c'est sûr, mais par sécurité
sache que nous dînons (puis nous jouerons au **bridge**)
chez le ménage Untel. Leur numéro de téléphone est inscrit là. Si tu la vois **livide**, **j-**

e t'en conjure, appelle-nous IM-MÉ-DIAT'MENT…

Thieri Foulc, « Je n'ai jamais aimé parler pour ne rien dire »,
Whââh

assonances
275. IGE
267. IDE

contre-assonances
11. ADGE
133. EDJ
368. ODGE

❒

270. IDRE

hydre
anhydre
cidre
clepsydre

Des feux, tordus comme des **hydres**,
Se hérissent, autour du catafalque immense,
Où des anges, tenant des faulx et des **clepsydres**,
Dressent leur véhémence,
Clairons dardés, vers le néant.

Émile Verhaeren, « La Mort »,
Les Villes tentaculaires

La fange des étangs où nous nous enlisâmes
À nos armures d'or sécha glauque et ***livide,***
Et nous allions comme vêtus de squames,
Errants ***hybrides***,
Étant nous-même l'**hydre**
Qu'il aurait fallu vaincre aux étangs de nos âmes.

Henri de Régnier, « Le Songe de la forêt »,
Poèmes anciens et romanesques

Es-tu un homme,
Un homme ***libre,***
Dont le verbe jaillit franc,
Comme le **cidre**
De mon plant ?

Philéas Lebesgue, « Sois mon camarade »,
Œuvres poétiques. I

Et nous nous oublierons et que notre cœur saigne
En regardant glisser la souplesse d'un cygne
Et nous contemplerons, dédaigneux des **clepsydres**,
Les paons de cuivre bleu dans le bronze des ***cèdres***.

Tristan Derème, « Prends ton manteau… »,
La Verdure dorée. LXXVIII

assonances
267. IDE
260. IBRE
330. IVRE

contre-assonances
12. ADRE
135. ÈDRE
104. ANDRE

❒ *330 [Thomas] ; 315 [Métail]*

271. IF-IFE°

GRIFFE°
VIF
(arbre) un **if**
château d'If
(mycélium) l'hyphe°
(Jean Antoine de) Baïf
Caïphe°
(un) **naïf**

(bifteck) un bif
(il barre) il **biffe**°
(infanterie, arg.) la biffe°
(chiffonnier, arg.) il/la biffe°
corned-beef
il se **rebiffe**°
baby-beef
(dégoûtant, arg.)
dégueulbif
rosbif
roast-beef

chiffe°
(guérite) un échiffe°

maladif
gérondif
Cardiff
tardif

(postérieur, arg.) le dargif

(haschisch) le kif
(pareil, arg.) c'est du kif
kif-kif
(chic, arg.) olkif
skif(f)
esquif

khalife°/**calife**°
(il éclabousse, rég.)
une/il cliffe°
(Ann) Radcliffe°
(John) Wyclif/fe°
le Chélif/Cheliff
gélif
antigélif
glyphe°
aglyphe°
anaglyphe°
triglyphe°
hiéroglyphe°
(acarien) un tyroglyphe°
des dermatoglyphes°

(amour-propre, Alg.) le nif
canif
manif
(prostituée, arg.)
une poniffe°
(reniflement) snif(f)!
(prise de drogue, arg.)
un snif/fe°
(il se drogue, arg.) il sniffe°

(cordonnier, arg.) un bouif

(nez, arg.) le tarbouif
(claquement) pif!
(nez) un **pif**
(vin, arg.) du pif
(supporter) sans qu'il pi(f)fe°
(coup de poing, arg.)
un bourre-pif
(chic, arg.) olpif
(beaujolais, arg.)
du beaujolpif
(mouchoir, arg.) un tord-pif

(Maroc) le Rif
(jazz) un riff
(feu ; bagarre, arg.) du rif/fe°
un **tarif**
il tarife°
demi-tarif
(il informe) il briefe°
(il mange, arg.) il briffe°
(douteux) **apocryphe**°
(non biblique)
un apocryphe°
(prince) chérif
(officier) **shérif**
Tenerife°/Ténériffe°
(périphérique) périf/périph
il/une GRIFFE°
il s'agriffe°
escogriffe°
logogriphe°
hippogriffe°
il ébouriffe°

lascif
(épais) **massif**
(parterre) un **massif**
(apathique) **passif**
(dettes) un passif
appréhensif
in/compréhensif
défensif
offensif
inoffensif
pensif
expansif
suspensif
intensif
hypotensif
ostensif
co/extensif
(écueil) un **récif**
(ville) Recife°
agressif
dégressif
régressif
digressif
progressif
transgressif
(un) maniaco/dépressif
immunodépressif
répressif
impressif
oppressif
compressif
in/expressif
excessif
successif

La vedette qu'***étouffe*** un **massif** de lilas
Signe au bas du programme un puissant **hiéroglyphe**
En jouant du ***paraphe*** et dedans toutes **griffes**
Elle se laisse peloter le bout de gras

Libérant sa mamelle égouttant ses appas
Sacrifiant joyeuse au mythe de **Sisyphe**
Elle roule inlassable en baisers **apocryphes**
Du haut jusques en bas les termes du contrat

Léo Ferré, « La vedette »,
Poète… vos papiers !

Vous n'êtes ni masculin, ni féminin, mais neutre […]
Vous êtes de ceux dont le sexe femelle

Ne peut ouïr le **nominatif**
À cause de leur **génitif**,
Et souffre mieux le **vocatif**
De ceux qui n'ont point de **datif**,
Que de ceux dont l'**accusatif**
Apprend qu'ils ont un **ablatif**.
J'entends que le **diminutif**
Qu'on fit de vrai trop **excessif**
Sur votre flasque **génitif**,
Vous prohibe le **conjonctif**.
Donc, puisque vous êtes **passif**,
Et ne pouvez plus être **actif**,
Témoin le poil **indicatif**
Qui m'en est fort **persuasif**,
Je vous fais un **impératif**
De n'avoir jamais d'**optatif**
Pour aucun genre **subjonctif**,
De « nunc », jusqu'à l'**infinitif**,
Ou je fais sur vous l'**adjectif**
Du plus effrayant **positif**
Qui jamais eut **comparatif**
[…]
Je fais vœu de me faire **Juif**
Au lieu d'eau de boire du **suif**,
D'être mieux damné que **Caïf**,
D'aller à pied voir le **Chérif**,
De me rendre à Tunis **captif**,
D'être berné comme **escogrif**,
D'être plus maudit qu'un **Tarif**,
De devenir ladre et **poussif**,
Bref par les mains d'un sort **hâtif**
Couronné de Cyprès et d'**If**,
Passer dans le mortel **Esquif**
Au pays où l'on est **oisif** :
Si jamais je deviens **rétif**
À l'agréable **exécutif**
Du vœu dont je suis l'**inventif**,
Et duquel le **préparatif**
Est, beau Sire, un bâton **massif**,
Qui sera le **dissolutif**
De vôtre demi-**substantif** :
Car c'est mon vouloir **décisif**
Et mon testament mort ou **vif**.

Savinien de Cyrano de Bergerac,
Le Pédant joué. acte I, scène I

Nous fûmes donc au Château d'**If**,
C'est un lieu peu **récréatif**,
Défendu par le fer **oisif**
De plus d'un soldat **maladif**,
Qui de Guerrier jadis **actif**
Est devenu Garde **passif**.
……

IF-IFE

récessif
(exclusif) possessif
(grammaire)
(un) possessif
processif
concessif
(slip, arg.) un calecif
émissif
permissif
jouissif
(slip, arg.) un calcif
(un) émulsif
répulsif
(un) impulsif
propulsif
compulsif
expulsif
révulsif
convulsif
nocif
poncif
(réponse) responsif
poussif
(marché noir, arg.)
marché noircif
immersif
dispersif
détersif
subversif
inversif
(morceau, arg.) un morcif
(portion, arg.)
une porcif/e°
(pourboire, arg.) un pourcif
cursif
récursif
discursif
or mussif
(un) antitussif
réflexif
(pagaille, arg.) un boxif

Z.I.F.
(un) **oisif**
(rasoir, arg.) un rasif
(un) abrasif
dissuasif
persuasif
évasif
(un) auto/adhésif
cohésif
Sisyphe
décisif
incisif
dolosif
implosif
(fougueux) **explosif**
(bombe) un **explosif**
érosif
corrosif
(ivre mort, rég.) morzif
abusif
effusif
allusif
inclusif
occlusif
conclusif
exclusif
élusif

extrusif

des **tiffes°/tifs**
(il s'habille) il (s') attiffe°
(pressé) **hâtif**
approbatif
combatif
rébarbatif
déverbatif
revendicatif
prédicatif
(l') indicatif
vindicatif
adjudicatif
modificatif
significatif
(un) qualificatif
vérificatif
(un) rectificatif
notificatif
(un) justificatif
multiplicatif
réduplicatif
explicatif
communicatif
fricatif
(un) siccatif
dessiccatif
(location) locatif
(linguistique) (le) locatif
vocatif
démarcatif
(risqué, rég.) risquatif
socio-/éducatif
tuteur datif
(grammaire) le datif
(excitant, arg.) bandatif
(un) sédatif
liquidatif
laudatif
(un) créatif
récréatif
(négation) **négatif**
(photo) un négatif
(un) séronégatif
électronégatif
agrégatif
ségrégatif
abrogatif
subrogatif
(un) interrogatif
prorogatif
ergatif
(un) purgatif
(vindicatif, rég.) vengeatif
désignatif
radiatif
(un) palliatif
ampliatif
appréciatif
dépréciatif
associatif
énonciatif
abréviatif
(ablation) ablatif
(linguistique) l'ablatif
oblatif
(un) appellatif
(un) corrélatif

Sur ce roc taillé dans le **vif**
Par bon ordre on retient **captif**
Dans l'enceinte d'un mur **massif**,
Esprit libertin, cœur **rétif**
Au salutaire **correctif**
D'un parent peu **persuasif**.
Le pauvre prisonnier **pensif**
À la triste lueur du **suif**,
Jouit pour seul **soporatif**
Du murmure non **lénitif**
Dont l'élément **rébarbatif**
Frappe son organe **attentif**.
Or pour être **mémoratif**
De ce domicile **afflictif**,
Je jurai d'un ton **expressif**
De vous le peindre en rime en **if**.
Ce fait, du Roc **désolatif**
Nous sortîmes d'un pas **hâtif**,
Et rentrâmes dans notre **Esquif**,
En répétant d'un ton **plaintif,**
Dieu nous garde du Château d'**If.**

Jean-Jacques Lefranc de Pompignan,
Voyage de Languedoc et de Provence

C'est la voix d'un chagrin tout ***neuf***
la voix de l'amour mort ou **vif**
la voix d'un pauvre **fugitif**
la voix d'un noyé qui fait ***plouf***
[C'est la voix d'un enfant qu'on ***gifl'***]
C'est la voix d'un enfant **craintif**
la voix d'un moineau mort de froid
sur le pavé d'la rue de la Joie
Tout simplement la voix d'un ***piaf***

Jacques Prévert, « Cri du cœur »,
Histoires et d'autres histoires

❐ *273 [Cocteau] ; 329 [Torma]*

(vomitif, arg.) dégueulatif
(un) **relatif**
(un) **contemplatif**
exemplatif
(causant, rég.) parlatif
(un) superlatif
translatif
législatif
spéculatif
cumulatif
annulatif
copulatif
récapitulatif
M.A.T.I.F.
exclamatif
estimatif
approximatif
affirmatif
infirmatif
confirmatif
formatif

informatif
performatif
normatif
(un) **natif**
anatife°
(un) imaginatif
(au nom) nominatif
(linguistique) le nominatif
(un) dénominatif
carminatif
germinatif
déterminatif
illuminatif
conglutinatif
conatif
intonatif
alternatif
(un) inchoatif
dissipatif
participatif
nuncupatif

déclarat
narrat
préparat
(un) comparat
lucrat
délibérat
fédérat
énumérat
générat
dégénérat
(impérieux) **impérat**
(grammaire) l'impérat
coopérat
ulcérat
(un) itérat
réitérat
intégrat
admirat
roborat
décorat
pignorat

IF-IFE°

mélioratif
péjoratif
(mémoire) mémoratif
(remémoration)
remémoratif
commémoratif
minoratif
corporatif
bourratif
(un) administratif
(un) **démonstratif**
illustratif
curatif
duratif
(un) non-/figuratif
épuratif
(un) dépuratif
(un) suppuratif
pulsatif
adversatif
(un) laxatif
(fixation) fixatif
(technique) un fixatif
(un) causatif
accusatif
(un) augmentatif
fermentatif
argumentatif
(un) fréquentatif
(il rentre, arg.) il rentiffe°
représentatif
neuro/végétatif
interprétatif
dubitatif
(un) **méditatif**
qualitatif
imitatif
limitatif
caritatif
irritatif
récitatif
incitatif
(excitant) excitatif
quantitatif
facultatif
consultatif
rotatif
(désirable, arg.) foutatif
captatif
adaptatif
(l') optatif
portatif
statif
(un) progestatif
potestatif
gustatif
anti/commutatif
putatif
évaluatif
(un) dérivatif
privatif
(un) préservatif
(faire le trottoir, arg.)
battre l'antif
pendentif
in/attentif
contentif
(un) **substantif**
adventif

préventif
inventif
(travailleur) (un) **actif**
(biens) l'actif
(un) réactif
olfactif
(un) **inactif**
radioactif
(un) tensioactif
rétroactif
interactif
tractif
attractif
rétractif
abstractif
distractif
soustractif
extractif
psycho/in/affectif
(réel) effectif
(personnes) un effectif
(un) défectif
sureffectif
sous-effectif
profectif
im/perfectif
(impartial) objectif
(but) un **objectif**
(photo) un objectif
téléobjectif
inter/subjectif
(un) **adjectif**
bijectif
injectif
projectif
interjectif
surjectif
électif
sélectif
réflectif
(un) **collectif**
amplectif
(un) connectif
respectif
prospectif
rétrospectif
introspectif
perspectif
non-/directif
(un) correctif
autocorrectif
prédictif
fictif
afflictif
restrictif
constrictif
distinctif
instinctif
(le) **subjonctif**
injonctif
conjonctif
(un) disjonctif
hypothético/déductif
inductif
productif
reproductif
contre-productif
(un) improductif
introductif

obstructif
destructif
instructif
constructif
chétif
réplétif
complétif
(un) supplétif
(un) explétif
(rebelle) **rétif**
(de la Bretonne)
Rétif/Restif
inhibitif
prohibitif
(un) additif
expéditif
accréditif
auditif
(un) **fugitif**
volitif
(fruste) (un) **primitif**
(peintre) un primitif
(un) **vomitif**
dormitif
plumitif
génitif
lénitif
cognitif
récognitif
définitif
(un) infinitif
unitif
auto/punitif
(un) apéritif
nutritif
capacitif
sensitif
coercitif
in/transitif
acquisitif
(certain) (le) **positif**
(photo) un positif
(orgue) un positif
prépositif
(un) séropositif
électropositif
dispositif
factitif
répétitif
compétitif
partitif
(un) **intuitif**
plaintif
(un) **craintif**
jointif
(un) **fautif**
motif
(un) émotif
locomotif
leitmotiv
votif
pontife°
(soutien-gorge, arg.)
un soutif
(un) **captif**
(un) contraceptif
réceptif
perceptif
descriptif

adoptif
consomptif
présomptif
éruptif
disruptif
(pain, arg.) un lartif
(certificat, arg.) un certif
assertif
abortif
(fortifications, arg.)
les fortifs
(un) sportif
antisportif
furtif
(clochard, arg.) un stiff
mastiff
(il barbouille, rég.)
il empastife°
festif
suggestif
(un) digestif
congestif
intempestif
exhaustif
(nourriture, arg.)
la boustiffe°
arbustif
attributif
contributif
distributif
consécutif
exécutif
résolutif
évolutif
dévolutif
révolutif
involutif
(un) diminutif
comminutif
substitutif
constitutif

(un) **juif**
Villejuif
du **suif**
il suiffe

(à/le) VIF
revif

assonances	*contre-assonances*
272. IFLE	*13. AF-E*
273. IFRE	*136. EF-FE*
329. IVE	*218. EUF-FE*
	488. OUF-E

272. IFLE

GIFLE

(bouffi, rég.) boudifle
une/il GIFLE
(du nez) il **renifle**
(police, arg.) la renifle
(prostituée, arg.) une ponifle
(pernod, arg.) un pernifle
(il grappille) il écornifle
(gifle, arg.) il/une **mornifle**
(il épie, rég.) il escournifle
(carabine) un **rifle**
(il lime) il rifle
(bagarre, arg.) il/du rifle
(loto, rég.) il/la rifle
(mouise, rég.) la riffle
il **siffle**
il **persifle**
(église, arg.) une antifle/entifle
(il se marie, arg.) il s'entifle
(il rentre, arg.) il réentifle
(pomme de terre, rég.) une tartifle

Si tu mets ta face dehors, le ciel te **gifle**.
Les gares, tour à tour, boivent l'oiseau de bruit.
Les fleuves, les cyprès sursautent quand il **siffle**.
La nuit coud le midi qui, lui, forge la nuit.

Jacques Audiberti, « P.L.M. »,
Des Tonnes de semence

Tous les jours, il se lève
Dès que l'aube s'achève.
Il met ses escarpins,
Éternue et **renifle**,
Et, muni de son **rifle**,
Va tirer des lapins.

Raoul Ponchon, « Et Loubet ?... »,
La Muse frondeuse

Dans la semaine ils mettent leurs petits PV,
Et le vendredi soir relancent nos pavés,
Ces bourreaux, ces SS, qui nous ***filent*** des **mornifles**
Et qu'on attaque sans peur à coups de **canif** !

Renaud, « C.A.L. en bourse »,
Le Temps des noyaux

Qui
rifle
et ***rafle***
le vacarme, par-delà le cœur brouillé de ce
troisième jour ?

Aimé Césaire, « Les pur-sang »,
Les Armes miraculeuses in *La Poésie*

assonances	*contre-assonances*
271. IF-E	*14. AFLE*
281. IL-E	*138. ÈFLE*
273. IFRE	*489. OUFLE*
286. ILPHE	*544. UFLE*

❐ *286 [Fort, Klingsor] ; 544 [Derème]*

273. IFRE

CHIFFRE

il/un CHIFFRE
(écharde, rég.) une échiffre
mur d'échiffre
il **déchiffre**
quatre-de-chiffre
(flûte ; musicien) un **fifre**
(idiot, rég.) un fifre
(il se goinfre, rég.) il fifre
(rien du tout, arg.) que fifre
(il coïte, arg.) il enfifre
sous-fifre
le Giffre
(goinfre) il se/un piffre
il s'**empiffre**

Quand je vois de tes fils mâchant leur ombilic
Sur quelque char à bancs où s'étale ton **chiffre**
Je pense à la misère noble du moujik

Au berger provençal au Belge qui s'**empiffre**
À l'Allemand nazi qui dort sous quelques fleurs
À l'Italien qui se travaille dans le **fifre**

Léo Ferré, « Visa pour l'Amérique »,
Poète... vos papiers !

Du double étui de ***cuir tire*** l'un de tes **fifres**,
Souffle, et joue à ce tas de ***goinfres*** et de **piffres**
Ces vieux airs du pays, au doux rythme obsesseur,
Dont chaque note est comme une petite sœur...

Edmond Rostand,
Cyrano de Bergerac, acte IV, scène III

Car ces grandes femmes à noms de **chiffres**
Se promènent, sans avoir l'air, entre les astres ;
Sous des gants mouchetés cachent des ***griffes***
Et savent devenir sphinx Louis XVI ou pilastres.

Jean Cocteau, « L'incendie »,
Poèmes 1916-1955

☞

IFRE

Ville de la rudesse je remonte un torrent d'équerres
le tapage de l'été efface les brasiers de **chiffres**
tes oiseaux vendent le globe c'est sur ton mur que j'ai vu ***vivre***
entre les serres électriques le ciel mouton de verre

Jacques Roubaud, « Ville de la rudesse… »,
∈

assonances | *contre-assonances*
271. IF-E | *15. AFRE*
330. IVRE | *372. OFRE*
| *347. INFRE*

❒

274. IFT°-IFTE

gift°
un lift°
il lifte
rift°
drift°
oued Tensift°
(Jonathan) Swift°

assonances | *contre-assonances*
271. IF-E | *16. AFT-E*
325. IT-E | *171. EPHTE*
287. ILT | *373. OFT*

275. IGE-IG°

PRODIGE
VERTIGE

(char) un bige
grébige
Hiroshige
(+comp.) **dis-je**?
l'Adige
(rédiger) il **rédige**
(raidir) raidis-je?
PRODIGE
(figer) il **fige**
(+comp.) (faire) fis-je?
(défiger) il défige
(défaire) défis-je?
homme lige
(+comp.) (lire) lis-je?
(sandale) une calige
il **oblige**
il désoblige
zellige
il **afflige**
il inflige
il **néglige**
il ré/collige
il/une volige
(+comp.) mis-je?
rémige
il fumige
(typographie ; journalisme)
il/une pige
(surpasser, arg.) faire la pige

(il comprend, arg.) il pige
(année, arg.) une pige
les lapyges
(il s'empêtre, rég.)
il s'empige
(concierge, arg.)
un/e concepige
(une) callipyge
stéatopyge
cor/inter/rompis-je?
(concierge, arg.)
un/e conspige
(il a mal, arg.) il aquige
(+comp.) (acquérir)
acquis-je?
re/naquis-je?
con/vainquis-je?
ris-je?
félibrige
(Gaulois) les Latobriges
quadrige
il érige
(la morgue, arg.) le frig°
il **dirige**
aurige
il re/**corrige**
souris-je?
(il fréquente, rég.) il trige
strige/stryge
m'assis-je?
me rassis-je?
les lazyges
(transiger) il transige
(transir) transis-je?

– Pris encore à ce vain **prestige**,
Irez-vous, ô mes pas divers,
Vers des sommets sans rêve ou vers
De vieux abîmes sans **vertige** ?

Qu'ennuyeux les fleurs sur leur **tige**,
Et les beaux jours et les hivers,
Même, aux plafonds de l'Univers,
Des astres l'ardente **voltige** !

Vincent Muselli, « Dialogue »,
Les Sonnets à Philis

À neuf heures moins vingt du soir, dans le mois d'août,
Le feuillage est vraiment noir, comme Henner l'**exige** ;
Sous un ciel pâle bleu, dont le pareil se **fige**
En une mare étale aux ombres d'amadou.

L'atmosphère sans nom fait chuchoter : « Où **suis-je** ? »
Le vent s'étonne de venter on ne sait d'où ;
On est prêt à tout croire – et l'on doute de tout !
Celle qu'on aimerait s'appellerait **Hedwige**.

Robert de Montesquiou, « Chien et Loup »,
Les Chauves-souris. LIV

Vers les antarctiques **prestiges**
Un magazine touristic
En quête des émois que la ***lectrice*** **exige**
Mandait ce jeune homme et ses tics
Il avait un carnet pour noter les **prodiges**
Que Marie-Claire attend de Rio et du Chilic
……

IGE-IG

il **exige**
tige
(il exagère, arg.) il attige
(+comp.) battis-je?
litige
il mitige
demi-tige
une/il **voltige**
(n.dép.) coton-tige
VERTIGE
prestige
vestige
il fustige
m'en/fuis-je?
puis-je?
(être) **suis-je**?
(+comp.) (suivre) suis-je?

(+comp.) (voir) vis-je?
(+comp.) (vivre) vis-je?
Hedwige/Edwige
il lévige
pour/suivis-je?

+ formes interrog. avec -je *des verbes en* -ir *(2e gr.),* -ire *présent indicatif, verbes en* -ir *(2e gr.),* -ir *(3e gr.) (sauf* tenir, courir, mourir *et comp.),* -ire *(sauf* lire *et comp.),* -andre, -indre, -ondre, -oudre, -erdre, -ordre *au passé simple.*

Rapide comme un **prestidige**
Il avait ce coup d'œil que le cliché **corrige**
Quand il est lardé de classics
Reportage vaut **Félibrige**

Jean-Paul de Dadelsen, « Itinéraire de Londres à Valparaiso »,
Jonas

Lampes des mers ! blancs bizarrants ! mots à **vertiges** !
Axiomes *in articulo mortis* déduits !
Ciels vrais ! Lune aux échos dont communient les puits !
Yeux des portraits ! Soleil qui, saignant son **quadrige**,
Cabré, s'y **crucifige** !
Ô Notre-Dame des Soirs
Certe*, ils vont haut vos encensoirs !

Jules Laforgue, « Complainte à Notre-Dame des Soirs »,
Les Complaintes

* licence poétique

Années-lumière, années-lumière,
Nos nouveaux ***songes***, nos nouveaux ***anges***,
La descente du temps sur nous comme une ***neige***
Si lente – avec cette vitesse de **vertige**,
Anges du devenir qui neigez la lumière,
Années-lumière.

Marcel Thiry, « Années-lumière »,
La Mer de la Tranquillité

assonances	*contre-assonances*
263. ICHE	*18. AGE*
317. ISE	*139. ÈGE*
269. IDGE	*105. ANGE*
	471. ONGE

❐ 91.21 [Montesquiou]
263 [Rodenbach] ; 269 [Dac] ; 471 [Roubaud]

276. IGLE

(chien) un beagle
(loucher) il/(un,e) **bigle**
trigle
(il paye, arg.) il cigle
(initiale) un **sigle**

Il députe un fantôme blanc devant son heure,
Et c'est vous, petite Aube, vous l'enfant mineure,
Pour que vienne le goût du feu ***irrésistible***
Quand on aura compris la lueur et le **sigle**.

Gustave Lamarche, « Amour au Soleil »,
Essences et figures in *Œuvres poétiques*. I

Comme un vieux joueur de ***bugle***,
un peu bègue et un peu **bigle**,
le vent sur le fleuve ***beugle***.

Paul Neuhuys, « Comme un vieux joueur… »,
Le Marchand de sable

Par le diable, sans être un ***aigle***,
Je vois clair et ne suis pas **bigle**.
Fi des idiots qui balbutient !
Gloire au savant qui m'entretient !

Alphonse Allais, « Rimes riches à l'œil »,
in *Le Sourire* [7.12.1901]

assonances	*contre-assonances*
261. IBLE	*140. ÈGLE*
266. ICLE	*220. EUGLE*
280. IGUE	*546. UGLE*

❐

277. IGME

ÉNIGME

paradigme
ÉNIGME
(rougeur) un phénigme
(prédication) un kérygme
borborygme

Selon l'Inde et les manichéens,
Dieu doublé du démon expliquerait l'**énigme** ;
Le paradis ayant l'enfer pour **borborygme**,
La Providence un peu servante d'Anankè,
L'infini mal rempli par l'univers manqué,
Le mal faisant toujours au bien quelque rature,
Telle serait la loi de l'aveugle nature…

Victor Hugo, « Le Poëme du jardin des Plantes » I,
L'Art d'être grand-père

Qu'est-ce que cela veut dire À coup sûr cette **énigme**
réclame un sens profond au poète étonné
s'envolant comme mouette au-dessus des **paradigmes**
il n'en pousse pas moins la brouette rimée

Raymond Queneau, « La brouette »,
Fendre les flots

Si tu ne résous pas l'**énigme**,
Te l'ouvrirai à deux battants ;
Si tu veux changer de ***régime***,
Je te donnerai la clef des champs.

Julos Beaucarne, « Le Serrurier magique »,
J'ai 20 ans de chansons

Sombre perplexité ! trois fois cruelle **énigme** !
Dans mon prochain roman
Comment vais-je habiller madame de **Sainte-Ygme**
Ou de Castel… Comment ?

Raoul Ponchon, « Bourget, tailleur pour dames »,
La Muse vagabonde

Heurtant le marbre de mes vers
elle fait un bruit de poubelle
et déborde de pâles vers

qui s'entrelacent pour la **sigme***
où tu dors, serpent de l'**énigme !**

Jacques Audiberti, « La mort »,
Race des hommes

* sigma

❐

assonances
290. IME
309. IRME
318. ISME

contre-assonances
19. AGME
141. EGME

278. IGNE

CYGNE
VIGNE
(prison, arg.) le bigne
(bosse) une bigne
il s'esbigne
(il écrase, rég.)
il escachigne
il **rechigne**
(ville) Digne
digne
il s'/(un,e) **indigne**
(très digne, arch.) condigne
(postérieur, arg.) le figne
(il érafle, Can.) il grafigne
(il empoigne, arg.)
il graffigne

(il se goinfre, arg.)
il morfigne
(cerise) une guigne
(malchance) la **guigne**
(il lorgne) il guigne
(il excite, rég.) il arguigne
il barguigne
prince de Ligne
il/une **ligne**
il **aligne**
(il courtise, rég.) il caligne
il réaligne
(une) **maligne**
il désaligne
il cligne
tire-ligne
longiligne
(un) rectiligne
(un/e) bréviligne

Nous longions un pacage, un taillis, une **vigne** ;
Puis au fond du ravin que la ronce **égratigne**
Apparaissait la Creuse aux abords malaisés :
Alors tu t'asseyais, et j'apprêtais ma **ligne**
À l'ombre des coteaux rocailleux et boisés.
[…]
Toi, sous un châtaignier majestueux et **digne**,
Aux coincoins du canard qui nageait comme un **cygne**,
Rêveuse, tu croquais des sites apaisés ;
Et je venais te voir quand tu me faisais **signe**,
À l'ombre des coteaux rocailleux et boisés.
[…]
Et nous, sans redouter la vipère **maligne**,
Avec des mots d'amour que le regard **souligne**,
Ayant pour seuls témoins les lézards irisés,
Nous causions tendrement sur la mousse **bénigne**,
À l'ombre des coteaux rocailleux et boisés.
[…]
……

IGNE

curviligne
il souligne
il/un,e interligne
il forligne
bénigne
(il pleurniche, rég.) il ouigne
(pomme de pin, rég.)
une pigne
(il pleurniche, rég.) il pigne
il **trépigne**
(il pince, rég.) il pimpigne
(crachat, rég.)
il/un escoupigne
(il saisit, arg.) il (h)arpigne
(il triture, rég.) il carpigne
(il grignote, rég.) il broquigne
(toile d'araignée, rég.)
une étarigne
(viande, arg.) la crigne
(avare, rég.) écrigne
érigne
une/il grigne

un CYGNE
(constellation) le Cygne
(geste, marque) un **signe**
(il paraphe) il **signe**
il assigne
il réassigne
(il prend, arg.) il pessigne
col-de-cygne
il contresigne
(fameux) **insigne**
(emblème) un insigne
il/une **consigne**
il déconsigne
intersigne
il **désigne**
il se **résigne**
Tignes
il **égratigne**
VIGNE
(Casimir) Delavigne
il provigne

assonances
295. INE
282. ILLE
296. ING

contre-assonances
20. AGNE
142. ÈGNE
376. OGNE

Ô toi qui m'as grandi par ta candeur **insigne**,
Partout mon souvenir te cherche et te **désigne** ;
Et j'évoque le temps où j'avais les baisers
De ta bouche d'enfant, fraîche et couleur de **guigne**,
À l'ombre des coteaux rocailleux et boisés.

Maurice Rollinat, « Souvenir de la Creuse »,
Les Névroses

À tant vouloir connaître on ne connaît plus rien
Ce qui me plaît chez toi c'est ce que j'***imagine***
À la pointe d'un geste au secours de ma main
À ta bouche inventée au-delà de l'**indigne**

Léo Ferré, « Ton style »,
La mauvaise graine

Heureux la femme forte et l'époux aux mains jointes
Dont ma demeure accueille et le fils et les ***filles*** :
Heureux, dis-je, sur tous, l'homme qui se **résigne**
Et range, en bénissant ma loi, sa lampe éteinte.

Charles Guérin, « En vérité, je vous le dis… »,
Le Cœur Solitaire. LVIII

Coq masqué de viande crue,
Tu es un bourreau, qui l'eût cru ?
Voici le ciel, les champs qui ***saignent***,
Et les femmes qui se **signent**.

Jean Cocteau, « Angélus »,
Vocabulaire

Et le temps s'écoule
Elle rêve de **liftigne**
Et lui d'un **parkigne**
Et le temps s'écoule
[…]
Elle rêve de **liftigne**
Et fait du **djoguigne**

Pierre-Robert Leclercq, « De l'évolution »,
Do Mi Bémol Sol

❒ 481.2 [Montesquiou]
296 [Vian] ; 376 [Ferrer]

279. IGRE

TIGRE

bigre
(Étienne d') Aligre
(Paris) marché d'Aligre
il migre
il **émigre**
il immigre
il **transmigre**
il **dénigre**
(animal) un TIGRE
(rayer) il tigre
(fleuve) le **Tigre**
chat-tigre
œil-de-tigre
(vive ; poisson, rég.)
une vigre

Ma route et mon chemin sont une maladie.
Il n'est de mort à vie rien que je ne **dénigre**.
J'ai avalé l'épée de l'amour. Une fusillade
a fait de mon corps une peau de **tigre**.

Max Jacob, « Phèdre. I. Hippolyte »,
L'Homme de cristal

Se taisent

Ainsi les poètes profus (c'est mon destin)
Qui de fleur en poisson **transmigrent** ;
Et le méchant aura l'apparence d'un **tigre**,
Celle d'un porc le libertin.

Jacques Réda, « Aux animaux »,
Lettre sur l'univers et autres discours en vers français

☞

Tel cadavre, vêtu d'un suaire en drap fin,
Regarde en souriant la mort aux yeux de **tigre**,
Jette au spectre sa bourse, et dit : Marquis d'**Aligre**.

Victor Hugo, « Le spectre que parfois… »,
Les Quatre Vents de l'esprit. I, XXV

Comme on avait cassé les œufs de l'**oiseau-tigre**
Chers aux cultes anciens, il fallut retrouver
De nouvelles raisons de perdurer… mais **bigre**,
Qui pourrait à présent les pondre et les couver ?

Géo Norge,
Dynasties. V

mais il avait fermé la porte,
déjà machinalement ***ivre***,
pour qu'enfin son corps se ***délivre***
d'un cœur machinalement mort
au bord d'un fleuve appelé **Tigre**.

Philippe Léotard, « Suave Mari Magno »,
Portrait de l'artiste au nez rouge

Un âne ***maigre***
Sur scène **émigre**
Clopin
Flapi

Guy Béart, « Anachroniques »,
Couleurs et Colères du temps

assonances	*contre-assonances*
262. IBRE	*143. ÈGRE*
330. IVRE	*377. OGRE*
307. IRE	*350. INGRE*

❐

280. IGUE-IG°

FATIGUE

igue
bigue
(levée) une **digue**
(rien, arg.) que dig°/ue
Zadig°
il endigue
(refrain) digue! digue!
(s'évanouir, arg.)
tomber en dig(ue)-dig°(ue)
contre-digue
il/(un) **prodigue**
bo(u)rdigue
figue
becfigue
(danse) la **gigue**
(fille) grande gigue
(il tripote, rég.)
il fourgnigue
il (se)/une ligue
(saulaie, rég.) une saligue
(il bouscule, rég.) il bouligue
pfennig°
garrigue
sarigue
il/une **brigue**

Rodrigue
(Edvard) Grieg°
il irrigue
il/une **intrigue**
(il paie, arg.) il cigue
(20 ans, arg.) un cigue
Leipzig°
Mutzig°
(type, arg.) un zig°/gue
(il ruine, arg.) il zigue
Zagazig°
bésigue
(moi, arg.) mézig°/ue
(soi, arg.) sézig°/ue
(toi, arg.) tézig°/ue
(coïter, arg.) faire zig-zig°
(il grignote, rég.) il rousigue
il/la FATIGUE
il défatique
(Jacques-Henri) Lartigue
Martigues
il investigue
(il incite, Belg.) il instigue
(il agace, rég.) il boustigue
il **navigue**
Ludwig°
whig°

Vous qui ne connaissez de **brigue**
Que la seule bringuedondaine
Et n'ourdissez jamais d'**intrigue**
Qu'en l'espoir de quelque fredaine,

Un penser d'amour et de haine
Pourtant vous hante et vous **fatigue**
Et vous fait plate la bedaine :
L'amour du Pauvre, bon **Lartigue** !

Paul Verlaine, « Au compagnon Lartigue »,
Dédicaces. LXXXI

Trop gardé les cochons
Enfant **prodigue**
Et trop dansé la **gigue**
Ô folichon

Et trop sauté la **digue**
Ô polisson
Vers la mer où **naviguent**
Trop de bouchons

Charles Péguy, « La Ballade de la peine »,
La Ballade du cœur qui a tant battu, p. 1346

Mais l' pus grand nombr'… l'est comm' **mézigue**
Y rêv' d'un coin qui s'rait quéqu' part,
N'importe, y n' sait, où pour sa part
Y verrait flancher sa **fatigue** […]

Jehan Rictus, « Espoir » V,
Les Soliloques du Pauvre

☞

IGUE-IG

Que chanter ? Le sable ***oblique***
Sa moisson d'algues, flottant
Sur les dunes, sur la **digue**,
Et mêlée à l'Océan.

Odilon-Jean Périer, « Petite fable »,
Notre mère la ville in *Poèmes*

Venez, fortes images du banal,
Le flambeau qu'on livre et l'honneur qu'on ***lègue***,
Et, comme au bas des feuilles d'Épinal,
Les larmes des vieux yeux du vieux **prodigue** !

Marcel Thiry, « Saison des poulains »,
Âges in *Toi qui pâlis au nom de Vancouver…*

Dans les environs d'***Aigues***-
Mortes, sont des ***ciguës***
Auxquelles tu te **ligues**.

Alphonse Allais, « Difficultés de la poésie française pour certains étrangers »,
Le Captain Cap. Ch. XXVII

assonances
306. IQUE
279. IGRE

contre-assonances
23. AG-UE
144. ÈGUE-EG
378. OG-UE

❒ 91.11 [Apollinaire]

281. IL°-ILE

VILLE
(point d'attache) le hile
(pronom) il°
(îlot) une **île**
(flancs) les iles
(rivière, Alsace) l'Ill°
(rivière, Autriche) l'Ill°
(rivière, Bretagne) l'Ille
(rivière, Périgord) l'Isle
(fiel) il se/la **bile**
(prénom) Bill°
(projet de loi) un bill°
habile
babil°
(un/e) kabyle
labile
malhabile
inhabile
atrabile
(un/e) **débile**
délébile
indélébile
sébile
(nutritif) alibile
(prénom) Sibylle
(devineresse) une **sibylle**
il assibile
Buffalo Bill°
(mouvant) (un) **mobile**
(motif) un mobile
immobile
locomobile
hippomobile
aéromobile
(une) **automobile**
(Umberto) Nobile

Tchernobyl°
strobile
il **jubile**
volubile
nubile
il obnubile
chyle
(héros ; prénom) **Achille**
(couteau, arg.) un achille
Eschyle
(Winston) Churchill°
(fleuve) le Churchill°
(vente drogue, arg.) un deal°
(il trafique, arg.) il deale
(rivière) la Dyle
édile
idylle
Odile
cacodyle
crocodile
condyle
épicondyle
spondyle
(brin) un **fil°**
(colonne) une **file**
(filer) il **file**
(il aiguise) il affile
(sans feuille) aphylle
fil-à-fil°
droit-fil°
il **enfile**
Pamphile
il renfile
sans-fil°
il effile
(il s'esquive) il (se) défile

Ma **ville**,
Ce sont les rues et les maisons **tranquilles**,
C'est dans la mer,
Cette jolie **presqu'île**,
De fleurs et de fruits mûrs,
Ma **ville**,
C'est vers le soir un grand jardin **fragile**
Où tout est mystérieux mais pas **hostile**
Aux amoureux…
[…]
Ma **ville**,
C'est un visage frais, des yeux **dociles**
Que je reconnaîtrais entre cent **mille**
C'est merveilleux,
Ma **ville**,
C'est tout l'amour et tout le **sex-appeal**,
C'est la bergère et son p'tit air **gracile**
Ma **ville**,
C'est les vendanges et leur plaisir **facile**
Et tous les souvenirs, là, qui **défilent**
D'un pas joyeux…

Charles Trenet, « Ma ville »,
Tombé du ciel

Les gens des grandes **villes**
N'ont pas le cœur **tranquille**,
Sous leur air **immobile**
Ont une âme qui **file**
Et un pays, une **île**,
Où leurs beaux rêves **scintillent**.

Toute leur vie **compile**
Des regrets qu'ils **empilent**,
Et puis las de leur **tuile**,
Par un jour plus **fébrile**,
Se sentant **inutiles**,
Ils se font sauter la **pile**.

……

IL°-ILE

(il marche) il **défile**
un/e bédéphile
un/e cinéphile
il tréfile
tranchefile
guide-fil°
coupe-file
il refile
(soldat) serre-file
(électricité) serre-fils°
à contrefil°
compte-fils°
épiphylle
(Ricardo) Bofill°
(un/e) colombophile
(un/e) francophile
(un/e) myrmécophile
un/e discophile
(un/e) pédophile
acidophile
géophile
(un) nucléophile
rhéophile
Théophile
un faufil°
il (se) **faufile**
il d/éfaufile
un/e audiophile
lyophile
un/e **bibliophile**
aquariophile
myriophylle
halophile
(un/e) anglophile
ammophile
(un/e) hémophile
anémophile
entomophile
spermophile
(un/e) spasmophile
(un/e) germanophile
(un/e) xénophile
(un/e) cynophile
(un) éosinophile
(un/e) zoophile
lipophile
anthropophile
(un/e) nécrophile
coton hydrophile
(insecte) un hydrophile
un/e haltérophile
xérophile
hygrophile
chlorophylle
un **profil**°
il (se) **profile**
coprophile
électrophile
neutrophile
gypsophile
(un/e) russophile
basophile
drosophile
scatophile
xantophylle
(un/e) gérontophile
un/e cartophile
(un/e) slavophile
il parfile

(ivoire brut) morfil°
(barbes d'acier) morfil°
il émorfile
un surfil°
il surfile
il transfile

(personnage) un gille(s)
(prénom) **Gilles**
agile
fragile
évangile
strigile
(état de veille) vigil°/e
(surveillant) un vigile
(veille de fête) la vigile
spongille
strongyle
argile
aspergille
Virgile

(René) Ghil°
(torrent) le Guil°

il **annihile**

Lille
allyle
Belle-île
(abbé Jacques) Delille
Rouget de Lisle
Leconte de Lisle
vieux-lille
Mille-Îles

(céréale) le mil°
(massue) un mil°
(1000) mil°/**mille**
(mesure) un mille
amyle
les Tamils°
Émile
Paul Émile
grémil°
(Cecil B.) De Mille
mange-mil°
il dés/**assimile**
(un/e) bogomile

le **Nil**°
aquamanile
campanile
(Alexandra) David-Neel°
diphényle
le Genil°
(hameau) un ménil°
(ferme) un mesnil°
pénil°
pré/**sénile**
juvénile
chenil°
fenil°
poly/vinyle
(lapin, arch.) un connil°
fournil°

zoïle

Et leurs fils, et leurs ***filles***,
Sitôt lu l'**évangile**
Viennent au **domicile**
Prendre les **ustensiles**.

Raymond Lévesque, « Les gens des grandes villes »,
Quand les hommes vivront d'amour...

Les paroles **inutiles**
Et les gestes thérébins
Ne vous rendront pas **nubiles**
À l'approche de nos mains

Le lourd secret que **distille**
Votre maillot de satin
Fait suer l'homme des **villes**
Ou votre cousin germain

Les bêtes ! Vous êtes **mille**
Sur le sable à jouer ainsi :
Il n'est d'amour que de midi

Les paroles sont **inutiles**
La jeunesse trop **volubile**
Il n'est d'amour que de midi

Fernand Imhauser, « Sonnet rose »,
Œuvres poétiques complètes

Quel silence battu d'un **cil** !
Mais quel souffle sous le sein sombre
Que mordait l'Arbre de son ombre !
L'autre brillait comme un **pistil** !
– ***Siffle***, ***siffle*** ! me chantai**t-il** !
Et je sentais frémir le nombre,
Tout le long de mon fouet **subtil**,
De ces replis dont je m'encombre :
Ils roulaient depuis le **béryl**
De ma crête, jusqu'au **péril** !

Paul Valéry, « Ébauche d'un serpent »,
Charmes

Celui qui partira loin de la **ville**, **qu'il le**
Veuille ou non, pleurera ton visage **tranquille**,
Ta grâce et la beauté de tes cheveux flottant.

Tristan Derème, *La Verdure dorée*. XIV

Deux ou trois ***libellules*** en ***vol***
Troublaient **Lucille**
Sur le chemin de son ***école***
En pleine **ville**
Ces ***libellules*** en **ville** sont ***folles***
Se dit **Lucille**
Qui les attrape avec un **fil**
Et puis s'***envole***

Yves Duteil, « Lucille et les libellules »,
Les mots qu'on n'a pas dits...

Houvre leta massic talagem ultramure
Kala Kali Kala nif Rala **norassil**
Homodeos hassel altabarol tamure
Soc bolione avric ribemolac **ducyl**

Jean Cocteau, « Hommage à Paracelse »,
Le Requiem [Quatrième période]

❒ 91.4 [Godoy] ; 121.22 [Foulc] ; 333.22 [Heredia]
284 [Bousquet] ; 148 [Vielé-Griffin]

IL°-ILE

(tas) une **pile**
(électrique) une pile
(raclée, arg.) une pile
(ou face) une pile
(freine) tomber/il pile
(il broie) il pile
sex-appeal°
(pêche) une empile
(il entasse) il **empile**
il rempile
(jeu, arg.)
le chpil°/schpile
(il joue, arg.) il (s)chpile
il épile
(poil) il dépile
(pilier) il dépile
éolipyle/éolipile
primipile
il horripile
les Thermopyles
micropyle
ægagropile/
égagropile
il (se) désopile
photopile
(compilation) une compil°
il **compile**
pompile
goupil°
singspiel°
glockenspiel°
kammerspiel°
(orphelin) un/e pupille
(prunelle) la **pupille**

(de vin arg.) un kil°
qu'il°
tranquille
docteur Jekyll°
trochile
presqu'île
croskill°

la Risle
aryle
baril°
courbaril°
anti/amaril°/e
fébrile
fibrille
nombril°
krill°
(singe) drill°
(exercice) drill°
mandrill°
béryl°
chrysobéryl°
péril°
terril°
stérile
puéril°/e
(grilloir) **gril°**
(restaurant) grill°
agrile
Cyril°/Cyrille
viril°/e
toril°
zorille
les Kouriles

nitrile
(grotesque, arch.) scurrile
avril°
bouvril°

(poil) un **cil°**
(plante) la scille
(argile) le sil°
s'il°
bacille
colibacille
facile
gracile
uracile
il **vacille**
il ensile
préhensile
ustensile
(un/e) **imbécile**
(statistique) un décile
(silo) il désile
pœcile
(sainte ; prénom) **Cécile**
(sans pédoncule) sessile
codicille
fissile
difficile
missile
antimissile
domicile
euromissile
(prénom) Priscille
(île) la **Sicile**
(qui se fend) scissile
verticille
stencil°
il **oscille**
docile
indocile
(un) **fossile**
concile
(charmeur de serpent)
un psylle
(cigale) un/e psylle
Marsile
Luci(l)le
axile
maxille
vexille
monoxyle
myroxyle
pyroxyle

asile
Basile
alguazil°
groisil°
frasil°
(Georges) Dumézil°
(pays) le **Brésil°**
(arbre) brésil°
(n. dép.) crésyl°
fraisil°
grésil°
(Robert von) Musil°
un **exil°**
il (s') **exile**

(verbe+)**(-)t-il°**

fluviatile
(qui s'évapore) **volatil°/e**
(oiseau) un volatile
(voler) vola-t-il°
ainsi soit-il°
vibratile
versatile
(verser) versa-t-il°
saxatile
mercantile
infantile
centile
il ventile
(vendre) vend-il°
subtil°/e
dactyle
tétradactyle
pentadactyle
didactyle
polydactyle
tridactyle
syndactyle
artiodactyle
(un) ptérodactyle
périssodactyle
rétractile
protractile
contractile
in/tactile
subjectile
projectile
érectile
ductile
éthyle
(être) est-il°
béthyle
méthyle
(mettre) met-il°
(Jacques) Anquetil°
dit-il°
fit-il°
il titille
pointil°
(strophe) un quintil°
un/e cotyle
hydrocotyle
nautile
pontil°
reptile
quartile
fertile
infertile
tortil°
(jardinet) un courtil°
il/le **style**
dodécastyle
(un) tétrastyle
modern style
(deux colonnes) distyle
(il sécrète) il **distille**
polystyle
pistil°
épistyle
péristyle
(un) systyle
il instille
hostile
aréostyle
vaccinostyle

monostyle
hypostyle
(un) prostyle
octostyle
photostyle
(l') **utile**
(avoir) eut-il°
butyle
futile
(être) fut-il°
il **mutile**
inutile
(oxyde) le rutile
(il brille) il **rutile**
année bissextile
(un) textile

il/l'**huile**
il ruile
il déshuile
il/une **tuile**

(infâme) **vil°/e**
(cité) une VILLE
Brazzaville
(Théodore de) Banville
Grandville
baise-en-ville
Nashville
(ville) Séville
(Isidore de) Séville
vaudeville
Belleville
Charleville
(Alexis de) Tocqueville
Libreville
centre-ville
un civil°
civil°/e
incivil°/e
(île/comte de)
Bougainville
(Jean de) Joinville
Fouquier-Tinville
calville
(îles ; baie) Melville
(Herman) Melville
(Jean-Pierre) Melville
decauville
Deauville
(n. dép.) rhovyl°
bidonville
Thionville
Ermenonville
Trouville
Sartrouville
Albertville
servile
Alfortville
Bourvil°
Dumont d'Urville

assonance
284. ILL
295. IN

contre-assonance
25. AL-
148. EL-ÈL
381. OL-
549. UL-

282. ILD°-ILDE

Rachilde
Rothschild°
(vin) Mouton-Rothschild°
Brunehild°/e
(John) Field°
Sheffield°
icefield°
Springfield°
(Louis) Bromfield°
(Leonard) Bloomfield°
openfield°
David Copperfield°
(comte de) Chesterfield°
(n. dép., cigarettes)
(une) Chesterfield°
(Katherine) Mansfield°
Athanagild°/e
(saint) Herménégilde
Léovigild°/e
g(h)ilde/guilde
Roskilde
tilde
Mathilde
Ba(l)thilde
Clot(h)ilde
le Weald°

En ce temps-là, j'étais l'amant de **Brunehilde** ;
Avec Le Corbusier, j'avais de grands projets.
Nous avions fomenté toute une haute **guilde**
Pour les réaliser mais non pour m'héberger.

Louis Montalte, « Ignota »,
Roses de sable

Stendhal Henri Beyle et Sainte **Bathilde**
Marguerite de Provence **Mathilde**
la muse Calliope et Sainte **Clotilde** [...]
je mettrai à part, cela va de soi,
le monument d'Eugène Delacroix

Raymond Queneau, « Jardin du Luxembourg »,
Courir les rues

Si l'on n'est pas sage, un loup !
Deux loups si l'on manque un **tilde** ;
Les loups du bois de Saint-Cloud
Et ceux de **Sainte-Clotilde**.

Robert de Montesquiou, « Louloups »,
Les Hortensias bleus. XLVI

Vont sonner ru' Laffitte
Chez un nommé **Rothschild**,
Un marchand **richissild**
Qui tous les jours profite,
Et qui possède encor
Des tas d'argent en or.

Raoul Ponchon, « Noël »,
in *Toute la Muse de Ponchon* de Marcel Coulon

L'un emportait cent caisses de réveils et de coucous de la
Forêt-Noire
Un autre, des boîtes à chapeaux, des cylindres et un assortiment
de tire-bouchons de **Sheffield**
Un autre, des cercueils de Malmoë remplis de boîtes de conserve
et de sardines à l'***huile***

Blaise Cendrars, « Prose du transsibérien et de la petite
Jeanne de France »,
Du monde entier

assonances	*contre-assonances*
281. IL-E	*27. ALD-E*
268. IDE	*151. ELD-E*
287. ILT-E	*382. OLD-E*

❒

283. ILKE-ILK°

(lait, anglais) milk°
(Rainer Maria) Rilke
(soie, anglais) silk°

Il y a Sœur ***Emmerich***,
Rainer Maria **Rilke**,
Féeries, Alcools, Cocteau,
L'astrologie d'Ely Star
(C'est mon fort et c'est mon fard)
Villon, la Bible et Rimbaud,
Tes vers ne sont pas moins beaux.

Max Jacob, « Réponse à un poète »,
Ballades

assonances	*contre-assonances*
306. IQUE	*32. ALQUE*
266. ICLE	*157. ELQUE*
	384. OLK-E

❒ *500 [Louis]*

284. ILLE

FILLE

(boule) il/une **bille**
(de bois) une bille
(foncer, arg.) il bille
il (s') **habille**
il **babille**
il (se) rhabille
(semer la zizanie, arg.)
mettre la ba(r)rabille
il (se) **déshabille**
(danse) la/il gambille
(jeu de cartes)
la brusquembille
(testicules, arg.)
les triquebilles
bulbille
(testicules, arg.)
les agobilles
il dégobille
stylo-bille
barbille
escarbille
gerbille
bisbille

(il chuchote, rég.)
il chouchille

peccadille
(flotte) une armadille
(tatou) une armadille
grenadille
il (se) fendille
(casaque) une mandille
il pendille
(il balance) il brandille
cédille
séguedille
brindille
(aviron) il/une godille
(il désire, arg.) il godille
il **mordille**
(idiote, arg.) une bo(u)rdille
gris tourdille

FILLE
(il regarde, arg.) il gafille
belle-fille
belle-/arrière-/
petite-fille
fifille
(il se goinfre, arg.) il morfille

anguille
(il dégringole, Suisse)
il déguille

(client, arg.) un clille

Camille
famille
belle-famille
sous-famille
superfamille
ramille
(emmêle, rég.) il encramille
alchémille

grémille
Vintimille
camomille
des armilles
charmille
(pêche) une vermille
(il fouille) il vermille
ormille
il **fourmille**
il/la smille

(technique) une nille
(articulations, Suisse)
les nilles
(jambes, rég.) les canilles
(il s'enfuit, arg.) il décanille
(ville) Manille
(cigare) un manille
(jeu) la manille
(étrier) une manille
vanille
chenille
il échenille
cochenille
autochenille
guenille
(il titube, rég.) il ganguenille
souquenille
mancenille
(il coïte) il connille
coronille
(prénom) Pétronille
(il s'enivre, rég.) il darnille
(il tournique) il tournille

il **pille**
(il bavarde, rég.) il japille
papille
(il se pourlèche, rég.)
il se rapapille
(il radote, rég.) il repapille
il **grappille**
(il se disperse, rég.)
il s'escampille
pampille
il/une estampille
(il tiraille, rég.) il tiripille
les Alpilles
(chien de chasse) un choupille
une/il goupille
il dégoupille
il roupille
(il s'endort, arg.)
il s'enroupille
il toupille
il/une étoupille
(il déshabille, arg.)
il décarpille
il **éparpille**
il/une torpille
lance-torpilles
il **gaspille**
il houspille
(il se rétablit, rég.)
il (se) réchupille
(orphelin) un/e pupille
(prunelle) la pupille

(jeu ; jambe, arg.) **quille**

Quand je vois Nymphe **gentille**
De belle et bonne façon,
Qui se frise et se **tortille**,
Se dresse et se **recoquille**,
S'**habille** et se **déshabille**,
Puis se mire et se **morcille**,
Se parfume de **pastille**,
Ou d'ambre, ou bien de **jonquille**,
Je ne suis pas un Gerson,
Qui censure et qui **vétille**,
Qui grommelle, qui **nasille**,
Ni qui fasse de leçon ;
Qu'elle danse, qu'elle **brille**,
Se culbute et se **brandille**,
Qu'elle **fourmille** et **frétille**,
Qu'elle **sautille**, ou **pétille**
À rompre le canneçon ;
Qu'elle boive la **roquille**
Chez Boussingaut ou chez **Guille**,
Qu'elle vendange et **grappille**,
Qu'elle **croustille** et **broutille**
La salade ou la **morille**,
La macreuse à la **lentille**,
Ou la poularde au cresson ;
Qu'on la baise ou la **houspille**,
Qu'elle folâtre ou **gambille**
Avec Gautier ou **Garguille**,
Avec Perette ou **Lucille**,
Ou Brusquet, ou **Bruscambille**,
Panurge, ou **Bringuenarille**,
Ou Castelan ou **Fourille**,
Elle n'est point un glaçon :
Le garçon est pour la **fille**,
La **fille** *pour le garçon.*

Claude Le Petit, « Virelai »,
Œuvres libertines

Ô Dijon, la **fille**
Des glorieux ducs,
Qui portes **béquille**
Dans tes ans caducs !

Jeunette et **gentille**,
Tu bus tour à tour
Au pot du **soudrille**
Et du troubadour.

À la **brusquembille**
Tu jouas jadis
Mule, bride, **étrille**,
Et tu les perdis.

La grise **bastille**
Aux gris tiercelets
Troua la **mantille**
De trente boulets.

Le reître qui **pille**
Nippes au bahut,
Nonnes sous leur **grille**,
Te cassa ton luth.

Mais à la **cheville**
Ta main pend encor,
Serpette et **faucille**,
Rustique trésor.

Aloysius Bertrand, « Dijon. I. Ballade »,
Œuvres poétiques

Il paraît que votre cheval
Est bien fringant pour une **fille** ;
Mais, lui dis-je, au lieu de cheval,
Ayez un âne, belle **fille** ;
Il vous convient mieux qu'un cheval :
C'est la monture d'une **fille**.
Outre les dangers qu'à cheval
On court en qualité de **fille**,
On risque, en tombant de cheval,
De montrer par où l'on est **fille**.

Stanislas Jean de Boufflers,
in *Curiosités littéraires* de Ludovic Lalanne

☞

ILLE

(de navire) la **quille**
(libération, arg.) une quille
(fillette, arg.) quille
(bavarde, rég.) il câquille
il (se) **maquille**
il (se) démaquille
il (se) remaquille
(il entre, arg.)
il (s') enquille
(il boite, rég.) il banquille
(il rentre, arg.) il renquille
équille
il/une **béquille**
(il arrête, arg.) il déquille
coquille
(il se blottit) il se recoquille
(il râle, rég.) il rauquille
(minute, arg.) broquille
jonquille
il écarquille
squille
esquille
une/il resquille

arille
(éblouissement, rég.)
une barbarille
il **brille**
fibrille
un (joyeux) **drille**
(technique) il/une drille
(danse) un **quadrille**
(il contrôle) il quadrille
escadrille
espadrille
(dépôts) des effondrilles
(soudard) soudrille
banderille
une **grille**
(il rôtit) il grille
(il grillage) il grille
négrille
spirille
gorille

morille
il essorille
zorille
il/une **trille**
une/il **étrille**
il/une **vrille**

il **cille**
il **vacille**
il dessille
(il prend, arg.) il pessille
faucille
(elle racole, arg.)
elle persille
(il cotise) il boursille
sans qu'il sourcille
(jeune fille, rég.) une gazille
il **nasille**
il brasille
(prénom) Inésille
résille
il brésille
(il grêle) il grésille
(il crépite) il grésille
il s'égosille
(il abîme) il bousille
(tatouage, arg.) une bouzille
(tirelire, Suisse)
une crousille
il **fusille**

il/la tille
(menus objets)
des béatilles
il boitille
(il chatouille, rég.) il gratille
(il bavarde, rég.) il tatille
cantatille
les **Antilles**
(aimable) **gentille**
(aube de moulin)
une jantille
(graine) **lentille**

Il était une ***vieille*** **fille**
Qui sur sa robe de papier
Transportait des oiseaux des ***îles***
Et des archipels par milliers

Joë Bousquet, « Vieille fille »,
Connaissance du soir

Autour de ta maison je rôde sans espoir.
Mon fouet triste pend à mon cou. Je ***surveille***
À travers les volets tes beaux yeux ces **charmilles**
Ces palais de feuillage où va mourir le soir.

Jean Genet, « Un chant d'amour »,
Poèmes

❒ 333.18 [Anonyme] ;1.21 [Hugo] ; 278 [Guérin]

(optique) lentille
mantille
tormentille
(coureuse, rég.)
une courrentille
potentille
il **pétille**
un/e vérétille
il **frétille**
il/une **vétille**
cannetille
(prénom) Domitille
il titille
il pointille
il **scintille**
pacotille
flottille
sapotille
il **sautille**
il/une épontille
il outille
(marine) une écoutille

(oreilles, arg.)
des écoutilles
broutille
(prénom) Bertille
myrtille
(allée) une tortille
(il remue) il (se) **tortille**
il dés/**entortille**
il détortille
(jardin) une courtille
(château fort) une **bastille**
(prison, Paris) la **Bastille**
il embastille
(Espagne) la **Castille**
(dispute) il se/une castille
il accastille
Blanche de Castille
pastille
il/une apostille
(vin pétillant) moustille
il **émoustille**
il croustille

il/une **aiguille**
(chirurgie) porte-aiguille
(couture) porte-aiguilles

il/une **cheville**
il se recroqueville

assonances
283. ILE
278. IGNE

contre-assonances
24. AIL-LE
145. EIL-LE
222. EUIL-LE

285. ILM°-ILME

FILM°

un FILM°
il filme
téléfilm°
un microfilm°
il microfilme
(Georg) Stiernhielm°

Connaissez-vous ces soirs où le jour faiblissant
Le centre de la ***ville*** a l'air d'un mauvais **film**
Tout bleuit un peu trop les maisons les passants
Le couloir équivoque et le ruisseau dont **il**
Monte comme une brume un bruit d'essieux crissants

Louis Aragon, « Paris vingt ans après »,
Le Roman inachevé

À l'avenir, c' que tu pens'ras
Question morale ou esthétique
On t' l'enverra sur **microfilms**
Chaqu' jour par la télématique…
En l'an deux mille, tu seras
Irresponsable et ***anonyme***…

Jean-Roger Caussimon, « Les DOM TOM de l'Amérique »,
Mes chansons des quatre saisons (version chantée)

assonances
290. IME
281. IL-E

contre-assonances
30. ALM-E
156. ELM-E

❒

286. ILPHE

(insecte) un silphe
(génie de l'air) un **sylphe**

Plus souple vers l'azur et déchiré de **sylphes**, voilà tout un bouquet de rosée pour Thérèse :

où donc ***est-il*** son fin petit nez qui ***renifle*** ? au paradis ? eh ! non, cendre au Père-Lachaise.

Paul Fort, « Le Jet d'eau du Luxembourg »,
Bol d'air in *Ballades du beau hasard*

Que le vent dans le bois s'amuse
À souffler comme un joueur de cornemuse
Ou qu'il ***siffle***
Comme un **sylphe**,
Le merle s'en ***fiche***.

Tristan Klingsor, « Les Niais »,
Humoresques

assonances	*contre-assonances*
272. IFLE	*153. ELF-E*
271. IF-E	*383. OLF-E*
281. IL-E	*28. ALF-E*
289. ILVE	

❒ *289 [Césaire] ; 153 [Louÿs]*

287. ILT

(Cornelius) Vanderbilt
kilt
silt
tilt

Il sait de quoi j'ai envie
Il n'est pas si bête
Il sait que c'est de son *vi*goureux * corps d'athlèt'
Je pose ma main sur son gros *bras que m'arr* ** iv'***-t-il*** ça fait **ti**

Boby Lapointe, « Comprend qui peut »,
Intégrale

* vit ** braquemard

Ding ! Cent mille ! Ding ! Ding ! Deux cent ***mille*** !
Trois cent ! Quatre cent !
Cinq cent ***mille*** !
Ding ! Ding ! Ding ! Re-ding ! Ding ! DING !...**TILT** !!!...

L. Poterat, « Le Billard électrique »,
L'Hymne à l'amour

assonances	*contre-assonances*
281. IL-E	*34. ALT-E*
325. IT-E	*160. ELT-E*
288. ILTRE	*390. OLT-E*

❒

288. ILTRE

FILTRE
PHILTRE

(filtrage) il/un FILTRE
(breuvage) un PHILTRE
ultrafiltre
café-filtre
papier-filtre
il (s') **infiltre**
il exfiltre

Cette voix, qui perle et qui **filtre**
Dans mon fonds le plus ténébreux,
Me remplit comme un vers nombreux
Et me réjouit comme un **philtre**.

Charles Baudelaire, « Le Chat » I,
Les Fleurs du mal

Il pénètre mes os, ce fluide mauvais ;
Ton âme satanique en mon âme s'**infiltre** ;
Mon cœur boit ta présence impure comme un **philtre**
Et je ne connais plus le Dieu que je servais.

Iwan Gilkin, « Le Possédé »,
La Nuit

ILTRE

La sorcière [...]
Tenant avec précaution,
Dans son chaudron,
En ***équilibre***,
Tenant plusieurs ***litres***
De **philtre**,
À consommer avant le petit jour;
Plusieurs ***litres*** de **philtre** pour,
Ou pour la haine ou pour l'amour.

Franc-Nohain, « Le Balai de la Sorcière » XII, II, *Nouvelles Fables*

Demande un **café-filtre**
À ce percolateur ;
Derrière la ***vitre***,
Va passer le bonheur.

Louis Brauquier, « Parlerez-vous d'amour », *Le Bar d'escale*

assonances
327. ITRE
316. IRTE
262. IBRE
265. ICHTRE

❐

289. ILVE

(mélanges de poèmes) des silves
(bois) la **sylve**

eh détrousseur
eh ruseur
ouvreur de routes
laisse jalonner les demeures au haut réseau de la Mort
le ***sylphe*** bouffon de cette **sylve**

Aimé Césaire, « Conversation avec Mantonica Wilson », *Moi, laminaire* in *La Poésie*

tu la savais l'***inattentive***
la tête folle des poisons
fond de l'inapaisable **sylve**
(la pierre pousse disait-on)

Jacques Roubaud, « D'un mort »,
∈

assonances
329. IVE
181. IL-E
286. ILPHE

contre-assonances
35. ALVE
161. ELVE
558. ULVE

❐

290. IME-IM°

SUBLIME
RIME
CRIME

Brahim°
Ibrahim°
Sidi-Brahim°
Éphraïm°

(gouffre) un **abîme**
(il casse) il (s') abîme
(sémiologie) en abyme

(il boit, arg.) il chime
(digestion) le chyme
des midrashim°
collenchyme
parenchyme

sclérenchyme
mésenchyme
l'Ichim°
(un/e) **cacochyme**

(impôt) la **dîme**
(+comp.) (dire) nous dîmes
épendyme
(rédimer) il rédime
(raidir) nous raidîmes
(terre rare) le didyme
(ville) Didymes
épididyme
des hassidim°
il vidime
néodyme
praséodyme
des sefardim°

(+comp.) nous **fîmes**

Fou, tremble qu'on ne t'**abîme** !
Rimer, ce temps révolu,
C'est courir vers un **abîme**,
Barbanchu nargue la **rime** !

Tu ne vaux plus un **décime** !
Car l'ennemi nous **décime**,
Sur nous pose un doigt velu,
Et, dans son chenil **intime**,
Rit en vrai patte-pelu
De nous voir pris à sa glu.
Malgré le monde **unanime**,
Tout prodige est superflu.
Le vulgaire dissolu
Tient les mètres en **estime** :
Il y mord en vrai goulu !
Bah ! pour mériter la **prime**,
Tu lui diras : Lanturlu !
Je défends que l'on m'**imprime**.
……

infime

(il pleure, rég.) il gime
(gymnastique) la gym°
Jim°
(pouvoir) **régime**
(diététique) un régime
(de banane) régime

des goyim°

(rape) il/une **lime**
(citron) une lime
Salim°
il/(le) SUBLIME
(il use) il élime
(graminée) un élyme
Selim°
(articulation) un ginglyme
kilim°
des téphillim°
olim°
(Jérusalem) Solyme

(acteur) il/un mime
(+comp.) (mettre)
nous mîmes
pantomime

Nîmes
il **anime**
il réanime
(indulgent) longanime
magnanime
(un/e) **pusillanime**
unanime
il **ranime**
denim°
il dés/**envenime**
(petit) **minime**
(religieux) un/e minime
(sportif) un/e minime
pseudonyme
(nom d'emprunt)
un allonyme
Monime
(un/e) homonyme
(un/e) **anonyme**
(un) **synonyme**
ethnonyme
(un) éponyme
hyponyme
anthroponyme
toponyme
(un) paronyme
acronyme
hyperonyme
matronyme
patronyme
antonyme
(un) autonyme
(Achim von) Arnim°

des goïm°
Élohim°

dépouilles **opimes**
nous cor/inter/rompîmes

nous re/naquîmes
Joachim°
le Sikkim°
nous con/vainquîmes

il/une RIME
(geignard, rég.) il/une rime
(il brûle, rég.) il rime
(rire) nous rîmes
il dés/arrime
Karim°
le Tarim°
(il gèle, rég.) il blanc-rime
il brime
CRIME
cold-cream°
ice-cream°
pousse-au-crime
(sport) l'**escrime**
(il s'évertue) il s'**escrime**
il **périme**
interim°

il/la **frime**
(il farde) un/il **grime**
(Jacob/Wilhelm) Grimm°
(vers) (h)olorime
(un) monorime
nous sourîmes
(premier) il/(la) prime
(récompense) il/une **prime**
(cristal de roche) une prime
(+comp.) (prendre)
nous **prîmes**
(déprimer) une/il **déprime**
(se déprendre)
nous nous déprîmes
il **réprime**
il ré/**imprime**
il **opprime**
(comprendre)
nous comprîmes
(comprimer)
il dé/sur/comprime
une surprime
(surprendre) nous surprîmes
il **supprime**
il **exprime**
(il travaille) il **trime**
(rue, arg.) la trime
alastrim°
le Gulf Stream°
jet-stream°

(sommet) **cime**
(botanique) cyme
nous (nous) r/assîmes
passim°
il désensime
il écime
(impôt) un/e décime
(il tue) il **décime**
fourbissime
richissime
révérendissime
grandissime
longuissime
généralissime
bellissime
sérénissime

Molière au hasard s'**escrime**,
C'est un bouffon qui se **grime** ;
Dante vieilli se **périme**,
Et Shakspere nous **opprime** !
Que leur art jadis ait plu,
Sur la récolte il a plu,
Et la foudre pour **victime**
Choisit leur toit vermoulu.
C'était un régal **minime**
Que Juliette ou **Monime** !
Descends de ta double **cime**,
Et, sous quelque **pseudonyme**,
Fabrique une **pantomime** :
Il le faut, il l'a fallu.
Mais plus de retour **sublime**
Vers Corinthe ou vers **Solyme** !
Ciseleur, brise ta **lime**,
Barbanchu nargue la **rime** !

Théodore de Banville, « Virelai, à mes éditeurs »,
Odes funambulesques

Cette vertu **magnanime**
Tôt **anime**
Les cœurs d'honnête **régime**,
Sans nul **crime**,
Pour les faire haut atteindre :
Contre vices, dure **lime**
Qui fort **lime**
Toute heure, soit nonne ou **prime** :
Les **opprime**
Et très bien les sait éteindre.
Plus par raison que par **rime**
Tout **exprime**.
Et la personne **réprime**
Qui **périme**
Bonté par mentir et feindre ;
Jamais n'est **pusillanime**,
Mais **intime**
Vertu en très grande **estime**.
Paix **rédime**,
S'aucuns la veulent enfreindre.

Jean Meschinot, « Discours de Force au poète, durant son rêve
Les Lunettes des Princes

Doctime ami, qu'Amour docteur **anime**
Au **bellime** art des **savantimes** Siœurs :
Tu vas goûtant leurs **saintimes** doucieurs,
Enflant ta veine en **rime coulantime**.
Ton cœur **bravime**, et ta voix **bruyantime**,
Sentant ainsi nos **longuimes** errieurs,
Hautime suit ses **brusquimes** furieurs,
Chaudimes or' d'une ardieur si **gentime**.
Je ne t'écris pour **autrime** raison
Si **gaillardime** en **bonime** saison,
Que pour louer tes chants **excellentimes**.
Ainsi sous toi, **gravime** défendieur,
Amour **doucime** égale sa splendieur
À ces grandieurs grandiment **grandissimes**.

Jean de La Gessée, « Les Mélanges »,
Les Premières Œuvres françaises

Ce dur travail de **lime** et de stylo
d'appareillage, ***rythme***, écho et **rime**
n'épuise un vœu risible d'***héroïsme***
qui s'interdit tout répit ou repos
……

IME-IM°

rarissime
illustrissime
excellentissime
éminentissime
ignorantissime
savantissime
gravissime
des kibboutzim°
(sentence) une **maxime**
(prénom) Maxime
Valère Maxime
oxime

(un) azyme
anti/enzyme
(un) nonagésime
quadragésime
quinquagésime
septuagésime
sexagésime
il/un **millésime**
Onésime
mont Garizim°
Zosime
lysozyme

(équipe) un team°
(prénom) Tim°
(+comp.) nous battîmes
(monnaie) un **centime**
(sentir) nous sentîmes
victime

(juste) il/être **légitime**
(épouse, arg.) une légitime
illégitime
maritime
Seine-Maritime
Charente-Maritime
(personnel) (un/e) **intime**
(il notifie) il intime
ultime
Théotime
cyclothyme
schizothyme
(et tout le reste, arg.)
et (tout) le toutim°/e
septime
il/l'**estime**
il mésestime
il sous-estime
il surestime

(+comp.) nous **vîmes**
nous pour/suivîmes
+ verbes en -ir *(2e gr.),*
-ir *(3e gr.)(sauf* tenir, venir, courir, mourir *et comp.),*
-ire *(sauf* lire *et comp.),*
-andre, -indre,-ondre, -oudre, -erdre, -ordre
1e pers. pluriel du passé simple.

assonances	*contre-assonances*
295. INE	*36. AME*
318. ISME	*162. ÈME*
309. IRME	*392. OME*
301. IPE	*559. UME*

Tout ce labeur, ce dur labour de mots,
d'images agencées pour quelle **infime**
satisfaction ? Piètre plaisir **intime**
quand la planète regorge de maux

flagrants…

Louise Herlin, « Écoute » 4,
L'Amour exact

Il restera de ces jours **synonymes** des ***tulipes***
Des images de colère qui endurcissent le cœur
Nous nous souviendrons longtemps des déceptions du bonheur
Je n'inscrirai pas votre nom trop ***riche*** serait la **rime**

Bernard Delvaille, « Désordre » 14,
Poëmes

Mais elles que nous ***rencontrâmes***,
Et qui fleurirent nos ***trirèmes***,

Prononcèrent des mots **sublimes**
Pour dénouer les grands ***problèmes***.

Tristan Derème, « Nous attendions des héroïnes… »,
La Verdure dorée. CXXXI

tim ***tom*** ***tum***
tim ***tom***
tem **tim** ***tom***
tem **tim**
tam ***tem*** **tim**

Pierre Garnier, « Chansons »,
Le Jardin japonais

❒ *295 [Desnos] ; 277 [Beaucarne] ; 309 [Cayrol] ; 224 [Roubaud]*

291. IMNE

HYMNE

un/e HYMNE
(mesure de capacité)
un médimne
(ville de Lesbos) Méthymne

Alexandre à Tyr,
Annibal au Tésin, Thrasybule à **Méthymne**,
Sont les flambeaux de Dieu ; tout vainqueur est un **hymne**.

Victor Hugo, « Artistes-Poètes-Grands hommes »,
Philosophie vers in *Océan*

Je parle au nom de tous ces rois
Et de ces hommes ***anonymes***
Je parle pour toi et pour moi
Au nom des chants au nom des **hymnes**
Et leur donne ma propre voix

Carlos de Radzitzky, « La place des héros »,
Le Commun des mortels

Rose pascale, sois accueillante à mon **hymne**,
Qui n'est que ton parfum transposé dans ma voix :
Un poète ébloui s'incline devant toi ;
Ménage-le de tes ***épines*** !

Philéas Lebesgue, « La rose de Pâques »,
Œuvres poétiques. I

☞

IMNE

BCHESTRIEL YOMINL
BDINDUBDIBDIRU BCHFILBE ZURTBLE
TRAJAGARTE JARTE JUGURTPLE
KUTIKUITS **KLIORIMNE**
KOOBAA DAN ANKSAA **DOOKSRIMNE**

François Dufrêne, « Chansons de marins pour sa cousine »,
in *La Musique lettriste*

assonances	*contre-assonances*
290. IME	*163. EMNE*
295. INE	*560. UMNE*
326. ITHME	

❐

292. IMS

Flims
(cocktail, n. dép.) Pimm's
(n. dép.) Maxim's

Ah ! baiser la main d'une femme du monde
Et m'écorcher les lèvres à ses diamants
Et puis dans la Jaguar
Brûler son léopard
Avec une cigarette anglaise
Et s'envoyer des dry au Gordon
Et des **Pimm's**
Number one
Avant que de filer chez **Maxim's**

Serge Gainsbourg, « Maxim's »,
Dernières nouvelles des étoiles

assonances	*contre-assonances*
290. IM-E	*37. AMS*
298. INS [ins]	*164. EMS*

❐

293. INCH°-INTJE [intʃ

bintje
bull-finch°
loi de Lynch°
(fillette, arg.) une minch°
(vilain, arg.) vinch°
winch°

assonances	*contre-assonance*
324. ITCH	*237. UNCH* [œntʃ]
295. INE	

294. IND [ind

(Frank) Wedekind
(Johan B.) Jongkind
(Patrick) Süskind
le Sind
(vent, Angl.) wind

Maintenant chte ***rembobine***,
chte reset pas*, chte **rewind****;
chte pause, chte stop, cht'eject,
chte forward,
chte play plus !

Philippe Léotard, « Chte play plus »,
Portrait de l'artiste au nez rouge

* je ne te remets pas à zéro ** je te rembobine

assonances	*contre-assonances*
295. INE	*165. END* [ɛnd]
268. IDE	*238. UND* [œnd]
	504. OUND [und]

❐

295. INE-IN°

DIVINE

(dans, latin) in°
(à la mode, angl.) in°
(rivière) l'Inn°

cocaïne
procaïne
(un/e) (d)jaïn°/e
ptomaïne

il bine
les **babines**
cabine
télécabine
Scriabine/Skriabine
carabine
(prénom) Sabine
(Italie) la Sabine
(genévrier) une sabine
bambine
(une)/il lambine
(il réconcilie,arg.)
il rambine
(misère, arg.) la débine
(il dénigre, arg.) il **débine**
l s'enfuit, arg.) il se débine
(une) maghrébine
bibine
stibine
il/une bobine
(il rapièce) il rabobine
il r/embobine
il débobine
(une) jacobine
hémoglobine
(il unit) il **combine**
(combinaison)
une combine
(soubrette) **Colombine**
(couleur) colombine
(fiente) la colombine
(enzyme) la thrombine
visage, arg.) une trombine
(il coïte, arg.) il trombine
(domestique) une larbine
(surveillance, arg.)
une surbine
(moteur) il/une turbine
(il trime, arg.) il **turbine**
has been°
concubine

(pays) la **Chine**
(porcelaine) un chine
(tissage) il chine
(brocante) la/il chine
(Unetelle) Machine
(appareil) une **machine**
(il manigance) il machine
il crachine
(Georges) Balanchine
(moulure) une échine
(dos) l'**échine**
(il se fatigue) il s'**échine**
(orateur) Eschine
(culbute, rég.)
faire la courbebéchine

(une) maraîchine
la Cochinchine
l'Indochine
(bouder, rég.) il bouchine
tchin-tchin!°

(James) Dean°
(photo) échelle DIN°
(il soupe) il **dîne**
(mesure) la dyne
(folâtre) il/être **badine**
(baguette) une badine
muscadine
l'Engadine
hendiadyin°
baladine
Nadine
(sirop) **grenadine**
(soierie) grenadine
incarnadine
padine
(avare) une radine
(il vient, arg.) il (se) radine
(une) **citadine**
pintadine
(une) andine
il (se) **dandine**
(élégante) une gandine
brigandine
gourgandine
Blandine
(prénom) Amandine
(gâteau) une amandine
transandine
visitandine
(ville) Médine
(fabriqué en) made in°
suédine
gredine
smaragdine
des moudjahidin°
aldine
Géraldine
fourches caudines
(il cuisine) il dodine
(de la tête) il dodine
burgaudine
Claudine
anodine
crapaudine
aérodyne
hétérodyne
girodyne
(Alexandre) Borodine
la Voïvodine
ondine
(une) blondine
(une) girondine
il boudine
gabardine
muscardine
il **jardine**
bernardine
(pardieu !) pardine!
sardine
(roulotte, arg.) verdine
(une) périgourdine
sourdine
paludine

Dans cette **usine**
scornning, ***sprimmling***,
l'homme **turbine**,
striddlinng, ***bossinng***.

L'horloge **dessine**
la terre, la mort, la tête, la nuit.
L'heure **assassine**
même le bruit.

Dans cette **usine**,
marteaux, moteurs,
rien n'**illumine**
les ajusteurs.

L'horloge **domine**
la bielle, la roue et l'activité.
L'heure **achemine**
à regretter. [...]

Enfin se **termine**
le malheur de poursuivre, dans
la sombre **usine,**
les yeux ardents,

les yeux, la **mine**,
l'ambre acharné
de la **divine**
Kalaïné.

Jacques Audiberti, « L'oubli de Kalaïnaré »,
La Beauté de l'amour

Connais-tu ça,
Señorita,
Les tournesols
Qui mirobolent,
Les **capucines**
Qui **faraminent**,
Les rossignols
Qui **grenadinent**,
Les **églantines**
Qui farandolent,
Les campagnols
Qui **colombinent**
Ou les **lapines**
Qui **carabinent**
Et les lucioles
Qui barcarollent ?

Des **ballerines**
Qui parabolent,
Des **messalines**
Qui **cavatinent**,
Des discoboles
Qui **marilynent,**
Des **opalines**
Qui carmagnolent,
Des anatoles
Qui **lamartinent**,
Des **gourgandines**
Qui protocolent,
Des **aubergines**
Qui **scarlatinent**
Ou des **glycines**
Qui gaudriolent ?

Michel Deville, « Fiesta », *Poézies*

Mon mal meurt mais mes mains ***miment***
Nœuds, nerfs non anneaux. Nul nord
Même amour mol ? mames, mord
Nus néné nonne ni **Nine**.

Robert Desnos, « Élégant cantique de Salomé Salomon »,
Langage cuit in *Corps et biens*

La raison de l'épée est dans la chair ***humaine*** ;
L'épée est ***égoïste*** et la scie **égoïne** ;
La hache dans les bois, cynique, se ***promène***,
Mais son manche est d'un bois que la rancœur **patine** :
Un jour, il se voudra solidaire des ***chênes*** ;
L'acier démystifié se voudra **guillotine**…

Roland Dubillard, « Révoltes »,
La Boîte à outils. 58

❐ 91.5 [Fourest] ; 333.2 [Nelligan] ; 333.8 [Rollinat] ; 435.11 [Calonne]
278 [Ferré] ; 291 [Lebesgue]

INE-IN

codéine
caféine
oléine
ambréine
osséine
caséine
théine
protéine

(fin) **fine**
(eau-de-vie) une fine
(granulat) le fines
(voilier) un finn°
(math.) affine
(plus fin) il **affine**
(il plaisante, rég.) il fafine
il **raffine**
il/la paraffine
(prénom) Séraphine
(peintre) Séraphine
(ange) une séraphine
extra-fine/extrafine
(il meurt, rég.) il petafine
Joséphine
muffin°
demi-fine
Delphine
dauphine/Dauphine
il **peaufine**
cristophine
il (se) confine
superfine
morphine
apomorphine
surfine

plombagine
il **imagine**
fumagine
il pagine
sagine
tagine/tajine
il invagine
(la) sauvagine
angine
phalangine
frangine
(alcool) gin°
(pantalon) un **jean(s)**°
(génie) djinn°
pidgin°
Égine
Régine
épigyne
origine
lentigine
hypogyne
(un/e) **androgyne**
(un/e) **mysogyne**
protogyne
blue-jean(s)°
il margine
aubergine
rugine

lignine
(sang) **sanguine**

(dessin; orange)
une sanguine
(une) consanguine
béguine
il s'embéguine
biguine

Line
Aline
il/être **câline**
île Sakhaline
alcaline
percaline
Pascaline
mescaline
hyaline
eurhyaline
(maligne) maline
(ville) Malines
(dentelle) une malines
tourmaline
adrénaline
cornaline
(papal) papaline
opaline
(sœur, arg.) une fraline
(rouge) coralline
(algue) une coralline
il/une **praline**
(une) saline
Messaline
naphtaline
digitaline
Staline
cristalline
chevaline
clean°
encline
il **décline**
dicline
il **incline**
(une) isocline
Brooklyn°
Medellin°
féline
(poule) géline
caméline
(prénom) Céline
(Louis-Ferdinand) Céline
vitelline
bivitelline
univitelline
manuéline
(une) gibeline
zibeline
(il rapièce) il rabobeline
il embobeline
(prénom) Micheline
(autorail) une micheline
Adeline
il dodeline
(une) **orpheline**
Angeline
morgeline
agneline
cameline
(il joue petit) il grimeline
armeline
(une) carmeline

capeline
pipeline
popeline
(prénom) Jacqueline
(cruche) une jacqueline
Laureline
(fillette, arg.) gosseline
Josseline/Jocelyne
mousseline
Marcelline
il/la vaseline
Roseline/Roselyne
(prénom) Kateline
il/être pateline
ganteline
(manteau) une manteline
(Georges) Courteline
aveline
javeline
Évelyne
les Yvelines
dragline
byline
sibylline
staphyline
aniline
rosaniline
vanilline
péniciline
aquiline
Marilyn°/e
drumlin°
(une) picholine
(biochimie) la choline
(prénom) Coline
(coteau) une **colline**
doline
(cosmétique) bandoline
mandoline
Gwendoline
violine
lanoline
crinoline
Pauline
Apolline
trampoline
il ripoline
(prénom) Caroline
(Charlemagne) caroline
(travesti, arg.)
une caroline
îles Carolines
santoline
capitoline
gazoline
il dégazoline
zinzoline
bouline
(il se faufile, rég.)
il se couline
il **dégouline**
il mouline
elle pouline
Pline
(Charlie) Chaplin°
il/la **discipline**
indiscipline
autodiscipline
(Janis) Joplin°

spleen°
carline
(prénom) Charline
berline
(Friedrich) Hölderlin°
globuline
sacculine
tuberculine
masculine
figuline
lupuline
insuline
ursuline
fistuline

(dialecte) le min°
(visage) la **mine**
(carrière) une **mine**
(il ronge) il mine
amine
cardamine
famine
il/(une) **gamine**
(Walter) Benjamin°
(prénom) Benjamine
(cadette) une benjamine
il lamine
il se/la calamine
il décalamine
scopolamine
(ville antique) Salamine
(île) Salamine
mélamine
flamine
brahmine
(froid, Suisse) cramine
balsamine
il ré/**examine**
étamine
amphétamine
vitamine
il dé/contamine
histamine
(mesure) hémine
(substance) hémine
il démine
il effémine
il gémine
il dissémine
il insémine
il **chemine**
il **achemine**
il (se) parchemine
Sarreguemines
plaquemine
il/une contre-mine
porte-mine/portemine
Hô Chi Minh°
il élimine
il récrimine
il incrimine
il discrimine
Wilhelmine
il **culmine**
il **fulmine**
il abomine
chaumine
(Philippe de)
Commines/Commynes

il **domin**
il prédomin
il se gomin
(n. dép.) stylomin
il nomin
théobromin
hermin
contre-hermin
il **termin**
il pré/sur/détermin
il **extermin**
vermin
Taormin
albumin
légumin
il/l'alumin
il enlumin
il **illumin**
il **rumin**

(Anaïs) Nin
(du chien) canin
(dent) une **canin**
Janine/Jea(n)nin
mélanin
mezzanin
strychnin
Lénin
menin
Iessenine/Essenin
(satirique) fescennin
féminin
quinin
(du lion) léonin
rime léonin
saponin
thonin
santonin
(Mikhaël) Bakounin
(vulve, rég.) mounin
(ivoire) éburnin
saturnin

(scie) une égoïn
(il fornique, arg.) il égoïn
(héros) **héroïn**
(drogue) **héroïn**

(il pleurniche, rég.) il ouin
(il mange, arg.)
il babouin
(il enjole) il embabouin
(gitane, arg.) rabouin
(il pleure, rég.) il chouin
(George) Gershwin
il **couin**
God Save the Queen
(une) bédouin
(animal) une fouin
(il fouille) il **fouin**
(une) chafouin
(chambre, arg.) canfouin
(lesbienne, arg.)
elle se/une gouin
il **baragouin**
sagouin
(Saint-Malo) (une) malouin
îles Malouines
(il aboie, rég.) il mouin

INE-IN°

(serviette périodique, arg.)
ouiouine
il shampouine
il ronchonne, rég.) il rouine
(Charles) Darwin°
(sexe, arg.) il/une pine
(mollusque) une pinne
(Fedor) Chaliapine
elle/une **lapine**
il/une **rapine**
sapine
elle racole, arg.) elle tapine
la Campine
(paresse) il/une clampine
il/une **épine**
aubépine
concours Lépine
alépine
il épépine
crépine
(jeu) la philippine
(îles) les Philippines
(habitante)
(une) philippine
(il pince, rég.) il pimpine
sub/pré/trans/cis/
alpine
il **opine**
il/une chopine
il/(une) **copine**
galopine
il clopine
atropine
héliotropine
il travaille, arg.) il goupine
poupine
il toupine
Proserpine
terpine
spin°
(argent, arg.) aspine
(il parle, arg.) il jaspine
(méchante femme, rég.)
grispine
il turlupine
(riche, arg.) (une) rupine
(il réussit, arg.) il rupine
(loto) une quine
assez, arg.) en avoir quine
Pa Kin°
(bohémienne, rég.)
baraquine
(mouche) un/e tachine
(il agace) (une)/il **taquine**
(Alexandre) Pouchkine
(Ossip) Zadkine
équine
arlequine
il enquiquine
trichine
le Potemkine
(une) **coquine**
il s'acoquine
(Michel) Fokine
il maroquine
il bouquine
(une) rouquine

(une) majorquine
(une) minorquine
skin°
basquine
il damasquine
(il pleut, arg.) la/il lansquine
moleskine
mesquine
il trusquine
Kropotkine
(seigneur russe) barine
Karine/Carine
saccharine
(Nikolaï) Boukharine
mandarine
stéarine
il/la **farine**
il enfarine
(Iouri) Gagarine
margarine
clarine
(mer) **marine**
du (bleu) **marine**
(soldat) un marine
(il macère) il marine
il amarine
aigue-marine
c(h)riste-marine
héliomarine
anti-/**sous-marine**
narine
ouarine
ivoirine
héparine
la Sarine
czarine
tzarine/tsarine
Mazarine
(prénom) Césarine
(elle, arg.) césarine
alizarine
nectarine
(ambrée) ambrine
pébrine
fibrine
ombrine
(de la couleuvre) colubrine
pentacrine
encrine
speakerine
endocrine
exocrine
sucrine
méandrine
(des Flandres) flandrine
il mandrine
(prénom) Alexandrine
(d'Alexandrie) alexandrine
érine
luciférine
cholérine
Perrine
(vipère) vipérine
(plante) une vipérine
ansérine
il/la glycérine
nitroglycérine
ésérine

terrine
il entérine
(une) adultérine
intra-/extra-/utérine
verrine/vérine
(prénom) Barberine
tangerine
ballerine
pèlerine
(une)/il serine
passerine
Catherine
Séverine
(Julien) Green°
(golf) le green°
(Graham) Greene
(peinée) il/être **chagrine**
(une peau) il chagrine
méléagrine
(une) monténégrine
(noire) nigrine
Lohengrin°
longrine
zéphyrine
antipyrine
aspirine
butyrine
(une) borine
(poétesse) Corinne
(prénom) Corinne
(prénom) Dorine
symphorine
Laurine
Florine
Honorine
taurine
Victorine
littorine
fluorine
il **tambourine**
(il tue, arg.) il chourine
dourine
caprine
cyprine
pourprine
trine
des **latrines**
poitrine
doctrine
il endoctrine
lettrine
feutrine
érythrine
(citron) citrine
(quartz) la citrine
vitrine
lèche-vitrine(s)
lustrine
dextrine
il/l'**urine**
il burine
figurine
murrhine
(pourpre) **purpurine**
(colorant) la purpurine
(il tue, arg.) il surine
(bleu) azurine
Mathurine
aventurine

couleuvrine
(récipient) une **bassine**
(il ennuie) il bassine
cassine
(personnage) Bécassine
(oiseau) une bécassine
(il hypnotise) il **fascine**
(fagot) il/une fascine
thylacine
(Léonide) Massine
(Jean) **Racine**
(de plante) une **racine**
(reliure) il racine
il (s') enracine
il déracine
coupe-racine(s)
(provoquante)
assassine
(il tue) il **assassine**
moissine
il organsine
il lancine
balancine
Francine
(il angoisse, rég.)
il estrancine
il/la vaccine
il revaccine
myxine
dioxine
anti/toxine
(il proclame) il buccine
fuchsine
il **dessine**
(ville) Messine
(de Metz) (une) messine
médecine
(joueuse de flûte) tibicine
(une) abyssine
colchicine
officine
(plante) **glycine**
(acide) glycine
néomycine
streptomycine
piscine
(divination) aruspicine
il vaticine
il calcine
émulsine
chamsin°/khamsin°
il ratiocine
glossine
(il baratine) il patrocine
Alphonsine
il/une houssine
doucine
(poulette, Suisse) poussine
(avorton) crapoussine
pepsine
traversine
hircine
porcine
résorcine
(Alexandre) Soljenitsyne
(fourche) fuscine
(pigment) fuscine
il hallucine

capucine
(de l'âne) asine
(fait des courses, Can.)
il magasine
(revue) un **magazine**
il emmagasine
newsmagazine
chamoisine
il/(une) **voisine**
il avoisine
circonvoisine
(musulmane)
(une) sarrasine
(herse) une sarrasine
fanzine
rendzine
muezzin°
gésine
il/la **lésine**
il/la **résine**
draisine
(droit) saisine
(cordage) saisine
il/une **cuisine**
arrière-cuisine
benzine
éosine
Mnémosyne
Rosine
Euphrosyne
tyrosine
le Wisconsin°
(véhicule, arg.)
bousine/bouzine
il/(une) **cousine**
arrière-cousine
(coup, arg.) tourlousine
(Limousin) (une) limousine
(voiture) une **limousine**
Morzine
il/une **usine**
fée Mélusine
(feutre) la mélusine
(baquet) tine
(peau de bête) carbatine
(région) la Gâtine
(terre stérile) une gâtine
nougatine
(Ievgueni) Zamiatine
(une) **latine**
(palatal) palatine
(palatinat) (la) palatine
gélatine
prélatine
gréco-latine
(métal) il/(le) **platine**
(technique) une platine
scarlatine
(coquine) une mâtine
(il croise) il mâtine
(office religieux)
les **matines**
sonatine
il/l'ouatine
squatine
(vernis) il (se)/la patine
(il caresse) il patine

(il glisse) il **patine**
il/une ratine
il baratine
kératine
il gratine
(étoffe) buratine
il satine
il (se) ratatine
cavatine
térébenthine
(réfectoire) une **cantine**
(il achète, arg.) il cantine
dentine
enfantine
éléphantine
chryséléphantine
brigantine
(pays) l'Argentine
(habitante)
(une) argentine
(son) **argentine**
estudiantine
(religieuse) feuillantine
(gâteau) feuillantine
il/la brillantine
galantine
Valentine
églantine
Fabre d'Églantine
(il marchande, rég.)
il charlantine
adamantine
diamantine
(qui aimante) aimantine
(prénom) Clémentine
(fruit) (une) clémentine
serpentine
(Tarente) (une) tarentine
laborantine
Corentine
(une) **florentine**
sentine
(une) byzantine
tantine
Constantine
(une) levantine
(velours) la velvantine
couventine
pectine

(saint Benoît)
bénédictine
(liqueur, n. dép.)
la bénédictine
abiétine
il **piétine**
rétine
(une) crétine
tétine
chitine
aconitine
rhytine
sit-in°
lécithine
(mitraillette, arg.) titine
il (se) coltine
bottine
il/(une) cabotine
barbotine
nicotine
narcotine
il/une **guillotine**
ballotine
(elle suce, arg.) elle glottine
il potine
il trottine
chevrotine
comptine
Léontine
fontine
plaine Pontine
(une) bisontine
il/une tontine
veloutine
Raspoutine
routine
(Chaïm) Soutine
Martine
(Alphonse de) Lamartine
il/une **tartine**
il/(une) **libertine**
Albertine
Gortyne
courtine
castine
il s'**obstine**
il **destine**
(une) **clandestine**
il prédestine
(il festoie) il festine

la Palestine
Célestine
Ernestine
intestine
(une) philistine
trappistine
Christine
sacristine
Marie-Christine
(n. dép.) une Austin°
Faustine
langoustine
Custine
(prénom) Augustine
(religieuse)
une augustine
Justine
(n. dép.) une rustine
sextine
chapelle Sixtine
il **butine**
cicutine
(être)/il **lutine**
(il avoue, arg.) il blutine
il agglutine
il conglutine
(gaie) **mutine**
(il se révolte) il se mutine

l'Huisne
duc de Luynes
il/une **ruine**
il/la **bruine**
pruine

il vine
il avine
il/une **ravine**
Kévin°
il **devine**
(une) angevine
il alevine
il pleuvine
(une) poitevine
DIVINE
Ludivine
olivine
drive-in°
alvine

kelvin°
ovine
bovine
(une) chauvine
la Bucovine
la Bosnie-Herzégovine
Bouvines
Erwin°
il pluvine

yin°
fe(d)dayin°
pinyin°

assonances
278. IGNE
290. IM-E
281. IL-E
291. IMNE

contre-assonances
38. AN-E
166. ÈNE-EN
393. ON-E

296. ING-INGUE° [iŋ]

SMOKING

(coup) bing!
(prison, arg.) le bing
(n. dép.) brushing
dispatching
stretching
anti/fading
wading
(tintement) **ding!/ding!**
(Henry) Fielding
holding
(William) Golding
building
body-building/
bodybuilding

standing
pouding/**pudding**
plum-pouding/
plum-pudding
briefing
packaging
jogging
(roi, angl.) king
(B.B.) King
(Martin Luther) King
(Stephen) King
(dynastie chinoise)
les Qing/K'ing
cracking

Trou
Pouf
Plum-pudding !
Une autruche dans le **ring**
De la dynastie des **Ming**
Chapeau de forme et **smoking**
Pond un œuf **duraluming**
En chantant **God Save the king**
Tu me dois trente **shillings**.

René de Obaldia, « Comptine »,
Innocentines

ING-INGUE°

le Che-king
trekking
God Save the King
(un) **viking**
le Yi-king
shocking
coking
(habit) un SMOKING
(ne pas fumer) no smoking
parking
starking
(interrogatoire, arg.)
un grilling
(tintement) cling!/cling!
(Friedrich von) Schelling
mailing
upwelling
(sonnerie) dreling!/dreling!
travelling
(monnaie autrich.) schilling
(monnaie angl.) shilling
feeling
Darjeeling/Darjiling
peeling
(Hans) Memling
bowling
(Rudyard) Kipling
(chéri, angl.) **darling**
(rivière) le Darling
sanderling
livre/sterling
Mayerling
curling
yearling
l'Oesling
riesling
les **Ming**
lemming
(Ian) Fleming
(Victor) Fleming
le Wyoming
timing
dry-farming
brainstorming
planning
aquaplanning
caravaning
stakning
training
happening
(Willem) De Kooning
browning
zoning
cocooning
warning
(aviation, n. dép.) Boeing
(ressort) boïng!
kidnapping
zapping

camping
tramping
(martellement) ping!ping!
sleeping
stripping
dumping
jumping
sho(p)ping
anti/doping
Deng Xiaoping
looping
ring
(sonnette) **dring!/dring!**
(détroit; mer de)
Béring/Behring
(Herman) Göring/Goering
clearing
engineering
(Albert) Kesselring
sponsoring
factoring
monitoring
string
(John M.) Synge
dancing
(Doris) Lessing
dressing
pressing
nursing
forcing
les Ts'ing
fixing
(bris) dzing!
merchandising
leasing
rating
marketing
skating
putting
rafting
lifting
meeting
baby-sitting
rewriting
(passionnant, angl.) exciting
yachting
trotting
footing
karting
shirting
casting
lasting
listing
living
crédit revolving
(John) Irving
rowing
le **swing**
il swingue°

Hier j'ai inauguré un ***drive-in***,
Avant-hier un **shopping**,
Demain un **parking**,
Après-demain un **ring**
Et des rues piétonnières
Qui nous permettront de faire du **footing**,
De l'aérobic et du **body building** [...]

Le patron de la Cil Ltd Cy
Est un Américain très gentil [...]

Après un fructueux **brain-storming**,
Il m'a fait des propositions avantageuses [...]
C'est un chef de **holding**
Totalement ***dingue*** de ***fringues***,
De **building**, de **marketing**,
Qui a commencé comme marchand de cloches
Qui faisaient **ding ding.**

Julos Beaucarne, « La Cil Limited Company »,
J'ai 20 ans de chansons

C'est un' *barmaid*
Qu'est ma **darling**
Mais *in the bed*
C'est mon **travelling**
Mon *best seller*
Et mon **planning**
C'est mon *starter*
After shaving
J' suis son **parking**
Son *one man show*
Son *fuel* son **king**
Son *slip* au chaud
ET J' CAUSE FRANÇAIS
C'EST UN PLAISIR
[...]

C'est un' *barmaid*
Qu'est ma **darling**
Mais *in the bed*
C'est du **forcing**
C'est du *pam pam*
À chaqu'coup d'***gong***
C'est plus un' femme
C'est un ***ping-pong*** [...]
Sur son **standing**
In extremis
J'fais du **pressing**
Au *self-service*
AND JE SPEAK FRENCH
C'EST UN *PLEASURE*

Léo Ferré, « La langue française »,
Testament phonographe

J'aim' pas la pêch' à la ***ligne***
J'aim' pas l'billard
J'aim' pas l'jazz-band, hot ou **swingue**
J'aim' pas l'caviar

Boris Vian, « J'aim' pas »,
Textes et chansons

Elle raffole du **jogging**
Et des sorbets aux ***mangues***
Le soir elle est dans le ***Yin***
Le matin dans le ***Yang***

Pierre Perret, « Femme »,
Chansons de toute une vie

Viens avec moi par-dessus les **buildings**
Ça fait ***WHIN*** ! quand on s'envole et puis **KLING** !
Après quoi je fais TILT ! et ça fait **BOING** !
SHEBAM ! POW ! BLOP ! WIZZ !

Serge Gainsbourg, « Comic strip »,
Dernières nouvelles des étoiles

assonances
278. IGNE
295. IN-E

contre-assonances
167. ENG [in]
505. OUNG

❐ *278 [Leclercq] ; 348 [Bens] ; 474 [Rezvani]*

297. INK-INCKE° [ink

(tintement) klink!
(Jan P.) Sweelinck
(Hans) Memlinc

œdème de Quincke°
drink
long-drink
soft-drink

Robe du soir et mouchoir blanc,
est-ce que vous reprendrez un **drink** ?
Dans cinq minutes, on passe à table,
Marcel auprès de ***Véronique***…

Didier Barbelivien, « Guirlandes »,
Poetic Graffiti

assonances
296. ING [iŋ]
295. IN-E
306. IQUE

❐

298. INS-EYNES° [ins

(désordre, arg.)
du binz/bin's
(Jerome) Robbins
des leggins
jeans
blue-jeans
(John M.) Keynes°
(Coleman) Hawkins
(Lightnin') Hopkins
(Gerard M.) Hopkins
Linz
(Wilkie) Collins
(William) Collins
(cocktail) Tom/John Collins
pin's
Mary Poppins
le Queens

Androgyne
Entre **jeans**
Et tailleur

Qui t'a dit :
« L' paradis
Est ailleurs » ?

Jean-Pierre Joblin, « Entre jeans et tailleur »,
in *Luxe, Bordel et Voluptés*

Soleil trois coups l'éden ramène
La middle class américaine
Des grottes des rochers ersatz
Cascadent des quasi-eaux vives
Recomposées par des ***turbines***
Please give us two **Tom Collins***

Louis Pauwels, « Acapulco » I,
Dix ans de silence

* cocktail à base de gin

Un billet de parterre pour ***roquentines*** trop primesautières.
Une pelle de vieille **Mary Poppins** finissant les miches dans
les ***épines***.

Jean-Pierre Verheggen,
Pubères, Putains (suite)

assonances
295. IN-E
321. IS-SE

contre-assonance
168. ENS-E [ɛns]

❐

299. INT-INTE° [int

la Linth
flint
pippermint/peppermint
forint

reprint
un sprint
il sprinte°

assonances
295. IN-E
325. IT-E

contre-assonances
169. ENT-E [ɛnt]
506. OUNT

300. INTZ [intz

(désordre, arg.) bintz
chintz
Linz
sbrinz
(prince héritier) kronprinz
(Frédéric-Guillaume)
le Kronprinz

11, 12
De bouse
Va-t-en à Toulouse […]

12, 13
De braise
Va-t-en à Orthez […]

13, 14
De l'orge
Va-t-en à Forges […]

14, ***15***
Le **Kronprinz***
Va-t-en à ***Reims***

Alexandre Vialatte, « La poule »,
La Paix des Jardins

* prononciation francisée

assonances
295. IN-E
298. INS-E [ins]
328. ITZ

contre-assonance
117. ANZ [ãtz]

❐

301. IPE-IP°

PIPE
PRINCIPE

bip-/bip°
il chipe
midship°
(déguenillé, rég.) déchipe
leadership°
sistership°
motorship°
bradype
(mythologie) Œdipe
(psychanal.) un œdipe
(il se rebiffe, rég.) il se regipe
il guipe
(n. dép.) jeep°
(restaurant, Paris) Lipp°
(lèvre) une **lippe**
(rivière) la Lippe
(Allemagne) la Lippe
(bijou) un clip°
(film) un clip°
(géologie) une klippe
vidéo-clip°
(vulve) une frippe-lippe
(billard électrique) un flip°
(une angoisse, arg.) un flip°
(il angoisse, arg.) il **flippe**
(dépression, arg.) un superflip°
(Gérard) Philipe
(prénom) **Philippe**
(ville antique) Philippes
Jean-Philippe
Louis-Philippe
(Italie) le Pausilippe
polype
(marine) slip°
(caleçon) **slip**°
protège-slip°
tulipe
Fanfan la Tulipe
il (se) nippe
des **nippes**
(mythologie) Mélanippe
(papillon) une mélanippe
(manipulation, arg.) manip°/e
Ménippe
(prostituée) une guenipe
une PIPE
(des dés) il pipe
(se taire) sans qu'il pipe
cure-pipe
casse-pipe
hip hip hip!°
kip°
il/une **équipe**
il suréquipe
il déséquipe
skip°
(partir, arg.) jouer rip°
(techn.) une/il ripe

(crapule, rég.) (une) charipe
Euripe
(il froisse) il fripe
(cuisine, arg.) la fripe
(vêtements) des fripes
il défripe
(sport) un grip°
prendre en **grippe**
(maladie) une **grippe**
(il se coince) il se grippe
il agrippe
il dégrippe
(«voyage», arg.) un trip°
(il se drogue, arg.) il tripe
(boyaux) les **tripes**
il **étripe**
il strippe
cippe
il **émancipe**
Leucippe
il **dissipe**
municipe
il anticipe
(grammaire) un participe
(il prend part) il **participe**
PRINCIPE
il excipe
un zip°
il zippe
(prénom) Hégésippe
Lysippe
Chrysippe
(commerce, Suisse) il ti(p)pe
(individu) un type
(modèle) il/un **type**
Xanthippe
(copie) (une) ectype
archétype
(n. dép.) télétype
un/il contretype
(n. dép.) lumitype
écotype
il ronéotype
daguerréotype
stéréotype
logotype
biotype
caryotype
galvanotype
génotype
sténotype
(n. dép.) linotype
(estampe) un monotype
(imprimerie, n. dép.)
une monotype
phototype
prototype
stipe
Aristippe
il constipe
la Suippe
(il crie, rég.) il vipe

assonances
260. IBE
290. IME
325. ITE

contre-assonances
39. APE
170. ÈPE
394. OPE

Les pieds sur les chenets de fer,
Devant un bock, ma bonne **pipe**,
Selon notre amical **principe**,
Rêvons à deux, ce soir d'hiver.

Puisque le ciel me prend en **grippe**,
(N'ai-je pourtant assez souffert ?)
Les pieds sur les chenets de fer,
Devant un bock, rêvons, ma **pipe**.

Preste, la mort que j'**anticipe**
Va me tirer de cet enfer
Pour celui du vieux Lucifer.
Soit ! nous fumerons chez ce **type**,

Les pieds sur les chenets de fer.

Émile Nelligan, « Rondel à ma pipe »,
Poésies complètes

Aujourd'hui les filles s'**émancipent**
Et vous parlent de leurs grands **principes**
Puis elles font comme leur maman
En vertu des grands sentiments

Elle aussi avait ses phrases-**types**
Et me parlait de ses grands **principes**
Puis agissait n'importe comment
En vertu des grands sentiments

Elle aimait surtout vivre en **équipe**
Toujours en vertu des grands **principes**
Mais me surveillait jalousement
En vertu des grands sentiments

Elle allait au Louvre avec **Philippe**
Toujours en vertu des grands **principes**
Mais faisait la foire avec Armand
En vertu des grands sentiments [...]

Il faudra qu'un beau jour je l'**étripe**
Toujours en vertu des grands **principes**
Mais que je le fasse élégamment
En vertu des grands sentiments

Je lui porterai quelques **tulipes**
Toujours en vertu des grands **principes**
Mais je pleurerai abondamment
En vertu des grands sentiments

Guy Béart, « Les grand principes »,
Couleurs et Colères du temps

Monsieur Lucifer, voulez-vous plutôt prendre
Mon âme car mon corps lui n'est pas à vendre
Dit le beau garçon qui avait des **principes**
Malgré son désir ardent de ***réussite***

Mouloudji, « Drôle de diable »,
Complaintes

À la brigade des ***stups***
Idée fixe la chnouf
J'ai les moules je **flippe**
C'est pas mon genre de **trip**

Serge Gainsbourg, « Brigade des stups »,
Dernières nouvelles des étoiles

❐ 333.4 [Monselet] ; 189 [Péguy]
290 [Delvaille] ; 39 [Frénaud] ; 562 [Cocteau]

302. IPLE

PÉRIPLE
TRIPLE
MULTIPLE

haliple
PÉRIPLE
il/(le) TRIPLE
(diviser en 3) il détriple
un/e **disciple**
un/e condisciple
(un) MULTIPLE
(un) équimultiple
(un) sous-multiple
steeple

Rameurs d'une vieille fiction,
(quand donc finira le **périple** ?)
nous naviguons dans le **multiple**
pays de la malédiction.

Benjamin Fondane, « Chanson de l'émigrant »,
Ulysse in *Le Mal des fantômes*

À ta voix, l'intérêt se **triple**
Chez Corneille, fougueux, bouillant ;
Et chez Racine, au sens **multiple**.
Heureux j'écoutais en **disciple**
Attentif, vigilant.

Gabriel Martin, « Aveu »,
Poésies fantaisistes

N'immobilisez jamais un poète dans son vers.
Le poète est **mobile**, ses poignants sont **multiples**.
Et son éclat baroque va de la ***lyre*** aux ***tripes***.

Jean Sénac, « N'immobilisez jamais un poète »,
Dérisions et Vertige

Le canal dort, s'enluminant
D'images **multiples**
Comme une vieille ***Bible***.

Georges Rodenbach, « Les Cygnes » V,
Le Miroir du ciel natal

assonances
261. IBLE
301. IPE
281. ILE

contre-assonances
98. AMPLE
508. OUPLE
563. UPLE

❐

303. IPRE

CHYPRE

Ypres
(arbre) un cipre
(plante) un cypre
(île) CHYPRE
(vin ; parfum) le chypre

Si de mon joyeux projet
Quelqu'un votait le rejet,
Que pour lui le vin de **Chypre**
Tourne en bière amère d'**Ypre** !

Antoine-Pierre-Augustin de Piis, « La Grande Ronde du Petit Vaudeville »,
Chansons. Livre I

Adieu ceux-là qu'oublie
Ma mémoire affaiblie…
Ceux de mon Australie,
Ceux de mon Canada…
Ceux de Malte et de **Chypre**
Et ceux de mon **Égypre**…
J'ai bien encore en **ypre**
Quelque pays par là…

Raoul Ponchon, « God save the Queen ! »,
La Muse frondeuse

Un méchant paysan
Qui maltraitait son âne,
Sa femme et ses enfants
Est mort ce jour à **Ypres**
D'une méchante ***grippe***.
Paix à son âne.

Michel Deville, « Faire-part belge »,
Mots en l'air

☞

IPRE

Mon amant fleure, en moi, tel un sachet de ***myrrhe***.
De l'ombre de mes seins tout son parfum revient.

Mon amant est, pour moi, une grappe de **cypre**
Qui, d'entre les raisins d'Eïn Guèdi, survient.

Yann le Pichon (trad.), « Premier chant »,
Le Cantiques des cantiques

assonances
301. IPE
273. IFRE
327. ITRE
307. IRE

contre-assonances
41. APRE
172. ÈPRE
396. OPRE
462. OMPRE

❐

304. IPSE-IPS°

APOCALYPSE
ÉCLIPSE

(hoquet) hips!°
des chips°
(n. dép.) Gibbs°
(roche) le **gypse**
(Juste) Lipse
APOCALYPSE
(prétérition) une paralipse
il/une ÉCLIPSE
ellipse
(n. dép.) Philips°
cynips°
(une) isohypse
thrips°

Mais qui leur chantera l'annonce des matins,
À ceux qui vivent sous des ténèbres d'**éclipse** ?
L'éleusiaque arrêt, la claire **Apocalypse**,
Qui leur en ouvrira les huis adamantins ?

En ce temps de ferveur âpre et de cris lointains,
Malheur au sourd-muet du moi, honte au **solipse*** !
Non. Claironne sans peur, et parle sans **ellipse**.
Dévoile ***Isis***. Que tous boivent à ses tétins !

Jean Richepin, « Mais qui leur chantera… »,
Dans les Remous. XCIII in *Mes Paradis*

* égoïste

Est-ce demain, après-demain, l'**apocalypse** ?
Un jeune martyr se repose à poings fermés.
L'ange, plumes au dos de vitres et de **gypse**,
Veille, parents maudits, sur vos morts bien-aimés.

Jean Cocteau, « L'incendie »,
Poèmes 1916-1955

Nos ancêtres croyaient mourir les jours d'**éclipse**
Vous vous vous contentez de faire le gros dos
Rassurés par l'éclat de vos lampes **Philips**
Ah nom de Dieu Pardon Seigneur L'**Apocalypse**
Vous la regarderiez de votre bow-window

Louis Aragon, « Langage des statues »,
En étrange pays dans mon pays lui-même

Jardin canonical du temps de Juste **Lipse**
Dont Rubens mit les fleurs dans le coin d'un tableau ;
Jardin de Rueil qui, pour pleurer certaine **éclipse**,
Semblait ne pas avoir assez de ses jets d'eau…

Rosemonde Gérard, « Fleurs d'hier »,
L'Arc-en-ciel

Apparurent dans la montagne le ***cilice***
Le large front de pierre grise et de secret
C'était la Vierge Noire aux jours d'**apocalypse**
Mon âme de fraîcheur et le vœu que j'ai fait

Pierre Jean Jouve, « Dormant j'ai récité Pater »,
Diadème

assonances
301. IP-E
321. IS-SE

contre-assonances
42. APS-E
173. EPS-E
397. OPS-E

❐

305. IPTE-IPT

ÉGYPTE

ÉGYPTE
(eucalyptus) un **eucalypte**
(œuvre en relief) un anaglypte
(caveau) une **crypte**
(il chiffre)) il crypte
il décrypte
(finance) un script°
le/écriture script°
(scénario) un script°
(assistant) un/e scripte

assonances
325. ITE
322. ISTE
316. IRTE
301. IPE

contre-assonances
43. APT-E
174. EPT-E
398. OPT-E
565. UPT-E

Parmi les eaux d'or des vases d'**Égypte**,
Se fanent en bleu, sous les zéphirs ***tristes***
Des plants odorants qui trouvent leur **crypte**
Parmi les eaux d'or des vases d'**Égypte**.

Émile Nelligan, « Fantaisie créole »,
Poésies complètes

Il est vrai que je fus *père de Pharaon*,
Que j'eus au doigt l'anneau, le diadème au front ;

Que d'un nouveau Froment j'ai saturé l'**Égypte**
Et fait croître la Rose au pied de l'**Eucalypt**e…

Gustave Lamarche, « Patronage de Saint Joseph » X,
Palinods in *Œuvres poétiques.* II

– Ce chemin vers le bleu mène à la double ***Syrte***

où de fange en bas-fond tout va s'évanouissant ;
et celui-là, plus dur, dirigé vers l'**Égypte**,
débouche droit sur la mer Rouge – rouge sang !

Thieri Foulc, « Les chemins divers »,
Whâââh

Tu connais tous les pharaons
de la très vénérable **Égypte**,
tu veux déchiffrer le ***hittite***,
mon fils, tu n'es qu'un cornichon.

Raymond Queneau, « "Tu étais" me dit-on "un méchant" »,
Chêne et Chien

❐

306. IQUE-IC

MUSIQUE

(hoquet) hic!°
(problème) un **hic**°

haïk°
thébaïque
caïque
alcaïque
(un) trochaïque
archaïque
spondaïque
judaïque
un laïc/(une) **laïque**
la Jamaïque
ptolémaïque
(le) romaïque
(un/e) cyrénaïque
hébraïque
(bateau) une saïque
pharisaïque
(Moïse) mosaïque
(décor) une **mosaïque**
prosaïque
ouralo-/altaïque
deltaïque
voltaïque
photovoltaïque

(stylo; n. dép.) un bic°

(chèvre) une **bique**
kabig°/kabic°
syllabique
décasyllabique
hendécasyllabique
tétrasyllabique
dissyllabique
polyssyllabique
im/parissyllabique
quadrisyllabique
trisyllabique
monosyllabique
isosyllabique
octosyllabique
(il falsifie, rég.) il farlabique
cannabique
rabique
golfe/désert Arabique
gomme arabique
antirabique
(un/e) strabique
ïambique/iambique
lambic(k)°
un **alambic**°
(il raffine) il alambique
dithyrambique
le Mozambique
il rebique
(dent, rég.) une bibique
(un/e) phobique
aérobic°

Par des mots empruntés à la seule **musique**,
Noms de grands maëstros mis dans un même ***sac***,
J'obtiens ce vers nombreux, mais que **cacophonique** !
Haydn, Strauss, Schütz, Volf, Hahn, Schmitt, Franck,
Glück, Brahms, Liszt, Grieg, ***Bach***.

Henri-René Lafon, « Onomatomancie »,
Plantes bêtes choses, etc.

Sa vie fut un calvaire sa mort **romantique**
Sa mère était trombone son enfant **asthmatique**
Les métiers les moins sots ne sont pas les meilleurs
Nous l'avons tous connu il était **métallique**
Sa fille préférée s'appelait **Mélancolique**
Un nom occidental qui flattait les tailleurs
Avide comme un pou sans aucun sens **critique**
Il se mordit les doigts brûla toute sa **boutique**
C'est du moins ce qu'affirment ses amis rimailleurs

Cette histoire nous vient d'**Amérique**
Elle pourrait venir d'ailleurs

Philippe Soupault, « Mais vrai »,
Poésies pour mes amis les enfants

Savez-vous ce qui est **comique** ?
Une oie qui joue de la **musique**,
Un pou qui parle du **Mexique**,
Un bœuf retournant l'as de **pique**,

……

IQUE-IC°

rhombique
(vomitif, arg.) gerbique
ascorbique
cubique

(chouette!) chic!°
(élégant) le/être **chic**°
(de tabac) il/une **chique**
(il simule, arg.) il chique
(il ergote, arg.) il chique
bachique
logomachique
tauromachique
(un) stomachique
para/méta/**psychique**
colchique
bronchique
(laid, arg.) mouchique
oligarchique
anarchique
anti/**monarchique**
hiérarchique
apparatchik°
(bonneteau, arg.) le tchik-tchik°

dyke
dyadique
triadique
il éradique
sporadique
(un/e) **sadique**
(Antony) Van Dyck°
il **revendique**
il **abdique**
médique
parallélépipédique
encyclopédique
orthopédique
il prédique
les A.S.S.E.D.I.C.°
(le) védique
libidique
Moby Dick°
typhoïdique
véridique
juridique
hassidique
chalcidique
fatidique
fluidique
druidique
gravidique
(indicateur, arg.) un indic°
il **indique**
il contre-indique
(mandataire) un syndic°
(syndicat) il (se) syndique
héraldique
iodique
(un) **périodique**
apériodique
il claudique
mélodique
modique
(un) anti/spasmodique
anodique
(un) synodique
monodique

parodique
sodique
épisodique
prosodique
cathodique
méthodique
le Klondike
bouddhique
merdique
momordique
(un/e) nordique
asdic°
(le) ludique
talmudique
pudique
impudique

nucléique
désoxy/ribonucléique
oléique
acnéique
linéique
onomatopéique
aréique
(un/e) diarrhéique
(un/e) choréique
endoréique
logorrhéique
exoréique
monothéique
protéique

fic°
(foie, arg.) un loific°
séraphique
(un/e) graphique
télégraphique
chorégraphique
calligraphique
épigraphique
cacographique
musicographique
lexicographique
discographique
idéographique
géographique
paléographique
stéréographique
biographique
autobiographique
radiographique
hagiographique
bibliographique
métallographique
cristallographique
sigillographique
dactylographique
xylographique
démographique
homographique
cosmographique
océanographique
sélénographique
scénographique
sténographique
iconographique
phonographique
monographique
pornographique

Un clown qui n'est pas dans un ***cirque***,
Un âne chantant un **cantique**,
Un loir champion **olympique.**
Mais ce qui est le plus **comique**,
C'est d'entendre un petit **moustique**
Répéter son **arithmétique**.

> Maurice Carême, « Ce qui est comique »,
> *La Lanterne magique*

[...]
Ici une **dialectique**
Là de l'**atomique**
Ici de la **génétique**
Là une **encyclique**
Ici une **éthique**
Là une **polémique**
Ça cause
Oui ça cause
Sur le **Titanic** !

> John Gelder, « Ici un expert... »,
> *Procès.* IX

Busnach m'a dit : **(sic)**
« Aux vers tu t'escrimes,
« Choisis un bon **dic-**
« Tionnaire de rimes. »

Un bon, c'est le **hic** !

> Alexandre Flan, « 30 rimes inédites »,
> *Rhythmes impossibles et Jardin des Racines françaises*

Ce n'était pas une pantoufle **antique**, une pantoufle **systématique**, une pantoufle **aristotélique**, une pantoufle **économique**, une pantoufle **encyclopédique**, une pantoufle **académique**, une pantoufle **classique** ;

Ce n'était pas une pantoufle **gothique**, une pantoufle **mystique**, une pantoufle **éclectique**, une pantoufle **romantique**, une pantoufle **germanique**, une pantoufle **frénétique** ;

C'était une excellente petite pantoufle...

> Charles Nodier, « Explication »,
> *Histoire du roi de Bohême et de ses sept châteaux*

Fol **lunatique**,
F. **erratique**,
F. **excentrique**,
F. éthéré et Junonien,
F. **arctique**,
F. **héroïque** [...]
F. **extatique**,
F. **catégorique** [...]
F. **hyperbolique**,
F. **antonomatique**,
F. **allégorique**,
F. **tropologique**,
F. **pléonasmique** [...]
F. **hépatique**,
F. **splénétique** [...]
F. **hiéroglyphique**,
F. **authentique**,
F. de valeur,
F. précieux,
F. **fanatique**,
F. **lymphatique**,
F. **panique**,
F. alambiqué,
F. non fâcheux.

> François Rabelais, « Comment par Pantagruel et Panurge est Triboulet blasonné », *Le Tiers Livre*, chap. XXXVIII

Il y a le frère cow-boy du ranch **romantique**
Il y a le frère clown, le frère ***loufoque***
Le frère juif, le frère **alcoolique**
Le frère rupin, le frère en ***loques***
Le frère vicieux, le frère **épique** –

> Paul Gustave Vanhecke, « Fraîcheur de Paris »,
> *Poèmes*

❐ 94 [Nelligan] ; 244.19 [Piis] ; 275 [Dadelsen] ; 438 [Boulen]
320 [Beaucarne] ; 176 [Apollinaire] ; 252 [Desnos]

ethnographique
typographique
topographique
micrographique
hydrographique
orographique
cinématographique
pictographique
lithographique
autographique
photographique
cryptographique
cartographique
orthographique
un **trafic**°
il **trafique**
saphique
maléfique
bénéfique
(morbide) morbifique
magnifique
mellifique
hiéroglyphique
prolifique
mirifique
horrifique
(un) sudorifique
frigorifique
calorifique
honorifique
(un) soporifique
(paisible) **pacifique**
(océan) le **Pacifique**
spécifique
(un/e) **typhique**
béatifique
(un/e) **scientifique**
antiscientifique
substantifique
gravifique
trophique
atrophique
hypertrophique
catastrophique
théosophique
philosophique
(le) kufique/coufique
orphique
métamorphique
anthropomorphique

tabagique
hippophagique
(abyssal) pélagique
(des Pélasges) pélasgique
magique
hémorragique
(le) **tragique**
(un/e) tadjik°
(un/e) paraplégique
(un/e) tétraplégique
(un/e) hémiplégique
stratégique
algique
(un) anti/névralgique
(un) antalgique
(un/e) **nostalgique**
la **Belgique**
pédagogique

démagogique
anagogique
hypnagogique
apagogique
(la) **logique**
alogique
généalogique
dialogique
analogique
paralogique
minéralogique
(un/e) métalogique
prélogique
illogique
amphibologique
pharmacologique
écologique
gynécologique
mycologique
psychologique
parapsychologique
lexicologique
toxicologique
musicologique
méthodologique
archéologique
idéologique
géologique
spéléologique
téléologique
néologique
phraséologique
théologique
graphologique
morphologique
biologique
radiologique
épidémiologique
sémiologique
embryologique
bactériologique
sociologique
axiologique
physiologique
étiologique
philologique
épistémologique
étymologique
ophtalmologique
entomologique
sismologique
cosmologique
océanologique
technologique
phénoménologique
œnologique
terminologique
phonologique
chronologique
ethnologique
immunologique
zoologique
hippologique
typologique
anthropologique
topologique
nécrologique
hydrologique
sérologique

cancérologique
caractérologique
météorologique
astrologique
scatologique
eschatologique
climatologique
traumatologique
rhumatologique
pathologique
tératologique
éthologique
mythologique
ornithologique
tautologique
ontologique
déontologique
paléontologique
(un) anti/fongique
moujik°
léthargique
allergique
énergique
synergique
(champêtre) **géorgique**
(Virgile) les Géorgiques
théurgique
métallurgique
sidérurgique
thaumaturgique
liturgique

inter/vocalique
pachalik°
(phallus) phallique
(bacchanales)
les phalliques
céphalique
encéphalique
ithyphallique
gallique
(René) Lalique
malique
salique
oxalique
métallique
(un/e) italique
(il gobe, rég.) il blique
Jamblique
biblique
(machin) le schmilblic°
il/être **oblique**
semi-/(le) **public**°
semi-/**publique**
république
schlich°
chachlick°
(claquement) clic!°
(consonne) un clic(k)°
(ordinateur) il clique
(bande) une **clique**
(...et ses claques)
prendre ses cliques
déclic°
cyclique
acyclique
encyclique
anticyclique
raphaélique

(le) gaélique
psychédélique
méphistophélique
(prénom) Angélique
(céleste) **angélique**
(plante) une angélique
archangélique
évangélique
(un/e) polyomyélique
(poésie) mélique
(plante) une mélique
famélique
philatélique
le Pentélique
aristotélique
pantagruélique
vélique
machiavélique
relique
(policier) un **flic**°
(il surveille) il flique
(zut!, rég.) flique!
(agacer, rég.) faire flique
ombilic°
idyllique
amylique
poly/vinylique
(l')acrylique
(le) cyrillique
silique
acétyl/salicylique
(reptile) un basilic°
(plante) le basilic°
(église) une **basilique**
la (veine) basilique
dactylique
(un/e) éthylique
méthylique
aulique
diabolique
(allégorique) parabolique
(courbe) parabolique
métabolique
le/la/être **symbolique**
hyperbolique
(côlon) colique
(diarrhée) une **colique**
(un/e) **mélancolique**
anti/(un/e) **alcoolique**
(pastoral) **bucolique**
(poème) une bucolique
(Virgile) les Bucoliques
dolic°/dolique
folique
mongolique
variolique
maïolique/majolique
(rat, rég.) un crolic°
hydraulique
aéraulique
(un/e) **catholique**
apostolique
(un/e) aboulique
plique
(éclairage) une applique
il (s') applique
il rapplique
il/une **réplique**
il implique

il complique
il duplique
supplique
il **explique**
slikke
somnambulique
botulique

adamique
oghamique
monogamique
islamique
(une) dynamique
thermodynamique
hydrodynamique
(l') aérodynamique
électrodynamique
magnétodynamique
un cramique
(Athènes) le Céramique
(poterie) la **céramique**
vitrocéramique
il/(un) panoramique
(un) balsamique
académique
endémique
pandémique
épidémique
euphémique
il/(une) **polémique**
anémique
phonémique
urémique
sémique
(un/e) leucémique
polysémique
monosémique
proxémique
totémique
systémique
chimique
alchimique
biochimique
thermochimique
électrochimique
pétrochimique
photochimique
gimmick
(un/e) boulimique
(un/e) **mimique**
amimique
synonymique
homonymique
toponymique
paronymique
patronymique
métonymique
thymique
(un/e) cyclothymique
ex/ophtamique
filmique
ohmique
(un/e) **comique**
un opéra-comique
(Paris) l'Opéra-Comique
tragi-comique
héroï-comique
anomique
gnomique

IQUE-IC°

antinomique
taxinomique
(l')**économique**
antiéconomique
macroéconomique
microéconomique
ergonomique
agronomique
astronomique
gastronomique
bromique
chromique
prodromique
orthodromique
loxodromique
chromosomique
anti/atomique
anatomique
dichotomique
noix vomique
(rejet) une vomique
dermique
épidermique
hypodermique
a/thermique
géothermique
formique
le S.M.I.C.°
orgasmique
plasmique
isthmique
cataclismique
para/anti/(la) sismique
paroxysmique
cosmique
macrocosmique
microcosmique
(une) **rythmique**
arythmique
logarithmique
eurythmique
algorithmique
volumique

(se moquer) faire la **nique**
(baise, arg.) la/il nique
Annick°
(une) **mécanique**
électromécanique
photomécanique
balkanique
volcanique
inter/trans/océanique
in/organique
Yannick°
messianique
ossianique
clanique
manique
brahmanique
(l') alémanique
(un/e) **germanique**
talismanique
johannique
(plante) un panic°
(effroi) il/la **panique**
tympanique
hispanique
le Granique

tyrannique
coranique
tannique
satanique
anti/tétanique
(un/e) britannique
la Colombie-Britannnique
le Titanic°
la **botanique**
galvanique
(eau-de-vie, arg.)
du schnick°/chnique
splanchnique
(une) **technique**
polytechnique/
Polytechnique
psychotechnique
(une) radiotechnique
mnémotechnique
(l') aérotechnique
microtechnique
pyrotechnique
électrotechnique
(coïter, arg.) faire niq-niq°
édénique
phagédénique
génique
télégénique
(l') eugénique
photogénique
anti/hygiénique
(la) galénique
pré/pan/hellénique
(lunaire) sélénique
splénique
œcuménique
(le) phrénique
schizophrénique
irénique
scénique
sarracénique
axénique
(un/e) asthénique
(un/e) neurasthénique
il/un pique-nique
arsenic°
inique
rabbinique
(une) **clinique**
aclinique
policlinique
polyclinique
pollinique
fulminique
(saint ; prénom) Dominique
(île) la Dominique
(un/e) **cynique**
in/actinique
la Martinique
vinique
(la) gymnique
médiumnique
pharaonique
carbonique
bubonique
(une) conique
laconique
iconique

tronconique
(un/e) abandonnique
sardonique
(faune) faunique
(son) phonique
dodécaphonique
téléphonique
euphonique
polyphonique
symphonique
cacophonique
stéréophonique
radiophonique
homophonique
monophonique
microphonique
orthophonique
antagonique
théogonique
cosmogonique
(ion) ionique
(architecture) (l') ionique
bionique
(vainqueur) olympionique
histrionique
thionique
avionique
Thessalonique/
Salonique
champs Catalauniques
clonique
cyclonique
Monique
hégémonique
mnémonique
(un/e) pneumonique
(la) gnomonique
physiognomonique
pathognomonique
(un/e) harmonique
philharmonique
enharmonique
canonique
deutérocanonique
macaronique
paronyque
(maladie) chronique
(histoire) une **chronique**
diachronique
anachronique
synchronique
(sainte ; prénom) Véronique
(plante) une véronique
(taurom.) une véronique
ironique
(l') **électronique**
(la) microélectronique
sonique
franc-/maçonnique
ultrasonique
subsonique
hypersonique
(un) supersonique
(fortifiant) (un) tonique
(note) (une) tonique
atonique
diatonique
platonique
(un/e) catatonique

pentatonique
(la) tectonique
architectonique
détonique
teutonique
ordre Teutonique
plutonique
(rien à faire) bernique!
(coquillage) une bernique
(Nicolas) Copernic°
(le) cornique
il fornique
il tournique
un/e refuznik°
multi/inter/ethnique
un/e beatnik°
spoutnik°
(seul) **unique**
(Huns) hunnique
Munich°
il **communique**
punique
runique
(n. dép.) Prisunic°
tunique
Dubrovnik°

dioïque
Loïc°
monoïque
héroïque
stoïque
benzoïque
(le) paléozoïque
(le) cénozoïque
(le) mésozoïque

(bordel, arg.) un bouic°
(cri étranglé) couic!°
(rien, arg.) que couic°
(matière, n. dép.) du quick°
(fast-food, n. dép.) Quick°
Pickwick°
(rien, arg.) que pouic°

(cime) un **pic°**
(outil) un pic°
(oiseau) un pic°
(au piquet) faire pic°
(il perce) il **pique**
(arme) une **pique**
(méchanceté) des piques
(à propos) à pic°
(falaise) un a-pic°
(marine) il apique
psychothérapique
chimiothérapique
hydrothérapique
épique
porc-épic°
(il découd) il dépique
(il égrène) il dépique
steppique
(au piquet) faire repic°
il repique
hippique
philippique
a/**typique**
olympique

télescopique
périscopique
stroboscopique
kaléidoscopique
stéréoscopique
macroscopique
microscopique
gyroscopique
spectroscopique
(un/e) hydropique
(trope) tropique
(tropical) (un) **tropique**
anthropique
philanthropique
misanthropique
allotropique
(un/e) topique
isotopique
utopique
il surpique
spic°
(vipère) **aspic°**
(lavande) aspic°
(plat) aspic°
téraspic°

(de moto) un kick°
(pénis, arg.) une quique

barrique
carrick°
darique
pindarique
stéarique
agaric°
Alaric°
falarique
amharique
Romaric°
il prévarique
charivarique
(...et de broc) de bric°
(maison close) un bric°
(bateau) un brick°
(beignet) un brick°
(matériau) une **brique**
(10 000 fr., arg.) une brique
(il astique) il brique
il/une **fabrique**
monts Cantabriques
algébriques
il imbrique
lombric°
(Stanley) Kubrick°
lubrique
il/une **rubrique**
(treuil) un cric°
(baie) une **crique**
picrique
(une) quadrique
polyédrique
isoédrique
Cédric°
hydrique
sulfhydrique
cyanhydrique
chlorhydrique
fluorhydrique
oxhydrique

IQUE-IC

cylindrique
monocylindrique
Éric°
(un/e) ibérique
péninsule/chaîne Ibérique
derrick°
Frédéric°
Frédérique
Childéric°
(fée) **féerique**
(fer) ferrique
(un) téléphérique
(un) périphérique
sphérique
hémisphérique
atmosphérique
stratosphérique
Pierrick°
(choléra)
(un/e) cholérique
(coléreux) colérique
l'**Amérique**
chimérique
homérique
isomérique
numérique
alphanumérique
audionumérique
(genre) générique
(de film) un générique
dictionnairique
Chilpéric°
sérique
Genséric°
(une) climatérique
entérique
(un/e) dysentérique
(un/e) ictérique
anti/(un/e) diphtérique
ésotérique
exotérique
(un/e) **hystérique**
cadavérique
Ayméric°
limerick°
(argent) du fric°
(drogué , arg.) un freak°
l'**Afrique**
panégyrique
(couplet) un lyric°
(poétique) (un/e) **lyrique**
onirique
pyrrhique
empirique
vampirique
(railleur) (un) **satirique**
(satyre) satyrique
butyrique
Ulric(h)°
(le) kymrique
(Georges) Auric°
(or) aurique
voile aurique
borique
(le) dorique
Théodoric°
théorique
météorique
sémaphorique

(un) anaphorique
métaphorique
euphorique
phosphorique
fantasmagorique
pythagorique
allégorique
parégorique
catégorique
apriorique
a/hypo/calorique
chlorique
folklorique
l'Armorique
le Norique
madréporique
pléthorique
(la) **rhétorique**
assertorique
(un) **historique**
préhistorique
(âne) une **bourrique**
amphigourique
(il coïte, arg.) il bourrique
cuprique
(bridge) un tric(k)°
(gourdin) il/une **trique**
(il 'bande', arg.) une/il trique
(il achète, arg.) il attrique
anti/psychiatrique
pédiatrique
hippiatrique
gériatrique
idolâtrique
Patrick°
polycentrique
géocentrique
(un/e) égocentrique
héliocentrique
phallocentrique
homocentrique
anthropocentrique
concentrique
(un/e) **excentrique**
tantrique
électrique
(un) diélectrique
radioélectrique
thermoélectrique
hydroélectrique
magnétoélectrique
photoélectrique
il étrique
(la) métrique
paramétrique
télémétrique
millimétrique
calorimétrique
a/dis/anti/**symétrique**
psychométrique
géométrique
(approximatif, arg.)
pifométrique
fluviométrique
kilométrique
thermométrique
trigonométrique
chronométrique
anthropométrique

barométrique
micrométrique
hydrométrique
hygrométrique
hypsométrique
isométrique
hectométrique
volumétrique
obstétrique
polytric°
nitrique
citrique
il intrique
(la) dioptrique
(la) catadioptrique
(la) catoptrique
tartrique
gastrique
épigastrique
hypogastrique
urique
sulfurique
tellurique
(un/e) albuminurique
Zürich°
(un/e) dysurique
(un) **barbiturique**

(cité tel quel) [sic]°
(Inde) (un/e) sikh°/e
cacique
(un/e) **classique**
préclassique
(un/e) néoclassique
massique
thoracique
(le) jurassique
potassique
(le) francique
(un/e) narcissique
ainsi que
calcique
dyspepsique
autarcique
golfe Persique
(nœud) un prussik°
acide prussique
ataraxique
(un/e) ataxique
syntaxique
lexique
(un/e) dyslexique
le **Mexique**
le Nouveau-Mexique
(un/e) anorexique
(un) toxique
il détoxique
antitoxique
il dés/intoxique

(langage) le basic°
(chimie) basique
(de base) basique
incasique
(un/e) aphasique
liasique
triasique
(un/e) éléphantiasique
jazzique

(singe) un nasique
(serpent) un/e nasique
euthanasique
Soizic°
(une) géodésique
(un) analgésique
génésique
palingénésique
mnésique
(un/e) amnésique
(un) anesthésique
(science) (la) **physique**
(corps) (le) **physique**
(la) 'pataphysique
il/(la) **métaphysique**
(la) géophysique
microphysique
astrophysique
Cyzique
(musique, arg.) la zizique
(un/e) **phtisique**
(un/e) hémoptysique
(un/e) agnosique
cellulosique
(chenapan, rég.) un fousic°
world music°
pop music°
il/la MUSIQUE
porte-musique

(bruit sec) **tic**!°
(manie) un **tic**°
(parasite) une tique
(il rechigne) il **tique**
(Grèce) l'**Attique**
(athénien) (l')**attique**
(architecture) un attique
batik°
(une) adiabatique
sabbatique
acrobatique
piscine probatique
mercatique
(un/e) sidatique
éléatique
créatique
pancréatique
procréatique
phréatique
hanséatique
emphatique
(un/e) **lymphatique**
(ennuyeux, arg.) chiatique
médiatique
mer **Adriatique**
(un) mydriatique
(un/e) sciatique
initiatique
(un/e) **asiatique**
curasiatique
viatique
drolatique
(une) **dramatique**
psychodramatique
mélodramatique
anagrammatique
épigrammatique
programmatique
hématique

emblématique
(la) **problématique**
schématique
(la) télématique
cinématique
(la) phonématique
(une) thématique
athématique
(la/les) **mathématique(s)**
(la) **systématique**
(un) pneumatique
empyreumatique
synallagmatique
magmatique
diaphragmatique
(la) pragmatique
(la) syntagmatique
(un/e) **flegmatique**
paradigmatique
énigmatique
anastigmatique
dogmatique
climatique
dalmatique
(un) zygomatique
idiomatique
axiomatique
diplomatique
aromatique
a/pan/iso/chromatique
traumatique
(la) psycho/somatique
fantomatique
(un/e) automatique
symptomatique
spermatique
(l')**informatique**
micro-informatique
(la) téléinformatique
(un/e) **asthmatique**
miasmatique
plasmatique
fantasmatique
(un/e) **schismatique**
(la) numismatique
charismatique
prismatique
(un/e) **fanatique**
morganatique
(un/e) **lunatique**
(un/e) apathique
empathique
(un/e) hépatique
télépathique
(agréable) **sympathique**
(anatomie) le para/
ortho/sympathique
antipathique
homéopathique
idiopathique
allopathique
spathique
sub/**aquatique**
théocratique
phallocratique
anti/**démocratique**
technocratique
hippocratique
techno/bureaucratique

IQUE-IC°

pré/**socratique**
autocratique
ploutocratique
aristocratique
quadratique
erratique
hiératique
il/(la) **pratique**
étatique
statique
astatique
métastatique
(un) antistatique
(un/e) hémostatique
thermostatique
hypostatique
(l') hydrostatique
(l') électrostatique
aérostatique
(un) prostatique
(un/e) **extatique**
privatique
(l') **antique**
(chant) un **cantique**
(physique) (la) quantique
identique
l'**Atlantique**
atlantique
la Loire-Atlantique
outre-atlantique
(un) transatlantique
la mantique
(la) sémantique
asémantique
(un/e) **romantique**
préromantique
œnanthique
consonnantique
il/être **authentique**
inauthentique
(la) didactique
lactique
extra/inter/galactique
anaphylactique
prophylactique
(la) **tactique**
syntactique
hectique
(un/e) cachectique
(la) dialectique
catalectique
éclectique
cataplectique
(un/e) apoplectique
apodictique
(un) déictique
l'Arctique
arctique
l'Antarctique
antarctique
(morale) (une) **éthique**
(décharné) **étique**
(province) la Bétique
chaîne Bétique
alphabétique
(un/e) diabétique
(un/e) tabétique
eidétique
prophétique

cynégétique
exégétique
(l') apologétique
(l') énergétique
électro/**magnétique**
(un/e) soviétique
l'Union soviétique
aléthique
(la) signalétique
squelettique
athlétique
Psammétique
(un) anti/émétique
mimétique
(traîneau, Can.) cométique
(l') hermétique
(un) **cosmétique**
(l') **arithmétique**
(la) génétique
ontogénétique
spleenétique/
splénétique
frénétique
(la) cinétique
(l') électrocinétique
(la) phonétique
(la) monétique
tonétique
(la) cybernétique
bioéthique
(la) noétique
(lyrique) **poétique**
(règle) la poétique
antipoétique
herpétique
(le) r(h)étique
Alpes Rhétiques
(un/e) **hérétique**
(un) cholérétique
syncrétique
pleurétique
néphrétique
apyrétique
anachorétique
(la) théorétique
(un) diaphorétique
aporétique
(Massore) massorétique
(un) anti/diurétique
(vinaigre) acide acétique
(austère) **ascétique**
(la) poliorcétique
thétique
(la) **pathétique**
péripatétique
épenthétique
(la) diététique
zététique
antithétique
(le) **synthétique**
homothétique
hypothétique
(l') **esthétique**
inesthétique
prosthétique
helvétique
propédeutique
maïeutique
(l')halieutique

(l')herméneutique
thérapeutique
toreutique
pharmaceutique
(il bouleverse, arg.)
il chancetique
cénobitique
(un/e) **rachitique**
(un/e) bronchitique
(le) couchitique
dytique
troglodytique
méphitique
(un/e) méningitique
(pierre) lithique
(lyse) lytique
mégalithique
(n. dép.) (un) scialytique
(l') **analytique**
psychanalytique
(un/e) **paralytique**
catalytique
enclitique
proclitique
(un/e) syphilitique
antisyphilitique
(le) paléolithique
(le) néolithique
glagolitique
(un) anxiolytique
monolithique
(l') oolithique
(la) **politique**
(un/e) apolitique
impolitique
(la) géopolitique
électrolytique
(le) mésolithique
mythique
érémitique
sémitique
granitique
jeux pythiques
sybaritique
(grave) critique
(analyse) il/(la) **critique**
(un) diacritique
(la) psychocritique
il s'/une autocritique
hypercritique
néritique
détritique
(un/e) arthritique
névritique
scythique
parasitique
jésuitique
le Lévitique
anthelmintique
labyrinthique
mer **Baltique**
basaltique
(Gaule) la Celtique
(celte) (le) **celtique**
otique
chaotique
robotique
(un/e) psychotique
(un) antipsychotique

(un) **narcotique**
anecdotique
(style) (le) **gothique**
(langue) le gotique
(le) néogothique
wisigothique
argotique
a/biotique
(un) antibiotique
(la) macrobiotique
(la) sémiotique
amniotique
anti/**patriotique**
glottique
nilotique
(le/la) démotique
zymotique
osmotique
nautique
(l') aéronautique
astronautique
motonautique
(un) hypnotique
épizootique
despotique
marotique
(l') **érotique**
autoérotique
sclérotique
(un/e) cirrhotique
(un/e) **chlorotique**
bureautique
névrotique
exotique
azotique
ontique
déontique
anacréontique
contrapuntique/
contrapontique
boutique
arrière-boutique
analeptique
(un/e) cataleptique
(un/e) **épileptique**
sylleptique
(un) neuroleptique
peptique
dyspeptique
(incrédule)
(un/e) **sceptique**
fosse septique
aseptique
(un) antiseptique
diptyque
apocalyptique
(un) écliptique
elliptique
glyptique
anaglyptique
polyptyque
cryptique
triptyque
(un) styptique
(une) **optique**
panoptique
synoptique
(l') orthoptique
(un) cathartique

sub/désertique
il décortique
portique
stick°
il astique
(la) stochastique
sarcastique
orgastique
(un) ecclésiastique
clastique
(un) **élastique**
inélastique
(philosophie)
(un/la) scolastique
sainte Scholastique
(explosif) du plastic°
(fait exploser) il plastique
(matière) (le) **plastique**
(beau) (la) **plastique**
(pâte) du mastic°
(il colle) il mastique
(il mâche) il **mastique**
(il ramasse, arg.)
il ramastique
il démastique
il remastique
(l') onomastique
dynastique
(la) **gymnastique**
pléonastique
monastique
(il marche, arg.) il pastique
drastique
pédérastique
phrastique
paraphrastique
périphrastique
(le) **fantastique**
(change, arg.)
le/il chanstique
(il dénonce, arg.)
il balanstique
orchestique
il/(un/e) **domestique**
avestique
catéchistique
distique
(philosophie) la sophistique
(il se perfectionne)
il se sophistique
(la) logistique
(un) anti/phlogistique
syllogistique
kystique
(la) balistique
(ésotérique)
cabalistique
(kabbale) kabbalistique
criminalistique
journalistique
pugilistique
(la) stylistique
holistique
monopolistique
oligopolistique
(un/e) **mystique**
(l') atomistique
urbanistique
pianistique

IQUE-IC

hellénistique
tennistique
hédonistique
faunistique
(art de la lutte)
l'agonistique
eucharistique
christique
(un/e) éristique
caractéristique
(l') heuristique
(un) hypocoristique
aphoristique
humoristique
touristique
(la) patristique
cystique
paroxystique

(la) statistique
autistique
artistique
(l') archivistique
(la) linguistique
métalinguistique
(la) psycholinguistique
(la) sociolinguistique
(l') ethnolinguistique
neurolinguistique
casuistique
slavistique
jazzistique
(acide) **caustique**
(physique) une caustique
il/l'encaustique
(un/e) gnostique
(un/e) agnostique

(il) diagnostique
radio/électro/
diagnostic°
(d'un seul vers)
un monostique
un **pronostic°**
(il) pronostique
(l') acoustique
diacoustique
(l') électroacoustique
loustic°
moustique
il démoustique
(brindille, rég.) un broustic°
karstique
(paysan) **rustique**
(outil) il/un rustique
Utique

(un/e) scorbutique
antiscorbutique
mutique
zutique

(il vit, rég.) il vique
Reykjavik°
atavique
larmes bataviques
un/e bolchevik°
bolchevique
(un/e) menchevik°
(Eugène) Guillevic°
civique
incivique
Volvic°
Ludovic°
Brunswick°

assonance
280. IGU
267. ICT
313. IRQU
320. ISQU

contre-assonance
44. AQU
176. ÈQU
400. OQU
566. UQU

307. IR-IRE

DIRE°
DÉSIR
PLAISIR

ire°

haïr
ébahir
pécaïre!°
(affectueux, rég.) bisoucaïre
dahir
trahir
s'entre-haïr
hétaïre°
envahir
(fleuve ; État) le Zaïre°
(monnaie) zaïre°

(apéritif, n. dép.) le Byrrh
(monnaie) birr
sabir
Aïd-el-Kébir
Mers el-Kébir
ébaubir
vrombir
fourbir
estourbir
sbire°
subir

avachir
re/**blanchir**
franchir
affranchir
il **déchire°**
on s'entre-déchire°
fléchir
défléchir
réfléchir
infléchir
fraîchir
rafraîchir
se défraîchir

enrichir
(voler, arg.) grinchir
dé/gauchir

DIRE°
(il égare, rég.) il adire°
affadir
Agadir
nadir
l'Anadyr
roidir
refroidir
c'est-à-dire°
candir
(+comp.) ils fendirent°
ils défendirent°
resplendir
(+comp.) ils pendirent°
ils r/épandirent°
ils rendirent°
brandir
a/grandir
(+comp.)
ils descendirent°
(+comp.) ils tendirent°
ils re/vendirent°
dédire°
tiédir
attiédir
dés/enlaidir
médire°
dé/raidir
prédire°
redire°
contredire°
ouï-dire°
bien-dire°
s'ébaudir
(se gausser) se gaudir
applaudir
maudire°
re/**bondir**
(+comp.) ils fondirent°
approfondir
blondir

Amour me tue, et si je ne veux **dire**
Le plaisant mal que ce m'est de **mourir**,
Tant j'ai grand-***peur*** qu'on veuille **secourir**
Le doux tourment ***pour*** lequel je **soupire**.

Il est bien vrai que ma ***langueur*** **désire**
Qu'avec le temps je me puisse **guérir** ;
Mais je ne veux ma Dame **requérir**
Pour ma santé, tant me plaît mon **martyre**.

Pierre de Ronsard, « Amour me tue… »,
Amours de Cassandre. XLV in *Les Amours*

Je t'aimai t'élis t'***espère***
Toi qui fais mon **devenir**
Le ***cœur*** je sais s'***exaspère***
de te ***voir*** aller **venir**.

Un reste de temps ***précaire***
change le songe et l'**agir**
sachant la grâce ***première***
don ému de ton **désir**.

De toi j'aime la ***lumière***
promesse qui va s'**enfuir**
et m'enchaîne à son ***mystère***.

Jeunesse à n'en plus **finir**
le vrai du beau ne ***diffère***
qu'aux yeux vains de l'**avenir**.

Claude Michel Cluny, « Sonnet du beau »,
Œuvre poétique. I

Douce sirène lasse au sable confondue
Et qui se chante bas son plus secret **plaisir**
De naître au pur début d'un lointain **devenir**
Et d'être l'inhumaine à tout humain tendue.

Et la seule naissance, où l'opale étendue
D'écume a fait la forme offerte au ***dur*** **désir**
De l'homme et, pour qu'il puisse au rocher la **brandir**,
Y mit une toison de divinité nue,

Éparse en l'ambre vif où la flamme se mue.
Lui, tout brûlé de fauve, entêté de **pétrir**
Dans la charnelle absence une nacre apparue.
……

IR-IRE°

ils pondirent°
ils répondirent°
ils correspondirent°
arrondir
(dessoûler, arg.) dérondir
ils re/tondirent°
enhardir
ragaillardir
abâtardir
(couard) accouardir
ils re/perdirent°
interdire°
re/verdir
ils dé/re/mordirent°
a/nordir
(+comp.) ils tordirent°
ourdir
dés/**engourdir**
dégourdir
alourdir
(balourd) s'abalourdir
(assommer, rég.)
estamourdir
assourdir
abasourdir
étourdir

obéir
désobéir
(Golda) Meir

bleuir

(+comp.) ils **firent**°
saphir
kéfir/képhir
(mythologie) Zéphyr
(vent) le **zéphyr/e**°
Ophir
lamprophyre°
confire°
(vaincre) déconfire°
bouffir
(philosophe) Porphyre°
(roche) le **porphyre**°
suffire°

(il tourne) il gire°
agir
réagir
abréagir
(plante) un anagyre°
rétroagir
interagir
assagir
vagir
hégire°
élégir
mégir
régir
dextrogyre°
autogire°
lévogyre°
dé/**rougir**
r/élargir
hydrargyre°
surgir
re(s)surgir
mugir

rugir

languir
alanguir
Aïd-el-Séghir

kir
ils acquirent°
fakir
ils re/naquirent°
ils s'enquirent°
ils requirent°
ils vainquirent°
ils convainquirent°
ils re/conquirent°
Aboukir
squirr(h)e°

(lecture) **lire**°
(monnaie) une lire°
(musique; poésie) la **lyre**°
le Roi Lear
pâlir
tétras-lyre°
re/**salir**
pré/r/**établir**
faiblir
affaiblir
ameublir
anoblir
ennoblir
élire°
embellir
il/un **délire**°
réélire°
relire°
(chant d'alouette)
il/le tirelire°
(cagnotte) une **tirelire**°
aveulir
ensevelir
r/**avilir**
abolir
collyre°
mollir
r/amollir
démolir
dé/re/**polir**
oiseau-lyre°
(trépigner, rég.) tréfoulir
r/dés/emplir
accomplir
assouplir

faillir
défaillir
re/**jaillir**
(s'accoupler) saillir
(déborder) saillir
assaillir
tressaillir
en/**vieillir**
cueillir
accueillir
recueillir
enorgueillir
dé/bouillir

(communauté) un mir

Se fait errant de l'onde et s'obstine à **ravir**
La forme qu'il poursuit au gris nord de la nue,
Jusqu'à l'étreindre, enfin, dans l'***amour*** de **mourir**.

Hélène Du Bois, « La Sirène »,
Patience d'Orphée

Tout et rien Sac et ressac
L'eau qui se **retire tire**
l'eau ***ailleurs*** Mon ***cœur*** **attire**
la Mer Rouge dans son sac
où d'autres feux se **déchirent**
pour que je passe à pied sec
d'un **empire** à l'autre **empire**
Une bouche **aspire expire**
Que se berce en son hamac
le mieux accouplé au **pire**

Roger Bodart, « Antigone »,
La Longue Marche

Oreilles, la ***nature*** en coquillant qui **gire**
Vos petits ronds voûtés de long et de ***travers***,
Fait de vous un dédale, où bien souvent je ***perds***,
Le langage nouveau que ***pour*** vous je **soupire**.

Ô portes de l'esprit, ***par*** où le doux **Zéphire**
Fait entrer sur son aile et l'***amour*** et mes ***vers***,
Chastes chemins du ***cœur*** qui ***toujours*** sont ***ouverts***,
Pour **ouïr** les ***discours*** d'un pudique **martyre**.

Pierre de Marbeuf, « Les Oreilles d'Amaranthe »,
Recueil des vers

La gentille alouette avec son **tire-lire**
Tire l'ire à l'iré, et tire-lirant **tire**
Vers la voûte du ciel ; puis son vol vers ce lieu
Vire, et **désire dire** : adieu Dieu, adieu Dieu.

Guillaume de Salluste du Bartas, « Le cinquième jour »,
La Semaine ou Création du Monde → 81 [Piis]

❐ 70 [Mendès] ; 142 [Larronde] ; 91.25 [Richepin] ; 435.14 [Fombeure]
228 [Jouve]

point/ligne de mire°
(regarder) il (se) **mire**°
(+comp.) (mettre)
ils **mirent**°
(résine) la **myrrhe**°
le Pamir
Ramire°
(prénom) Samir
cashmere°
(admirer) il **admire**°
(admettre) ils admirent°
(titre) un **émir**
(émettre) ils émirent°
gémir
blêmir
frémir
(région) le Cachemire°
(tissu) **cachemire**°
Vladimir
(saint ; ducs) Casimir

(étoffe) un casimir
calmir
Palmyre°
Clodomir
vomir
jalon-mire°
kroumir
r/affermir
dormir
r/**endormir**
renformir
Izmir

bannir
Déjanire°
aplanir
hennir
bénir
menhir
assainir

rajeunir
tenir
obtenir
détenir
retenir
entretenir
maintenir
contenir
soutenir
appartenir
s'abstenir
venir
avenir
obvenir
subvenir
advenir
prévenir
(le) **devenir**
redevenir
revenir

IR-IRE

contrevenir
se faire bienvenir
provenir
convenir
circonvenir
disconvenir
se/un **souvenir**
se ressouvenir
parvenir
intervenir
survenir
finir
re/**définir**
honnir
(raconter, arg.) bo(n)nir
r/abonnir
agonir
jaunir
(mourir, arg.) crônir/crounir
(châtier, rég.) escarnir
dé/re/garnir
ternir
dé/re/vernir
racornir
(assommer, rég.)
estabournir
fournir
unir
réunir
alunir
munir
démunir
prémunir
punir
brunir
(se) rembrunir
désunir

ouïr
fouir
(tomber, rég.) s'écafouir
enfouir
serfouir
jouir
(automobiliste, arg.)
un peine-à-jouir
réjouir
éblouir
épanouir
s'**évanouir**
rouir
(dessécher) ébarouir
(dessécher) brouir
écrouir

(le) **pire**°
apyre°
diapir
clapir
glapir
(animal) un tapir
(se terrer) se **tapir**
(pouvoir) un **empire**°
le Premier/Second/
Saint/Céleste Empire°
(s'aggraver) il empire°
réchampir
lampyre°
mélampyre°

Bas-Empire°
vampire°
l'**Épire**°
dé/re/crépir
ils rompirent°
ils interrompirent°
ils corrompirent°
croupir
s'**accroupir**
un **soupir**
il **soupire**°
assoupir
demi-soupir
déguerpir
(ville) Spire°
(tour) une **spire**°
il **aspire**°
il transpire°
le Vallespir
il **respire**°
il **inspire**°
il **conspire**°
il **expire**°
(William) **Shakespeare**°

le **rire**°
barrir
équarrir
tarir
(un) pince-sans-rire°
assombrir
écrire°
décrire°
r(é)écrire°
re/transcrire°
prescrire°
ré/inscrire°
proscrire°
circonscrire°
souscrire°
attendrir
amoindrir
chérir
r/sur/enchérir
sans coup férir
guérir
aguerrir
amerrir
périr
dépérir
quérir
acquérir
s'enquérir
requérir
re/conquérir
atterrir
fleurir
effleurir
défleurir
refleurir
frire°
offrir
souffrir
aigrir
a/dé/maigrir
se rabougrir
endolorir
courir
accourir

encourir
recourir
secourir
concourir
parcourir
discourir
mourir
nourrir
pourrir
(un) **sourire**°
(+comp.) ils prirent°
flétrir
pétrir
meurtrir
ahurir
mûrir
surir
appauvrir
ouvrir
couvrir
re/découvrir
recouvrir
rouvrir
entrouvrir/entr'ouvrir

(substance) il/la **cire**°
(appendice) un cirr(h)e°
(seigneur) un **sire**°
ils s'assirent°
(durcir) rassir
(rasseoir) ils se rassirent°
chancir
rancir
occire°
élixir
messire°
dés/épaissir
r/étrécir
a/mincir
(roussir, rég.) crincir
Saint-Cyr
re/grossir
dégrossir
circoncire°
doucir
r/adoucir
roussir
le Capsir/Capcir
farcir
noircir
éclaircir
(mourir, rég.) quercir
forcir
r/accourcir
obscurcir
en/durcir
(surseoir) ils sursirent°
réussir

choisir
loisir
moisir
transir
un DÉSIR
il **désire**°
gésir
PLAISIR
déplaisir
saisir

dessaisir
ressaisir
ils re/cuisirent°
(+ comp.) ils conduisirent°
ils re/luisirent°
ils s'entre/nuisirent°
(+ comp.)
ils construisirent°
ils dé/re/cousirent°
vizir
rosir

(salve) un **tir**
(tirer) il **tire**°
(blason) une tire°
(auto, arg.) une tire°
(sirop, Can.) une tire°
(ville) Tyr
il **attire**°
(édifier) **bâtir**
(+comp.)
(battre) ils battirent°
(découdre) débâtir
(débattre) il débattirent°
(reconstruire) rebâtir
(rebattre) ils rebattirent°
catir
(se) décatir
glatir
r/aplatir
a/matir
moitir
pâtir
compatir
(critique) une **satire**°
(faune) un **satyre**°
anéantir
ralentir
mentir
démentir
dé/nantir
se/un **repentir**
garantir
sentir
pressentir
ressentir
consentir
appesantir
retentir
empuantir
il **étire**°
abêtir
il détire°
assujettir
blettir
cinétir
dé/re/**vêtir**
il **retire**°
il contre-tire°
(chiffonnier, arg.)
un/e chiftir/e°
ra(p)pointir
(meurtrir, rég.) cotir
al/lotir
se **blottir**
rôtir
aboutir
emboutir
engloutir

(écraser, rég.) écrapout
il soutire
(supplicié)
(un/e) **martyr/e**
(supplice) un **martyre**
part
départ
répart
repart
impart
(déféquer, arg.) tart
sert
dessert
avert
subvert
divert
invert
re/convert
pervert
intervert
amort
sort
ré/dés/assort
ressort
travest
dé/ré/invest
(rôtir, rég.) roust
déglut
abrut

buire
(peau) le **cu**
(cuisson) **cuire**
rond-de-cu
recuire
similicu
re/traduire
enduire
déduire
réduire
séduire
induire
produire
reproduire
coproduire
surproduire
ré/introduire
conduire
éconduire
se méconduire
reconduire
fu
s'**enfu**
luire
reluire
s'amu
nuire
s'entrenuire
(technique) bru
(bruisser) bruire
détruire
s'entre-détruire
instruire
dé/**re/construire**

(fleuve) la Vire
(tourne) il **vire**
(palier) une vire
(voir) ils virent

IR-IRE°

havir
il **chavire**°
navire°
(enlever) **ravir**
(enchanter) **ravir**
gravir
il dévire°
ils prévirent°
(marine) il/une trévire°
(Gaulois) les Trévires°
sévir

elzévir
(tourner, rég.) il tournevire°
ils revirent°
ils entrevirent°
ils s'en/pour/suivirent°
le Guadalquivir
Elvire°
décemvir
quindécemvir
septemvir
triumvir

centumvir
duumvir
chauvir
il sous-vire°
assouvir
servir
asservir
desservir
resservir
il survire°

+ verbes en -ir (2e gr.) et -indre 3e pers. plur. du passé simple

assonances	*contre-assonances*
281. IL-E	*45.AR-E*
262. IBRE	*177. ER-ÈRE*
327. ITRE	*228. EUR-E*
330. IVRE	*567. UR-E*

308. IRBE

vieux birbe

assonances	*contre-assonances*
262. IBRE	*46. ARBE*
260. IBE	*178. ERBE*
309. IRME	*402. ORBE*

309. IRME

INFIRME

firme
il **affirme**
il réaffirme
(invalide) (un/e) INFIRME
(il dément) il infirme
il **confirme**
(ironie, rhétorique)
un diasyrme

Constatez-le, je nie déjà ce que j'**affirme**.
Ton centre, mon poème, est aux extrémités.
L'ai-je voulu ainsi ? Nous sommes deux **infirmes**
Qui courent l'un vers l'autre afin de s'éviter.

Alain Bosquet, « Premier testament »,
Poèmes, un

Seule, éjectant du serpentin,
Insistera la vaste **firme**
Des vers, dressant chaque matin
Un cairn d'argile à leur destin
Que souvent le canard **confirme**.

Hervé Bazin, « Sous la rosée »,
Jour in *Œuvres poétiques*

Le vieillard perdait ses pleurs comme un **infirme** ;
il supportait un ciel étroit, désabusé.
Un poète cherchait sous les feuilles des ***rimes***.
On n'entendait qu'un seul oiseau à l'aile usée.

Jean Cayrol, « Lieder » 2,
De jour en jour in *Œuvre poétique*

Il égorgeait les coqs des ***fermes***
Volait sa béquille à l'**infirme**
Le beau navigateur des ***larmes***.

Jean Cocteau, « Tête d'homme »,
Clair-obscur

❒

assonances	*contre-assonances*
290. IME	*57. ARME*
307. IRE	*188. ERME*
285. ILM-E	*412. ORME*

310. IRNE

Edirne
Smyrne

Ivres du vin de **Smyrne** et des ors de la ***Corne***

Jean Diwo, « Le bateau du Bosphore »,
Rétro-Rimes

❒

assonances	*contre-assonances*
295. INE	*58. ARNE*
309. IRME	*189. ERNE*
291. IMNE	*413. ORNE*

311. IRPE

scirpe
il **extirpe**

N'écoutant
Que son amour, son paternel amour,
Le père Pélican a crevé à son tour,
Chacun son tour,
D'un coup de bec, crevé son flanc,
Et il en **extirpe**
Ses ***tripes*** –

Franc-Nohain, « Lorsque le pélican… » XI, XIII, *Nouvelles Fables*

assonances *301. IPE* *319. ISPE* *303. IPRE*

contre-assonances *59. ARPE* *190. ERPE* *576. URPE*

❐

312. IRPHE

syrphe

assonances *271. IF-E* *286. ILPHE*

contre-assonances *406. ORPHE* *240. URF-E* [œʀf]

313. IRQUE-IRQ°

CIRQUE

CIRQUE
Saint-Cirq°
(prénom) Kirk°
(Alexandre) Selkirk°

Les oiseaux un jour, je sais, s'en iront
Me laissant dans mon rond
Dans mon rond de **cirque**
Ils n'auront pas **pire que**
Cette chose, hélas :
Attendre qu' l'hiver passe.

Charles Trenet, « Les oiseaux me donnent envie de chanter » 3, *Tombé du ciel*

Un soir de brume et d'encre ***prophétique***
Où se dressait le chapiteau d'un **cirque**,
Un soir de poulpe, un soir de ciel de sang,
Te poursuivit cet Arlequin ***panique***
Pour te détruire en actes noirs et blancs.

Robert Sabatier, « Ce soir à Samarcande », *L'Oiseau de demain*

sur les deux roues de son vélocipède
un garnement comme un cheval de **cirque**
regarde cette fille il est timide
il tourne et n'ose pas prendre de ***risque***

Jean Queval, « Sur un film de Harry Langdon », *En somme*

Je vois dans la poussière des ruines de la guerre
Des chevaliers d'industrie lourde
À cheval sur des officiers de cavalerie légère
Qui paradent sous l'***arc***
Dans une ***musique*** de **cirque**

Jacques Prévert, « Les clefs de la ville », *Histoires et d'autres histoires*

assonances *306. IQUE* *320. ISQUE*

contre-assonances *60. ARQUE* *191. ERQUE* *414. ORQUE*

❐ *191 [Ferrer]*

314. IRSCH

kirsch

D'où nous vient ce K cocasse ?
Du Kent ou du Kentucky
Des pays du ***kitch*** et du **kirsch**

Frédéric Kiesel, « K »,
Nous sommes venus prendre des nouvelles des cerises

assonances	*contre-assonances*
263. ICHE	*48. ARCHE*
315. IRSE	*179. ERCHE*
324. ITCH-E	*403. ORCHE*

❒

315. IRSE

THYRSE

cirse
THYRSE
(fils d'Hercule) Agathyrse
(peuple danubien)
(un/e) agathyrse

Il a franchi la mer, les Alpes et le Rhin
Menant l'Orgie, au choc des Cymbales d'airain,
Du Gange éblouissant aux côteaux **agathyrses**.

Et partout où le Dieu passa, fermente encor,
Sous les pampres tordus à la hampe des **thyrses**,
La Vendange immortelle ivre de pourpre et d'or.

José-Maria de Heredia, « Autre Bacchanale : Le Retour d'Iacchos »,
Autres sonnets et poésies diverses

Ô notre roi, pour les ***délices***
De ta vie et de ton chemin,
Prends en tes mains nos pâles mains
Abdicatrices
Qui ne masqueront plus la ruse de la face
Et qui laissèrent défleurir au vent qui passe
Les pampres des **thyrses**.

Henri de Régnier, « La Vigile des grèves »,
Poèmes anciens et romanesques

Avec son front blanc qui se ***renverse***
Au-dessus des fronts de tes aînés,
Tu brandis ta strophe comme un **thyrse**…

Louis Le Cardonnel in Tristan Derème, *Le Quatorze Juillet ou Petit Art de rimer quand on manque de rimes*

le ***torse*** du ***corse*** du **cirse** du ***cirre*** du ***cidre*** du cèdre
le ***tarse*** du ***torse*** du ***corse*** du **cirse** du ***cirre*** du ***cidre***
la tarte du ***tarse*** du ***torse*** du ***corse*** du **cirse** du ***cirre***
la marte de la tarte du ***tarse*** du ***torse*** du ***corse*** du **cirse**

Michèle Métail,
Compléments de noms, v. 1853-1856

assonances	*contre-assonances*
321. ISSE	*61. ARSE*
307. IRE	*192. ERSE*
304. IPSE	*415. ORSE*

❒

316. IRTE

MYRTE
SYRTE

Que pour un jour du moins ! dure et lente rancune
Du Destin, laisse-toi fléchir par l'infortune
Et que j'aie un peu de trêve et de réconfort ;

Que je cueille la grappe et la feuille de **myrte**
Qui tombe, et que je sois à l'abri de la **syrte**
Où j'ai fait si souvent naufrage près du port.

Jean Moréas, « Désir de vivre et d'être heureux… »,
Les Cantilènes

☞

Ses lèvres sont des lys d'où coule un suc de **myrte** ;
Serti de corindons, l'ivoire de son ventre.
Ses mains : des globes d'or garnis de ***chrysolites***.
Dans son piédestal d'or, enfin, chaque jambe entre,
Comme un pilier d'albâtre.

Yann le Pichon (trad.), « Quatrième chant »,
Le Cantique des cantiques

L'horizon incertain du pâtre
Dans la mesure d'une Trappe,
Monter en dévalant la pente
Pour qu'au sang qui chauffe ta tempe
À la fin s'allume le ***thyrse***
Sur l'or liquide de la **syrte**.

André Salmon, « Logos »,
Les Étoiles dans l'encrier

Et le cyprès vert
étouffe le **myrte** ;
de mon cœur ouvert
la chair ***découverte***
voit couler le sang.

Louis Brauquier, « Vain mirage »,
Le Cyprès couronné de myrte. Trad. Louis Bayle

assonances	*contre-assonances*
325. ITE	*62. ARTE*
322. ISTE	*194. ERTE*
315. IRSE	*232. EURTE*
327. ITRE	*417. ORTE*

❒ *305 [Foulc]*

317. ISE-IZ

ÉGLISE
GRISE

noms-verbes, adjectifs et participes

(vent) la **bise**
(baiser) il/une **bise**
(brune) bise
(il noircit) il bise
Cambyse
brise-bise
showbiz°
(prince/hôtel de) Soubise
(tresse) une soubise

Anchise
il/la **franchise**
Cochise

marchandise
(bêtise, rég.) gognandise
friandise
chalandise
gourmandise
des ladies
jobardise
(paresse, arg.) vachardise
(bigoterie) cafardise
il/la ringardise
(paresse) cagnardise

mignardise
gaillardise
paillardise
débrouillardise
roublardise
papelardise
flemmardise
goguenardise
couardise
(bêtise, rég.) foutrardise
musardise
bâtardise
vantardise
balourdise

la Baïse
payse

physe
Hafiz°
diaphyse
métaphyse
épiphyse
symphyse
gin-fizz°
apophyse
hypophyse

Adalgise

(famille) Guise
(à la place ; à son gré)
en/à sa **guise**
(pénis, arg.) un guise

Amour pourquoi m'avez-vous **prise**
me demande une oie de **Frise**.
Je n'ai vaillant qu'un souhait
et j'allai hier à l'**église**
toute nue et sans **chemise**
épouser un veau de lait
parce qu'un oignon qui brait
combattait avec la **bise**
lui disant : « Ah certes, ***sire***,
si un étron les dents vous **brise**,
que vous ai-je donc méfait ? »

Watriquet de Couvin, « Fatras »,
Fatrasies. Trad. Jean-Pierre Foucher

Ah ! ta robe noire, ah ! ta robe **grise**,
Ta robe à carreaux azur et **cerise**,
Ta robe en velours qui me **martyrise**,
Celle en mousseline où chante la **brise**,
Celle qui sert mieux ton air de **marquise**,
Dans vos plis s'endort ma douleur **exquise** !
J'ai failli mourir à l'heure **indécise**
Où, luttant encor, l'amour se **précise**.

Armand Godoy,
Monologue de la tristesse. XV

C'est en vain que tu la fuiras,
Disant : « L'absence **cicatrise** ! »
Le hasard est plein de **traîtrise** ;
Et l'insensible aux yeux ingrats
Qu'un sourire jamais n'**irise**,
Un jour, tu la rencontreras !
……

ISE-IZ°

(un/e) kirghiz°/e
(prénom) Lise
(sable mouvant) une lise
(lire) qu'il lise
(biochimie) il/une lyse
alize/alise
(fruit) une balise
(signal) il/une balise
il/une radiobalise
il/une **vocalise**
(prénom) Cydalise
il/une dialyse
hémodialyse
il/une **analyse**
il/une **psychanalyse**
narcoanalyse
microanalyse
autoanalyse
il/une catalyse
(bagage) une **valise**
(il abandonne, arg.)
il valise
mot-valise
enclise
(prénom) Élise
qu'il élise
le Belize
ÉGLISE
le/la Molise
il/une hydrolyse
pyrolyse
il/une électrolyse
(s'il vous plaît, angl.) please

(enjeu) il/une **mise**
(mettre) **mise**
(fleuve) la **Tamise**
(il crible) il tamise
ré/admise
émise
démise
rémiz°
Artémise
il/une **chemise**
(abri) il/une **remise**
(remettre) (une) **remise**
surremise
entremise
mainmise
omise
commise
(fiancée) une **promise**
(promettre) promise
compromise
thomise
soumise
(une) **insoumise**
permise
re/transmise

Denise
Venise

Éloïse/Héloïse
(prophète) **Moïse**
(berceau) un moïse

Louise

(péter, arg.)
lâcher une louise
(impératrice)
Marie-Louise
(moulure)
une marie-louise
(pet, arg.)
une marie-louise
mouise
quiz°

Pise

acquise
enquise
banquise
requise
re/**conquise**
une **marquise**
îles Marquises
(perquisition, arg.) perquise
exquise

Maryse
(vent) la **brise**
(il rompt) il **brise**
(plante) une brize
pare-brise
crise
merise
(une) **cerise**
laurier-cerise
(province) la Frise
(bordure) une **frise**
(il boucle) il **frise**
cheval de frise
(couleur) GRISE
(il (s') enivre) il (se) **grise**
mycorhize
pyrocorise
(prendre) (une) **prise**
(tabac) une/il prise
(il estime) il **prise**
ré/r/dés/**apprise**
malapprise
emprise
éprise
(déprendre) (une) déprise
(il déprécie) il déprise
il/une **méprise**
cache-prise
(reprendre) (une) **reprise**
(il raccommode)
il/une reprise
(une) **entreprise**
comprise
(une) **incomprise**
(une) **surprise**
pochette-surprise
il/une **maîtrise**
prêtrise
traîtrise

sise
(asseoir) **assise**
(base) une assise
cour d'/les assises
(ville) Assise
saint François d'Assise

C'est en vain qu'on croise les bras,
Disant : « Mon mal, je le **méprise** ! »
Le passé, plus fort, nous **maîtrise** ;
Et tout à coup tu l'oublieras,
Ta leçon fièrement **apprise**,
Et lâchement tu pâliras.

C'est en vain que tu vieilliras,
Disant : « Sa tête est toute **grise** ! »
Le regret ne lâche pas **prise** ;
Et l'amertume où tu sombras
Est la source où rien ne se **brise**
Des traits purs que tu reverras !

Et c'est en vain que tu mourras,
Disant : « La grande nuit **dégrise** ! »
Sous le grand soleil, sur la **brise**,
Ce qui peuplait un crâne ras,
Au ciel peuplé se **vaporise** ;
D'astre en astre tu chercheras.

Léon Dierx, « La Poursuite »,
Les Amants

Dans l'***attentive*** et **bien-apprise**
J'ai vu feuilloler nos forêts
Mer le soleil se **gargarise**
Où les matelots désiraient
Que vergues et mâts ***reverdissent***

Guillaume Apollinaire, « Lul de Faltenin »,
Alcools

S'il l'avait aimée il eût été bien ***aise***
Dans la moderne épicerie de son cœur
Qu'elle l'attendît négligemment en **chemise**
Offrant le charme de ses taches de rousseur

Jacques Baron, « Les biens de ce monde »,
Les Quatre Temps in *L'Allure poétique*

❒ 20 [Saint-Gelais] ; 91.2 [Lamarche] ; 201 [Milosz] ; 435.2/.12 [Queneau]
67 [Verlaine, Fombeure] ; 254 [Romains] ; 581 [Roubaud]

rassise
accise
(impôt) une excise
(il coupe) il excise
(une) **indécise**
il/être **précise**
imprécise
(grammaire) (une) incise
(il coupe) il incise
occise
concise
qu'il circoncise

pézise

convoitise
hantise
(nullité) la néantise
(il supprime) il néantise
fainéantise
(bravade) vaillantise
bêtise
cytise

feintise
altise
des royalties
(caresse) mignotise
sottise
strip-tease
il/une **expertise**
contre-expertise
(gentillesse) accortise

(menu bois; poisson)
la menuise
(menuiserie) il menuise

(dynastie) Aviz°
(il avertit) il avise
(il (s') aperçoit) il (s') **avise**
(ville) Trévise
(salade) une trévise
(formule) une **devise**
(finance) des devises
(il parle) il **devise**
xénodevise

eurodevise
indivise

verbes

il judaïse
il hébraïse
(il banalise) il prosaïse

(il noircit) il bise
(il embrasse) il **bise**
il arabise

il fascise
il catéchise
il anarchise
il hiérarchise

qu'il **dise**
il nomadise
il emparadise
qu'il se dédise
qu'il **médise**
qu'il prédise

ISE-IZ

qu'il redise
qu'il **contredise**
il fluidise
il anodise
il (se) clochardise
il standardise
(Ronsard) il ronsardise
qu'il **interdise**

il homogénéise
il **dépayse**

qu'il confise
il métamorphise
qu'il suffise

ils **gisent**

il champagnise

il **aiguise**
il **déguise**

(lire) qu'il **lise**
il cannibalise
il globalise
il verbalise
il radicalise
il dé/sur/médicalise
il dé/syndicalise
il tropicalise
il grammaticalise
il se lexicalise
il focalise
il localise
il dé/fiscalise
il **scandalise**
il vandalise
il **idéalise**
il dé/**réalise**
il **égalise**
il légalise
il madrigalise
il signalise
il labialise
il mondialise
il filialise
il dé/matérialise
il dés/industrialise
il spatialise
il potentialise
il spécialise
il officialise
il initialise
il re/socialise
il commercialise
il trivialise
il animalise
il minimalise
il décimalise
il maximalise
il optimalise
(formel) il formalise
(il se vexe) il se formalise
il normalise
il banalise
il canalise
il dé/pénalise
il finalise

il marginalise
il dé/criminalise
il nominalise
il régionalise
il dé/inter/nationalise
il rationalise
il correctionnalise
il fonctionnalise
il professionnalise
il institutionnalise
il constitutionnalise
il dé/personnalise
il désaisonnalise
il communalise
il (se) coalise
il municipalise
il opalise
il **paralyse**
il dé/sacralise
il libéralise
il fédéralise
il généralise
il dé/minéralise
il oralise
il **moralise**
il **démoralise**
il caporalise
il théâtralise
il dé/centralise
il neutralise
il dé/naturalise
il vassalise
il universalise
il dé/nasalise
il palatalise
il occidentalise
il mentalise
il départementalise
il métallise
il digitalise
il dé/capitalise
il hospitalise
il dévitalise
il revitalise
il totalise
il chaptalise
il **immortalise**
il re/**cristallise**
il brutalise
il individualise
il annualise
il mensualise
il dé/sexualise
il visualise
il ré/actualise
il contractualise
il intellectualise
il ritualise
il spiritualise
il conceptualise
il mutualise
(abandonne, arg.) il valise
il avalise
il **dévalise**
il **rivalise**
il ovalise
il (s') **enlise**
il cyclise
qu'il élise

il fidélise
il modélise
il bordélise
qu'il réélise
(angélique) il angélise
il évangélise
il caramélise
il parcellise
il diésélise
il dé/satellise
il cartellise
il javellise
il fleurdelise
qu'il relise
il malléabilise
il ré/imperméabilise
il sociabilise
il viabilise
il dé/culpabilise
il dé/responsabilise
il vulnérabilise
il rentabilise
il comptabilise
il dé/stabilise
il dé/crédibilise
il dé/in/sensibilise
il flexibilise
il dé/im/**mobilise**
il in/solubilise
il fragilise
il similise
il lyophilise
il tranquillise
il stérilise
il dé/virilise
il fossilise
il volatilise
il infantilise
il subtilise
il **fertilise**
il stylise
il ré/sous-/**utilise**
il **civilise**
il métabolise
il **symbolise**
il alcoolise
il créolise
il bémolise
il nolise
il monopolise
il dé/nubilise
il **ridiculise**

il macadamise
il islamise
il dynamise
il tamise
il en/chemise
il minimise
il optimise
il maximise
il randomise
il sodomise
il **économise**
il chromise
il atomise
il anatomise
il vasectomise
il scotomise

il **uniformise**

il anise
il urbanise
il **mécanise**
il américanise
il africanise
il balkanise
il volcanise
il vulcanise
il européanise
il paganise
il ré/dés/**organise**
il italianise
il parisianise
il dé/re/christianise
il solennise
il romanise
il germanise
il **dés/humanise**
il nanise
il tympanise
il **tyrannise**
il ta(n)nise
il méthanise
il tétanise
(il herborise) il botanise
il galvanise
il hellénise
il pérennise
(il rend infini) il infinise
il dévirginise
il alcalinise
il déstalinise
il masculinise
il féminise
il sinise
il latinise
il crétinise
il dénicotinise
il **divinise**
il indemnise
il carbonise
il préconise
(il [se] pare) il (s') adonise
il francophonise
il **agonise**
il ionise
il dé/colonise
il harmonise
il canonise
il japonise
il dé/post/synchronise
il **ironise**
il s'impatronise
il intronise
il ozonise
(Platon) il platonise
il **modernise**
il maternise
il **fraternise**
il (s') **éternise**
il verdunise
il immunise

il tabouise
(il regarde, arg.) il rebouise
il squeeze

il pétrarquis
il a(r)ris
il précaris
il se dé/solidaris
il pindaris
il dé/nucléaris
il vulgaris
il se **gargaris**
il (se) familiaris
il parcellaris
il dé/polaris
il dé/scolaris
il sécuralis
il particularis
il circularis
il re/vascularis
il régularis
il singularis
il dé/popularis
il titularis
il fonctionnaris
il accessoiris
il césaris
il sédentaris
il prolétaris
il re/dé/militaris
il staris
il sanctuaris
il **bris**
il madéris
il polyméris
il numéris
il paupéris
il upéris
il (se) cancéris
il squattéris
il **caractéris**
il éthéris
il cautéris
(il tire, arg.) il révolvéris
il **pulvéris**
(il flatte)
il monseigneuris
il émeris
il conteneuris
il merceris
il pasteuris
il dé/**fris**
il (se) gris
il égris
il dégris
il **iris**
il vampiris
il satiris
il **martyris**
il herboris
il désodoris
il théoris
il météoris
il métaphoris
il euphoris
il allégoris
il catégoris
il infērioris
il intérioris
il extérioris
il dé/re/valoris
il tayloris

ISE-IZ°

il mémorise
il marmorise
il ténorise
il in/sonorise
il **vaporise**
il temporise
il **terrorise**
il sponsorise
il thésaurise
il sectorise
il **autorise**
il motorise
il transistorise
il dé/**favorise**
(du tabac) il prise
(il mésestime) il dé/**prise**
il **cicatrise**
il psychiatrise
il **électrise**
il sécurise
il dé/pressurise
il miniaturise

(il exclut) il ostracise
il francise
il grécise
il laïcise
il anglicise
il technicise

il incise
qu'il circoncise
il **exorcise**
il russise
il excise
il marxise

il **attise**
il dé/re/**baptise**
il mithridatise
il médiatise
il dé/dramatise
il épigrammatise
il mathématise
il anathématise
il schématise
il télématise
il systématise
il stigmatise
il dogmatise
il climatise
il axiomatise
il aromatise
il achromatise
il traumatise
il somatise
il automatise
il informatise
il **fanatise**

il **sympathise**
il démocratise
il technocratise
il dé/bureaucratise
(il rend distingué)
il (s') aristocratise
il dératise
il dés/étatise
il privatise
il pédantise
il néantise
il élégantise
il conscientise
(il courtise) il galantise
il **pactise**
il dialectise
il désinsectise
il alphabétise
il **prophétise**
il gadgétise
il dé/budgétise
il dé/**magnétise**
il soviétise
il palettise
il dé/monétise
il dé/**poétise**
il concrétise
il synthétise
il esthétise

il dé/politise
il robotise
il (se) cotise
il **hypnotise**
il érotise
il aseptise
il **courtise**
il démutise

qu'il re/**cuise**
qu'il re/traduise
qu'il enduise
qu'il déduise
qu'il réduise
qu'il **séduise**
qu'il induise
qu'il re/produise
qu'il ré/introduise
qu'il é/re/conduise
il désambiguïse
qu'il re/**luise**
qu'il **nuise**
il menuise
il s'amenuise
qu'on s'entre-nuise
qu'il **puise**
qu'il **épuise**
qu'on s'entre-/détruise
qu'il instruise

qu'il dé/re/construise

(il pointe) il **vise**
(un visa) il vise
(il [s'] aperçoit) il (s') **avise**
(il avertit) il pré/avise
il slavise
il se ravise
il télévise
il révise
il **devise**
il sub/**divise**
il relativise
il adjectivise
il dé/collectivise
il **improvise**
il supervise

assonances
275. IGE
321. ISSE
329. IVE

contre-assonances
67. ASE
199. ÈSE
448. AUSE

318. ISME

PRISME

isthme

bahaïsme
thébaïsme
archaïsme
dadaïsme
judaïsme
lamaïsme
hébraïsme
pharisaïsme
mosaïsme
prosaïsme
çivaïsme/s(h)ivaïsme

wahhabisme
babisme
syllabisme
monosyllabisme
cannabisme
arabisme
panarabisme
strabisme
snobisme
cubisme

schisme
fascisme
machisme
monachisme
tachisme
revanchisme
catéchisme

je-m'en-fichisme
psychisme
fétichisme
gauchisme
sado/**masochisme**
anarchisme
monarchisme
tribadisme
poujadisme
mahdisme
semi-/nomadisme
monadisme
sadisme
dandysme
encyclopédisme
védisme
freudisme
hybridisme
juridisme
hassidisme
druidisme
iodisme
antipodisme
hermaphrodisme
méthodisme
tiers-mondisme
bouddhisme
avant-gardisme
ringardisme
(jeu) ludisme
(casse des machines)
luddisme
paludisme
nudisme

On s'accoude à son poële au lieu d'aller rêver
Dans les champs et guetter la lune à son lever ;
Les bons alexandrins vous viennent, mais sans **prismes**,
Sans aile, et refusant, de peur de **rhumatismes**,
De se mouiller les pieds dans l'herbe et dans le thym…

Victor Hugo,
Dernière Gerbe. XX

Quand vous aurez prouvé, messieurs du **journalisme**,
Que Chatterton eut tort de mourir ignoré,
Qu'au Théâtre-Français on l'a défiguré ;
Quand vous aurez crié sept fois à l'**athéisme**,

Sept fois au contresens et sept fois au **sophisme**,
Vous n'aurez pas prouvé que je n'ai pas pleuré.
Et si mes pleurs ont tort devant le **pédantisme**,
Savez-vous, moucherons, ce que je vous dirai ?

Alfred de Musset, « Aux Critiques du *Chatterton*
d'Alfred de Vigny » II, *Poésies posthumes*

Mon cœur, dont les vieux **romantismes**
Bercent ma raison qui s'endort,
Trouvera bien un **syllogisme**
Pour se prouver qu'il n'a pas tort.

Alexandre Vialatte, « Et Maricou qui va partir… »,
La Paix des Jardins

Ce sont, véniels et mortels,
Tous les péchés des **catéchismes**
Et bien d'autres encore, tels
Qu'ils font les **sophismes** des **schismes** […]

Paul Verlaine, *Bonheur.* XIII

☞

ISME

sabéisme
manichéisme
déisme
fidéisme
mazdéisme
monoïdéisme
caféisme
acméisme
simultanéisme
spontanéisme
innéisme
misonéisme
canoéisme
épéisme
macro/micro/**séisme**
passéisme
sa(d)ducéisme
puseyisme
théisme
athéisme
panthéisme
absentéisme
polythéisme
monothéisme

graphisme
dermographisme
saphisme
pacifisme
catastrophisme
sophisme
philosophisme
soufisme
orphisme
morphisme
métamorphisme
dimorphisme
polymorphisme
endomorphisme
homéomorphisme
homomorphisme
zoomorphisme
anthropomorphisme
gynandromorphisme
isomorphisme
automorphisme

âgisme
tabagisme
éclairagisme
(n. dép.) visagisme
esclavagisme
caravagisme
échangisme
libre-échangisme
boulangisme
dirigisme
analogisme
paralogisme
illogisme
syllogisme
écologisme
psychologisme
néologisme
sociologisme

chiisme

alisme

cannibalisme
tribalisme
globalisme
verbalisme
radicalisme
anarcho/syndicalisme
anti/cléricalisme
physicalisme
vocalisme
vandalisme
féodalisme
idéalisme
réalisme
hyperréalisme
irréalisme
néoréalisme
surréalisme
triomphalisme
légalisme
loyalisme
royalisme
mondialisme
anti/néo/colonialisme
impérialisme
sérialisme
matérialisme
pictorialisme
industrialisme
présidentialisme
essentialisme
substantialisme
existentialisme
provincialisme
socialisme
radical-socialisme
national-socialisme
ptyalisme
minimalisme
maximalisme
thermalisme
formalisme
finalisme
marginalisme
nominalisme
régionalisme
occasionnalisme
congrégationalisme
inter/nationalisme
ir/rationnalisme
sensationnalisme
conventionnalisme
fonctionnalisme
professionnalisme
confessionnalisme
traditionnalisme
distributionnalisme
personnalisme
paternalisme
journalisme
épiscopalisme
libéralisme
fédéralisme
bicaméralisme
monocaméralisme
a/**im/moralisme**
caporalisme
électoralisme
théâtralisme
centralisme

En vain vous me frappez d'un son mélodieux,
Si le terme est impropre, ou le tour vicieux ;
Mon esprit n'admet point un pompeux **barbarisme**,
Ni d'un vers ampoulé l'orgueilleux **solécisme**.

> Nicolas Boileau, « Chant I »,
> *L'Art poétique*

Du visible l'aveugle est coupé par quel **isthme** ?
Le noir le plus nocturne inventé par quel **prisme** ?

> Luc Estang, « Les sens apprennent » I,
> *Les Quatre Éléments*

Seul en Europe tu n'es pas antique ô **Christianisme**
L'Européen le plus moderne c'est vous Pape ***Pie X***
Et toi que les fenêtres observent la honte te retient
D'entrer dans une église et de t'y confesser ce matin

> Guillaume Apollinaire, « Zone »,
> *Alcools*

❐ *290 [Herlin] ; 326 [Cliff]*

neutralisme
pluralisme
muralisme
ruralisme
naturalisme
structuralisme
bi/culturalisme
commensalisme
universalisme
succursalisme
causalisme
transcendentalisme
fatalisme
transcendalisme
orientalisme
mentalisme
fondamentalisme
sentimentalisme
instrumentalisme
dialectalisme
végétalisme
bimétallisme
monométallisme
néo/**capitalisme**
hospitalisme
vitalisme
brutalisme
dualisme
individualisme
sensualisme
transsexualisme
intellectualisme
ritualisme
spiritualisme
conceptualisme
mutualisme
cataclysme
cyclisme
motocyclisme
ismaélisme
préraphaélisme
beylisme

babélisme
psychédélisme
mendélisme
aéro/modélisme
angélisme
évangélisme
parallélisme
clientélisme
aristotélisme
(épicurisme)
pantagruélisme
machiavélisme
(goujaterie) muflisme
probabilisme
misérabilisme
mobilisme
immobilisme
automobilisme
nihilisme
sénilisme
nombrilisme
puérilisme
virilisme
mercantilisme
infantilisme
éthylisme
stylisme
holisme
anabolisme
catabolisme
métabolisme
embolisme
symbolisme
anti/**alcoolisme**
gaullisme
mongolisme
triolisme
œnolisme
boulisme
(folie, arg.) maboulisme
simplisme
carlisme

somnambulisme
noctambulisme
populisme
botulisme

travaillisme
vanillisme
pointillisme

adamisme
préadamisme
pan/islamisme
dynamisme
aérodynamisme
académisme
euphémisme
extrémisme
totémisme
chimisme
animisme
unanimisme
pessimisme
intimisme
optimisme
domisme
économisme
bromisme
néo/thomisme
atomisme
alarmisme
réformisme
anti/non-/conformisme
transformisme

urbanisme
servo/**mécanisme**
gallicanisme
républicanisme
anglicanisme
anti/
pan/américanisme
pan/africanisme

ISME

volcanisme
paganisme
micro-/**organisme**
lesbianisme
canadianisme
indianisme
pélagianisme
italianisme
sabellianisme
hégélianisme
zwinglianisme
(vagabondage)
bohémianisme
socinianisme
arianisme
presbytérianisme
voltairianisme
nestorianisme
messianisme
ossianisme
confucianisme
cartésianisme
parisianisme
malthusianisme
udéo-/**chistianisme**
clanisme
mélanisme
planisme
chamanisme
brahmanisme
romanisme
pan/germanisme
humanisme
nanisme
onanisme
tympanisme
hispanisme
luthéranisme
uranisme
charlatanisme
satanisme
puritanisme
occitanisme
montanisme
ultramontanisme
donjuanisme
galvanisme
eugénisme
indigénisme
polygénisme
monogénisme
galénisme
pan/phil/hellénisme
phénoménisme
épiphénoménisme
œcuménisme
irénisme
jansénisme
(d)jaïnisme
rabbinisme
albinisme
jacobinisme
machinisme
ondinisme
morphinisme
vaginisme
stalinisme
molinisme
paulinisme

féminisme
in/déterminisme
luminisme
illuminisme
marxisme-/léninisme
lapinisme
alpinisme
équinisme
marinisme
cynisme
latinisme
byzantinisme
crétinisme
philistinisme
augustinisme
calvinisme
chauvinisme
néo/darwinisme
laconisme
gasconnisme
hédonisme
éonisme
dodécaphonisme
antagonisme
unionisme
histrionisme
sionisme
créationnisme
ségrégationnisme
associationnisme
déviationnisme
isolationnisme
mutationnisme
situationnisme
expansionnisme
abstentionnisme
interventionnisme
fractionnisme
annexionisme
perfectionnisme
protectionnisme
réductionnisme
obstructionnisme
néo-/post-/
impressionnisme
expressionnisme
exhibitionnisme
abolitionnisme
intuitionnisme
évolutionnisme
visionnisme
divisionnisme
diffusionnisme
illusionnisme
wallonisme
monisme
démonisme
eudémonisme
hégémonisme
saint-simonisme
mormonisme
japonisme
anachronisme
parachronisme
a/synchronisme
isochronisme
pyrrhonisme
diatonisme
néo/platonisme

daltonisme
plutonisme
post/**modernisme**
saturnisme
anti/**communisme**
sunnisme
opportunisme

maoïsme
taoïsme
égoïsme
dichroïsme
héroïsme
shintoïsme

hindouisme
vishnouisme

priapisme
sinapisme
papisme
lépisme
hippisme
olympisme
géo/hélio/
photo/tropisme

spartakisme
blanquisme
franquisme
sikhisme
baroquisme
lamarckisme
pétrarquisme
trotskysme/trotskisme

barbarisme
dysbarisme
charisme
pindarisme
grégarisme
vulgarisme
gargarisme
particularisme
millénarisme
carbonarisme
fonctionnarisme
révolutio(n)narisme
tsarisme
césarisme
catharisme
anti/parlementarisme
sectarisme
végétarisme
monétarisme
égalitarisme
totalitarisme
anti/militarisme
utilitarisme
humanitarisme
unitarisme
autoritarisme
volontarisme
bovarysme
vers-librisme
chrisme
affairisme
maniérisme
pompiérisme

carriérisme
fouriérisme
ouvriérisme
matiérisme
hitlérisme
mérisme
monocamérisme
évhémérisme
mesmérisme
consumérisme
wagnérisme
paupérisme
éthérisme
cathétérisme
ésotérisme
gangstérisme
vérisme
quakerisme
voyeurisme
amateurisme
intégrisme
argyrisme
hydrargyrisme
fakirisme
lyrisme
onirisme
empirisme
vampirisme
météorisme
aphorisme
pythagorisme
rigorisme
gongorisme
apriorisme
behaviorisme
taylorisme
dolorisme
humorisme
contre-/terrorisme
torysme
historisme
secourisme
cyclo/**tourisme**
PRISME
trisme
entrisme
centrisme
polycentrisme
géocentrisme
égocentrisme
héliocentrisme
phallocentrisme
ethnocentrisme
anthropocentrisme
tantrisme
lettrisme
illettrisme
castrisme
zoroastrisme
épicurisme
figurisme
purisme
naturisme
aventurisme
barbiturisme
culturisme
futurisme
anévrysme/anévrisme

lambdacisme
mithriacisme
anti/**racisme**
ostracisme
psittacisme
iotacisme
rhotacisme
québécisme
solécisme
progressisme
laïcisme
belgicisme
logicisme
gallicisme
bellicisme
anglicisme
catholicisme
organicisme
stoïcisme
flandricisme
mérycisme
historicisme
néo/classicisme
narcissisme
atticisme
criticisme
scepticisme
mysticisme
a/gnosticisme
solipsisme
parsisme
exorcisme
laxisme
sexisme
fixisme
paroxysme
marxisme

nazisme
pilosisme
molinosisme
spinozisme

baptisme
anabaptisme
mithridatisme
lymphatisme
gâtisme
pithiatisme
agrammatisme
schématisme
pragmatisme
apragmatisme
a/stigmatisme
dogmatisme
climatisme
a/chromatisme
traumatisme
automatisme
rhumatisme
fanatisme
prognathisme
donatisme
droitisme
séparatisme
comparatisme
technocratisme
hippocratisme
aristocratisme

ISM

hiératisme
coopératisme
corporatisme
étatisme
statisme
eustatisme
conservatisme
indépendantisme
pédantisme
irrédentisme
gigantisme
flamingantisme
scientisme
néo/kantisme
atlantisme
mentisme
sémantisme
pré/**romantisme**
immanentisme
consonantisme
modérantisme
indifférentisme
tolérantisme
obscurantisme
attentisme
dilettantisme
militantisme
protestantisme
didactisme
tactisme
éclectisme
alphabétisme

analphabétisme
eidétisme
défaitisme
piétisme
quiétisme
athlétisme
érémétisme
mimétisme
mahométisme
hermétisme
magnétisme
géomagnétisme
électromagnétisme
génétisme
proxénétisme
phonétisme
syncrétisme
éréthisme
anachorétisme
ascétisme
pathétisme
péripatétisme
esthétisme
synthétisme
helvétisme
cénobisme
rachitisme
banditisme
méphitisme
élitisme
prosélytisme
monolithisme

apolitisme
cosmopolitisme
anti/sémitisme
sybaritisme
spiritisme
sanskritisme
favoritisme
arthritisme
parasitisme
jésuitisme
absinthisme
gestaltisme
cultisme
occultisme
adultisme
autisme
donquichottisme
pentecôtisme
scotisme
béotisme
égotisme
bigotisme
argotisme
ergotisme
idiotisme
anti/**patriotisme**
ilotisme
nautisme
janotisme
motonautisme
hypnotisme
népotisme

despotisme
auto/**érotisme**
exotisme
anacréontisme
gérontisme
scoutisme
je-m'en-foutisme
conceptisme
maccarthysme
chartisme
bonapartisme
bipartisme
tripartisme
pluripartisme
multipartisme
hébertisme
colbertisme
travestisme
parachutisme
absolutisme
mutisme
hirsutisme

euphuisme
bilinguisme
monolinguisme
truisme
altruisme

panslavisme
atavisme
médiévisme

bolchevism
arrivism
in/civism
exclusivism
négativism
relativism
nativism
activism
objectivism
subjectivism
collectivism
non-/directivism
productivism
constructivism
primitivism
néo/positivism
suivism
fauvism
stakhanovism
babouvism

assonanc
231. ISS
290. IM

contre-assonanc
68. ASM
421. OSM

319. ISPE-ISP

(insecte) une hispe
(air vif, rég.) la bispe
lisp°
(chipie, rég.) une rispe

saint Crispe
(il se contracte) il (se) **crispe**
il décrispe
(insecte) une mantispe

assonances
301. IPE
322. ISTE
304. IPSE
321. ISSE

contre-assonance
69. ASPE

(Qui trop fait l'ange ***flippe***, on se **crispe**, on s'entête ;
Le bénitier s'***enkyste***, ou s'***enchriste***, c'est bête !)

André Blavier,
Le Mal du pays ou les travaux forc(en)és [v. 149-150]

❐

320. ISQUE-ISC

RISQUE

(il rage) il **bisque**
(potage) une bisque
col d'Aubisque
trochisque
disque
(familier) **tandis que**
mange-disque
tourne-disque
vidéodisque
audiodisque
(n. dép.) compact-disc°
fisc°
il **confisque**
Rufisque
odalisque

Dos croisés sous les fleurs, future Corsica,
l'étoile où jusqu'au cœur le bras du pin se **risque**,
saignante d'arbousiers, résonne de **lentisque**…
Dans le ciel de la mer sous le riche mica

de son pourpre soleil émeraude et muscat
à l'oc trop investi nos dieux elle **confisque**,
l'infini cigalon, le tendre souffle. **Puisque**
mon enfance, divine, avec eux s'embarqua,

par les gorges d'azur je rejoigne cette île
où ma source cotise à la braise subtile.

Jacques Audiberti, « L'île de Port-Cros »,
Race des hommes

ISQUE-ISC°

vers falisque
damalisque
obélisque
(figure de proue)
chénisque
sphénisque
ménisque
(ruban) lemnisque
(père de Socrate)
Sophronisque
il/un RISQUE
marisque
(arbuste) tamarisc°
brisque
astérisque
(pimpant) frisque
multirisque
capital-risque
(un/e) morisque
francisque
lentisque
puisque

Comment déploies-tu ce poème de l'été
Dans les airs où les insectes ailés se **risquent**
Sans inquiéter l'ancien geste du **tamarisc**
Ni les seigles qui s'inclinent de tous côtés ?

Jean Grosjean, « Il est écrit de moi » IV,
Le Livre du Juste

C'est alors dans le ciel orageux et **tandis qu'**
Il pleuvait sur les immortelles, dégageant
Des tisanes d'odeur, que nous vîmes un **disque**
Arriver de Patmos et du livre de Jean.

Jean Cocteau, « Le Chiffre Sept »,
Poèmes 1916-1955

Les fleurs de tous côtés étalent leurs parures,
Nuançant les prés verts de riches bigarrures [...]
Se bercent au zéphyr voluptueusement,
Et, dans leur attitude et leur balancement,
Sont si pleines d'attrait, si mignonnes, si **frisques**,
Que tous les papillons en font leurs **odalisques**.

Amédée Pommier, « Trois crimes » I,
Colifichets, jeux de rimes

Je dirige l'orchestre où tourne un même **disque**
À la face du rêve et des soldats de plomb,
Sur les marches sans fin place de l'**Obélisque**
Et les mendiants murés interdisent leur nom.

Rouben Melik, « Pas à pas des vivants »,
Passeurs d'horizons in *La Procession*

Tout est clean, chère Marilyn,
Je m' sens très cool mon vieux Raoul,
Au nom du pèse, au nom du **fisc**,
Les langues font florès ou ***abdiquent***.

Julos Beaucarne, « L'Ère vidéo-chrétienne »,
J'ai 20 ans de chansons

assonances	*contre-assonances*
306. IQUE	*70. ASQUE*
331. IXE	*200. ESQUE*
322. ISTE	*582. USQUE*

❒ *313 [Queval] ; 331 [Rousselot]*

321. ISSE-IS°

DÉLICE
SUPPLICE
VICE

il **hisse**
(cité) Ys°

Laïs°
maïs°
Ptolémaïs°
Tanaïs°
lac Copaïs°
raïs°
Saïs°
Thaïs°

(cri) (un) **bis**!°
(il répète) il bisse
(canal) un bisse
abysse
cannabis°
tupinambis°
ibis°
des vibrisses
(bisbille, rég.) un bisbis°
Anubis°
pubis°
rachis°
(10) (un) **dix**°
(+comp.) (dire) que je disse

Quand sous l'étroit balcon la patrouille des **vices**
et ses rires sonnants comme un **de profundis**
frappant comme **jadis**
ma porte afin de me pousser dans ses **milices**
j'avais fait de ma chambre une secrète **oasis**
ou plutôt un **hospice**

je n'avais pas connu le ciel clair de tes yeux
le neigeux univers de ton corps estival
ni l'enfer embaumé de tes épais cheveux [...]

je n'ai plus qu'une tendre **oasis**
ce sont tes yeux de **myosotis**.

Max Jacob, « Vision infernale en forme de madrigal »,
Ballades

☞

ISSE-IS

hendiadys°/hendiadis°
jadis°
Gladys°
Amadis°
spadice
blandice
mutadis mutandis°
soixante-dix°
Eurydice
indice
appendice
(monnaie) un maravédis°
Grisélidis°
quatre-vingt-dix°
qu'il maudisse
(logis, arg.)
une condice/condisse
de profondis°
des **immondices**
(il se barbouille, rég.)
il (se) bardisse
préjudice

élæis°/éléis°
reis°
néréis°

un **fils**°
(+comp.) (faire) qu'il fisse
Memphis°
maléfice
bénéfice
édifice
sacrifice
orifice
arrière-/beau-/
petit-fils°
artifice
office
Aménophis°
Saint-Office
box-office

(rois) Agis°
(agir) qu'il agisse
Ris-Orangis°
il mégisse
Régis°
Rungis°
Fleury-Mérogis°
Walpurgis°

il treillisse

(Constantin) Guys°
haggis°
laguis°

(champ clos)
entrer en/une **lice**
(chienne) une lice
(tissage) haute lice/lisse
(uni) il/être **lisse**
(fleur) un **lis**°/**lys**°
(rivière) la Lys°
(prénom) **Alice**
(plante) une alysse
calice
la Galice

sialis°
malice
cardinalice
La Palice
(pâlir) qu'il **pâlisse**
(dé/palisser) il dé/palisse
physalis°
oxalis°
Novalis°
Senlis°
il/une clisse
il/une éclisse
hélice
(plaisir) un DÉLICE
(il découpe) il délisse
mélisse
hamamélis°
pelisse
la/il **glisse**
réglisse
antiglisse
mirabilis°
volubilis°
co(n)chylis°
syphilis°
milice
amaryllis°
(chemise) un **cilice**
(matière) la silice
anthyllis°
Civilis°
il/la **police**
(polir) qu'il polisse
Minneapolis°
Indianapolis°
Hiérapolis°
Persépolis°
Héliopolis°
Megalopolis°
Hermopolis°
propolis°
il/une **coulisse**
il dé/re/**plisse**
(un/e) **complice**
qu'il **accomplisse**
SUPPLICE
Ulysse

(demoiselle) une **miss**°
(+comp.) (mettre) que je misse
Sémiramis°
eudémis°
tchérémisse
(début) des **prémices**
(logique) une prémisse
in extremis°
Thémis°
anthémis°
Artémis°
il s'**immisce**
(réunion) un comice
(poire) une comice
(commission, arg.)
une commiss°
koumys°/koumis°
vermis°
granny-smith°

(ville) **Nice**

À l'île **Maurice**, à l'île **Maurice**
Y'a des bananes, du pain d'**épices**
Et des belles filles avec des **cuisses**
Et des garçons toujours d'**service**
À l'île **Maurice**, à l'île **Maurice**
On n'a pas peur de la **police**
On fait sa vie sans faire **caprice**
On fait l'amour sans faire **malice** !
[...]
À l'île **Maurice**, à l'île **Maurice**
C'est toujours comme feu d'**artifice**
Toutes les étoiles nous **éblouissent**
Quand à la voile un bateau **glisse**
À l'île **Maurice**, à l'île **Maurice**
On est ainsi de père en **fils**
[...]
On fait l'amour sans **malice**
L'amour nous fait faire des **métis**.

Charles Trenet, « À l'île Maurice »,
Tombé du ciel

Jeune sable au ventre **lisse**
Que la mer lave sans ***cesse***,
Souviens-toi que sa ***caresse***
Fait signe au vent, son **complice**.
Il changera ta ***jeunesse***
Et ta roseur en **jaunisse**.
Déjà ce frisson te **plisse**
La joue et sa ***danse blesse*** ;
Car ta nudité se **glisse**
Dans de mortelles ***caresses***
Et les souffles qui te ***pressent***
Ont le néant pour **délice**.

Géo Norge, « Pour délice »,
Les Coq-à-l'âne

Qu'en dirait ta **nourrice**
Morte au mol arome ?
À quelle ombre **sourit ce**
Fantôme ?

Robert Mélot du Dy, « Visages »,
Choix de poésies

Alice, la **lice** de **Senlis**
Lisse son pelage **lisse** avec **délices**
Ulysse chien de **police glisse** dans la **coulisse**
Un bouquet de **lys**, grâce à un **complice**
S'enfuit laissant **Alice** à son eau de **mélisse**.

Pierre Delanoë, « Alice, la lice de Senlis »,
Les Comptines d'Églantine

Depuis quelque temps des bruits courent,
des signes ***apparaissent***,
dans les faubourgs de Gomorrhe
on ressent l'***angoisse***,
dans les palais de Sodome
les escaliers **glissent**,
les murs suintent des ***limaces***
et l'air sent la **pisse**.

Nino Ferrer, « Sodome et Gomorrhe »,
Textes ?

❐ 214.20 [Du Bellay] ; 332 [Dupont] ; 381 [Gainsbourg]
100 [Robin]

ISSE-IS°

(niais, rég.) nice
anis°
ca(n)nisse
lanice
Tanis°
lychnis°
génisse
pénis°
Bérénice
(sport) le **tennis**°
(chaussure) un/e tennis°
Grégoire de Nysse
Daphnis°
Polynice
l'Aunis°
(mythologie) Adonis°
(éphèbe) un adonis°
jaunisse
Stratonice
pythonisse
il vernisse
æpyornis°/épyornis°
ichtyornis°
dinornis°
tournisse
Tunis°

oh ! hisse !
Aloïs°

(il regarde, arg.)
il rebouisse
Lewis°
(Pierre) Louÿs°

il/la **pisse**
Apis°
lapis°
l scrute, rég.) il espapisse
Sérapis°
(tapisser) il tapisse
(se tapir) qu'il se tapisse
(une) champisse
(aromate) il/un **épice**
(marine) il épisse
toute-épice
chaude-pisse
précipice
saint Sulpice
(église; compagnie)
Saint-Sulpice
propice
il compisse
+comp.) que je rompisse
Thespis°
frontispice
(présages) des auspices
(asile) un **hospice**
(h)aruspice

(+comp.) que j'acquisse
que je re/naquisse
(Yannis) Xenakis°
(Nikos) Kazantzakis°
que je con/vainquisse
orchis°
il/une **esquisse**

(glaciation) le riss°

(rire) que je risse
Sybaris°
ascaris°
Phalaris°
(prénom) Clarisse
(religieuse) une clarisse
tamaris°
Pâris°
liparis°
sarisse
(Markos) Botzaris°
varice
avarice
Brice
Fabrice
il lambrisse
vibrisse
ex-libris°
(poignard) un kriss°/criss°
(il grince) il **crisse**
picris°
jocrisse
drisse
ambassadrice
Idris°
il **hérisse**
ibéris°
berbéris°
(Michel) Leiris°
gloméris°
sui generis°
pécoptéris°
dentifrice
ophrys°
(Juan) Gris°
(divinité) Iris°
(fleur) un **iris**°
(pupille) l'**iris**°
Osiris°
Boris°
cauris°
(nymphe) Doris°
(embarcation) un doris°
(mollusque) une doris°
loris°
pretium doloris°
(saint ; prénom) Maurice
île Maurice
(dessinateur) Morris°
le Saint-Maurice
clitoris°
une **nourrice**
qu'il nourrisse
que je sourisse
caprice
(crie) l'hirondelle trisse
(répète 3 fois) il trisse
(s'enfuit, arg.) il se trisse
(une) approbatrice
désapprobatrice
réprobratrice
(une) improbatrice
(une) pertubratrice
(une) incubatrice
imprécatrice
(une) revendicatrice
indicatrice
adjudicatrice
édificatrice

(une) codificatrice
(une) modificatrice
amplificatrice
simplificatrice
(une) planificatrice
vinificatrice
unificatrice
vérificatrice
(une) glorificatrice
purificatrice
(une) classificatrice
(une) pacificatrice
falsificatrice
identificatrice
sanctificatrice
(une) dé/mystificatrice
justificatrice
(une) vivificatrice
multiplicatrice
fornicatrice
(une) communicatrice
(une) prévaricatrice
fabricatrice
cicatrice
masticatrice
locatrice
évocatrice
invocatrice
(une) **provocatrice**
(une) éducatrice
prédatrice
(une) déprédatrice
intimidatrice
(une) dilapidatrice
liquidatrice
laudatrice
horodatrice
fécondatrice
(une) fondatrice
retardatrice
Béatrice
(une) **créatrice**
procréatrice
(une) **triomphatrice**
(une) propagatrice
délégatrice
(une) négatrice
(une) investigatrice
instigatrice
(une) navigatrice
divulgatrice
(une) interrogatrice
(une) accompagnatrice
médiatrice
(une) conciliatrice
réconciliatrice
(une) auxiliatrice
(une) spoliatrice
(une) calomniatrice
expiatrice
(une) expropriatrice
différenciatrice
appréciatrice
dépréciatrice
initiatrice
viciatrice
négociatrice
annonciatrice
(une) dénonciatrice

renonciatrice
aviatrice
déviatrice
inhalatrice
installatrice
nomenclatrice
(une) délatrice
(une) flagellatrice
interpellatrice
révélatrice
zélatrice
(une) assimilatrice
compilatrice
(une) mutilatrice
violatrice
immolatrice
interpolatrice
(une) **consolatrice**
contemplatrice
(une) législatrice
(une) fabulatrice
tabulatrice
spéculatrice
(intéressée)
(une) **calculatrice**
(machine) une calculatrice
osculatrice
(une) **adulatrice**
modulatrice
coagulatrice
auto/régulatrice
simulatrice
(une) dissimulatrice
stimulatrice
(une) manipulatrice
il/une **matrice**
(une) diffamatrice
acclamatrice
(une) déclamatrice
proclamatrice
programmatrice
(une) blasphématrice
(une) animatrice
réanimatrice
consommatrice
(une) formatrice
(une) réformatrice
informatrice
(une) désinformatrice
transformatrice
(une) profanatrice
aliénatrice
frénatrice
(une) coordinatrice
(une) contaminatrice
examinatrice
(une) inséminatrice
éliminatrice
(une) récriminatrice
(une) **dominatrice**
(une) **exterminatrice**
fascinatrice
dessinatrice
vaticinatrice
divinatrice
co/donatrice
ordonnatrice
(une) coordonnatrice
phonatrice

pronatrice
saint Patrice
(dignitaire) un patrice
(une) émancipatrice
(une) dissipatrice
usurpatrice
narratrice
réparatrice
préparatrice
séparatrice
(une) **libératrice**
(une) fédératrice
(une) modératrice
pondératrice
(une) vocifératrice
(une) exagératrice
accélératrice
(une) génératrice
régénératrice
sur(ré)génératrice
rémunératrice
impératrice
opératrice
coopératrice
macératrice
vocératrice
oblitératrice
migratrice
admiratrice
aspiratrice
(une) **inspiratrice**
(une) conspiratrice
oratrice
collaboratrice
décoratrice
adoratrice
(une) perforatrice
(une) exploratrice
(réparatrice)
(une) restauratrice
(aubergiste)
une restauratrice
instauratrice
dévoratrice
castratrice
orchestratrice
administratrice
démonstratrice
illustratrice
curatrice
procuratrice
conjuratrice
obturatrice
compensatrice
dispensatrice
taxatrice
(une) vexatrice
fixatrice
homogénéisatrice
globalisatrice
localisatrice
vocalisatrice
(une) idéalisatrice
réalisatrice
égalisatrice
(une) normalisatrice
généralisatrice
minéralisatrice
(une) moralisatrice

ISSE-IS

démoralisatrice
dé/centralisatrice
totalisatrice
évangélisatrice
dé/stabilisatrice
(une) sensibilisatrice
dé/mobilisatrice
utilisatrice
civilisatrice
monopolisatrice
(une)
ré/dés/organisatrice
(une) colonisatrice
(une) modernisatrice
(une) vulgarisatrice
herborisatrice
(une) temporisatrice
improvisatrice
(une) **accusatrice**
dilatatrice
cantatrice
expérimentatrice
commentatrice
fomentatrice
argumentatrice
présentatrice
(une) **tentatrice**
télé/**spectatrice**
sectatrice
agitatrice
prestigitatrice
(une) imitatrice
citatrice
incitatrice
excitatrice
notatrice
annotatrice
rotatrice
captatrice
adaptatrice
(une) importatrice
(une) exportatrice
(une) **dévastatrice**
testatrice
contestatrice
dégustatrice
commutatrice
(une) scrutatrice
évacuatrice
évaluatrice
continuatrice
excavatrice
auto/élévatrice
activatrice
cultivatrice
salvatrice
(une) novatrice
(une) rénovatrice
(une) innovatrice
(une) observatrice
(une) conservatrice
préservatrice
co/détentrice
rétentrice
inventrice
actrice
rédactrice
factrice
réfractrice

tractrice
attractrice
détractrice
extractrice
effectrice
injectrice
lectrice
électrice
sélectrice
(une) collectrice
inspectrice
prospectrice
rectrice
érectrice
(une) co/**directrice**
sous-directrice
(une) correctrice
(une) bissectrice
trisectrice
une tectrice
détectrice
(une) **protectrice**
extinctrice
acupunctrice/
acuponctrice
traductrice
abductrice
réductrice
(une) **séductrice**
inductrice
(une) productrice
reproductrice
surproductrice
introductrice
supra-/
semi-/conductrice
(une) **destructrice**
autodestructrice
constructrice
(une) **bienfaitrice**
photo/émettrice
enquêtrice
sécrétrice
excrétrice
co/débitrice
inhibitrice
co-/éditrice
expéditrice
créditrice
auditrice
génitrice
monitrice
apéritrice
inquisitrice
compositrice
répétitrice
compétitrice
aquacultrice
oléicultrice
ostréicultrice
trufficultrice
capillicultrice
pomicultrice
apicultrice
agricultrice
arboricultrice
piscicultrice
sériciculltrice
rizicultrice

viticultrice
horticultrice
avicultrice
sylvicultrice
fautrice
motrice
marémotrice
sensori-motrice
psychomotrice
locomotrice
idéomotrice
oculomotrice
promotrice
électromotrice
vasomotrice
automotrice
phonocaptrice
rédemptrice
contemptrice
réceptrice
préceptrice
conceptrice
interruptrice
(une) **corruptrice**
distributrice
(une) **persécutrice**
exécutrice
locutrice
interlocutrice
coadjutrice
co/pro/tutrice
institutrice

six°
Acis°
(rigole) un cassis°
(fruit; liqueur) le **cassis**°
mêlé-cassis°
Francis°
abscisse
inlandsis°
les Médicis°
Philémon et Baucis°
saucisse
coréopsis°
ampélopsis°
synopsis°
(mythologie) Narcisse
(qui s'admire)
un **narcisse**
(fleur) un narcisse
catharsis°
exercice
axis°
praxis°
épistaxis°
lexis°
Alexis°
Zeuxis°
onyxis°
coccyx°

satyriasis°
pityriasis°
psoriasis°
éléphantiasis°
un/e **oasis**°
Némésis°
hystérésis°

Isis°
myosis°
phimosis°
Touthmôsis°
pyrosis°
ptosis°

il **tisse**
Atys°/Atis°
(bâtiment)
qu'il/une **bâtisse**
(+comp.) (battre)
que je battisse
(Henri) Matisse
le Primatice
natice
(pâtisserie) il pâtisse
(pâtir) qu'il pâtisse
il **ratisse**
Naucratis°
gratis°
isatis°
Toutatis°
statice
(math.) une mantisse
(mentir) que je mentisse
adventice
factice
practice
jectisse
(un) **métis**°
il/(une) **métisse**
(mère d'Achille) Thétis°
(déesse de la mer)
Téthys°
il rapetisse
il retisse
il entre-tisse
cotice
notice
agrotis°
myosotis°
tontisse
boutisse
subreptice
(latrines, arg.) tartiss°
(boisson) un pastis°
(désordre, arg.)
un pastis(s)°
armistice
oaristys°
macrocystis°
solstice
agrostis°
interstice
justice
injustice

cuisse
il écuisse
entrecuisse
unguis°
qu'il **puisse**
(Juan) Ruiz°
la **Suisse**
(un/e) **suisse**
cent-suisse
petit-suisse

(défaut) un VIC
(tige) une vis
(visser) il viss
(+comp.) (voir) que je viss
(Miles) Davis
coupe Davis
il déviss
(Maurice) Gréviss
des **sévice**
tournevis
il reviss
écreviss
que je pour/suiviss
Elvis
pelvis
(roi) Clovis
(coquillage) une cloviss
(un/e) **novic**
(aphrodisiaque, arg.)
pousse-au-vic
servic
libre-servic
self-servic
station-servic

+ verbes en -ir *(2e gr*
3e pers. plur.prés.indi
1e, 2e, 3e pers. sing
3e pers. plur. prés. sub

+ verbes en -ir *(3e gr*
sauf tenir, venir, couri
mourir *et comp.*
-ire *(sauf* lire *et comp.*
-andre, -indre, -ondre
-oudre, -erdre, -ordre
1e , 2e, pers. sing
3e pers. plur. prés. sub

assonance
317. IS
263. ICH
331. IX

contre-assonance
71. AS-S
201. ES-S
423. OS-S

322. ISTE-IST°

TRISTE

(un/e) **dadaïste**
un/e lamaïste
un/e hébraïste
un/e mosaïste

(un/e) cambiste
(un/e) unijambiste
un/e cibiste
un/e jobiste
un/e cruciberviste
(un/e) **cubiste**
un/e clubiste
(ouvrier) un tubiste
(musicien) un/e tubiste

schiste
micaschiste
(un/e) anti/**fasciste**
(un/e) machiste
(un/e) tachiste
un/e véli/planchiste
un/e **catéchiste**
un/e fichiste
un/e affichiste
(un/e) je-m'en-fichiste
(un/e) **fétichiste**
(un/e) vichyste
(un/e) gauchiste
(un/e) sado/**masochiste**
(un/e) **anarchiste**
(un/e) anti/monarchiste
un/e perchiste
(un/e) putchiste

(un/e) poujadiste
(un/e) madhiste
(un/e) propagandiste
bollandiste
encyclopédiste
un/e orthopédiste
eudiste
un/e feudiste
un/e héraldiste
un/e mélodiste
un/e **modiste**
un/e antipodiste
un/e **parodiste**
(un/e) méthodiste
(un/e) tiers-mondiste
(un/e) **bouddhiste**
un/e standardiste
(un/e) avant-gardiste
(un/e) nordiste
talmudiste
(un/e) nudiste
rudiste
(un/e) sudiste

(un/e) **déiste**
(un/e) fidéiste
(un/e) spontanéiste
(un/e) innéiste
(un/e) misonéiste
un/e canoéiste
un/e épéiste
(un/e) **passéiste**

(un/e) théiste
(un/e) panthéiste
(un/e) absentéiste
(un/e) polythéiste
(un/e) monothéiste

un/e graphiste
un/e radio/télégraphiste
un/e épigraphiste
(un/e) **pacifiste**
sophiste
gymnosophiste
un/e turfiste

(un/e) ajiste
un/e bandagiste
un/e péagiste
chauffagiste
gagiste
un/e bagagiste
un/e étalagiste
un/e plagiste
un/e ménagiste
un/e aménagiste
un/e affouagiste
(un/e) barragiste
un/e **garagiste**
un/e éclairagiste
(un/e) arbitragiste
un/e paysagiste
un/e visagiste
(un/e) anti/**esclavagiste**
un/e caravagiste
un/e voyagiste
(un/e) échangiste
(un/e) libre-échangiste
(un/e) phalangiste
(un/e) boulangiste
(un/e) orangiste
Égisthe
(un/e) légiste
Hermès **Trismégiste**
un/e motoneigiste
(l')oligiste
un/e pigiste
(un/e) dirigiste
un/e logiste
un/e généalogiste
un/e minéralogiste
(un/e) **écologiste**
un/e oto-rhino-/
laryngologiste
un/e micro/biologiste
un/e épidémiologiste
un/e embryologiste
un/e bactériologiste
(un/e) sociologiste
un/e physiologiste
un/e ichtyologiste
un/e épistémologiste
un/e étymologiste
un/e ophtalmologiste
un/e entomologiste
un/e technologiste
un/e immunologiste
un/e zoologiste
un/e apologiste
un/e sérologiste
un/e virologiste

Barbe Bleue est **xylophoniste**
au Café des regrets chantants
Il joue en veuf rien de plus **triste**
dans un corso de fin des temps

Ses femmes valsant sur la **piste**
ont quitté leur placard tombeau
Robes de deuil qu'une **modiste**
livre aux sept péchés capitaux

Le dragon blanc comme **batiste**
fait signe au mousquetaire noir
et la mort sert de **camériste**
pour remonter le promenoir

Barbe Bleue son cœur d'**améthyste**
s'ouvre par jeu de balancier
car chaque heure bouffonne ou **triste**
l'expose au jugement dernier

Paul Gilson, « Chanson à barbe »,
L'Arche de Noël

Le vieux Pilate répétait ainsi que font les vieux ***ministres***
La vie humaine ce n'est rien, c'est une rue de faubourg **triste**
Une rue qui ne mène à rien, où l'on s'écroule à l'**improviste**.
Tous les empires seront vains tant que la crainte nous **résiste**.

La vie est un théâtre vide où nous couchons, pauvres **artistes**
Dans les décors où vont grinçant la nettoyeuse et le **lampiste**.
Nul ne viendra nous écouter, nous jouons seuls un rôle **triste**
Nul n'est venu nous réchauffer de l'âpre vin des **machinistes**.

Voici les ruches du dormeur, l'essaim des rêves **onanistes**
Le tremblement et la sueur où Pierre a renié le **Christ**.
Le matin froid, le feu éteint, il est absurde qu'on **existe**.
Pilate en se lavant les mains dit que la vérité est **triste**.

Henry Bauchau, « Selon Pilate »,
Poésie

L'excitation progresse

Accule
Bascule
Bouscule
Calcule
Canicule
Crépuscule
Ridicule
Pellicule
Tentacule
Minuscule
Véhicule
Éjacule

Crac-Kodak
Bac-Tabac
Trac-Trictrac
Sac-Ressac
Bric-à-brac
Al-manach
Vrac

Anarchiste
Bouddhiste
Analyste
Pessimiste
Cycliste
Fataliste
Évangéliste
Esclavagiste
Garagiste
Nihiliste
Symboliste
Égoïste
Touriste
Artiste
Triste

Jean-Clarence Lambert, « Le tas »,
Poésie en jeu

J'ai vu revenir les choses de l'année dernière :
l'orage, le printemps et les lilas ***flétris***,
et j'ai bu du vin blanc dans le noir presbytère.
Et mon âme est toujours terrible, douce et **triste**.

Francis Jammes, « J'ai vu revenir les choses »,
Le Deuil des Primevères

☞

ISTE-IST

un/e météorologiste
un/e métrologiste
un/e hématologiste
un/e traumatologiste
(un/e) pathologiste
un/e cytologiste
un/e paléontologiste
un/e pongiste
un/e **aubergiste**
(un) métallurgiste
un/e sidérurgiste
un/e liturgiste

un/e dialoguiste
un/e **droguiste**

(catalogue) il/une **liste**
(bande de poils) une liste
(Franz) Liszt°
(poisson) un baliste
(catapulte) une baliste
un/e kabbaliste
un/e cymbaliste
Calliste
(un/e) anarcho/**syndicaliste**
(chanteur) un/e vocaliste
un/e fiscaliste
(un/e) **idéaliste**
(un/e) **réaliste**
(un/e) hyperréaliste
irréaliste
néoréaliste
(un/e) **surréaliste**
(un/e) triomphaliste
(un/e) légaliste
un/e madrigaliste
(un/e) loyaliste
(un/e) ultra/**royaliste**
mondialiste
(un/e) anti/néo/colonialiste
(un/e) impérialiste
(un/e) matérialiste
un/e mémorialiste
un/e éditorialiste
essentialiste
(un/e) substantialiste
(un/e) existentialiste
(un/e) spécialiste
(un/e) **socialiste**
(un/e) radical-socialiste
(un/e) national-socialiste
(un/e) minimaliste
(un/e) maximaliste
(un/e) formaliste
(historien) un/e annaliste
(psych.) un/e analyste
un/e psychanalyste
(un/e) pénaliste
(philos.) (un/e) finaliste
(sport) un/e demi-/finaliste
un/e criminaliste
(un/e) nominaliste
(un/e) régionaliste
(un/e) inter/nationaliste
(un/e) fonctionnaliste
(un/e) rationnaliste

(un/e) traditionaliste
(un/e) personnaliste
paternaliste
un/e **journaliste**
(un/e) fédéraliste
(un/e) généraliste
(un/e) **im/moraliste**
(un/e) électoraliste
(un/e) centraliste
(un/e) neutraliste
un/e buraliste
pluraliste
un/e muraliste
(un/e) naturaliste
(un/e) structuraliste
(un/e) culturaliste
(un/e) universaliste
(un/e) succursaliste
(un/e) **fataliste**
anti/nataliste
(un/e) orientaliste
(un/e) fondamentaliste
(un/e) environnementaliste
un/e documentaliste
bimétalliste
monométalliste
anti/néo/(un/e) **capitaliste**
(un/e) vitaliste
(un/e) dualiste
(un/e) individualiste
(un/e) sensualiste
(un/e) intellectualiste
(un/e) ritualiste
(un/e) spiritualiste
(un/e) mutualiste
(un/e) avaliste
un/e câbliste
ensembliste
un/e bibliste
check-list°
(un/e) **cycliste**
un/e motocycliste
un/e libelliste
un/e modéliste
évangéliste
un/e aquarelliste
un/e violoncelliste
un/e philatéliste
un/e minitéliste
un/e pastelliste
un/e duelliste
un/e nouvelliste
(un/e) probabiliste
(un/e) misérabiliste
(un/e) immobiliste
un/e automobiliste
un/e sans-filiste
un/e cartophiliste
pugiliste
(un/e) **nihiliste**
similiste
mercantiliste
un/e styliste
un/e vaudevilliste
un/e civiliste
holiste
(un/e) **symboliste**

[...] et la lune là-haut
(Oh
Les lunes !) fait à l'**utopiste** :
***Pstt**...*

Robert Mélot du Dy, « Victor »,
Choix de poésies

Il y a des gens **simplistes**
Devant la gare de l'***Est***
Qui reprochent aux **cyclistes**
D'être ***lestes***

Louis Aragon, « Il règne des vues diverses »,
Le Roman inachevé

❐ *305 [Nelligan] ; 328 [Thomas, Queneau (2e ex.)] ; 332 [Régnier] ; 72 [Ribemont-Dessaignes]*

(un/e) gaulliste
un/e violiste
(guêpe) un/e poliste
(cathol.) (un/e) pauliste
un/e monopoliste
un/e soliste
(un/e) bouliste
simpliste
(un/e) carliste
fabuliste
(sodomite) un culiste
un/e **oculiste**
(un/e) populiste
un/e tulliste

un/e médailliste
un/e éventailliste
(un/e) travailliste
un/e essayiste
(un/e) pointilliste

(initié) myste
(un/e) islamiste
(un/e) dynamiste
un/e céramiste
un/e **polémiste**
un/e érémiste
(un/e) **extrémiste**
un/e **chimiste**
un/e **alchimiste**
un/e biochimiste
un/e pétrochimiste
(un/e) animiste
(un/e) unanimiste
(un/e) **pessimiste**
(un/e) légitimiste
(un/e) intimiste
(un/e) **optimiste**
palmiste
psalmiste
un/e **économiste**
un/e ergonomiste

un/e taxinomiste
(un/e) physionomiste
(un/e) autonomiste
un/e chromiste
(un/e) thomiste
(un/e) atomiste
un/e anatomiste
(un/e) **alarmiste**
un/e taxidermiste
(un/e) réformiste
(un/e) anti/non-/conformiste
(un/e) transformiste
(profession) un fumiste
(plaisantin) (un/e) **fumiste**

un/e urbaniste
mécaniste
(un/e) américaniste
un/e africaniste
(un/e) orléaniste
(un/e) congréganiste
un/e organiste
un/e indianiste
(un/e) confucianiste
un/e **pianiste**
laniste
un/e planiste
un/e ornemaniste
(religion) un/e romaniste
un/e germaniste
(un/e) pangermaniste
(un) **humaniste**
(un/e) onaniste
un/e hispaniste
sopraniste
un/e **botaniste**
(un/e) montaniste
un/e **ébéniste**
chaîniste
un/e eugéniste
indigéniste

un/e hygiénis
un/e aliénis
un/e hellénis
(un/e) épiphénoménis
(un/e) **jansénis**
un/e fusainis
un/e antennis
(un/e) pétainis
(Émile) Benvenis
un/e **machinis**
piccinis
un/e mandolinis
(un/e) molinis
(un/e) **féminis**
(un/e) déterminis
un/e luminis
(un/e) marxiste-/léninis
un/e alpinis
un/e bouquinis
un/e clavecinis
un/e cuisinis
un/e latinis
un/e byzantinis
un/e ruinis
(un/e) **calvinis**
(un/e) darwinis
(hétérosexuel) un conis
(un/e) **hédonis**
un/e **accordéonis**
un/e orphéonis
un/e vibraphonis
un/e téléphonis
un/e symphonis
un/e xylophonis
un/e orthophonis
un/e saxophonis
agonis
(un/e) antagonis
protagonis
un/e champignonnis
(un/e) unionis
(un/e) sionis

ISTE-IST°

(un/e) créationniste
(un/e) ségrégationniste
antiségrégationniste
(un/e) déviationniste
(un/e) déflationniste
anti-/inflationniste
passio(n)niste
(un/e) isolationniste
(un/e) populationniste
(un/e) collaborationniste
(un/e) mutationniste
(un/e) situationniste
(un/e) expansionniste
un/e ascensionniste
(un/e) abstentionniste
(un/e)
non-/interventionniste
(un/e) fractionniste
(un/e) **perfectionniste**
un/e projectionniste
(un/e) anti/protectionniste
(un/e) réductionniste
(un/e) obstructionniste
(un/e) **impressionniste**
(un/e) expressionniste
(un/e) sécessionniste
(un/e) prohibitionniste
(un/e) exhibitionniste
(un/e) abolitionniste
(un/e) nutritionniste
(un/e) scissionniste
un/e receptionniste
un/e contorsionniste
un/e excursionniste
un/e percussionniste
(un/e) évolutionniste
(un/e) révisionniste
un/e prévisionniste
(un/e) divisionniste
(un/e) diffusionniste
un/e **illusionniste**
un/e **violoniste**
(un/e) moniste
un/e harmoniste
canoniste
un/e japoniste
un/e ironiste
un/e bassoniste
un/e feuilletoniste
un/e **moderniste**
un/e corniste
(un/e) anti/crypto/
communiste
(un/e) **opportuniste**

(un/e) maoïste
(un/e) taoïste
un/e hautboïste
(un/e) **égoïste**
un/e bandjoïste
rousseauiste
(un/e) shintoïste

whist°
(un/e) hindouiste
le **twist°**
il twiste
Olivier Twist°

il/une **piste**
un/e papiste
trappiste
un/e **lampiste**
(il découvre) il dépiste
(il déjoue) il dépiste
un/e sténotypiste
un/e linotypiste
alpiste
un/e **copiste**
un/e **utopiste**
un/e pompiste
un/e harpiste
hors-piste

kyste
(un) lakiste
un/e kayakiste
un/e spartakiste
il s'enkyste
banquiste
(un/e) franquiste
tankiste
stockiste
(un/e) pétrarquiste
un/e fresquiste
(un/e)
trotskyste/trotskiste
gluckiste
un/e truquiste

cariste
un/e radariste
un/e méhariste
un/e diariste
(un/e) particulariste
un/e oculariste
un/e mariste
(un/e) millénariste
un/e scénariste
séminariste
(un/e) révolutio(n)nariste
un/e accessoiriste
tsariste
(un/e) monétariste
un/e **guitariste**
un/e documentariste
(un/e) anti/militariste
(un/e) utilitariste
(cithare) un/e cithariste
(sitar) un/e sitariste
(un/e) volontariste
lazariste
Évariste
un/e algébriste
un/e équilibriste
un/e vers-libriste
(Jésus) le **Christ°**
(crucifix) un christ°
(il incarcère, arg.)
il enc(h)riste
antéchrist°
un/e libériste
un/e fildefériste/
fil-de-fériste
un/e affairiste
un/e moliériste
(un/e) maniériste
un/e pépiniériste

un/e carriériste
un/e courriériste
(un/e) fouriériste
(un/e) ouvriériste
un/e croisiériste
un/e rosiériste
(un/e) matiériste
cadmériste
(un/e) consumériste
un/e serriste
un/e scootériste
(un/e) vériste
un/e galeriste
un/e **fleuriste**
un/e primeuriste
(un/e) intégriste
un/e panégyriste
(un/e) empiriste
un/e satiriste
aoriste
un/e herboriste
un/e **choriste**
un/e liquoriste
(un/e) rigoriste
un/e frigoriste
aprioriste
(un/e) behavioriste
un/e folkloriste
(un/e) coloriste
(un/e) **humoriste**
(un/e) contre-/**terroriste**
antiterroriste
un/e tractoriste
pétauriste
motoriste
un/e storiste
un/e calembouriste
un/e secouriste
un/e **touriste**
TRISTE
il **attriste**
(un/e) entriste
(un/e) centriste
un/e optométriste
il contriste
(un/e) castriste
un/e curiste
un/e figuriste
un/e **juriste**
(un/e) **puriste**
un/e caricaturiste
un/e miniaturiste
(un/e) naturiste
(un/e) aventuriste
un/e conjoncturiste
(un/e) culturiste
futuriste

(arbrisseau) un ciste
(corbeille) une ciste
il **assiste**
un/e bassiste
un/e contrebassiste
(un/e) anti/**raciste**
un/e abondanciste
un/e franciste
(un/e) progressiste
un/e congressiste

un/e publiciste
(un/e) belliciste
un/e angliciste
criticiste
un/e atticiste
il **insiste**
macrocyste
un/e vélociste
un/e grossiste
un/e motociste
il **consiste**
il **persiste**
un/e controversiste
un/e **exorciste**
(un/e) debussyste
xyste
(un/e) laxiste
un/e télexiste
(un/e) sexiste
fixiste
(un/e) **marxiste**

(...et le zest) entre le zist°
il se **désiste**
un/e trapéziste
il résiste
treiziste
(un/e) **fantaisiste**
il **subsiste**
un/e prothésiste
un/e radiesthésiste
un/e anesthésiste
quinziste
un/e molinosiste
(un/e) spinoziste
il pré/co/**existe**

(prénom) Baptiste
(chrétien) (un/e) baptiste
(toile) la **batiste**
(un/e) anabaptiste
Jean-Baptiste
grammatiste
un/e anagrammatiste
un/e épigrammatiste
(un/e) crématiste
(un/e) pragmatiste
un/e dogmatiste
(un/e) donatiste
(un/e) droitiste
(un/e) séparatiste
(un/e) comparatiste
(un/e) corporatiste
(un/e) étatiste
un/e **dentiste**
(un/e) indépendantiste
(un/e) irrédentiste
(un/e) scientiste
un/e instrumentiste
(un/e) modérantiste
(un/e) espérantiste
(un/e) obscurantiste
(un/e) attentiste
(un/e) adventiste
(un/e) cédétiste
(un/e) défaitiste
(un/e) cégétiste
un/e vignettiste
un/e billettiste

(un/e) piétiste
(un/e) quiétiste
améthyste
un/e hermétiste
(un/e) génétiste
un/e clarinettiste
un/e marionnettiste
sonnettiste
un/e cornettiste
un/e trompettiste
un/e maquettiste
un/e librettiste
(un/e) syncrétiste
un/e fleurettiste
un/e portraitiste
un/e offsettiste
un/e duettiste
(un/e) **élitiste**
un/e sanskritiste
un/e aquintiste
un/e altiste
(un/e) gestaltiste
(un/e) occultiste
(un/e) autiste
(un/e) pentecôtiste
(un/e) scotiste
(un/e) égotiste
un/e argotiste
protiste
un/e contrapuntiste
/contrapontiste
un/e jusqu'au-boutiste
(un/e) **je-m'en-foutiste**
un/e orthoptiste
(un/e) **artiste**
(un/e) chartiste
(un/e) bonapartiste
un/e concertiste
un/e aquafortiste
(un/e) parachutiste
un/e luthiste
(un/e) salutiste
un/e flûtiste
(un/e) absolutiste
un/e zutiste

un/e linguiste
un/e psycholinguiste
un/e sociolinguiste
(un/e) ubiquiste
(un/e) altruiste
un/e casuiste
un/e revuiste

un/e caviste
un/e claviste
conclaviste
un/e slaviste
(un/e) panslaviste
un/e médiéviste
(un/e) **gréviste**
(un/e) bolcheviste
un/e archiviste
un/e récidiviste
(un/e) **arriviste**
(un/e) exclusiviste
(un/e) relativiste
(un/e) nativiste

ISTE-IST

un/e rotativiste
(un/e) activiste
(un/e) objectiviste
(un/e) subjectiviste
(un/e) collectiviste
un/e prospectiviste
productiviste
(un/e) constructiviste
(un/e) néo/positiviste
(un/e) suiviste
Arioviste
(un/e) stakhanoviste
à l'**improviste**
(un/e) babouviste
réserviste

assonances	*contre-assonances*
323. ISTRE	*72. ASTE*
325. ITE	*202. ESTE*
328. ITZ	*424. OSTE*
332. IXTE	*584. USTE*

323. ISTRE

MINISTRE
SINISTRE

Istres
(fleuve) le Caystre
il/(le) **bistre**
(cagibi, rég.)
une cambistre
(livre) un **registre**
(musique) il/un registre
il **enregistre**
il réenregistre
(bourreau) un mistre
(cuillerée) un mystre
il calamistre
(il bricole, rég.) il chimistre
MINISTRE
il **administre**
sous-ministre
(lugubre) SINISTRE
(catastrophe) un sinistre
(mandoline) un cistre
(percussion) un **sistre**
(racloir de bain) une xystre
cuistre

Christ en croix, Christ mourant, Christ vaincu, ***Christ* sinistre**
Christ criant, Christ Lazare entre les deux larrons,
Christ pourri, vermine à la verge d'Aron,
Fleurs de pus dans le sang pour roses de Saron,

Christ criant vers le ciel sans ouïr de répons.
Christ pleurant dans la mort sous le ***rire*** des **sistres**
Sous le crachat des rois, des chiens et des **ministres**
Dans la sanglante Église unie aux hauts barons.

André Suarès, « Christ en croix… »,
Caprices

Veuillez nous insérer sur un nouveau **registre**,
Ô Dieu qui dresserez un tout autre ***cadastre***.
Ô Dieu qui paraîtrez en ce nouveau ***désastre***
Et ne parlerez plus par la voix d'un **ministre**.

Charles Péguy,
Ève, p. 1090

Orphée, aux bois du **Caystre**,
Écoutait, quand l'***astre*** luit,
Le ***rire*** obscur et **sinistre**
Des inconnus de la nuit.

Victor Hugo, « Orphée, aux bois du Caystre… »,
Les Chansons des rues et des bois

mais en attendant je ***persiste***
à regarder tous les matins
le soleil crever la peau **bistre**
de la nuit qui ourdit ma fin

William Cliff, « La mort… »,
Fête nationale. 38

assonances	*contre-assonances*
322. ISTE	*73. ASTRE*
327. ITRE	*203. ESTRE*
325. ITE	*425. OSTRE*
307. IRE	*585. USTRE*

❒ 425 [Montesquiou]

324. ITCH°-ITCHE

(plage, angl.) beach°
(putain, arg.) une bitch°
(ville) Bitche
Long Beach°
(Ernst) Lubitsch°
(morue, Alg.) maigre comme
un (e)stocafitche
(bigleux, Alg.) (un/e) guitche
(mauvais goût) (le) **kit(s)ch**°
(il foule, rég.) il quitche
Molitg°
(cochonnet, Alg.) un boulitche
(moitié-/moitié, Alg)
mitche-/mitche

Voici donc le surhomme à l'œuvre !
Surhomme à l'eau ! surhomme à l'eau !
Surhomme à l'œuvre
Son maillot, c'est une couleuvre.
Du **Nietzsche** écrit pour les ***boniches*** ;
Ah ! quelle ***bonne niche*** à **Nietzsche** !

Max Jacob, « Partie philosophique et morale »,
La Défense de Tartufe

ITCH°-ITCHE

(partager, Alg.)
faire démitche
(appât, Alg.) un broumitche
(Friedrich) Nietzsche
le Manytch°
pitch°
(il trépigne, rég.) il trapitche
speech°
Mickiewicz°
Mankiewicz°
Sienkiewicz°
Malevitch°
Jankélévitch°
tzarévitch°/tsarévitch°
Chostakovitch°
Obrénovitch°
Gombrowicz°
Rostropovitch°
Grigorovitch°
(casse-croûte)
un **sandwich**°
îles Sandwich°
(il serre) il sandwiche
homme-sandwich°
(méridien de) **Greenwich**°
Norwich°
Ipswich°

assonances	*contre-assonances*
263. ICHE	*74. ATCH-E*
328. ITZ	*204. ETCH-E*
264. ICHT-E	*237. UNCH* [q̃ntc]
314. IRSCH	*426. OTCH-E*

Toi ti'es de l'ancien temps, moi je suis d'aujord'hui.
Quand y march' le Progrès, tout y march' avec lui.
J'ai cet œil de pas bon, mâ çuilà de pas **guitche**.
À chaqu' coup, si je veux, je me tir' le **boulitche*** !

Edmond Brua,
La Parodie du Cid, acte I, scène III

* cochonnet, à la pétanque

Elle m'appela *son of a* **bitch**
Ce qui veut dire fils de putain,
Mais dit avec sa voix de ***biche***
C'était doré comme du latin

Mouloudji, « La Rouquine »,
Complaintes

Je suis le tapin de la lune
Sur le macadam à **Greenwich**
Et mes jupons troués de lunes
Se retroussent devant l'***Anglich***

Léo Ferré, « La Sorgue »,
Poète... vos papiers !

❐ *314 [Kiesel]*

325. ITE-IT°

VITE

(Juif) caraïte
saïte
çivaïte/s(h)ivaïte

(beatnik) beat°
(informatique) un bit°
(pénis) une bi(t)te
(comprendre, arg.)
sans qu'il bi(t)te
(d'amarrage) une bitte
il **habite**
(un/e) wahhabite
barnabite
il cohabite
(un/e) moabite
(un/e) mozabite
il déshabite
(il coupe) il débite
(d'une somme) il débite
péri/phlébite
albite
obit°
(un/e) jacobite
trilobite
cénobite
(sous-officier, arg.)
un sous-bite
orbite
cucurbite

turbith°
(un/e) presbyte
(soudaine) **subite**
(subir) vous subîtes

(haschisch, arg.) du shit°
bronchite
pschtt°/**pschitt**°

être dite
vous **dites**
hadith°
ladite
il/une commandite
(titre) un pandit°
(pendre) vous pendîtes
(il publie) il **édite**
(prénom) Édith°
cheddite
(course) un dead-heat°
(dédit, Suisse) une dédite
(dédire) dédite
il réédite
(médire) médite
(méditer) il **médite**
il prémédite
inédite
il crédite
il accrédite
il décrédite
il discrédite
prédite

Une histoire sensuelle et sans **suite**
Ça fait crac, ça fait **pschtt**
Crac je prends la fille et puis **pschtt**
J'prends la **fuite**
Elles en pincent toutes pour ma pomme **cuite**
J'suis un crack pour ces **p'tites**
Crac les v'la sur l'dos et moi **pschtt**
J'en **profite**

Leurs p'tits cœurs **palpitent**
Tandis qu'elles s'**excitent**
Qu'elles s'envoient au **zénith**

Elles sont gonflées, ouais, mais très **vite**
Elles craquent et alors **pschtt**

Serge Gainsbourg, « Sensuelle et sans suite »,
Dernières nouvelles des étoiles

Ils me disent, tes yeux, clairs comme le cristal :
« Pour toi, bizarre amant, quel est donc mon **mérite** ? »
– Sois charmante et tais-toi ! Mon cœur, que tout **irrite**,
Excepté la candeur de l'antique animal,

Ne veut pas te montrer son secret infernal,
Berceuse dont la main aux longs sommeils m'**invite**,
Ni sa noire légende avec la flamme **écrite**.
Je hais la passion et l'esprit me fait mal !

Aimons-nous doucement. L'Amour dans sa **guérite**,
Ténébreux, embusqué, bande son arc fatal.
Je connais les engins de son vieil arsenal :

......

redite
contredite
smaragdite
lyddite
thyroïdite
audit°
pélodyte
troglodyte
maudite
Aphrodite
(myth.) Hermaphrodite
(bisexué)
(un) **hermaphrodite**
Arabie Saoudite
cordite
péricardite
endocardite
interdite
cordite
Judith°
(une) érudite
(la) susdite

trachéite
pyrénéite
ostéite
uvéite

(+comp.) vous fîtes
scaphite
(Jacques) Laffitte
palafitte
Château-Lafite
Maisons-Laffitte
spermaphyte
il/le graphite
sgraffite
(un) épiphyte
(David W.) Griffith°
(marbre) ophite
(sectateur) ophite
(un/e) **néophyte**
thallophyte
zoophyte
il **profite**
(un) saprophyte
soffite
confite
déconfite
phosphite

(abri) il/un **gîte**
(marine) il/la gîte
(agiter) il **agite**
(agir) vous agîtes
œsophagite
aréopagite
digit°
Brigitte
méningite
salpingite
rhino/pharyngite
laryngite
il **cogite**
il dégurgite
il régurgite
il **ingurgite**

lignite

(un/e) chiite

faillite

il lite
(il se couche) il (s') alite
(batracien) un alyte
amygdalite
encéphalite
mégalithe
hyalite
(n. dép.) galalithe
ta(l)lith°
il/la schlitte
Héraclite
il périclite
hétéroclite
élite
(un/e) ismaélite
(un/e) israélite
rubellite
ostéomyélite
poliomyélite
encéphalomyélite
(n. dép.) bakélite
il (se) délite
(médicament) le mellite
(plante) la mélitte
carmélite
un/e **prosélyte**
satellite
(n. dép.) stellite
vélite
il habilite
il réhabilite
il débilite
il **milite**
il facilite
stylite
colite
acolyte
scolyte
lépidolithe
théodolite
éolithe
zéolit(h)e
(un) monolithe
phonolit(h)e
oolithe
zoolit(h)e
Hippolyte
cosmopolite
métropolite
aérolit(h)e
coprolithe
électrolyte
insolite
chrysolithe
hoplite
Split°
cellulite
lazulite

(papillon) il se/un **mite**
(légende) un **mythe**
(+comp.) (mettre)
vous mîtes
un/e adamite

Crime, horreur et folie ! – Ô pâle **marguerite** !
Comme moi n'es-tu pas un soleil automnal,
Ô ma si blanche, ô ma si froide **Marguerite** ?

Charles Baudelaire, « Sonnet d'automne »,
Les Fleurs du mal

Iliavait une fois un vers de douze pieds
Qui se sentant trop seul cherchait un **acolyte**
Il n'alla pas plus loin que le bout de son nez
Et trouva le copain qu'il voulait tout de **suite**

Ils firent connaissance et tous deux étonnés
Qu'ils eussent en commun la rime **sodomite**
Contents un peu jaloux ils s'étaient accordés
Pour juger la rencontre un peu **hermaphrodite**

Raymond Queneau, « Invraisemblables sornettes
de sodomites convertis »,
Le Chien à la mandoline

Mais les cloportes jouent aux âmes
les ruisseaux **spiritent**
les cochers **cogitent**
les **saprophytes affroditent**
& les colombes **merditent**
sur le retour de l'âge.

Julien Torma, « Le Sucre du Printemps »,
Le Grand Troche

Là-haut, dans sa chambre ***vide***,
Gaspard joue du violon
Et les mortes, qu'il **invite**
À danser, tournent en rond.

Francis Carco, « La ronde »,
La Bohème et mon cœur

Aucun Boeing sur mon **transit**
Aucun bateau sous mon ***transat***
Je cherche en vain la porte ***exacte***
Je cherche en vain le mot **exit**

Serge Gainsbourg, « L'anamour »,
Dernières nouvelles des étoiles

❐ 214.13 [Godoy] ; 121.3 [Salmon] ; 510 [Moréas]
268 [Rousselot] ; 301 [Mouloudji] ; 333.5 [Perros] ; 355 [Alyn]

(un/e) préadamite
calamite
la Sulamite
mammite
(un/e) annamite
il/la **dynamite**
les Hachémites
Messerschmitt°
(un/e) **anti/sémite**
(magasinier, arg.)
un garde-mites
chattemite
stalagmite
phragmite

il **imite**
il/une **limite**
il délimite
hiéronymite
antimite
palmite
sodomite
(minéral) la dolomite
(Tyrol) les Dolomites
(faitout) une **marmite**
(il bombarde) il marmite
ermite
dermite
Tristan l'Hermite

bernard-l'(h)ermite
(insecte) un **termite**
(techn.) la thermite
(Bessie) Smith

amanite
(un/e) johannite
du **granit°/e**
il granite
Tanit
eau **bénite**
syénite
(un/e) sélénite
(un/e) yéménite

ITE-IT°

arsénite
zénith°
Kaïnite
tendinite
vaginite
mélinite
rhinite
actinite
sylvinite
bélemnite
bonite
ébonite
aconit°
aragonite
réunionnite
espionnite
ammonite
(un/e) mennonite
(un/e) maronite
péritonite
gunite
(un/e) sunnite

un coït°
il coïte
introït°

les Alawites/Alaouites
(il se hâte, rég.) il se couite

(textile) la pite
(William) Pitt°
(il s'active, rég.)
il se décrapite
il **décapite**
cockpit°
épite
il (se) dépite
pépite
(crépiter) il **crépite**
(crêpir) vous crêpîtes
(usée) **décrépite**
(décrépiter) il décrépite
(décrêpir)
vous décrêpîtes
pitpit°/pipit°
il **précipite**
incipit°
il **palpite**
vous cor/inter/rompîtes

(prêt-à-monter) un kit°
(libéré) être **quitte**
(il se sépare) il **quitte**
il acquitte
malachite
vous re/naquîtes
(dédommage)
il (se) racquitte
il requitte
trachyte
rhynchite
vous con/vainquîtes
un/e melkite/melchite
orchite

(culte) un **rite**
(rire) vous rîtes
baryte

(un/e) sybarite
les Kharites/Charites
Ougarit°
blépharite
il **abrite**
écrite
décrite
récrite
Théocrite
Démocrite
(un/e) **hypocrite**
re/transcrite
sanscrite/sanskrite
prescrite
ré/inscrite
(un/e) non-inscrite
exinscrite
(un/e) proscrite
circonscrite
souscrite
manuscrite
dendrite
archimandrite
alexandrite
il **hérite**
ferrite
(abri) une **guérite**
(guérir) vous guérîtes
il/un **mérite**
émérite
il/un **démérite**
il cohérite
ypérite
(minéralogie) une cérite
(mollusque) un cérithe
il déshérite
latérite
gastro/entérite
(grammaire) le prétérit°
(il lèse, Suisse) il prétérite
artérite
(prénom) **Marguerite**
(fleur) une **marguerite**
reine-marguerite
pleurite
(frire) être/une frite
(il bat, arg.) une/il frite
(techn.) il/la frite
(mauvais génie) un éfrit°
(il émiette) il (s') **effrite**
(maladie) néphrite
(jade) néphrite
lèchefrite
(René) Magritte
il **irrite**
pyrite
(un/e) spirite
white-spirit°
météorite
diorite
sorite
(une) **favorite**
les Hourrites
(pourrie, rég.) pourrite
vous sourîtes
(+comp.) vous prîtes
métrite
Amphitrite
nitrite

contrite
poly/péri/**arthrite**
(rue, angl.) street°
alabastrite
gastrite
(n. dép.) sécurit°
(n. dép.) durit°/e
prurit°
lazurite
poly/névrite

(citer) il cite
(paysage) un site
(pleuple) (un/e) **scythe**
(médecine) une ascite
vous (vous) assîtes
marcassite
vous (vous) rassîtes
anthracite
(historien) Tacite
(empereur) Tacite
(implicite) **tacite**
satisfecit°
lécythe
il **récite**
accessit°
il nécessite
il/un **plébiscite**
appendicite
déficit°
(permis) **licite**
(droit) il licite
il **félicite**
illicite
il sollicite
implicite
il/être explicite
il **incite**
calcite
Tilsit°
thrombocyte
le Cocyte
leucocyte
lymphocyte
un/il phagocyte
macrocyte
ovocyte
pstt°/psitt°
hussite
réussite
alucite
il **suscite**
il **ressuscite**
il sur/dés/**excite**
bauxite

il/(un) **parasite**
il déparasite
antiparasite
un **transit**°
il **transite**
il **hésite**
magnésite
requisit°
il/une **visite**
contre-visite
à l'opposite
(un) composite
sinusite

exit°

saint Tite
stéatite
(+comp.) vous battîtes
hématite
clématite
dermatite
apatite
hépatite
les ratites
(+comp.) vous sentîtes
stalactite
(chêtive, rég.) ch'tite
(une) **petite**
hittite
otite
biotite
Foo(t)tit°
bipartite
quadripartite
tripartite
aortite
panclastite
cystite
instit°

huit°
(musique) un trois-huit°
(travail) les trois-huit°
(cuire) une/être **cuite**
(se soûler) (une)/il se cuite
précuite
recuite
il court-circuite
il biscuite
duite
re/traduite
enduite
déduite
réduite
séduite
induite
re/produite
ré/introduite
(une) **conduite**
éconduite
méconduite
reconduite
inconduite
une **fuite**
(fuir, arg.) il fuite
il s'a/nuite
(un/e) inuit°
il bruite
il **ébruite**
(le) super-huit°
il affruite
il défruite
truite
détruite
instruite
dé/re/**construite**
une **suite**
tout/de suite
(doux, angl.) sweet°
ensuite
six-huit°
poursuite

course-poursuite
(un) **jésuite**
dix-huit°
(un) in-dix-huit°
gratuite
pituite
fortuite

VITE
(+comp.) (voir) vous vîtes
affidavit°
(graviter) il **gravite**
(gravir) vous gravîtes
aquavit°
à la va-vite
il **évite**
(juif) un lévite
(redingote) une lévite
(il s'élève) il lévite
vide-vite
gingivite
conjonctivite
vous pour/suivîtes
une/il **invite**
il réinvite
vulvite
(un/e) moscovite
synovite

+ verbes en -ir *(2e gr.),* -ir *(3e gr.) (sauf* tenir, venir, courir, mourir *et comp.),* -ire *(sauf* lire *et comp.),* -andre, -indre, -ondre, -oudre, -erdre, -ordre, *2e pers. plur. du passé simple*

assonances
268. IDE
301. IPE
322. ISTE
327. ITRE

contre-assonances
75. ATE
205. ÈTE
427. OTE
586. UTE

326. ITHME

RYTHME

il/un RYTHME
logarithme
antilogarithme
cologarithme
crithme
algorithme
biorythme

Sur leur table, en ronciers, croissaient les **logarithmes**.
Le jour se reformait de chrome et de nickel.
De toujours à jamais s'était perdu le **rythme**
de la seconde avec son égale séquelle.

Georges Garampon, « Récitations du Médium » III,
Le Jeu et la Chandelle

Et tu délivreras ces roses, millions
Déchus, captifs sultans de la smalah des **rythmes**,
Et par les soupiraux, géantes floraisons,
Les caves laisseront bondir les **algorithmes**.

Marcel Thiry, « Le poème innommé »,
Âges in *Toi qui pâlis au nom de Vancouver...*

Vers quel empire ému du vol des séraphins,
Vers quels sommets nombrés par les ordres ***sublimes***
Surgissent tant d'appels qui s'exercent sans fin
À dresser au ***zénith*** les échelles du **rythme** ?

Yves-Gérard Le Dantec, « L'Éden futur »,
Ouranos

Il prend feu sans détruire il a tous les ***mérites***
Il entraîne la femme au delà de son **rythme**
Il entraîne l'enfant au delà du vieillard
En route les cailloux effeuillés sont les pierres
De la ville amassée où chacun a son frère

Paul Eluard, « Ailleurs ici partout »,
Poésie ininterrompue

au long des Lacs près des mouvantes Mers
qui semblent vouloir dévorer cet ***isthme***
oubliant du Vieux Continent l'hiver
tu sens renaître en toi de nouveaux **rythmes**

William Cliff, « Chant » III, 15,
Conrad Detrez

assonances
290. IME
325. ITE
318. ISME
277. IGME

❐

327. ITRE-ITR°

VITRE

il/un **arbitre**
surarbitre
Aïd-el-Fitr°
(gerçure, rég.) il/une halitre
décalitre
talitre
élytre
bélître
(aile) un hémélytre
millilitre
demi-litre
décilitre
centilitre
hectolitre
mitre
gyromitre
(salpêtre) le nitre
(science) il nitre
(parvis, rég.) un planitre
(bouffon) un **pitre**
(poitrine, rég.) le pitre
il/un **chapitre**

Un petit bar était ouvert :
il n'était ni odorant **ni tr'**
ès propre, des écailles d'**huître**,
des vieux journaux, des tessons verts
jonchaient le sol. Dansait la mer
aux salissures de la **vitre** ;
et plein d'un chagrin doux-amer
un marin emportait son **litre**.

Jeanne Bluteau, « Sur les quais »,
Les Chemins de Lannion

Par ce temps pluvieux qui fait pleurer ma **vitre**,
Mon cœur est morfondu comme le passereau.
Que faire ? encor fumer ? j'ai fumé déjà trop ;
Lire ? je vais bâiller dès le premier **chapitre**.

En vain tous mes bouquins m'appellent, pas un **titre**
Ne m'allèche. Oh ! le spleen, implacable bourreau !
Par ce temps pluvieux qui fait pleurer ma **vitre**,
Mon cœur est morfondu comme le passereau.

......

ITRE-ITR°

Pointe-à-Pitre
un **épître**
(rapace) un accipitre
pupitre
(pastèque, rég.) une citre
(il résiste) il récalcitre
il/un **titre**
banc-titre
rôle-titre
devise-titre
il/un sous-titre
intertitre
(vénerie) il fortitre
surtitre
huître
il/une VITRE
lève-vitre

Et, miné par l'ennui rongeur comme le **nitre**,
Je m'accoude en grinçant devant mon vieux bureau ;
Mais la plume se cabre et refuse le trot,
Si bien que je m'endors le nez sur mon **pupitre**,
Par ce temps pluvieux qui fait pleurer ma **vitre**.

Maurice Rollinat, « La Pluie »,
Dans les brandes

– Bonjour ! Ailé, zélé, perlé, stellé,
Bariolé, fameux d'Ecbatane à Thulé,
Prompt comme l'écureuil et comme l'**accipitre**,
Je suis le bateleur, l'acrobate, le **pitre** [...]

Catulle Mendès, « Théodore de Banville. I. Les deux ailes »,
Les Braises du cendrier

Clameurs. Ne partez pas sans ***dire*** aux **pitres**
Qui croient trôner que l'ordre a des ***limites***.
Clameurs. Lancez vos silex dans leurs **vitres**.
Pars, mais prends temps de renverser des **mitres**.
Coups, clameurs. Puis sois lent, de ***site*** en ***site***,
Ce que tu sais c'est ce qu'il faut qu'on ***quitte***,
Non ton lieu de repos.

Jean Grosjean, « Réfractaire aux règnes »,
Majestés et passants

Je n'ai qu'un quart d'heure en poche
Pour résoudre ce ***voltamètre*** ;
Les ablutions d'une cloche
Allument toutes les **vitres**.

Georges Schehadé, « La fille du Savant »,
L'Écolier Sultan

le **litre** du **nitre** de la **vitre** de la **mitre** du **pitre** du ***pâtre***
le ***livre*** du **litre** du **nitre** de la **vitre** de la **mitre** du **pitre**
le ***givre*** du ***livre*** du **litre** du **nitre** de la **vitre** de la **mitre**
le ***vivre*** du ***givre*** du ***livre*** du **litre** du **nitre** de la **vitre**

Michèle Métail,
Compléments de noms, v. 1907-1910

assonances	*contre-assonances*
325. ITE	*77. ATRE*
288. ILTRE	*207. ÈTRE*
323. ISTRE	*453. AUTRE*
330. IVRE	*114. ANTRE*

❒ *203 [Queneau] ; 207 [Perros] ; 288 [Franc-Nohain, Brauquier]*

328. ITZ

AUSTERLITZ

(Jacques) Lipchitz
(John) Keats
Leeds
blitz
Sedlitz
(n. dép.) Berlitz
(bataille) AUSTERLITZ
gare d'**Austerlitz**
(Johann) Stamitz
(Gottfried) Leibnitz
(Ernst) Steinitz
la Regnitz
(Karl) Dönitz
(Martin) Opitz
(Mark) Spitz
le **Ritz**
fritz
Biarritz
(Karl) Moritz
Saint-Moritz

Le félin potassant l'œuvre de **Clausewitz**
Apprit à préparer un nouvel **Austerlitz**
On sait qu'il est toujours des retours de fortune

Il lisse sa moustache et partant de **Biarritz**
Fonce d'un train d'enfer jusqu'aux bains de **Sedlitz**
Pour ne retrouver là qu'un être sans rancune

Raymond Queneau, « L'armée européenne des souris et des chats »,
Le Chien à la mandoline

Quand ils feraient tempête et s'irriter les airs
Pour les précipiter sur la sage gouverne,
Qu'ils jouiraient de voir la Poésie en berne,
Oui ! Lucrèce au chaos, et Llywarch Hen, et **Keats**,
Novalis, Hölderlin, Nerval, Lermontov, **Yeats**...

Henri Pichette, « Le Contre-feu » dans « Leur feu n'est pas le nôtre »,
Les Revendications

☞

ITZ

(Konrad) Witz
Schwyz
Auschwitz
(Carl von) Clausewitz
(René) Leibowitz
(Vladimir) Horowitz
(William B.) Yeats

assonances
321. IS-SE
322. IST-E
325. IT-E

contre-assonances
78. ATZ
208. ETS
529. OUTZ

Ce jour d'hui, Saint-Eugène, à ***Paris***, Hôtel **Ritz**,
Ou plutôt à l'Hôtel de ***Paris***, à **Biarritz**
On découvre, ***surpris***, sur un rhinocéros,
La trace de treize cicatrices atroces…

Michel Deville, « Le mystère du 8 juillet »,
Poézies

Petit tambour de Waterloo
Qui te croyais à **Austerlitz**
Les Anglais t'on crevé la peau,
Brave gamin, graine d'***artiste***,
Console-toi, dans leur chaumière,
Jusqu'à la mort, tes père et mère
Sont demeurés ***bonapartistes***.

Henri Thomas, « L'enfant du 18 juin »,
À quoi tu penses

Au bout du quai d'**Austerlitz**
on crie : il ***faut se taire, Liszt***
au bout du quai de Béthune
y a peut-être une bête, une !

Raymond Queneau, « Le quai Lembour »,
Courir les rues

❐

329. IVE-IV

RIVE
ARRIVE
VIVE

(plante) une ive
(prénom) Yves

(une) **naïve**

Jean-Yves

il archive
des **archives**

(divine) dive
(démon) un dive
maladive
endive
khédive
îles Laquedives
il/une **récidive**
îles Maldives
(Vélodrome d'Hiver)
Vel' d'Hiv'°
tardive

ogive

(Livonie) les Lives
il/la **salive**
il clive
déclive
proclive
gélive

Tite-Live
(prénom) Olive
une **olive**
rochers de Païolive
il **enjolive**
solive

la Nive
Ninive

pive

il/une **esquive**

(berge) une RIVE
(il fixe) il rive
il ARRIVE
Tananarive
Brive
qu'il d/r/**écrive**
qu'il re/transcrive
qu'il prescrive
qu'il ré/inscrive
qu'il proscrive
qu'il circonscrive
qu'il souscrive
(il dévie) il dérive
(à vau-l'eau) il/à la **dérive**
(des rivets) il dérive
grive
il **prive**
étrive

cive
lascive
massive

Mon Dieu, que je voudrais que ma main fut **oisive**,
Que ma bouche et mes yeux reprissent leur devoir !
Écrire est peu : c'est plus de parler et de voir,
De ces deux œuvres l'une est morte et l'autre **vive**.

Quel que beau trait d'amour que notre main **écrive**,
Ce sont témoins muets qui n'ont pas le pouvoir
Ni le semblable poids, que l'œil pourrait avoir
Et de nos **vives** voix la vertu plus **naïve**.

Jean de Sponde, « Mon Dieu, que je voudrais… »,
Les Amours. VI

Masques jumeaux le soir de l'armure à secret
Vitre rêvant d'une île atoll fourré d'**olive**
Libres lions repus aux mailles du filet
Points cardinaux le regard cher métal d'eau **vive**
Le silence gagnant de **solive** en **solive**
Touchait le cri de l'aube à l'ergot des galets
Doigts de désir croisés en nervure d'**ogive**
Les cornes de la vague en vagues se brisaient.

André Rémy-Néris, « Le Secret de l'armure »,
Armel ou mon enfance

L'ère de la mort
s'étend des feuilles pourries
aux pluies **furtives**
aux plaines **plaintives**
sans lasser le temps qu'**esquive**
l'étang des verdures **oisives.**
L'air de la mer
s'entend dans les brumes rouies
sur l'ennui des ***grêves***
sous la nuit des **rives**
……

IVE-IV°

il/être **passive**
vacive
appréhensive
in/compréhensive
(la) **défensive**
(une) **offensive**
inoffensive
contre-offensive
gencive
pensive
expansive
suspensive
intensive
hypotensive
ostensive
co/extensive
il/une **lessive**
agressive
dégressive
régressive
digressive
progressive
transgressive
(une) maniaco/dépressive
immunodépressive
répressive
impressive
oppressive
compressive
in/expressive
excessive
successive
récessive
possessive
processive
concessive
(une) **missive**
émissive
permissive
jouissive
émulsive
répulsive
(une) impulsive
propulsive
compulsive
expulsive
révulsive
convulsive
nocive
(réponse) responsive
poussive
immersive
dispersive
détersive
subversive
inversive
coursive
cursive
récursive
discursive
antitussive
réflexive

(une) **oisive**
abrasive
dissuasive
persuasive
évasive

auto/adhésive
cohésive
décisive
(acerbe) incisive
(dent) une **incisive**
dolosive
implosive
explosive
érosive
corrosive
(ivre morte, rég.) morzive
abusive
effusive
allusive
inclusive
(une) occlusive
conclusive
exclusive
élusive
extrusive

hâtive
approbative
combative
rébarbative
déverbative
revendicative
prédicative
indicative
vindicative
adjudicative
modificative
significative
qualificative
vérificative
rectificative
notificative
justificative
multiplicative
réduplicative
explicative
communicative
(une) fricative
siccative
dessicative
(location) locative
(linguistique) locative
démarcative
(risquée, rég.) risquative
socio-/éducative
dative
(excitante, arg.) bandative
sédative
liquidative
laudative
créative
récréative
(la) **négative**
(une) séronégative
électronégative
agrégative
ségrégative
abrogative
subrogative
prérogative
interrogative
prorogative
purgative

aux phares des ***esquifs***
vers les îles **chétives**.
L'aire de l'amour
se tend des flammes enfouies
aux fards des **missives**
qui jamais n'**arrivent**
quand les verts soucis
charment les âmes **lascives**.

Julien Torma, « Après »,
Premiers écrits

Mets ta langue, agis sans t'enflammer les **gencives**,
Sans épargner non plus l'appoint de la **salive**,
Mets ta langue agissante, emphatique, **extensive**,
Quand je l'eusse voulue un peu plus **inventive**,
Quand je l'eusse voulue un peu **persuasive**,
Inquisitive même et plus **démonstrative**
– Qu'angélus, ange élu, labiales tes ***liquides***,
Instigue mon saint axe et ma copule. **Active** !

André Blavier, « La Cantilène de la mal-baisée »,
Le Mal du pays ou les travaux forc(en)és [v. 3335-3342]

Quel est ton nom ? – Constance. – Où vas-tu ? – Je m'en viens
de toi-même et retourne à toi-même. – ***Soulève***
ce linceul de ta face, et que je sache au moins
si tu ressemble à la sœur d'un de mes ***rêves***.

– Il n'est pas temps encore. – Ainsi je ne puis rien
sur toi ? – Silence ! Apprends que je suis ta **captive**
et qu'à chacun des coups soufferts par ton destin
se forme un trait de plus à ma beauté **furtive**.

Jean Cassou, « Quel est ton nom ? »,
Trente-trois sonnets composés au secret. XXXIII

❐ 121.3 [Saint-Amand] ; 214.23 [Mélot du Dy]
330 [Sabatier] ; 79 [Glissant] ; 234 [Jouve]

(vindicative, rég.) vengeative
désignative
radiative
palliative
ampliative
appréciative
dépréciative
initiative
associative
énonciative
abréviative
ablative
oblative
appellative
corrélative
(vomitive, arg.) dégueulative
(une) **relative**
(une) **contemplative**
exemplative
(causante, rég.) parlative
superlative
translative

(droit) législative
(élections) des législatives
spéculative
cumulative
annulative
copulative
récapitulative
exclamative
estimative
approximative
(l')affirmative
infirmative
confirmative
formative
informative
performative
normative
(une) **native**
imaginative
nominative
dénominative
carminative
germinative
déterminative

illuminative
conglutinative
conative
intonative
(une) **alternative**
inchoative
dissipative
participative
déclarative
narrative
comparative
lucrative
délibérative
fédérative
énumérative
générative
dégénérative
impérative
coopérative
ulcérative
itérative
réitérative
intégrative
admirative

IVE-IV

roborative
décorative
pignorative
méliorative
péjorative
(mémoire) mémorative
(remémoration)
remémorative
commémorative
minorative
corporative
bourrative
administrative
démonstrative
illustrative
curative
durative
(une) non-/figurative
épurative
dépurative
suppurative
pulsative
adversative
laxative
fixative
causative
augmentative
fermentative
argumentative
fréquentative
représentative
tentative
expectative
neuro/végétative
interprétative
dubitative
(une) méditative
qualitative
imitative
limitative
caritative
irritative
incitative
(excitante) excitative
quantitative
facultative
consultative
(une) rotative
(désirable, arg.) foutative
captative
adaptative
optative
portative

progestative
protestative
gustative
anti/commutative
putative
évaluative
dérivative
privative
préservative
in/attentive
contentive
(il) substantive
adventive
préventive
inventive
il/(une) **active**
(il) réactive
olfactive
il/(une) **inactive**
radioactive
tensioactive
rétroactive
interactive
tractive
attractive
rétractive
abstractive
distractive
soustractive
extractive
il désactive
psycho/in/**affective**
effective
défective
profective
im/perfective
(il) objective
(il) subjective
intersubjective
(il) adjective
bijective
injective
projective
interjective
surjective
élective
sélective
réflective
collective
amplective
connective
respective
(la) prospective

(une) rétrospective
introspective
(une) **perspective**
non-/directive
auto/corrective
détective
il/une **invective**
prédictive
fictive
afflictive
restrictive
constrictive
distinctive
instinctive
subjonctive
injonctive
(anatomie) (la) conjonctive
(grammaire)
(une) conjonctive
disjonctive
hypothético/déductive
inductive
productive
reproductive
contre-productive
(une) improductive
introductive
obstructive
destructive
instructive
constructive
chétive
réplétive
complétive
supplétive
explétive
(moisson, rég.) les métives
rétive
inhibitive
prohibitive
additive
expéditive
accréditive
auditive
(une) **fugitive**
volitive
(une) **primitive**
vomitive
dormitive
lénitive
cognitive
récognitive
(en) **définitive**

(une) infinitive
unitive
auto/punitive
apéritive
nutritive
capacitive
(sensible) **sensitive**
(plante) une sensitive
coercitive
in/transitive
acquisitive
(il) **positive**
diapositive
prépositive
(une) séropositive
électropositive
factitive
répétitive
compétitive
partitive
(une) **intuitive**
plaintive
(une) **craintive**
(une) jointive
il **cultive**
(une) **fautive**
il **motive**
(une) **émotive**
il démotive
(une) **locomotive**
leitmotiv°
votive
il/(une) **captive**
contraceptive
réceptive
perceptive
descriptive
adoptive
consomptive
présomptive
éruptive
disruptive
assertive
abortive
(une) sportive
antisportive
furtive
Steeve
(marine) une estive
(passer l'été) une/il estive
festive
suggestive
digestive

congestiv
intempestiv
exhaustiv
arbustiv
attributiv
contributiv
distributiv
consécutiv
exécutiv
résolutiv
évolutiv
dévolutiv
révolutiv
involutiv
diminutiv
comminutiv
substitutiv
constitutiv

(une) **juiv**
qu'il **suiv**
qu'il s'ensuiv
qu'il **poursuiv**

(vif) VIV
(poisson) une viv
(vivre) (qu'il) **viv**
il aviv
Tel-Aviv
il raviv
qu'il reviv
(sur le) **qui-vive**
conviv
qu'il surviv

assonance
330. IVR
275. IG
271. I

contre-assonance
79. AV
209. ÈV
587. UV

330. IVRE

LIVRE
VIVRE

ivre
il/le **givre**
il dégivre
guivre
un LIVRE
(poids) une **livre**
(monnaie) une livre
(il remet) il **livre**
grand-livre
(il libère) il **délivre**
(médecine) le délivre
serre-livres

C'est la Mort qui console, hélas ! et qui fait **vivre** ;
C'est le but de la vie, et c'est le seul espoir
Qui, comme un ***élixir***, nous monte et nous **enivre**,
Et nous donne le cœur de marcher jusqu'au soir ;

À travers la tempête, et la neige, et le **givre**,
C'est la clarté vibrante à notre horizon noir ;
C'est l'auberge fameuse inscrite sur le **livre**,
Où l'on pourra manger, et dormir, et s'asseoir [...]

Charles Baudelaire, « La Mort des pauvres »,
Les Fleurs du mal

IVRE

couvre-livre
demi-livre
il **enivre**
il désenivre
vouivre
Il/du **cuivre**
il décuivre
suivre
s'ensuivre
poursuivre
VIVRE
(nourriture) des vivres
revivre
bien-vivre
savoir-vivre
survivre

– Interroge les sphinx, va combattre les **guivres**
Et ***cueillir*** les fruits d'or des baisers défendus.
– À quoi bon ? Je reviens des paradis perdus.
Je me meurs du dégoût des ***lèvres*** et des **livres**.

– N'entends-tu pas le choc des glaives et les **cuivres**
Sonnant la charge aux cœurs par la gloire attendus ?
– Que de cerveaux fêlés et de crânes fendus !
Je n'ai rien de commun avec ces brutes **ivres** ;

Iwan Gilkin, « Requiescat »,
La Nuit

Pourtant, ô vieillesse, à toi je me **livre**
D'une humeur égale et d'un cœur soumis.
Ne m'accable point, redoutable **Wyvre***,
Et, puisque après tout ensemble il faut **vivre**,
Jusqu'au dernier jour vivons bons amis !

Amédée Pommier, « L'Installation »,
Colifichets, jeux de rimes

* vouivre, serpent légendaire

Silence où je vois bouger une ***hydre***
Qui s'engourdit comme un vieillard **ivre**
Et c'est le mot fin, imprimé très fin
À la fin d'un **livre**.

Henri Thomas, « Silence… »,
Trézeaux

Comme un baiser perdu, tu glisses de nos ***lèvres***
La terre se referme et chacun veut te **suivre**
Les passagers du cœur s'en vont à la ***dérive***
Et nous n'avons qu'un cri pour partager le ciel.

Robert Sabatier, « La Femme et le Fruit »,
Les Fêtes solaires

assonances	*contre-assonances*
329. IVE	*80. AVRE*
262. IBRE	*210. ÈVRE*
270. IDRE	*235. EUVRE*
327. ITRE	*531. OUVRE*

❒ *214.21 [Rabearivelo] ; 273 [Roubaud] ; 279 [Léotard] ; 80 [Thiry]*

331. IX°-IXE

X°
FIXE
ONYX°

(lettre ; math.) un ixe/X°
monsieur **X**°
(polytechnicien) un/e X°
film X°
(il classe) il ixe
cérambyx°
bombyx°
Cadix°
sandyx°/sandix°
(immobile) il/être FIXE
(drogue) un fixe
(linguistique) un affixe
(mathématique) une affixe
(droit) préfix°/e
(droit) il préfixe
(linguistique) il/un **préfixe**
antéfixe
infixe
il/un **suffixe**
Alix°
hélix°
Obélix°
Félix°
(Marcus) Minucius Felix°

La Nuit ***approbatrice*** allume les **onyx**
De ses ongles au pur Crime, lampadophore,
Du Soir aboli par le vespéral **Phœnix**
De qui la cendre n'a de cinéraire amphore

Sur des consoles, en le noir Salon : nul **ptyx**,
Insolite vaisseau d'inanité sonore,
Car le Maître est allé puiser de l'eau du **Styx**
Avec tous ses objets dont le Rêve s'honore.

Et selon la croisée au Nord vacante, un or
Néfaste incite pour son beau cadre une **rixe**
Faite d'un dieu que croit emporter une **nixe**

Et l'obscurcissement de la glace, décor
De l'absence, sinon que sur la glace encor
De scintillations le septuor se **fixe**.

Stéphane Mallarmé, « Sonnet allégorique de lui-même »,
Poésies

J'ai vu dans la craie d'incroyables **ixes**
Avec des chapeaux de lune et de vent
Et poétisant des savants **prolixes**
……

IX°-IXE

prolixe
il **mixe**
(rien, arg.) nix!°
(nymphe) une **nixe**
(mythologie)
le **phénix°/Phénix°**
(palmier)
un phénix°/phœnix°
(ville) Phoenix°
îles Phoenix°
(Jan Baptist) Weenix°
ONYX°
trionyx°
sardonyx°
rayons x°
(place) un pnyx°
(Athènes) la Pnyx°
vernix°
rixe
(mélèze) un larix°
tamarix°
(Jimi) Hendrix°
Éryx°
aptéryx°
archéoptéryx°
Astérix°
oryx°
Vercingétorix°
Béatrix°
lagothrix°
strix°
le **Styx°**

J'ai la mathématique du divan
Et quand tu vas dormir pour toi je **mixe**
Le bonheur et la Mort qui va devant

Avec le jour au bout comme un **suffixe**

Léo Ferré, « Le chemin d'enfer »,
La mauvaise graine

Le moteur tourne en idée **fixe**
En chemin vers le **Pacifixe**
L'invisible Équateur conspire
Quand donc sera le pays des **phénix**
Le soir ouvert aux douces **oasix** ?
La vibracion agace la **matrix**
D'une dormeuse qui transpire

Jean-Paul de Dadelsen, « Itinéraire de Londres à Valparaiso »,
Jonas

Et pourtant je sais bien que tant de crocs, de ***risques***
Ont creusé cette terre où déjà je descends,
Qu'elle devrait d'un coup boire l'or de mon sang,
Et moi me terminer comme cesse une **rixe** [...]

Jean Rousselot, « La flaque »,
Agrégation du temps in *Les Moyens d'existence*

Classée **X**
C'est l'***intox***
Classée **X**
Parce qu'***ex***
Cessive

Lascive
Sur pellicule
On me **fixe**
En plein ***axe***

Serge Gainsbourg, « Classée X »,
Dernières nouvelles des étoiles

assonances	*contre-assonances*
320. ISQUE	*81. AX-E*
321. IS-SE	*211. EX-E*
306. IQUE-IC	*432. OX-E*

❐

332. IXTE

Calixte
mixte
(papes) Sixte
(musique) une sixte

Oh ! maintes fois l'échevin **Sixte**
Vola, du haut de ce mur **mixte**,
Chez ses voisins silencieux,
Ce fruit qu'il eût ravi des cieux.

Émile Verhaeren, « Kleudde »,
Petites légendes

Ce fut cette année-là aussi qu'à votre tour
Vous eûtes Jeanne Arnal et Christine Latour :
Vous pourrez ajouter encore à votre ***liste***
La brune Éléonore et la rousse **Calixte**
Dont la beauté brûlante en vos bras a frémi…

Henri de Régnier, « Memento galant »,
Ariane et autres poèmes

Toi tu n'aimais pas le ***tennis***,
Tu préférais l'Air du Roi d'***Ys*** ;
Et pour comble de ***maléfice***
Ta rivale était une ***Miss***
Délicieuse en **double-mixte**.

Alfred Dupont, « J'entrouvrais mes rideaux dès l'aube »,
Le Jeu de Bruges et de la Mer

assonances	*contre-assonances*
322. ISTE	*212. EXTE*
267. ICTE	*532. OUXTE*
331. IXE	
320. ISQUE	

❐

333. IN-UN

333.0 IN-UN

UN

(rivière ; départ.) l'Ain
(hameçon, arch.)
un haim/hain
(pardi!) **hein**!
(1) UN
(peuple) les **Huns**

un à **un**
les **huns**
deviennent des ***nains***.
Perdez-vous dans l'**Ain**
et non dans l'*Aisne*.

Hein ?

Robert Desnos, « Un à un les huns… »,
L'Aumonyme in *Corps et biens*

C'est un séjour divin que d'abord l'âme éprise
Prise.
N'aimerais-tu pas voir ce site ***élyséen***,
Hein ?

Amédée Pommier, « Le Financier et la Bergère » V,
Colifichets, jeux de rimes

Je veux mourir pour tes beautés, Maîtresse,
Pour ce bel œil, qui me prit à son **hain**,
Pour ce doux ris, pour ce baiser tout ***plein***
D'ambre et de musc, baiser d'une Déesse.

Pierre de Ronsard, « Je veux mourir pour tes beautés… »,
Amours de Cassandre. XLVI in *Les Amours*

sous-rimes voisines	*contre-assonances*
333.5 ÉEN	*91.0 AN*
333.9 IEN	*456.0 ON*

❐

333.1 AÏN-AHUN

CAÏN

(Claude) Cahun
CAÏN
Tubal-Caïn
un à un

Ils parvinrent à tromper
Le peuple par leur chantage
Pour réussir ces **Caïns**
Prir'nt le nom d'***Républicains***

« La grande et véridique complainte des membres de la Commune de Paris » in Serge Dillaz, *La Chanson sous la IIIe République*

Et, comme devant eux s'ouvrait un ***souterrain***,
Là, se ruant dans l'ombre ainsi qu'à la curée,
Ils gorgèrent d'amour leur chair désespérée !
Et c'est cette nuit-là que fut conçu **Caïn**.

Albert Samain, « La peau de bête »,
Le Chariot d'Or

sous-rimes voisines	*contre-assonances*
333.11 MAIN	*91.1 AAN*
333.17 RAIN	*456.1 AON*
333.5 ÉEN	*435.1 AO*

❐ *435.1 [Béart]*

333.2 BIN-BUN

BAIN

un BAIN
ordre du Bain
eh ben!
(Jean) Gabin
rabbin
carabin
(un) maugrabin
les Sabins
bambin

(un) **lambin**
(excuse, arg.) un rambin
Enghien-les-Bains
Thonon-les-Bains
plébain
Aix-les-Bains
(un) mag(h)rébin
(un) thébain
sortie-de-bain
chauffe-bain
(niais) (un) coquebin
tribun

Elle est de la beauté des profils de ***Rubens***
Dont la majesté calme à la sienne s'incline.
Sa voix a le son d'or de mainte mandoline
Aux balcons de Venise avec des chants **lambins**.

Ses cheveux, en des flots lumineux d'eaux de **bains**,
Déferlent sur sa chair vierge de manteline ;
Son pas, soupir lacté de fraîche mousseline,
Simule un vespéral marcher de **chérubins**.

Émile Nelligan, « Gretchen la pâle »,
Poésies complètes

☞

333. IN-UN

333.2 BIN-BUN

(prénom) Albin
monts Albin
rosalbin
(billet de banque, arg.) talbin
(porte-feuille, arg.) porte-talbin
(étranger) un aubain
(allure) aller l'aubin
(prénom) Aubin
(un) **jacobin**
(bossu, arch.) gobin
Saint-Gobain
(magistrat) un robin
(prénom) Robin
(...des bois) Robin
(ville) Saint-Aubin
(Gabriel de) Saint-Aubin
(pigeon) (un) colombin
(étron) un colombin
larbin
(corbeau, arch.) corbin
bec-de-corbin
(citadin) **urbain**
(papes ; prénom) Urbain
suburbain
périurbain
(un) rurbain
(l')interurbain
turbin
(un) cubain
(un) afro-cubain
concubin
(Germaine) Lubin
Ruben
(ange) un **chérubin**
(personnage) Chérubin

Marquis de Vascagat, ô Géronte, ô Gavroche,
Qui de la *gens* Vervoort appuyer le **turbin**
Voici le temps pour vous, paillasse et **coquebin**,
D'exhaler un esprit qui n'est pas sans reproche.

Drumont, le ***sacristain*** nidoreux, le **larbin**
Dont les femmes en mal d'enfant craignent l'approche,
Laid comme un pou, va siéger près d'Ernest Roche.
Votre beau-frère seul clapote dans son **bain**.

Laurent Tailhade, « Sonnet »,
Poèmes aristophanesques

Regarde : citoyens, rois, soldat ou **tribun**,
Dieu met la main sur tous et n'en choisit pas ***un*** ;
Et le pouvoir, rapide et brûlant météore,
En tombant sur nos fronts nous juge et nous dévore.

Alphonse de Lamartine, « Réponse aux adieux de Sir Walter Scott à ses lecteurs »
Œuvres poétiques complètes

Des rangées de blancs **chérubins**
Remplacent l'hiver les ***sapins***
Et balancent leurs ailes
L'été ce sont de grands **rabbins**
Ou bien de vieilles demoiselles

Guillaume Apollinaire, « Les sapins »,
Rhénanes in *Alcools*

sous-rime voisine
333.15 PIN

contre-assonances
91.2 BAN
456.2 BON

❒

333.3 CHIN

(Marcel) Cachin
Machin/machin
crachin
(un) maraîchin
fraîchin
(Charles Nicolas) Cochin
(Saint-Brieuc) (un) briochain
(son) **prochain**
trochin
bouchain
le Guerchin

Ah qu'il fait bon dans la galerne
La bise aigre le vent **crachin**
– Le caban roussi des lanternes
Sa vieille pipe et son vieux **chin*** –
Fouler du sabot les luzernes.

Tous les ***chagrins*** roulés en berne
Boquain**, plainier ou **maraîchin**,
C'est tempérament ***sauvagin*** !
Dans la cage à pluies où j'hiberne
Seul, que j'aime mieux mon **prochain** !

Maurice Fombeure, « Retraite »,
Les Étoiles brûlées

* chien (?) ** ou *bocain* : du bocage

Tout mon passé revit à travers un **crachin**
où la moindre embellie et son air nostalgique
fait ton pire mensonge à mon plus grand ***chagrin***.

Luc Estang, « De toi date la fin… »,
Corps à cœur. LIII

Avec Machine
Moi **Machin**
On s'dit des choses
Des **machins**
Oh pas grand-chose

Serge Gainsbourg, « Machins choses »,
Dernières nouvelles des étoiles

sous-rimes voisines
333.18 SIN
333.7 GIN

contre-assonances
91.4 CHAN
456.3 CHON

❒

333.4 DIN-DUN

333. IN-UN

JARDIN
un **daim**
d'un
(enjoué) **badin**
(anémomètre) un badin
muscadin
(chuter, arg.)
prendre un gadin
(cheval, arg.) un gadin
(villageois, rég.) bourgadin
vertugadin
ladin
Aladin
baladin
paladin
Saladin
(coiffeur, arg.) pommadin
grenadin
incarnadin
(un) radin
gradin
(un) **citadin**
(un) comtadin
(ligne de foin) un andain
(Andes) (un) andin
dandin
(dandy) gandin
(tromperie, arg.) gandin
almandin
transandin
lavandin
éden/Éden
dédain
(nigaud, rég.) un bredin
gredin
smaragdin
aldin

Odin
anodin
(Auguste) **Rodin**
Châteaudun
ondin
ragondin
(Antoine) Blondin
(blondinet) (un) blondin
(benne) un blondin
(un) mondain
rondin
grondin
(un) girondin
(Eugène) Boudin
un **boudin**
(mouchard, rég.)
rapporte-boudin
bigouden
Loudun
pouding
soudain
Issoudun
(Pierre) Cardin
muscardin
(Jean Siméon) Chardin
Teilhard de Chardin
JARDIN
cité-jardin
rez-de-jardin
grillardin
(miséreux, arg.) pouillardin
(policier, arg.) poulardin
(saint ; prénom) Bernardin
(religieux) un bernardin
Verdun
gourdin
(un) périgourdin
(fleuve) le **Jourdain**
Monsieur Jourdain

sous-rime voisine
333.20 TIN

contre-assonances
91.5 DAN
456.5 DON

– L'orchestre militaire, au milieu du **jardin**,
Balance ses schakos dans la *Valse des fifres* :
– Autour, aux premiers rangs, parade le **gandin** ;
Le notaire pend à ses breloques à chiffres [...]

Arthur Rimbaud, « À la musique »,
Poésies

Le tréteau qu'un orchestre emphatique secoue
Grince sous les grands pieds du maigre **baladin**
Qui harangue non sans finesse et sans **dédain**
Les badauds piétinant devant lui dans la boue.

Le plâtre de son front et le fard de sa joue
Font merveille. Il pérore et se tait tout **soudain**,
Reçoit des coups de pieds au derrière, **badin**,
Baise au cou sa commère énorme, et fait la roue.

Paul Verlaine, « Le Pitre »,
Jadis et Naguère

Car tout est bon en toi : chair, graisse, muscle, tripe !
On t'aime galantine, on t'adore **boudin**.
Ton pied, dont une sainte a consacré le type,
Empruntant son arome au sol **périgourdin**,

Eût réconcilié Socrate avec Xanthippe.
Ton filet, qu'embellit le cornichon **badin**,
Forme le déjeuner de l'humble **citadin** ;
Et tu passes avant l'oie au frère Philippe.

Charles Monselet, « Le Cochon »,
Sonnets gastronomiques. VI in *Poésies complètes*

Ils n'ont fait que la rendre un peu plus immortelle.
L'Œuvre ne périt pas, que mutile un **gredin**.
Demande à Phidias et demande à **Rodin**
Si, devant ses morceaux, on ne dit plus : « C'est Elle ! »

La Forteresse meurt quand on la démantèle.
Mais le Temple, brisé, vit plus noble ; et **soudain**,
Les yeux, se souvenant du toit avec **dédain**,
Préfèrent voir le ciel dans la pierre en dentelle.

Edmond Rostand, « La Cathédrale »,
Le Vol de la Marseillaise

Par sa luxure et son **dédain**
Ta lèvre amère nous provoque ;
Cette lèvre, c'est un **Éden**
Qui nous attire et qui nous choque.
Quelle luxure ! et quel **dédain** !

Charles Baudelaire, « Le Monstre ou le Paranymphe d'une nymphe macabre » I,
Les Épaves

Palsambleu ! Jarnigué !
Ah ! Que la nuit était donc noire,
Noire et peu gaie,
En ce **jardin** !
On n'eut pas distingué
Un tamanoir
D'un
Daim.

Sacha Guitry, « Le hibou blanc dans la nuit noire »,
Et puis, voici des vers

❒ 104 [Mary]

333.5 ÉEN

(sabat) (un) sabéen
(gnostique) (un) sabéen
achéen
les Achéens
trachéen
échiquéen
(un) manichéen
(l') archéen
(un) nietzschéen
(un) mandéen
(un) vendéen
(un) sidéen
(un) chaldéen
(un) paludéen
(un) antipaludéen
égéen
les Égéens
les Adyguéens
dédaléen
peléen/péléen
(physique) galiléen
(palestine) (un) galiléen
booléen
herculéen
céruléen
(un) panaméen
(l') araméen
les Araméens
Jeux Néméens
(un) dahoméen
mallarméen
les Iduméens
(le) cananéen
les Cananéens
(un) ghanéen

(un) méditerranéen
arachnéen
(un) **pyrénéen**
transpyrénéen
(un) guinéen
linnéen
les Asmonéens
cornéen
éburnéen
(un) zimbabwéen
cyclopéen
(un) **européen**
(l') indo-européen
(un) guadeloupéen
(le) nazaréen
nectaréen
champs Phlégréens
hyperboréen
(un) sud-/nord-/coréen
marmoréen
(un) érythréen
(un) **lycéen**
(un) phocéen
(un) sa(d)ducéen
confucéen
élyséen
les Jébuséens
les Nabatéens
être sur son trente et un
prométhéen
goethéen
(chiffre) vingt et un
(jeu) le vingt-et-un
(jeu) le 421

Tandis qu'elle écorchait, avec foi, les sonates
De quelque malheureux pianiste **européen**,
Je baisais du regard ses lèvres incarnates :

Et, parfois, me baissant, – bonheur **élyséen** !
J'effleurais le ruban pommadé de ses nattes
De ma bouche d'imberbe et maigre **lycéen**.

Ernest d'Hervilly, « Puérilités »,
Les Baisers

La trompette d'argent du val **pyrénéen**
Ne fut ni le premier ni le dernier cantique ;
Entends le triomphal sanglot **prométhéen**,
Clamé du Caucase à l'Attique !

Paul Morin, « Les Héros »,
Poèmes de Cendre et d'Or

Des dieux que l'art toujours révère
Trônaient au ciel **marmoréen** ;
Mais l'Olympe cède au Calvaire,
Jupiter au **Nazaréen**…

Théophile Gautier, « Bûchers et Tombeaux »,
Émaux et Camées

On se bat à la ronde
Mais un
Parlait l'**araméen**
Jésus qui n'est plus de ce monde.

Max Jacob, « La guerre et la paix »,
Le Laboratoire central

je découvre à nouveau ce ***rien***
qui m'est travail **prométhéen**
car je n'en mérite le ***bien***
n'étant pas de ces grands artistes
que leur paresse même excite

Georges Perros, « Je n'ai jamais su travailler… »,
Une vie ordinaire

sous-rimes voisines
333.9 IEN
333.1 AÏN

contre-assonances
91.6 ÉAN
456.6 ÉON

❒ *333.0 [Pommier]*

333.6 FIN-FUN

FAIM
FIN
PARFUM

la FAIM
(feindre) (il) feint
sans/à la/la FIN
(mince) **fin**
(conjonction) **afin**
(affinité) affin
(plat de résistance)
abat-faim
crève-la-faim
(vagabond, rég.)
fout-la-faim
séraphin
extra-fin/extrafin

Ai-je un langage qui convienne
Aux crânes vides des **défunts** ?
Car c'est à eux, à toutes **fins**,
Qu'il faut que mon texte parvienne.

Ils gisent en terre de Sienne.
L'encens fut jadis leur **parfum**.
On dit qu'ils reposent **enfin**
Bien loin de là, quoi qu'il advienne.

Claude Ernoult, « Paravent. Sixième volet »,
Six sots sonnets et autres textes rimés

☞

FIN-FUN

enfin
bec-fin
(logement) un F1
(un) **défunt**
Joséphin
(chanoine) génovéfain
meurt-de-fin
(fringale) la malefaim
aiglefin/églefin
coupe-faim
(affamé) claquefaim
aigrefin
matefaim
(fantassin, arg.) biffin
(légionnaire, arg.) légobiffin
(du) demi-fin
(un) rifain
(Francis) Vielé-Griffin
(prénom) Delphin
(animal) **dauphin**
(héritier) le **Dauphin**
(proxénète, arg.) dauphin
coffin
aux confins
couffin
(patati, patata, rég.)
et patin et couffin
(finalement) à la parfin
du PARFUM
brûle-parfum
(mitraillette, arg.)
lance-parfum
superfin
surfin
puffin
Rufin

Du bon vieux roi Soleil aventureux **dauphin**,
Ô ***vin***, grand bâtisseur de châteaux en Espagne,
Que de fois avec toi ma gaîté fit campagne,
Sous ton drapeau de pourpre et tes harnois d'or **fin** !

On avait toujours soif. On n'avait jamais **faim**.
Tous de francs compagnons ! Et pour seule compagne
La Chanson, vivandière au cul rose et sans pagne.
Et tous, le cœur plus pur qu'un cœur de **séraphin** !

Jean Richepin, « Du bon vieux roi Soleil… »,
Dans les Remous. XIV in *Mes Paradis*

Je crois que Mantegna vous a faite en peinture
Droite dans le gazon rare et les arbres **fins**,
Au bord d'une mer bleue, où, civils, des **dauphins**
Escortent des vaisseaux à la basse mâture.

Vous menez, garottés d'une rouge ceinture,
Des amours ; sans souci de leurs pleurs vrais ou **feints**
Vous rêvez des projets dont nul ne sait les **fins**,
Laissant vos cheveux d'or flotter à l'aventure.

Charles Cros, « Sonnet »,
Le Coffret de santal

Ce n'est point d'antiquaille et de pédagogie,
Ce n'est pas du savoir que dans sa docte orgie
Mange le jésuite ou le **génovéfain**,
C'est de vie et d'azur et d'aube que j'ai **faim** !

Victor Hugo, « Tristesse finale »,
L'Âne. XI

Qui est ***fou***
est-ce moi est-ce vous
est-ce le temps avec sa ***faux***
ou la cloche qui sonne ***faux***
est-ce le père est-ce l'***enfant***
est-ce le cerf ou bien le ***faon***
la nuit et tous ses **parfums**
le rêveur et ses songes sans **fin**
celui qui mange sans avoir **faim**
est-ce vous est-ce moi **enfin**

Philippe Soupault, « Est-ce vous ? »,
Poésies pour mes amis les enfants

sous-rime voisine
333.22 VIN

contre-assonances
91.8 FAN
456.7 FON

❒ *481.7 [Prévert]*

333.7 GIN-JUN

(il) **geint**
(ville) Agen
à jeun
(un) cajun
vagin
(le) sauvagin
engin
antiengin
frangin
saint Hygin
(bon sens, arg.) gingin

Quand un p'tit spermatozoïde entre dans le **vagin**
Y rencontre l'ovule et il lui dit salut **frangin**
On pourrait ce me semble
Faire des p'tites choses ensemble
L'autre lui dit d'accord ça me va
Et y dansent la java

Pierre Perret, « Papa, Maman »,
Chansons de toute une vie

☞

GIN-JUN

(vin rouge, arg.) gingin/jinjin
Longin
le Pérugin

De Dieu trop plein de Dieu, Dieu ce plusieurs en ***Un***,
Dieu dont le sein éclate en naissances profondes,
Dieu, le Père de Dieu, Dieu, la Mère du Monde
Qui donne la mamelle à son petit **à jeun** [...]

Marie Noël, « Adam et Ève. III. Le Jeu d'Amour »,
Les Chants de la Merci

Les chevaux de boguet trottaient par le ***chemin***
de l'église ***Saint-Martin***
où le père exhortait en français ses fidèles
Il y avait dans l'air des ribambelles
de cloches qui battaient le rappel des **cajuns**
comme on désigne maintenant les ***acadiens***

Paul Gilson, « En passant par Saint-Martinville »,
Le Grand Dérangement

sous-rimes voisines
333.19 S(Z)IN
333.4 CHIN
333.9 IEN

contre-assonances
91.10 GEAN
456.8 GEON

❐ *333.3 [Fombeure] ; 121.7 [Deville]*

333.8 GUIN-GUN

GAIN

GAIN
(matin, arg.) mataguin
(ville) Enghien
duc d'Enghien
(un) **sanguin**
(un) consanguin
(coiffe) béguin
(penchant) **béguin**
(personne, arg.) dégun
regain
la chèvre de M. Seguin
(bouledogue) doguin
(Paul) Gauguin

La vache lentement chemine
Entre le chaume et le **regain** ;
La bouchère suit, cou **sanguin**,
Moustache noire et belle mine.

Par instants, son œil s'illumine :
Elle a dû faire un fameux **gain** !
– La vache lentement chemine
Entre le chaume et le **regain**.

Et tandis qu'à chaque chaumine
S'arrête le petit **doguin**,
Devant la commère en **béguin**,
– Douce et blanche comme une hermine,
La vache lentement chemine.

Maurice Rollinat, « La Bouchère »,
Dans les brandes

Et d'une main fiévreuse, mais honnête, dame,
On est honnête ! et comme il a vu tel ***bouquin***,
Qu'il convoite depuis… tant d'ans ! un vrai **béguin** !

Il envoie au Négociant un télégramme…

Paul Verlaine, « L'arrivée du catalogue »,
Biblio-Sonnets. IV

sous-rime voisine
333.16 QUIN

contre-assonances
91.9 GAN
456.10 GON

❐

333.9 IEN

BIEN
RIEN

(mousquet) un biscaïen
(habitant) (un) biscaïen
kafkaïen
himalayen
mayen
(un) hawaïen
doyen

(un) nicaraguayen
(au milieu) moyen
(procédé) un **moyen**
(un) mi-moyen
(un) troyen
mitoyen
con/**citoyen**
(un) **païen**

être/très BIEN
(morale) le **bien**
(propriété) un **bien**

Prends ces mots dans tes mains et sens leurs pieds agiles
Et sens leur cœur qui bat comme celui du **chien**
Caresse donc leur poil pour qu'ils restent tranquilles
Mets-les sur tes genoux pour qu'ils ne disent **rien**

Une niche de sons devenus inutiles
Abrite des rongeurs l'ordre **académicien**
Rustiques on les dit mais les mots sont fragiles
Et leur mort bien souvent de trop s'essouffler **vient**

Raymond Queneau, « La chair chaude des mots »,
Le Chien à la mandoline

333. IN-UN

Fabien
(un) gambien
(un) zambien
amphibien
(un) libyen
(un) amibien
(un) namibien
microbien
combien
(un) colombien
précolombien
lesbien
(un) nubien
danubien
pubien

chien
comblanchien
maître-chien
(un) autrichien
les cabochiens
(un) basochien
tue-chien

(Acadie) (un) acadien
(Akkad) (l') akkadien
(l') arcadien
(un) tchadien
(un) canadien
sadien
tragédien
(un) **comédien**
(un) freudien
rachidien
(un) ophidien
gidien
(un) lydien
non-/euclidien
arachnoïdien
thyroïdien
choroïdien
deltoïdien
mastoïdien
(un) acridien
(un) **méridien**
antiméridien
iridien
clitoridien
proboscidien
(un) **quotidien**
carotidien
parotidien
(le) dravidien
(Indes) (un) **indien**
(Amérique) (un) **indien**
océan Indien
(un) amérindien
rimbaldien
Claudien
(un) rhodien
(un) saoudien
hollywoodien
(un) **gardien**
ange gardien
(un) capverdien
(empereur) Gordien
nœud gordien

(un) plébéien

(un) paraguayen
(un) uruguayen
(un) pompéien

chérifien

(ville) Gien
presqu'île de Giens
(abyssal) pélagien
(théologie) (un) pélagien
(peuple) pélasgien
phalangien
(un) fidjien
(un) cambodgien
collégien
(un) fuégien
(un) norvégien
(un) (bonnet) **phrygien**
coccygien
(Styx) stygien
(un) carolingien
pharyngien
laryngien
(un) mérovingien
théologien
(un) vosgien
(un) argien
(USA) (un) géorgien
(Caucase) un géorgien
chirurgien

lien
pascalien
stendhalien
(Claude) Galien
(empereur) Gallien
régalien
(un) malien
(un) somalien
normalien
(un) épiscopalien
corallien
(l') ouralien
centralien
(un) australien
Francs Saliens
(un) thessalien
(un) végétalien
(un) **italien**
(le) néandertalien
nervalien
(un) israélien
sahélien
abélien
(un) hégélien
cornélien
Aurélien
(un) vénézuélien
(un) îlien
(un) chilien
conchylien
crocodilien
chlorophyllien
virgilien
(prénom) Émilien
(Italie) (un) émilien
Maximilien
(un) francilien
(un) sicilien

Monsieur Aubert, tu te **souviens**
    Des platanes de Vence
Du temps où nos anges **gardiens**
    Étaient de connivence !

Car tu lisais mes vers au **tien**
    Qui n'a pas dit, je pense,
S'il y trouvait peu d'attirance
    Ou s'il les aimait **bien**.

Comment sont dans l'azur immense
    Les platanes **aériens**
De ta nouvelle résidence ?
Pourquoi garder tant de silence ?

    Nous t'en prions, **reviens**,
Aubert, nous faire confidence
Et sourire avec endurance,
    Tu souriais si **bien**

Au grand Tout comme aux petits **riens**

Géo Norge, « Monsieur Aubert »,
Le Stupéfait

Philosophe, **physicien**,
Rimeur, bretteur, **musicien**,
Et voyageur **aérien**,
Grand riposteur du tac au tac,
Amant aussi – pas pour son **bien** ! –
Ci-gît Hercule-**Savinien**
De Cyrano de Bergerac
Qui fut tout, et qui ne fut **rien**…

Edmond Rostand,
Cyrano de Bergerac, acte V, scène VI

Ci n'entrez pas, mâchefoins, **praticiens**,
Clercs, **basochiens**, mangeurs du populaire,
Officiaux, scribes et **pharisiens**,
Juges **anciens**, qui les bons **paroissiens**
Ainsi que **chiens** mettez au capulaire
Votre salaire est au patibulaire.

François Rabelais, « L'inscription mise
sur la grande porte de Thélème »,
Gargantua. Livre I, Chapitre 54

Suave maîtresse, en style gothique,
Écrivons ensemble un Noël **païen**,
Et nous rythmerons un lai marotique
En escaladant le mur **mitoyen**.

Aux mousses d'amour, page romantique,
Je prolongerai longtemps l'**entretien**.
Suave maîtresse, en style gothique,
Écrivons ensemble un Noël **païen**.

Charles Boulen, « Noël impur »,
Voyages à travers la Couleur Locale

Tout vrai poète **tient**
À friser le ***quotient****,
De ceux qui ***balbutient****.

Alphonse Allais, « Difficulté de la poésie française pour
certains étrangers »,
Le Captain Cap. Chapitre XXVII

* rimes pour l'œil

❒ 79 [Queneau] ; 496 [Péguy]
333.5 [Perros]

IEN

333. IN-UN

(l') azilien
(un) brésilien
Quintilien
reptilien
strombolien
éolien
gaullien
(un) mongolien
hugolien
paulien
(un) tyrolien
marollien
boolien
(saint) Julien
(empereur) Julien
calendrier julien
Tertullien

(le) **mien**
Amiens
saint Damien
(Robert Fr.) Damiens
adamien
(un) panamien
(un) mésopotamien
(un) vietnamien
(tchèque) (un) bohémien
(gitan) (un) **bohémien**
(un) simien
prosimien
Maximien
(le) néocomien
(le) permien
würmien

lacanien
vulcanien
(le) danien
(un) rhodanien
(un) soudanien
(un) jordanien
(un) océanien
crânien
les Séquaniens
(un) iranien
(un) tanzanien
(un) mauritanien
(un) lusitanien
(un) lituanien
(un) transylvanien
(le) magdalénien
(un) arménien
pénien
(un) ukrainien
les siréniens
(un) essenien
(le) mycénien
(un) athénien
(un) stalinien
célinien
fellinien
paulinien
apollinien
pré/hominien
darwinien
Papinien
Crépinien
endocrinien
racinien

(un) abyssinien
(un) socinien
hercynien
asinien
rétinien
Valentinien
Martinien
lamartinien
(un) palestinien
(un) augustinien
Justinien
pharaonien
bourbonien
draconien
(un) calédonien
(un) néo-calédonien
(un) macédonien
(un) londonien
napoléonien
(l') ionien
chélonien
(un) babylonien
décathlonien
(un) lacédémonien
(un) saint-simonien
junonien
brownien
néronien
cicéronien
(un) pyrrhonien
(le) turonien
(un) parkinsonien
(un) amazonien
transamazonien
marathonien
cht(h)onien
(un) daltonien
newtonien
(un) estonien
plutonien
(le) dévonien
(monte-en-l'air, arg.)
venternien
(un) californien
saturnien
(un) bosnien
(prénom) Junien
(un) étasunien/
états-unien
neptunien

tolstoïen

(flamand, Belg.) ménapien
œdipien
olympien
(un) éthiopien
(un) anthropien
(le) méta/carpien

(un) iraq(u)ien/irakien

ne... RIEN
(bagatelle) un **rien**
(hérétique) un arien
(peuple) (un) aryen
(historien) Arrien
(un) saharien
transsaharien

acarien
(un) icarien
apollinarien
coronarien
(un) ivoirien
bon à rien
(un) agrarien
un/e propre-à-rien
césarien
(un) **végétarien**
prolétarien
ovarien
(le) pré/cambrien
(pape) Adrien
(empereur) Hadrien
aérien
(un) ibérien
(un) libérien
(un) sibérien
(le) transsibérien
(un) luciférien
(un) nigérien
(un) algérien
galérien
(empereur) Valérien
mont Valérien
baudelairien
(un) hitlérien
grammairien
les Cimmériens
(le) sumérien
anti/vénérien
wagnérien
(mammifères) les thériens
(un) **terrien**
bactérien
les euthériens
(un) presbytérien
jupitérien
(un) voltairien
(un) phalanstérien
(un) luthérien
(l') ougrien
zéphyrien
(un) illyrien
shakespearien
(un) syrien
(un) assyrien
saint-cyrien
rose tyrien
elzévirien
(un) dorien
(un) salvadorien
(un) thermidorien
(le) grégorien
Majorien
(un) comorien
saurien
dinosaurien
(un) équatorien
oratorien
victorien
(un) prétorien
(un) nestorien
historien
préhistorien
(chenapan) **vaurien**
(voilier, n. dép.) vaurien
(un) faubourien

Cyprien
sartrien
(un) zoroastrien
(un) **épicurien**
(un) hondurien
(un) ligurien
(le) silurien
lémurien

(le) **sien**
(un) circassien
Gatien
sélacien
dalmatien
pharmacien
Donatien
(poète) (un) **parnassien**
(papillon) un parnassien
paroissien
Gratien
batracien
(un) jurassien
(un) alsacien
balzacien
(un) **ancien**
nécromancien
chiromancien
oniromancien
cartomancien
francien
Dioclétien
(un) capétien
(un) haïtien
(un) tahitien
magicien
logicien
(le) galicien
Félicien
(un) aristotélicien
milicien
stylicien
hydraulicien
académicien
Domitien
thermicien
mécanicien
(un) organicien
technicien
(un) polytechnicien
pyrotechnicien
(un) phénicien
(un) vénitien
clinicien
électronicien
platonicien
(un) néoplatonicien
(un) copernicien
tribunitien
(un) **stoïcien**
(un) sulpicien
(un) costaricien
fabricien
théoricien
(un) pythagoricien
(un) mauricien
(un) rhétoricien
(un) patricien
électricien
métricien

obstétricie
physicie
métaphysicie
pataphysicie
astrophysicie
(un) **musicie**
Titie
mercaticie
mathématicie
systématicie
automaticie
informaticie
omni/**praticie**
sémanticie
tacticie
syntacticie
dialecticie
énergéticie
arithméticie
généticie
phonéticie
cybernéticie
péripatéticie
diététicie
esthéticie
lutécien/lutétie
(un) politicie
cognitície
sémioticie
opticie
plasticie
stylisticie
statisticie
acousticie
(l') ordovicie
le Multie
(un) laotie
(un) languedocie
(un) béotie
aoûtie
(un) égyptie
(un) martie
(le) toarcie
(primate) un tarsie
méta/tarsie
(un) cistercie
le Porcie
hertzie
(saint) Lucie
(écrivain) Lucie
(un) **lilliputie**
(un) rosicrucie
(un) prussie
marxie

(un) caucasie
(un) oasie
Vespasie
(un) amérasie
(un) eurasie
(un) salésie
rabelaisie
(un) silésie
(un) arlésie
(un) mélanésie
(un) polynésie
(un) indonésie
(un) micronésie
(un) corrézie

EN

333. IN-UN

vents étésiens
(un) artésien
(un) cartésien
clunisien
(un) tunisien
(un) **pharisien**
(un) **parisien**
ambrosien
(un) vénusien
onusien
(un) malthusien

(à toi) (le) **tien**
il **tient**
(un) kantien
il obtient
il détient
(un) koweïtien
(le) rhétien
(un) **chrétien**
étouffe-chrétien
(un) démocrate-chrétien
(capricieux, rég.)
tourmente-chrétien
judéo-chrétien
paléochrétien
bon-chrétien

il **retient**
un **entretien**
il **entretient**
pythien
un **maintien**
il maintient
(le) corinthien
il **contient**
(un) djiboutien
un **soutien**
il soutient
il appartient
Bastien
Sébastien
il s'**abstient**
proustien

il **vient**
saint Flavien
(dynastie) les Flaviens
Octavien
il subvient
il advient
va-et-vient
il prévient
il re/**devient**
(un) terre-neuvien

il **revient**
prix de revient
il contrevient
(un) bolivien
pelvien
(empereur) Jovien
(Jupiter) jovien
pavlovien
il provient
il cir/dis/**convient**
il se res/**souvient**
il parvient
il intervient
il **survient**
diluvien
antédiluvien
(un) péruvien

sous-rime voisine
333.14 OIN

contre-assonances
91.12 IAN
456.11 ION

333.10 LIN-LUN

MALIN

le **lin**
l'un
(prénom) Alain
(philosophe) Alain
(peuple) les Alains
(chimie) l'alun
(un) **câlin**
alcalin
(monnaie) escalin
falun
hyalin
euryhalin
(le) MALIN
(papal) papalin
opalin
(frère, arg.) fralin
corallin
(confiserie) un pralin
duc de Praslin
(un) **salin**
(limpide) **cristallin**
(œil) le cristallin
chevalin
Dublin
(rivière) le Clain
(marine) un clin
(...d'œil) un clin
(Yves) Klein
enclin
(Benjamin) Franklin
déclin
(Bertrand) Du Guesclin
mesclun
(un) **félin**

vitellin
bivitellin
univitellin
manuélin
vélin
gibelin
(tapisserie) un gobelin
(Paris) les Gobelins
jobelin
(lutin, rég.) goubelin
(n. dép.) Michelin
(enfant) (un) **orphelin**
(orfèvre, arg.) (un) orphelin
agnelin
Melun
(garçonnet) grimelin
chapelain
zeppelin
jaquelin
La Rochejaquelein
craquelin
(Jean-Baptiste) Poquelin
broquelin
drelin!/drelin!
fifrelin
grelin
(argent, rég.)
les grelins-grelins
(enfant, arg.) gosselin
Josselin/Jocelyn
Marcellin
saint-marcellin
châtelain
(localité) un patelin
(flatteur) (un) patelin
Maître Pathelin
(fortification) ravelin

Hier, j'ai vu passer, comme une ombre qu'on **plaint**,
En un grand parc obscur, une femme voilée :
Funèbre et singulière, elle s'en est allée,
Recélant sa fierté sous son masque **opalin**.

Et rien que d'un regard, par ce soir **cristallin**,
J'eus deviné bientôt sa douleur refoulée ;
Puis elle disparut en quelque noire allée
Propice au deuil profond dont son cœur était **plein**.

Émile Nelligan, « La Passante »,
Poésies complètes

De quel astre, ô Châtelaine,
Votre œil suit-il le **déclin** :
L'astre d'amour ou de peine
D'un prince ou d'un **orphelin** ?
Est-ce l'astre d'une reine ?
L'étoile d'un **Châtelain** ?
Ou celle qui se promène
Sur le front de **Jacquelin** ?

Alfred de Vigny, « Rêverie »,
Fantaisies

Cloche du moutier de **Châlain**
***Branli branlant*, *bredin*, drelin**
Là-haut sur la verte colline
Le vent dans le tourni-**moulin**
Cloches et vents sur les salines,
Mouettes dans les vents **salins**…

Maurice Fombeure, « Ma vie en automne »,
Quel est ce cœur ?

☞

LIN-LUN

(tacot, arg.) ravelin
(bouffon) trivelin
flein
(petit doigt, rég.) glinglin
à la **saint-glinglin**
sibyllin
(cordage) filin
(coup de fil, arg.) filin
(luette) staphylin
(insecte) un staphylin
aquilin
mont Esquilin
(un) **vilain**
(fortification) kremlin
(Moscou) le Kremlin
kaolin
(prénom) Colin
(Paul) Colin
(poisson) un colin
(oiseau) un colin
sérancolin/sarrancolin
francolin
(Allemand, arg.) fridolin
(sentier, rég.) tragolin
pangolin
Ugolin
Paulin
(n. dép.) Ripolin
cipolin
saint-paulin
(Charlemagne) carolin
Ledru-Rollin
solin
(le) zinzolin

capitolin
mont Capitolin
(tourbillon) revolin
boulin
(plouc, rég.) pacoulin
margoulin
(Jean) Moulin
un **moulin**
(ville) Moulins
poulain
Manitoulin
(plat) (le) plain
(cuve) un plain
(plaindre) il **plaint**
(rempli) (le) **plein**
(Charlie) Chaplin
tremplin
terre-plein
trop-plein
(il se plaint) il se complaint
(chien) carlin
(monnaie) carlin
Berlin
Chamberlain
(n. dép.) Guerlain
(l'enchanteur) Merlin
(hache) un merlin
(cordage) un merlin
esterlin
(employé, arg.) burlain
Ghislain
(le) **masculin**
formule 1/un
lupulin

Petits bergers de **kaolin**,
Venez-vous du Tarn ou de l'Aisne ?

Fox à poil durs ou bien **carlins**,
Venez-vous de l'Ille-et-Vilaine ?

Figurines de porcelaine,
En robe de laine ou de **lin**,
Êtes-vous natives de **l'un**,
De **l'un**, de l'autre ou ***bien*** de **l'Ain** ?

Sacha Guitry, « Premier janvier »,
Et puis, voici des vers

Les ***chemins*** de ***Meulan***,
Les champs ***lents*** de **Meulun**,
Les **câlins** des ***mulots***,
Les ***halos*** des **moulins**,
Les ***ballots*** du ***mulet***,
Les ***melons*** du **Malin**
Et venant de ***Milan***
Sur le quai **2001**
Les ***mollets*** d'***Amélie***…

Michel Deville, « Impressions »,
Poézies

Ah ! soyons donc plus ***simples***
ainsi que cette ***pluie***
si douce qui se **plaint**.

Francis Jammes, « Je vois par la vitre » II,
Prends nos vieux souvenirs in *Œuvre poétique complète*. I

sous-rimes voisines
333.11 MIN
333.12 NIN

contre-assonances
91.14 LAN
456.12 LON

❐ 184 [Mendès] : 452 [Richepin]

333.11 MIN-MUN

MAIN
CHEMIN

une MAIN
(rivière) le Main
(plusieurs) **maint**
(un) **gamin**
(Bible) Benjamin
(cadet) (le) benjamin
(Albert) Samain
face-à-main
examen
réexamen
avant-main
CHEMIN
sèche-mains
à mi-chemin
parchemin
demain
Jean de Meun(g)
lendemain
surlendemain
après-demain
(pourboire, Suisse)
bonne-main
en un tournemain

L'amour est un paysage
Grand-route ou petit **chemin**
On le parcourt à tout âge
Sans souci du **lendemain**

Cette fleur à ton corsage
Est-elle rose ou **jasmin**
C'est un fragile message
Pour ta lèvre de **carmin**

Devinettes et présages
Jeux de ***vilains*** jeux de **mains**
L'amour est un enfant sage
Qui passe ses **examens**

L'amour a double visage
Dans le miroir des **humains**
C'est le sang d'un tatouage
Que le cœur a sur les **mains**

Carlos de Radzitzky, « Jeux de mains »,
Le Commun des mortels

☞

MIN-MUN

333. IN-UN

arrière-main
baisemain
lave-mains
(mariage, anc. prononc.)
un **hymen**
(immunité) immun
auto-immun
appui(e)-main
essuie-main
Maximin
(le) **commun**
comme un
(Rome) (un) **romain**
(prénom) Romain
(peintre) (Jules) Romain
(écrivain) (Jules) Romains
gréco-romain
(le) gallo-romain
(un) roumain
sous-main
(le) **carmin**
(Germanie) (un) **germain**
cousin germain
saint Germain
Saint-Germain
(Louis de) Neufgermain
Firmin
(sauge) ormin
jasmin
(un) **humain**
cumin
(n. dép.) duralumin
inhumain
surhumain

Étant hier en débauche au faubourg **Saint-Germain**,
Entre une heure et minuit dans mon humeur bourrue,
Et cherchant à tâtons tout seul de rue en rue
Un bordel pour gîter jusques au **lendemain**.

Marchant moitié de pied et moitié de la **main**,
Et crotté jusqu'au cul comme un soc de charrue,
Je vis le long du mur venir à pas de grue
Un grand fantôme sec comme du **parchemin**.

Claude Le Petit, « Au Lecteur curieux »,
Le Bordel des Muses ou les neuf Pucelles putains

Qu'a-t-elle à voir avec l'amble, le lisse d'Ève,
la beauté de l'être, qu'a-t-elle de **commun**
avec la peau des femmes, le gras d'une fève
ou sa couleur qui nous échappe de la **main** ?

A. Saint-Amand, « Qu'a-t-elle à voir avec l'amble, le lisse d'Ève »,
La Leçon d'Otilia

L'archet rustique part, chacun choisit sa belle ;
On s'enlace, on s'enlève, on retombe avec elle.
Plus d'un cœur bat, pressé d'une furtive **main**,
Et le folâtre amour prélude au sage **hymen**.

Jacques Delille, « Chant » I,
L'Homme des champs

Aujourd'hui le roi de Bavière
N'est admis chez doña ***Carmen***
Que s'il apporte une rivière,
De fort belle eau, dans chaque **main**.

Victor Hugo, « Senior est junior » IV,
Les Chansons des rues et des bois [I, II, IX]

Visage pâli à l'ombre de la grille :
Prisonnier ! prisonnier de mes **mains** !
Le voyageur n'a comme ***vêtements***
Que les pellicules de l'eau pourrie.

Alfredo Gangotena, « Veillée »,
Poèmes français. II

sous-rimes voisines
333.12 NIN
333.10 LIN

contre-assonances
91.15 MAN
456.13 MON

❐ 214.2 [Louÿs] ; 128 [Rambouillet]
435.15 [Jacob]

333.12 NIN-NUN

NAIN
FÉMININ

(un) NAIN
canin
(brouillard, rég.) chanin
ta(n)nin
hennin
(doux) **bénin**
(pays) le Bénin
les Apennins/l'Apennin
(satirique) fescennin
Le Nain
menin
venin
anavenin
dompte-venin
(le) FÉMININ

L'averse qui s'étale allonge sur l'asphalte
Les reflets d'or de la vitrine ; un chasseur **nain**
Court présenter son parapluie, en vrai **menin**,
Aux princesses du Tiers dont les autos font halte.

Cet Almanzor précoce et trop joufflu s'exalte
Quand jaillit de la soie un galbe **féminin** :
Si Cupidon sait distiller son doux **venin**,
Un groom français n'est pas un chevalier de Malte.

Lucien Gumpel, « Rue de la Paix »,
Anthologie des écrivains morts au front

☞

NIN

(lapin ; vulve, arch.) co(n)nin
(lion) **léonin**
vers léonin
(fripon) un Maître Gonin
(nonne) nonnain
rônin
(saint) Antonin
(empereur) Antonin
(empereurs) les Antonins
(stupidité, rég.) couillounun
le (Cavalier) Bernin
l'Ornain
saint Sernin/Saturnin
(médecine) saturnin
funin

Dans le cloaque aux herbes pestilentes,
Gonflé d'orgueil, de boue et de **venin**,
L'impur Dragon nage à travers les plantes.
Pour abriter le Difforme et le **Nain**,
La plaine grasse a plus d'un lieu **bénin** :
Caserne, bouge, hôpital ou chaumine.
Entrez, les gueux, en loques, en sarraux,
Bétail humain dompté par la famine !
[...]
Eldorados, Icarie ou Salentes,
Fuyons cet air opaque et **saturnin**.
Plus de mensonge ou de guerres sanglantes :
Carguons la voile et rompons le **funin** !
Là-bas, ainsi qu'à l'aube, un **Apennin**,
Du Temple neuf la crête s'illumine.

Laurent Tailhade, « Ballade Solness »,
Poèmes élégiaques

sous-rimes voisines
333.11 MIN
333.10 LIN

contre-assonances
91.16 NAN
456.14 NON

❒

333.13 OÏN [ɔɛ̃]

Ohain
Alboïn
(Jean) Nohain
Franc-Nohain
(le) minoen
Ébroïn

Plaise au poète **Franc-Nohain**
Qu'Apollon, dieu de la lyre, aime
De recevoir Tristan Derème
Qui, pour le voir, vient de ***lo…in***.

Tristan Derème, in Noël Ruet, *Derèmania ou Jeux, Impromptus et Divertissements de Tristan Derème*

Z'êtes reine d'un jour,
Comme disait Jean **Nohain**.
Refaites donc un tour,
Sans penser à ***demain***.

Dominique Noguez, « Le Manège du bonheur »,
in *Objet perdu*

sous-rimes voisines
333.14 OIN [wɛ̃]
333.1 AÏN

contre-assonances
1.15 OA
214.14 OÉ

❒ *387 [Radzitzky]*

333.14 OIN-OUIN

LOIN

(graisse) un oing/oint
(onction) l'/(il) **oint**
(pleurs) ouin!/ouin!
les Pahouins
babouin
(cagibi, rég.) cabouin
(gitan, arg.) rabouin
les Assinibouins
(angle) un **coin**
(fruit) un coing
(langue) le khoin
recoin
(un) **coin-coin**!
Fourcoing
bédouin

Baudouin
Villehardouin
(fourrage) du **foin**
(fi!) foin!
(un) **chafouin**
(bleuet) aubifoin
sainfoin
(remugle, rég.) fagoin
baragouin
sagouin
(de travers, rég.)
en/de bisangouin
(valet, arg.) valdingouin
pingouin
(espagnol, arg.) espingouin
maringouin
(joindre) un/(il) **joint**
(cigarette, arg.) un joint

Dernier matin. Le quai de la gare au soleil. Au **loin**,
L'attroupement tumultueux des montagnes s'élance.
Il a suffi que je m'éloigne, et les voilà qui dansent
Librement, tels des animaux sauvages sans **témoin**.
Ah sans doute là-bas quelque chose encore m'**enjoint**
De revenir : qu'ai-je oublié ? Le fil de la distance
Vibre et chante. Je sais pourtant que cette turbulence
Est un leurre, et qu'il faut retourner en paix dans son **coin**.

Jacques Réda, « Windermere Station »,
Le District des Lacs in *Le Sens de la marche*

Ils chevauchent encore dans les espaces glacés,
les quelques cavaliers que la mort n'a pas pu lasser.

Ils allument des feux dans la neige de **loin** en **loin**
à chaque coup de vent il en flambe au **moins *un*** de **moins**.

……

OIN-OUIN

il **enjoint**
il/(un) adjoint
il **rejoint**
serre-joint
couvre-joint
ci-joint
benjoin
(un) conjoint
il disjoint
LOIN
(rivière) le Loing
(un) malouin
milouin
moins
néanmoins
témoin
(main fermée) un **poing**
(endroit) un **point**
(poindre) il **point**
(ne… pas) ne… **point**
appoint
(prêtre ; singe) talapoin
shamp(o)oing

deux-points
coup-de-poing
(techn.) tire-point
contrepoint
bipoint
Saint-Point
embonpoint
rond-point
tiers-point
pourpoint
à brûle-pourpoint
groin
(rêvasseuse, rég.)
lève-groin
soin
marsouin
(soigné, arg.)
(t)soin-(t)soin
(tagada…) tsoin-tsoin!
besoin
Saint-Ouen
tintouin

Ils sont incroyablement petits, sombres, pressés,
devant l'immense, blanc et lent malheur à terrasser.

Certes ils n'amassent plus dans leurs greniers ni or ni **foin**
mais y cachent l'espoir fourbi avec le plus grand **soin**.

Ils courent les ***chemins*** par le pesant monstre effacés,
peut-être se font-ils si petits pour le mieux chasser ?

Finalement, c'est ***bien*** toujours avec le même **poing**
qu'on se défend contre le souffle de l'immonde **groin**.

Philippe Jaccottet, « Dans un tourbillon de neige »,
L'Ignorant

Les becs de gaz des mauvais **coins**
Éclairent les filous en loques
Et ceux qui, pleins de soliloques,
S'en vont jaunes comme des **coings**.

Complices des rôdeurs **chafouins**
Guettant le Monsieur à breloques,
Les becs de gaz des mauvais **coins**
Éclairent les filous en loques.

Et coups de couteaux, coups de **poings**,
Coups de sifflets, cris équivoques,
Spectres hideux, mouchards baroques,
Tout ce mystère a pour **témoins**
Les becs de gaz des mauvais **coins**.

Maurice Rollinat, « Les Becs de gaz »,
Les Névroses

p'tit ***quinquin***
coin coin

panard **poin poin**
tsanard **tsoin tsoin**

Christian Prigent, « Histoire des actions »,
Peep-show, p. 50

Il n'a garde d'y répondre,
Avec son sot **baragouin** ;
Sa Muse au front de **Sagouin**
Se verrait bientôt confondre [...]

Marc-Antoine Girard de Saint-Amant, « L'Albion » v. 757-760,
Œuvres. III

sous-rime voisine
333.21 UIN

contre-assonances
91.18 OUAN
1.16 OI

❐ 9 [Rostand]
333.21 [Rimbaud, Romains]

333.15 PIN

PAIN
LAPIN
SAPIN

un PAIN
(peindre) (il) **peint**
(arbre) un **pin**
Scapin
LAPIN
(Denis) Papin

rapin
grappin
SAPIN
(prostitué, arg.) **tapin**
(paresseux, arg.) clampin
pitchpin
(aubépine) aubépin
(il) **dépeint**
Juan-les-Pins
(rois) Pépin
(graine) un **pépin**
(parapluie) un pépin

Sors, rime frivole
De mes **calepins**.
Lecteur bénévole,
Pour toi je **dépeins**
Tanit aux lisières
Des pâles clairières…

Troupe qui rigole
Autour des **sapins**,
C'est la farandole
Des petits **lapins**…

……

Dans l'air pur qui vole,
De gais **turlupins**
Mènent en gondole,
Sous des masques **peints**,
Des aventurières
Aux robes princières…

Amant qu'une folle
Vierge en ses **grappins**
Retient et désole,
Tu ***geins*** sous les **pins**…

333. IN-UN

PIN

saint Crépin
(affaires) saint-crépin
(Xavier de) Montépin
(Jean) Richepin
gagne-pain
grille-pain
calepin
(peau d'agneau) canepin
(il) **repeint**
massepain
sucepin
(un) philippin
poudre de **perlimpinpin**
alpin
subalpin
préalpin
transalpin
(André) Césalpin
cisalpin
(un) vulpin
(Frédéric) Chopin
(aubaine, arg.) un chopin
(un) **copain**
être copain-copain
lopin
galopin
(n. dép.) Europe 1/Un
taupin
(proxénète, arg.) marloupin
poupin
(besogne, arg.) groupin
(juif, inj. rac.) youpin
escarpin
(construction) parpaing
(coup de poing, arg.)
parpaing
(auvergnat, arg.) auverpin
orpin
Turpin
(bavardage, arg.) jaspin
crispin
(Jacques) Dupin
(Patrice de) La Tour du Pin
(Jupiter) Jupin
(plante) le **lupin**
(Arsène) Lupin
(bouffon) **turlupin**
(riche, arg.) (un) rupin
supin

sous-rime voisine
333.2 BIN

contre-assonances
91.19 PAN
456.16 PON

Passent, l'aile molle
Des hibous **clampins**.
Luit la luciole
Parmi les **lupins**…

Ernest Rieu, « Ballade au clair de la lune »,
Douze douzains de ballades françaises. 48

Sous un Plutus une Lucrèce ;
Sur un tableau récemment **peint**
Je vois un **pain**,
Un **escarpin**,
Une Vénus sur un lit de **sapin**,
Et la Diane chasseresse
Derrière une peau de **lapin**.

Marc-Antoine Désaugiers, « L'Atelier du peintre »,
Chansons et poésies diverses

Richepin
N'est pas le nom d'un **turlupin**,
Ni d'un marchand de poudre de **perlinpinpin**,
C'est le nom d'un bon bougre et d'un gentil **copain**.

Paul Verlaine, « Jean Richepin »,
Dédicaces. LXI

Chant de cor dans la broussaille ;
Un oiseau caché ***répond***.
Des ***pas*** amis sur les feuilles.
Un souffle en haut des **sapins**.

Jules Romains,
Pierres levées. XVII

❐ *333.2 [Apollinaire]*

333.16 QUIN-CUN

COQUIN

qu'un
chacun
saint Thomas d'Aquin
baldaquin
faquin
(loucheur, rég.) borgnaquin
(bohémien, rég.) baraquin
casaquin
(malicieux) (un) **taquin**
(jeu) le taquin
palanquin
(ville) Nankin
(tissu) du nankin
équin
(ville) Pékin
(soie) du pékin
(type, arg.)
un péquin/pékin
ribaudequin
brodequin
un **arlequin/Arlequin**
Charles Quint
ramequin
(Clément) Janequin
mannequin
(arbalète) cranequin
requin
lambrequin
vilebrequin
sequin
troussequin
Sixte Quint
(instituteur, rég.) laïquin
(un) jamaïcain
(biquet, rég.) biquin
(un) mozambicain
publicain
(un) anti/**républicain**
(religieux) (un) dominicain
(habitant) (un) dominicain
(peintre) le Dominiquin
(américain, arg.) (un) ricain
(un) **américain**
(un) sud-américain
panaméricain
(un) anglo/hispano/
latino/afro/-américain

Elle a beaucoup de l'air d'une antique marotte ;
Son teint est délicat comme un vieux **brodequin**,
Son corps est ***embonpoint*** autant **qu'un mannequin**,
Et chemine aussi gai comme un lièvre qui trotte.

Elle parle en oison qui jase dans la crotte ;
Elle rit en guenon qui a son **ver-coquin** ;
Elle sent aussi bon que fait un vieux **bouquin**,
Et tient sa gravité comme un âne qu'on frotte.

Charles-Timoléon de Sigogne, « Elle a beaucoup de l'air… »,
Le Cabinet satyrique

Pour deux gouttes de **marasquin**
Et quatre de vin de Catane,
L'Abbé qui perd la tramontane
Se conduit comme un **algonquin**.

Il pince sous le **casaquin**
Lisette en l'appelant : Sultane !
Pour deux gouttes de **marasquin**
Et quatre de vin de Catane.

……

QUIN-CUN

333. IN-UN

(un) nord-américain
(un) centraméricain
(un) **africain**
(un) sud-africain
panafricain
(un) eurafricain
(un) nord-africain
(un) centrafricain
transafricain
(un) armoricain
massif Armoricain
(un) portoricain
(un) mexicain
le Petit Quinquin
(apéritif, n. dép.) le Rinquinquin
quelqu'un
(Iwan) Gilkin
(dieu) Vulcain
(papillon) un vulcain
aucun
(du bocage, rég.) (un) bocain
(un) COQUIN
(caprice) ver-coquin
(fourbi, rég.) berloquin

(Maroc) (un) marocain
(peau) du **maroquin**
(un) algonkin/algonquin
le Tonkin
(livre) **bouquin**
(vieux bouc) bouquin
(trompe) bouquin
(un) rouquin
Tarquin
(un) majorquin
(un) minorquin
(sou, arg.) bourquin
bleu turquin
pasquin
marasquin
mesquin
(remugle, rég.) frescun
(un) franciscain
(postérieur, arg.) pétrousquin
(écu, arg.) rusquin
saint-frusquin
trusquin
Lucain

Mais, d'un cadre de **baldaquin**,
L'Amour, dorure et tarlatane,
Descend, lui trousse la soutane,
Et fouette à vif l'Abbé **coquin**
Pour deux gouttes de **marasquin** !

Catulle Mendès, « Rondels pour l'éventail galant » V,
Les Braises du cendrier

Les armes de Satan c'est le vil **publicain**,
Le percepteur de Rome et le fieffé **coquin**
Qui berne l'honnête homme et qui fait le **faquin** ;

L'avare péager, le servile **sequin**,
L'infidèle berger, le manteau d'**Arlequin**
De vice et de vertu, le grossier **mannequin**

Qui fait peur aux moineaux, le rude **casaquin**
Sur l'armure de guerre et le lourd **troussequin**
Sur le cheval de guerre et l'ennuyeux **pasquin** ;

Les armes de Jésus, c'est le ***Samaritain***,
Le blessé recueilli, le pauvre **franciscain**,
Les armes de Jésus c'est le **républicain** [...]

Charles Péguy,
La Tapisserie de Sainte Geneviève. VIII

J'ai vu s'accumuler tellement de **bouquins**
Qu'un homme dans sa vie aurait peine à les lire.
Un critère est-il donc qui permettrait d'élire
L'***un*** ou l'autre ou bien l'***importun*** pour **chacun** ?

Claude Ernoult, « J'ai vu s'accumuler... »,
Diptyques in *Six sots sonnets et autres textes rimés*

sous-rime voisine
333.8 GUIN

contre-assonances
91.3 CAN
456.4 CON

❒ 220 [Cocteau]
333.21 [Régnier] ; 333.8 [Verlaine] ; 333.14 [Prigent]

333.17 RIN-RUN

SEREIN

(anatomie) un **rein**
(fleuve) le **Rhin**

Bas-Rhin
(bateleur) **tabarin**
mandarin
(mer) **marin**
(matelot) un **marin**
(fruit ; arbre) **tamarin**
(singe) tamarin
le Cavalier Marin
Saint-Marin
héliomarin
romarin
(un) **sous-marin**
anti-sous-marin
ivoirin
parrain
(Jules) Mazarin
(lui, arg.) césarin
(oiseau) tarin
(nez, arg.) tarin
patarin

Tartarin/tartarin
(bataille de) Navarin
(ragoût) un navarin
savarin
Brillat-Savarin

(excrément) le bren
(d'herbe) un **brin**
(couleur) (un) **brun**
des **embruns**
(Charles) Le Brun
(méticuleux, rég.) pisse-brin

(craindre) (il) **craint**
(matériel) le crin
écrin
crincrin
(un) sucrin

drain
(escalier, arg.) escandrin
(vaurien, rég.) pillandrin
malandrin
flandrin
(aventurier) Mandrin
(outil) un mandrin

Me vient sourire en votre doux sourire,
Me vient chagrin en vos minces **chagrins**,
Me vient désir en vos désirs sans **freins**,
Me vient lyrisme alors qu'êtes ma lyre.

Me vient délire en vos nuits de délire,
Me vient douceur en vos moments **sereins**,
Me vient musique en vos chants **souverains**,
Me vient fureur à l'heure de votre ire.

Émile Goudeau, « Mièvre sonnet »,
Poèmes à dire

Toute rose, à travers les dents blanches, que frange
L'épais rideau grenat de ses lèvres, **écrin**
De baisers sourds, en son caprice **vipérin**,
Sort, affinée au bout, sa douce langue d'ange.

Elle met à la bouche une saveur étrange,
Comme si l'on sentait se dissoudre ce **grain**
D'extase, et l'on ignore, en ce coït **serein**,
Si c'est du Jour qu'on boit, ou de l'Azur qu'on mange !

Germain Nouveau, « L'Idole. Sonnet de la langue »,
Album zutique

☞

(Alexandrie) alexandrin
(vers) un **alexandrin**
sanhédrin
poudrin

(bronze) **airain**
(Irlande) l'Érin
(Maurice de) Guérin
(Charles) Guérin
merrain
pipérin
vipérin
terrain
adultérin
(un) **souterrain**
intra-/extra-/utérin
vérin
pulvérin

vacherin
(André) Derain
gorgerin
pèlerin
péperin
(François) Couperin
outre-Rhin
(calme) SEREIN
(humidité) le serein
(rivière) le Serein
(oiseau ; niais) (un) **serin**
tisserin
sizerin
suzerain
(un) **riverain**
Séverin
rouver(a)in
(un) **souverain**

frein
(il) enfreint
chanfrein
refrain
serre-frein
(gangster, arg.) malfrin
aérofrein
servofrein

grain
(peine) (un) **chagrin**
(cuir) du chagrin
Isengrin/Ysengrin

aigrin
(un) monténégrin
pérégrin
stil-de-grain
(noir) nigrin
boulingrin
gros-grain
passe-tout-grain

zéphirin
gyrin

(cordage) l'orin
(Alsace) le Haut-Rhin
(un) bor(a)in
(un) forain
(échappatoire) alibi forain
(Lorraine) (un) lorrain
(Jean) Lorrain
(peintre) Le Lorrain
florin
(Paul) Morin
(Gaulois) les Morins
(un) **contemporain**
saurin
taurin
Santorin

(cheval, arg.) bourrin
tambourin
gouren
nourrain
tourin

caprin
(empreindre) (il) empreint
(emprunter) un **emprunt**
(Jorge) Semprun
(il) épreint
cyprin
coprin
nerprun
pourprin

un **train**
(trois) trin
quatrain
entrain
boute-en-train
avant-train
(il) **étreint**

Un foulard rouge autour des **reins**,
Le soir à l'entour des guinguettes,
Elle vendait des allumettes
En allumant des vieux **marins**.

Un collier de corail à **grains**
Rares, alternés d'amulettes,
Faisait un bruit de castagnettes
Sur sa peau brune aux tons d'**airains**.

Jean **Lorrain**, « Précocité » I,
Modernités

Un vieux faune de terre cuite
Rit au centre des **boulingrins**,
Présageant sans doute une suite
Mauvaise à ces instants **sereins**

Qui m'ont conduit et t'ont conduite,
– Mélancoliques **pèlerins**, –
Jusqu'à cette heure dont la fuite
Tournoie au son des **tambourins**.

Paul Verlaine, « Le Faune »,
Fêtes galantes

❐ 39 [Saint-Amant] ; 438 [Yourcenar]
535.15 [Romains]

piétrain
pétrin
(il) retreint/rétreint
arrière-train
citrin
quercitrin
maladie de Dupuytren
soumaintrain
train-train
turbotrain
(n. dép.) aérotrain
Vautrin
(il) contraint
précontraint
(il) astreint
(il) restreint
lutrin

burin
galurin
murrhin
purin
purpurin
(couteau, arg.) surin
(bleu) azurin
Turin
(prénom) Mathurin
(religieux) un mathurin
voiturin
pâturin
(acoolique, arg.) biturin

(Belgique)
outre-Quiévrain

sous-rime voisin
333.9 LIN-LU

contre-assonance
91.20 RA
456.17 RO

333.18 SSIN

SEIN

(santé) être **sain**
(graisse) le sain
(sainteté) (un) **saint**
(ceindre) (il) **ceint**
un SEIN
île de Sein
(signature) un seing
(5) cinq
bassin
avant-bassin

mont Cassin
tracassin
Aucassin
mocassin
(lainage) boucassin
marcassin
spadassin
(pied, rég.) les agassins
carassin
brassin
(un) **assassin**
(bouffon) matassin
fantassin

Je voudrais pour vous dire un luth qui fut **buccin**,
Car il y faut douceur et force mélangées,
Car vos colères sont de caresses frangées,
Rugissement d'hyène ou murmure d'**essaim**.

Tour à tour Dona Sol tressaillant au **tocsin**,
Cléopâtre sous ses turquoises par rangées,
Gismonda la superbe au bandeau d'hydrangées,
Izeyl la charmeuse au collier de **succin**.

Robert de Montesquiou, « Melpomène »,
Les Hortensias bleus. CLI

☞

333. IN-UN

(il) enceint
organsin
blanc-seing
(Marie) Laurencin
auto/vaccin
le Vexin
le Pont-Euxin
(cœur, arg.) toccin
(signal) **tocsin**
buccin
(ambre) le succin
(bref) **succinct**
essaim
le Bessin
(but) **dessein**
(dessiner) **dessin**
(un) messin
naissain
gressin
(rivière) le Tessin
canton du Tessin
médecin
contreseing
clavecin
(un) abyssin
(Marsile) Ficin

ricin
Socin
calcin
malsain
sacro-saint
coussin
douçain/doucin
(Nicolas) Poussin
un **poussin**
crapoussin
(cheval) roussin
(policier, arg.) roussin
sous-seing
la Toussaint
bois arsin
farcin
larcin
traversin
hircin
(étranger, rég.) hors(a)in
(un) porcin
oursin
princesse des Ursins
capucin
barbe-de-capucin

Merdauculatives guenilles,
Guenipes aux regards **malsains**,
Gaupes, gouges, vadrouilles, filles
Dont s'honorent nos **traversins**,
Souffrez que notre main caresse
La gélatine de vos **seins**,
Tirependières en détresse,
Sous les bosquets des **Assassins**.

Potaches, rapins, joyeux drilles,
Larbins, collignons, petits **saints**
Portant casaques et mandilles,
Capitans, bretteurs, **spadassins**
Qu'arde la soif, cette traîtresse,
Accourez ici par **essaims**
Communiez à la dive messe
Au maître-autel des **Assassins**.

Poètes rongeurs de croustilles,
Mieux dentés que des **marcassins**,
Là d'alléchantes béatilles
Remplissent d'argileux **bassins** ;
Pipeurs de bémols en liesse
Qui chatouillez les **clavecins**,
Venez cueillir des fleurs d'ivresse
En bénissant les **Assassins**.

Citadins amants des courtilles
Venez ici, loin des **roussins**,
Livrer votre joie aux charmilles,
Sous les regards des **Assassins**.

Anonyme, « Ballade des Assassins »,
in *Les Poètes du Chat Noir*

Quelques humbles labiées donnent une odeur ***sainte***
à celui qui médite assis près des **ricins**.

Francis Jammes, « Prière pour louer Dieu »,
Le Deuil des Primevères

sous-rimes voisines
333.19 S(Z)IN
333.3 CHIN

contre-assonances
91.21 SSAN
456.18 SSON

❐ 468 [Leconte de Lisle]

333.19 S(Z)IN-ZUN

VOISIN
RAISIN

zain
(tissu) du basin
(Hervé) Bazin
(bar, arg.) casin
magasin
garde-magasin
(taffetas) armoisin
(un) VOISIN
(aventurière) la Voisin
circonvoisin
(Jean-François) Sarasin
(musulman) (un) **sarrasin**
(céréale) du **sarrasin**
Castelsarrasin
(miséreux, arg.) un sans-un
(un) **diocésain**
archidiocésain
muezzin

quelques-uns
RAISIN
dizain
sixain/sizain
(fou) **zinzin**
(machin) un zinzin
(organisme) un zinzin
tauzin
duc de Lauzun
onzain
(paresseux, rég.) lonzin
(tourbe) bousin
(boucan, arg.) bousin
(Jean) Cousin
(Victor) Cousin
(famille) (un) cousin
(moustique) un cousin
arrière-cousin
douzain
argousin
(un) toulousain
(région) le Limousin

J'ai connu que le mal emplissait les cités,
Que l'homme était sévère et dur aux misérables,
Que vos bois de sapins et vos bouquets d'érables,
Vos tiges de froment, d'orge et de **sarrasin**,
La feuille du figuier vivace et du **raisin**
Faisaient plus d'ombre à l'âme orgueilleuse et blessée
Que le plaisir, que le travail, que la pensée…

Anna de Noailles, « La Nature et l'Homme »,
Le Cœur innombrable

Saint-Honorat, et Sainte Marguerite,
N'est-il pas temps que ces fâcheux **Voisins**
À demi Juifs, à demi **Sarrasins**,
Quittent vos bords, et gagnent la guérite ?

Nous savons trop ce que leur foi mérite
Pour vous placer entre leurs grands **cousins** ;
Rasez leurs Forts, brûlez leurs **Magasins**,
De leur orgueil tout le Monde s'irrite.

Marc-Antoine Girard de Saint-Amant, « Sonnet »,
Œuvres. II

☞

S(Z)IN-ZUN

(habitant) (un) limousin
(bruine, rég.) brousin

fusain
lusin

Un autre, à mufle d'**argousin**,
Qui semble un dogue prêt à mordre,
Provoquant exprès du **bousin**,
À coup de trique remet l'ordre.

Eugène Pottier, « Bonhomme en sa maison »,
Œuvres complètes

Comme d'habitude, c'est une vieille femme
Aveugle, étendue, se réchauffant à la flamme
De quelques braises devant les grands **magasins**
(Des amants, qui pense qu'elle en eut **quelques-uns** ?)

A. Saint-Amand, « Comme d'habitude, c'est une vieille femme »,
La Leçon d'Otilia

sous-rimes voisines
333.18 SSIN
333.7 GIN-JUN

contre-assonances
91.22 S(Z)AN
456.19 S(Z)ON

❒

333.20 TIN-TUN

MATIN
DESTIN

(d'une glace) le **tain**
(teindre) (il)/le **teint**
(plante) le **thym**
(marine) un tin
(tenir) il **tint**

(il) **atteint**
catin
(un) châtain
théatin
(un) **latin**
(palatal) (le) palatin
(palatinat) (un) palatin
mont **Palatin**
Quartier Latin
prélatin
gréco-latin
MATIN
(chien) mâtin
réveille-matin
patin
(pauvre, arg.) claque-patin
baratin
cadratin
(cuisine) **gratin**
(travail, arg.) gra(t)tin
satin

(cidre, rég.) biscantin
(puéril) **enfantin**
le père Enfantin
éléphantin
chryséléphantin
brigantin
(un) **argentin**
estudiantin
galantin

Valentin
la Saint-Valentin
(plante) un plantain
(bananier) (un) plantain
adamantin
diamantin
lamantin
(attractif) aimantin
Clémentin
(Eugène) Fromentin
tourmentin
(ville) **Pantin**
(Paris, arg.) Pantin
(marionnette) un **pantin**
(un) **serpentin**
Quentin
Saint-Quentin
roquentin
rio Tocantins
(Tarente) (un) tarentin
laborantin
(un) ignorantin
(Florence) (un) **florentin**
(prénom) Florentin
saint-florentin
Romorantin
(religion) trentain
(Italie) le Trentin
(un) **plaisantin**
(un) **byzantin**
le Cotentin
Constantin
mont Aventin
(un) levantin

il obtint

(un) bénédictin

(laine) l'étaim
(métal) l'étain
(éteindre) (il) **éteint**

Arlequin offrait à la lune
Sa batte et son mauvais **destin**.

Pierrot adressait à la lune
Des œillades de **libertin**.

Colombine, au clair de la lune,
Pleurait en robe de **satin**.

Pierrot, jusqu'au petit **matin**,
Chanta seul au clair de la lune.

Francis Carco, « Gestes »,
La Bohème et mon cœur

Chaque jour de ses dents aiguës
Le ***temps*** déchire un peu le **tain**
De ce miroir et ***restitue***
À l'espace un nouveau **butin**

La lèpre marque le visage
Et masque un retard qui s'**éteint**
Las et las de se reconnaître
Chaque soir et chaque **matin**

Le paysage apparaissant
Avec son ciel et son **lointain**
Libère un reflet et invite
Narcisse à vivre l'**incertain**
Le limpide, le beau voyage
Entre le soir et le **matin**

Robert Desnos, « Le miroir et le monde »,
Destinée arbitraire

Les poses mutines
Des frais **popotins**
Alertes **tétins**
Grâces qu'on lutine
Au cours de **festins**
D'orgies clandestines…
……

TIN-TUN

333. IN-UN

élisabéthain
(un) tibétain
(déteindre) (il) déteint
(détenir) il détint
abiétin
piétin
laurier-tin
(Philippe) Pétain
(tabac) du **pétun**
l'**Arétin**
(un) **crétin**
septain
tétin
olivétain

buffletin
bulletin
roquetin
bouquetin
(reteindre) (il) reteint
(retenir) (il) **retint**
charretin
menu **fretin**
muretin
cassetin

cucurbit(a)in
(un) napolitain
(un) tripolitain
(métropole)
(un) métropolitain
(métro)
le **métropolitain**
(archevêque)
un métropolitain
(un) aquitain
(Jacques) Maritain
le bon Samaritain
spiritain
(un) **puritain**
(un) lusitain
huitain

il maintint
(au) **lointain**
(B.D.) Tintin
(rien!) tintin!
(tintement)
(un) tintin/tin, tin!
Rintintin

(besogne, arg.) coltin

(ville) Autun
(arrogant) **hautain**
(vigne) un haut(a)in
(n. dép.) un **bottin**
(un) **cabotin**
barbotin
turbotin
chicotin
picotin
(érection, arg.)
avoir le tricotin
(mois, arg.) marcotin
biscotin
fagotin
(nabot) ragotin
margotin

maillotin
(Joseph) Guillotin
ballotin
(bigot) (un) calotin
(boisson, arg.) un calotin
diablotin
tableautin
pilotin
(citadin, rég.) villotin
Plotin
potin
(chapeau, rég.) calipotin
popotin
(matière) le rotin
(sou, arg.) plus un rotin
crottin
Pérotin
(billard, arg.) frottin
(proxénète, arg.)
maquereautin
trottin
(misérable, arg.) purotin
(ruminant) chevrotain
(faon) chevrotin
Trissotin

il contint
(un) bellifontain
(un) ultramontain
strapontin
(un) mussipontain
(un) bisontin

(sentier, rég.) routin
il soutint
voûtain

Martin
(île) Saint-Martin
canal Saint-Martin
il appartint
chambertin
(un) **libertin**
(Pierre de) Coubertin
(le) **certain**
(l') **incertain**
(folie furieuse) avertin
travertin
fortin
(un) **importun**
opportun
inopportun

bast(a)ing
le Tricastin
médiastin
il s'abstint
DESTIN
(un) **clandestin**
(Valéry)
Giscard d'Estaing
festin
(pape) Célestin
(religieux) un célestin
intestin
distinct
indistinct
(un béotien) (un) **philistin**
les philistins

Et les **libertins**
Et les libertines
– Serait-ce l'**Arétin** ?
Se rincent *la rétine.*

Roland Bacri, « L'Arétin »,
Le Petit Lettré illustré

Le **Lamantin**
N'est pas né à **Saint-Quentin**

Le **Lamantin**
N'habite pas à **Pantin**

Le **Lamantin**
Évite **Romorantin**

Le **Lamantin**
A fui la **Chaussée d'Antin**

Le **Lamantin**
Se retire sur l'**Aventin**.

Jacques Roubaud, « Le Lamantin Austral »,
Les Animaux de personne

Accourez à ce gai **tintin**
Tintin, **tintin**, **tintin**, **rlintintin**,
Accourez à ce gai **tintin**
Tintin : c'est le ***tocsin*** !

Hégésippe Moreau, « Le tocsin »,
Le Myosotis

Pour toi ne faudrait-il pas chanter comme **certains**
Les sérénades à Grenade, les œillades
Et les baignades sans noyade des naïades,
L'échelle au clair de lune et l'amour au ***printemps*** ?

Tristan Derème, « Puisque je suis assis… »,
La Verdure dorée. CXVIII

❒ 254 [Fombeure] ; 304 et 525 [Richepin] ; 539 [Rieu]
456.20 [Jammes]

sacristain
Baptistin
instinct
Faustin
(revolver, arg.)
riboustin/rigoustin
saint Augustin
(religieux) un augustin
saint Justin
(historien) Justin
(empereur) Justin
(querelleur, arch.) (un) hutin
Louis X le Hutin
butin
Bussy-Rabutin
(un) **lutin**
(gai) **mutin**

(rebelle) un mutin
putain
scrutin

sous-rime voisine
333.4 DIN

contre-assonances
91.23 TAN
456.20 TON

333. IN-UN

333.21 UIN

JUIN

Alcuin
les Éduens
JUIN
maréchal Juin
(surveiller, rég.)
tenir de rejuint
suint

Les tilleuls sentent bon dans les bons soirs de **juin** !
L'air est parfois si doux, qu'on ferme la paupière ;
Le vent chargé de bruits, – la ville n'est pas ***loin***, –
A des parfums de vigne et des parfums de bière…

Arthur Rimbaud, « Roman » I,
Poésies

C'est l'été. Dans l'air vole un moucheron ***taquin***
Qui se pose et s'acharne au rond de la tonsure
Et que le moine, en vain, de sa manche de bure,
Chasse. Il fait chaud. Le froc sent la cire et le **suint**.

De celui qui vainquit l'Avar et l'***Africain***,
Du grand Charles, de qui la gloire toujours dure,
Il copie avec soin, sans surcharge et rature,
La vie, ainsi que l'écrivit maître **Alcuin**.

Henri de Régnier, « Le Copiste »,
Le Médaillier

Tu n'es plus l'ancêtre peint que l'ignorance console
Et qui du ciel qu'il a fait se venge en tendant le ***poing***.
Ce monde-ci sort de toi comme l'odeur et le **suint**.
C'est toi qui t'es recouvert de ce brouillard ***bossué***.

Jules Romains, « Deuxième chant »,
L'Homme blanc

sous-rimes voisines
333.14 OIN
333.16 QUIN

contre-assonances
91.24 UAN
214.22 UÉ

❐

333.22 VIN

VAIN
VIN
DIVIN
(vaincre) il vainc
en/être VAIN
(vigne) du VIN
(20) (un) **vingt**
(venir) il **vint**
(il saisit, arch.) il aveint
sac à vin
ravin
octavin
(n. dép.) Lanvin
(ivrogne, rég.) buvanvin
il obvint
il subvint
il advint
(Jacques) Grévin
musée Grévin
il prévint
échevin
(sorcier) (un) **devin**
(devenir) il devint
(eau-de-vie) brandevin
il redevint
lie-de-vin
pot-de-vin
(un) angevin
le Lieuvin

(bruine, rég.) pieuvain
levain
alevin
neuvain
il **revint**
quatre-vingts
il contrevint
pèse-vin
(hospice)
les Quinze-Vingts
(aveugle) un quinze-vingt
(un) poitevin
tâte-vin/taste-vin
Yvain
DIVIN
écrivain
alvin
Calvin
(prénom) Sylvain
(divinité) Sylvain
(faune) un **sylvain**
transylvain
(un) ovin
(un) **bovin**
(un) chauvin
Gauvain
(vigne) un provin
(ville) Provins
(provenir) il provint
(convaincre) il convainc
(convenir) il convint

Ô berger, ne suis pas dans cet âpre **ravin**
Les bonds capricieux de ce bouc indocile ;
Aux pentes du Ménale, où l'été nous exile,
La nuit monte trop vite et ton espoir est **vain**.

Restons ici, veux-tu ? J'ai des figues, du **vin**.
Nous attendrons le jour en ce sauvage asile.
Mais parle bas. Les Dieux sont partout, ô Mnasyle !
Hécate nous regarde avec son œil **divin**.

José-Maria de Heredia, « Le Chevrier »,
Les Trophées

Malheur, tendre malheur, je me crois **écrivain**.
Je suis fier de nommer l'azur, de le traduire.
Ma chair trop rédigée veut être chair, en **vain**.
Mon soleil romancé ne pourra jamais luire.

Alain Bosquet, « Je suis en appétit… »,
Deuxième testament in *Poèmes, un*

Tu parus ! Je naquis sous ta prunelle,
Du sang me battit, de la chair me **vint**,
Par degrés rapides une éternelle
Amour m'investit qui vivait pour **vingt**.

Paul Verlaine, « C'est fait… »,
Dans les limbes. XIV

☞

/IN

333. IN-UN

il circonvint
il disconvint
couvain
douvain
Louvain
il se re/**souvint**

il parvint
épervin/éparvin
mont Cervin
il intervint
(Mathias) Corvin
il survint

L'exécrable grêlon d'un corridor aveugle
émane, et se répand, mot de l'orgueil qui ***vient***.
La mousse pénétrée et le schiste **bovin**
forment le dieu cornu qui se lève et qui beugle.

Jacques Audiberti, « Lozère »,
Des Tonnes de semence

sous-rimes voisines
333.6 FIN
333.9 IEN

contre-assonances
91.25 VAN
456.22 VON

❐

334. UN

UN
PARFUM

(1) UN
(peuple) les **Huns**
(Claude) Cahun
tribun
Châteaudun
Loudun
Issoudun
Verdun
être sur son trente et un
(chiffre) vingt et un
(jeu) vingt-et-un
(jeu) le 421
(logement) un F1
(un) **défunt**
PARFUM
brûle-parfum
(mitraillette, arg.)
lance-parfum
(personne) dégun
à jeun
(un) cajun
alun
falun

mesclun
Melun
formule 1/un
Jean de Meun(g)
immun
auto-immun
(le) **commun**
comme un
(stupidité, rég.) couillounun
(n. dép.) Europe 1/Un
chacun
quelqu'un
aucun
(remugle, rég.) frescun
(un) **brun**
des **embruns**
(Charles) Le Brun
emprunt
(Jorge) Semprun
nerprun
(miséreux, arg.) sans-un
quelques-uns
duc de Lauzun
(tabac) **pétun**
Autun
(un) **importun**
opportun
inopportun

Celui-là peut compter parmi les grands **défunts**,
Car son bras a guidé la première carène
À travers l'archipel des Jardins de la Reine
Où la brise éternelle est faite de **parfums**.

Plus que les ans, la houle et ses âcres **embruns**,
Les calmes de la mer embrasée et sereine
Et l'amour et l'effroi de l'antique sirène
Ont fait sa barbe blanche et blancs ses cheveux **bruns**.

José-Maria de Heredia, « Carolo Quinto imperante »,
Les Trophées

Vous qui savez compter, comptable inévitable,
Maîtresse du cassis et du jaune **nerprun**,
Vous qui les avez vus douze autour de ma table,
Maîtresse de la dette et du tragique **emprunt** ;

Vous qui savez par cœur ce que coûte **chacun**,
Maîtresse du jardin et des eaux et forêts.
Vous qui savez par cœur vos règles d'intérêts,
Et les frais généraux et le compte **commun.**

Vous le savez assez, ô mon âme, ô ma mère,
Maîtresse de mesure et d'un sort **opportun**,
Maîtresse du décompte et du large sommaire :
Que nous n'avons que Dieu qui rende cent pour **un**.

Charles Péguy,
Ève, p. 989

Cousin, parle toujours des vices en **commun**,
Et ne discours jamais d'affaires à la table,
Mais surtout garde-toi d'être trop véritable,
Si en particulier tu parles de **quelqu'un**.

Ne commets ton secret à la foi d'**un chacun**,
Ne dis rien qui ne soit pour le moins vraisemblable.
Si tu mens, que ce soit pour chose profitable
Et qui ne tourne point au déshonneur d'**aucun**.

Joachim du Bellay, « Cousin, parle toujours… »,
Les Regrets. CXLII

rime voisine
333. IN

contre-assonances
91. AN
456. ON

❐ 214.18 [Banville]
333.0 [Desnos] ; 333.6 [Ernoult, Soupault] ; 333.11 [Saint-Amand]

335. IMBE

LIMBES
NIMBE

(barque) une cymbe
(sexe féminin, arg.)
un cymbe
il **regimbe**
(il joue, rég.) il guimbe
(pourtour; botan.) un limbe
(séjour des âmes)
les LIMBES
il/un NIMBE
(Rimbaud) Rimbe
corymbe

Que dorés les **nimbes**
qui ceignent leurs fronts !
Nous adorerons
les venus par **cymbes**,
dit chaque femme au corps brûlé des **limbes**.
Que dorés les **nimbes**
qui ceignent leurs fronts.

Alfred Jarry, « Ia orana Maria »,
La Revanche de la nuit

Tout m'abandonne et je revis de rien, le **limbe**
D'une feuille au soleil me nourrit de sa mort.
La vague au double fond sur son rocher **regimbe**.
Un souffle enchevêtré dégage son effort.

Édith Boissonnas, « Limbe »,
L'Embellie

On croyait le voir venir
Rimbaud le môme, dit **Rimbe**,
Avec sa gueule à ravir,
L'air orageux sous le **nimbe**.

Gilbert Trolliet, « Rimbaud »,
Visites

Cependant la neige ***tombe***
Et par l'huis entrebâillé
Des étoiles d'argent **nimbent**
Le front blanc de sa moitié.

René Guy Cadou, « Noël »,
Hélène ou le Règne Végétal

assonances
337. IMPE
336. IMBRE
359. UMBLE

contre-assonances
92. AMBE
457. OMBE

❐ *336 [Grosjean]*

336. IMBRE

TIMBRE

(pénis, rég.) un chimbre
(ville, Portugal) Coïmbre
(pin cembro) le **cimbre**
(Germains) les **Cimbres**
sisymbre
(poste) il/un TIMBRE
(sonnette) un **timbre**
(abreuvoir, rég.) un timbre
contre-timbre

Pauvre petite Wilhelmine,
tulipe du pays des **Cimbres**,
as-tu toujours si fraîche mine
et tant de joie que sur ces **timbres** ?

Thomas Braun, « L'Europe »,
Philathélie in *Poésie*

…Le froid au vestibule de l'impossible gloire
la maladie de l'estomac dans ces chambres noires
trois sous pour le métro et dix pour un **timbre**
là-dessus les impôts et sans que tu ***regimbes***
le souffle court à l'hôpital.

Jean Grosjean, « Purgatoire »,
L'Homme de cristal

Plus que le lard qui frit te plut
le profond tonnerre du flot
des livres. Les parcourt le **cimbre**
obscur. Y sévit l'agneau ***sombre***.

Jacques Audiberti, « Au soldat noyé »,
Toujours

assonances
335. IMBE
346. INDRE
359. UMBLE

contre-assonances
94. AMBRE
459. OMBRE

❐ 357 [Franc-Nohain]

337. IMPE-UMP°

GUIMPE
OLYMPE

il (se)/une GUIMPE
œuf de lump°
(montagne) l'OLYMPE
(prénom) Olympe
(loque, rég.) une feurlimpe
(il [se] pare) il (se) pimpe
(il tombe, arg.) il quimpe
la/il **grimpe**
il regrimpe
(putain, verl.) une tainp°/e

Un beau jour, par un trou de serrure indiscret,
Au lieu du Golgotha, je contemplai l'**Olympe** ;
Moi qui n'eusse du doigt osé toucher sa **guimpe**,
Je la vis toute nue aux bras de son abbé.
Marie était Vénus, Agnès était Hébé.

Victor Hugo, « La belle s'appelait… »,
Toute la Lyre [VI. 63]

Sandales et pétase aidant dieu des filous
Sur l'herbe abandonnés pie ou merle tu **grimpes**
De la police loin et des pièges à loups
Vers le rire des immortelles de l'**Olympe**

Jean Cocteau, « Le bain des Grâces »,
Le Requiem [Deuxième période]

Eh oui que l'on en sait de ***simples***,
Aux matins des villégiatures,
Foulant les prés ! et dont la **guimpe**
A bien quelque âme pour doublure…

Jules Laforgue, « Maniaque »,
Des Fleurs de bonne volonté

Ce n'est pas sur un pic des neiges de l'**Olympe**
Que me déposera cet aigle qui vous ***trompe***
C'est au même endroit qu'il m'a pris.

Jean Cocteau, « Vous avez décidé… »,
Clair-obscur. XLI

❒

assonances
335. IMBE
339. IMPLE

contre-assonances
95. AMPE
460. OMPE

338. IMPHE-IMPH°

NYMPHE

(faim, verl.) ainf°
(voile de Tanit) le zaïmph°
(africain, arg.) (un/e) cainf°
lymphe
NYMPHE
(demoiselle, garçon d'honneur)
la/le paranymphe

C'est en vain qu'éveillée en sursaut, cette **Nymphe**
Cacha de ses deux mains son corps puissant et doux
Où le sang est bien plus abondant que la **lymphe**,
Et lui cria : Monsieur, pour qui me prenez-vous ?

Théodore de Banville, « Courbet, seconde manière »,
Occidentales

Le pied ou le mollet, c'est tout un pour la **nymphe**,
Et le reste s'ensuit au bord des clairs ruisseaux ;
Mais dans le salon strict quel est le **paranymphe**
Autorisant la femme à quitter les réseaux

De ses bas transparents…?

Robert de Montesquiou, « Speciosi pedes »,
Les Chauves-souris

La vie est ***simple*** ;
Mais c'est ton âme, ô mon ami, qui fut subtile.

À l'heure où, vaguement, bleuit le crépuscule,
Assieds-toi sur la route où – nues – passent des **nymphes**…

Jean-Marc Bernard, « La Mort de Narcisse »,
Premiers poèmes in *Œuvres*

L'espoir s'abolit des ***triomphes***
Que nous rêvâmes sur ces **nymphes**.

Tristan Derème, « Nous attendions des héroïnes… »,
La Verdure dorée. CXXXI

❒

assonances
347. INFRE
339. IMPLE
348. INGE

contre-assonances
461. OMPHE
488. OUF-E
271. IF-E

339. IMPLE

SIMPLE

(montagne aux muses) le Pimple
(un) SIMPLE
(herbes) des **simples**

Romane juvénile fleur, vous m'êtes témoin
Comme dispos et droit et **simple**
J'ai mis mon soin,
D'un arc qui frappe au loin,
À purger des monstres le **Pimple**.

Jean Moréas, « Romane juvénile fleur… »,
Énone au clair visage et Sylves

Ouvrir son cœur comme une rose à blanche ***guimpe***
Qui naît à la douceur de mai sous le ciel bleu ;

Épouser le destin naïf des êtres **simples**
Qui partagent les fruits de leur verger, un peu
De lait, et dont la huche obscure près du feu
S'entrebâille au Pater des cueilleuses de **simples**…

Charles Guérin, « Ce serait bon… »,
Le Cœur Solitaire. LVII

Au Poème **simple**,
Ainsi qu'en la forêt à l'aube,
Le rythme circule clair et ***ample***
Comme aux plis de ma robe,
Comme aux circuits de mon onde ***souple***…

Francis Vielé-Griffin, « Eurythmie »,
Les Cygnes

Affreux mur — nulle part
affreux voyage — nul pur
affreuse nuit — nulle page
nul puits

où suis-jur ? — un jeu **simple**
où suis-joye ? — que j'**invimple**
où suis-juis ? — dans la **nuimple**

Raymond Queneau, « Affreux mur »,
L'Instant fatal. II

assonances	*contre-assonances*
337. IMPE	*98. AMPLE*
349. INGLE	*508. OUPLE*
359. UMBLE	*227. EUPLE*

❒ *359 [Carême] ; 40 [Montesquiou] ; 227 [Pichette]*

340. INCE-ENS

MINCE
PRINCE

(seins, verl.) les eins°
(couteau, arg.) un bince
(cabinets, arg.) des cabinces
(Pierre Paul) Rubens°
labadens°
Saint-Gaudens°
(famille) la gens°
(Christiaan) Huygens°
l'Argens°
Valens°
(Franz) Hellens°
être MINCE
(surprise) **mince!**
il émince
(ingénieurs) Siemens°
(n. dép.) Siemens°
(mesure) un siemens°

delirium tremens°
(portefeuille, arg.) un porte-mince
(jalou, arg.) la/être jalmince
(Luis de) Camoens°
il **coince**
il décoince
(couteau, Suisse) un goinse
(latrines, arg.) des cago(u)inces
(lèvres, arg.) des badigouinces
(tenaille) il/une **pince**
(main, arg.) une pince
(à pieds, arg.) à pinces
il épince
(blennorragie, arg.) une chaude-pince
(il arrête, arg.) il arquepince
(gigolo, arg.) un gigolpince
(beaujolais, arg.) un beaujolpince
(rue Popincourt) la Popinc'°

Penché comme l'Histoire au-dessus de deux **princes**,
Il a vu s'affronter ces obscurs champions,
Et le frêle vaincu ruer des arpions
Pour détourner la ***pointe*** aux trois coups sûrs et **minces**.

Il a, dans un jardin d'une de nos **provinces**,
– Tout l'univers est là, dès que nous l'épions ! –
Vu le Drame, et l'Idylle, et les deux Scorpions
Qui vont en se tenant tendrement par les **pinces**.

Edmond Rostand, « Fabre-des-insectes » IV,
Le Cantique de l'Aile

Malheur aux pantres de **province**
Qui flouaient la taupe à Navet !
Comme au drame, il criait : **Vingince*** !
Malheur aux pantres de **province** !
Souvent, lardé d'un coup de **bince**,
Le micheton nu se sauvait.

Jean Richepin, « Les triolets de Navet »,
La Chanson des Gueux

* Vengeance ! (prononciation provinciale)

INCE-ENS°

(ville) **Reims°**
(Maurice) Rheims°
(il lave) il **rince**
île de Lérins°
il **grince**
semper virens°
col de Puymorens°
Val-Thorens°
PRINCE

Port-au-Prince
(serpillière, rég.) il/une cince
(Georges) Brassens°
(+comp.) que je **tinsse**
(+comp.) que je **vinsse**
que j'**évince**
que je **devinsse**
une **province**
(provenir) que je provinsse

Tournent en rond vos désirs **minces** ;
Pas d'alcool aux fœtus ratés !
Le jaloux **délirium tremens**
Refuse de se partager…

Louis-Philippe Kammans, « Voici le jeu »,
Inventaire

À vous mes splendides trophées,
Mes Ovides, mes **Camoëns**,
Mes Glucks, mes Mozarts, mes Orphées,
Mes Cimarosas, mes **Rubens** !

Théodore de Banville, « Amours d'Élise » IV,
Les Cariatides

Je pense à toi qui me liras dans une petite chambre de **province**
Avec des stores tenus par des ***épingles*** à ***linge*** […]

René Guy Cadou, « Pour plus tard »,
Hélène ou le Règne Végétal

Dites, qu'il faille encor sauter le pas – ne me dites pas que le pas est **mince**,
Qu'il faille marcher par la porte de douleur, pour entrer dans le non-pays d'***inconsistance*** […]

Pierre Jean Jouve, « Isis »,
Mélodrame

assonances	*contre-assonances*
348. INGE	*100. ANCE*
358. INZE	*464. ONCE*
357. INX	*525. OUSSE*

❐ 214.16 [Gautier]

341. INCHE-UNCH°/E

AMINCHE

Binche
(dancing, arg.)il/un **guinche**
(il épie, rég.) il aguinche
(repas) un **lunch°**
(il mange) il lunche
(lynchage) loi de Lynch°
(il moleste) il lynche
(il éclabousse, rég.) il éclinche
(bille, rég.) une glinche
(ami, arg.) AMINCHE
(belote, rég.) la/il coinche
(gosier, arg.) la gargoinche
(il crie, rég.) il pinche
(avare, arg.) un arpinche
(gros souliers, arg.) des auverpinches
(il épie, arg.) il espinche
(il hurle, rég.) il quinche
(voleur, arg.) il/un **grinche**
(grincheux, Suisse) (un/e) grinche
(faux voyou, arg.) un agrinche
(boue, rég.) la trinche
(collecte, arg.) une tinche

Écoutez ça, les **aminches**
les escarpes et les marlous,
c'est l'histoire d'un drôle de **grinche**,
tronche d'amour, gueule de voyou.

Renaud, « Gueule d'aminche »,
Le Temps des noyaux

Y avait un tapis-franc qu'était peint en rouge ;
Après la lourde y avait un' lanterne rouge.

Cré nom ! elle en avait remouché des **grinches**
Qui maquillaient des brêmes chez le dab du **guinche** !

Marcel Schwob, « La Lanterne rouge »,
Écrits de jeunesse

Il faut traverser la ***Manche***
pour, un temps, considérer
une maison sans ***jardin***
collée, à la victorienne,
aux voisines. Là, ne **grinche***
pas quelque vieil usurier…

Jacques Jouet, « Rachael Pickin »,
107 âmes

* rime berrychonne : ManCHE + jardIN = grINCHE

assonances	*contre-assonances*
340. INCE	*101. ANCHE*
348. INGE	*465. ONCHE*

❐

342. INCLE

cincle

Sœur Cigogne, *claquetez pour nous.*
Frère Étourneau, *cliquetez pour nous*
Frère **Cincle**, ***clinquez*** *pour nous.*

Henri Pichette, « Litanie des oiseaux »,
Les Enfances

assonances	*contre-assonances*
349. INGLE	*266. ICLE*
353. INQUE	*466. ONCLE*

❒

343. INCRE

VAINCRE
CONVAINCRE

Et que me diras-tu qui puisse me **convaincre** ?
Que ces vaincus d'hier sont déjà prêts à **vaincre** ?

Paul Déroulède,
L'Hetman, acte II, scène VI

Ô plaie à mon côté, source de sang et d'eau,
De la Croix ou de moi, qui sera le fardeau ?
Ma patrie abîmée a tôt su me **convaincre**
De me faire un devoir d'espérer pour **survaincre**.

Henri Pichette, « Les Naïvetés ardentes »,
Les Revendications

Les Francs c'est duraille à **convaincre**
Foutez votre uniform' sul ***cintre***
Et laissez-nous nous démerder
Lâchez nos dés

Léo Ferré, « Sans façons »,
La mauvaise graine

Beau frère ! tu verras sous toi grandir ton fils
Sois tendre ! la raison trouve toujours son fil
Mais c'est dans la bonté que le vrai jette l'***ancre***
Apprenons à aimer pour nous apprendre à **vaincre**.

Max Jacob, « À mon beau-frère »,
Le Laboratoire central

assonances	*contre-assonances*
353. INQUE	*102. ANCRE*
356. INTRE	*8. ACRE*

❒

344. INCT°/E-UNCTE

(il meurt, rég.) il défuncte
distinct°/e
indistinct°/e

L'ombre lente a noyé la vallée **indistincte**.
La cloche, au loin, note par note, s'est ***éteinte***,
Emportant comme l'âme frêle d'une ***sainte***.

Albert Samain, « Promenade à l'étang »,
Au Jardin de l'Infante

Il en est, en robes de bronze,
Qui ***tintent***, ***tintent*** ;
Et s'éloignent, geignant des ***plaintes*** **indistinctes**,
Et des demandes sans réponses.

Georges Rodenbach, « Les cloches » II,
Le Miroir du ciel natal

assonances	*contre-assonances*
355. INTE	*367. ICT-E*
353. INQUE	*467. ONCTE*

❒

345. INDE-UND°

INDE

(bleu) l'inde
(pays) l'INDE
(empire) les **Indes**
(triche, Suisse) il/la chinde
dinde
(il rebondit, rég.) il redinde
cochon d'Inde
afin de
(il se raidit) il (se) **guinde**
(voiture, arg.) une guinde
week-end°
happy(-)end°
(prénom) **Rosalinde**
(minerai) le blende
(mine, arg.) le/la blind°/e
(il cuirasse) une/il blinde
(vite, arg.) à toute blinde

pechblende
hornblende
une élinde
(épée) une olinde
plein de
l'Insulinde
(il apprivoise, rég.)
il acoinde
le **Pinde**
(goûter, rég.) il/un marinde
(toast) il/un brinde
(cité romaine) Brindes
Clorinde
(prénom) Florinde
(détroit) le Sund°
il **scinde**
il rescinde
l'Øresund°
(prénom) **Lucinde**
(le) zend°/zende

J'ai retiré ce radium de la **pechblende**
Et j'ai brûlé mes doigts à ce feu défendu
Ô paradis cent fois retrouvé reperdu
Tes yeux sont mon Pérou ma ***Golconde*** mes **Indes**

Louis Aragon, « Les Yeux d'Elsa »,
Les Yeux d'Elsa

Vos tétons, double mont d'orgueil et de luxure
Entre quels mon orgueil viril parfois s'y **guinde**
Pour s'y gonfler à l'aise et se frotter la hure
Tel un sanglier ès vaux du Parnasse et du **Pinde**.

Paul Verlaine, « Je veux m'abstraire vers vos cuisses et vos fesses »,
Femmes. I

Trouvez donc où est le plus fin **lin de l'Inde**.
Ramassez-en tout ce qui peut pousser en terre,
Et l'homme et le cheval font un seul sagittaire !
Et que d'argent neigeux soient la lance et l'**olinde** !

Gustave Lamarche, « Les Cavaliers blancs »,
La Consommation in *Œuvres poétiques.* I

J'ai respiré le miel, le hashish des étés,
Des fleurs lourdes et ***peintes***,
Dans un parterre empli de fruits et de clartés
Comme un jardin des **Indes**.

Anna de Noailles, « Jardin d'enfance »,
Les Éblouissements

Les arbres à feuilles ***blondes***
Montent plus haut que les toits.
Un chevalier d'autrefois
Croyait aux perles de l'**Inde**.

Jules Romains, « Les arbres à feuilles blondes… »,
Pierres levées. XVIII

assonances
355. INTE
346. INDRE

contre-assonances
103. ANDE
468. ONDE

❒ 165 [Dubillard] *; 346 [Queneau] ; 103 [Gangotena]*

346. INDRE

PLAINDRE

(rivière ; départ.) l'**Indre**
feindre
(gémir) **geindre**
(boulanger) le g(e)indre
il/un **cylindre**
monocylindre
PLAINDRE
(se) plaindre
(se) complaindre
oindre
joindre
enjoindre
adjoindre
rejoindre
(réunir, arch.) conjoindre
disjoindre
(le) **moindre**
poindre

peindre
dépeindre
repeindre
craindre
enfreindre
empreindre
épreindre
étreindre
rétreindre/retreindre
contraindre
astreindre
restreindre
ceindre
enceindre
teindre
atteindre
éteindre
déteindre
reteindre
(saisir, arch.) aveindre

Je sais que je ne semble pas à **plaindre**.
Ailleurs l'on tue. Ailleurs l'on brûle tout.
Je tiens le grand café des bords de l'**Indre**
à Loche où tout est vieux, sauf l'acajou

de ce comptoir et le triple **cylindre**
du beau percolateur, l'aigle dessus.
Je sais que je ne semble pas à **plaindre**.
Cuire. Manger. Les impôts. Les reçus.

Jacques Audiberti, « La commerçante de Loche »,
Toujours

Je ne tarderai pas sans doute à te **rejoindre**
Là-bas, où toute vie éclôt et court s'**éteindre**.

Mais pourquoi n'as-tu pas voulu laisser ton corps
Dormir auprès des miens ? Ma peine eut été **moindre**,

Si j'avais pu souvent, ô Morte entre mes morts,
Quand l'étoile du soir au ciel commence à **poindre**,

Te porter ma prière et mes anciens remords…

Philéas Lebesgue, « Je ne tarderai pas… »,
Arc-en-Ciel in *Œuvres poétiques.* III

☞

INDRE

Rime et rame, ire et art
Feindre ou **peindre**, **ceindre**, **geindre**
Et gémir !

Géo Norge, « L'avenir »,
Le Gros Gibier

dans l'immense cube où se fixe un **cylindre**
se fournit le filet du rythme quotidien
deux trois individus cobayes ou ***cochons d'Inde***
vont viennent hallucinatoirement pour rien

Raymond Queneau, « Coïncidence »,
Fendre les flots

Vos morts sont bien morts
Vos morts sont bien gardés
Il n'y a rien à **craindre**
On ne peut vous les ***prendre***
Ils ne peuvent se sauver

Jacques Prévert, « Rien à craindre »,
Histoires et d'autres histoires

assonances	*contre-assonances*
345. INDE	*104. ANDRE*
356. INTRE	*469. ONDRE*

❐ *350 [Guidoni] ; 469 [Ferrer]*

347. INFRE

(frangin, verl.) un ginfre
il se/(un) goinfre

les rimafs les rimefs les rimeufs les rimifs les ***riminfes*** les rimaufs les rimofs les rimonfes les rimoufs les rimufs
[...]
les ***rimafres*** les ***rimanfres*** les ***rimèfres*** les ***rimifres*** les **riminfre**
les ***rimaufres*** les ***rimofres*** les ***rimoufres***

Clovis Maërl, « Le Moulin à paroles »,
Glossolalie, glace aux lilas

assonances	*contre-assonances*
338. IMPHE	*440. AUFRE*
346. INDRE	*490. OUFRE*
350. INGRE	*15. AFRE*
356. INTRE	*97. AMPHRE*

❐

348. INGE

LINGE
SINGE

feins-je?
sphinge
(+comp.) tiens-je?
(+comp.) viens-je?
LINGE
sèche-linge
(il se change, rég.)
il se relinge
lave-linge
plains-je?
le Comminges
(cithare) une phorminge
la/les **méninge(s)**
les leptoméninges
remue-méninges
(il enfume, rég.) il foinge
(il rumine, rég.) il roinge
(peindre) peins-je?
(il prend, rég.) il pinge
crains-je?
Poperinge

Voisine, votre petit **singe**
Trop souvent vous baise, à mon gré.
Vous avez le chignon doré
Comme les Gretchen de **Thuringe** ;

Je vois vos seins – de quoi me **plains-je** ? –
Gonfler le peignoir bien tiré ;
Voisine, votre petit **singe**
Trop souvent vous baise, à mon gré.

Ah ! le sournois ! Il a fourré,
Entre vos jeunes seins de **sphinge**,
Son joli museau sous le **linge**...
Croyez qu'un jour j'étranglerai,
Voisine, votre petit **singe**.

Catulle Mendès, « Sur le balcon »,
Intermède

Hélas, trois fois hélas ! Saturés de **campinge**,
Les bois lourds et profonds ont perdu leur éclat.
......

INGE

(grincheux, Suisse)
(un/e) gringe
(flûte de Pan) une **syringe**
(tombe) une syringe
la Thuringe
il/un SINGE
(ceindre) ceins-je?
(teindre) teins-je?
(+comp.) (tenir) tins-je?
(fifre) une photinge
(vaincre) vaincs-je?
(+comp.) (venir) vins-je?
(carolingien) carlovinge
convaincs-je?

+ formes interrog. avec -je *des autres verbes en* -indre

assonances	*contre-assonances*
340. INCE	*105. ANGE*
358. INZE	*471. ONGE*

Fouillant ici et là, du regard, mais en **vain je**
Cherche un lieu solitaire au douillet matelas.

Jacques Bens, « Chant deuxième »,
Le Retour au pays

la servante encharnée entassait du vieux **linge**
la chefesse espagnole apportait les plateaux
les autos dans la rue accouraient des ***provinces***
la pluie incessamment coulait aux caniveaux

William Cliff, « Hôtel de l'Espérance »,
Fête nationale. 52

Les ***anges*** piochent dans les ***nuages***
Les eunuques cousent du **linge**,
Boussole, dromadaire et **singes** :
Équipement de ***Mages***.

Georges Schehadé, « La fille du Savant »,
L'Écolier sultan

❒ *358 [Obaldia]*

349. INGLE-UNGLE

ÉPINGLE

jungle
(perche, rég.) une ningle
(il arrête, arg.)
il é/pingle
il/une ÉPINGLE
(tige) il/une **tringle**
(il coïte, arg.) il tringle
(tuberculeux, arg.)
poitringle
(il fouette) il **cingle**
(il navigue) il cingle
résingle

assonances	*contre-assonances*
351. INGUE	*106. ANGLE*
339. IMPLE	*472. ONGLE*

Ton corps était une pustule
À la merci d'une pointe d'**épingle** ;
Ta pendaison serait l'acte d'être pendule.

On te veut singulier ; c'est-à-dire on te **cingle**.
Reste raide avec l'élasticité des **tringles** ;
Raide de ta raideur crédule :
Le professeur est le squelette de l'émule.

Roland Dubillard, « Moisissure »,
La Boîte à outils. 190

Vous desséchez sur des **épingles**
Dans la tristesse de ce cadre,
Voiliers légers dont les escadres
Sous la brise de juillet **cinglent**
Pour aller conquérir au loin les moissons d'or !

Thomas Braun, « Dans cette caisse de havanes… »,
Fumée d'Ardenne in *Poésie*

En harmonie comme dail avec mail, comme **résingle** avec **épingle**

Henri Pichette, « Le Poème des outils comme les gens »,
Les Enfances

Fais ce que n'ont pas fait Wiclif, Luther et **Zwingle*** ;
Mets dans ton casier Dieu percé de ton **épingle** […]

Victor Hugo,
Dieu (Fragments) I. cote 106.600

* Zwingli, réformateur suisse

Nos forêts, plutôt qu'à des **jungles**
Faisaient penser à des garennes
Dès qu'on dépassait Bourg-la-Reine
Là où la banlieue se ***déglingue***.

Jean Clair, « La meute »,
Onze chansons puériles

❒ *359 [Jacob] ; 351 [Renaud]*

350. INGRE

INGRES

(Jean Auguste) INGRES
(bourreau, arg.) un bingre
violon d'Ingres
papier Ingres
(couteau, arg.) un lingre
malingre
(un/e) **pingre**

Un ***peintre*** assez fameux, mais au sexe **malingre**,
Était super-connu pour être plus que **pingre**.
On racontait qu'il ne payait
Ses modèles que s'il bandait.
Et les filles disaient : « Ce soir, nous ***violons*** **Ingres**. »

Jean-Claude Carrière,
Cent un limericks français. 92

Ce fils de Toulouse-Lautrec passablement bâtardé de la Goulu
Dans ses primes années ne fut pas autre que le Gréco le voulu
Et quant à la leçon posthume du sieur **Ingres**
Max Jacob dit : Pablo n'est point **artiste-pingre**

René Guy Cadou, « Hommage à Pablo Picasso »,
Hélène ou le Règne Végétal

Faux monnayeurs, pourquoi se ***plaindre***
Le succès veille sur les menteurs
Voici venu le temps des **pingres**
Voici le temps des dictateurs

Jean Guidoni, « Les Faux-monnayeurs »,
Vertigo

Le tambour du jazz-band est mon **violon d'Ingres**.

Capitaine, une noce aurait froid en décembre,
Malgré l'oiseau qui porte un poème en son bec.

Tendre myosotis, œil de la cage aux ***tigres***,
Tigres dont le théâtre est une cheminée,
Brasillez, ronronnez, ne jouez pas avec
La cycliste rêvant, un cœur entre les jambes.

Jean Cocteau, « Embouchure des pensées divines »,
Vocabulaire

assonances
336. IMBRE
346. INDRE
356. INTRE

contre-assonances
279. IGRE
143. ÈGRE

❐

351. INGUE-INC

DINGUE

(maladie) la dengue
(fou) (un/e) DINGUE
(pince à effraction, arg.) une dingue
(Batignolles, arg.) les Badingues
(fou, arg.) (un/e) frappadingue
cradingue
(malingre, arg.) un/e rachedingue
les Mandingues
(redingote, arg.) une redingue
(valet, arg.) un valdingue
(chute, arg.) un/il valdingue
(valise, arg.) une valdingue
(un/e) **foldingue**
(revolver, arg.) un ribouldingue
(fête, arg.) une **ribouldingue**
poudingue
(pardessus, arg.) un lardingue/pardingue

lourdingue
(un/e) **sourdingue**
(voiture, arg.) une guingue
(il s'agite, rég.) il jingue
(enfant, arg.) un/e moujingue
(couteau, arg.) un **lingue**
(lingot, arg.) un lingue
(poisson) une lingue
il/une ralingue
(sale, arg.) (un/e) salingue
il étalingue
(il lance, rég.) il évalingue
(il pue, arg.) il **(s)chlingue**
il/une élingue
(relégation, arg.) la relingue
(lunettes, arg.) des carrelingues
(seul, arg.) seulingue
(arme, arg.) il/un **flingue**
(démuni, arg.) être flingue
(garde du corps, arg.) un porte-flingue
il **déglingue**
(un/e) **bilingue**
(un/e) unilingue
(un/e) trilingue
(un/e) plurilingue

Les poulets et les poules, ça m'rend **dingue**
À la maison poulemane j'y réserve mon **lingue**
À la fille mon p'tit cœur oppressé.
[...]
Les vampires et les vamps, ça m'rend **dingue**
J'achète des chauve-souris pour mettr' dans mon **burlingue**
Et j'épouse toutes les tueuses que j'connais.

Boris Vian, « Je n'peux pas m'empêcher »,
Textes et chansons

Moi, mon av'nir est sur le **zinc**
d'un bistrot des plus **cradingues**,
mais bordel ! où c'est qu'j'ai mis mon **flingue** ?
[...]
Tant qu'y'aura d'la haine dans mes **s'ringues**,
je ne chant'rai que pour les **dingues**,
mais bordel ! où c'est qu'j'ai mis mon **flingue** ?
[...]
Les marches militaires, ça m'**déglingue**
et votr' République, moi j'la ***tringle***,
mais bordel ! où c'est qu'j'ai mis mon **flingue** ?

Renaud, « Où c'est qu'j'ai mis mon flingue ? »,
Le Temps des noyaux

☞

INGUE-INC°

multilingue
(un/e) **fo(l)lingue**
(un/e) monolingue
(avion) une **carlingue**
(prison, arg.) une carlingue
(pucelage, arg.) un berlingue
(il s'embarrasse, arg.)
il s'emberlingue
camerlingue
(directeur, arg.)
un/e dirlingue
(portefeuille, arg.)
un morlingue
îles Sorlingues
(voyage, arg.)
la/il bourlingue
(bureau, arg.) un **burlingue**
lac Témiscamingue
ramingue
Saint-Domingue
(région; ville) Groningue
(vêtement, arg.) une alpingue
(il court, rég.) il espingue
(démodé, arg.) il/être ringue
(beuverie) une **bringue**
(querelle, Suisse)
il se/une bringue
(fille) une grande **bringue**
(vite, arg.) à toute bringue
il s'embringue
il/une **meringue**
(piqûre) une **seringue**
(il tue, arg.) il seringue

wateringue
il se fringue
des **fringues**
il se défringue
faire du gringue
(tuberculeux, arg.) poitringue
(bon à rien, arg.)
(un) baltringue
(tapage, arg.)
un **bastringue**
(sale, arg.) crassingue
(loque, rég.) une wassingue
(métal; bar; avion) un **zinc°**
(zingage) il zingue
(bar, arg.) un casingue
(portefeuille, arg.)
un lazingue
(il démolit, arg.) il dézingue
(ivre, arg.)
il se/être **brindezingue**
(bistrotier, arg.)
un ma(n)nezingue
(de guingois, Suisse)
de bisingue
(vite, arg.)
à toute **berzingue**
(meeting) un métingue
(laid, arg.) mochetingue
(fou, arg.) (un/e) **louftingue**
(médicament, rég.)
une poutingue
il **distingue**

assonances
349. INGLE
353. INQUE

contre-assonances
108. ANGUE
474. ONGUE

Qui d'main s'ra à la **ribouldingue** ?
Qui jett'ra d' l'huile aux pus huileux ?
Qui n'aura l'flac et l'gros **morlingue** ?
C'est les gars qu'il est pas frileux.

Jehan Rictus, « Les Monte-en-l'air »,
Le Cœur populaire

Bref, à part quat' municipaux qui **chlingue**
Et trois sergots déguisés en pékins,
J'ai jamais vu de plus chouette **métingue**,
Que le **métingu'** du métropolitain !
[…]
Mais, tout à coup, on entend du **bastringue** ;
C'est un mouchard qui veut fair' le malin,
Il est venu pour troubler le **métingue**,
Le grand **métingu'** du métropolitain !
[…]
À la faveur de c'que j'étais **brind'zingue**,
On m'a conduit jusqu'au poste voisin…
Et c'est comm' ça qu'a fini le **métingue**,
Le grand **métingu'** du métropolitain !

Maurice Mac-Nab, « Le Grand Métingue du métropolitain »,
in *Les Transports poétiques*

il fit ses humanités à Saint-Trond
qui en ce temps était encor **bilingue**
latin et grec messes et confessions
peuplaient la grille d'un horaire assez **dingue**
où les garçons étaient sans cesse **bringue-**
ballés par des couloirs de briques noires

William Cliff, « Chant I » 5,
Conrad Detrez

dingue (***endigue donc*** son ***dig*** **ding** ***dong*** !).

Michel Leiris, « Dingue »,
Langage tangage ou ce que les mots me disent

❐ *349 [Clair] ; 296 [Beaucarne]*

352. INME

(geignard, rég.) il/une rinme
(+comp.) nous tînmes
(+comp.) nous vînmes
(il abîme, rég.) il déwinme

assonances
335. IMBE
345. INDE

contre-assonances
290. IME
444. AUME

Elle était des plus girondes
(mais aussi des plus immondes)
« Elle a une bouche, **néanmoins** ») **me**
dis-je, si bien qu'à parler nous en **vînmes.**

Tim Burton, trad. René Belletto, «La fille avec plein d'yeux»,
La triste fin du petit Enfant Huître

353. INQUE-INCK°-UNC°

CINQ°

(il boit, arch.) il chinque
afin que
(il reluit, Belg.) il blinque
(il cliquette, rég.) il clinque
(Fernand) Crommelynck°
(Jan P.) Sweelinck°
(Francis) Poulenc°
(n. dép.) Rhône-Poulenc°
(Maurice) **Maeterlinck°**

Je suis né le vingt et un février dix-neuf cent **cinq**
dans le deuxième arrondissement de Paris
et je n'ai pu trouver de bonne rime en I N Q
Je me demande un peu ce que je fais ici.

Jacques Baron, « Je suis né… » (Épigraphe),
L'Allure poétique

☞

INQUE-INCK°-UNC°

(halle aux poissons, Belg.) une minque
(Maurice de) Vlaminck°
hic et nunc°
(il crie, rég.) il winque
à moins que
(copain, verl.) un painc°
(voilier) une pinque
(révolté) (un/e) **punk°**
(rue Popincourt) la Popinque
(cigale, rég.) une quinque
il (se) **requinque**
(nourriture, arg.) la grinque
(iguane) un amblyrhynque
ornithorynque
il **trinque**
(5) (un) CINQ°
(reptile) un scinque
mont Mézenc°
qu'il **vainque**
qu'il convainque

L'homme ? C'est l'animal qui **trinque**,
La femme : l'animal qui ment,
Mais connais-tu l'**ornithorynque**,
Le connais-tu suffisamment ?

Maurice Fombeure, « Animaux fantastiques… »,
Pendant que vous dormez …

Le grand sorcier peut bien bonir pour les **moujinques**
La paix ! Le pet ! pour le gnière aux tifs pointus.
Les vingt-deux sont sonnés, vla les flics ! vla la **trinque** !
C'est deux fois l'heure du bouillon pour le têtu.

Car à Wagram, à la **Popinque** ou aux Vertus
Il n'est pas un fauché pour endosser son **drinke**,
Il faudrait être cloche ou fada ou tordu
Pour mettre un seul linvé * sur les hitlo-**germinques**.

Robert Desnos, « Le Bon Bouillon »,
Destinée arbitraire

* pièce d'un franc (argot)

Le lézard **amblyrhynque**
Dessine sur son ***roc***
Les millénaires

Claire Laffay, « Ères »,
Pour tous vivants

Robert, Dieu merci, connu
après un certain ***Journiac***.
Naissance à Fluquières, passe
à Paris, Chester, ***enfin***
Épine-aux-Bois (!), sa cagna
est en forêt, **hic et nunc**.*

Jacques Jouet, « Jean Fremy »,
107 âmes

* rime berrychonne : JourNiaC + enfIN = NUNC

assonances	contre-assonances
351. INGUE	111. ANQUE
357. INX	475. ONQUE

❐ *357 [Franc-Nohain]*

354. INRE

(+comp.) ils tinrent
(+comp.) ils **vinrent**

et à part moi je plains tous ces miteux Paraguayens
qui ne verront jamais l'Europe qu'en photographies
or nombreux parmi eux sont ceux dont les ancêtres **vinrent**
d'Europe et se sentent en exil dans leur propre ***province***

William Cliff, « Cône Sud » 3,
America

Alors les chirurgiens ***taillèrent***
les ***croquemorts*** **vinrent**
les vêtements ***noircirent***
les enfants ***héritèrent***
et trois mouches bleues ***volèrent*** aux fenêtres

Michel Leiris, « Une vie »,
Failles in *Haut mal*

assonances	contre-assonances
256. INTRE	177. ÈRE
346. INDRE	307. IRE
340. INCE	120. ENRE

❐

355. INTE-INT°-UNTE-UNT°

PLAINTE
CRAINTE
SAINTE

térébinthe
un shunt°
il shunte
il/être/une **feinte**
(une) **défunte**
(il meurt, arg.) il défunte
(geindre) geinte
(politique) une junte
farniente
(prénom) Philinte
Olynthe
elle s'est/une PLAINTE
(d'un mur) une plinthe
complainte
mainte
(prénom) **Aminte**
(prénom) Philaminte
helminthe
plathelminthe
némathelminthe
(il bat, Alg.) il escarminte
pippermint°/
peppermint°
ointe
il s'accointe
(joindre) **jointe**
(glas, rég.) les jouintes
il ajointe
enjointe
(une) adjointe
il éjointe
ci-jointe
(une) conjointe
disjointe
il/une **pointe**
(il vise) il pointe
il appointe
il désappointe
il épointe
il dépointe
trépointe
contre-pointe
courtepointe
demi-pointe
(peindre) **peinte**
(mesure) il/une **pinte**
dépeinte
Villepinte
repeinte

(...de toux) **quinte**
(caprice) quinte
coloquinte
il **esquinte**
CRAINTE
il **éreinte**
freinte
enfreinte
labyrinthe
Tirynthe
Corinthe
l'Acrocorinthe
(marquée) empreinte
(trace) une **empreinte**
(de l'argent) il **emprunte**
il r(é)emprunte
contre-empreinte
des épreintes
(une) **étreinte**
une rétreinte/retreinte
(une) **contrainte**
(une) précontrainte
(une) astreinte
restreinte
(ceindre) **ceinte**
(une) SAINTE
(ville) Saintes
(Antilles) îles des Saintes
jacinthe
saint Hyacinthe
(pierre) une **hyacinthe**
(grossesse) être **enceinte**
(il engrosse, arg.) il enceinte
(rempart) une **enceinte**
absinthe
succincte
préceinte
privatdozent°/
privatdocent°
sacro-sainte
(couleur) il/être/une **teinte**
(il sonne) il **tinte**
(+comp.) (tenir) vous tîntes
(une) **atteinte**
aquatinte
éteinte
déteinte
reteinte
demi-teinte
il chuinte
il **suinte**
il dessuinte
(+comp.) vous vîntes
Galswinthe

Je désire une ultime **étreinte**
Au bout de l'exténuation,
Étouffer mes dernières **plaintes**
Dans d'autres lèvres, sans passion. [...]

Sur le chemin fourbu des **feintes**
Qui nous mène à la perdition,
J'invoque une autre âme **défunte**
Pour notre entredévoration.[...]

Le corps plié sur mes **épreintes**,
J'erre dans mes contradictions
À chercher tout ce qui m'**éreinte**
Pour achever mon affection. [...]

J'ai violé le sexe des **saintes**
À force de bénédictions,
Puis éventré femmes **enceintes**
Par d'immondes procréations. [...]

Il faut effacer les **empreintes**
De nos piteuses processions.
Mon amour, je me meurs sans **crainte**
En cette ultime possession.

Fabrice Hadjadj, « Ballade de l'extinction »,
in *Objet perdu*

Par les nuits où le ciel **suinte**,
Elle couchait en plein air.
Pauvre buveuse d'**absinthe** !

Ceux que la débauche **éreinte**
La lorgnaient d'un œil amer :
Elle était toujours **enceinte !**

Dans Paris, ce **labyrinthe**
Immense comme la mer,
Pauvre buveuse d'**absinthe**,

Elle allait, prunelle **éteinte**,
Rampant aux murs comme un ver...
Elle était toujours **enceinte** ! [...]

Sa voix n'était qu'une **plainte**,
Son estomac qu'un cancer :
Elle était toujours **enceinte !**

Maurice Rollinat, « La Buveuse d'absinthe »,
Les Névroses

Je n'***invente*** rien, j'***incante***
Sous la dictée, la **contrainte**
D'un inconnu qui m'***habite***
Et se repaît de mes **craintes**.

Marc Alyn, « Aire du temps » I,
Délébiles in *Le Chemin de la parole*

Nu le fort battu par les vagues. S'élevant,
La Croix, seule, est sûre aux aimantes déjà saintes.
Là croissent les sureaux et menthes, des jacinthes –
Nulle euphorbe. As-tu parlé ? Vague, c'est le vent...

Souffrent les remparts dont, comme en se délavant
Ces mousses, le remords aidant, Temps lésa teintes.
S'émoussent leurres morts et d'antan les atteintes ;
Sous freux, l'errant pardon commence dès l'avent.

Daniel Marmié, « Impressions d'Armor »,
De la Reine à la Tour. Cent poèmes holorimes

assonances
356. INTRE
345. INDE

contre-assonances
113. ANTE
477. ONTE

❒ 214.7 [Montesquiou] ; 365 [Paradis]
345 [Noailles] ; 356 [Cadou] ; 333.18 [Jammes]

356. INTRE

PEINTRE

il/plein/un **cintre**
(théâtre) des **cintres**
(il engrosse, arg.)
il enceintre
il décintre
il recintre
chaintre
PEINTRE
(saxifrage)
un désespoir-du-peintre

assonances
355. INTE
346. INDRE
343. INCRE

contre-assonances
114. ANTRE
478. ONTRE
327. ITRE

Vous aurez beau changer les **cintres**
Inventer de nouveaux accords
L'amour s'use comme les corps
Les machinistes et les **peintres**
En sont pour leurs frais de décor.

Gérard Prévot, « La fille de Naples » 8,
Europe maigre

Le soir, le songe, le sommeil,
les lacs de calme où se **recintre**
l'iris canonique du **peintre**…

Jacques Audiberti, « Amour, adieu… »,
Toujours

Je pense à un jardin profond et tout en ***demi-teintes***
Avec des gueules-de-lion et du **désespoir-du-peintre**

René Guy Cadou, « Encore l'enfance »,
Le Cœur définitif

Nègres et Japonais sont moustachus d'***épingles***
à cheval sur l'affût des canons de la nuit
leur yatagan dans l'ombre est un pinceau de **peintre**.
De ses yeux, prisonnier, ils détacheront l'***huître***
ils déchireront l'étendard de tes entrailles.

Max Jacob, « La suite à demain »,
L'Homme de cristal

❐ *343 [Ferré]*

357. INX

SPHINX

SPHINX
lynx
(cithare) une **phorminx**
(trompette) un salpinx
pharynx
rhino-pharynx
oropharynx
larynx
(nymphe) Syrinx
(flûte de Pan) la **syrinx**
(fifre) une photinx

assonances
340. INCE
353. INQ-UE

contre-assonances
81. AX-E
211. EX-E

Toi qui fis résonner la divine **phorminx**
Sous les chênes tonnants au souffle de Dodone,
Et nous chantas la rose où l'abeille bourdonne,
Marie aux yeux songeurs, Cassandre aux yeux de **Sphinx** ;

Ô Ronsard ! de Silène animant la **syrinx**,
Fils à jamais loué par la Gloire en personne,
Ton nom retentira, comme un airain qui sonne,
Dans les siècles futurs, clangoré des **salpinx** !

Louis Roux, « Ronsard »,
Les Siècles d'Or

Dans les Rocheuses vit un **lynx**
à l'œil brillant comme un ***silex***
couleur de porcelaine de ***Saxe***
énigmatique plus qu'un **sphinx**

parfois grondant en son **larynx**
il miaule et quoique loin de ***Sfax***
fauche la chèvre qui fait « ***bêêx*** »
au berger qui joue du **syrinx**

Jacques Roubaud, « Poème en x pour le lynx »,
Les Animaux de tout le monde

Il leur suffit d'un coup de timbre,
Pour nous faire apporter un timbre ;
Elles ont des sourires de **sphinx**
Pour prendre ***soixante-quinze*** sur ***cinq***

Franc-Nohain, « La complainte des dames assises »,
Flûtes

❐

358. INZE

QUINZE

Deinze
(Georges) Linze
(le) 15/QUINZE
75/soixante-quinze
(roi) **Louis XV/Quinze**
(maîtresse, arg.)
une Louis XV/Quinze
95/quatre-vingt-quinze

Je manque trop de rime en taf,
Je manque trop de rime en **inze**,
Pour bien parler de ce Falstaff
Monté sur pattes **Louis XV**.

Henri-René Lafon, « Cochon »,
Plantes bêtes choses, etc.

Moi, quand j'avais douze ans
Et même encore jusqu'à **quinze**
Si j'avais le malheur d'ouvrir la bouche
Ma grand-mère qui était de la ***province***
Me tapait dessus avec la louche.
Ça, c'était une éducation !

René de Obaldia, « Alligators et kangourous »,
Innocentines

1971,
Patrick Mercado, 20 ans,
est en Asie. L'y verrais-je
en ermite ***tibétain***,
trafiquant de cannabis
ou bien prof coopérant…
ce, jusqu'en **75** ?*

Jacques Jouet, « Patrick Mercado »,
107 âmes

* rime berrychonne : soixante-et-onZE + tibétAIN = soixante-quINZE

assonances
340. INCE
357. INX

contre-assonances
480. ONZE
524. OUSE
199. ÈSE

❐ *300[Vialatte] ; 357 [Franc-Nohain]*

359. UMBLE-IMBLE

HUMBLE

(les) HUMBLE(S)
(il tord, rég.) il gimble

– Nous, les **humbles** , on a pas de rime
on nous met jamais en chanson…

Jean-Roger Caussimon, « Nous, les humbles »,
Mes chansons des quatre saisons

Voici l'infortune des **humbles** :
ils couchent sur un lit d'***épingles***
Ils mangent ce qui les vaccine ;
au réveil l'injure est leur shampooing
et la rancune est leur cuisine.

Max Jacob, « Séparés de Dieu »,
Ballades

Je ne te savais pas si ***simple***
Bien qu'il fût écrit dans ta main
Que tu vivrais parmi les **humbles**
Un ***simple*** et tranquille destin.

Maurice Carême, « Je ne te savais pas si simple… »,
Femme

S'il fait nuit s'il fait tard
l'autobus et le cafard
marchent ***ensemble***
marchent l'***amble***
d'un air bien **humble**
C'est un ***comble***

Raymond Queneau, « Mélancolies monégasques »,
L'Instant fatal. II

assonances
336. IMBRE
339. IMPLE
349. INGLE-UNGLE

contre-assonances
93. AMBLE
458. OMBLE
216. EUBLE

❐

360. OBE-OB

ROBE

(fleuve) l'Ob°
(Thomas) Hobbes
(prénom) Bob°
(chapeau) un bob°
(traîneau) un bob°
(dé, arg.) un bob°
(1 dollar) un bob°
(moue, rég.) faire la bobe
ski-bob°
(cheval) cob°
(antilope) kob°/cob°
(Bible) **Jacob**°
(Max) Jacob°
(mère, arg.) une dobe
adobe
(un/e) francophobe
(un/e) anglophobe
(un/e) germanophobe
(un/e) xénophobe
(un/e) hydrophobe
(un/e) claustrophobe
(les Gobelins, arg.) les Gob'°
(engourdi, rég.) être gobe
il **gobe**
il/un engobe
(Bible) **Job**°
(travail) un **job**°
(il travaille, Belg.) il jobe
larme-de-job°

(sport) un lob°
(sport) il lobe
(il flatte, rég.) il lobe
(d'oreille) un **lobe**
globe
il englobe
épilobe
quadrilobe
trilobe
colobe
(mobylette, arg.) une mob°
Arnob°
un **snob**°
il snobe
(suc de fruit) un rob°
(au bridge) un rob°
il/une ROBE
a(r)robe
(petit, arg.) crob°
Macrobe
microbe
il enrobe
il **dérobe**
garde-robe
(idiot, rég.) une grobe
(il se blottit, rég.) il s'agrobe
orobe
(honnête) **probe**
(il essaie, Belg.) il probe
(Marcel) Schwob°
(pénis, arg.) un zob°
(il baise, arg.) il zobe

Tant bruit le bien que mal en choit
Tant choit le cœur qu'il se **dérobe**
Qui mal en use bien en croit
Guérir, c'est trahir le **microbe**
Qui veille au sein froisse la **robe**
A beau chérir qui vit au loin
Il n'est bon tour que d'homme **probe**
C'est le chat qui mange le foin.

> Pierre Gripari, « Ballade des proverbes »,
> *Le Solilesse*

Crierait volontiers comme **Job** :
« Pourquoi Dieu m'a-t-il mis sur terre ? »
Peuplé de monstres, notre **globe**
D'hommes : loups, hyènes, panthères
Le plus méchant, le plus « se **gobe** »

> Maurice Fombeure, « Amertume (personnelle) »,
> *À chat petit*

Il y avait un homme qui se nommait **Dob** ;
Il avait un' femme qui se nommait **Mob**,
Et il avait un chien que l'on appelait **Cob**,
Et **Mob** avait un chat, nommé **Chitterabob**.
Cob, dit **Dob**,
Chitterabob, dit **Mob**.
Cob était le chien de **Dob**,
Chitterabob, le chat de **Mob**.

> *73 comptines et chansons.* 28
> *Nursery rhymes.* Trad. Henri Parisot

Cette forme est de rose et vous garde si pur.
Conservez-la. Le soir déjà vous ***développe***
Et vous m'apparaissez (ôtées toutes vos **robes**)
Enroulé dans vos draps ou debout contre un mur.

> Jean Genet, « Un chant d'amour »,
> *Poèmes*

La sauterelle s'articule aux graminées ;
Le criquet vert attend sous un ***limbe*** que *l'**aube***
Prochaine mouille l'herbe. Il voit de ses beaux **globes**
La ***globalité*** du monde…

> Robert Marteau, « Le Soleil peint les parcs… »,
> *Louange*

assonances
394. OPE
367. ODE
362. OBRE

contre-assonances
436. AUBE
2. ABE
122. ÈBE
335. IMBE

❒ *362 [Cluny] ; 374 [Laugier] ; 2/122 [Thiry]*

361. OBLE

VIGNOBLE
NOBLE

paso doble
ignoble
VIGNOBLE
(un/e) NOBLE
Grenoble
(il connaît, arg.) il co(n)noble
(il reconnaît, arg.)
il reconnoble
(étable, rég.) une étroble

Je n'aime pas ce music-hall des femmes **nobles**
Moi qui rendis la pompe et le casque aux pompiers
Moi qui toute ma vie ai fait dans mes **vignobles**
Aux mots choisis une conduite de **Grenoble**
Je déteste les dieux qui n'ont pas mal au pied

> Louis Aragon, « Langage des statues »,
> *En étrange pays dans mon pays lui-même*

☞

OBLE

Léone indifférente à tant de grâce **ignoble**
En parcourait les bois les labours les **vignobles**
Et je suivais Léone et foulais à mon tour
Le corps de ce héros démâté par l'amour.

Jean Cocteau, « Léone » 59, *Poèmes 1916-1955*

…Quand dans l'arène en feu
Tu marchais d'un pas **noble**
Tandis qu'un **paso doble**
Ponctuait ton entrée

Charles Aznavour, « Le Toréador »,
Un homme et ses chansons

d'un seul mot je sacrais des reines
dans de beaux pays d'***octobre***
je composais des cantilènes
pour enchanter ces dames **nobles**

Jean-Claude Pirotte, « Or se chante »,
La Vallée de Misère

L'eau est ***imbuvable*** :
Qu'on ait soif, elle se détourne.
Elle part en vacances, dans ses **vignobles**.

Roland Dubillard, « L'eau est imbuvable… »,
La Boîte à outils. 65

❐

assonances	*contre-assonances*
362. OBRE	*3. ABLE*
381. OLE	*261. IBLE*
395. OPLE	*483. OUBLE*

362. OBRE

OPPROBRE
SOBRE
OCTOBRE

le Sidobre
(terre salée, rég.) un salobre
(il connaît, arg.)
il co(n)nobre
(il reconnaît, arg.)
il reconnobre
robre
OPPROBRE
être SOBRE
(il agace, rég.) il sobre
OCTOBRE

Ne te plains point, mon cher Faret,
Si je te rime à Cabaret,
Et ne t'en fais point un **opprobre** :
Ne vois-tu pas, Esprit charmant,
Qu'encor qu'on me tienne assez **sobre**,
On me rime bien à Gourmand ?

Marc-Antoine Girard de Saint-Amant, « Les Rimes fatales »,
Épigrammes. XXIII in *Œuvres.* IV

Qué qu'i' va dir' mon proprio
Si j'y pay' pas son term' d'**octobre** ?
Sûr i' va m'vider. Je l'**conobre**…
Et v'là l'hiver… i' fait frio.

Aristide Bruant, « Soulologue »,
Sur la Route

Hissant ta chair vieillarde sur le lit de l'**opprobre**
que n'as-tu, toi ô roi Saül, renié
gémissant, tué l'amour – tel Caton le ***probe***
L'invaincu, dit Manilius, *qui vainquit la* ***mort***.

Claude Michel Cluny, « À la Harpe de David » 3,
Odes Profanes. IV in *Œuvre poétique.* I

ainsi rime un dadais en une infecte ***chambre***
d'une petite ville aigre où le brouillard mord
à l'heure où les routiers emballent les moteurs
sous les néons tremblants d'une avenue d'**octobre**

Jean-Claude Pirotte, « Je te verrai toujours… »,
Élégies cantonales in *Il est minuit depuis toujours*

assonances	*contre-assonances*
360. OBE	*94. AMBRE*
361. OBLE	*459. OMBRE*
396. OPRE	*538. UBRE*
402. ORBE	*4. ABRE*

❐ *361 [Pirotte] ; 396 [Carême] ; 402 [Jammes]*

363. OCHE-OCH

CLOCHE
ROCHE
REPROCHE

(...la tête) il hoche
général Hoche
(un/e) **boche**
(Jérôme) Bosch°
(il tombe, rég.) il aboche
caboche
il/une bamboche
(boiter, rég.) il clamboche
il rabiboche
(italien, arg.) (un/e) italboche
(rigolo, arg.)
il/(un/e) rigolboche
(voiture) un **coche**
(...d'eau) un coche
(marque) une/il coche
il/une encoche
sacoche
il décoche
il ricoche
(père, mère, arg.) un/e doche
(règles, arg.) des doches
(espadrilles, arg.)
des espadoches
(belle-mère, arg.)
une belle-doche
(médaille, arg.)
une médoche
(viande, arg.) la bidoche
(un/e) caldoche
(seins, arg.) les dodoches
(broussailles, Can.)
les fardoches
avenue/maréchal Foch°
(sotte, rég.) (une) gnoche
(tituber, rég.) il guignoche
il pignoche
(exciter, rég.) il atigoche
(maillet) une mailloche
(fort, arg.) être mailloche
(brutalité, arg.)
il/la mailloche
il/une guilloche
un/e **mioche**
il/une **pioche**
pelle-pioche
(il ricane, rég.) il rioche
brioche
Antioche
(chauffeur, arg.) un loche
(poisson) une loche
(oreille, arg.) une loche
(il secoue) il loche
(ville) Loches
(bal, arg.) un ba(l)loche
(testicules, arg.)
des balloches
(chaussure) une **galoche**
(baiser, arg.) il/une galoche
(gifle) il/une taloche
(technique) une taloche
(valise, arg.) une valoche
(asticot, arg.)
un asti/bloche

une CLOCHE
(défectueux) ça **cloche**
(clochard, arg.) la cloche
(bête) être cloche
(pellicule, arg.) la pelloche
(télé, arg.) une téloche
fil floche
(flocon) une floche
(poker) un flush°
(il file, arg.) une/ il filoche
une/il s'effiloche
(O.V. de L.) Milosz°
(dents, arg.) des piloches
(seins, arg.) des loloches
(piège, arg.) une poloche
(fable, rég.) une apoloche
ça bouloche
aristoloche
(parler, rég.) il parloche
(américain, arg.)
(un/e) amerloche
moche
il amoche
(femme, rég.) damoche
médianoche
(flâner) il flânoche
(manille, arg.) la manoche
(cinéma, arg.) le cinoche
(malin, rég.) finoche
épinoche
(livre) un poche
(d'habit) une **poche**
(il esquisse) il poche
(louche, Suisse) une poche
il r/empoche
vide-poches
une ROCHE
(technique) il roche
arroche
il enroche
il/une **broche**
il embroche
tournebroche
il débroche
(crochu) croche
double/triple **croche**
(il saisit) il croche
une/il **accroche**
il raccroche
bancroche
il décroche
anicroche
il déroche
abri-sous-roche
(un/e) **proche**
une/il **approche**
il **rapproche**
il/un REPROCHE
(coquillage) une troche
(excréments) des troches
(personnage) Gavroche
(gamin) (un) **gavroche**
basoche
Sacher-Masoch°
(haschisch, arg.) du tosh°
(main, arg.) une patoche
(cantine, arg.) la cantoche
(pantin) un **fantoche**
(fantaisie, arg.) la fantoche

Fagoté plaisamment comme un vrai Simonnet,
Pied chaussé, l'autre nu, main au nez, l'autre en **poche**,
J'arpente un vieux grenier, portant sur ma **caboche**
Un coffin de Hollande en guise de bonnet.

Là faisant quelquefois le pas du Sansonnet,
Et dandinant du cul comme un sonneur de **cloche**,
Je m'égueule de rire, écrivant d'une **broche**
En mots de Pathelin ce grotesque Sonnet.

Marc-Antoine Girard de Saint-Amant, « Sonnet »,
Œuvres. I

Cor un mignard qui **pignoche**,
Un drôl' de perlimpimpin
Qui voudra de la **brioche**
Quand on lui baille du pain.

Y en a beaucoup d'cett' **encoche**
Qui s'nourrissent de bois d'sapin
Et sont paf au soir des **cloches**
De voir qu'i sont morts de faim.

S'ils ouvrent fort leur **sacoche**,
C'est pour mett' quoi dans l'écrin :
Du vent et deux pair' de **floches**
– Peau de balle et ballet d'crin.

Y a bien les ***vach'*** sans **reproche**
Qui brout' l'herbe et c'est tout gain,
Mais j'dis qu'i faut d'la **bidoche**
Aux tempéraments sanguins.

Enfonç' toi ça dans l'cal'pin :
Moi, ça m'***bich'*** l'**aristoloche**,
Quand on lui bout' la **brioche,**
Qui veut d'la chair et du pain.

Géo Norge, « Chair et pain »,
La Langue verte

C'en est bien fini du cri barbare des ***noces*** ;
Ni licorne ni chimère, mais immédiate,
La pensée la plus haute est aussi la plus **proche** :
Au vers, c'est du présent que l'éternel prend acte.

A. Saint-Amand, « C'en est bien fini du cri barbare des noces »,
La Leçon d'Otilia

À coups de pied
de ***bêche***
de **roche**
à coups fructueux de pierre

Michel Leiris, « Pétrifié »,
Haut mal

❒ 333.2 [Tailhade] ; 5 [Laforgue]
403 [Vielé-Griffin] ; 465 [Renaud ; Roubaud]

(santé, arg.) la santoche
(peur, arg.) il/la pétoche
(chandelle, rég.)
une pétoche
mackintosh°
(seins, arg.) des totoches
(Bastille, arg.) la Bastoche
(facile, arg.) fastoche
(plastique, arg.)
du plastoche

(sapristi!) sapristoche!
ça bavoche

assonances
423. OSSE
374. OGE
403. ORCHE

contre-assonance
5. ACH
125. ÈCH
539. UCH

364. OCLE

SOCLE

Empédocle
Étéocle
Sophocle
binocle
monocle
Patrocle
SOCLE
(il démolit, rég.) il dessocle
Agathocle
(il rafistole, rég.)
il rabistocle
Thémistocle

Vers, une fois de plus, le mot, bourreau du cri,
vers le mot qui toujours nous acharne à l'esprit
et dont j'ai cru m'enfuir, tel, d'Homère, **Sophocle**,
je m'efforce, contrit, sur les ourlets du **socle**.

Jacques Audiberti, « Vais-je demeurer seul… »,
La Pluie sur les boulevards

Le désert déferle au **socle**
En vagues de sable et d'or,
Rides du temps d'**Empédocle**,
Silences sonnant du cor.

Maurice Fombeure, « Les Ruines au désert »,
Bruits de la terre

Je danse au milieu des ***miracles***
Mille soleils peints sur le ***sol***
Mille amis Mille yeux ou **monocles**
m'illuminent de leurs regards

Louis Aragon, « Parti-pris »,
Feu de joie

assonances
381. OL-E
400. OQUE

contre-assonances
7. ACLE
266. ICLE

❐

365. OCRE

OCRE
MÉDIOCRE

il/l'OCRE
(maladroit, rég.) achocre
(un/e) MÉDIOCRE
(pou, arg.) un piocre
(ville antique) Locres
(fric, rég.) du mocre

Ils n'échangèrent pas un baiser ce jour-là.
Et toute la douceur de vivre s'en alla.
Les plus clairs diamants se changèrent en **ocres**.
Les mieux chantants lyreurs firent des vers **médiocres** […]

Raoul Ponchon, « La Naissance du "Philistin" »,
La Muse au cabaret

Moi, la Kitharède de **Locres**
Dont la voix triompha,
Dans le jour de safrans et d'**ocres**
Qui trace son alpha […]
Je suis chère à Psappha.

Renée Vivien, « Moi, la Kitharède… »,
Les Kitharèdes in *Œuvre poétique complète*

Nous enverrons la mort pâlir dans un grand ***coffre***
derrière un vieux visage osseux et des mains jointes

avec des fleurs à cœur fané et des mains ointes
d'huile et de sang, sous les éclats de cire et d'**ocre**.

Suzanne Paradis, « La Malebête »,
La Malebête

il calcule
le temps exact de la sublime action
la durée de la réduction
le poids de ***sucre***
les vapeurs **ocres**
l'essence l'huile
les odeurs subtiles

Christian Prigent, « Histoire des actions »,
Peep-show, p. 107

assonances
362. OBRE
372. OFRE

contre-assonances
8. ACRE
540. UCRE

❐ *540 [Astorg]*

366. OCTE

DOCTE

(il défèque, arg.) il décocte
il concocte
(un/e) DOCTE
(il insomnise) il pernocte
(anus) le périprocte
(invertébré) un ectoprocte

assonances
427. OTE
400. OQUE
390. OLTE
398. OPTE

contre-assonances
9. ACTE
130. ECTE
267. ICTE
344. INCTE

Mais hé ! qu'as-tu chez toi, notre mère, qu'as-tu,
Qui d'un style disert ne prêche la vertu ?
Que le noble, le fort, l'opulent, et le **docte**
Soit comme roturier, débile, pauvre, **indocte**…

Guillaume de Salluste du Bartas, « Le Septième jour »,
La Semaine ou Création du Monde

Toute personne assez jeune, et moins **docte**
Qu'il ne faudrait pour s'expérimenter,
Par une mode et ignorante et ***sotte***
Voudra toujours son pareil fréquenter…

Pernette du Guillet, « Toute personne assez jeune… »,
Rimes. LIII

❐ *398 [Norge]*

367. ODE-OD°

MODE

ode
cap Cod°
il/un **code**
(un) diacode
il encode
il décode
Kozhikode
il transcode
(paradisier) un manucode
il (s')**inféode**
géode
éphod°
(il plisse) il gode
(il désire, arg.) il gode
(godemiché, arg.) un gode
(godet, arg.) un gode
pagode
(corps simple) il/l'**iode**
(lettre) le yod°
photo/diode
période
triode
Hésiode
(vogue) la MODE
(façon) un mode
il se démode
(empereur) Commode
(pratique) **commode**
(meuble) une **commode**
il **accommode**
il raccommode
il/être **incommode**
plasmode
anode
saint-/**synode**
(un) apode
(un) décapode
mégapode
myriapode
(un) tétrapode
(un) hexapode
épode
copépode
amphipode

polypode
(un) tripode
antipode
lycopode
pseudopode
brachiopode
branchiopode
céphalopode
chénopode
(un) macropode
ptéropode
gast(é)ropode
arthropode
uropode
(un) isopode
rhisopode
(un) octopode
(il essaie) il rode
(île; colosse de) Rhodes
sarode
il **brode**
il rebrode
saint Willibrod°
(il use) il érode
(roi) **Hérode**
il dérode
(Michel de) Ghelderode
aleurode
Nemrod°
il **corrode**
Novgorod°
électrode
tétrode
(chanteur) un **r(h)apsode**
(il compile) il rhapsode
épisode
exode
ixode
anti/cathode
nématode
trématode
saint Méthode
une **méthode**
pent(h)ode
cestode
custode
voïvode

Le dos au feu, les pieds sur la **commode**,
Seul à mon bord, donc maître du navire,
Parler convient autant que m'**accommode**
De n'avoir rien absolument à dire.

Dispersons-nous au courant de la **mode** ;
Il est moins dur de suivre que maudire,
Le dos au feu, les pieds sur la **commode**,
Seul à mon bord, donc maître du navire.

L'encre céleste invente une **pagode**,
L'Empouse y roue un page de Shakespeare,
Mais Trismégiste à l'inverse **méthode**
Me le confie, esprit nu qui soupire,
Le dos au feu, les pieds sur la **commode**.

André Salmon, « Rondel du délire accordé »,
Les Étoiles dans l'encrier

Je suis l'expulsé des vieilles **pagodes**
Ayant un peu ri pendant le Mystère ;
Les anciens ont dit : Il fallait se taire
Quand nous récitions, solennels, nos **odes**.

Assis sur mon banc, j'écoute les **codes**
Et ce magistrat, sous sa toge, austère,
Qui guigne la dame aux yeux de panthère,
Au corsage orné comme les **géodes**.

Charles Cros, « En cours d'Assises »,
Le Collier de griffes

(Contempteur des parfums décidés aux **synodes**,
Mon cœur simple, jouet des encens et du nard,
Accepte ! comme Dieu les haleines des ***nonnes***,
La senteur des bras frais et sincères d'Agar !)

Henry Jean-Marie Levet, « Printemps »,
Cartes postales

Retourne boire alors dans les tavernes, boire
Les vins de pourpre où l'œil voit fleurir sous des roses
Les jeunes seins légers des danseuses d'**Hérode**,
Les vins d'ambre pareils aux feuillages d'***octobre***,
Et la liqueur de lait, d'opale et d'***émeraude***.

Charles Guérin, « Stériles nuits d'hiver… »,
Le Cœur Solitaire

☞

ODE-OD°

Car c'est vous, *Écho de la* **Mode**,
Qui faites pâlir l'***Iliade***

Et qu'on préfère à l'***Énéide***
comme au *Discours de la* **Méthode**.

Tristan Derème, « Nous attendions des héroïnes… »,
La Verdure dorée. CXXXI

assonances	*contre-assonances*
427. OTE	*438. AUDE*
393. ONE	*10. ADE*
360. OBE	*268. IDE*

❒ *132 [Soupault] ; 468 [Gangotena]*

368. ODGE

le Cambodge
(David) Lodge

assonances	*contre-assonances*
367. ODE	*11. ADGE*
374. OGE	*269. IDGE*

369. ODLE

(il vocalise, Suisse)
il yodle/iodle

assonances
381. OLE
367. ODE
382. OLDE

370. OFE-OF°

STROPHE
CATASTROPHE

voix **off**°
bof!°
(il épie, arg.) il chofe
bi(s)chof°
(dégoûtant, rég.) coffe
(Mikaïl) Boulgakov°
(Serge) Poliakoff°
Malakoff°
Rimski-Korsakov°
take-off°
kalachnikov°
(Vladimir) Nabokov°
maréchal Joukov°
Roscoff°
(russe, arg.) (un/e) russkof°
(marine) un **lof**°
(marine) il lofe
(niais, arg.) (un/e) loffe
(lit, arg.) un chloffe/schlof°
(il dort, arg.) il schloffe
kouglof°
(Ivan) Krylov°
(mal vénér., arg.) un laziloffe

rhinolophe
(un) ouolof°/wolof°
witloof°
(Ivan) Pavlov°
(Isaac) Asimov°
les Romanov°
(Sergueï) Rachmaninov°
(russe, arg.)
(un/e) popov°/popof°
(Anatoli) Karpov°
(brutal, Can.) rough°/roffe
(Garry) Kasparov°
un/e **prof**°
limitrophe
hétérotrophe
autotrophe
STROPHE
anastrophe
il/une CATASTROPHE
antistrophe
il/une **apostrophe**
mer d'Azov°
un/e théosophe
il/(un/e) **philosophe**
(remarquable, arg.)
chocnosoff°
(sous-officier) **sous-off**°
(excellent, Belg.) tof°

« Oyez ! Oyez ! »
Fit l'**Apostrophe**.
« On m'ajoute en **catastrophe**
Quand le mot manque d'**étoffe** !

C'est *Moi* le saint **Christophe**
De la **strophe**
De l'**anti-strophe**.

En un mot le **théosophe** :
J'illumine tout l'Alphabet ! »

Andrée Chedid, « Louange de l'apostrophe »,
Fêtes et lubies

À Paris, Paris la grand' ville
De Saint-Ouen jusqu'à **Malakoff**
Nous promenons notre sébile
Mais pas de **cocktails Molotov**…
Pourtant la Police débile
Trois homme(s) aux ordres d'un **sous-off**
Nous traquent mais l'on est agile
On s'en sort toujours sains et ***saufs***.

Jean-Roger Caussimon, « La manche »,
Mes chansons des quatre saisons

☞

(dur, Can.) tough°/toffe
(dur de dur, Can.)
un rough and tough°
il/une **étoffe**
cocktail Molotov°
(Mikhaïl) Lermontov°

(étouffant, Belg.) il fait stof°
(mal vénér., arg.) aristoffe
saint **Christophe**
(dessinateur) Christophe
Jean-Christophe

D'aut's, rigolards et **phizolofs**,
Revenus des joies d'ici-bas
Et s' gobant pus dans l' célibat
Pren'nt le pavé en guise de **schloff**.

Jehan Rictus, « Le Printemps » VII,
Les Soliloques du Pauvre

J'entends des **voix off**
Qui me disent « ***Adolf***,
Tu cours à la **catastrophe** »
Mais je me dis « **bof** »
Tout ça c'est du « ***bluff*** »

Serge Gainsbourg, « J'entends des voix off »,
Dernières nouvelles des étoiles

Deux requins dans ton lit, un' garc' dans ton hamac !
Tas d' sacrés chiens d' mat'lots, ouvrez-moi l'œil…cric…crac
Vous allez voir comm' quoi dix-huit mat'lots et **l'of-**
Ficier qui commandait pétèr'nt leur dernier **loff**.

Tristan Corbière, « La Balancelle »,
Poèmes retrouvés

assonances
430. OVE
371. OFLE
372. OFRE

contre-assonances
439. AUF-FE
218. EUF-FE

❐ *371 [Magre] ; 372 [Mallet] ; 136 [Ferrer] : 488 [Réda]*

371. OFLE

GIROFLE

(artichaut, rég.) un carchofle
(faire échouer, Belg.) il mofle
clou de/le GIROFLE
(joli, arg.) girofle
(n. dép.) Christofle

« Berry, me dit le **Méphistophle***,
Répandant une forte odeur
Non de soufre mais de **girofle**,
De poivre et d'exotique fleur,
C'est trop aux femmes à peau claire
Borner ton désir fléchissant ;
Vois si d'autres pour mieux te plaire
N'ont pas un attrait plus puissant. »

André Berry, « Prologue »,
L'Amant de la Terre

* Méphistophélès

O barman, barman encore un cocktail !
Mais n'oubliez pas le grain de **girofle**…
Mes espoirs s'en vont vers la tour Eiffel
Ainsi que vers le ciel s'envoleraient des ***strophes***.

Maurice Magre, « Dernière chanson du poète ivre »,
Le Parc des rossignols

Tu viens boire tout ton soûl
Ma mystique et ma* **girofle** :

Voici mon sang, je te l'***offre***
Comme Jésus fit pour nous.

Géo Norge, « Encore une »,
Eux les anges

* [sic]

assonances
370. OFE
372. OFRE
383. OLFE

contre-assonances
489. OUFLE
544. UFLE
470. ONFLE

❐ *383 [Desnos]*

372. OFRE

OFFRE
COFFRE

une/il OFFRE
il/un COFFRE
il encoffre
il décoffre
(prénom) Joffre
maréchal **Joffre**
(goinfre, arch.)
(un/e) lifrelofre
suroffre
(il sous-évalue) il mésoffre

Croquez, mordez les rimes **qu'offre**
Le sonnet ou bizarre **coffre**,
Non ouvré par les fils du Ciel ;

Et choisissez dans une gangue
De mots collés selon leur miel
La noix fondante sur la langue !

Paul Valéry, « Vous qui logez à quelques pas… »,
Poèmes de circonstance

Ouvrez les coffrets et le **coffre** !
As-tu souffert ? servi, sous **Joffre** ?
Lutté ? Saigné ? Non ? Alors, **offre**
Ce qui peut le faire oublier !

Edmond Rostand, « La Cloche »,
Le Vol de la Marseillaise

Corsage dégrafé, comme sont belles
sous la blondeur des épis qui s'**offrent**
cette chair grave qu'offensait l'***étoffe***
cette tendresse des glèbes jumelles

Robert Mallet, « Salut, désir… »,
L'Espace d'une fenêtre

Je sais que tu es ***pauvre*** :
tes robes sont modestes.
Mine douce, il me reste
ma douleur : je te l'**offre**.

Francis Jammes, « Je sais que tu es pauvre… »,
De l'Angelus de l'aube à l'Angelus du soir

Jason pris par les poils, **Christophre**,
sous le ciel bourré comme un **coffre**,
j'outrepasse leur mouvement.
J'entends les fleuves de la proue
Mieux que le fifre de la roue.
J'accomplis le rite en dormant.

Jacques Audiberti, « La mer »,
Toujours

assonances
370. OFE
371. OFLE
406. ORPHE
365. OCRE

contre-assonances
440. AUFRE
490. OUFRE
15. AFRE
273. IFRE

❐ *365 [Paradis] ; 371 [Norge] ; 440 [Toulet] ; 490 [Montesquiou]*

373.OFT

loft
(George) Bancroft
(doux, angl.) soft
(n. dép.) Microsoft
Lowestoft

Elle le fait entrer dans son **loft**
(duplex ex
tra ***sofa*** **soft**)
pili lèche son clean
clicli ses babines
sa rocky poitrine

Christian Prigent, « Histoire des actions »,
Peep-show, p.83

assonances
370. OF
390. OLT

contre-assonances
16. AFT
274. IFT

❐

374. OGE

LOGE
HORLOGE
INTERROGE

(sac en jute, rég.) une boge
doge
(rajout d'une lettre)
une paragoge
(il habite, arg.) il pioge
une/il LOGE
éloge
il déloge
il reloge
eucologe
ménologe
nécrologe
martyrologe
HORLOGE
(il révoque) il limoge
(ville) Limoges
(humide, rég.) vernoge
le Pogge
il s'arroge
(il rumine, rég.) il broge
il abroge
les Allobroges
il subroge
il déroge
il INTERROGE
il proroge
toge
épitoge

Je te regarde à ta toilette et m'**interroge**
qui sommes-nous ici et à quelles **horloges**
s'ajustent alors nos destins
de ces matins de fruit de ces frêles matins
dont les bises clartés murmurent ton **éloge**
rallumant ce qui fut éteint

Louis Calaferte, « De ces matins à pommeaux d'or… »,
Londoniennes

Et combien de chats à **Limoges** ?
À Venise, on n'avait qu'un **Doge**.
Mais combien de chats à **Limoges** ?
Je ne sais pas, dites-le moi.
[…]
D'où s'en vient le vent de **Limoges** ?
À la belle étoile il se **loge**.
Où s'en va le vent de **Limoges** ?
Je ne sais pas, dites-le moi.

Jacques Charpentreau, « Questions d'un Parisien
aux enfants de Limoges »,
La Poésie dans tous ses états

Jamais pourtant ils ne vous **interrogent**
Leurs yeux grands ouverts auscultant la nuit.
Peut-être attendent-ils que l'aube enfin **déroge**
À l'aveugle tumulte de nos vies…
Jamais, pour eux, le temps ne se ***dérobe***.

Jean Laugier, « Jamais pourtant… »,
Dans la main du monde

Penchée au seuil du gouffre où chacun s'**interroge**,
raison ! pourquoi peser la poussière d'un ***songe*** ?
Le bourdon dans l'air parle au village oublié,
il faut prendre le large au hasard du voilier.

Géo Libbrecht, « Que nul ne bouge, ici »,
À Chair perdue. II in *Poésie*

assonances	*contre-assonances*
363. OCHE	*18. AGE*
408. ORGE	*441. AUGE*
360. OBE	*471. ONGE*

❐ *441 [Carême]*

375. OGME

DOGME

Des temples, cités d'ombre où s'entassaient les **dogmes**
Accumulés, j'ai fait un monceau de ***Sodomes***
Dont la chute engloutit tous les princes des cieux
Dans l'affre du néant. Enfin, forfait sublime,
Mon bras osa jeter dans un dernier abîme
Dieu, le dernier des dieux.

Pascal Bonetti, « Ecce Homo »,
Les Orgueils in *Choix de poésies*

Je t'adore et t'invoque, ô Rose-Eucharistie,
Par delà tous les cultes et tous les **dogmes**,
Par delà l'aboîment des ***dogues***
Qui prétendent t'enfermer dans un sanctuaire…

Philéas Lebesgue, « La rose de Pâques »,
Le Buisson Ardent in *Œuvres poétiques.* I

assonances	*contre-assonances*
392. OME	*19. AGME*
378. OGUE	*141. EGME*
412. ORME	*277. IGME*

❐

376. OGNE

COGNE
IVROGNE
BESOGNE

(pieds, arg.) les ognes
(il grogne) il hogne
(il se blottit, rég.)
il s'agrobogne
il COGNE
(policier, arg.) un cogne
il (se) rencogne
la **Gascogne**
(il triche, rég.) il mascogne
(pleurnicher, rég.)
avoir la/il fogne
la Dordogne
(gadoue, rég.) la gafogne
(mal habillé, arg.) gogne
(simagrées, rég.) des gognes
une **cigogne**
(Charles-Timoléon de)
Sigogne
mère Gigogne
table gigogne
vigogne
la/sans **vergogne**
(région) la **Bourgogne**
(vin) un bourgogne
(noisette, rég.) une alogne
(région) la **Catalogne**
(étoffe, Can.) la catalogne
Valognes
Bologne
(ville) Cologne

eau de Cologne
la **Pologne**
la **Sologne**
la Vologne
(villes) Boulogne
(peintre) Bou(l)lo(n)gne
bois de Boulogne
(force, rég.) la mogne
(main, arg.) une pogne
(il se masturbe, arg.)
il se pogne
(colère) il/en/la **rogne**
(il coupe) il **rogne**
(gale) la rogne
(débauchée) une **carogne**
charogne
(querelleur, rég.)
un/e cherche-rogne
il (se) renfrogne
la/il **grogne**
(accident, Belg.)
une macsigrogne
La Corogne
trogne
(il boit, arg.) il lichetrogne
(il tripote, rég.) il pitrogne
(il s'écorche, rég.)
il s'abistrogne
(il cherche, rég.) il furogne
il s'/(un/e) IVROGNE
il/une BESOGNE
(il s'occupe, rég.)
il s'embesogne
(ville) Bastogne
(blason) une bastogne
(il meurt, rég.) il crevogne

Sur des rhythmes boiteux battus en ***bigorne***,
Sur des rimes, tantôt d'opulente **trogne**,
Tantôt blêmes et ***borgnes***,
Par brèves laisses ***informes***
Aux échos qui sont des coups de ***corne***,
Ceci est l'histoire de Jeanne-la-**rogne** !
En l'écoutant, buvez, les **ivrognes** !
[…]
Ainsi besognant sa **besogne**
Au nez des flics et au cul des **cognes**,
Nourrie et frusquée à la foire d'**empogne**,
Elle devint gironde, Jeanne-la-**rogne**.
À sa girondesse, buvez mes **ivrognes** !

Jean Richepin, « Jeanne-la-rogne »,
La Bombarde

Posés dans la « Société »
ils fréquentent le Tout-**Valogne**
et vont à la mer, chaque été :
(Madame, une grosse **Gigogne**,
prononce : « les Sables d'**Ologne*** ») ;
elle quête à Saint-Balbien ;
elle empeste l'eau de **Cologne** :
les Trouloyaux sont des gens bien !

Monsieur cause propriété :
il a des ***vignes*** en **Bourgogne**.
Une fréquente ébriété
a fait de son nez une **trogne**.
Aimable comme un chien qui **hogne**
il ***soigne*** un mal vénérien
et flétrit nos mœurs sans **vergogne** :
les Trouloyaux sont des gens bien !

Chlorotique, l'air hébété,
leur fille, une grande **cigogne**
mais un ange de piété !
ronchonne, et boude et gronde et **grogne** !
Une ***bonne***, horrible **carogne**,
l'induisit au jeu lesbien ;
elle a des robes de **vigogne** :
les Trouloyaux sont des gens bien !

Envoi

Bohème qu'un protêt **renfrogne**,
va-nu-pieds, rimeur, propre à rien,
gueux rongé de poux et de **rogne**,
les Trouloyaux sont des gens bien !

Georges Fourest, « Ballade en l'honneur
de la Famille Trouloyaux »,
Le Géranium ovipare

* les Sables-d'Olonne

Son père était **ivrogne**, sa mère ***indigne***, son frère au ***bagne***,
elle était opprimée, abandonnée, désespérée.

Nino Ferrer, « Justine »,
Textes ?

assonances
393. ONE
409. ORGNE

contre-assonances
54. ARGNE
185. ERGNE

❐ *409 [Fondane]*

377. OGRE

OGRE

OGRE
(bateau) un dogre

assonances
378. OGUE
410. ORGUE
365. OCRE

contre-assonances
22. AGRE
143. ÈGRE
279. IGRE

– Or donc, puisque je fais au Maître du castel
L'honneur de L'accepter pour mon maître d'hôtel,
Qu'avons-nous à dîner ? J'ai grand-faim ! cria l'**ogre**.
Son souffle à l'horizon fit chavirer un **dogre**.

Jean Effel,
Ce crapaud de granit bavant du goémon. XIV

Terrible Aquilan de **Mayogre***
Il me faudrait un petit noc**
Car j'ai faim d'amour comme un **ogre**
Et je ne trouve qu'un faucon

Guillaume Apollinaire, « Terrible Aquilan de Mayogre… »,
Poèmes à Lou. LXI

* Majorque ** con

ogre – ce *gros* se ***gorge***, c'est sa ***drogue*** (ou son ***grog***).

Michel Leiris, « Ogre »,
Langage tangage ou ce que les mots me disent

Mon poème/a ce soir/une mâchoire d'**ogre**
et se plaît à broyer/mes rimes/entre ses dents
Le dictionnaire/a beau/sous son bonnet d'***onagre***
protester/Mon bouillon/veut d'autres ingrédients.

Karel Logist, « Mon poème … »,
Force d'inertie

❒

378. OGUE-OG

ÉGLOGUE

(marécage) un bog°
(montre, arg.) un bogue
(informatique) un/e bogue
(de châtaigne) une **bogue**
(chien) un **dogue**
(il se bat) il se dogue
bulldog°
hot dog°
bouledogue
(w.c., arg.) les gogs°/gogues
(un/e) **pédagogue**
sialagogue
cholagogue
(un/e) **démagogue**
Gog et Magog°
(un) emménagogue
synagogue
mystagogue
il jogge
décalogue
(langue) le tagalog°
(peuple) les Tagalogs°
il/un **dialogue**
analogue
il/un **catalogue**
ÉGLOGUE
il/un **épilogue**
un/e phlébologue
un/e pharmacologue
un/e gynécologue
un/e mycologue

(un/e) **psychologue**
un/e parapsychologue
un/e neuropsychologue
un/e lexicologue
un/e toxicologue
un/e musicologue
un/e pédologue
un/e sidalogue
un/e podologue
un/e ludologue
un/e **archéologue**
un/e idéologue
un/e géologue
Paléologue
un/e spéléologue
un/e graphologue
un/e laryngologue
un/e radiologue
un/e cardiologue
un/e sémiologue
un/e embryologue
un/e assyriologue
un/e glaciologue
un/e psycho/**sociologue**
un/e philologue
un/e épistémologue
un/e pneumologue
un/e ophtalmologue
(analogue) **homologue**
(il valide) il homologue
un/e sismologue
un/e volcanologue
un/e océanologue
un/e technologue

Cantate bergerie épître lied **églogue**
Haïkaï verset macaronée ïambe
Bucolique sizain cantique **dialogue**
Fable pièce tenson romance dithyrambe
Sonnet chanson de geste stance triolet
Satire thrène psaume idylle virelai.

Karel Logist, « Bouts-rimés rhapsodie… »,
Force d'inertie

Çà, je suis de ta Muse un des plus francs amis,
Viens donc un peu me lire, ô barde **psychologue**,
Pour à ma nuit d'amour me faire un beau **prologue**,
Les vers tout récemment par ta Muse commis.

Mon débonnaire accueil sur l'honneur t'est promis.
Allons, que je t'entende, en fougueux **néologue**,
Des mots qui font la roue enfler le **catalogue** !
Que j'admire ton vol d'oseur et d'insoumis !

Philothée O'Neddy, « Boutade »,
Sonnets in *Poésies posthumes*

Et j'aime en le soir hérissé
D'un lourd parfum de **synagogue**
Entendre, ô poètes blessés,

La fille des **Paléologue**
Tenir des discours insensés
Au perroquet bleu **philologue**.

André Salmon, « Gravé sur un manche à balai »,
Le Livre et la bouteille in *Carreaux*

☞

OGUE-OG°

un/e œnologue
un/e phénoménologue
un/e phrénologue
un/e criminologue
un/e terminologue
un/e endocrinologue
un/e sinologue
un/e phonologue
il/un **monologue**
un/e ethnologue
un/e zoologue
apologue
un/e anthropologue
nécrologue
un/e andrologue
un/e hydrologue
un/e cancérologue
un/e gastro-entérologue
un/e neurologue
un/e néphrologue
un/e sophrologue
un/e virologue
un/e météorologue
(informatique) prolog°
(préface) **prologue**
un/e métrologue
un/e **astrologue**
un/e urologue
un/e futurologue
un/e sexologue

un/e marxologue
isologue
(éloquent) chrysologue
un/e hématologue
un/e climatologue
un/e stomatologue
un/e dermatologue
un/e rhumatologue
un/e tératologue
un/e dialectologue
un/e éthologue
un/e diabétologue
un/e cosmétologue
un/e politologue
un/e mythologue
un/e ornithologue
un/e sitologue
un/e érotologue
un/e paléontologue
un/e gérontologue
un/e égyptologue
smog°
(arrogant) **rogue**
(œufs de morue) la rogue
il/une **drogue**
grog°
pirogue
les Zaporogues
(mode) une **vogue**
(il navigue) il **vogue**

Zig et **Zog**
En **pirogue**
Voguent voguent
sur la Volga.
[...]
Mythologues
Psychologues
Zig et **Zog**
Bravent la pampa.

Andrée Chedid, « Pleurez senoritas ! »,
Fêtes et lubies

Oh puisses-tu de **Gog** et de **Magog**,
comme jadis répandre les entrailles,
et de ta main, briser contre le ***roc***

leurs tendres nouveaux-nés ?

Benjamin Fondane, « Le Mal des fantômes » XVI,
Le Mal des fantômes

– Ô très chère, je songe à ***Prague*** !
Je n'entends pas, je n'entends plus
les prières de ses **synagogues**…

Benjamin Fondane, « Refus du poème »,
Au temps du poème et Poèmes épars
in *Le Mal des fantômes*

assonances
400. OQUE
410. ORGUE

contre-assonances
23. AGUE
144. ÈGUE

❒ 22 [Desnos]
375 [Lebesgue] ; 377 [Leiris] ; 144 [Romains] ; 495 [Saint-Amand]

379. OÏ-OILLE° [ɔj]

oille°
(récipient) une boille°
(serviteur) un **boy**
(séducteur) un **play-boy**
(revue, n. dép.) Play-boy
cow-boy
(Horace) McCoy
goï/goy
(Marc) Donskoï
Dimitri Donskoï
(famille) Troubetskoï
(Nicolas) Troubetskoï
permalloy
les Moï(s)

Quemoy
(nuit, arg.) la noïe°/noille°
Hanoi/Hanoï
(minuit, arg.) le minoye°
monoï
(il pleut, Suisse) la/il roille°
de Broglie°
Rob Roy
destroy
chop suey
barzoï
waterzoi
(Léon) **Tolstoï**
monts Stanovoï

Porte d'Orléans, j'fais la loi,
par ici on y croit pas.
Dans l'quartier, on m'traite de **goy**
(c'tait pour rimer avec **cow-boy**)

Renaud, « Peau aime »,
Le Temps des noyaux

Et tout ce monde était Russe,
Comme on ne l'est seulement

Qu'en France. Et tous étaient princes,
Pour le moins, nés **Troubetzkoï**,
Et possédant des provinces.
Tous ! jusques au moindre « **boy** ».

Raoul Ponchon, « Alliance franco-russe »,
La Muse au cabaret

Je vous ai suivi jusqu'à **Hanoï**
Pour sauver votre empire
Obéissant petit **boy**
Bye faut s' tirer on s' tire

Alain Souchon, « C'est comme vous voulez »,
C'est déjà tout ça

assonances
376. OGNE
381. OL-E

contre-assonances
24. AIL-LE
145. EIL-LE

❒

380. OÏL°-OYLE [ɔjl

langue d'**oïl**°
(Robert) Boyle
(sir Arthur) Conan Doyle
(marine) un foil°
(rivière) la Foyle
hydrofoil°
fuel-oil°
gas-oil°/gasoil°

assonances
381. OL-E
379. OÏ-OILLE

et tu te souviens et tu te souviens
c'était le bon vieux temps sans hélicoptères
sans spoutniks et sans **gasoil**
et tout ça se dit en langue d'**oïl**

Raymond Queneau, « Vieilles histoires »,
Battre la campagne

❐

381. OL°-OLE

FOLLE
PAROLE

(récipient) un **bol**°
(chance) avoir du bol°
(argile) un bol°
(Ferdinand) Bol°
(bavarde, rég.) il/une babole
parabole
métabole
embole
(culbute, rég.)
une quicambole
(personnage) Rocambole
(ail) la rocambole
une/il (se) carambole
ras-le-bol°
(incertain) amphibole
(minéral) une amphibole
guibo(l)le
faribole
péribole
symbole
sex-symbol°
obole
cobol°
discobole
taurobole
le Tobol°
hyperbole

Ravachol°
(il titube, rég.) il branchole

((détroit ; cou) un **col**°
(glu) il/la **colle**
il **accole**
(magister) un barbacole
gaïacol°
aquacole
il **racole**
une/il **caracole**
il dés/encolle
(il détache) il décolle
(il s'envole) il décolle
école
(moi, arg.) mécol°/le
auto-école
(mal.vénér., arg.) la pécole
il récole
(lui, arg.) cécol°/le

(toi, arg.) técol°/e
cache-col°
il recolle
hausse-col°
orbicole
tubicole
oléicole
ostréicole
(national) (un/e) régnicole
lignicole
licol°
gallicole
salicole
(saint) un célicole
glycol°
limicole
(optique) un nicol°
(prénom) **Nicole**
(une) arénicole
(adorateur du feu)
(un/e) ignicole
vinicole
(un) cavernicole
la/il picole
apicole
rupicole
aquicole
dulçaquicole
il/une **bricole**
aéricole
terricole
agricole
arboricole
floricole
(il titube, rég.) il tricole
silicicole
piscicole
séricicole
saxicole
calcicole
dulcicole
(il dandine, rég.)
il se bransicole
viticole
monticole
horticole
(médecin) un morticole
(adorateur du Christ)
(un/e) christicole
avicole
sylvicole
di/poly/tri/thio/**alcool**°
pèse-alcool°

Jeune ange aux doux regards, à la douce **parole**,
Un instant près de vous je suis venu m'asseoir,
Et, l'orage apaisé, comme l'oiseau s'**envole**,
Mon bonheur s'en alla, n'ayant duré qu'un soir.

Et puis, qui voulez-vous après qui me **console** ?
L'éclair laisse, en fuyant, l'horizon triste et noir.
Ne jugez pas ma vie insouciante et **folle** ;
Car, si j'étais joyeux, qui ne l'est à vous voir ?

Alfred de Musset, « Sonnet »,
Poésies posthumes

Ce qui demeure est le futur
Non le présent qui me **désole**
La vie est longue comme un mur
Au bout l'eau dans la **casserole**,
Enfer où le jour ne dure
Mais la nuit rouge qui **rissole**.

Qui peut prétendre à l'**auréole** ?
Pas toi ! te vois-tu en **étole**,
Disant la messe dans l'azur ?
Quoi ! après tant de **gaudrioles**
Et le corps plein d'amour impur
(ou pur si j'en crois ma **boussole**).

Max Jacob, « L'enfer »,
Ballades

Pupille absente iris
Absinthe **baby doll**
Écoute ses **idoles**
Jimmy Hendrix Elvis
Presley T-Rex Alice
Cooper Lou Reed les **Roll**
Ing Stones elle en est **folle**
Là-dessus cette Narcisse
Se plonge avec délice
Dans la nuit bleu **pétrole**
De sa paire de Levis
Elle arrive au pubis

Et très ***cool*** au **menthol**
Elle se ***self-contrôle***
Son petit orifice
Enfin poussant le vice
Jusqu'au bord du calice
D'un doigt **sex-symbole**
S'écartant la **corolle**
Sur fond de **rock'n'roll**
S'égare mon Alice
Au pays des malices
De Lewis **Caroll**

Serge Gainsbourg, « Variations sur Marilou »,
Dernières nouvelles des étoiles

Ai-je su, dormeuse, écouter
La concordance des odeurs multiples en ***ocelles***,
L'alpe vivace qui ***stridule***,
Ce ciel blanc rayé de **paroles** ?

Claire Laffay, « Soum d'Anténac : chant d'insectes »,
Pour tous vivants

OL°-OLE

chrysocolle
(il dorlote, Suisse) il cocole
protocole
Arcole
torcol°
raskol°
(morose) dyscole

(fraude) un dol°
(technique) il dole
(Ville) Dole
(loquet, rég.) une cadole
(niaise, rég.) une dadole
Bandol°
mendole
farandole
girandole
Pic de La Mirandole
idole
indole
aldol°
(barque) une **gondole**
(porte, arg.) la gondole
(se déforme) il gondole
(il rit) il se gondole

Éole
rubéole
s(c)héol°
Andéol°
malléole
nucléole
fléole/phléole
aréole
glaréole
(un/e) **créole**
Ferréol°
il/une **auréole**
lauréole
roséole
nivéole
un/e **alvéole**

(un) **fol°**
(une) FOLLE
il (s') **affole**
il **raffole**
archifolle
il **batifole**
(une) fofolle

(il câline) il **cajole**
(fille, arg.) une cajole
il flageole
rougeole

(niais, arg.) gniol°/gnolle
(auto) une **bagnole**
(ville) Bagnols°
(un/e) cerdagnol°/e
(gosier, rég.)
la gargagnole
(niaise, rég.) une gnagnole
carmagnole
(Marcel) Pagnol°
campagnol°
(un/e) **espagnol°/e**
(concierge, arg.)
une bigno(l)le

(testicules, arg.)
des roubignoles
chignole
il **fignole**
Guignol°
un guignol°
(masturbe, arg.) la/il pignole
(drôle, arg.) champignol°
(charlot, arg.)
(un) branquignol°
(mignon, arg.) croquignol°/e
(biscuit) une croquignole
(pruneau) une brignole
(viande, arg.) la crignole
(avorton, rég.) une écrignole
un **rossignol°**
(il chante) il rossignole
(bosse, rég.)
une boussignole
(boulette) une attignole
les Batignolles
chantignole
(pieds, arg.) les trottignolles
(laid, arg.) tartignol°/(l)e
le Vignole
torgnole

(idiot, arg.) (un) gol°
(canal) une **rigole**
(il rit) il **rigole**
espingole
il **dégringole**
algol°
(Nikolaï) Gogol°
(idiot, arg.) (un) gogol°
Grands Mog(h)ols°
(un/e) mongol°/e
(excréments) argol°
(n. dép.) collargol°
bi/di/ergol°
monergol°
propergol°
catergol°

(mythologie) Iole
(bateau) une yole
laguiole
(Aristide) Maillol°
(Félix) Mayol°
(il neige, rég.) il parpaillole
(ceinture, rég.) une taillole
batayole
tavaïolle
babiole
(il enjôle, rég.) il embabiole
bronchiole
œstradiol°
absidiole
fiole
(il maudit, rég.) il patafiole
foliole
polyol°
(nuages, rég.)
être dans les nioles
tourniole
apiol°
sépiole
il bariole
carriole

La carie c'est le **dol**
Le **Sol** c'est la Patrie
La Batterie c'est le **mol**
Le ***Khol*** c'est la jolie
L'embolie c'est le **col**
Le **bol** c'est la charpie
La chérie au **formol**

Le **fol** à la voirie
Elle a ri au **mi-sol**
La ***geôle*** est la pourrie
Eugénie à l'***épaule***
Et **Paul** est à la vie
L'avarie c'est le ***rôle***
Le ***drôle*** est la mairie.

Roger Vitrac, « Migraine (à suivre) »,
Dés-lyre

❐ 333.15 [Rieu] ; 456.18 et 481.13 [Aragon]
393 [Obaldia] ; 223 [Romains] ; 281 [Duteil]

dariole
(un/e) **mariol°/(l)le**
variole
il/une **cabriole**
il **cambriole**
gaudriole
artériole
il affriole
(Vincent) Auriol°
gloriole
triol°
du **vitriol°**
il vitriole
gratiole
pétiole
luciole
thiol°
matthiole
ichtyol°
il (s') **étiole**
bestiole
ostiole
un **viol°**
(il violente) il viole
(musique) une **viole**
de traviole

pyrogallol°
salol°
xylol°

(tendre) mol°/**molle**
(unité) la mole
samole
paracétamol°
bémol°
il **immole**
thymol°
komsomol°
le **formol°**
il formole

éthanol°
méthanol°
di/phénol°
eugénol°
(un/e) cévenol°/e
rhodinol°
terpinol°
résorcinol°
il **somnole**

kohol°

Paul°
décapole
mégapole
il extrapole
hélépole
Naipaul°
saint Vincent de Paul°
(il égale) il équipolle
Paimpol°
(ville) Saint Paul°
(île) Saint-Paul°
oligopole
(libraire) un bibliopole
(cité du livre) une bibliopole
mégalopole
technopole
monopole
(pénis, arg.)
Popol°/Paupol°
l'Acropole
une acropole
nécropole
métropole
Sébastopol°
duopole
coupole
(police) Interpol°
il interpole

arol°/(l)e
(prénom) Carole
(Lewis) Carroll°
barcarolle
scarole
marolles
foirolle
(Andy) Warhol°
(Jérôme) Savonarole
PAROLE
porte-parole
le comte de Rivarol°
faire chabrol°
(boucle, Belg.) il/une crolle
rock and roll°
glycérol°
ergo/sito/stérol°
cholestérol°
vérole
(oiseau) un moucherolle
banderole

fougerole
lignerolle
flammerole
pomerol°
fumerole
casserole
roussero(l)le
busserole
azerole
muserolle
profiterole
(technique) une bouterolle
(église, arg.) une bouterolle
faverole/féverole
(corneille, rég.) une gro(l)le
(il traînasse, rég.) il grolle
(chaussures, arg.)
des grolles
(peur, arg.) avoir les grolles
girolle
(plante) une pirole
(chimie) le pyrrol°/e
(Jean-Étienne) Esquirol°
le Tyrol°
il/une virole
rock'n'roll°
corolle
(lutin) un troll°
(chasse) la trolle
(plante) une trolle
pétrole
Vitrolles
(genêt) genestrolle
(feu follet, rég.) une furole

(terre) le **sol°**
(note) un **sol°**
(chimie) un sol°
(monnaie) un sol°
(poisson) une sole
(sabot) une sole
(terre) une sole
(charpente) une sole
il assole
parasol°
girasol°
(un cheval) il dessole
(un champ) il dessole
tournesol°
entresol°
pergélisol°
émissole

OL°-OLE

(il rôtit) une/il **rissole**
(filet) une rissole
plastisol°
il insole
Costa del Sol°
paléosol°
aérosol°
corossol°
(marine) un consol°
(il apaise) il **console**
(table) une console
boussole
il déboussole
sous-sol°

gazole

podzol°
il **désole**
crésol°
il **isole**
camisole
(coûteux, arg.) grisol°
(chanter) il grisolle
benzol°
il débenzole
Mausole

atoll°
menthol°
(rivière) le Pactole
(richesse) un **pactole**
étole

naphtol°
sorbitol°
mannitol°
(Rome) mont **Capitole**
(édifice) un capitole
eucalyptol°
stol°
diastole
il **rafistole**
pistole
(ville) Bristol°
(carton) un **bristol**°
extra/systole

vacuole
negro(-)/spiritual°

(envol) un **vol**°
(voleur) un vol°
(cartes) la vole
(il plane) il **vole**
(il dérobe) il vole
un envol°
il s'**envole**
(au hasard) à la vanvole
(malveillant) malévole
(un/e) **bénévole**
sénevol°
(en avion) il revole
(il dérobe) il revole
(un/e) vélivole
frivole

antivol
il convol
pigeon vol
un survol
il survol

assonance
393. ON
392. OM

contre-assonance
442. AUL
148. EL-ÈL
542. UL-

382. OLDE-OLD°

(vieux, angl.) old°
kobold°
(froid, angl.) cold°
manifold°
(or, angl.) gold°
(langue) le golde
(Emil) Nolde
(Gonzague de) Reynold°
Arnold°
Léopold°
Harold°
(Byron) Childe Harold°
(Ferdinand) Hérold°
(Vsevolod) Meyerhold°
(chanson de Roland) Turold°
(rabais) il/un **solde**
(salaire) il/une **solde**
un/e demi-solde
Ysolde/Isolde
Berthold°

assonances
390. OLT-E
404. ORDE
367. OD-E

contre-assonances
282. ILD-E
27. ALD-E
151. ELD-E

Le *Mars*, gai comme un soir de **solde**,
Dit au *Tabac d'Espagne* : « Ohé ! »
Le *Daphnis* change de Chloé.
Le *Tristan* se trompe d'**Ysolde**.

Edmond Rostand, « Les Papillons »
dans « Souvenirs de vacances » III,
Les Musardises

N.B. italiques de l'auteur : noms de papillons

Comme la lune l'en prie
Un blanc nuage pour **cold**
Cream étend la rêverie
De Mademoiselle **Hérold**.

Stéphane Mallarmé, « Éventails » VIII,
Vers de circonstance

D'avoir au soldat étranger
Offert la France à saccager,
Mais, par grand bonheur, **Léopolde**
S'est défié d'un **manigolde**... *

Paul Scarron, « La Mazarinade » [v. 271-274],
Poésies diverses. II

* fripon (italianisme)

Inutiles vos cris stridents, pleureuses
Qui vous glissez sur notre entêtement.
Chantez, à la cadence ***désinvolte***
Que les forêts apprennent aux **kobolds**,
Les rondeaux de votre temps d'amoureuses.

Jean Grosjean, « Requiem »,
Le Livre du Juste

❒

383. OLFE-OLF°

GOLFE

Adolf°/**Adolphe**
Castel Gandolfe
(ducs) Landolfe
(princes) Pandolfe
Rodolphe
Rudolphe
(sport) le **golf**°
(baie) un GOLFE

Si peu d'écume sur un **golfe**
C'est cela ce rire venu
Hors de quelque flûte, ô **Rodolphe**
Darzens, dans mon silence nu.

Stéphane Mallarmé, « Offrandes à divers du Faune » XI,
Vers de circonstance

☞

OLFE-OLF°

(blet, rég.) golfe
Arnolphe
Athaulf°
(Henry) Litolff°
Aistolf/Astolphe
(Hugo) Wolf°
(baron von) Wolf(f)°
(Thomas) Wolfe

Mais chaque jour l'esprit plus vivement ressent
La chaleur des regards qui pénètrent le sang,
Le brisement lascif des chansons sur un **golfe**,
La douleur de reprendre et de relire **Adolphe**.

Anna de Noailles, « Désespoir »,
Les Éblouissements

Quels poissons ont mangé les viandes et le pain
Et les médicaments et les clous de ***girofles***
La saumure a rempli la gourde des copains
Des épaves se sont échouées au bord des **golfes**

Robert Desnos, « De silex et de feu »,
Corps et biens

Non, tu ne fus pas ***philosophe***
Ce semeur semant sans semis…
Tu ne joues même pas au **golf**
Dans les jachères de l'esprit.

Jean Laugier, « Sans complaisance »,
Dans la main du monde

assonances	*contre-assonances*
370. OF-E	*153. ELF-E*
371. OFLE	*286. ILPHE*
406. ORPHE	*28. ALF-E*

❐ *391 [Rabearivelo]*

384. OLK°-OLKE

(musique) (le) **folk**°
(araignée) un pholque
(Angleterre) le Norfolk°
duc de Norfolk°
(James Knox) Polk°
(polka) il **polke**
les Volques

Ces trois grands vieux sont assis sur le monde,
C'est Frédéric, c'est Moltke, c'est Bismarck […]

Mais le plus aigre encore de ce parc,
Trio puissant qui sur nos têtes **polke**,
De Frédéric, de Bismarck et de ***Moltke***,
Mieux qu'aigle, autour, chat-tigre, c'est Bismarck.

Robert de Montesquiou, « Trimourti »,
Les Hortensias bleus. CCXIII

assonances	*contre-assonances*
400. OQUE-OC	*32. ALQUE-ALC*
381. OL-E	*555. ULQUE*
364. OCLE	*157. ELQUE*

❐ 500 [Louis]

385. OLM

(drame d'Ibsen)
Rosmersholm
Malcolm
Stockholm
(Erik Ivar) Fredholm
Bornholm

Si la lumière doit nous venir de **Stockholm**
Comme un canard sauvage avec des **Rosmersholm**,
Autant s'aller jeter dedans le ***Maelstrom***.
Le théâtre bientôt sera dans le marasme,
Étouffé par cet ibsénien cataplasme…

Raoul Ponchon, « Paroles d'un conservateur
à propos d'un perturbateur »,
La Muse frondeuse

On m' dit : Anvers, on m' dit : Hambourg
On m' dit : Oslo ou bien **Stockholm**
J'entends la mer, sur ses tambours
Qui bat l' rappel de tous ses ***hommes***…

Jean-Roger Caussimon, « Croisières »,
Mes chansons des quatre saisons

assonances	*contre-assonances*
392. OM-E	*30. ALM-E*
381. OL-E	*285. ILM-E*

❐

386. OLMES [ɔlms

Sherlock Holmes

Par les bruits de la guerre et de la rue des Sols
Ta route était tracée et passait par Ohain
Là où la poésie germe au petit matin
Quand j'arrivai des cieux pour ne toucher le ***sol***
Qu'en cette Baker Street, chère à **Sherlock Holmes**,
Et ne mis que seize ans pour devenir un ***homme***.

Carlos de Radzitzky, « Les Semeurs de feu »,
Le Commun des mortels

assonances
392. OME
381. OLE
423. OSSE
385. OLM

❒

387. OLN

(ville) Lincoln
(Abraham) Lincoln

Toujours les peuples athlètes feront la guerre
Aux yeux ébaubis des peuples badauds
Nous sommes loin de la Partie de Thé de ***Boston***
et ce n'est pas pour rien que **Lincoln**
devint l'homme le plus triste de la planète.

Paul Neuhuys, « Amérique »,
Le Secrétaire d'acajou in *Le Pot-au-feu mongol*

assonances
393. ONE
381. OLE

contre-assonance
443. AULNE

❒

388. OLS-OLCE

(entêté, rég.) tête de holz°
(n. dép.) une **Rolls**°
ruolz°
negro-/spirituals°
les Volces

Je t'aperçus entre Ava Gardner et la belle
Brûlante Maria Félix un soir au **Caroll's**
Quand j'essayais de te rejoindre seule en celle
Que j'entrevis sans fard sans permanente et sans **Rolls**

Robert Goffin, « Le pourquoi du comment »,
Le Versant noir

assonances
423.OS-SE
381. OL-E
415. ORSE

contre-assonances
33. ALS-E
556. ULSE

❒

389. OLSQUE-OLSK

Tobolsk°
Podolsk°
Komsomolosk°
les Volsques

assonances
422. OSQUE
414. ORQUE
384. OLKE
416. ORSQUE

contre-assonance
159. ELSK

390. OLTE-OLT°

RÉVOLTE

l'Olt°
(Wilhelm/Alexandre von) Humboldt°
colt°
il/une **récolte**
smolt°
(électricité) un **volt**°
(pirouette) il/une **volte**
il dévolte
il/une RÉVOLTE
il/une **virevolte**
archivolte
millivolt°
demi-volte
désinvolte
kilovolt°
électronvolt°
il survolte

LE 9
Le 9 sème, le 6 **récolte**.
LE 6
Tais-toi, tu ressembles au g
LE 9
Tu n'es que le 9, en **révolte** !
LE 6
Tu n'es qu'un 6, découragé.

Victor Hugo, « Querelle du 6 et du 9 » [f° 247],
Océan Vers

GILLE
Madame, dit-on, se **révolte**
Parfois.
POLICHINELLE
Eh ! oui. Par l'**archivolte**
De mon palais ! tu dis fort bien.
Parfois elle rompt son lien.

Théodore de Banville, « Madame Polichinelle »,
Occidentales

Ces bonds, ces fuites, ces **voltes**,
Ces **révoltes**
À petit pouls,
Cette façon **désinvolte**
D'offrir ses poux…

Hervé Bazin, « L'Hérédité »,
Torchères in *Œuvres poétiques*

Dans la prairie il ***caracole***
Plus rapide que Buffalo,
La hache de guerre et le **colt**
Sont déterrés, gare aux pruneaux !

Marc Alyn, « Le lièvre »,
L'Arche enchantée

Alexandre von **Humboldt**
Possédait un Kinkajou
Il l'aimait son Potto, son ***pote***
Il l'embrassait sur les joues.

Jacques Roubaud, « Le Kinkajou Potto »,
Les Animaux de personne

assonances	*contre-assonances*
427. OT-E	*34. ALT-E*
381. OL-E	*160. ELT-E*
417. ORT-E	*557. ULTE*
382. OLD-E	*287. ILT*

❒ *382 [Grosjean]*

391. OLVE

(lotte) une molve
qu'il absolve
qu'il dissolve
qu'il résolve
volve

Je sens la crainte qui m'opprime
s'offrir à moi comme enfantine…
Je vois, dans l'infini d'un rêve bleu, des ***golfes***
s'enfoncer sous des palmes vastes
où des soleils de pourpre ardente se **dissolvent** […]

Jean-Joseph Rabearivelo, « Et toi, chère SAHONDRA »,
Chants pour Abéone in *Poèmes*

assonances	*contre-assonances*
383. OLFE	*35. ALVE*
430. OVE	*289. ILVE*
381. OLE	*558. ULVE*

❒

392. OME-UM°

HOMME (Ancien Testament) targum°

labium°
cambium°
niobium°
rhizobium°
erbium°
terbium°
ytterbium°
caladium°
(statue) palladium°
(chimie) palladium°
vanadium°
radium°
scandium°
(média) un médium°
(voix) un médium°
(matériau) du médium°
(spirite) un/e médium°
rubidium°
oïdium°
picridium°
theridium°
iridium°
præsidium°/présidium°
indium°
compendium°
plasmodium°
podium°
rhodium°
sodium°
taxodium°
papillome
gentilhomme
ecballium°
gallium°
pallium°
thallium°
hélium°
nobélium°
berkélium°
mycélium°
épithélium°
endothélium°
penicillium°
béryllium°
psyllium°
thulium°
cadmium°
holmium°
fermium°
phormium°
osmium°
germanium°
géranium°
uranium°
sélénium°
millénium°
hyménium°
rhénium°
proscenium°
einsteinium°
ruthénium°
hafnium°
delphinium°
triclinium°
gadolinium°
minium°
condominium°

HOMME

livre de Nahum°
(ville) Capharnaüm°
(désordre) capharnaüm°

sébum°
album°

(copain, Can.) un chum°

(conjonction) **comme**
(commission, arg.)
une comme
(ville) Qom°
vade-mecum°
cæcum°
(verre) un vidrecome
(latin)
Dominus vobiscum°
molluscum°

D.O.M.°
mémorandum°
Édom°
pedum°/pédum°
sedum°
pallidum°
oppidum°
referendum°/
référendum°
Norodom°
Sodome
lithodome
opisthodome
condom°
carborundum°
(nom de Dieu!, Belg.)
godverdom!°
majordome
(magistrat)
un prud'homme
(Joseph) Prudhomme
Sully Prudhomme

Te Deum°
oléum°
linoléum°
populéum°
calcanéum°
serapeum°
castoréum°
muséum°
prométhéum°

il/une **gomme**
sagum°
il engomme
bégum°
il dégomme
chewing-gum°
(eau-de-vie, arg.)
un rogomme
voix de rogomme
(mollet, arg.) moltogomme
(estomac, arg.) estogom°

À l'œuvre ! À la peine ! Au travail !
Pas de relâche ! Pas de **somme** !
Sue en gros et sue en détail !
Fonds comme une boule de **gomme** !
Le travail est la loi de l'**homme**,
La dignité du genre humain !...
Mais on est plus heureux, en **somme**,
Quand on a du poil dans la main.

Sois paysan et mangeur d'ail,
Épicier, poète, **astronome**,
Pécheur d'étrons ou de corail,
De quelque nom que l'on te **nomme**,
Tu n'es qu'une **bête de somme**,
Même toi, le pape romain ;
Et rien n'est agréable **comme**
Quand on a du poil dans la main.

Eh ! laisse là ton attirail
Et l'affreux devoir qui te **somme**
De te meurtrir tant le poitrail.
Tout ça ne vaut pas une **pomme.**
De ta sueur sois **économe**,
Et couche-toi sur le chemin,
Puisque tout chemin mène à **Rome**
Quand on a du poil dans la main.

ENVOI

Prince, ma ballade t'**assomme** ?
Et moi !... C'est dur, jusqu'à demain
De chercher des rimes en **omme**,
Quand on a du poil dans la main.

Jean Richepin, « Ballade paresseuse »,
Mes Paradis

[...] la nuit quand je la caresse
Elle me chuchote à mi-voix
Sais-tu ce que j'ai sous les doigts
Quand ton corps sur le mien se presse

Du carbone et du **potassium**
Du phosphore et puis du **sodium**
Du zinc, du fer, de l'hydrogène
De l'iode, du cuivre et du ***brome***
Du manganèse et du **calcium**
De l'azote et de l'oxygène
[...]
Du nickel et du **vanadium**
Molybdène et **aluminium**
Du plomb, de l'étain et du bore
Titane, arsenic, **magnésium**
Fluor, cobalt et **silicium**
Et même du soufre et du chlore

Charles Aznavour, « Les amours médicales »,
Un homme et ses chansons

Je ne médis pas de l'**homme**.
Qui donc médirait de soi ?
De là à me juger ***conforme***
À chaque meute qui aboie,
Méfions-nous des ***épigones*** !

Jean Laugier, « Évidence »,
Dans la main du monde

OME-UM°

aluminium°
actinium°
protactinium°
Lavinium°
le Sammium°
lithothamnium°
omnium°
méconium°
zirconium°
pélargonium°
polonium°
ammonium°
pandémonium°
harmonium°
posit(r)onium°
californium°
neptunium°
opium°
europium°
baryum°
columbarium°
lactucarium°
frigidarium°
tepidarium°/
tépidarium°
caldarium°
paludarium°
velarium°/vélarium°
solarium°
samarium°
palmarium°
delphinarium°
aquarium°
funérarium°
terrarium°
lactarium°
insectarium°
planétarium°
vivarium°
manubrium°
aérium°
pomœrium°/
pomérium°
gynérium°
imperium°
cérium°
mégathérium°
deutérium°
critérium°
paléothérium°
dinothérium°
martyrium°
ciborium°
triforium°
emporium°
thorium°
crématorium°
sanatorium°
moratorium°
préventorium°
auditorium°
atrium°
yttrium°
curium°
anthurium°
sium°
le Latium°
potassium°
francium°

laurencium°
Actium°
technétium°
lutécium°
silicium°
américium°
calcium°
(notable, arg.)
un grossium°
strontium°
consortium°
magnésium°
cæsium°/césium°
tchernoziom°
symposium°
dysprosium°
prométhium°
lithium°
tritium°
syncytium°
mendélévium°
trivium°
diluvium°
illuvium°
impluvium°

cymbalum°
un slalom°
il slalome
parabellum°
velum°/vélum°
chilom°/shilom°
phylum°
pilum°
diachylum°
tricholome
hypholome
entolome
péplum°
spéculum°
curriculum°
réticulum°
coagulum°

amome
cardamome
cinnamome
extremum°
(le) **minimum**°
(l') optimum°
(le) **maximum**°
crithmum°
summum°

(poème) un nome
(administration) un nome
(il appelle) il **nomme**
(résine) galbanum°
la(b)danum°
laudanum°
fanum°
Glanum°
Herculanum°
il **dénomme**
duodénum°
plenum°/plénum°
il (se) prénomme
le Picenum°
il **renomme**

Et je ***rime*** et je ***rame*** à **Rome**
Et je ris de son rare ***arôme*** !
Quoi de plus naturel,
Madame
Puisque j'***aime*** le rire
Les ***rames***
Les ***rimes***
Et **Rome**…

Michel Deville, « Amour fou »,
Poézies

Je n'ai jamais su faire un vers sur un **album**,
En voilà pourtant deux que j'éternue… **Atchum** !

Stéphane Mallarmé,
Dédicaces, autographes, envois divers. CX in *Vers de circonstance*

❒ 91.15 [Richepin] ; 535.5 [Mallarmé]
36 [Léotard] ; 224 [Roubaud]

magnum°
bonhomme
(chiche) **économe**
(administrateur)
un/e économe
un/e ergonome
hétéronome
le **Deutéronome**
un/e agronome
métronome
un/e **astronome**
un/e gastronome
anthonome
autonome
(jardinier, Belg.) hortonome
cirque Barnum°
(désordre, arg.) un barnum°
sternum°
il surnomme
jéjunum°

il/une **pomme**
vide-pomme

(alcool) le **rhum**°
(il alcoolise) il rhume
(gitan) un/e rom°
(technique) une ROM°
(ville) **Rome**
arum°
labarum°
sacrum°
(terrain de jeu, Belg.)
un ballodrome
(urinoir, Belg.)
un pissodrome
cédérom°/CD-ROM°
sérum°
lactosérum°
athérome
ruine-de-Rome
(fromage, arg.) du from°
pogrom°/e
quorom°
décorum°
forum°
variorum°

pittosporum°
EPROM°
natrum°
électrum°
castrum°
malstrom°
colostrum°
surhomme

(sommeil) un **somme**
(total) il/une **somme**
(fleuve ; départ.) la Somme
(il ordonne) il somme
(être) nous **sommes**
il **assomme**
en somme
pensum°
bête de somme
opossum°
(il accomplit) il **consomme**
(il absorbe) il consomme
Epsom°
sénestrorsum°
dextrorsum°
taxum°

trypanosome
des bonshommes
sous-homme

(prénom) Tom°
(tambour) un tom°
(ouvrage) il/un **tome**
(Ville) Tomes
(fromage) une tomme
fatum°
ultimatum°
erratum°
pentatome
desideratum°
ageratum°
Euratom°
stratum°
substratum°
(Art) Tatum°
adiantum°
quantum°

xanthome
factum°
rectum°
punctum°
gnetum°
arboretum°
ad libitum°
zythum°
les D.O.M.-T.O.M.°
tom-tom°
phlébotome
dichotome
scotome
scrotum°
rhizotome
factotum°
septum°
post-scriptum°
post-partum°
opus incertum°
(estomac, arg.) un estome
le Paestum°
distome
rhizostome
custom°
butome
scutum°
ad nutum°

(biologie) vacuome
(vide) vacuum°
(3 jrs. de prières) triduum°
continuum°

ignivome

assonances
393. ONE
412. ORME
381. OLE

contre-assonances
444. AUME
36. AME
162. ÈME
290. IME

393. ONE-ON

PERSONNE
AUTOMNE

mahonne

(bon) **bonne**
(domestique) une bonne
(ville) Bonn°
il ré/dés/abonne
(il frappe, arg.) il jambonne
louise-bonne
toute-bonne
bombonne/bonbonne
(musique) un **trombonne**
(il coïte, arg.) il trombonne
bobonne
radio/**carbonne**
il charbonne
Narbonne
la **Sorbonne**
Lisbonne
Ratisbonne

il mâchonne
(chienne) une bichonne
(il pomponne) il bichonne
(il festoie) il gobichonne
(une) godichonne
pâlichonne
folichonne
(une) drôlichonne
(enfant, arg.) momichonne
(Berry) (une) berrichonne
rime berrychonne
(une) maigrichonne
il/(une) **cochonne**
(une)/il **ronchonne**
il bouchonne
il (se) tirebouchonne
(loucheuse)
(une) louchonne
il torchonne
(il cambriole, arg.)
il balluchonne
(il arrête, arg.)
il emballuchonne
(il éblouit, rég.)
il éberluchonne
il encapuchonne
il décapuchonne

(une) conne
chaco(n)ne
il **braconne**
(il coïte, arg.) il enconne
(Francis) Bacon°
(lard) du bacon°
il déconne
(il pue, rég.) il emboconne
il floconne
le Yukon°
zircone
(une) gasconne
(il se vante) il gasconne

(John) Donne
une/il **donne**

il s'adonne
belladone
madone
méthadone
il **abandonne**
il randonne
break-down°
knock-down°
acotylédone
dicotylédone
monocotylédone
il bedonne
Wimbledon°
il redonne
il **fredonne**
(il truque) il bidonne
(il rit) il se bidonne
il dés/amidonne
il dindonne
maldonne
(Londres) London°
(Jack) London°
Dodone
(Jacques) Chardonne
il échardonne
il lardonne
il **pardonne**
il **ordonne**
(Pâris) Bordone
il subordonne
il cordonne
il réordonne
il coordonne
il **bourdonne**

(Sergio) Leone
(Espagne) le León°
la Sierra Leone
péon°

phone
aphone
mégaphone
(n. dép.) hygiaphone
il dé/plafonne
(il cogne, arg.) il emplafonne
vibraphone
(n. dép.) dictaphone
il/un **téléphone**
radiotéléphone
tréphone
perséphone
il dé/chiffonne
(n. dép.) publiphone
il **griffonne**
il siphonne
(Érinyes) Tisiphone
(n. dép.) taxiphone
sulfone
(un/e) arabophone
(un/e) francophone
(téléphone, arg.)
il/un bigophone
audiophone
visiophone
(un/e) allophone
(un/e) anglophone
xylophone
gramophone

Qui qui rime souvent avec : vingt ans ?
C'est le Printemps ;
Qui qui rime parfois avec : Beauté ?
C'est l'Été ;
Qui qui n'inspire pas beaucoup de vers ?
C'est l'Hiver ;
Mais qui qui rime toujours, et toujours, avec : **monotone** ?
C'est fichtre bien l'**Automne** !

Jean Goudezki, « Automne »,
Hercule ou la vertu récompensée

À l'heure des affligeants débats
Et des vils esprits **atones**,
Jaillissant de mon Nirvana
– Éclair d'un radiant **automne** ! –

Un ange décisif m'échoit
Et divinement m'**arraisonne** ;
Puis dans l'aile qu'il redéploie
Felice je me **caparaçonne**.

Viens, puis reviens qui que tu sois,
Diablesse, joueuse, **friponne**
Ou **bonne** et captive de mes bras
Où à ton tour tu t'**abandonnes**.

Nos corps **entonnent** leur Hosanna
Et le monde languide **frissonne**
Comme moi au bout de tes doigts
Qu'impénitent j'**amidonne**…

Cela vaut tous les mondes-en-soi,
Les prêtres-mots qu'on **claironne**,
Les génuflexions et les croix
Et la sainte Loi qui ***assomme***.

John Gelder, « À l'heure des affligeants débats… »,
Procès. XI

On aurait dit des **nonnes**
Des enfants de Marie
Qui jouaient à **mal-donne**
Au chat, à la souris
À vas-y j'te **tamponne**
À pass'moi-le-grisbi,
Dansant la ***farandole***
Le patchou-patchouli,
Des petites **madones**
Aux seins irréfléchis
Prunes plutôt que ***pommes***
Des petits seins d'api…
On aurait dit…
Pardon, cela suffit :
C'était des **cromagnonnes**.

René de Obaldia, « La cromagnonne et le cosmonaute »,
Innocentines

ni fleurs ni **couronnes**
la fosse ***commune***

ah non pas la ***peine***
de mettre la ***gomme***
un mort de troisième
ou quatrième ***zone***

Jean-Claude Pirotte, « Petites dernières volontés »,
La Vallée de Misère

❐ 1.18 [Aragon] ; 357 [Roux] ; 481.10 [Scarron]
367 [Levet] ; 38 [Jacob]

ONE-ON°

(un) homophone
(un/e) germanophone
(un/e) hispanophone
(bouche, arg.)
le déconophone
géophone
microphone
hydrophone
électrophone
(un/e) russophone
(un/e) lusophone
magnétophone
saxophone
il/être **bouffonne**
interphone

il drageonne
sauvageonne
trudgeon°
il **badigeonne**
(oiseau) une pigeonne
(il dupe) il pigeonne
il goujonne
(il s'enivre, arg.)
il se gorgeonne
il é/**bourgeonne**

canõn°
bignone
(une) bourguignonne
(une) **mignonne**
il maquignonne
il rognonne
il/(une) grognonne

(gamin) un gone
(robe de moine) une gonne
décagone
hendécagone
dodécagone
ennéagone
Tarragone
dragonne
tétragone
(une) patagonne
(géométrie) pentagone
(USA) le Pentagone
heptagone
(géométrie) **hexagone**
(France) l'Hexagone
il parangonne
archégone
les corégones
polygone
épigone
(un) trigone
Antigone
le Logone
oogone
sporogone
isogone
(un) **octogone**
(il maugrée, rég.)
il gongonne
il/(une) **bougonne**
l'Argonne
il jargonne
(animal) une gorgone
(monstres) les Gorgones

il fourgonne

l'Yonne
(ville) Bayonne
il dé/bâilonne
(il crache) il graillonne
(odeur) il graillonne
il décavaillonne
il gabionne
il **tourbillonne**
(une) tardillonne
il clayonne
(textile) la rayonne
(il irradie) il **rayonne**
(rayonnage) il rayonne
il crayonne
il réveillonne
il contagionne
(remuante, Belg.)
bougillonne
lionne
Bouglione
(n. dép.) silionne
il camionne
hémione
Hermione
il vermillonne
canyon°
le Grand Canyon°
dominion°
trade-union°
il **bouillonne**
il/(une) couillonne
il/(une) brouillonne
(il s'enivre, arg.) il se pione
(surveillante) une pionne
il **papillonne**
(une) **championne**
surperchampionne
(carriériste, Suisse)
il/une grimpionne
(il se tortille, arg.)
il se croupionne
il/une **espionne**
il/(une) fransquillonne
il **carillonne**
bryone
il vibrionne
négrillonne
il tourillonne
(il tue, arg.) il scionne
il **sillonne**
il collationne
il dé/passionne
il rationne
il stationne
il ovationne
il mentionne
il re/dimentionne
il pensionne
il ascensionne
il s'attentionne
il manutentionne
il subventionne
il dé/conventionne
il actionne
il fractionne
il sanctionne
il se dés/affectionne

il confectionne
il **perfectionne**
il pré/sélectionne
il **collectionne**
il sectionne
il frictionne
il **fonctionne**
il ponctionne
il impressionne
(il défile) il processionne
il ambitionne
il additionne
il auditionne
il dé/conditionne
il fissionne
il démissionne
il commissionne
il soumissionne
Sicyone
il réquisitionne
il perquisitionne
il re/positionne
il pétitionne
il émulsionne
il convulsionne
Asunción°
il cautionne
il (se) précautionne
il lotionne
il motionne
il émotionne
il commotionne
il réceptionne
il proportionne
il se contorsionne
il excursionne
il solutionne
il révolutionne
il occasionne
(nasiller) il nasillonne
(nazie) nazillonne
il étrésillonne
il visionne
il endivisionne
il provisionne
il ré/dés/approvisionne
il fusionne
il dés/illusionne
il contusionne
himation°
il/(une) tatillonne
il échantillonne
(remuante) frétillonne
il suggestionne
il dé/congestionne
il **questionne**
il postillonne
il mixtionne
il aiguillonne
il gravillonne
il égravillonne
il écouvillonne
il alluvionne

il dé/ballonne
il galonne
il jalonne
il talonne
il étalonne

il détalonne
(une) wallonne
il sablonne
il houblonne
il doublonne
clone
Bellonne
(une) félonne
Barcelone
il échelonne
portelone
bufflonne
aiglonne
Babylone
il pilonne
epsilon°
upsilon°
(monnaie) le colón°
entre-/demi-/**colonne**
les Sables-d'Olonne
il violone
il dé/boulonne
il foulonne

Amon°
backgammon°
il ramone
démone
anémone
crémone
dipneumone
la Gimone
Simone
Lacédomone
Pomone
phéromone
il s'époumone
(grogne, arg.) harmone
il **marmonne**
il **sermonne**
hormone
(une) mormone

(liturgie) une none
(calendrier) des nones
(religieuse) une **nonne**
(fruit) une anone
(impôt) une annone
(il bredouille) il ânonne
il canonne
sine qua non°
roténone
pet-de-nonne
le Pordenone
il tenonne
quinone
ionone

(une) capone
Al Capone
il chaponne
(une) lapo(n)ne
il (se) **cramponne**
(importune, arg.)
il/une cramponne
il tamponne
(il écœure, arg.) il dépo(n)ne
Hippone
(une) nippo(n)ne

il/(une) **friponne**
(il tergiverse) il lantiponne
lithopone
il (se) **pomponne**
il pouponne
il harponne
il juponne
(il s'amourache)
il s'enjuponne

(titre) une baronne
(de mèche, arg.) il baronne
il/(une) fanfaronne
Haute-/Tarn-et-/
Lot-et-/**Garonne**
mégaron°
(il grogne) il maronne
(fugitive) marronne
lazzarone
mot de **Cambronne**
omicron°
il godronne
il goudronne
Calderón°
il **claironne**
cicérone
(Eva/Juan) Perón°
Vérone
progestérone
androstérone
testostérone
il biberonne
il moucheronne
(une) percheronne
bûcheronne
laideronne
vigneronne
aleuronne
(il fleurit) il fleuronne
neurone
il dé/chaperonne
il éperonne
(une) beauceronne
(une) quarteronne
irone
il **environne**
lord Byron°
il **ronronne**
il/une **couronne**
il découronne
(il s'inquiète, arg.)
il se mouronne
matronne
il/une **patronne**
Pétrone
(il boit, arg.) il litrone
(une) poltronne
il plastronne
minestrone
(une) huronne
luronne
levronne

il **sonne**
il assonne
Carcassonne
il re/**façonne**
il paillassonne
(une) mollassonne

ONE-ON

il maçonne
fourmi maçonne
(une) franc-/maçonne
il **moissonne**
il r/empoissonne
il caparaçonne
(Brabant)
(une) brabançonne
(hymne) la Brabançonne
il chansonne
il rançonne
il étançonne
(Roman) Jakobson°
(fleuve) l'Hudson°
baie d'Hudson°
(rivière; départ.) l'Essonne
bessonne
(Henri) Bergson°
il dissone
(James) Madison°
(Thomas) Edison°
kyrie eleison°
il palissonne
il/(une) polissonne
(animal) une hérisonne
(technique) il hérissonne
il **frissonne**
sisso(n)ne
il **saucissonne**
il poinçonne
(Felix) Mendelssohn°
(prénom) Nelson°
(fleuve) le Nelson°
amiral Nelson°
(Thomas) Wilson°
(Richard) Wilson°
(Jack) Nicholson°
(n. dép.) Thomson°
(James) Thomson°
(Robert Louis) Stevenson°
maladie de Parkinson°

(Samuel) Johnson°
(Andrew) Johnson°
(Lyndon) Johnson°
(Ben) Jonson°
(consonance) il consone
semi-/**consonne**
il é/tronçonne
il **soupçonne**
il arçonne
garçonne
il **désarçonne**
(Thomas) Jefferson°
(Ralph) Emerson°
(une) PERSONNE
pèse-personne
(il s'isole) il s'oursonne
coursonne
axone
(Andrew) Jackson°
(n. dép.) un klaxon°
il **klaxonne**
(une) saxonne
(une) anglo-saxonne
(Richard) Nixon°
il écussonne

il en/dé/gazonne
il blasonne
(fleuve) l'**Amazone**
(femme) une **amazone**
(myth.) les Amazones
il **foisonne**
il dé/cloisonne
il **empoisonne**
il liaisonne
(il pense) il **raisonne**
(il tinte) il **résonne**
il arraissonne
il déraisonne
il **assaisonne**
bisonne

(une) frisonne
(Suisse) (une) grisonne
(gris) (une)/il grisonne
il **emprisonne**
il tisonne
cortisone
(poète latin) Ausone
(chimie) l'ozone
canzone
(s'accroupir, rég.)
il s'acacabozone
evzone

(tonneau; poids) une **tonne**
(il gronde) il **tonne**
atone
il bâtonne
il chatonne
mégatonne
Latone
(gardienne, arg.) matonne
(George) Patton°
(il part, arg) il (se) ripatonne
(il frappe, arg.) il satonne
il **tâtonne**
il **entonne**
il (se) **cantonne**
il **chantonne**
lactone
allochtone
Apollon sauroctone
(un/e) **autochtone**
il **étonne**
il bétonne
(il explose) il **détone**
(il tranche) il **détonne**
(une) piétonne
(laiton) il laitonne
(balte) (une) letto(n)ne
a/cétone
Suétone

(il paie, arg.) il cachetonne
(il se prostitue, arg.)
il michetonne
il œilletonne
il gueuletonne
il molletonne
il hannetonne
(une) **bretonne**
Rétif/Restif
de la Bretonne
cretonne
Princeton°
(une) teutonne
(George) Washington°
(USA) Washington°
(Duke) Ellington°
duc de Wellington°
(indécis, arg.) il bitonne
(Buster) Keaton°
il mitonne
il pitonne
il capitonne
rhyton°
(il chante) il barytonne
Brighton°
syntone
(John) Milton°
stilton°
(Bill) Clinton°
badminton°
il se cotonne
écotone
il se **pelotonne**
kilotonne
AUTOMNE
monotone
Crotone
il dé/re/boutonne
(lesbienne, arg.)
elle se tireboutonne
gloutonne

il **moutonn**
(Isaac) Newton
(unité) un newton
(Lionel) Hampton
pepton
il cartonn
(Edith) Wharton
(théâtre) Chatterton
(adhésif) du chatterton
(il se bat, arg.)
il se bastonn
il **festonn**
(ville) Charleston
(danse) le charleston
histon
(gamine, rég.) mistonn
il pistonn
(Ville) Boston
(danse) il bostonn
Houston
(John) Huston

(une) esclavonn
(une) slavonn
il savonn
Yvonn
Maryvonn

won

assonance
381. OL
392. OM
413. ORN

contre-assonance
445. AUN
166. ÈN
561. UN

394. OPE-OP

EUROPE

(trou) une ope
(opium, arg.) l'op°
(stimulation) **hop**!°

bop°/be-bop°
(Franz) Bopp°

(de bière) une **chope**
(il attrape) il chope
(il heurte) il choppe
il achoppe
(boutique) une **échoppe**
(outil) il/une échoppe
ciné-shop°
bishop°
sex-shop°

une/il **écope**
lycope
il/une **syncope**
xylocope

apocope
Procope
diascope
épidiascope
(n .dép.) cinémascope
(lunette) un **télescope**
(il heurte) il télescope
radiotélescope
caméscope
kinescope
épiscope
périscope
phénakistiscope
(œilleton, arg.) une viscope
boscop°/boskoop°
stroboscope
bronchoscope
endoscope
kaléidoscope
stéréoscope
laryngoscope
amblyoscope
oscilloscope
ophtalmoscope

Ô Dimanches bannis
De l'infini
Au-delà du **microscope** et du **télescope**,
Seuil nuptial où la chair s'affale en **syncope**…

Dimanches citoyens
Bien quotidiens
De cette école à vieux cancans, la vieille **Europe**,
Où l'on tourne, s'en tricotant des amours **myopes**…

Jules Laforgue, « Dimanches »,
Des Fleurs de bonne volonté. XI

Lorsque je lui dis **top**
Chronomètre et puis **stop**
Bébé Polaroïd
Elle s'ouvre son **ob-**
Turateur et puis **hop**

Serge Gainsbourg, « Bébé Polaroïd »,
Dernières nouvelles des étoiles

☞

OPE-OP°

uranoscope
trombinoscope
praxinoscope
(panneau d'affichage, arg.)
déconoscope
iconoscope
baroscope
fibroscope
microscope
(sourcier) hydroscope
aéroscope
hygroscope
gyroscope
horoscope
électroscope
spectroscope
gastroscope
négatoscope
il/un magnétoscope
kinétoscope
stéthoscope
tachistoscope
otoscope

(il stimule) il dope
(drogue, arg.) la dope
le(s) Rhodope(s)

l'I.F.O.P.°

Calliope
(un/e) amblyope
(un/e) **myope**
Antiope

(homo; lâche, arg.) une lope
(viande) une **escalope**
(cuisine) il escalope
les trompes de Fallope
(outil) une galope
(il court) il **galope**
(un/e) héméralope
il/une **salope**
(bateau) marie-salope
(débauchée ; cocktail, arg.)
une marie-salope
(un/e) **nyctalope**
(cigarette) un/e **clope**
(peur, Belg.) il/la clope
cyclope
Pénélope
une/il **enveloppe**
il désenveloppe
il **développe**
(chute) (un) flop!°
(il rosse, arg.) il flope
fosbury flop°
antilope
(n. dép.) Dunlop°
(rien à faire!, arg.) po(l)lope!
(il s'active, arg.) il poulope
il/une varlope
(un) **interlope**

(ville) Canope
(urne) une canope
Parthénope
Sinope

(Alexander) Pope
(prêtre) un pope
(il se pique, arg.) il pope
(musique) (la) pop°
hip-hop°

phalarope
(il largue) il dro(p)pe
(il court, arg.) il dro(p)pe
(rugby) un drop°
Mérope
oryctérope
(mythologie) Europe
(continent) l'EUROPE
guiderope
agit-prop°
trope
pithécanthrope
un/e lycanthrope
zinjanthrope
un/e **philanthrope**
un/e théophilanthrope
atlanthrope
sinanthrope
(un/e) **misanthrope**
(un/e) amétrope
(un/e) emmétrope
(un/e) hypermétrope
(concession, rhét.)
une épitrope
(Saint-Tropez) Saint-Trop°
Ribbentrop°
(un) psychotrope
gonadotrope
thyréotrope
azéotrope
héliotrope
monotrope
lipotrope
neurotrope
an/isotrope
somatotrope
estrope

Ésope
hysope

(il accepte) il tope
(signal) **top**!°
hard-top°
métope
biotope
radio-/isotope
(au poil, Suisse) c'est tip-top°
(arrêt/e) (en/un) **stop**!°
(il arrête) il **stoppe**
(il raccommode) il stoppe
(un/e) non-stop°
auto-stop°

assonances
360. OBE
400. OQUE

contre-assonances
39. APE
301. IPE

Elle me dit mon salaud t'es trop phallo
Si c'est ainsi j'irai voir Adeline
C'est une superbe **antilope**
Qui traîne ses miches à **Saint-Trop'**
Et qui vient coller ses timbres sur mes **enveloppes**

Pierre Perret, « Le Phallo »,
Chansons de toute une vie

Dans la jungle des bars où la nuit m'**interlope**
Au comptoir du bitume, au trottoir trébuchant,
Dans ce tapin de moi, dans ce lopin de **lope**,
Il y a ce lever de soleil découchant…

Dans mes yeux morts, le feu des néons m'arrachant
Le regard : comme Ulysse, son œil au **Cyclope** ;
L'alcool dans mon sang qui verse en les crachant
Mes larmes de hibou dans mon cœur **nyctalope**…

Francis Lalanne, « Dans la jungle des bars »,
Le Roman d'Arcanie

Puis, quand j'ai ravalé mes rêves avec soin,
Je me tourne, ayant bu trente ou quarante **chopes**,
Et me recueille, pour lâcher l'âcre besoin :

Doux comme le Seigneur du cèdre et des **hysopes**,
Je pisse vers les cieux bruns, très haut et très loin,
Avec l'assentiment des grands **héliotropes.**

Arthur Rimbaud, « Oraison du soir »,
Poésies

Plaignez le pauvre **misanthrope**
Sur la terre, il fut ***mis en trop***
Qu'il suive la « neuvaine **trope** »,
Notaire ou patron de bistrot
Boucher, la main sur l'**escalope**,
Plaignez le pauvre ***mis en trop***

Maurice Fombeure, « Amertume (personnelle) »,
À chat petit

Que les branches battent le bouillon de la tempête !
Et si même la fronde de l'éclair pète :
Image de l'**antilope**,
Je grave aux souches mon ***soliloque***.

Alfredo Gangotena, « Le Voleur »,
Poèmes français

Parfois j'ai peur de devenir ce **misanthrope**
dont on dit en flamand : hij freet zijn eigen **op**…*

Paul Neuhuys, « Van Eyck au Portugal… »,
La Draisienne de l'Incroyable in *On a beau dire*

* « il se bouffe lui-même… »

❐ 111 [Blavier]
360 [Genet] ; 226 [Ducharme] ; 507 [Thiry]

395. OPLE

CONSTANTINOPLE

(couplet, esp.) cople
(ville) **Andrinople**
(étoffe)
rouge d'/une andrinople
sinople
CONSTANTINOPLE

Voiles sur le Bosphore lointain
Voguant peut-être vers **Andrinople**,
Je vous suivrais si le muezzin

Nasillant dans le soir byzantin
Ne m'appelait à **Constantinople**…
Nuits turques ! par quels philtres secrets

Faites-vous tant aimer les cyprès,
Les couchants d'azur et de **sinople**,
Les flèches roses des minarets ?

Paul Morin, « Quatre Villes d'Orient : Constantinople » IV,
Le Paon d'Émail

exilé de Corfou et de **Constantinople**
Ulysse qui jamais ne revint sur ses pas
je suis de ton pays métèque comme toi
un enfant de l'enfant que te fit ***Pénélope***

Georges Moustaki, « Grand-père »,
En Ballades. 1

Toi que nulle union féminine n'***accouple***,
Tout seul
Dans le fond de tes bois de couleur de **sinople**,
Tout vivant inhumé sous l'inhumain linceul.

Robert de Montesquiou, « Corda »,
Les Chauves-souris. CIX

assonances
394. OPE
381. OLE

contre-assonances
98. AMPLE
508. OUPLE

❐

396. OPRE

PROPRE

(net) (au) PROPRE
(personnel) (en/nom) **propre**
impropre
malpropre
amour-propre

Philis, je ne suis plus des rimeurs de ce siècle
Qui font pour un sonnet dix jours le cul de plomb
Et qui sont obligés d'en venir aux noms **propres**
Quand il leur faut rimer ou sur coiffe ou sur poil.

Attribué à Marc-Antoine Girard de Saint-Amant, « Sonnet sur des mots qui n'ont point de rime »,
Œuvres. IV

La neige a son **amour-propre** :
Paris, vil et pestilent,
Ne mérite rien de **propre**,
Ne mérite rien de blanc.

Henry Jean-Marie Levet, « Impression d'hiver »,
Cartes postales

Oh ! bonne-maman, regarde
Comme le soleil est **propre** !
Est-ce le brouillard d'***octobre***
Qui l'aurait si bien lavé ?

Maurice Carême, « Regarde, bonne-maman »,
Le Mât de cocagne

Chante-moi :
hard la ***Salope*** !
Va aux refrains
de tes refrains
d'enfance **malpropre** !

Jean-Pierre Verheggen, « Stabête Mater ! »,
Stabat Mater

assonances
362. OBRE
394. OPE

contre-assonances
41. APRE
462. OMPRE

❐

397. OPS°-OPSE

(Thomas) Hobbes
(déesse des moissons) Ops°
cops°
(rapace) un scops°
Chéops°/Khéops°
caryopse
(oxyde noir) un éthiops°
(salope, arg.) une lops°
Pélops°
(n. dép.) Nouvel Obs°
(reptile) un typhlops°
(abcès oculaire)
un anchilops°
rollmops°
synopse
(Félicien) Rops°
Cécrops°
(bonbon, Belg.) un drops°
chamærops°/
chamérops°
tricératops°

assonances
394. OPE
415.ORSE
432. OXE

contre-assonances
42. APS-E
173. EPS-E
304. IPS-E

Plus profond que **Chéops**
Égyptien,
Plus sage que **Cécrops**,
Athénien.

Plus pasteur que **Cécrops**
Égyptien,
Plus mangé que **Pélops**
Tantalien.

Plus profond que **Chéops**
Aux Pyramides,
Plus mangé que **Pélops**
Le Tantalide.

Charles Péguy, « La ballade de la peine »,
La Ballade du cœur qui a tant battu, p. 1276

C'était dans la forêt vierge, sous les tropiques
où s'ouvre en éventail le palmier **chamærops** ;
dans le soir alangui d'effluves priapiques
stridait, rauque, le cri des **nyctalomerops**…

Georges Fourest, « La singesse »,
La Négresse blonde

❐

398. OPTE

il opte
(un/e) **copte**
sarcopte
il **adopte**
il coopte

assonances
426. OTE
366. OCTE
417. ORTE

contre-assonances
43. APTE
174. EPTE
305. IPTE

L'autre **adopte**
Sans dégoût
L'us d'un ***docte***
Rat d'égout…

Géo Norge, « Le cri »,
Le Gros Gibier

la ***crypte*** de la laure du **copte** du guelfe du lemme de la glose
le dôme de la ***crypte*** de la laure du **copte** du guelfe du lemme
la guette du dôme de la ***crypte*** de la laure du **copte** du guelfe
l'ordre de la guette du dôme de la ***crypte*** de la laure du **copte**

Michèle Métail,
Compléments de noms, v. 11683-11686

❐

399. OPTRE

dioptre
catadioptre

assonances
398. OPTE
396. OPRE
425. OSTRE
428. OTRE

contre-assonance
175. EPTRE

400. OQUE-OC°

LOQUE
ROC°

(de bière) un **bock**°
(il s'embrasse, rég.) il se boque
(il se gave, rég.) il s'emboque
(il rafistole, rég.) il rataboque
springbok°
(il agace, rég.) il étiboque
steinbock°
Lombok°

un **choc**°
il **choque**
pare-chocs°
il (s') entrechoque
contre-choc°
antichoc°
électrochoc°
choke

(houille) la coke
(cocaïne, arg.) la coke
(oiseau) un **coq**°
(œuf; navire) une **coque**
(il dénonce, arg.) il coque
Marguerite-Marie Alacoque
(Alfred) Hitchcock°
bacille de Koch°
crête-de-coq°
maître-coq°
Bangkok°
bicoque
salicoque
semi-coke
multicoque
méningocoque
staphylocoque
diplocoque
pneumocoque
échinocoque
gonocoque
(un) monocoque
microcoque
entérocoque
streptocoque
(il s'éprend) il s'**emberlucoque**

(docteur) doc°
(disque) un doc°
(documentation) la doc°
(bassin) un **dock**°
(adéquat) **ad hoc**°
(poisson) du haddock°
capitaine Haddock°
les Shadocks°
diadoque
(enclos) un **paddock**°
(lit, arg.) un padoc°/paddock°
(il se couche, arg.) il (se) paddocke

(sale, arg.) cradoque
synecdoque
cholédoque
(région) le **Médoc**°
(vin) un médoc°
(homo, arg.) un pédoque
(région) le Languedoc°
la **langue d'oc**°
(en douce, arg.) en lousdoc°/loucedoc°
(François) Vidocq°
opodeldoch°

(voile) un **foc**°
(animal) un **phoque**
clinfoc°
(fou, arg.) un/e **loufoque**
il **suffoque**

(bêta, rég.) gnoc°/gnoque

(monnaie) baïoque
manioc°
l'Oleniok°
(il salit, rég.) il empatioque
(un/e) **vioc**°/**vioque**

(toilettes, Belg.) un djok°
(fou, Alg.) badjoc°

(lac) un **loch**°
(marine) un loch°
(John) Locke
(médicament) un looch°
(il s'habille, arg.) il se loque
(haillons) une/en LOQUE(S)
(allocations, arg.) les allocs°/alloques
(masse) un **bloc**°
(technique) un block°
(Aleksandr) Blok°
(il coince) il **bloque**
(il vend, arg.) il abloque
il **débloque**
starting-block°
(concierge, arg.) un/e pibloque
(un) monobloc°
(propriétaire, arg.) un/e probloc°/probloque
(n. dép.) silentbloc°
(ampoule) il/une **cloque**
(il donne, arg.) il cloque
(enceinte, arg.) en cloque
(engrosser, arg.) il encloque
(thé) un five o'clock°
(il se déshabille, arg) il se déloque
pendeloque
(il se rhabille, arg.) il se reloque
(laver le sol, rég.) il reloque
breloque
(plouf!) (un) floc!°
(technique) il floque
il biloque
Shylock°
Archiloque

Réduit, hélas, au **soliloque**,
Exilé de votre chemin
Où la boue à nos pieds fait **cloque**,
– Madame cousine, et **probloque**,
Dont j'eusse aimé baiser la main
Si le triste temps qui nous **bloque**,
Ce ciel couleur de vieille **loque**,
Ne m'alitaient jusqu'à demain
Loin de votre aimable **colloque** [...]

Paul-Jean Toulet, « Réduit, hélas, au soliloque… »,
Poèmes. XVII

Je vis, je vis, je me **moque** du temps que le temps détruit.
Si mon cœur bat la **breloque**, je reste sourd à son bruit.
Je vis, je vis et j'**évoque** le jour qui les ombres suit.
Je vis, je vis et je **croque** à belles dents les beaux fruits.

Sainte Marie **Alacoque**, sur qui le Cœur prit appui,
Aujourd'hui je vous **invoque** pour l'heure où sera détruit
Mon cœur, navire **à la coque** fragile, mon cœur instruit
Des lendemains où l'on **troque** tous ses jours pour une nuit.

Liliane Wouters, « Chant de la faim » 6,
L'Aloès

les souliers sont liés par les pieds
des ***cocottes*** qui ***picotent*** l'œil du **coq**
ces sons ne sont pas liés aux pieds du **roc**
et **toc** c'est un meussieur qui fera **toc toc**
à la porte du **coq** qui tous les matins crie
cok
coricok
liaisons des souliers et des pieds d'un ***escroc***
les pommes les poires sont bonnes et je les **croque**.

Pierre-Louis Péclat, « Les souliers sont liés par les pieds… »,
Midi, un Caméléon

Flic et ***flac***, ***cric*** et **croc** !
Ça ***craque*** de tous côtés,
Le printemps danse le **rock**
Sur la banquise enrhumée.

Tric et ***trac***, ***tic***, ***tic***, **toc** !
Allez ***donc*** vous rhabiller
Esquimaux glacés, **loufoques**,
Au lieu de me reluquer.

Mic, ***mic***, ***mac***, ***bric*** et **broc** !
J'ai mes moustaches à tailler,
Mon ***anorak*** est en **loques**,
Il me faut le repriser.

Clic et ***clac***, ***fric*** et **froc** !
Après l'hiver vient l'été,
On a beau dire : être un **phoque**
Très ***chic***, c'est tout un métier.

Marc Alyn, « Le Phoque »,
L'Arche enchantée

❐ 333.14 [Rollinat] ; 131 [Gilbert-Lecomte] ; 44 [Gainsbourg]
394 [Gangotena] ; 353 [Laffay]

OQUE

(discours pompeux)
(un) grandiloque
il/un **soliloque**
(un/e) **ventriloque**
conférence) un **colloque**
(droit) il colloque
(dieu) Moloch°
(reptile) un moloch°
(Paul Jackson) Pollock°
ploc!°
(américain)
(un/e) amerloque
(tissu) un interlock°
(il méduse) il **interloque**
il (se) **disloque**

(il raille) il (se) **moque**
(marine) une moque
(récipient) une moque
amok°
Cuauhtémoc°
des smocks°

(vulve, verl.) un noc°
culture Nok°
manoque
(imbécile, arg.)
un/e) schnock°/chnoque
rès loin) Pétaouchnock°
(injure, arg.) duchnoque
docteur Knock°
Énoch°/Hénoch°
l'**Orénoque**
(fou, arg.)
(un/e) sinoc°/sinoque

(poker, arg.) un pok°
(boules) il poque

kapok°
l'Oyapo(c)k°
époque

(pierre) un ROC°
saint Roch°
(musique) le **rock°**
oiseau **rock°**
(échecs) il/un roque
(le) **baroque**
Maroc°
(niaise, rég.)
une bouzaroque
(brocanteur, arg.) un broc°
(camelote) la broque
(minute, arg.) une broque
(rien, arg.) pas une broque
(il reconnaît, arg.)
il rembroque
(parapluie, arg.)
un pébroque/pébroc°
de bric et de broc°
(épuisé, arg.) nazebroque
pibrock°
(il urine, arg.) il lisbroque
(scandale, arg.)
un chizbroc°
il **croque**
(-monsieur) un croque
(-mort, arg.) un croque
(nourriture, arg.) la croque
(économies, arg.)
des éconocroques
il escroque
froc°
il (se)/une **défroque**
aurochs°
(procureur, arg.) un proc°

il/(un/e) **réciproque**
(échange) un **troc°**
(il échange) il **troque**
(coquillage) une troque
entroque
il détroque
(bistrot, arg.) un bistroc°
Duroc°

(charrue) un **soc°**
(chaussure) un socque
(un/e) radsoc°
polysoc°
trisoc°
psoque

(heurt) **toc!°**
(camelote) (du) **toc°**
(cœur, arg.) le toc°
(coiffure) une **toque**
(il frappe) il toque
(il s'entiche, arg.) il se **toque**
(fou) être toc toc°
(heurt) **toc,/toc,toc!°**
étoc°
blanc-étoc°
(chinois, arg.) (un/e)
chinetoc°/chinetoque
pousse-toc°
pottock°
(Béla) Bartok°
(marteler, rég.) il martoque
un **stock°**
il stocke
(plastique, arg.)
du plastoc°/plastoque
(un) mastoc°/mastoque
Woodstock°

(épée) un **estoc°**
(estocade) il estoque
blanc-estoc°
il déstocke
alpenstock°
(il rafistole, rég.)
il rabistoque
nostoc°
Vladivostock°
(Friedrich) Klopstock°

il **évoque**
il **révoque**
bi/**univoque**
il/(une) **équivoque**
plurivoque
il **invoque**
il **provoque**
il **convoque**

cake-walk°

assonances
378. OGUE
394. OPE
414. ORQUE

contre-assonances
44. AQUE-AC
306. IQUE-IC
566. UQUE-UC

401. OR°-ORE

OR°
ENCOR°/E
MORT°

(prénom) Aure
vallée d'Aure
(dehors) hors°
(métal) l'OR°
(conjonction) or°
(répugnant, arch.) ord°
(maintenant, arch.) ore(s)

(ville) Cahors°
(vin) un cahors°
Lahore
(cheval, myth.) Chrysaor°

(limite) **bord°**
(chimie) bore
(diamant) bort°
(approche) un abord°
(alentours) les **abords°**
(il hait) il **abhorre**
bâbord°

d'abord°
il **élabore**
il collabore
plat-bord°
sabord°
(troupe) un tabor°
mont Thabor°
Chambord°
franc-bord°
débord°
(h)**ellébore**
choke-bore
rebord°
tribord°
vibor(d)°
in-bord°
faux-bord°
il corrobore
il **arbore**
Pearl Harbor°
hors-bord°

schorre
maillechort°
offshore

la fille près de qui je **dors**
m'enroule dans ses cheveux **d'or**
comme une araignée dans sa toile
moi j'en appelle à mon étoile
qui me fera trouver le **nord**

les bateaux reposent **encore**
dans les eaux profondes du **port**
épuisés par leurs longs voyages
moi j'en appelle au vent du large
qui me fera quitter le **bord**.

la nuit que déchire l'**aurore**
n'est plus que l'envers du **décor**
de tous mes rêves périssables
j'en appelle au désert de sable
qui me fera trouver de l'**or**

je m'en irai l'âme et le **corps**
guidés par un commun **accord**
de tous mes sens insatiables
j'en appelle à Dieu et à Diable
qui me feront trouver la **mort**

Georges Moustaki, « Voyage »,
En ballades. 1

☞

OR°-ORE

(trompe) un **cor°**
(durillon) un cor°
(organisme) le **corps°**
(entente) d'/un **accord°**
(étai) (un/e) accore
(plante) un acore
(gracieux) accort°
l'Afrikakorps°
raccord°
corps à corps°
désaccord°
ENCOR°/E
Angkor°
avant-corps°
un **décor°**
il **décore**
(pimbêche) une **pécore**
(paysan, arg.) un/e pécore
garde-corps°
à bras-le-corps°
haut-le-corps°
(exploit) record°
(justice) recors°
arrière-corps°
(corse, verlan) un secor°
ichor°
(rixe, arg.)
il se/une chicore
dix-cors°
à mi-corps°
il picore
Terpsichore
Stésichore
anticorps°
il **édulcore**
naucore
isochore
justaucorps°
(massif) le Vercors°
(écrivain) Vercors°
score
(en désaccord)
(un) discord°
garde du corps°
mucor°

(rivière) la Dore
(dorer) il **dore**
(dormir) il **dort°**
il **adore**
(chien, arg.) un cador°
picador°
tchador°
le Cid Campeador°
toréador°
(Canada) le Labrador°
(chien) labrador°
(minéral) labrador°
mirador°
(un) comprador°/e
matador°
conquistador°
le Salvador°
San Salvador°
l'Andorre
il (s') **endort°**
(lambin) (un/e) lendore
mandore
(myth.) **Pandore**

(musique) une pandore
(gendarme, arg.)
un pandore
il se rendort°
il dédore
Fédor°
Médor°
il redore
(vignoble) la Côte d'Or°
(départ.) la Côte-d'or°
la Neste d'Aure
corregidor°
Philidor°
(Raymond) Poulidor°
thermidor°
Épidaure
corridor°
stridor°
messidor°
fructidor°
Isidore
(amoureux) un lindor°
indoor°
il subodore
Théodore
Diodore
(écrivain) Héliodore
(pierre) un héliodore
Cassiodore
Apollodore
commodore
inodore
condor°
(fromage) un mont-d'or°
(Auvergne) Mont-Dore
bouton-d'or°
il mordore
il surdore
(Marie) Tudor°

météore
confiteor°

en-/au-/**dehors°**
bout-dehors°

(Élie) Faure
(Félix) Faure
(forer) il fore
(...intérieur) son for°
(hormis, arch.) fors°
(Paul) Fort°
(puissant) (un) **fort°**
(château) un **fort°**
sémaphore
anaphore
(un) extra-fort°/extrafort°
métaphore
amphore
(Nicolas de) Chamfort°
renfort°
(ville) Francfort°
(doigts, arg.) des francforts°
(travail) **effort°**
(magistrat) éphore
pied-fort°/piéfort°
canéphore
un/e choéphore
raifort°

J'ai soif, mon Amour. J'eus toujours soif. J'ai soif **encore**,
La soif de ma nuit qui tend les bras vers Ton **aurore**,
La brûlante soif de cet arbuste ***solitaire***
Dont je vis un jour les secs lambeaux tomber par ***terre*** ;

La soif du lépreux inguérissable qui T'**implore**
De laver ses yeux pourris dans l'eau de Ton **amphore** ;
La soif du **Remords** que rien ici ne ***désaltère***,
La soif de l'Espoir et du Silence et du ***Mystère*** ;

La soif du pécheur qui croit T'aimer et qui T'**ignore**,
La terrible soif de l'âme aride qui T'**adore** ;
La soif maléfique de l'Orgueil, la ***salutaire***

Soif que rend plus forte chaque mot de ma ***prière***
– La soif de Zachée allant monter au **sycomore**,
La soif de la Soif, la soif de Toi qui me **dévore**.

Armand Godoy, « J'ai soif, mon Amour… »,
De vêpres à matines

Quelque ***ardeur*** qui **dévore**
Zémire et son **Azor**,
Almanzine et son **Almanzor**,
Phrosine et **Mélidore**,
Zélinde et **Zélindor**,
Tout ça dans **Messidor**
Dort.

Antoine-Pierre-Augustin de Piis, « Le Mois de Messidor »,
Chansons. Livre III

Pourquoi le sable du ***désert***
pourquoi l'**essor**
et pourquoi la chute d'***Icare***
pourquoi les **ports**
pourquoi les ***gares***
pourquoi la **mort**
qui se ***prépare***
et pourquoi le vide empli jusqu'aux **bords** ?

Luc Estang, « Du vide » I,
Les Quatre Éléments

❐ 4 [Audiberti, Queneau] ; 258.8 [Heredia] ; 331 [Mallarmé]
510 [Pérol]

Nicéphore
roquefort°
terrefort°
coffre-fort°
contrefort°
porte-fort°
doryphore
Maisons-Alfort°
Belfort°
(fromage) du beaufort°
échelle de Beaufort°
(porteur de flambeau)
un lampadophore
xiphophore

lophophore
luminophore
(échanson) œnophore
zoophore
nécrophore
pyrophore
pneumatophore
galactophore
photophore
rhizophore
confort°
réconfort°
(découragement)
déconfort°

inconfort
il perfore
le Bosphore
(chimie) le **phosphore**
(il réfléchit) il phosphore
il déphosphore
oxford

señor
il **ignore**
monsignor

(bœuf) un gaur
(Palestine) le Ghor

OR°-ORE

(pêcherie) un gord°
Chandernagor°
mandragore
(Rabindranath) Tagore
Pythagore
Anaxagore
angor°
(il gémit) il plangore
(Léopold Sédar) Senghor°
Belphégor°
(ange) un égrégore
Igor°
Bigore
Périgord°
il revigore
(insecte luisant) un fulgore

(Roi mage) Melchior°
(maillechort) du melchior°
(Christian) Dior°
fjord°
il améliore
Niort°
(un/e) senior°
(un/e) junior°
il détériore
Saint-Yorre

(armée) (un) **major°**
(entreprise) une major°
(il hausse) il majore
état-major°
sergent-major°
tambour-major°

(prénom) **Laure**
(monastère) une laure
(titre) un lord°
(adverbe) lors°
alors°
(fermer) clore
(chimie) il/du chlore
enclore
éclore
déclore
folklore
forclore
dès lors°
(Frederick) Taylor°
(Elizabeth) Taylor°
Anne-Laure
duc de Roquelaure
(manteau)
une roquelaure
(déesse) Flore
(végétaux) la **flore**
il **déflore**
soliflore
mirliflor°/e
tubuliflore
uniflore
passiflore
multiflore
microflore
milord°
similor°
pylore
Marie-Laure
il **colore**

il **décolore**
bicolore
(n. dép.) technicolor°
omnicolore
unicolore
tricolore
versicolore
multicolore
incolore
monocolore
indolore
il **déplore**
il **implore**
il **explore**
modulor°

saint Maur°
(berbère)
(un/e) more/maure
(Provence) les Maures
(mordre) il **mord°**
saint Thomas More
(frein) un mors°
(un)/la MORT°
Vallée de la Mort°
trompette-de-la-mort°
un/e trompe-la-mort°
matamore
Raban Maur°
il en démord°
claymore
il (se) **remémore**
il **commémore**
tête-de-Maure
(mort tragique)
la malemort°
croque-mort°/
croquemort°
(remordre) il remord°
(regret) un **remords°**
sainte-maure
demi-mort°
Timor°
Baltimore
Saint-Maur°
Desbordes-Valmore
les Comores
sycomore
Gomorrhe
l'**Armor°**
les Côtes-d'Armor°
(jamais plus, angl.)
never more
corps-mort°

le **Nord°/nord°**
(départ.) le Nord°
lécanore
athanor°
Aliénor°
ténor°
Anténor°
(diamant) Koh-i Nor°
il minore
il **honore**
Éléonor°
sonore
infrasonore
ultrasonore

insonore
il **déshonore**
Corée du Nord°
Irlande du Nord°

(cochon) un porc°
(peau) des **pores**
(havre) un **port°**
(porter) le port°
apport°
rapport°
birapport°
il (s') **évapore**
emport°
avant-port°
déport°
téléport°
millépore
madrépore
Le Tréport°
bouche-pores
cul-de-porc°
garde-port°
report°
arrière-port°
passeport°
tubipore
héliport°
polypore
altiport°
import°
aéroport°
blastopore
hoverport°
il ré/incorpore
(germe) une spore
(activité) le **sport°**
transport°
handisport°
omnisports°
oospore
zoospore
macrospore
microspore
import-/export°
support°

il **pérore**
aurore

(fumer) il saure
(botanique) un sore
(destin) le **sort°**
(sortir) il **sort°**
les Açores
réassort°
massore
le Champsaure
hareng saur°
Windsor°
(élan) un **essor°**
(du linge) il **essore**
(mécanisme) un **ressort°**
en dernier ressort°
(résulter ; sortir) il ressort°
(Tristan) Klingsor°
prince **consort°**
sponsor°
Louxor°/Louqsor°

tussor°
(il engueule, Suisse) il azore
(siffler, arg.) appeler Azor°
(al-Mansûr) Almanzor°
trésor°
Isaure
Gisors°
téléosaure
stégosaure
plésiosaure
ichtyosaure
mégalosaure
tyrannosaure
dinosaure
(roi)
Nabuchodonosor°
(bouteille)
un nabuchodonosor°
(oreille, arg.) une zozore
atlantosaure
brontosaure
exhaure

(génisse) une taure
(Dieu) T(h)or°
(tordre) il **tord°**
(architecture) un tore
(unité) un torr°
(tordu) (un) **tors°**
(faute) un **tort°**
Hathor°
Mercator°
alligator°
médiator°
escalator°
(titre) imperator°
stator°
(Odyssée) Mentor°
(conseiller) un mentor°
hippo/**centaure**
(navire du Doge)
bucentaure
(Iliade) Stentor°
voix de/un stentor°
Hector°
il expectore
Fabius Pictor°
boa constrictor°
Victor°
(Paul-Émile) Victor°
(détordre) il détord°
(plus tordu) détors°
pléthore
le Métaure
(retordre) il **retord°**
(rusé) **retors°**
bitord°
Molitor°
Numitor°
monitor°
solicitor°
nasitort°
(d'autorité, arg.) d'autor°
le Minotaure
bi/rotor°
portor°
(cuisine, arg.) il/la tortore
store

(mythologie) Castor°
(animal) un **castor°**
(courtisane)
un demi-castor°
myocastor°
Nestor°
il restaure
drugstore
(distordre) il (se) distord°
(déformé) distors°
thyristor°
photo/**transistor°**
il **instaure**
(Michel) Butor°
(oiseau; goujat) un butor°

fluor°
cruor°
quatuor°
octuor°
septuor°
sextuor°

il **dévore**
on s'entre-dévore
(un) **herbivore**
énergivore
(un) frugivore
vermivore
(un) fumivore
(un) granivore
(avaleur de feu) ignivore
(un) omnivore
(un) **carnivore**
(un) piscivore
(un) insectivore
(un) budgétivore
(un) détritivore
l'Arvor°

assonances
381. OL-E
362. OBRE
412. ORME
413. ORNE

contre-assonances
45. AR-E
177. ER-ÈRE
228. EUR-E
567. UR-E

402. ORBE-ORB

ORBE
SORBE

(fleuve) l'Orb°
(rivière) l'Orbe
(sphère) un ORBE
(aveugle) mur orbe
(boue, rég.) la borbe
t(h)éorbe
euphorbe
(engourdi, rég.) gorbe
planorbe
spirorbe
SORBE
il **absorbe**
il réabsorbe
il adsorbe
sanguisorbe
il **résorbe**
(il dérange, rég.) il détorbe

Les sphères, le soleil et l'espace profond,
La musique du Nombre, universel **théorbe**,
Tout ce qui vibre, vit, tourne ou décrit son **orbe**
Chante et s'idéalise en son esprit sans fond.

Il sait, du noir Chaos en qui tout se confond,
De la Mort ténébreuse en qui tout se **résorbe**,
Les inconnus obscurs ; – et sa science **absorbe**
Tes vieux secrets, lourd Sphynx aux ongles de Griffon !

Louis Roux, « Pythagore »,
Les Siècles d'Or

Pour connaître la vie, il faut que l'on s'**absorbe**
Dans l'admiration muette d'une **euphorbe** ;
Il faut, de temps en temps, que l'on soit réveillé
Par un hanneton lourd tombant sur l'oreiller…

Rosemonde Gérard, « Sur une route »,
Les Pipeaux

J'ai dormi l'autre nuit sur des grappes de **sorbes**.
Je suis heureux. Je suis un petit oiseau ***sobre***.
Quand il fait trop de vent, quand tombent dans les combes
du haut en bas, en dégringolant, des blocs d'ombre,
je me cache entre deux touffes de serpolet.

Francis Jammes, « Le poète et l'oiseau »,
Le Deuil des Primevères

Ici l'on attend. L'on entend lourdir la **sorbe**.
Les foins du soir autrefois passaient par grand char.
L'ombre des pommiers passés fait des ronds sur l'***herbe***,
Le clément ravage avance à pas de faucheur.

Marcel Thiry, « Les amoureux »,
L'Encore in *Toi qui pâlis au nom de Vancouver…*

assonances	*contre-assonances*
360. OBE	*46. ARBE*
362. OBRE	*178. ERBE*
404. ORDE	*511. OURBE*

❐ *511 [Thiry]*

403. ORCHE

PORCHE
TORCHE

(faux pli, rég.) il/une borche
il **écorche**
(entrée) un PORCHE
(raccommodage, rég.)
une porche
(voiture, n. dép.) une Porsche
(flambeau) une TORCHE
(il essuie) il torche
(retourner la terre, rég.)
il revorche

Avec quelle furie et quelle volupté
Tu retournes la peau du martyr qu'on **écorche**,
Pour nous en faire voir l'envers ensanglanté !

Aux pieds des patients comme tu mets la **torche** !
Dans le flanc de Caton comme tu fais crier
La plaie, affreuse bouche ouverte comme un **porche** !

Théophile Gautier, « Ribeira »,
España

Ah ! détourne-toi du **porche** ;
Il tombe comme un deuil ;
Les mois ténébreux sont ***proches*** :
L'Automne a foulé sa **torche**
Et l'étouffe en la cendre des feuilles.

Francis Vielé-Griffin, « Les Feuilles »,
Chansons à l'ombre

Je voudrais être
Le linge que tu ***portes***
Les pavés où tu ***marches***
Les branches qui t'**écorchent**

Jean Rousselot, « Plus haut volant »,
À qui parle de vie in *Les Moyens d'existence*

assonances	*contre-assonances*
363. OCHE	*48. ARCHE*
408. ORGE	*179. ERCHE*
417. ORTE	*512. OURCHE*

❐ *408 [Apollinaire]*

404. ORDE-ORD°

CORDE
(répugnante, arch.) **orde**
(bande) une **horde**
(il longe) il borde
(ferme, rég.) une borde
il **aborde**
il saborde
il **déborde**
il reborde
skateboard°
story-board°
in-bord°
funboard°
il transborde
(lien) il/une CORDE
(...dorsale) une c(h)orde
il **accorde**
(lyre) (un) décac(h)orde
il raccorde
il désaccorde
hexacorde
tétracorde
pentacorde
(un) heptacorde
il s'encorde
il (se) décorde
(une raquette) il recorde
(il prévient, arg.) il recorde
manicorde
miséricorde
clavicorde

(instrument)
(un) **monocorde**
(monotone) **monocorde**
(lyre) un octocorde
(entente) une concorde
place de la **Concorde**
(avion) le Concorde
(il correspond) il concorde
whipcord°
il/une **discorde**
(Henry) Ford°
(auto, n. dép.) une Ford°
(John) Ford°
comte de Strafford°
bickford°
hereford°
(villc; université) Oxford°
(tissu) l'oxford°
fjord°
le Sognefjord°
lord°
coloured°
qu'il **morde**
sans qu'il démorde
qu'il remorde
qu'il **torde**
qu'il détorde
qu'il retorde
qu'il distorde
(balourde) butorde
(va et vient, rég.) il givorde
Vilv(o)orde
exorde

assonances
367. ODE
417. ORTE
405. ORDRE
400. OR-E

contre-assonances
50. ARDE
181. ERDE
513. OURDE

Le roi mort, les vingt-et-un coups de la ***bombarde***
Tonnent, signal de deuil, place de la **Concorde**.

Silence, joyeux luth, et viole et ***guimbarde*** :
Tendons sur le cercueil la plus macabre **corde**

Pour accompagner l'hymne éructé par le ***barde*** :
Le ciel veut l'oraison funèbre pour **exorde**.

L'encens vainc le fumet des ortolans que ***barde***
La ***maritorne***, enfant **butorde** non moins qu'**orde**.

Aux barrières du Louvre elle dormait, la ***garde*** :
Les palais sont des grands ***ports*** où la ***mort*** **aborde** ;

Corse, kamoulcke, ***kurde***, iroquoise et ***lombarde***,
Le catafalque est ceint de la ***jobarde*** **horde**.

Sa veille n'eût point fait camuse la ***camarde*** :
Il faut qu'un rictus **torde** et qu'une bouche **morde**.
[...]
Les Suisses au pavé heurtent la ***hallebarde*** :
Seigneur, prends le défunt en ta **miséricorde**.

Alfred Jarry, « Bardes et Cordes »,
Œuvres complètes

les sujets que tu **abordes**
je m'en fous éperdument
tes souvenirs **monocordes**
sont des clichés maintenant
à trop tirer sur la **corde**
tu as étouffé l'amour
l'instrument se **désaccorde**
quand le musicien est sourd

et quand la coupe **déborde**
on reste à court d'arguments
mais déjà je me sens **fort de**
vivre sans toi, et pourtant
je t'aimais je te l'**accorde**
je t'aimais profondément.
mais où sont nos joies d'antan
je m'en fous éperdument

Charles Aznavour, « Je m'en fous éperdument »,
Des mots à l'affiche

Je joue d'un violon dont j'ai tranché les **cordes**
Je n'ai plus de l'archet qu'un souvenir de brume
J'invente des musiques qui glissent sur les ***mortes***
J'écoute un piano de marteaux sur enclume

Marcel Moreau, « Decrescendo »,
Chants de la tombée des jours

❐

405. ORDRE

ORDRE
MORDRE

ORDRE
MORDRE
ne pas en démordre
remordre
superordre
contrordre
désordre
sous-ordre
tordre
détordre
retordre
distordre

Je suis une danseuse en scènes déroulée
Mimant sur les confins l'adultère de l'**ordre**
Toujours avant les mains qui brûlent de me **tordre**
Je me suis applaudie avec mes mains voilées.

Confondue au dieu seul qui m'eût échevelée
Tous les assauts des chiens ont cru pouvoir me **mordre**
Mais comment rêvaient-ils mes sensibles pieds d'**or**
Dressés au vol bloqués par leurs lourdes mêlées ?

Simone de Carfort, « Une danseuse vous parle »,
Ermarindor

Ose gémir !... Il faut, ô souple chair du bois,
Te **tordre**, te **détordre**,
Te ***plaindre*** sans te rompre, et ***rendre*** aux vents la voix
Qu'ils cherchent en **désordre** !

Paul Valéry, « Au platane »,
Charmes

☞

ORDRE

Dérision des cris de chefs impérieux
Qui frappent l'air fragile de leurs ***cordes***.
Il n'est de décrets que haïs sauf l'**ordre**
Indiscernable et solennel de Dieu.

Jean Grosjean, « Impact »,
Le Livre du Juste

❐

assonances	*contre-assonances*
404. ORDE	*182. ERDRE*
362. OBRE	*51. ARDRE*
396. OPRE	*514. OURDRE*
401. OR-E	

406. ORF°-ORPHE

AMORPHE

(Carl) Orff°
Düsseldorf°
(Joseph von) Eichendorff°
Vénus de Willendorf°
(Volker) Schlöndorff°
(Karl) Naundorf(f)°
(morphine, arg.) la morph°
AMORPHE
dimorphe
polymorphe

homéomorphe
zygomorphe
lagomorphe
énantiomorphe
allélomorphe
zoomorphe
anthropomorphe
théromorphe
hétéromorphe
mésomorphe
isomorphe
(Jacques) Hittorff°

Aride, **amorphe**,
Et **polymorphe**

Base ***morphine*** !
Toi la morose
Âme dauphine
De la Mort Rose !

Francis Lalanne, « Ma Veine À Peine Éclose »,
Les Carnets de Lucifer, p. 80

Moi, *il dit*, je m'aime
êêêmeu-eu-eu-eu,
même
en démantibulé
(é-é-é-é-é-é)
[...] en ***catastrophe*** **amorphe**
(o-o-o-o-o-or-o-or-feu-euh-euh-euh)

Christian Prigent, « Écoute, petit homme » 2,
Écrit au Couteau

❐

assonances	*contre-assonances*
370. OF-E	*52. ARF*
383. OLF-E	*183. ERF*
372. OFRE	*240. URF*[œrf]

407. ORFLE

(il subit, arg.) il morfle

assonances
406. ORF-ORPHE
371. OFLE
370. OF-E

408. ORGE

FORGE
GORGE

(affluent) l'Orge
(céréale) sucre d'**orge**
(déborder, rég.) l'eau borge
il/une FORGE
il reforge
(rois) George
(prénom) **Georges**
(rois) Georges
(David) Lloyd George
saint Georges
canal Saint George
il se/une GORGE
(ahuri, rég.)
(un) badagorge
il engorge
il se **rengorge**

Même en amour les mots se veulent de bon sens
pour ne confondre pas grain de peau et grain d'**orge** ;
et je ne fais un grain de sel d'un grain d'encens
qu'afin de relever le goût pris à ta **gorge**.

Quelle **gorge** recouvre un terme aussi décent ?
J'ai blasonné ton renflement de cou, la **forge**
douce où parfois je vois battre et rougir ton sang.
Mon grain de sel nouveau sort d'un autre **salorge**.

Luc Estang, « Autre gorge »,
Corps à cœur. XLI

Que fais-tu dans ce monde, **Norge**,
Dont tes anges paraissent loin ?
......

ORGE

il désengorge
il **égorge**
il dégorge
on s'entre-égorge
rouge-gorge
coupe-gorge
il regorge
arrière-gorge
soutien-gorge
sous-gorge
(magasin à sel, rég.) un salorge
(rivière) la Morge
(ferment, rég.) la morge
(Géo) Norge
Savigny-sur-Orge
Juvisy-sur-Orge

Tes aimables mouches se **gorgent**
D'une charogne bien à point.

Géo **Norge**, « Les anges, les mouches »,
Les Coq-à-l'âne

Chante, **Rouge-gorge**
Le Temps des Cerises
Savigny-sur-Orge
Paraîtra moins grise

Renaud, « Rouge-gorge »,
Le Temps des noyaux

Nous chanterons le feu la noblesse des **forges**
La ***force*** des grands gars les gestes des larrons
Et la mort des héros et la gloire des ***torches***
Qui font une auréole autour de chaque front

Guillaume Apollinaire, « Avenir »,
Le Guetteur mélancolique

La lune monte, et sur ce **bord je**
Pense à tes bras que j'ai baisés,
Et qu'aux soirs bleus tu écrasais
Des mûres noires sur ta **gorge**.

Tristan Derème, « Ce soir de septembre… »,
La Verdure dorée. CXI

assonances
374. OGE
403. ORCHE
415. ORSE
420. ORZE

contre-assonances
53. ARGE
184. ERSE
515. OURGE
571. URGE

❐ *415 [Ferré] ; 419 [Lamarche] ; 420 [Fondane] ; 571 [Fort]*

409. ORGNE

BORGNE
LORGNE

(un/e) BORGNE
(nuit, arg.) la borgne
(se masturber, arg.) étrangler le borgne
il **éborgne**
(bigleux) caliborgne
(manger sans faim, rég.) être/il pichorgne
(de travers, rég.) de quincorgne
(coup, rég.) une dorgne
(mauvaise musique, rég.) une chanforgne
(il se bat, rég.) il se bigorgne
il LORGNE
(zieuter, rég.) il décalorgne
on s'entre-lorgne

J'habite un hôtel **borgne**, si **borgne**, si **borgne**,
Que je frémis lorsque le soir
Je vois son œil qui luit dans l'noir
Quand le patron me **lorgne**, me **lorgne**, me **lorgne**…

Charles Trenet, « L'hôtel borgne »,
Tombé du ciel

Ô quel vain orgueil nous voyons !
Ces deux Caps qui les Cieux **éborgnent**
Sans se remuer s'**entre-lorgnent**
Ainsi que deux Béliers coyons*.

Marc-Antoine Girard de Saint-Amant, « Le passage de Gibraltar » v. 523-526,
Œuvres. II

* lâches

Il cognait sur la ***bigorne***
Comme un sourd ou comme un **borgne**…

Maurice Fombeure, « Généalogies »,
Les Étoiles brûlées

Nous avions posé notre ***trogne***
c'était fini – dans le fossé,
c'était fini – et l'on dormait
fourbus, sous les étoiles **borgnes**.

Benjamin Fondane, « Intermède » XVI,
L'Exode in *Le Mal des fantômes*

assonances
376. ORGNE
393. ONE
413. ORNE

contre-assonances
54. ARGNE
185. ERGNE

❐

410. ORGUE-ORG°

ORGUE

(individu, arg.) un orgue
(instrument) un ORGUE
(Björn) Borg°
(Emanuel) Swedenborg°
l'Escandorgue
(Jules) **Laforgue**
(arrogance) **morgue**
(pour cadavres)
la **Morgue/morgue**
(moi, arg.) monorgue
(toi, arg.) tonorgue
(lui, arg.) sonorgue
(rivière) la Sorgue
(nuit, arg.) il/la **sorgue**
(par tromperie, arg.)
à l'**estorgue**
(concubinage, arg.)
s'entifler à l'estorgue

assonances
401. OR-E
412. ORME
414. ORQUE
377. OGRE

contre-assonances
55. ARGUE
186. ERGUE
516. OURGUE
572. URGUE

Indécis comme un vers de poeta ***minor***
Ton visage parmi tes songes, et les **orgues**
De tes silences et tes yeux couleur du ***Nord***
Et ta chère âme grise et bleue un peu **Laforgue**

Marcel Thiry, « Indécis comme un vers… »,
Toi qui pâlis au nom de Vancouver…

Les clignotantes dans la **sorgue**
En attendant font leur tapin,
Le bourguignon fait ronfler l'**orgue**
Pendant que se bourre la **morgue**,
Le piaf des bois goulale aux lapins
Et le piscaille à pleines **forgues**
Ripe en fusant dans les coinstos
Où le flot frise et fait château.

Robert Desnos, « Hors du manteau… »,
Calixto

Elle est bien ***morte*** maintenant, la voix des **orgues**
Qui rappelait les souvenirs d'anciennes choses ;
À l'an prochain d'autres noëls, les **orgues *dorment***.

Charles Guérin, « Orgues mortes »,
Premiers et derniers vers

Enroulé à toi Oui comme un orage et l'outrage des ***vergues***
M'enverguant le printemps Tout doux et ***fort***
Et carrément dans l'os et dans le ténébreux et dans la fente
Obscénité mon dieu que tu me déployais
Ça gonflait sous le froc encore et puis ***encore***
J'allais par les chemins visqueux dire mon **orgue**

Léo Ferré, « I have a *rendez-vous avec* the wind »,
Testament phonographe

❐

411. ORLE

orle
(il secoue, rég.) il gorle
mandorle

assonances
381. OLE
401. ORE
361. OBLE
412. ORME

contre-assonances
56. ARLE
187. ERLE
230. EURLE
573. URLE

colère des peuples débouché des Dieux leur ressaut
patienter le mot son ***or*** son **orle**
jusqu'à ***ignivome***
sa bouche

Aimé Césaire, « Pour dire… »,
Moi, laminaire. 7 in *La Poésie*

❐

412. ORME

FORME
ÉNORME

orme
(marécage, rég.) borme
(il s'enlise, rég.)
il s'emborme
corme
(dormir) qu'il dorme
(sommeil, arg.) la dorme

qu'il (s') **endorme**
qu'il (se) rendorme
il/une FORME
il **déforme**
méforme
il/une **réforme**
(histoire) la Réforme
la Contre-Réforme
il préforme
haut-de-forme
il reforme
plateforme

Vers filés à la main et d'un pied **uniforme**,
Emboîtant bien le pas, par quatre en peloton ;
Qu'en marquant la césure, un des quatre s'**endorme**…
Ça peut dormir debout comme soldats de plomb.

Sur le *railway* du Pinde est la ligne, la **forme** ;
Aux fils du télégraphe : – on en suit quatre, en long ;
À chaque pieu, la rime – exemple : **chloroforme**.
– Chaque vers est un fil, et la rime un jalon.

Tristan Corbière, « 1 sonnet avec la manière de s'en servir »,
Les Amours jaunes

☞

ORME

difforme
cordiforme
oléiforme
cunéiforme
protéiforme
fongiforme
anguiforme
aliforme
ombelliforme
lamelliforme
mamelliforme
filiforme
bacilliforme
infundibuliforme
sacculiforme
vermiforme
campaniforme
réniforme
gélatiniforme
ruiniforme
(monotone) **uniforme**
(costume) un **uniforme**
tubériforme
passériforme
(un) ansériforme
cratériforme
hystériforme
piriforme
ensiforme
bacciforme
sacciforme
pisciforme
spiciforme
falciforme
sulciforme
unciforme
diversiforme
cruciforme
éruciforme
(le) pisiforme
fusiforme
lentiforme
digiforme
multiforme
épileptiforme
scutiforme
linguiforme
onguiforme
(sans forme) **informe**
(il avertit) il **informe**
il surinforme
il désinforme
iodoforme
microforme
il/du **chloroforme**
il (se)/être conforme
superforme
il transforme
(vin, arg.) du pichtogorme
(courtisane)
(Marion de) Lorme
(théâtre) Marion Delorme
(Philibert) Delorme
norme
ÉNORME
multinorme

Cruppi ! Méandre unique aux détours **multiformes**, –
Vaudoyer ! Fleuve algide où gît le Devenir, –
Hepp ! Parc enclos de buis où sans l'ombre des **ormes**
Des marbres très anciens achèvent de mourir.

Gano ! Paradis d'Absolu, Berceau des **Normes** !
De Traz ! Doux lacs jumeaux où s'endort le désir, –
Hubert Gournay ! Banquet aux ripailles **énormes**, –
Michet ! Bruyère rose où le vent vient frémir...

Catherine Pozzi, « Cruppi ! Méandre unique... »,
Œuvre poétique

Cormier le temps l'a tué les **cormes**
ont trop pourri petits fruits mous en **forme**
de les greniers perdus les prés vieux **dorment**
pays loin feuillage rugueux des **ormes**
j'entends rien le cœur ne pourrit pas le temps **déforme**
trop peu les poèmes comment parler du cœur avec les **cormes** ?

James Sacré, « Le cormier »,
Ancrits

Un peu de patience et nous aurons notre ***homme***,
Pris au piège, blessé au cœur, tordu sur lui...
Il descend sans appel dans la grisaille **informe**,
Tout ce qui était chaud lentement s'attiédit.

Patrice de La Tour du Pin, « D'un captif »,
Petite Somme de poésie

J'aime l'heure où, tout changeant de **forme**,
Le clair et l'obscur luttent ensemble ;
Il me suffit que le tremble tremble,
Que le ***charme charme***, et l'**orme dorme**...

Robert de Montesquiou, « Tremblaie »,
Les Chauves-souris. XIX

assonances
392. OME
413. ORNE
417. ORTE

contre-assonances
57. ARME
188. ERME
518. OURME

❒ *413 [Lebesgue] ; 410 [Guérin] ; 188 [Pirotte]*

413. ORNE-ORN°

BORNE
MORNE
(fleuve ; dépt.) l'Orne
(il pare) il **orne**
(frêne) un **orne**
(abattre des arbres)
faire orne
il/sans/une BORNE
Bertran de Born°
massif des Bornes
(cabane, rég.) une caborne
il **suborne**
il/une **corne**
il encorne
(bavarde, rég.)
il/une cancorne
il écorne
il décorne
(un) **bicorne**
(il bat, arg.) il (se) chicorne
(un) longicorne
licorne
salicorne
(un) lamellicorne
(un) **unicorne**
(animal) un **capricorne**
(zodiaque) le Capricorne
tropique du Capricorne
tricorne
(un) cavicorne
pop-corn°
(trompette, rég.) un fiscorn°
(giron, rég.) la dorne
(il pare) il adorne
tadorne

La Princesse de l'Inde avait nom **Maritorne** ;
L'Armet n'était qu'un plat qui coiffait un barbier ;
L'illustre châtelain qu'un maraud d'hôtelier ;
Et c'était un porcher qui sonnait de la **corne**.

Mais la Laideur, le Mal, la Réalité **morne**,
Tu les as défiés en combat singulier,
Ô toi qui croyais voir à travers le hallier
Fuir la Chimère ***torse*** ou la claire **Licorne** !

Gilbert Lely, « Don Quichotte de la Mancha »,
Allusions ou poèmes in *Poésies complètes.* II

Par les plaines de ma crainte tournée au ***Nord***,
Voici le vieux berger des Novembres qui **corne**,
Debout, comme un malheur, au seuil du bercail **morne**,
Qui **corne** au loin l'appel des troupeaux de la ***mort.***
......

ORNE-ORN

(Friedrich von) Hagedorn°
(il cache, rég.) il encaforne
(femme laide) une dagorne
il **flagorne**
leghorn°
(vin, arg.) du pichtegorne
(enclume) une bigorne
(argot, arg.) la/le bigorne
(il se bat, arg.) il se bigorne
caliorne
(il geint, Suisse) il piorne
(plante) la **viorne**
(il s'active, rég.) il viorne
(journée, arg.) un jorne

(triste) MORNE
(montagne) un morne
(anneau) une morne
cromorne
les Nornes
cap Horn°
le Torne
litorne
(maladroit)
(un/e) malitorne
maritorne
(Nathaniel) Hawthorne
shorthorn°
saxhorn°

assonances
393. ONE
412. ORME
417. ORTE
401. OR-E

contre-assonances
58. ANE
189. ERNE
519. OURNE
575. URNE

L'étable est cimentée avec mon vieux ***remords***,
Au fond de mes pays de tristesse sans **borne**,
Qu'un ruisselet, bordé de menthe et de **viorne**
Lassé de ses flots lourds, flétrit, d'un cours ***retors***.

Émile Verhaeren, « La Peur »,
Les Apparus dans mes chemins

Le vent aigu de l'***automne***
Qui siffle et qui ***mord*** ;
La course dans le soir **morne**
De vos feuilles, mes grands ***ormes*** ;
Mon cœur, ce frelon qui ***bourdonne***
Aux lys ***morts***…

Philéas Lebesgue, « Au cœur des jours »,
Campagne de France in *Œuvres poétiques.* III

Au ***coupe-gorge*** noir, sous le tombant du **jorne**
Où tu faisais flamber ton regard andalou,
Quand tu me rouscaillais ton amour en **bigorne**,
Je suis branché pour toi, sinistre **maritorne** !
Le macchoux qui te chauffe en loupeur, ton loulou,
Le benoist qui te couve avec un œil ***paterne***,
M'a pendu pour venger l'honneur de ton bilou :
Je gigote en râlant sous ta rouge ***lanterne*** !

Marcel Schwob, « Ballade pour Gérard de Nerval
pendu à la fenêtre d'un bouge »,
Écrits de jeunesse

❐ *409 [Fombeure] ; 417 [Vielé-Griffin] ; 214.21 [Rabearivelo]*

414. ORQUE-ORK

NEW YORK°

orque
(Gerard) Terborch°
Cork°
Majorque
Palma de Majorque
il/une **remorque**
un/e semi-remorque
(insulte, arch.) un **porc**°
(marine) une porque
un/e torque
il **rétorque**
il **extorque**
(yorkshire) un york°
(ville) York°
maison d'York°
jambon d'York°
NEW YORK°

assonances
400. OQUE
417. ORTE
410. ORGUE
365. OCRE

contre-assonances
60. ARQUE
191. ERQUE
229. EURK
577. URQUE

Où va cet univers dérivé comme un cygne
Sur l'étang désiré où nos âmes **remorquent**
Toute une exhalaison d'horaires et de signes…
Il est cinq heure(s) ici et midi à **New York** !

Léo Ferré, « Où va cet univers ? »,
Poète… vos papiers !

Il a beau frapper, il n'**extorque**
Aucun regret mazovien,
Aucun souvenir de **Majorque**
Aux Préludes mêmes !…

Edmond Rostand, « Le Cœur de Chopin »,
Le Vol de la Marseillaise

Veaux et **porcs**
De Rome à **New York**
De **New York** à Carpentras –
Deridera

Guy Béart, « Idéologie »,
Couleurs et Colères du temps

et c'est mon âme que tu ***emportes*** après toi mon âme en ***forme*** de branche ***morte***
mon âme par les tapis et les mousses
mon âme sur les pierres et les pavés à ta **remorque**
en train de rajouter toujours à ton passage une ***remarque***

Louis Aragon, « Je lui montre la trame du chant »,
Les Poètes

❐ 229 [Nougaro] ; *521 [Prévert]*

415. ORSE

FORCE

(île) la Corse
(habitant) (un/e) **corse**
(il épice) il corse
(il supporte, rég.) il encorse
il/une **écorce**
il/la FORCE
(ciseaux) des forces
(prison) la Force
duc de La Force
il **renforce**
il s'**efforce**
(il déprime, Belg.) il déforce
idée-force
(n. dép.) **Crasy-Horse**
(bouchée, Suisse)
une morce
(alphabet) (le) morse
(animal) un **morse**
il/une **amorce**
il désamorce
introrse
extrorse
dextrorse
(tordue) torse
(buste) un **torse**
entorse
détorse
retorse
(déformée) distorse
il/un **divorce**

assonances
408. ORGE
423. OSSE
401. OR-E
420. ORZE

contre-assonances
61. ARSE
192. ERSE
315. IRSE
522. OURSE

Absence, Absence, Absence, ô cruelle **divorce**,
Pitié des affligés, maison d'obscurité,
Qui ruine tout le monde, et dont l'autorité
Fait de nouveaux enfers, connaissant bien sa **force**,

Pourquoi, hélas ! pourquoi, ô misérable **amorce**
De mes soudainetés, as-tu précipité
Mon cœur sur tous les cœurs, amoureux éventé,
Indomptable et hautain, et qui n'a que l'**écorce** ?

Christofle de Beaujeu, « Absence, Absence, Absence… »,
Les Amours. C

La tarentule du chaos
Guette la raison qu'elle **amorce**.
L'Esprit marche avec une **entorse**
Et roule avec d'affreux cahots.

Entendez hurler les manchots
De la camisole de **force** !
La tarentule du chaos
Guette la Raison qu'elle **amorce**.

Aussi la Mort dans ses caveaux
Rit-elle à se casser le **torse**,
Devant la trame obscure et **torse**
Que file dans tous les cerveaux
La tarentule du chaos.

Maurice Rollinat, « La Folie »,
Les Névroses

Des amis m'ont traîné de **force**
À Paris, pour me consoler
Voir du strip-tease au **Crazy-Horse**
J'en suis ressorti désolé…

Jean-Roger Caussimon, « Le cyclope »,
Mes chansons des quatre saisons

Depuis voilà bientôt trente ans
Depuis voilà bientôt dix jours
Depuis voilà bientôt ta ***gorge***
Depuis voilà bientôt ta ***source***
Depuis que je traîne ma ***course***
Au creux des nuits comme un forçat
À patibuler mon **écorce**

Léo Ferré, « Muss es sein ? Es muss sein ! »,
Testament phonographe

❒ *420 [Brassens] ; 432 [Libbrecht] ; 61 [Romains] ; 192 [Aragon] ; 315 [Métail]*

416. ORSQUE-ORSK°

Orsk°
Oust-Kamenogorsk°
Magnitogorsk°
lorsque
Kramatorsk°

assonances
414. ORQUE
400. OQUE
422. OSQUE

417. ORTE-ORT°

MORTE
PORTE

aorte
Phraorte
short°
boxer-short°
accorte
il/une **escorte**
(solide) **forte**
(fleuve) le Forth°
extra-forte
place forte
main-forte
eau-forte
il conforte
(il décourage)
il **déconforte**
il **réconforte**
(une) MORTE
Aigues-Mortes
feuille-morte
demi-morte
mainmorte
mer Morte
cohorte
une PORTE
il **porte**
il **apporte**
il **rapporte**
porte-à-porte
il **emporte**
il remporte

il **déporte**
(Philippe) Desportes
pas-de-porte
dessus-de-porte
la (Sublime) Porte
veine porte
il reporte
contre-porte
(importance)
n'/qu'/il **importe**
(commerce) il importe
il réimporte
il colporte
cloporte
bateau-porte
(il réagit) il (se) comporte
(cuve) une comporte
Newport°
il **transporte**
il **supporte**
il l'insupporte
il ré/exporte
(espèce) une **sorte**
(sortir) qu'il **sorte**
qu'il ressorte
il **exhorte**
(difforme) **torte**
(une cornue, arch.)
une retorte
bistorte
(Charle-Frédéric) Worth°
il **avorte**
(Rita) Hayworth°
(William) Wordsworth°

Fille de la Vérité,
L'espérance n'est pas **morte**,
La voici qui est la plus **forte**
Avec ses ailes arrachées !
À travers l'immense **cohorte**
Dont le ciel est ensemencé
La voici qui se **transporte**
Avec ses ailes arrachées !
La voici nue et sans **escorte**,
Avec ses ailes arrachées,
Comme une coupe qu'on t'**apporte**,
Avec ses ailes arrachées,
Comme une sœur qui t'**exhorte**,
Avec ses ailes arrachées !

Paul Claudel, « Cantique de l'Espérance »,
Poèmes retrouvés in *Œuvre poétique*

Et si ce grand ciel
n'était que chair **morte**
blessure ou **cloporte**
puits existentiel
nuages de fiel
clé veuve de **porte**
que le vent **déporte**
gouffre exponentiel…

Karel Logist, « Et si ce grand ciel… »,
Le Séismographe, p. 66

Il s'accumule en nos mémoires ***mornes***
Trop de verbeuses vaines chansons **mortes** :
Nous avons lu la route à trop de ***bornes***,
Demandé le chemin à trop de **portes** ;
Je veux la rose, ô Reine, dont tu t'***ornes***,
Je veux le lis que dans ta main tu **portes**.

Francis Vielé-Griffin, « Eurythmie »,
Les Cygnes

Même les feuilles sèches sont **mortes**,
Et maintenant de la neige et de l'ombre tombent.

On dirait de mauvais anges qui ***heurtent***
Les marteaux rouillés contre les **portes**,
Des anges qui nous tuent de souffrances très lentes,
Et, à l'horizon, les tristes nues, traînantes…

André-Ferdinand Hérold, « Sur la terre il tombe… »,
Chevaleries sentimentales

assonances
427. OTE
404. ORDE
413. ORNE
424. OSTE

contre-assonances
62. ARTE
194. ERTE
232. EURTE
523. OURTE

❐ *404 [Moreau] ; 424 [Franc-Nohain] ; 414 [Aragon]*
62 [Chabaneix] ; 523 [Cadou]

418. ORTSCH

borchtch/bort(s)ch

Ainsi finalement je vais dîner d'un **borchtch**,
C'est signe qu'un de nous a un nom vraiment ***mochtche.**** *

Nicolas Graner,
Rondibelle

* moche

assonances
403. ORCHE
426. OTCH-E
363. OCH-E

419. ORVE

MORVE

Estienne d'Orves
il/la MORVE
torve

J'eusse, en effet, aimé, malgré mon âme **torve**
De marrane à Platon plutôt se référant,
Revêtir un beau jour, dans le trouble et la **morve**,
Une peau d'anspessade et les marques du rang.

Jacques Audiberti, « Le rude moment… »,
L'Empire et la Trappe

Vos pensers sont pervers, votre sourcil est **torve** ;
Vous rendez jugement dans des oracles faux.
Comme des malfaiteurs vous cachez vos travaux
Et des blasphèmes sourds tourmentent votre ***gorge***.

Gustave Lamarche, « Pourquoi prenez-vous des faces de pécheurs ? »,
La Consommation in *Œuvres poétiques. 1*

poivres gélatineux glaviots à l'air de **morve**
milliasses de points vifs larmes à l'air de ***larve***
frétillants bousculés de la neuve piscine
où barbotait la terre énorme et enfantine

Raymond Queneau, « Premier chant » v. 205-208,
Petite cosmogonie portative

assonances
408. ORGE
413. ORNE
430. OVE

contre-assonances
65. ARVE
197. ERVE
579. URVE

❒

420. ORZE

MIL(LE) NEUF CENT QUATORZE

(Sforza) Sforze
14/**quatorze**
1914/MIL(LE) NEUF CENT QUATORZE
Louis XIV/Quatorze
74/soixante-quatorze
94/quatre-vingt-quatorze

C'était un peu avant **mille neuf cent quatorze**
Le rouge pantalon fleurissait dans les champs
On n'allait pas encore comptant siort xeud nu **orze***
L'art de la guerre avait un parfum de printemps

Raymond Queneau, « Clausewitz chez les Berbères »,
Sonnets in *Le Chien à la mandoline*

* trois deux un zéro (anagrammes)

Et si vous entendez crier comme en **quatorze** :
« Debout ! Debout les morts ! » ne bombez par le ***torse***,
C'est l'épouse exalté' d'un rédacteur en chef
Qui m'incite à monter à l'assaut derechef.

Georges Brassens, « Le Bulletin de santé »,
Poèmes et chansons

… Notre-Dame des Blés, du Maïs, et de l'***Orge***,
Toi qui sais que les cales du monde prennent l'eau,
Aie pitié de ces hommes de **1914**, –
aie pitié de ces rats qui fuient le bateau.

Benjamin Fondane, « Pourquoi l'océan… »,
Ulysse in *Le Mal des fantômes*

assonances
408. ORGE
415. ORSE
403. ORCHE

❒

421. OSME

(de Médicis) Cosme
macrocosme
microcosme

assonances
392. OME
412. ORME

contre-assonances
68. ASME
318. ISME

422. OSQUE-OSC°

les Osques
(mouche) hippobosque
(coup, rég.) il/une gnosque
kiosque
(entêté, rég.) closque

(il assomme, rég.)
il enclosque
Manosque
Solidarnosc°

assonances
400. OQUE
414. ORQUE
432. OXE

contre-assonances
70. ASQUE
200. ESQUE
320. ISQUE

Tout bon jeune homme, fût-il **Osque**,
C'est clair,
Sait choisir, joyeux, dans un **kiosque**
L'Éclair...

Ernest d'Hervilly, « Le Constitutionnel »,
La Lanterne en vers de couleur

❒

423. OSSE-OS°

NOCE
FÉROCE

os°

le Laos°
Archélaos°
naos°
pronaos°

(enflure) une **bosse**
(il travaille) il bosse
(patron) un boss°
(il bosselle) il cabosse
(fruit) une cabosse
la fée **Carabosse**
il embosse
(méchante femme)
une fébosse
ronde-bosse
ovibos°
Lesbos°

(gousse) une **cosse**
(flemme) la cosse
(il heurte) il cosse
(île) Cos°
l'**Écosse**
(il épluche) il écosse
la Nouvelle-Écosse
précoce
Séleucos°
catholicos°
Antiochos°

la Cappadoce
Abydos°
sacerdoce

taconeos°
spéos°

Paphos°

un/e **gosse**
(il bavarde, rég.)
il bagosse
Lagos°
pelagos°
les Galapagos°
Saragosse
négoce

(sage-femme, arg.)
un/e tire-gosse
(l') azygos°
logos°
Argos°
Burgos°

(adieu!, esp.) adios!°
alios°
Hélios°
amnios°
hydramnios°
Apollonios°
Asclépios°
Darios°
Démétrios°
Photios°

la Chalosse
(étourdi, Belg.)
un saute-aux-bloces
Byblos°
Délos°
(animal fabuleux)
l'Hippocampélé-
phantocamélos°
véloce
Pangloss°
ophioglosse
balanoglosse
cynoglosse
(l') hypoglosse
isoglosse
buglosse
Pylos°
colosse
(peuple) les Molosses
(chien) un **molosse**
tholos°
(péplum) un péplos°
Carlos°

Amos°
Samos°
Cadmos°
cosmos°
Pat(h)mos°

NOCE
(il s'étrangle, rég.)
il s'encanosse
(Georges) Bernanos°
(serpillière, Suisse)
il/une panosse

Il aime, il aime ! À nous les musiciens des **noces ;**
À nous les bâtisseurs des idylles ; à nous
Les graves cuisiniers des appétits **précoces**,
Les souffleurs des soupirs hypocrites et mous.

Ces fougueux ont besoin de conseil. Leur **féroce**
Convoitise amollit un peu trop leurs genoux.
Ils ignorent encor qu'aimer est un **négoce**
Qui doit cuire à feu lent ainsi que les ragoûts.

Armand Godoy, « Midi »,
Marcel

La reine au fond de son **carrosse**
Rêve d'un troupeau d'éléphants,
Le cardinal avec sa **crosse**
Attrape les petits enfants :

Le cireur jonglant de la **brosse**
En pieds noirs change les pieds blancs
Et redoutables du **colosse**
Qui porte la Rose des Vents...

André Salmon, « Politique »,
Les Étoiles dans l'encrier

Polichinelle signe : **Éros**,
Et, comme fils de **Carabosse**,
Donne au divin **Antinoos***
Le conseil de rentrer sa **bosse**...

Théodore de Banville, « Delirium Tremens »,
Occidentales

* Antinoüs

L' piano mécanique
Et fantomatique
Au sourire en **os**
Dit : Au temps d' ma gloire
Mes blanches, mes noires
Croquaient les **pesos**...

Mais vient la vieillesse
Et douc'ment on laisse
Pisser l' **mérinos**...
Tu m'es sympathique
J' te donn' ma musique
Et... *vayan con* **Dios** !

Jean-Roger Caussimon, « Le piano de Rio »,
Mes chansons des quatre saisons

Au repas de **nos noc's**
Ma tendre et ***douc' touss'***
Étranglée par un **no nos**
Qui'y avait dans l'***couscous***

Boby Lapointe, « In the desert »,
Intégrale

❒ 328 [Deville] ; *363 [Saint-Amand] ; 487 [Dufrêne]*

OSSE-OS°

Ouranos°
tétanos°
strychnos°
temenos°
Héautontimoroumenos°
(Miguel de) Molinos°
Minos°
mérinos°
Ictinos°
Lemnos°
nonos°
Kronos°/Cronos°
opisthotonos°
(Robert) Desnos°
Cornélius Nepos°
(bon à rien, rég.) un claqueposse
Atropos°

(vieille carne) (une) **rosse**
(il cogne) il rosse
(sir John) Ross°
île/barrière de Ross°
il/un **carosse**
Pharos°
jarosse
(île) Paros°
(marbre) du paros°
saros°
il/une **brosse**
balai-brosse
tapis-brosse
(bâton) il/une **crosse**
(noiser) chercher des crosses
(Henri-Edmond) Cross°
(course) un cross°
(avare, Belg.) (un/e) pice-crosse

porte-crosse
(n. dép.) bicross°
cyclo-cross°/cyclocross°
vélocross°
motocross°
il/une drosse
(dieu) **Éros°**
(psychanalyse) l'éros°
FÉROCE
(par bouche) per os°
(Georges) Perros°
mégacéros°
rhinocéros°
anthocéros°
(George) Grosz°
Pyrrhos°
couros°/kouros°
atroce
Antipatros°

des pesos°
Cnossos°
Ipsos°
Naxos°
Hyksos°
il désosse
Dionysos°
il tosse
mont Athos°
(dieu) **Thanatos°**
(psychanalyse) le thanatos°
pathos°
ethos°
Xanthos°
(laïus) un ithos°
les Chlquitos°
(lotus) un lotos°

Ploutos°
Héphaïstos°

assonances
363. OCHE
415. ORSE

contre-assonances
449. AUSSE
525. OUSSE

424. OSTE-OST°

POSTE

(h)ost°
Aoste
le Val-d'Aoste
(Dieudonné) Costes
il **accoste**
(René) Lacoste
(serge) anacoste
Faust°
l'Arioste
périoste
(gouverneur) un harmoste
(lecteur) un anagnoste
glasnost°
(place ;radio) il se/un POSTE
(courrier) il/la POSTE
(à sa convenance) à la poste
(ornements) des postes
il aposte
avant-poste
malle-poste
timbre-poste
voiture-poste
il/une **riposte**
(un) multiposte
imposte
(engrais) du compost°
(il amende) il composte
(il poinçonne) il composte
wagon-poste
ex post°
(rôtie, rég.) une roste
staroste
(Robert Lee) Frost°
permafrost°
(Alain) Prost°

Là-bas, sur le capot de cette **Silver Ghost**
De dix-neuf cent dix s'avance en éclaireur
La Vénus d'argent du radiateur
Dont les voiles légers volent aux **avant-postes**

Hautaine, dédaigneuse, tandis que hurle le **poste**
De radio couvrant le silence du moteur
Elle fixe l'horizon et l'esprit ailleurs
Semble tout ignorer des trottoirs que j'**accoste**

Serge Gainsbourg, « Melody »,
Dernières nouvelles des étoiles

J'étais comme un lépreux dans quelque cité d'**Aoste**,
Ulcéré du dédain charnel de ton amour,
N'osant plus te sourire à l'éveil lent du jour,
Ni d'un libre baiser essayer la **riposte**.

Je regardais décroître à la jalouse **imposte**
Le tumulte des foins et l'irritant détour
Des hauts talus où rôde un Colas de labour.
Le doute me tenaille et le soupçon m'**accoste**.

Charles Boulen, « J'ai suivi ton pas souple »,
Sonnets pour la Servante

Et devant cette ***porte*** un instant je me **poste**,
De ce pauvre diable qui ***porte***
Mes initiales à moi,
Et s'apprête à sortir pour la dernière fois.

Franc-Nohain, « Terminus » IV,
Nouvelles fables

Si j'étais là, je porterais un ***toast***.
Mais je suis sous les pissenlits. J'y persévère
Dans l'être, fût-ce parmi l'humus et le **compost**.

Liliane Wouters, « Lieu commun » 3,
L'Aloès

assonances
417. ORTE
390. OLTE
427. OTE

contre-assonances
450. AUSTE
72. ASTE
322. ISTE

❒

425. OSTRE

(colostrum) le colostre
(nôtre, arch.) nostre
(bec ; éperon) un **rostre**
(tribunes) les rostres
(ibis) (les) longirostre(s)
(canard)
(les) lamellirostre(s)
(pinson) (les) conirostre(s)
(hirondelle)
(les) fissirostre(s)
(merle) (les) dentirostre(s)
(colibri) (les) ténuirostre(s)
(guêpier) (les) lévirostre(s)
(il [s']effondre) il (se) prostre

assonances	*contre-assonances*
424. OSTE	*73. ASTRE*
429. OTRE	*203. ESTRE*
417. ORTE	*323. ISTRE*
399. OPTRE	*585. USTRE*

UN VIEUX HIBOU
Vivent les ombres qui sont **nostres** !
LA HULOTTE
Le silence où dans tous nos **rostres**
Craquent des os !

Edmond Rostand,
Chantecler, acte II, scène 1

Ô **dentirostres**,
Chantez, ô ***sistres***
Des nuits ***silvestres***,
Au clair des ***lustres***
Qui sont les ***astres*** !

Robert de Montesquiou, « OIsEAU »*,
Les Chauves-souris

* note de l'auteur : « Les cinq voyelles ou voix étant contenues dans ce dissyllabe »

❐

426. OTCH°-OTCHE

(débarras, Belg.) un kotch°
(whisky) un **scotch°**
(adhésif, n. dép.) du scotch°
(il colle) il scotche
(cerf-volant, Alg.)
une bilotche
sotch°

assonances	*contre-assonances*
363. OCHE	*74. ATCH-E*
403. ORCHE	*204. ETCH-E*
	324. ITCH-E

Vieux piano, t'as pas eu d'veine
Mais tu sers du jazzman sans t' vexer
On t'a baptisé avec une bouteille de **scotch**
Sur ton acajou, on a fait des ***encoch's***

Claude Nougaro, « Le Piano de mauvaise vie »,
Nougaro sur paroles

❐

427. OTE-OT°

BOTTE
CULOTTE

(panier) il/une **hotte**
(jazz) (le) hot°
il **cahote**
(difforme) bote
(chaussure) il se/une BOTTE
(gerbe) une botte
(escrime) une botte
il cabote
il jabote
(mécanique) il clabote
(il meurt, arg.) il clabote
(une) nabote
il rabote
il crabote
(lambine, rég.) il/une grabote
il sabote
il (se) débotte
lèche-bottes

(Gustave) Caillebotte
(lait) la caillebotte
tire-botte
demi-botte
il/une **ribote**
(il exagère, arg.) il charibote
(oisillon, rég.) une boubote
(il patauge) il **barbote**
(il vole) il barbote
(poisson) une barbo(t)te
(il s'en sort, arg.)
il se débarbote
chott°
(un examen) il bachote
(tonneau) une bachotte
(jeune fille, rég.)
une gachotte
il **crachote**
(une) manchote
passing-shot°
(personnage)
Don Quichotte
(rêveur) un don Quichotte
(une) chochotte

De **calotte** en **redingote**
De **boulotte** en **maigriotte**
Le Pou **trotte**
Picote
Gigote

De **Parpaillotte** en **Iscariote**
Pelote, **Culottes**
Camelote, **Menottes**
De **Vieillotte** en **Cocotte**
Mascotte, Despote
Ou **Patriote**
Le Pou
S'**emberlificote** !

Puis, un jour,
Tête de **Linotte**,
Le Pou **capote**
Dans une **compote** !

Andrée Chedid, « La mort du pou »,
Fêtes et lubies

☞

OTE-OT°

il **chuchote**

(cotation) il/une cote
(poisson) un cotte
(vêtement) une **cotte**
(vit en chambre, Belg.)
il kote
(chambre, Belg.) un kot°
il s'accote
(il bavarde, rég.) il cacotte
(il se salit, rég.)
il s'empacote
il bécote
décote
(coureur)
un trousse-cotte
(crie) la souris chicote
(fouet, Afr.) une chico(t)te
il traficote
il emberlificote
aliquote
il tournicote
(il irrite) il **picote**
(variole) la picote
(il chicane, rég.) il haricote
il **fricote**
il **tricote**
il massicote
il boursicote
(il parle, arg.) il phrasicote
il asticote
il boycotte
un boycott°
(dent, arg.) une chocotte
(il tremble, arg.) il chocotte
(peur, arg.)
avoir les chocottes
(il pue, arg.) il coco(t)te
(poule) une **cocotte**
(marmite) une cocotte
il/une marcotte
hors-cote
(Walter) Scott°
mascotte
biscotte
(il répare, rég.)
il rabiscote
il tarabiscote
(bossue, arg.)
(une) boscotte
(John) Duns Scot°
(gloussement) cot! cot!

il **dote**
une dot°
il **radote**
(une) wyandotte
anecdote
épidote
antidote
Hérodote
(prêtre) un sacerdote

(il s'en va, arg.)
il (se) déhotte
il ronéote
péotte
un/e emphytéote

phot°
(n.dép.) cataphote

il nageote
(couche, arg.) il (se) pageote
il mangeote
il **mijote**
bougeotte
(il radote, rég.) il jarjote
(chanceuse, arg.)
verjotte/vergeotte
jugeote

cagnotte
(dent, rég.) une chagnote
(couche, arg.) il (se) pagnote
(sort du lit, arg.)
il se dépagnote
(casque)
une bourguigno(t)te
il **clignote**
il mignote
(il amadoue, rég.)
il amignote
il **grignote**
(petite, rég.) petignotte
(il pue, arg.) il cognote
gnogno(t)te
(une) solognote
(lesbienne, arg.)
elle/une gougno(t)te
(il pue, arg.) il rougnotte
(il épie, arg.) il borgnote

(il marche, arg.) il bago(t)te
(une) cagote
il (se) fagote
(petite grosse) (une) ragote
(il cancane) il ragote
(veste, arg.) une vaguote
il dégo(t)te
il mégote
(une) **bigote**
une/il mendigote
il **gigote**
(il lie) il **ligote**
(il lit, arg.) il ligote
rigotte
(une) parigote
zygote
(un/e) dizygote
(une) wisigothe
(un/e) homozygote
monozygote
(un/e) hétérozygote
(il ranime) il **ravigote**
sauce ravigote
redingote
(il tire, arg.) il flingote
(il gazouille) il gringotte
(une) ostrogot(h)e
longotte
(il parle argot) il argote
il/une **gargote**
il margo(t)te
il **ergote**

Je **lorulote**, je **débagote**,
Je fais quatre repas,
Je **gorenflote**, je **travaillote**,
Je pisse sur mes **bottes**
– Eh bien oui, j'en suis là ! –

Je souffle la **loupiote**,
Je pêche la lamproie,
Mais ça rupine, mais ça **boulotte**,
Chez moi je suis mon roi
Je porte la **culotte**
(Ou du moins je le crois)

Maurice Fombeure, « Poussivité »,
Les Étoiles brûlées

Les **marmottes** ***demi-mortes,***
Marottes des **gardes-crottes***,
Grelottent vieillottes
En leurs ***plates*** **ribotes.**
Les **bigotes gigotent**.
Les **patriotes** en **redingote**
les **ravigotent.**

Buvottent en leurs **bottes**,
Glouglotent leurs **biscottes**,
Sanglotent en leurs **calottes**,
Pisottent en leurs **culottes** ;
Baisottent en leurs **capotes**

Les **cocottes** ***accortes avortent***
Et se **garottent** la ***porte***.

Julien Torma, « Dictionnaire de rimes »,
Premiers écrits

* [sic]

la **botte** de la **cotte** de la **motte** de la **lotte** de la ***lutte*** de la ***butte***
la ***bitte*** de la **botte** de la **cotte** de la **motte** de la **lotte** de la ***lutte***
la ***batte*** de la ***bitte*** de la **botte** de la **cotte** de la **motte** de la **lotte**
la ***bette*** de la ***batte*** de la ***bitte*** de la **botte** de la **cotte** de la **motte**
la ***dette*** de la ***bette*** de la ***batte*** de la ***bitte*** de la **botte** de la **cotte**
la ***tette*** de la ***dette*** de la ***bette*** de la ***batte*** de la ***bitte*** de la **botte**

Michèle Métail, *Compléments de noms*, v. 1890-1895

❐ 333.16 [Sigogne] ; 435.11 [Apollinaire]
586 [Prigent]

yacht°
(il flatte, arg.) il fayote
Mayotte
il **r/emmaillote**
il démaillote
paillote
parpaillote
il travaillote
biote
il rabiote
symbiote
(voiture, arg.) une chiotte
(toilettes) des chiottes
stradiote
(une) **idiote**
vieillotte
(homo, arg.) une fiotte
galiote
massaliote

psalliote
(T.S.) Eliot°
(il pagine) il foliote
(champignon) une pholiote
amniote
coyote
cancoillote
(il divague, arg.) il yoyote
il/une **bouillotte**
(il pue, arg.) il trouillote
(il embrasse, rég.) il piote
(il s'enivre, rég.) il se piote
(papier) une papillote
(il cligne) il **papillote**
(il réconcilie, arg.)
il rapapillote
lépiote
(lampe) une **loupiote**
(enfant) une loupio(t)te

il riote
Judas Iscariote
il chariote
(cerise) une griotte
(poétesse, Afr.) une griotte
agriote
maigriotte
(de la pègre, arg.) pégriote
(un/e) c(h)ypriote
(propriétaire, arg.)
une propriote
(un/e) **patriote**
un/e **compatriote**
sciotte
(une) petiote
(il crache, arg.) il glavio(t)te
cheviotte

(poisson) une **lo(t)te**

OTE-OT

(Bible) Lot(h)°
(rivière ; départ.) le Lot°
(il balance) il **ballotte**
(plante) une ballote
il/une **calotte**
il décalotte
échalote
falote
pâlotte
(il bavarde, rég.) il bablotte
avoir la/il **tremblote**
(sacrebleu!) sacreblotte!
(peur, arg.) il/la bloblotte
(patraque, Suisse) il péclote
(boucle d'oreille, arg.)
une bouclotte
(une) bellotte
(cellule, arg.) une cellotte
zélote
belote
rebelote
(il collectionne) il bibelo(t)te
gibelotte
(il sirote) il gobelo(t)te
(objet) la **camelote**
(il vend) il camelote
il/une **pelote**
(sacrebleu!) sacrelotte!
(sœur, arg.) une frelote
(il tremble) il **grelotte**
(peur, arg.) la grelotte
(sapristi!) saprelotte!
masselotte
matelote
vitelotte
(tomber comme à)
Gravelotte
(navire) il/une **flotte**
(pluie, arg.) il/la flotte
(flotteur) une flotte
(babiole, Belg.) une faflote
(il siffle) il sifflote
(syphilis, arg.) la sifflotte
glotte
il **sanglote**
(un/e) **polyglotte**
épiglotte
(h)**ilote**
(guide) il/un **pilote**
(mettre des pilots) il pilote

un/e copilote
gyropilote
bateau-pilote
(une) rigolote
(rondelette) (une) boulotte
(il mange, arg.) il boulotte
(coccinelle, rég.)
une barboulotte
goulotte
(poulette) une poulotte
(voiture) une roulotte
(couture) il roulotte
soûlote
(râclée, rég.) une raplote
(discipline, arg.) disciplote
il **complote**
(prénom) **Charlotte**
(entremets) une charlotte
parlo(t)te
(sapristi!) saperlotte!
(directrice, arg.) dirlote
il **dorlote**
hulotte
il/une CULOTTE
(une pipe) il culotte
sans-culotte
il déculotte
couche-culotte
gaine-culotte
jupe-culotte
il reculotte

(de terre) une **motte**
(il se cache) il se motte
(moitié, arg.)
la mot'°/motte
il **escamote**
chamotte
(parvenue, rég.)
une damote
bergamote
il émotte
(animal fabuleux)
béhémot(h)°
(flatteur, arg.)
(un) lèche-motte
rase-mottes
brise-mottes
golmo(t)te
(rongeur) une **marmotte**

(il murmure) il marmotte

il/une **note**
il **annote**
(marine) un canot°
il canote
il **pianote**
un/e bank-note
bloc-notes
dreadnought°
il dénote
kichenotte/
quichenotte
(notaire) garde-note(s)
(une) huguenote
jeunotte
il/une **menotte**
quenotte
pique-notes
(mauvais musicien)
un croque-note(s)
(menottes, arg.)
des massenotes
Polygnote
linotte
gélinotte
actinote
gymnote
il connote

(copain) un pote
mal de Pott°
(Truman) Capote
(d'auto) il/une **capote**
(il échoue) il capote
il décapote
il **clapote**
il papote
sapote
il tapote
il r/empote
jackpot°
il dépote
melting-pot°
il **chipote**
(masticage) il galipote
(il pue, arg.) il schlipote
(il s'accroupit, rég.)
il s'accripote
il **tripote**

(typographe, arg.) un typote
Pol Pot°
popote
(gâchis, Belg.) potopote
compote
(un) spot°
(un) **despote**

(il éructe) il **rote**
(instrument) une rote
(tribunal) la rote
(Joseph) Roth°
(Philip) Roth°
(pourriture) le rot°
(racine) une **carotte**
(il vole, arg.) il carotte
poil-de-carotte
une/il garrotte
marotte
il poireaute/poirote
(pipi, rég.) une pissarotte
(têtue, rég.) (une) tétarotte
il/une **crotte**
black-rot°
il décrotte
(garde-boue)
un garde-crotte
dicrote
(une) cairote
(une) fiérote
(prénom) Pierrotte
sclérote
il numérote
cagerotte
pleurote
il **frotte**
grotte
palangrotte
il sirote
prote
il/une **trotte**
(patronne, arg.) une bistrote
fox-trot°
il chevrote
(ivrogne) il se/une poivrote

(une) **sotte**
(il rend sot) il r/assote
il danso(t)te
il pisso(t)te

il toussot
il pinçot
il suçot

azot
(Jacques) Cazott
il baiso(t)t
il frisott
(idée fixe, rég.)
une ravisott
il/la créosot
il zozot

Thot
(une) hottentot
litot
(une) asymptot
Aristot

il/un **vot**
(il bavarde) il bavot
gavott
(une) **dévot**
(irréligieuse) indévot
il pleuvot
(chanvre) la chènevott
il revot
(dépérir, Suisse) il crevot
il pivot
il vivot
velvot
(il boit) il buvot(t)

assonance
417. ORT
390. OLT
367. OD

contre-assonance
75. AT
205. ÈT
325. IT
586. UT

428. OTL

peyotl
(banlieue de Mexico)
Netzahuatcoyotl
axolotl
(souverain aztèque)
Auitzotl

Humours, couleurs et **peyotl**
ne te feront pas sourire :
j'hallucinerai, au pire,
des fritures d'**axolotl**
dans ma grande poêle à frire,
en plein **Netzahuatcoyotl**,
pour ne plus jamais prescrire
humours, couleurs et **peyotl**.

Pseudo Noguez, « Caméléon incolore… »,
Le Gratte-ciel des mamours

assonances
427. OT-E
381. OL-E
390. OLT-E

contre-assonances
76. ATL
206. ETL

❐

429. OTRE

(mettre, rég.) botre
cotre
notre
votre

Il est en tête, derrière lui suivent les ***flottes***
Côtières des vapeurs d'un infime tonnage ;
Derrière lui les capitaines au cabotage,
Les remorqueurs, les goélettes et les **cotres** [...]

Louis Brauquier, « Le Pilote : Le vieux pilote est assis... »,
Liberté des mers

Ils couchent l'un près de l'***autre***
Sans faire de cochonneries.
Quand c'est un port, ils couchent sur un **cotre**.
Quand c'est un pré, ils couchent sur les cris

Des criquets, des crapauds, des grillons...

Réjean Ducharme,
La Fille de Christophe Colomb. 30

assonances	*contre-assonances*
427. OTE	*453. AUTRE*
365. OCRE	*77. ÂTRE*
425. OSTRE	*207. ÈTRE*
396. OPRE	*478. ONTRE*

❐

430. OVE

LOVE

ove
(Emmanuel) Bove
(il pendille, rég.) il pendove
(flocon, rég.)
une parpaillove
(amour, angl.) love
(il [s']enroule) il (se) LOVE
(sir Hudson) Lowe
il nove
(chanvre, rég.) du chenove
(moutarde sauvage, rég.)
un/e senove
il **innove**
il rénove
Laure de Noves
mangrove

Il* se sent responsable
Des fièvres de l'exil, de la plage de sable [...]
Du valet tourmenteur qui crée, invente, **innove**,
Et le* flatte en frappant la victime ; **Hudson Lowe****
Pèse plus sur les rois que sur Napoléon.

Victor Hugo,
La Pitié suprême. XIV

* le proscripteur ** geôlier de Napoléon 1er

Et j'ai compris le jeu, dans la forêt, des ***fauves***,
Ces feulements vers ces fuites froissées, ces cris.
Plus tard, leurs cous géants dépassant la **mangrove**
Où dans la vase rampent les palétuviers,
Oscillèrent les têtes des lézards fétides [...]

Louis Brauquier, « Genèse : Le temps oublié » VIII,
Feux d'épaves

Mais elles qui vaincraient les grêles et l'orage
mes ailes oublieront les bras et les travaux
Plus léger que l'argent de l'air où je me **love**
je file au ras des rêts et m'évade du ***rêve***

Louis Aragon, « Éclairage à perte de vue »,
Feu de joie

assonances	*contre-assonances*
370. OFE	*454. AUVE*
391. OLVE	*209. ÈVE*
419. ORVE	*234. EUVE*

❐

431. OVRE

(pleuvoir, rég.) plovre
Hanovre

V'là l' temps ousque jusqu'en **Hanovre**
Et d' Gibraltar au cap Gris-Nez,
Les Borgeois, l' soir, vont plaind' les ***Pauvres***
Au coin du feu... après dîner !

Jehan Rictus, « L'Hiver »,
Les Soliloques du Pauvre

assonances	*contre-assonances*
372. OFRE	*455. AUVRE*
362. OBRE	*80. AVRE*
419. ORVE	*235. EUVRE*
430. OVE	*531. OUVRE*

❐

432. OXE-OX°

(sport) il/la **boxe**
(stalle) un box°
(cuir) du box°
juke-box°
(il arrête, arg.) il coxe
paradoxe
(n. dép.) du Viandox°
Eudoxe
hétérodoxe
(un/e) **orthodoxe**
(George) Fox°
(Charles James) Fox°
(chien) un **fox°**
phlox°
stomoxe
(John) Knox°
inox°
équinoxe
cow-pox°
(n.dép.) Rank-Xérox°
Appomattox°
intox°/e
stokes
(Antoine) Coysevox°
volvox°

assonances
400. OQUE-OC
423. OSSE
415. ORSE
422. OSQUE

contre-assonances
81. AX-E
211. EX-E
331. IX-E

Je suis pas l' gars qu' aim' se marrer
J'aim' pas l' ciné, j'aim' pas la **boxe**
Je n'entre pas dans les cafés
Qu' ont des flippers et un **juke-box(e)**
Sans vouloir fair' de **paradoxe**
Je me soûl' chez mon poissonnier
À l'odeur d'iode des marées
Qu' est si grisante… aux **équinoxes**…

Jean-Roger Caussimon, « Croisières »,
Mes chansons des quatre saisons

Mais une nuit des voyous, des vrais enfants d'salauds,
Pendant qu'Dédé pionçait, z'y ont fracturé son **box**,
Z'y ont tiré son klaxon et son auto-radio,
Ses cassettes de Mike Brant et ses jantes en **inox**.

Renaud, « La tire à Dédé »,
Le Temps des noyaux

C'en est fait : je me ris de la rime **orthodoxe**,
De la coupe sacrée, du mètre évanescent.
Les mânes de mes troubadours de langue **d'oc se**
Réjouiront dans l'âtre où je chauffe leur sang.

Jacques Bens, « Chant douzième »,
Le Retour au pays

Règle d'or du **paradoxe**,
des farces jusqu'à la ***force***
la blague faisait le poids,
le clown renversait le Roi.

Géo Libbrecht, « L'Impasse »,
Trois longs couloirs du château

❐ *331 [Gainsbourg]*

433. OYCE [ɔjs]

(William) Boyce
(James) Joyce
(Josiah) Royce
(n. dép.) **Rolls(-)Royce**
(voix, angl.) voice

assonances
423. OSSE
374. OGE
388. OLS
379. OÏ [ɔj]

contre-assonance
85. EISS-ICE [ajs]

Il est venu dans son **Carrosse-Royce**
Il s'est engouffré dans sa ***loge***
C'est là qu'il va chanter ce soir
Le chanteur aux lunettes noires

Pierre Delanoë, « Le nouveau kyrie »,
Paroles à lire ou poèmes à chanter

❐

434. OYD [ɔjd]

(William) Boyd
(Harold) Lloyd
les Pink Floyd
(Agatha Christie) le meurtre
de Roger Ackroyd

assonances
367. ODE
382. OLDE
379. OÏ [ɔj]
380. OIL [ɔjl]

contre-assonance
90. YDE [ajd]

435. Ô

435.0 O

HAUT

(article) **aux/au**
(ail) des aulx
l'**eau**
(le) HAUT
(peuple de l'Inde) Ho
(pirates) les Hō
(appel) **ho**!
(lettre) un O
(invocation) **ô**
(surprise) **oh**!
des **os**

sous-rimes voisines
435.1 AO
435.6 ÉO
435.24 UO

contre-assonances
1.0 A
456.0 ON
481.0 OU

Je pense aux jeunes gens tourmentés par leur âge
Et par la poésie. Ils dorment seuls, en **haut**
Des maisons, et, parfois, mal réveillés, en nage,
Rafraîchissent, la nuit, leur fièvre au pot à **eau**.

Jean Cocteau, « Cherchez Apollon »,
Poèmes 1916-1955

Douces colonnes, **aux**
Chapeaux garnis de jour,
Ornés de vrais ***oiseaux***
Qui marchent sur le tour,

Douces colonnes, **ô**
L'orchestre de ***fuseaux*** !
Chacun immole son
Silence à l'unisson.

Paul Valéry, « Cantique des colonnes »,
Charmes

❐ *322 [Mélot du Dy] ; 435.7 [Prévert ; Segalen]*

435.1 AO

CHAOS
LÀ-HAUT

dazibao
Bilbao
(groggy) (un) K.-O.
(désordre) le CHAOS
(heurt) un **cahot**
cacao
Macao
Nékao/Néchao
Palikao
ciao!/tchao!
dao
l'Idaho
P.A.O.
E.A.O.
Yao

les Miao(s)
(langue) le lao
LÀ-HAUT
calao
filao
(Mathilde) Mahaut
(... Tsé-toung) Mao
col Mao
i.M.A.O.
cap de la Nao
Mindanao
know-how
P.A.O.
Arapaho
prao
Ts'ao Ts'ao
tao
Shitao
sertão

sous-rimes voisines
435.0 O
435.6 ÉO
435.12 IO

contre-assonances
456.1 AON
333.1 AÏN
1.15 OA

En attendant la bombe à **Mao**
ça grouille sur les boulevards
taïau taïau
on sera **K.-O.**
on ira **là-haut**
mais du **chaos**
Sourira **Mao**

Raymond Queneau, « En attendant la bombe à Mao »,
Poèmes en panne in *Œuvres complètes*

C'est folie
De Bâle à Bali
De Marseille à **Macao**
***Caïn*-Chaos**

Guy Béart, « Idéologie »,
Couleurs et Colères du temps

Oh POE sie
Ah ! **Oh** !
CacaO

Blaise Cendrars, « OpOetic »,
Sonnets dénaturés in *Du monde entier*

❐ 415 [Rollinat]
322 [Mélot du Dy] ; 435.6 [Hugo]

435.2 BO

BEAU
TOMBEAU

(poutre) un bau
(unité) un baud
(bail) des baux
(le) BEAU
(difforme) bot
abot

(niais, rég.) un babot
(Jean/Sébastien) Cabot
(chien) un **cabot**
(caporal) un cabot
(cabotin) (un) cabot
escabeau
chabot
jabot
labo
(chien) clabaud
(technique) clabot

• Quand l'un avecque l'autre aussitôt sympathise
• lorsque le marbrier astique nos **tombeaux**
• la découverte alors voilà qui traumatise
• qui sait si le requin boulotte les **turbots ?**

• Et pourtant c'était lui le frère de feintise
• le vulgaire s'entête à vouloir des **vers beaux**
• le gourmet en salade avale la cytise
• à tous n'est pas donné d'aimer les chocs **verbaux**

Raymond Queneau,
Cent mille milliards de poèmes [passim]

☞

BO

un/e collabo
(caporal, arg.) un nabo
(nain) (un) **nabot**
rabot
crabot
kérabau
(comte de) Mirabeau
sabot
Isabeau
lavabo
(anneau) rocambeau
Rochambeau
lambeau
Salammbô
flambeau
porte-flambeau
mambo
(rendez-vous, arg.) rembo
(Pierre de) Clairambault
(musicien) Clérambault
(psychiatre) Clérambault
étambot
(un) **pied(-)bot**
Thiébaud
le Nébo
Nectanébo
placebo
Gondebaud
paquebot
(pelote basque, rég.) rebot
les Ibo(s)
Li Bo
galibot
l'Essequibo
(un) ribaud
inter/tribaux
Thibaud
(Arthur) Rimbaud

(John) Talbot
(Francisque) Poulbot
(enfant) un poulbot
(Pietro) Bembo
jumbo
bobo
Carabobo
Abe Kobo
globaux
robot
photo-/portrait-/robot
combo
gombo
nélumbo/nélombo
(Sri Lanka) Colombo
(racine) un colombo
(ragoût) un colombo
(tombal) tombaux
un TOMBEAU
(Jacques) Roubaud
(poisson) un **barbeau**
(plante ; bleu) (un) barbeau
(voler, arg.) faire le barbot
(avocat, arg.) débarbot
karbau
escarbot
(Greta) Garbo
(Valery) Larbaud
verbaux
des déverbaux
des procès-verbaux
(Octave) Mirbeau
corbeau
bec-de-corbeau
surbau
(mollusque) un turbo
(technique) (un) turbo
(poisson) un **turbot**

sous-rime voisine
435.19 PO

contre-assonance
456.2 BON

Le vélin écrit rit et grimace, livide.
Les signes sont dansants et fous. Les uns, **flambeaux**,
Pétillent radieux dans une page vide.
D'autres en rangs pressés, acrobates **corbeaux**,

Dans la neige épandue ouvrent leur bec avide.
Le livre est un grand arbre émergé des **tombeaux**.
Et ses feuilles, ainsi que d'un sac qui se vide,
Volent au vent vorace et partent par **lambeaux**.

Alfred Jarry, « Les trois meubles du mage surannés. II. Végétal »,
Les Minutes de sable mémorial

Ma barque était à l'ombre et sous les **nélumbos**
dans les sommeils antiques, et pareille au **tombeau**,
mais lorsque tu descends plafonnier des prophètes
le sang coule de notre tendre chair en muette.

Max Jacob, « Nouveau baptême »,
L'Homme de cristal

Mirlababi, **surlababo**,
Mirliton ribon ribette,
Surlababi, **mirlababo**,
Mirliton ***ribon*** **ribo**.

Victor Hugo
in *Les Misérables* IV, VII, III.

Près de mon **Isabeau**
ah ! que la terre est belle.
Près de mon Isabelle
ah ! que le monde est **beau**.

Paul Neuhuys, « Soupirs »,
La Joueuse d'ocarina in *On a beau dire*

❐ 258.7 [Réda]

435.3 CHO

CHAUD

(le) CHAUD
(chaloir) peu me **chaut**
(calcium) la **chaux**
(Artie) Shaw
(George Bernard) Shaw
(spectacle) un show
(diplôme) le **bachot**
(barque) un bachot
(poète) Basho
cachot
Dachau
(un/e) facho
Guillaume de Machau(l)t
le Boischaut
(malingre, arg.) (un/e) racho
(vaurien, rég.)
(un) fourachaux
(Maurice) Blanchot

(un) **manchot**
(...Pança) **Sancho**
rickshaw
talk-show
déchaux
des sénéchaux
réchaud
des maréchaux
des feld-maréchaux
Mogadiscio
(Henri) Michaux
artichaut
(lierre, rég.) gravichot
one(-)man(-)show
chow-chow
(cavalier) gaucho
(gauchiste) gaucho
Jocho
Sochaux
bouchot
toucheau/touchau(d)

Je sais que ma maison, fraîche et peinte à la **chaux**,
Si douce sous son toit qui penche,
Est légère et gonflée au cœur du jardin **chaud**,
Comme une housse en toile blanche.

Anna de Noailles, « Enchantement »,
Les Éblouissements

Que suis-je ici ? le locataire
Et la chambre, exotisme **chaud**,
Très passable et banal **cachot**,
Hait gentiment le phalanstère.

Le décor, un peu plus austère,
Oui, peut-être, mais peu m'en **chaut**...
La table offre un bel **artichaut**
Que l'on grave au thermo-cautère.

Jean Pellerin, « Intérieur »,
Le Bouquet inutile

☞

CHO

435. Ô

(anarchiste, arg.) anarcho
(garçon, arg.) mouchacho
(un) macho
carpaccio
gaspacho
quebracho
capriccio
rancho
poncho
broccio

Totor, c'était un dur. Il vendait des **réchauds**
Pour la maison Chalot. De sa boutique verte,
Il laissait tout le jour la porte grande ouverte,
Et sa publicité tenait le client **chaud**.

Il vendait sans arrêt. Son concierge **Michaud**
Avait acheté là sa cuisinière. Certes
C'était un prix d'ami ; mais il vendait sans perte.
Totor, pour le commerce, il était pas **manchot**.

Boris Vian, « Gaz houiller »,
Cent Sonnets

sous-rimes voisines
435.21 SSO
435.22 S(Z)O
435.9 GEO

contre-assonances
456.3 CHON
481.3 CHOU
535.3 CHU

❒

435.4 CO

ÉCHO
pays de Caux

accot
la Nechako
s(c)hako
Gran Chaco
zodiacaux
ammoniacaux
(Jacques) Jacquot
(perroquet)
un jaco(t)/jacquot
Bamako
(énorme, arg.) comaco
stomacaux
le Tiahuanaco
guanaco
(monacal) monacaux
(principauté) Monaco
(argent, arg.) du monaco
cloacaux
(condamné, arg.) droico
(corsage) caraco
(mensonge, arg.) caraco
(qu'est-ce que c'est, arg.)
quès aco?
(alsacien, arg.) alsaco
(poisson) tacaud
(guimbarde) **tacot**

banco
(triste, arg.) mélanco
barranco
(Francisco) Franco
(transport) franco
(franchement) franco
(bistro, arg.) estanco

(nymphe) Écho
un ÉCHO
(Umberto) Eco
(quote-part) un **écot**
bécot
déco
la/le zydeco
fécaux
gecko
Le Greco
(cæcal) cæcaux

(palissade, Afr.) un secco
(sec, arg.) séco(t)
ex æquo

(chevreau) bicot
(arabe, inj. rac.) bicot
(arabe, inj.) arbicot
chicot
dico
(des) radicaux
para/**médicaux**
syndicaux
pontificaux
(belge, arg.) (un) belgico(t)
chirurgicaux
calicot
(n. dép.) Veuve Clicquot
hélico
beylicaux
Fra Angelico
coquelicot
illico
ombilicaux
basilicaux
amicaux
inamicaux
(Jean) Nicot
panicaut
arsenicaux
dominicaux
picot
apicaux
tampico
sub/inter/tropicaux
haricot
abricot
(Théodore) Géricault
(Palestine) **Jéricho**
fricot
(des) anti/cléricaux
(Giorgio) De Chirico
Enrico
coquerico/**cocorico**
(un) moricaud
Porto Rico
bourricot
tricot
obstétricaux
massicot
Boucicaut

C'est les marins de la marine
Qui mangent que des **haricots**,
N'ont que de l'eau salée z'à boire,
Pas un sou dans le **boursicot**.
Ho hisse ***ého***.

C'est les marins de la marine
Qui prennent des coups de **chicot**,
Qui crèvent sous la discipline
Des quartiers-maîtres **corsicots**.
Ho hisse ***ého***.

Maurice Fombeure, « Chansons des marins de Nantes »,
Chansons de la grande hune in *À dos d'oiseau*

C'est nous qui somm's les zouaves
Pontificaux.

Nous avons des fez suaves
Au lieu d'**schakos**.

Nos chéchias sont des braves
Coquelicots.

On nous gave de raves,
De **haricots**.

Nous faisons nos esclaves
Des **moricauds**.

Alfred Jarry,
Le Moutardier du pape, acte II, 2e tableau, scène I

Brailleurs à tous vents
Prophètes à trois **chicots**
Vierges, femelles, ***bigots***
Stupides commandements

John Gelder, « Singulier bipède… »,
Procès. V

Vont paître mes agneaux de ta hanche à ton ***cou***,
Brouter une herbe fine et du soleil brûlée,
Des fleurs d'acacia dans ta voix sont roulées
Va l'abeille voler le miel de leurs **échos**.

Jean Genet, « Un chant d'amour »,
Poèmes

❒ 63 [Fort] ; 1.13 [Lemaître]

(noir, arg.)
(un) noircico/noircicaud
persicot
(corse, arg.) (un) corsico
(bourse)
boursicaut/boursicot
lexicaux
Mexico
(auxiliaire, arg.) auxico
(drogué, arg.) (un/e) toxico
vésicaux
(musical) **musicaux**
(musicien, arg.) musico
grammaticaux
(singe, rég.) marticot
verticaux
corticaux
asticot
(Giambattista) Vico
cervicaux

(n. dép.) delco

Acapulco

flamenco

hocco
des **bocaux**
(fruit) **coco**
(œuf) coco
(lascar) **coco**
(communiste) (un) coco
(chenapan, rég.)
un nice-coco
(le) **rococo**
a/bi/focaux
(orang-outan) jocko
(des) **locaux**
bloc-eau
(marin, arg.) moko/moco
poco a poco
(brocanteur, arg.) broco
croco
siro(c)co

quiproquo
vocaux
(entrée de port, rég.)
boucau
(crevette)
boucot/boucaud
(baril) boucaut
osso(-)buco
Père de Foucault
(Michel) Foucault

(Francis) Carco
(Jean) Charcot
matriarcaux
patriarcaux
(anarchiste, arg.)
(un/e) anarcho
surcot
turco

fiasco
grotte de Lascaux

pascaux
(fleuve) l'Escaut
(étoffe) escot
(Pierre) Lescot
(Eugène) Ionesco
l'Unesco
tarabiscot
(discal) discaux
(musique) (le) disco
para/fiscaux
le Jalisco
(San Francisco, arg) Frisco
San Francisco
(Henri) Bosco
(marin) (un) bosco
(bossu) (un) boscot
Cuzco
buccaux
Nabucco
grand-/ducaux
nucaux
statu quo

sous-rime voisine
435.11 GO

contre-assonance
481.4 COL

435.5 DO

DOS

d'eau
(note) un **do**
le DOS
d'os

(adolescent) un/e ado
(talus) un ados
(abyssaux) hadaux
(un) **badaud**
cadeau
mikado
(Antonio) Machado
(préadolescent) un/e préado
zapatéado
fado
(obligatoirement, arg.)
obligado
amontillado
(Jorge) Amado
carbonado
aficionado
radeau
parados
crado(t)
desperado
l'**Eldorado/eldorado**
(fleuve ; État) le Colorado
(Argentine) rio Colorado
le **Prado**
intrados
extrados
cruzado
pintadeau

endos
bandeau
fricandeau
ritardando
(brigand) brigandeau

landau
(camembert, arg.) calendot
commando
(Marcel) Jouhandeau
(Marlon) Brando
(un) accelerando
(n. dép.) sandow
glissando
faisandeau
scherzando
sforzando
rinforzando
smorzando
(un) morvandeau

hebdo

(McDonald's) McDo

albédo
(Georges) Feydeau
torpédo
(principe) **credo**
(crédit, arg.) crédo
un/e livedo/livédo

bedeau
tournedos
(gueux, rég.) gredaud
pseudo
gratte-dos
lave-dos

Hokkaïdo
libido
bushido
Didot
guideau
aïkido
(Venise) le Lido
(lagune) lido
pyramidaux

Voici la chose ! C'est un couple de **lourdauds**,
Paysans, ouvriers, au cuir épais, que gerce
Le noir travail ; ou bien, *des gens dans le commerce*,
Le monsieur à faux-col et la vierge à **bandeaux**

Mais, quels qu'ils soient, voici la chose. Les **rideaux**
Sont tirés. L'homme, sur la femme à la renverse,
Lui bave entre les dents, lui met le ventre en perce.
Leurs corps, de par la loi, font la bête à deux **dos**.

Jean Richepin, « Tes Père et Mère… »,
Les Blasphèmes

Esclave dans Alger, Cervantès mis au bagne
Avec les sacs-à-vin changés en buveurs **d'eau**,
À l'abîme mené par l'ombre du **fardeau**,
Des fils de sa douleur retissait une Espagne :

La Manche où le vaincu des apparences gagne
La victoire qui compte, et les feux du **Prado**,
La Giralda montrant au ciel l'**Eldorado**,
Les cloches de Burgos que le vent accompagne.

André Salmon, « Évasion perpétuelle »,
Les Étoiles dans l'encrier

Des planches que l'on fixe à d'anciens **landaus**
Portent quelques œillets, trois ou quatre bananes.
Leurs pilotes ont l'air de vieilles courtisanes
Que l'âge a fait changer de négoce. **Radeaux**

Qui dérivent dès que, discrètement (de **dos**),
Se présente un agent de police. Des vannes
L'accueillent à mi-voix. Mais vite, en caravanes,
On s'éloigne parmi la foule **placide aux**

Types divers…

Jacques Réda, « Marché »,
L'Incorrigible

❒ 24 [Molinet]
481.5 [Lapointe]

DO

435. Ô

rhomboïdaux
hélicoïdaux
conchoïdaux
discoïdaux
épi/hypo/cycloïdaux
colloïdaux
sphénoïdaux
sphéroïdaux
spiroïdaux
hémorroïdaux
ellipsoïdaux
trapézoïdaux
sinuosoïdaux
ovoïdaux
(rapidement, arg.) rapido
rideau
péridot
absidaux

guindeau

boldo
(Giuseppe) Arcimboldo
(cigarette, arg.) une gauldo

(un) crescendo
(un) decrescendo
kendo
diminuendo
bow-window

(culbute, rég.) faire
cul-bodot
caudaux
chaudeau
(sommeil) **dodo**
(oiseau) dodo
féodaux
clodo
modaux

(personnage) Quasimodo
(Liturgie) la Quasimodo
grosso modo
nodaux
(Théophraste) Renaudot
synodaux

kondo
négondo
secundo
(Jean-Paul) Belmondo
taekwondo
(poème) **rondeau**
(technique) rondeau
(musique) rondo
hirondeau

escudo
kyudo

(planchette) un bardeau
(mulet)
un bardeau/bardot
(Brigitte) Bardot
fardeau
canardeau
renardeau
batardeau
outardeau
serdeau
ordo
(ville) Bordeaux
(vin ; rouge) du bordeaux
cordeau
(un) **lourdaud**
(ruse) attrape-lourdaud
(sourd, rég.) sourdaud
surdos

judo

sous-rime voisine
435.23 TO

contre-assonance
456.5 DON

435.6 ÉO

FLÉAU

(appel) hé ho!
trachéaux
gratis pro Deo
(des) **idéaux**
vidéo
bande(-)vidéo
Montevideo
rodéo
féaux
Orfeo
(géographie) géo
Léo
FLÉAU
les Betsiléos
Fra Bartolo(m)meo
Roméo
(rhum et eau, arg.) un roméo
(n. dép.) une Alfa Roméo
linéaux

pinéaux
périnéaux
(n.dép.) ronéo
péritonéaux
Bornéo
des réaux
paréo
Tallemant des Réaux
stéréo
boréaux
un **préau**
(Auguste) Préault
Boileau-Despréaux
ypréau
(Dieu) le **Très-Haut**
très haut
(Théophile) Théo
météo
unguéaux
V.O.
nivéaux

Elle a fait glisser de **très haut**
Sa robe blanche d'**idéaux**
Elle y allait de bonne foi
Elle était nue elle a pris froid

Guy Béart, « Douce »,
Couleurs et Colères du temps

La vie en **vidéo** [...]
La vie en **météo**
Va la vivre à ***Reno***
À **Montevideo**
Mais pas chez moi mon **Roméo**

Pierre Delanoë, « La vie en vidéo »,
Paroles à lire ou poèmes à chanter

Oui, voici qu'enfin recule
L'affreux groupe des **fléaux** !
L'homme est l'invincible hercule,
Le balayeur du ***chaos***.

Victor Hugo, « L'Ascension humaine »,
Les Chansons des rues et des bois

sous-rimes voisines
435.0 O
435.1 AO
435.12 IO

contre-assonances
456.6 ÉON
1.6 ÉA
214.14 OÉ

❐ *435.18 [Lamarche] ; 435.4 [Fombeure]*

435.7 EHAUT

Brunehaut
rehaut
en contre-haut
passe-haut

Tu devais plutôt ressembler
Pauvre reine-mère édentée et détrônée
À une vieille casserole rouillée
Attachée à la queue d'un chien
Par d'impitoyables vauriens
Qu'à l'image décrite plus ***haut***
De l'éblouissante **Brunehaut**

Jacques Prévert, « La Morale de l'histoire »,
Paroles

☞

EHAU

– Thibet pieux ! médiéval, ô jaillissant de la prière,
Pays qui se renverse en arrière
Ainsi qu'un regard révulsé ou des sourcils peint à **rehaut**
Visage fuyant de bas en ***haut***…

Victor Segalen,
Thibet. XXIII

sous-rimes voisines	*contre-assonances*
435.0 O	*91.7 ÉHAN*
435.1 AO	*121.5 EUET*
435.6 ÉO	*258.6 EUI*

❒

435.8 FO

FAUT

(falloir) il FAUT
(faillir, arch.) il faut
(erroné) le/être **faux**
(instrument) une faulx/**faux**
échafaud
girafeau
Sa(p)pho
porte-à-faux
F.O.
(carence) un **défaut**
(défaillir, arch.) il défaut
(Daniel) Defoe°/De Foe°
récifaux
xipho
info
nymphaux
chauffe-eau
triomphaux
les Sénoufo(s)
gerfaut
transfo
(François) Truffaut
tu(f)feau

Son silence, son front qui jaunit et se froisse,
Et les fauves lueurs de ses yeux de **gerfaut**
Ont glacé tout le sang de ton cœur. Il te **faut**,
Muette près de lui, dévorer ton angoisse.

Anatole France, « Le Basilic »,
Idylles et Légendes

Mes bouquins refermés sur le nom de ***Paphos***,
Il m'amuse d'élire avec le seul génie
Une ruine, par mille écumes bénie
Sous l'hyacinthe, au loin, de ses jours **triomphaux**.

Coure le froid avec ses silences de **faulx**,
Je n'y hululerai pas de vide nénie
Si ce très blanc ébat au ras du sol dénie
À tout site l'honneur du paysage **faux**.

Stéphane Mallarmé, « Mes bouquins refermés… »,
Poésies

les ***forfaits*** les plus **faux**
sauvent de l'**échafaud**
selon que Dieu le veut

tribunal sans **défaut**
qui mêle comme il **faut**
les *ave* aux aveux.

Daniel Lander, « Victimes du Saint-Sang » dans « Cinq sonnets »
Temps majeur

sous-rimes voisines	*contre-assonances*
435.25 VO	*456.7 FON*
435.0 O	*481.7 FOU*

❒ *419 [Lamarche] ; 333.6 [Soupault]*

435.9 GEO

cageot
(poisson) pageot
(lit, arg.) **pajot/pageot**
les Navajo(s)
marquis de Dangeau
(un) tourangeau
(prénom) Jo/Joe°
(non-gitan, arg.) gadjo
banjo
Cristobal de Castillejo
(Bartolomé) Bermejo
l'Alentejo
(n. dép.) une Peugeot
(Eugénie de) Montijo

dojo
(joli) pas jojo
affreux jojo
(projecteur, arg.) projo
(un) limougeaud
(un) **rougeaud**
Clos-Vougeot
(un/e) **barjo(t)**
(cul, arg.) dargeot
(large, arg.) largeo(t)
(marginal, arg.) marjo
(en arrière, arg.) derjo
(chanceux, arg.) vergeot
maréchal Bugeaud

Oublier toutes ces **barjos**
Qui défilent dans mon **pageot**
Et ma femme qui a foutu le camp
Et qui est revenue sans que je lui demande

Pierre Perret, « Ce soir c'est la fête ! »,
Chansons de toute une vie

Rauzan découvre mille charmes
Chez Mercurey, ce fin **rougeaud**.
J'entends le cri de : « Portez armes ! »
On acclame le **Clos-Vougeot**.

Charles Monselet, « Fusion »,
Poésies complètes

sous-rimes voisines	*contre-assonances*
435. 3 CHO	*456.8 GEON*
435.13 JO [χo]	*481.10 JOU*

❒

435.10 GNO

435. Ô

AGNEAU

des **signaux**
(petit, rég.) petignot
(Gilles) Vigneault

AGNEAU
(penaud, rég.) cagnaud
(lit, arg.) pagnot
Andrea del Castagno
(Jean-Baptiste) Regnault
(yeux, arg.) les clignots
(région) le Minho
(fleuve) le Miño/Minho
(garçon, Esp.) niño
des orignaux

(bigorneau)
un vignot/vigneau
(tertre, rég.) un vigneau
(Jean) Duvignaud
cigogneau
(un) solognot
(Pierre) Vergniaud
(nuit, arg.) borgnio
(Joseph) Cugnot

sous-rimes voisines
435.16 NO
435.12 IO

contre-assonances
456.9 GNON
1.9 GNA

– Amants s'adressant des **signaux** ;
– Aveugle cherchant ses chaussures ;
– Amoureux en toutes postures ;
– Bergère gardant ses **agneaux** ;

– Soldats jetant leurs ***godillots*** ;
– Abbés camouflant leur tonsure ;
– Messieurs pour avoir de l'allure
Jouant de leurs muscles ***faciaux***…

Thieri Foulc, « Amants s'adressant des signaux… »,
Sonnets non recueillis précédemment

On monte, on redescend : escaliers déjà sombres
Où, s'exhalant de tavernes à ***lumignon***,
Vient rôder le fumet des brochettes d'**agneau**…

Jacques Réda, « Plaka »,
L'Incorrigible

❐

435.11 GO

HUGO

(pou, arg.) un gau
(allez!, Angl.) go!
(jeu) le go
(peuple) les **Goths**

(plante vermifuge) fabago
Trinité-et-Tobago
lombago/lumbago
(un) **cagot**
Chicago
solidago
fagot
lago
asiago
Santiago
(là, arg.) lago
galago
(Saint-Lazare, arg.)
Saint-Lago
plagaux
(macaque) **magot**
(économies) magot
démago
(insecte adulte) un/e imago
(psychanalyse) une imago
(sanglier) ragot
(cancan) **ragot**
(François) Arago
farrago
virago
(cela, arg.) çago
(excentrique) matagot
vagaux
Le Docteur Jivago

fandango
tango

(moi) l'ego
(égal) des **égaux**
le Mondego
San Diego
(jeu, n. dép.) un Lego
(légal) légaux

extralégaux
illégaux
médicolégaux
mégot
(bon à rien, arg.)
pousse-mégots
inégaux
alter ego

tout de go

(téléphone, arg.) un bigo
(dévot) (un) **bigot**
Turbigo
mendigot
(l') **indigo**
(viande) un **gigot**
(d'accord, arg.) gigo(t)!
ligot
saligaud
vitiligo
(ami, Esp.) amigo
(un) **nigaud**
attrape-nigaud
(Hyacinthe) Rigaud
(Jacques) Rigaut
larigot
à tire-larigot
marigot
(un) **parigot**
des madrigaux
frigo
(fourbe, rég.) (un) trigaud
(boue, rég.) patrigot
intertrigo
prurigo
(ici, arg.) icigo
(Versailles, arg.) Versigo
(auxiliaire, arg.) auxigot
(moi, arg.) mézigo
(toi, arg.) tézigo
(lui, arg.) sézigo
(un) wisigoth
lentigo
impétigo
vertigo

Ami, ton vers est gai comme un éclat de rire
Plus lutin qu'Esmeralde et d'airain comme **Hugo** !
Mais pourquoi tant d'encens à ma flûte en délire
Qui chante aux soirs d'orgie un vin pourpre et **Margot** ?

J'adore la catin et son baiser m'inspire !
– Comme elle, en mes sonnets, je danse un **fandango** –
C'est un verre qu'on vide et qu'on brise en beau sire
Après la soif, le soir, comme un vieil **hidalgo** !

Stéphane Mallarmé, « Réponse à Germain »,
Poésies

Pardonnez-moi belle Dingote
Excusez-moi noble **Dingo**
Je suis au lit où je ligote
La bronchite qui **tout de go**
Me menait droit chez le vieux Gotte,
Ce Pluton qui sent le **fagot**.
Mais déjà je me ravigotte
Je renais comme un **Saint Lago** ;
Je demande une redingote
Pour aller faire le **dingo**…
La fois prochaine où l'on dingotte
En français ou bien en **argot**,
À New York ou bien Pantrugotte
J'aurai ma tranche de **gigot**…
Dans les yeux de chaque Dingote
Je lamperai du **vertigo**…
Déjà de plaisir je gigote,
Et je me sens un vrai **Dingo**.

Guillaume Apollinaire, « À toutes les Dingotes et à tous les Dingos »,
Œuvres poétiques, p. 1033

Ci n'entrez pas, hypocrites, **bigots***,
Vieux **matagots***, marmiteux, boursouflés,
Torcols, badauds, plus que n'étaient les **Goths**
Ni **Ostrogoths**, précurseurs des **magots**,
Haires, **cagots***, cafards empantouflés.

François Rabelais, « L'inscription mise sur la grande porte de Thélème », *Gargantua*. Livre I, chapitre 54

* hypocrites

❐ 79 [Saint-Amant] ; 244.1 [Rollinat]
435.4 [Gelder]

GO

435. Ô

(Jean) Vigo

(fou) (un) **dingo**
(chien) un dingo
lingot
(fusil, arg.) flingot
(bonbon) berlingot
(véhicule, arg.) berlingot
(pieds, arg.) des pingots
(espagnol, arg.) espingo
pharyngaux
(bataille) Marengo
(couleur ; drap)
(le) marengo
(cuisine) à la marengo
(nous, arg.) nozingo
(anarchiste) bousingot
distinguo

hidalgo
(italien, arg.) italgo
nilgaut
vulgo

(Teofilo) Folengo
bingo
ginkgo
gringo
mungo

(naïf) un **gogo**
(à volonté) à **gogo**
logo
théologaux
(danse, arg.) pogo
(un) **ostrogot(h)**
le Togo

bongo
(le) **Congo**
conjungo
(orang-outan) pongo

(yougouslave, arg.)
(un/e) yougo

argot
embargo

cargo
avion-cargo
escargot
(un) largo
(prénom) **Margot**
(pie) une margot
(vin) un margaux
la Camargo
Château-Margaux
(donc) ergo
(éperon) un **ergot**
(Louis) Pergaud
(sergent, arg.) sergot
(œufs, arg.) des avergots
sorgho
burgau
Turgot

Glasgow

(Victor) HUGO
(prénom) Ugo/Hugo
albugo
jugaux

extra/conjugaux
frugaux

sous-rime voisine
435.4 CO

contre-assonances
456.10 GON
481.8 GOU

435.12 IO

IDIOT

io

caillot
Chaillot
fayot
maillot
l'Ohio
hoyau
boyau
tord-boyaux
joyau
loyaux
aloyau
déloyaux
noyau
royaux
(homme, arg.) un payo
(paillasse, arg.) un paillot
parpaillot
tayaut!/taïaut!

(bloc de bois) un **billot**
(biologique) bio
(biographie) une bio
(poisson) cabillaud
(cheville) cabillot
bi/labiaux
rabiot
cambiaux
le Bio Bio
adverbiaux
proverbiaux

Chio
Pinocchio
il Verrocchio
Tokyo

chiot
branchiaux
(Vittore) Carpaccio
(plat) un carpaccio
Masacio
Lorenzaccio
libeccio
capriccio
le Mincio
Baroccio
broccio

(Andrea) Palladio
(radial) radiaux
(sans-filiste) un radio
(poste) une **radio**
(radiographie) une radio
téléradio
autoradio
stradiot/estradiot
prandiaux
(un) morvandiau
médiaux
(un) IDIOT
absidiaux
des présidiaux
audio
caudillo
godillot
allodiaux
mondiaux
(des) cordiaux
primordiaux
studio

vieillot

(Louis) Veuillot

(billet, arg.) fafiot
rafiau/rafiot

• Le roi de la pampa retourne sa chemise
• pour déplaire au profane aussi bien qu'aux **idiots**
• une toge il portait qui n'était pas de mise
• il ne trouve aussi sec qu'un sac de vieux **fayots**

• L'un et l'autre a raison non la foule insoumise
• qui se plaît à flouer de pauvres **provinciaux**
• il grelottait le pauvre aux bords de la Tamise
• elle effraie le Berry comme les **Morvandiaux**

Raymond Queneau,
Cent mille milliards de poèmes [passim]

– Conseil de poètes **géniaux**
Élaborant (non sans ratures)
La nouvelle littérature
Dont ils constituent le **noyau ;**

– Trois vieilles comme des ***prugneaux***
Se racontant ce qu'elles furent ;
– Trois vieux se montrant leurs blessures,
Narrant leurs exploits **coloniaux**…

Thieri Foulc, « Conseil de poètes géniaux… »,
Sonnets non recueillis précédemment

Hilversum Kalundborg Brno L'univers crache
Des parasites dans Mozart Du **lundi au**
Dimanche l'**idiot** speaker te **dédie Ô**
Silence l'insultant pot-pourri qu'il rabâche

Mais Jupiter tonnant amoureux d'une vache
Princesse avait laissé pourtant en **rade Io**
Qui tous les soirs écoutera la **radio**
Pleine des poux bruyants de l'époux qui se cache

Louis Aragon, « Petite suite sans fil » I,
Le Crève-cœur

☞

O

(coffre-fort, arg.) coffiot

agio
adagio
(Juan Manuel) Fangio
collégiaux

baguio
(gosier, rég.) garguillot

bliaud/bliaut
fabliau
nobliau
Clio
hélio
Fidelio
filiaux
liliaux
familiaux
l'Oglio
(feuille) folio
(balancier) foliot
in-folio
portfolio
un/e polio
imbroglio
(menthe) pouliot
(treuil) pouliot

(Darius) Milhaud
(Jacques) Amyot
(crachat, rég.) cramiau
daimyo/daïmio
Campoformio

domaniaux
géniaux
fonio
coloniaux
moniaux
des **cérémoniaux**
matrimoniaux
patrimoniaux
testimoniaux
canoniaux
Antonio
San-Antonio
bitoniau
corniot/corniaud
(sous, rég.)
des pécuniaux

hoyau

coyau
(putain, arg.) goyau
arroyo
(n. dép.) yo-yo/yoyo

pouillot
crapouillot
grouillot

(vin) piot
(perquisition, arg.) rapiot
Olympio
salopiot/salopiau(d)
loupiot
(gamin, rég.) galoupiot
(commis, arg.) roupiot
(des) marsupiaux

(fleuve) un rio
(Rio de Janeiro) Rio
chariot
cigarillo
salariaux
(marial) mariaux
(prénom) Mario
scénario
partenariaux
a contrario
impresario/
imprésario
Rosario
notariaux
(lac/province) l'Ontario
brio
(cambrioleur, arg.) cambrio
(Luciano) Berio
fériaux
(Louis) Blériot
vipériau
impériaux
(Théodore) Chassériau
matériau
seigneuriaux
(froid, arg.) frio(d)
griot
maigriot
(voyou, arg.) (un) pégriot
le Père Goriot
loriot
compère-loriot
des mémoriaux
immémoriaux
(des) armoriaux

I' faut qu'tout l'mond' mange ici-bas :
C'est-y pas vrai, les Terr' Neuvas ?

Nous autr's si l'on part su' l'**batieau** :
C'est pour qu'i's mang'nt, tous nos **petiots**

Gaston Couté, « Complainte des Terr' Neuvas »,
La Chanson d'un gâs qu'a mal tourné. Volume 4

❐ 362 [Bruant]
435.1 [Queneau] ; 435.10 [Foulc]

censoriaux
sénatoriaux
équatoriaux
oratorio
dictatoriaux
directoriaux
tinctoriaux
prétoriaux
éditoriaux
extra/territoriaux
inquisitoriaux
consistoriaux
un/e proprio
motu proprio
trio
atriau
(victime, arg.) pantriot
(Maurice) Utrillo
curiaux
(Bartolomé) Murillo

abbatiaux
faciaux
Bonifacio
palatiaux
glaciaux
primatiaux
paroissiaux
patio
aéro/spatiaux
(racial) raciaux
(coefficient) un ratio
interraciaux
sex-ratio
(les) sapientiaux
rancio
psaumes pénitentiaux

co/axiaux
Ajaccio
équinoxiaux
des féciaux
spéciaux
des officiaux
comitiaux
initiaux
(des) **provinciaux**
sociaux
(des) asociaux
antisociaux
onciaux
pré/**nuptiaux**
martiaux
partiaux
impartiaux
(des) commerciaux
tertio
cruciaux

bourgeoisiaux
fantasio
ecclésiaux
(J.M.G.) Le Clézio
deusio/deuzio
(Gabriele) D'Annunzio

(un) **petiot**
(pieds, rég.) les agotiaux
(bestial) bestiaux
(bétail) des **bestiaux**
des affûtiaux
flutiau

(volcan) un guyot
(poire) une guyot

aiguillot
tuyau

(Théophile de) Viau
(gosier, arg.) gaviot
glaviot
(hiver, arg.) hivio
triviaux
conviviaux
joviaux
synoviaux
alluviaux
fluviaux
diluviaux
pluviaux

sous-rime voisine
435.10 GNO

contre-assonance
456.11 ION

435.13 JO [χo]

les Navajo
(Cristobal de) Castillejo
(vieux, Esp.) viejo
azulejo
(Eugénie de) Montijo

Les houris, les odalisques
viennent gratter leurs ***banjos***
et je me glisse sans risques
au long des **azulejos***.

Pierre Gamarra, « Capricho »,
Le Sorbier des oiseaux

* prononciation francisée ou rime pour l'œil

sous-rimes voisines
435.20 RO
435.9 GEO

❐

435.14 LO

435. Ô

FLOT

(John) Law
l'eau
(droit) des lods
(louange) un **los**
(part) un **lot**
(sir Hudson) Lowe°

allô!/allo!
(auréole) un **halo**
(un) **ballot**
(miséreux, rég.)
brimballot
(argot) le calo
(coiffure) un calot
(bille) un calot
(Jacques) Callot
cachalot
daleau/dalot
(n. dép.) pédalo
(terne) **falot**
(lanterne) un **falot**
(phallocrate) un phallo
(dialecte) gallo(t)
(allure) **galop**
les Sangallo
mégalo
bungalow
(socialiste, arg.)
(un/e) socialo
(un) antihalo
(Édouard) Lalo
saint Malo
(Hector) Malot
marshmallow
Saint-Malo
(Nicolas) Boileau
(pelle) un palot
(pâle) pâlot
tchapalo
(un) **salop/salaud**
métallo
(italien, arg.) italo
(invalide, arg.) invalo
(convalescence, arg.)
une convalo

Van Loo/Vanloo

(prix, arg.) blot
câbleau/câblot
Pablo
tableau
les pueblo(s)
(ville) Fontainebleau
(fromage)
un fontainebleau
(gibier, arg.) giblot
simbleau
moblot
doubleau
arc-doubleau
troubleau
hublot

je/un/être **clos**
Choderlos de Laclos

j'/un/être **enclos**
(Ninon de) Lenclos
éclos
déclos
(bicyclette, arg.) biclo
mi-clos
(drogue, arg.) trichlo
à/un huis clos
folklo
(clochard, verl.) charclo
forclos

bataille d'Eylau
hello!
(Rémi) Belleau
(mignon) bellot
(Saul) Bellow
(Paolo) Uccello
délot
(Luigi) Pirandello
(Henry) Longfellow
Paesiello/Paisiello
(un) **mélo**
méli-mélo
pomélo
il Pisanello
(sou, arg.) pélot
(Benedetto) Marcello
Donatello
intello
Ot(h)ello
vélo

bibelot
angelot
camelot
fémelot
(frère, arg.) frelot
grelot
(gueux) miquelot
(chevalier) Lancelot
(pompier, arg.) un lancelot
ocelot
matelot
(policier, arg.) bertelot
javelot
velot
(travesti, arg.) travelo
(civil, arg.) civelot

FLOT
cash-flow
(riche, arg.) riflot
(artilleur, arg.) artiflot

sanglot
réglo
(pieds, arg.) des pinglots
tr(a)inglot

îlot
cubilot
philo
(syphilis, arg.) la syphilo
ex nihilo
kilo
mélilot
Vénus de Milo
(pieu) pilot

Il me semble parfois que mon sang coule à **flots**,
Ainsi qu'une fontaine aux rythmiques **sanglots**.
Je l'entends bien qui coule avec un long murmure,
Mais je me tâte en vain pour trouver la blessure.

À travers la cité, comme dans un champ **clos**,
Il s'en va, transformant les pavés en **îlots**,
Désaltérant la soif de chaque créature,
Et partout colorant en rouge la nature.

Charles Baudelaire, « La Fontaine de sang »,
Les Fleurs du mal

On voit couler au fil de **l'eau**
Des reflets d'astres, des **falots**
Des phalènes, des lucioles
Et briller le temps d'un **sanglot**
La cuisse à la fille à Ussiol
Dessous son poids de **matelot**…
Malgré la lueur des lampyres
Des étoiles et des **brûlots**
Non, vous ne voyez pas le pire :
Beau corps étendu qui soupire
Hélas. La flûte des **hulots**
Dessus trèfles et mélampyres
Des soupirs lourds comme l'empire,
L'enchevêtrement des **vélos**,
Sous les meules ou l'on transpire,
La fuite éperdue des **mulots**,
Les cœurs qui battent leurs **galops**.

Maurice Fombeure, « Toujours l'amour… »,
À chat petit

J'ai erré moi aussi en écoutant le **flot**
la nuit du fleuve ***enflé***

Near where the charter'd Thames does **flow***

Louis Calaferte, « Les tisons de la brume… »,
Londoniennes

* « Près de là où coule la Tamise chargée de frêt »

❒ 115 [Brassens] ; 142 [Yourcenar]
92 [Carco] ; 333.10 [Deville]

(chiffon) pilot
silo
sténo/**dactylo**
stylo
tuileau

Saint-Lô

diabolo
tombolo
écolo
pi(c)colo
(un) alc(o)olo
doleau
le Golo
gigolo
(comique) (un) **rigolo**

(cataplasme, n. dép.)
un rigollot
niolo
lolo
(moi, arg.) bibi-lolo
mollo
ramollo
trémolo
(Paul) Paulo
(Marco) Polo
(sport) le polo
Tiepolo
São Paulo
water-polo
rollot
(virage, arg.) virolo
prolo

sol
(au fil de l'eau) à **vau-l'ea**
(à volonté, arg.) à vol
Fra Diavol

(arbre) un **boulea**
(trappu) (un) **boulo**
(travail) le boulo
caboulo
(tête, arg.) ciboulo
goulo
poulo
roulea
trull
soûlot/soûlau

plo

LO

435. Ô

(sein, arg.) merlot
des roploplots/rotoplots
complot

(babiole, arg.) arlo
(argent, arg.) carlo
Monte-Carlo
(personnage) **Charlot**
(rigolo) un charlot
(Christopher) Marlowe°
(mauvais client, arg.) varlot
(simplet, rég.) berlaud
(troquet, arg.) caberlot
(tête, arg.) caberlot

(américain, arg.) amerlo(t)
(tabac, arg.) perlot
(huître) perlot
(caporal, arg.) caperlot
Waterloo
(directeur, arg.) dirlo
(soulier, arg.) sorlot

slow
Oslo

outlaw

bulot
(torero) chulo
culot
modulo
(homme, arg.) julot
mulot
surmulot
populo
brûlot

sous-rimes voisines
435.20 RO
435.15 MO
435.16 NO

contre-assonances
456.12 LON
481.11 LOU
214.11 LÉ

435.15 MO

MOT

(mal) des **maux**
(ville) Meaux
un MOT
hameau
chameau
Fort Alamo
dynamo
(Jean-Philippe) Rameau
(branche) un **rameau**
potamot
des **émaux**
(animal fabuleux) béhémot(h)
(zodiaque) les **Gémeaux**
(gemmail) des gemmaux
hiémaux
chrémeau
extrémaux
guillemot
pneumo
des demi-maux
un/à demi-mot
des **animaux**
minimaux
Geronimo
(habitant) (un) eskimo/esquimau
(glace, n. dép.) un esquimau
lacrymaux
(pédant) un **grimaud**
(Paul) Grimault
(primal) primaux
(d'abord) **primo**
(décimal) décimaux
(10°) decimo
duodécimaux
pianissimo
dolcissimo
fortissimo
prestissimo
bravissimo
Piero di Cosimo

maximaux
quadragésimaux
vicésimaux
centésimaux
infinitésimaux
ultimo
septimo
optimaux
(gay) (un) homo
(hominidé) un homo
pro domo
prud'homaux
ecce homo
(bobo, rég.) momo
(passereau) momot
anomaux
pommeau
(arôme) aromaux
chromo
promo
marmot
des fermaux
thermaux
almanach Vermot
ormeau
normaux
(des) **anormaux**
paranormaux
Le Pontormo
s(é)ismaux
paroxysmaux
baptismaux
rhumatismaux
(un) **jumeau**
(les) quadrijumeaux
(le) trijumeau
Longjumeau
chalumeau
(ustensile) un **plumeau**
(au diable, arg.) chez Plumeau
brumaux
grumeau
trumeau
sumo

Morne meunier meuleur de **mots**
ça murmure dans tes farines
Cœurs écrasés, graines chagrines
braiments d'âmes dans les **hameaux**

Je battrai des cris d'**animaux**
sur le tambour de ma poitrine
Ils sont bons à mettre aux latrines
tes sonnets de mort et de **maux**

Michel Calonne, « Morne meunier »,
Un silex à la mer

Émaux liminaires des **mots**,
Sommeils fêlés d'éclats de lune
Maléficieux sous les **ormeaux**.
Ceux qui s'éloignent un à une,

Laissez vos esprits **animaux**
Gagner la partie. Ça mitonne.
Fermez la persienne aux **Gémeaux**,
Dormez dans vos lits de cretonne…

Maurice Fombeure, « Gare aux maléfices »,
Pendant que vous dormez…

Ils partirent pour voir l'Enfant,
Montés sur leurs trois éléphants.
Un nègre en pantalons bouffants
Jouait de la flûte devant.

Derrière allaient deux nains **jumeaux**
En balançant de grands **plumeaux**…
Ils traversèrent les **hameaux**
Suivis de trente-trois **chameaux**.

Marie Noël, « Image pour le jour des Rois »,
Le Rosaire des joies

Adorons le patron, le pâtre et la patrie
Adorons le Lido, le lit, la literie
Adorons le **trumeau**
Adorons l'***être humain***
le phoque le faucon et le faux-col honni
les colonies

Max Jacob, « Gare au septième roulement »,
Actualités éternelles

sous-rimes voisines
435.14 LO
435.16 NO

contre-assonances
333.11 MIN
456.13 MON

❒ 205 [Supervielle]
258.13 [Duteil]

435.16 NO

435. Ô

(non, Angl.) no
(drame lyrique) le nô
(notre) **nos**

(anal) anaux
(annal) annaux
(bague) un **anneau**
banaux
(canal) des **canaux**
(Alonso) Cano
(barque) un **canot**
(peintres) Kano
(mécanicien) mécano
(jeu, n. dép.) meccano
(un) chicano
des **fanaux**
(butin, arg.) gano(t)
organeau
Lugano
le Garigliano
(doucement) piano
(instrument) un **piano**
(un) forte-piano
boliviano
Jeannot
(bêta, rég.) caquenano
l'Altiplano
(un) in-plano
(gitan, arg.) (un/e) romano
(lit, rég.) nano
d'Ornano
(Robert) Doisneau
guano
moineau
panneau
(des) tympanaux
(paranoïa) une parano
(paranoïaque)
(un/e) parano
(...de Bergerac) Cyrano
tyranneau
un/e **soprano**
un/e mezzo-soprano
Murano
les Bassano
artisanaux
vanneau
galvano

le Hainaut
(chêne) chêneau
(rigole) chéneau
(Jean) Guéhenno
biennaux
ripieno
quadriennaux
triennaux
baleineau
phénoménaux
pénaux
quinquennaux
(Fernand) Raynaud
(rénal) rénaux
(ville) Reno
(fleuve) le Reno
créneau
(André) Frénaud
(Marguerite) Moreno
traîneau

surrénaux
décennaux
tricennaux
vicennaux
centennaux
septennaux
sténo
vénaux

des chenaux
(nabot) godenot
Haguenau
les goguenots
(un) huguenot
(un) jeunot
meneau
penaud
(bébé, rég.) poupenot
(Raymond) Queneau
péquenot/péquenaud
croquenot
(prénom) Renaud
(Madeleine) Renaud
(colère, arg.) un renaud
(Louis) Renault
(n. dép.) une Renault
senau
des **arsenaux**
haveneau

(déesse) Ino
(Bernard) Hinault
(music-hall) Bobino
(techn.)
un bobineau/bobinot
comte de Gobineau
machinaux
cappucino
ladino
libidinaux
(essentiels) cardinaux
(prélats) des **cardinaux**
(maths) ordinaux
(bréviaires) des ordinaux
longitudinaux
latitudinaux
(malin) (un) **finaud**
(final) finaux
ligne Maginot
vaginaux
(textes) des originaux
(neufs) (des) **originaux**
méthode Ogino
des marginaux
virginaux
(linoléum) du lino
(linotypiste) un/e lino
(poème) palinod
colineau/colinot
bardolino
Issy-les-Moulineaux
(gamin) minot
(arc-boutant) minot
traminot
séminaux
(vagabond) un chemineau
(employé) (un) cheminot
(hypocrite) grippeminaud
liminaux

Un soir que je rêvais sur les bords du Scamandre
Les ponts les jolis ponts jouaient aux **dominos**
N'attendez pas l'hiver me disaient les **journaux**
Pour donner à réparer votre Salamandre
Sur sa barge un marin murmure tendrement
Drôlement un refrain d'opérette **No no**
Nanette et Notre-Dame a l'air d'un **casino**
Le Panthéon surgit là-bas comme un scaphandre
Est-ce Troie ou Paris la Seine ou le Scamandre

Louis Aragon, « Deux poèmes d'outre-tombe : Pergame en France » I,
Le Crève-cœur

La rose à voix de **soprano**
joue la nuit du **piano** [...]
La rose à voix de **soprano**
est connue même à **Concarno**
à Fosse-Repose et à **Locarno**
Et dans les faubourgs de **Kovno**
Et sur les plages de ***Bornéo***
Et dans tous les ***châteaux*** à **créneaux**.

Robert Desnos, « La rose à voix de soprano »,
Destinée arbitraire

Fouille le doute et la grâce ;
Amalgame en ton **guano**
À la Sybaris d'Horace
Les Chartreux de saint **Bruno**...

Victor Hugo, « L'Ascension humaine »,
Les Chansons des rues et des bois

La dague à **Renaud**
Canal et **canot**
La bague à **Renaud**
À la ***baguenaude***

Touche de **piano**
Chèvre **soprano**
Les bagouses ***rôdent***
À la ***baguenaude***

L'année à l'**anneau**
La crête au **créneau**
Un minet ***minaude***
À la ***baguenaude***

Tonnent les **tonneaux**
Fanent les **fanaux**
Peinent les ***penaudes***
À la ***baguenaude***

Jacques Charpentreau, « À la baguenaude »,
La Poésie dans tous ses états

Puis il remang' des **bigorneaux**,
Disant, d'un' voix aromatique :
« Moi j' suis l' champion d' la **Réno**-
vation de l'Art Poétique. »

Frédéric-Auguste Cazals, « Les bigorneaux de l'École romane » II
Le Jardin des Ronces

Sope, sope, sope, ***sot***,
sope sot, Cécile !
Sope, sope, sope, ***sot***,
sope ***sot***, **minaud** !

Jacques Audiberti, « Dieu, la femme »,
Des Tonnes de semence

❐

NO

subliminaux
domino
abdominaux
uni/nominaux
pronominaux
germinaux
(finaux) terminaux
(informat.) des terminaux
(vin) pineau
(cépage) pinot
pilipino
cérébro/spinaux
(cinéma, arg.) le kino
(penaud) quinaud
(Philippe) Quinault
(Giambattista) Marino
Solferino
ténorino
oto-rhino
doctrinaux
neutrino
des urinaux
des racinaux
vaccinaux
médicinaux
officinaux
vicinaux
casino
la Gatineau
(un) latino
matinaux
andantino
(Rudolph) Valentino

(duo) duettino
concertino
gastro-/intestinaux
matutinaux
(Italo) Calvino

(c'est pas bon, arg.)
macache bono
(Jules) Bonnot
jambonneau
conneau
diaconaux
fauconneau
dindonneau
phono
pigeonneau
diagonaux
pentagonaux
hexagonaux
mangonneau
polygonaux
octogonaux
orthogonaux
(des) méridionaux
obsidionaux
(Jean) Giono
inter/régionaux
septentrionaux
nationaux
supranationaux
antinationaux
multinationaux
internationaux

transnationaux
des rationaux
des confessionaux
des processionaux
anti/cyclonaux
(monophonique) mono
(moniteur) un mono
(monoski) le mono
(Jacques) Monod
(Théodore) Monod
kakemono
kimono
makimono
saumoneau
hormonaux
(Luigi) Nono
(9°) nono
(dodo, rég.) faire nono
(coup, arg.) rampo(n)neau
(escroc) friponneau
chrono
héronneau
neuronaux
coronaux
patronaux
sono
(baril) un **tonneau**
(a/tonal) a/tonaux
cantonaux
bitonaux
automnaux
zonaux

(Charles) Gounod
(Miguel de) Unamuno

(prénom) Arnaud
(Antoine) Arnault
(fleuve) l'Arno
carn(e)au
Locarno
Concarneau
(Hector de Saint-Denis)
Garneau
(Montparnasse, arg.)
Montparno
hibernaux
(ville) Landerneau
(microcosme)
un landern(e)au
paraphernaux
infernaux
(alcool, n. dép.) un Pernod
cerneau
lanterneau
vernaux
hivernaux
Brno
(Theodor) Adorno
a/à giorno
bigorneau
(un) porno
fourneau
haut-fourneau
des **journaux**
étourneau

des diurnaux

unau
des **tribunaux**
Junot
inter/communaux
saint Bruno
(Giordano) Bruno
pruneau

sous-rime voisine
435.10 GNO

contre-assonance
456.14 NON

435.17 OO

oh! oh!/ho ! ho !
(Londres) **Soho**
zoo

J'connais dans une boîte de **Soho**
Une nommée Pamela ***Popo***
[…]
Après quoi, les ***lolos***
À l'air, Pamela ***Popo***
Se met à soupirer **oh oh**
Oh oh oh
Oh *Pamela* ***Popo***

Serge Gainsbourg, « Pamela Popo »,
Dernières nouvelles des étoiles

sous-rimes voisines
435.0 O
435.1 AO
435.6 ÉO

contre-assonances
1.15 OA
214.14 OÉ
535.13 OHU

❐

435.18 OUO

linguaux
sublinguaux
perlinguaux
(jeu d'argent, arg.) flouau
squaw
statu quo
(Georges) Rouault
Drouot
tout haut

Vengez-moi de ce fat et de cette bégueule !
En guerre ! heureux amants, tremblez ! le **statu quo**
S'écroule, et le duel va cogner le ***duo*** !

Victor Hugo, « Comédies cassées »,
Appendice in *Théâtre complet.* II, p. 1602

Il faut regarder son visage
Noirci de la boue de **Rouault**,
Sali du baiser de l'esclave,
Scellé de l'oubli du ***Très-Haut***.

Gustave Lamarche, « Le Reposoir »,
Chansons sans cause. II in *Œuvres poétiques*

sous-rimes voisines
435.1 AO
435.6 ÉO

contre-assonances
1.16 OI
333.14 O(U)IN

❐

435.19 PO

PEAU

(ville) Pau
la PEAU
(fleuve) le Pô
(Edgar) **Poe**°
(récipient) un **pot**
(leurre) **appeau**
(montagne) l'Apo
(d'auto) un **capot**
(cartes) un/être capot
(détenu) un capo/kapo
da capo
chapeau
porte-chapeaux
diapo
(histoire, arg.) un papot
(papal) papaux
crapaud
drapeau
porte-drapeau
la Gestapo
(savane) campo
(congé) donner campo(s)
rampeau
sampot
dépôt
Lugné-Poe°
cache-pot
hochepot
(cigarette, verl.) un cleupo
repos
entrepôt
chassepot
(en cachette) à musse-pot
Su Dongpo
Li Po
galipot
tallipot
flipot

l'Oulipo
(flûte) **pipeau**
(polytechnicien, arg.) pipo
quipo
grippaux
oripeau
tripot
sipo
municipaux
(des) **principaux**
un/la typo
archétypaux
(briquet, n. dép.) un zippo
Li T'ai-po
impôt
(rien, arg.) balpeau!
bande Velpeau
tempo
a tempo
(Jacques) Copeau
(de bois) un **copeau**
(copain, arg.) copaud
brise-copeaux
syncopaux
épiscopaux
archiépiscopaux
lac Poopo
(marmiton) fouille-au-pot
le Limpopo
propos
à-propos
avant-propos
topo
schupo
troupeau
(Philippe) Soupault
(carpe) un carpeau
(Jean-Baptiste) Carpeaux
(balourd, rég.) marpaud
dispos
(suppositoire) suppo
(partisan) **suppôt**

Toujours sorcière, ô femme, et rusée à l'**appeau**
Des seins frais et des yeux attirants comme un phare,
Princesse que nul viol inéprouvé n'effare,
Courtisane fardant d'amour sa grasse **peau**,

Sous le brocart du luxe ou l'ignoble **oripeau**
Ta chair terrible change en animaux immondes
Jusqu'aux enfants divins qu'espèrent les vieux mondes
Et les mêle en riant aux porcs de ton **troupeau**.

Iwan Gilkin, « Femina »,
La Nuit

Mère des cauchemars amoureux et funèbres,
Madone des voleurs, complice des **tripots**,
Ô nuit, qui fais gémir les hiboux, tes **suppôts**,
Dans le recueillement de tes froides ténèbres,

Que tu couvres de poix opaque ou que tu zèbres
Les objets las du jour et friands de **repos**,
Je t'aime, car tu rends mon esprit plus **dispos**,
Et tu calmes mon cœur, mon sang et mes vertèbres.

Maurice Rollinat, « Sonnet à la nuit »,
Les Névroses

Louÿs, ta main **frappe au**
Sépulcre d'Edgar **Poe**.

Stéphane Mallarmé, « Louÿs, ta main frappe au… »,
Dédicaces, autographes, envois divers. V in *Vers de circonstance*

OUrle un ruban tordu ! Dans le dico décale !
LIbère l'incrément-gigogne sans escale !
POlype, au Labrador, tu groupes les **drapeaux** !

OU, si les petits pois chez nous jouent du **pipeau**
L'Irritante inégalité (voix syndicale)
POlit houppes et loups hopis : oh, l'**OULIPO** !

Collectif, « Oulipo »,
in *Atlas de littérature potentielle,* p. 430

sous-rime voisine
435.2 BO

contre-assonances
456.16 PON
244.14 PEU

❒ 460 [Gautier] ; 481.8 [Monselet]
258.7 [Réda] ; 244.14 [Audiberti] ; 258.16 et 535.14 [Bacri]

435.20 RO

HÉROS
TROP

(lettre) rhô/rho
(rôter) rot
(rôti) rôt

haro
(barre) **barreau**
(Jean-Louis) Barrault
(poutrelle) barrot
(baril) barrot

(fleuve) le Barrow
carreau
(fat) (un) **faraud**
(bière) le faro
(d'un cheval) garrot
(supplice) garrot
bigarreau
(coiffeur) un figaro
(personnage) Figaro
(journal) Le Figaro
zingaro
le Kilimandjaro
(vaurien) un **maraud**
(Clément) Marot

Oui, qu'on le grave et qu'on le crie !
c'est moi le sensible **bourreau**
de toi, petit ! que j'aime **trop**.
Défunte cette jacquerie
d'anges plus doux que le **sureau**
lâchés, par moi, sur le **taureau**
de ta détresse dont le **trot**
rougit les poils de la prairie…

Jacques Audiberti, « La Relance »,
Des Tonnes de semence

☞

RO

435. Ô

(camarade, arg.) camaro
Outamaro/Utamaro
carbonaro
(un) noiraud
un **poireau**
(Hercule) Poirot
des apparaux
lamparo
sarrau
(Camille) Pissaro
(prison, arg.) lazaro
(Francisco) Pizarro
(outil) taraud
(plante) taro
(carte) tarot
(têtu, rég.) tétarot
les Jivaro(s)
(accident, arg.) avaro
livarot

broc
faire chabrot
gabbro
septembraux
cérébraux
vertébraux
(n. dép.) Kanterbräu

(plaine) la Crau
(dent) un **croc**
(proxénète, arg.) un croc
(Charles) Cros
(déchirure) un **accroc**
(fana) (un/e) accro
macro
raccroc
sacraux
(nécrologie, arg.) nécro
micro
fermeture velcro
sépulcraux
escroc

cuadro
cathédraux
le Condroz
perdreau
(fleuve ; départ) l'Hérault
(messager) un **héraut**
(drogue) une héro
(brave) un HÉROS
(libéral) (des) libéraux
(joueur) un libéro
(Patrice) Chéreau
(cher) chérot
le Trocadéro
saladero
con/fédéraux
inter/**sidéraux**
pondéraux
rudéraux
(monsieur) caballero
un fiérot
un **pierrot/Pierrot**
banderillero
guérillero
antihéros
lérot
blaireau

boléro
huméraux
(numéral) (des) numéraux
(nombre) (un) **numéro**
Rio de Janeiro
(général) généraux
(armée) des **généraux**
(des) minéraux
(Charles) Perrault
(arbre) un pérot
apéro
pampéro
puerpéraux
vespéraux
sombrero
frérot
torero
romancero
cicéro
viscéraux
vocero
carcéraux
zéro
brasero
terreau
bi/uni/équi/tri/multi/
latéraux
collatéraux
presbytéraux
littéraux
fuero
in utero

hobereau
tombereau
hachereau
Denfert-Rochereau
(Cupidon) archerot
(cordon) bandereau
(Denis) Diderot
bordereau
vendangerot
Châtellerault
pleuraux
ramerot/ramereau
neuraux
lapereau
vipereau
grimpereau
(poisson) maquereau
(proxénète) maquereau
passereau
mâtereau
poétereau
hottereau
jottereau
sautereau
mur gouttereau
tourtereau

afro
la Jungfrau

(chenal) un grau
(Antoine) Gros
(fort) (un) **gros**
allégro/allegro
(noir, péj.) négro
rio Negro

Je sens un goût de **sirop**
Au Paradis de ta bouche,
La tête branle et l'œil louche,
Huit et cinq, total **zéro**.

Qu'elle est moite en son **fourreau**
L'âme tendre qui se couche,
Libellule qu'effarouche
La grosseur du **numéro** !

Gabriel Vicaire et Henri Beauclair, « Avant d'entrer »,
Les Déliquescences d'Adoré Floupette

Amour riant à la babine
Des dogues noirs et des **taureaux**,
Au bout de la patte féline
Et de la rime féminine ;

Amour qu'on noie au fond des **brocs**
Ou qu'on reporte sur la lune,
Cher aux galons des **caporaux**,
Doux aux guenilles des **marauds…**

Germain Nouveau, « Hymne »,
La Doctrine de l'Amour

Ne leur jetez pas la **pierre**, **ô**
Vous qu'affecte une jarretière !
Allez, ne jetez pas la **pierre**
Aux* blancs parias, aux purs **pierrots** !

Jules Laforgue, « Pierrots » IV,
L'Imitation de Notre-Dame la Lune

* rime enjambée

❐ 327 [Rollinat] ; 535.15 [Romains]

le Monténégro
vomito negro
intégraux
regros
demi-gros

le Giro
(Joan) Miró
(bigleux) (un) miraud/miro
des **amiraux**
des contre-amiraux
des vice-amiraux
spiraux
des soupiraux
sirop
pèse-sirop
(pièce à l'écart) buen retiro
anti/viraux
décemviraux
triumviraux

(André) Malraux

Mc Enroe°
(Marilyn) Monroe°

(des) oraux

(chœur) des choraux
(corail) des **coraux**
(Camille) Corot
bihoreau
floraux
(moral) **moraux**
général Moreau
(Gustave) Moreau
(Jeanne) Moreau
(noir) un (cheval) moreau
(Antonio) Moro
amoraux
fémoraux
immoraux
humoraux
tumoraux
des caporaux
(des) temporaux
des corporaux
auroraux
professoraux
Zorro
(animal) un **taureau**
(zodiaque) Taureau
(Henry D.) Thoreau
préfectoraux
électoraux

(muscles) (des) pectoraux
(ornements) des pectoraux
rectoraux
doctoraux
des **littoraux**
préceptoraux
pastoraux

bourreau
(Étienne) Tabourot
douro
fourreau
pastoureau

(un/e) pro

TROP
(allure) le **trot**
théâtraux
(poursuite, arg.) patatrot
(des) **centraux**
ventraux
spectraux
(train) le **métro**
(métropole) (un) métro
diamétraux
géométraux

RO

vespétro
(billard) un rétro
(mode) (le) rétro
(rétroviseur) un rétro
urétraux
arbitraux
chapitraux
des vitraux
(n. dép.) du Cointreau
in vitro
(foufou, rég.) foutraud
(fulminer, rég.)
prendre le foutro
astraux
(Fidel) Castro
Inès de Castro
cadastraux
maestro
(niais, arg.) cabestro
orchestraux
ancestraux
bistro(t)
magistraux
austraux
comte de Cagliostro
claustraux
lustraux

bureau
un/e enduro
périduraux
auguraux
inauguraux
godelureau
pluraux
muraux
(technique) pureau
(fosse à purin) purot
(des) **ruraux**
(arbre) **sureau**
(tumeur) suros
caricaturaux
conjecturaux
architecturaux
picturaux
structuraux
culturaux
sculpturaux
scripturaux
gutturaux

poivrot
chevreau
levraut/levreau
couleuvreau
ouvreau

sous-rimes voisines
435.14 LO
435.15 MO

contre-assonances
456.17 RON
481.15 ROU

435.21 SSO

SOT
BERCEAU

(sauter) un **saut**
(sceller) un **sceau**
(ville) Sceaux
(récipient) un **seau**
(niais) (un) SOT
(attaque) **assaut**
(marteau) asseau
(imprimerie) un casseau
(castration) des casseaux
bécasseau
(Pablo) Picasso
(Marcel) Dassault
lasso
le Nassau
boisseau
(île) Curaçao
(liqueur) le curaçao
tasseau
des **vassaux**
des vavassaux
des arrière-vassaux
(un) manceau
(Georges) Clemenceau
des commensaux
in extenso
(des) provencaux
jouvenceau
(essence, n. dép.) Esso
(planche) un aisseau
garde des Sceaux
faisceau
d'Aguesseau
(monnaie) peso
(échalas, rég.) paisseau
(sursaut) tressaut
vaisseau
(d'emblée) de prime-saut
ressaut
soubresaut
cylindre-sceau
abyssaux
Guinée-Bissau
coulisseau
Chamisso
vermisseau
(urine, rég.) pissot
Brissot
arbrisseau
sous-arbrisseau
souriceau
(de veau) cuisseau
(de gibier)
cuisseau/cuissot
ruisseau
saute-ruisseau
pinceau
rinceau
colossaux
le Rosso
le Mato Grosso
lionceau
monceau
panonceau
Chenonceaux
(coquelicot) (un) ponceau
(pont) un ponceau
(trapu) goussaut
(dorade) un rousseau
(Jean-Jacques) Rousseau
le Douanier Rousseau
trousseau
vousseau
(nymphe) Calypso
(danse) un calypso
arceau
(Marcel) Marceau
(saule)
un marseau/marsault
erseau
BERCEAU
cerceau
gerseau
(personnel) perso
des dispersaux
(zodiaque) **Verseau**
(pente) verseau
(dos) **verso**
des universaux
transversaux
meursault
corso
dorsaux
morceau
éfourceau
pourceau

Le soleil darde à plomb… La voûte des **berceaux**
Aux faiblesses d'amour prête une ombre immorale.
Tout Paris, alangui, fait de la pastorale
Et s'éprend tout de bon pour les petits **ruisseaux** !

Au nez des chiens hardis qui boivent dans les **seaux**
La lune épanouit sa face sépulcrale.
– L'esprit fort, arrêté devant la cathédrale,
Songe qu'on est au frais sous les profonds **arceaux**…

Albert Mérat, « Canicule »,
Avril, mai, juin… XLI

La mer au pied du lit jouait d'une guitare
(instrument déjoué par l'œil de **Picasso**)
les écluses du jour inondaient à pleins **seaux**
le balcon bleu tombant à pic sur Gibraltar

une ombre et son reflet posés là par hasard
veillaient sur le trésor d'un bouquet de **pinceaux**
quelques fruits dangereux répartis en **faisceaux**
attendaient pour sauter qu'il fût un peu plus tard

Daniel Lander, « La mer au pied du lit… »,
Cinq sonnets in *Temps majeur*

À l'ombre d'un épais cactus, où le rat grouille,
Son torse nu criblé de mouches à l'**assaut**,
Un meskine accroupi, sans hâte ni **sursaut**,
À coups d'ongle nettoie un pan de sa dépouille.

L'heure entière a passé. L'homme encore s'épouille.
Jusqu'au creux de sa main, le sang coule en **ruisseau**.
La vermine écrasée à des plaques **ponceau**
Mêle sa pâte grise, au long du doigt qui fouille…

François Onffroy, « Un Pauvre »,
Le Chant après la Conquête

❒ *338 [Montesquiou]*

sursaut
puceau
tussau
un/e saxo
affixaux
préfixaux
suffixaux
paradoxaux
(proxénète, arg.) proxo

sous-rime voisine
435.22 S(Z)O

contre-assonance
456.18 SSON

435. Ô

435.22 S(Z)O

OISEAU

zoo
basaux
(masochiste) (un/e) maso
(bâtiment, Suisse) un mazot
(nasal) nasaux
(narine) un naseau
semi-nasaux
OISEAU
pied-d'oiseau
damoiseau
Chimborazo
pupazzo
mezzo
intermezzo
scherzo
les aulx
les eaux
les os
Palaiseau
peso
réseau
Valparaiso
(n. dép.) nanoréseau
queusot
jusques au
Le Creusot
biseau
(schizophrène) (un/e) schizo
ciseau

(jambe, arg.) un guisot
(François) Guizot
chorizo
mont Viso
aviso
(dernier-né) ravisot
causaux
ma(f)fioso
arioso
furioso
grazioso/gracioso
closeau
roseau
(Cesare) Lombroso
corozo
amoroso
maestoso
(tendre) affetuoso
zozo
l'Isonzo
(jambières) des houseaux
(boisson) un ouzo
(Henri-Georges) Clouzot
(Enrico) Caruso
(voyou, verlan) narzo
gerzeau
fuseau
museau
(coup) casse-museau
pontuseau
(exercice) un exo
(exonération) une exo

La souffrance est comme un **ciseau**
Qui tranche dans la chair vivante
Et j'en ai subi l'épouvante
Comme de la flèche à l'**oiseau**
Du feu du désert à la plante
Comme la glace sur **les eaux**

Paul Eluard, « Épitaphes » II,
Poésie ininterrompue

Ma pensée est une insensée
Qui s'égare dans les **roseaux**
Aux chants **des eaux** et des **oiseaux**,
Ma pensée est une insensée.
Les **roseaux** font de verts **réseaux**,
Lotus sans tige sur **les eaux**
Ma pensée est une insensée
Qui s'égare dans les **roseaux**.

Charles Cros, « École buissonnière »,
Le Collier de griffes

Trois petits pâtés, ma chemise brûle.
Monsieur le Curé n'aime **pas les os.**
Ma cousine est blonde, elle a nom Ursule,
Que n'émigrons-nous vers les **Palaiseaux** !

Ma cousine est blonde, elle a nom Ursule,
On dirait d'un cher glaïeul sur **les eaux**.
Vivent le muguet et la campanule !
Dodo, l'enfant do, chantez, doux **fuseaux**.

Paul Verlaine, « Pantoum négligé »,
Jadis et Naguère

sous-rime voisine
435.21 SSO

contre-assonance
456.19 S(Z)ON

❐ 244.15 [Brassens] ; 187 [Nelligan]
481.17 [Alyn]

435.23 TO

BATEAU
CHÂTEAU

(lettre) un tau
(abri) un taud
(montant) un taux
(précocement) **tôt**

BATEAU
(un) rubato
(catholique) un/e catho
(prostituée, arg.) une cathau
Krakatau
(un) staccato
pizzicato
CHÂTEAU
gâteau
(un) legato
palataux
plateau
animato
sfumato
ostinato
appassionato
(Arrigo/Camillo) Boito

(un) **pataud**
râteau
vibrato
Érato
moderato
ab irato
agirato
cap Pertusato
(Antoine) Watteau

bel canto
chanteau
dentaux
transcendantaux
(des) **occidentaux**
éléphanteau
(vêtement) un **manteau**
(mental) mentaux
fondamentaux
sacramentaux
environnementaux
anti/gouvernementaux
ornementaux
départementaux
portemanteau
comportementaux
expérimentaux

C'est adorable à voir ces peintures exquises :
Carnavals de Boucher et danses de **Watteau**,
Silvains musqués, gotons à talon haut, marquises
Et ducs, sous le loup noir gardant l'**incognito** ;

Amants toujours heureux, beautés jamais avares,
Peuplant de frais baisers les salles d'un **château**,
Ou bien appareillant, en toilettes bizarres,
Pour Cythère, sur un fantastique **bateau**.

Germain Nouveau, « Fantaisies parisiennes » I,
Premiers poèmes

Maître, ô maître nocturne, maître,
Roi des nuits, prince des **métaux**,
L'odeur du soleil et des êtres
Ruisselle aux plis de mon **manteau** !
Les morts serrés dans ton **étau**
Frissonnants ouvrent leurs narines.
Je suis la mer et le **bateau**,
Maître immobile des racines !

Marie-Jeanne Durry, « Prière d'Orphée »,
Orphée

☞

TO

435. Ô

sentimentaux
des fromentaux
(un) marmenteau
monumentaux
instrumentaux
inter/trans/continentaux
serpenteau
mono/parentaux
espéranto
tantôt
(un) hottentot
(soufflerie) un venteau
(battant) des vantaux
(visière) des ventaux

de facto
ipso facto
hecto
(blouson, n.dép.) perfecto
Alecto
dialectaux
(rectal) rectaux
(endroit) un recto
(tout droit, arg.) directo
(Jean) Cocteau

pachto
(malingre, arg.) (un/e) rachto
(agréable, arg.) michto

(presse) un **étau**
(étal) des étaux
(ornement) un faîteau
(fœtal) fœtaux
enfaîteau
(des) **végétaux**
ghetto
(un) larghetto
(génératrice) magnéto
(magnétophone) magnéto
pariétaux
(létal) létaux
(mythologie) Léto
Canaletto
Rigoletto
des **métaux**
Soweto
cour du roi Pétaud
in petto
gruppetto
libretto
allegretto
tréteau
céteau
terzetto
têteau
duetto
(refus) **veto**
(vétérinaire) véto
liberum veto

cailleteau
paletot
bonneteau
boqueteau
loqueteau
le Roi d'Yvetot
louveteau

orbitaux
cubitaux
subito
dito
édito
sagittaux
digitaux
cogito
(l') **incognito**
(baguette) un liteau
(tanière) un liteau
(lithographie) une litho
(clitoris, arg.) clito
san-benito
génitaux
congénitaux
zénithaux
Hirohito
(essentiel) **capitaux**
(argent) des **capitaux**
chapiteau
occipitaux
sincipitaux
des **hôpitaux**
Quito
les Miskito/mosquito
maritaux
écriteau
les Négrito
abbaye de Citeaux
sitôt
aussitôt
Tito
(soupirant) patito
vitaux

bientôt
linteau
mémento
(outil) un pointeau
(employé) un pointeau
(pointal) des pointaux
des quintaux
(5°) quinto

un/e alto
contralto
salto
(Françoise) Dolto
molto

pronunciamiento
ayuntamiento
asiento
tiento
(un) lento
le Tagliamento
lamento
aggiornamento
le Sacramento
le Risorgimento
divertimento
quattrocento
shinto
messo-tinto
quinto

(prénom) Otto
(voiture) une **auto**

Sainte-Ursule en ton ***beau*** **bateau**
Tu n'as plus à te lever **tôt**,
À soulever tous les **marteaux**
Et alerter tous les concierges
Pour recruter dix mille vierges.

Sous le resplendissant **manteau**
Du grand Memling tu les héberges
Sans avoir besoin d'**ex-voto**
Et pas même du moindre cierge.

Alfred Dupont, « Sainte-Ursule en ton beau bateau… »,
Le Jeu de Bruges et de la Mer

Je ne connaissais pas ce malheureux bohême,
Et, pourtant, j'ai pleuré, quand j'ai su le soir même
Qu'on avait retrouvé son cadavre à **Puteaux**.
« *Homo sum, et nihil humani a me alienum* **puto** ! »*

Maurice Mac-Nab, « La Mort du poète »,
Poèmes Mobiles

* « Je suis homme, et rien de ce qui est humain ne m'est étranger » (Térence)

❒ 535.15 [Réda]

(colline) **coteau**
(instrument) koto
Sokoto
des biscoteaux
dotaux
sacerdotaux
(Paul) Léautaud
photo
roman-photo
safari-photo
zigoto
Giotto
Kyoto
(jeu) le **loto**
(Lorenzo) Lotto
moto
les Minamoto
(pilier) **poteau**
(lémurien) potto
(délateur, rég.)
un raccuse-potot
poto-poto
le Lesotho
risotto
(total) (des) totaux
(pou, arg.) un toto
(auto) une toto
porte-autos
lave-auto
prévôtaux
ex-voto

comtaux
(bijou) un fronteau
(frontal) (des) frontaux
Toronto
(vite, arg.) pronto
horizontaux

couteau
porte-couteau
(hêtre, rég.) fouteau
tenuto
sostenuto
putto

laptot
ex abrupto

(Antonin) Artaud
quartaut
(outil) un **marteau**
(fou) être marteau
requin-marteau
quarto
in-quarto
Andrea del Sarto
(Jean) Bertaut
concerto
(marée) morte-eau
saucisse de Morteau
(ville) Porto
(vin) un **porto**
(portugais, arg.) un porto
(un) courtaud
tourteau
surtaux

(bd Sébastopol) Sébasto
(impasse, arg.) pasto
des piédestaux
(restaurant) restau/resto
presto
(élève officier, arg.) fistot
(Méphistophélès) Méphisto
listeau
aristo
(cristal) des **cristaux**

(artiste) Christo
le Comte de Monte-Cristo
(prisonnier, arg.) pristo
cuisto
(coin, arg.)
coinsto/coinsteau
hosteau/(h)osto
(fort)(un) **costaud**
inter/costaux
postaux
aéropostaux
(Jacques-Yves) Cousteau
(un) **rustaud**
sexto
texto

Rambuteau
flûteau
plutôt
plus tôt
azimutaux
Puteaux
brutaux

sous-rime voisine
435.5 DO

contre-assonance
456.20 TON

435.24 UO

435. Ô

(à droite!) huhau!
(dual) duaux
(musique) un **duo**
(prières) triduo
fluo
gluau
continuo
(mauvaise herbe, Belg.) cruau
(grain) gruau
(faire la cour, arg.)
faire du gruau

…Lui, laissant sur la route errer ses yeux obliques,
Il songe, au bruit flatteur des voitures publiques,
Et, carabine au poing, écoute ce **duo**
Où le fouet dit clic-clac et le cocher **hu ho**…

Victor Hugo, « Don César de Bazan » Appendice [p. 1714],
Théâtre en liberté in *Théâtre complet.* II

Les chaumes bas penchés, les appentis grégaires,
Entassent bâches, faux, la fourche, le ***rateau***,
Les reins exténués sur les champs parcellaires
Pour la maigre moisson d'avoine et de **gruau**.

Pierre Osenat,
Cantate à l'île d'Ouessant

Oublie l'insane mort et son noir feuilleton ;

De notre seule vie ne reste qu'un ***morceau***
À vivre, comme on vit, l'aile prise au **gluau**.

Albert Ayguesparse, « Petites élégies pour défier le monde » III,
Écrire la pierre in *Œuvre poétique*

sous-rimes voisines
435.6 ÉO
435.18 OUO

contre-assonances
258.22 UI
91.24 UAN

❒ *435.18 [Hugo]*

435.25 VO

NOUVEAU

(animal) un **veau**
(construction) un vau
canton de Vaud
(valoir) il **vaut**
(val) des **vaux**
(votre) vos
caveau
javeau
claveau
pavot
(un) **bravo**!
rio Bravo
des **travaux**
(8°) octavo
(un) in-octavo
centavo
(un) **dévot**
(irréligieux) indévot
Sarajevo
médiévaux
(prévaloir) il prévaut
(officier) un prévôt
l'abbé Prévost
(Jean) Prévost
(Italo) Svevo
des **chevaux**
écheveau
pied-de-veau
il revaut
Roncevaux
biveau
godiveau

gingivaux
ogivaux
baliveau
soliveau
(hauteur) un **niveau**
(nival) nivaux
caniveau
(panier) maniveau
top niveau
pivot
il équivaut
(des) **rivaux**
Marivaux
vassiveau
espressivo
hâtiveau
adjectivaux
estivaux
vive-eau
in vivo
ex vivo
(Paul) Delvaux
(n. dép.) une Volvo
(snob, arg.) novo
Porto-Novo
un/e provo
le Kosovo
(Germain) Nouveau
(un) NOUVEAU
renouveau
Clairvaux
cerveau
arrière-cerveau
uvaux
cuveau

Son rêve, lentement, s'étage en son **cerveau**
Et se construit dans l'idéal, selon la norme ;
Mais pour en concréter le concept et la forme
Il lui faudrait un siècle et le siècle **nouveau**.

Car son rêve s'élance au-dessus du **niveau**
Des plus fiers monuments ; et sa structure forme
– Porches, gâbles et nefs – un édifice énorme
Qu'érigera vers Dieu tout un peuple **dévot**.

Louis Roux, « Rêve Gothique »,
Les Siècles d'Or

Il a cravate blanche et démarche empesée,
Raide en son habit noir autant qu'un **soliveau**,
Il rappelle à la fois par sa face rasée
Le frais bouton de rose et la tête de **veau**.

On voit qu'un calme plat congèle son **cerveau** ;
Que pour lui, dédaigneux de la masse écrasée,
Notre société, sur la Bible basée,
N'est qu'un texte à sermon, un dogme **in-octavo**.

Eugène Pottier, « Le Clergyman »,
Œuvres complètes

Qu'est-ce qu'un cheval **vaut** ?
Et combien deux p'tits **ch'vaux** valent ?
Pour le prix d'un p'tit ch'val
Peut-on avoir deux p'tits **veaux** ?
Qu'est-ce qu'un **veau vaut**
Et combien deux p'tits **veaux** valent
Quand ils sont au même **niveau**
Niveau rival d'un cheval.

Charles Trenet, « Qu'est-ce qu'un cheval vaut ? »,
Tombé du ciel

sous-rime voisine
435.8 FO

contre-assonance
244.21 VEU

❒ *419 [Lamarche] ; 244.21 [Prévert]*

436. AUBE-AUB°

AUBE

(rivière ; départ) l'Aube
(matin) AUBE
(de moulin) aube
(de prêtre) aube
(il raille) il **daube**
(cuisine) il/une **daube**
(camelote, arg.) la daube
(il pue, arg.) il daube
(il bâcle, rég.) il adaube
(cuisine) il endaube
(Place Maubert) la Maub'°
(avion allemand) un taube

Ainsi l'enfant dormait dans son jour et son **aube**.
Il allait commencer le cercle de quel temps.
Il allait commencer quel immense printemps.
Comme un torrent gonflé qui pèse sur une **aube**,

La grâce allait peser sur le monde romain.
Et l'enfant endormi dans son jour et son **aube**,
Comme un prêtre vêtu de l'étole et de l'**aube**,
Allait appareiller pour quel nouveau chemin.

Charles Péguy,
Ève, p. 1061

Levé de bon matin, le sansonnet grincheux
Buvait le sang du ciel dans le cristal de l'**aube**
Et déjeunait de quelque vermicule en **daube**.
Passèrent près de lui deux passants matineux [...]

Boris Vian, « Mort du romancier »,
Cent Sonnets

Faites que l'**aube**
Ne me **daube**.
Faites que la nuit
Me ***gobe***.

Jean Sénac, « Supplique »,
Dérisions et Vertige

assonances	*contre-assonances*
438. AUDE	*360. OBE*
442. AULE	*457. OMBE*
454. AUVE	*335. IMBE*

❒ *438 [Laforgue] ; 446 [Wouters] ; 360 [Marteau]*

437. AUCHE-ÔCHE-AUCH°

GAUCHE

Auch°
(diamant, arg.) une bauche
(il se bat, rég.) il se bauche
(fane ; tignasse, rég.) une bauche
(Pina) Bauch°
une/il embauche
il r(é)embauche
une/il **ébauche**
(luxure) il/la **débauche**
(il licencie) il débauche
(il foule, rég.) il chauche
il côche
(il coupe) il **fauche**
(il vole) la/il fauche
(il se renfloue, arg.) il (se) défauche
le/la GAUCHE
(maladroit, arg.) malagauche
tourne-à-gauche
(motte, rég.) une blôche
(mines) il rauche
(plante) la rauche
il **chevauche**
il enchevauche

Garde la pose, Amour ! ce n'est là qu'une **ébauche**
un accroche-lumière, un dégrossissement
une figure presque abstraite sinon **gauche**
fruit moins de l'art d'aimer que du tâtonnement

trop pressé d'engranger sur le champ et qui **fauche**
les épis mûrs de la jouissance en gourmand ;
mais le goût de toi veut de plus tendres **débauches**
et ta fine beauté vaut le raffinement.

Luc Estang, « Profil »,
Corps à cœur. III

Dansant le branle en sa **débauche**,
Au cœur du prince il fait grand froid !
Du **gauche**, approchant le pied droit,
Un pas **gauche** à **gauche** il **ébauche** ;

Chaque pas le suivant **chevauche**
Et la douleur du prince accroît ;
Dansant le branle en sa **débauche**
Au cœur du prince il fait grand froid

Francis Lalanne, « Dansant le branle »,
Le Roman d'Arcanie

Un petit Gaulois rouge
Tout à coup ***débouche***
Le dépasse à **gauche**
Alors là ça ***chauffe***

Pierre Delanoë, « Le petit Gaulois bleu »,
Paroles à lire ou poèmes à chanter

assonances	*contre-assonances*
441. AUGE	*363. OCHE*
449. AUSSE	*484. OUCHE*
439. AUFFE	*101. ANCHE*

❒ *439 [Renaud]*

438. AUDE-ÔDE-AUD°

CHAUDE

(prénom) Aude
(fleuve ; dépt.) l'Aude
il clabaude
(confusion) la billebaude
(une) ribaude
thibaude
(une) moricaude
CHAUDE
il échaude
il/(une) badaude
(une) lourdaude
(sourde, rég.) sourdaude
il échafaude
(il chauffe, arg.) il ri(f)faude
gaude
les Bagaudes
(il gigote, rég.) il gigaude
saligaude
il/(une) **nigaude**
(fourbe) il/(une) trigaude
il margaude
(une) limougeaude
(une) **rougeaude**
(penaude, rég.) cagnaude
des laudes
(salope) salaude
(blouse, rég.) une blaude
(saint ; prénom) Claude
(empereur) Claude
reine-claude
(imbécile, arg.) (un) glaude
(poche, arg.) une glaude
(rigolote, Suisse) rigolaude
soûlaude
(simplette, rég.) berlaude
Maud°

esquimaude
(pédante) grimaude
(fruit) une baguenaude
(poème) une baguenaude
(balader)
il (se) **baguenaude**
penaude
(une) péquenaude
chiquenaude
(il râle, arg.) il renaude
(grenouille, rég.)
une grenaude
(une) finaude
il **minaude**
quinaude
(hideuse) crapaude
(balourde, rég.) marpaude
il **rôde**
(une) **faraude**
(vol) il/une **maraude**
(en quête) en **maraude**
(misérable) une maraude
(une) noiraude
il taraude
émeraude
il/une **fraude**
(une) miraude
(il [se] tourmente, rég.)
il (se) bourreaude
(il traque) il levraude
il/une taude
pataude
il/être courtaude
(une) costaude
(une) rustaude
il **ravaude**
il marivaude
il **galvaude**

assonances
436. AUBE
452. AUTE
454. AUVE

contre-assonances
367. ODE
468. ONDE
486. OUDE

Avoir bourré sept ans la Prusse et Frédéric,
Baillé sous Richelieu dix mille **chiquenaudes**,
Écorché le Hanovre, enfilé des **maraudes**,
Piffré du lard, couru la gueuse et bu du schnick ;

Vu Soubise, à Rossbach, tomber sur le mastic,
Ricané de Clermont jouant à la main **chaude**,
Confus d'ingurgiter plus de gnons que de **laudes**,
Souffert la Pompadour et son tripot public…

Charles Boulen, « Apothéose des gars de Saint-Maclou »,
Sonnets pour la Servante

Le ciel est couleur d'**émeraude** ;
La terre est couleur d'horizon ;
Dans l'air du soir, un parfum **rôde**,
Une odeur fraîche de gazon.

La grenouille verte **clabaude** ;
L'étang se ride d'un frisson…
Le ciel est couleur d'**émeraude** ;
La terre est couleur d'horizon.

Oubliant sa grâce **faraude**,
La fleur penche vers le buisson ;
Et, déjà la lune **minaude**
De son joli visage rond,
Dans le ciel d'un vert d'**émeraude**.

Rosemonde Gérard, « Soirée »,
Les Pipeaux

Vois, les Steppes stellaires
Se dissolvent à l'***aube***…
La lune est la dernière
À s'effacer, **badaude**.

Jules Laforgue, « L'aurore-promise »,
Des Fleurs de bonne volonté

Au concours des enfants j'ai triomphé sans **fraude** ;
Mon père, ou quelque amant, archonte ou souverain,
Liant son nom au mien dans les strophes d'une ***ode***,
Fit fondre mon image en ce fragile airain.

À peine moins mortel que la chair jeune et **chaude**,
Mon beau bronze a souffert dans l'humide terrain ;
Mais sorti de la nuit et du sol qui ***corrode***,
J'ai retrouvé un socle et l'œil du jour serein.

Marguerite Yourcenar, « L'Idolino »,
Les Charités d'Alcippe

❒ 435.16 [Charpentreau]
447 [Nau] ; 452 [Robin] ; 268 [Deville]

439. AUFFE-AUF°

CHAUFFE

(un) **beauf°**
la/il CHAUFFE
il (s') **échauffe**
il **réchauffe**
il préchauffe
une/il dé/re/surchauffe
(il sodomise, arg.)
il en/dauffe
(hormis) **sauf°**
(sauvé) être **sauf°**

Le jour où les cons iront pointer
On l'verra au bureau d'***embauche***
Mon **beauf** […]

Le jour où les cons s'ront cuisiniers
C'est lui qui préparera les ***sauces***
Mon **beauf** […]

Quand l'soleil brillera que pour les cons
Il aura les oreilles qui **chauffent**
Mon **beauf**

Renaud, « Mon beauf » [passim],
Le Temps des noyaux

☞

AUFFE-AUF

Ce vieux ***prof***
Qui parlait
À son aise

Très bien **sauf**
Que c'était
Pour les chaises

Léo Ferré, « Quartier latin »,
La mauvaise graine

assonances *contre-assonances*
454. AUVE *370. OF-E*
449. AUSSE *13. AF-E*

❐ *440 [Neuhuys]*

440. AUFRE

(patisserie) une **gaufre**
(il imprime) il gaufre
(visage, arg.) une gaufre
(imbécile, arg.) une gaufre
(chute, arg.)
il se/ramasser une gaufre
il épaufre

Aujourd'hui ce n'est plus pour moi que le four ***chauffe***
Une sombre ruelle a l'air de méditer
gravement sur la mort qui se poudre la **gaufre**
à la lueur d'un réverbère exorbité

Paul Neuhuys, « Le Carillon de Carcassonne »,
On a beau dire

Là-bas, les bons soldats de ***Joffre***,
Glacés sous leur manteau,
Disent : Merci pour le gâteau
Les Pruscos, c'est des **gaufres**

Paul-Jean Toulet, « Intermède » I,
Œuvres complètes

assonances *contre-assonances*
439. AUFFE *372. OFRE*
455. AUVRE *490. OUFRE*

❐

441. AUGE-OSGES

SAUGE

(bassin) une **auge**
pays d'Auge
(gîte boueux)
il (se)/une **bauge**
(ventre, arg.) le bauge
massif des Bauges
Tiffauges
une/il **jauge**
il déjauge
les Mauges
SAUGE
il **patauge**
(il économise, rég.) il étauge
les **Vosges**

La porchère va remplir l'**auge**
De son mouillé d'eau de vaisselle.
Les deux bras nus jusqu'à l'aisselle,
Elle va, vient, court et **patauge**.

– L'air est plein d'une odeur de **sauge**.
La lumière partout ruisselle.
La porchère va remplir l'**auge**
De son mouillé d'eau de vaisselle.

Et ma foi ! mon désir se **jauge**
Aux charmes de la jouvencelle :
Je suis fou de cette pucelle.
– Allons ! verrats, quittez la **bauge** !
La porchère va remplir l'**auge**.

Maurice Rollinat, « La Belle Porchère »,
Dans les brandes

Il est loin, le jardin d'Été où sont les **sauges**,
où, près des tomates écarlates et des ***roses***,
tombait le triste et blanc calme des Dimanches ***chauds***.

Francis Jammes, « Une feuille morte tombe… »,
De l'Angelus de l'Aube à l'Angelus du soir

Je dis toi quand c'est moi qui sans cesse ***interroge***,
Je dis toi quand c'est moi qui cherche à m'éprouver,
Je dis toi, mais je ris au bras de la clarté
En mâchant, ingénu, une feuille de **sauge**.

Maurice Carême, « Toi qui n'auras besoin, mort… »,
Brabant

assonances *contre-assonances*
448. AUSE *374. OGE*
437. AUCHE *471. ONGE*
492. OUGE

❐

442. AULE-ÔLE-OL°

ÉPAULE

hall°
La Baule
volley-ball°
médecine-ball°
base-ball°
punching-ball°
basket-ball°
football°
(Émile) Cohl°
(Helmut) Kohl°
(fard) du khôl°
acaule
unicaule
music-hall°
il chaule
(sommet) la Dôle
(vin) une dôle
Candaule
geôle
il **enjôle**
(gardien) un goal°
(perche) il/une **gaule**
(Gaulois) la **Gaule**
(Charles) de Gaulle
drop-goal°
gnaule/gn(i)ôle
(coccinelle, rég.)
une pinpignôle
(gosier, rég.) la courgnaule
yawl°
diaule
il **miaule**
niôle
(chambre) une **piaule**

(il crie) il piaule
(il s'affuble, rég.)
il s'affutiaule
(digue) un **môle**
(poisson) une môle
(pathologie) une môle
(rivière) le Maule
(rugby) un maul°
(drague) cure-môle
(Nord/Sud) le **pôle**
(prénom) Paule
il/une ÉPAULE
saint François de Paule
dipôle
Marie-Paule
quadripôle
technopôle
rôle
il **enrôle**
(il dérange, rég.) il débraule
(il tousse, rég.) il crôle
(nage) le crawl°
(il nage) il crawle
(un) **drôle**
hydraule
il **frôle**
(pou, arg.) un grôle
(chasse) il/la trôle
il/un **contrôle**
self-control°
rétrocontrôle
saule
(fer) la **tôle**
(prison) une tôle/taule
(il rit, arg.) il se taule
(il incarcère, arg.) il entôle
negro(-)/spiritual°

La vie est courte, il faut en profiter,
Et le temps nous pousse aux **épaules** ;
Cette extrême brièveté
Des jours qui nous sont accordés –
Comme des prisonniers ivres de liberté
Secouant sans espoir les barreaux de leur **geôle** –
Est-ce à présent pourtant qu'on la doit constater,
Et qu'il convient qu'on la **contrôle**,
Au moment, dans le lieu, où – pourquoi se hâter,
Vers quel but se précipiter ? –
Un peu d'éternité
Nous **frôle** ?…

Franc-Nohain, « Terminus » VI,
Nouvelles fables

« Pour toujours ! » me dis-tu, le front sur mon **épaule**.
Cependant nous serons séparés, c'est le sort.
L'un de nous le premier sera pris par la mort
Et s'en ira dormir sous l'if ou sous le **saule**.

Vingt fois, les vieux marins qui flânent sur le **môle**
Ont vu, tout pavoisé, ce brick rentrer au port ;
Puis, un jour, le navire est parti vers le Nord.
Plus rien. Il s'est perdu dans les glaces du **Pôle**.

François Coppée, « Pour toujours »,
Les Paroles sincères

Il avait un long fusil d'ombre,
Des guêtres ***jaunes***
Et il portait sur son **épaule**
Une colombe.

Maurice Carême, « Le Soleil »,
À cloche-pied

une pensée m'a visité   pensée légère
Une main doucement se posant sur l'**épaule**
Une pensée   (Mais venue d'où ?)   Un sourire dans l'air
Personne n'était là   et je n'étais plus ***seul***

Claude Roy, « Un visiteur »,
Les Pas du silence

assonances
444. AUME
445. AUNE

contre-assonances
381. OL-E
223. EUL-E

❐

443. AULNE [oln]

(fleuve) l'Aulne
(arbre) aulne
le Grand Meaulnes
le roi des Aulnes

Sur la télé qui ***trône***
Un jour, j'ai vu un livre
J'crois qu'c'était le **Grand Meaulnes***
Près d'la marmite en cuivre

Renaud, « La Mère à Titi »,
Le Temps des noyaux

* prononcé [moln] couramment

Il y avait les rivières
Chantantes sous les ***saules***
Il y avait le Blavet et L'**Aulne**
Et les saumons courageux

Xavier Grall, « Premier chant »,
Genèse et derniers poèmes

assonances
442. AULE
445. AUNE

contre-assonance
387. OLN

❐

444. AUME-ÔME-OHM

ROYAUME
FANTÔME

(foyer) **home**
(casque) **heaume**
(mesure) ohm°

(marine) une bôme
(onguent) un **baume**
(grotte) une baume
il **embaume**

(sans travail) il **chôme**
(paille) il/le **chaume**
il déchaume

(ville ; lac) Côme
saint Cosme/Côme
Pacôme
trachome
sacome
(n. dép.) Lancôme
gléc(h)ome
leucome
trichome
glaucome
sarcome
(gâteau, Suisse)
un biscôme

(coupole) un **dôme**
(cathédrale) un dôme
monts Dôme
(verrier) Daum°
radôme
(ville) Vendôme
maison de Vendôme
place/colonne Vendôme
(sommet) puy de Dôme
(départ.) Puy-de-Dôme
hybridome
rhytidome
lithodome

la Gaume
mégohm°

un ROYAUME
(prélasser, Suisse)
il se royaume
biome
idiome
angiome
Guillaume
(rabot) un guillaume
gliome
myome
papillome
stratiome
axiome

fécalome
myélome
glome
mobile(-)home
condylome
staphylome
tricholome

hypholome
entolome
il/un **diplôme**
granulome

(un/e) **môme**
(accoucheur, arg.)
un/e tire-môme

(poème) un nome
(administration) un nome
mélanome
adénome
génome
gnome
binôme
polynôme
trinôme
carcinome
monôme
autonome

(de la main) la **paume**
jeu de paume
(il perd) il paume
il empaume
lipome
agripaume

arome/arôme
brome
fibrome
(métal) il/le chrome
(malchance, arg.) la chrome
achrome
(n. dép.) Ektachrome
polychrome
(n. dép.) nichrome
trichrome
monochrome
mercurochrome
(marine) drome
(rivière ; départ.) la Drôme
anadrome
palindrome
syndrome
(crâne chauve, arg.)
un mouchodrome
vélodrome
boulodrome
cosmodrome
cynodrome
hippodrome
aérodrome
prodrome
(garçonnière)
un baisodrome
autodrome
(peintre) Gérôme
saint **Jérôme**
athérome
pogrome
motor-home
léprome

psaume

rhizome
ribosome

Sirius, aide-moi à chasser les **fantômes**
Qui guident le tic tac de mes nuits sans sommeil
Vers l'abîme perfide où de froids **axiomes**
S'acharnent à compter les taches du soleil.

Que le pieux parfum de ta lumière **embaume**
L'espoir agonisant d'un rêve nonpareil
Dont les transports derniers hument le vrai **Royaume**,
La berceuse éternelle et l'éternel réveil !

> Armand Godoy,
> *Sonnets pour l'aube.* V

Mon parc a deux rosiers dispensateurs d'**aromes** ;
Leurs haleines jamais ne me semblent mêlées ;
Quand les pesants midis règnent sur les allées,
Chacun sans nuire à l'autre exhale en moi ses **baumes** :

L'un, virginal et blanc, de sa corolle ailée
M'encense en dispersant l'essaim d'or des **atomes**,
Et, chaque jour, mon ciel se peuple de **fantômes**
Où la chaste splendeur du songe est exilée.

L'autre, rouge du sang qu'il emprunte à mes **paumes**,
Infiltre dans mes nerfs la vague échevelée
Des désirs et trahit les caresses volées
Et les accouplements brutaux parmi les **chaumes**.

– Ô pouvoir enlacer leurs tiges en un **dôme**
Et, des plants isolés tressant ma roseraie,
Éployer un amour unique comme un **psaume** !

Mais mon désir, tantôt humble quêteur d'***aumônes***,
Tantôt mâle farouche aux ivresses du ***faune***,
Tour à tour baise la chair douce et mord la plaie…

> Yves-Gérard Le Dantec, « Les Deux Rosiers »,
> *Ouranos*

Nous voici donc en terre, ou pour mieux dire, **at home**,
Et après le dîner on pourra faire un tour,
Nisi quid aliud tibi videbitur,
À moins que tu ne sois d'un autre avis, **fantôme** ?

> Robert Mélot du Dy, « Crime d'amour »,
> *Choix de poésies*

J'apprends la tendresse aux ***hommes***
Que j'étreins sans les briser
Je suis l'amour d'un **fantôme**
Qui se souvient d'un baiser

> Joë Bousquet, « Cloches »,
> *Connaissance du soir*

❒

égosome/ægosome
chromosome
trypanosome
autosome

tome
(particule) un **atome**
(chez soi) **at home**
hématome
pentatome
FANTÔME
Brantôme
phlébotome
dichotome

scotome
microtome
rhizotome
symptôme
péristome
cyclostome
rhizostome
Jean Chrysostome
Dion Chrysostome

vacuome

ignivome

assonances
445. AUNE
442. AULE

contre-assonances
392. OME
559. UME

445. AUNE-ÔNE-OWN°

JAUNE

(rivière) l'Aulne
(arbre) un **aulne/aune**
(mesure) il/une **aune**
(ville) Beaune
côte de Beaune
wishbone
cône
Ancône
(signe) un icone
(peinture) une **icône**
silicone
zircone
(divinité) un **faune**
(animaux) la faune
aphone
avifaune
(il s'habille, rég.) il se gône
décagone
hendécagone
dodécagone
ennéagone
(géométrie) pentagone
(USA) le Pentagone
heptagone
(géométrie) **hexagone**
(France) l'Hexagone
l'archégone
les corégones
polygone
épigone
(un) trigone
oogone
isogone
(un) **octogone**
(le) JAUNE
fleuve Jaune
mer Jaune
béjaune
(frelon, rég.) un cul-jaune
il/un clone
cyclone

anticyclone
pylône
le Grand Meaulnes
aumône
hormone
(fleuve ; départ.) le **Rhône**
(Wenher von) Braun°
(Ray) Brown°
(Robert) Brown°
(plante) crosne
(verre) crown°
synchrone
asynchrone
géosynchrone
héliosynchrone
isochrone
tautochrone
drone
neurone
un/il **prône**
il/un **trône**
il détrône
les Bouches-du-Rhône
(vignoble) Côtes du Rhône
(vin) un côte-du-Rhône
(rivière) la Saône
(faire du sel) il saune
la Haute-Saône
Chalon-sur-Saône
axone
(espace) une **zone**
(il traîne) il zone
(informatique) il zone
(fleuve) l'**Amazone**
(femme) une **amazone**
(myth.) les Amazones
le roi des Aulnes
cortisone
il/l'ozone
evzone
atone
lactone
(un/e) **autochtone**

assonances
444. AUME
442. AULE

contre-assonances
393. ONE
225. EUNE
561. UNE

Le légume et la fleur. L'aubergine et le lys.
Le bouquet de la Nymphe et le repas du **Faune**.
Une rose qui règne. Une courge qui **trône**.
Lavande pour le linge. Oignon pour le coulis.

S'élançant du milieu des grands choux brocolis,
Et tournant vers le dieu dont il quête l'**aumône**
Sa figure de nègre à collerette **jaune**,
Le tournesol se donne un vert torticolis.

Edmond Rostand, « Le Décor »,
Chantecler, acte III

Déesse aux boucles d'or dans les champs de l'éther,
Sœur jumelle du roi Phébus au carquois **jaune**,
Prends-moi pour ton autel comme un fils d'**Amazone**,
Prends-moi, Phébé, chaste fille de Jupiter !

Je n'aurai que ta foi sur mon haut belvéder.
J'incrusterai ton nom dans l'écorce des **aunes**.
J'emporterai ton feu jusqu'en la froide **zone**
Où je veux fuir l'haleine tiède de l'Auster…

Gustave Lamarche, « Mater Inviolata »,
Palinods in *Œuvres poétiques* II

Et lui, prince de la balance,
Jette bien rouges sur ce **trône**
Digne aloyau, rognons **béjaunes**
Et les grandes langues **aphones**…

Géo Norge, « Boucherie »,
Famines

Ce long jour a fini par une ***lune*** **jaune**
Qui monte mollement entre les peupliers,
Tandis que se répand parmi l'air qu'elle ***embaume***
L'odeur de l'eau qui dort entre les joncs mouillés.

Henri de Régnier, « La Lune jaune »,
La Cité des eaux

Le fleuve roule un remous **jaune**
sur le pont l'air coupe au rasoir
on rêve à quand l'on était ***jeune***…
ce qu'on a pu se faire avoir !…

Daniel Lander, « Le fleuve roule un remous jaune »,
Les Choses comme elles sont

❒ *443 [Renaud] ; 442 [Carême]*

446. AUPE

TAUPE

gaupe
(il rosse, arg.) il flaupe
(pipe, arg.) une gnaupe/quenaupe
(chicorée, rég.) des crôpes
(poisson) saupe
(animal) une TAUPE
(il surprend, arg.) il taupe
(classe de maths, arg.) la taupe
(classe de maths, arg.) une hypotaupe

Ci-gît qui, pour avoir par trop aimé les **gaupes**,
Descendit jeune encore au ***royaume*** des **taupes**.

Charles Baudelaire, « Ci-gît qui… »,
Poésies de jeunesse

Pas rien, pas rien, le petit vent de l'***aube***,
Le petit rose du petit matin,
Changé en pourpre, en noir, en nuit de **taupe**.
Je suis la taupe et le ciel est lointain.

Liliane Wouters, « Pas rien, pas rien… »,
L'Aloès

☞

AUPE

il lui dit le temps est abrogé
les étoiles ont besoin d'un verre d'**eau**
puis* il se pencha sur la morte qui gèle
la terre se couvrait de petits volcans de **taupe**

Jacques Roubaud, « Le chien dit à guillaume »,
∈

* rime enjambée

assonances	*contre-assonances*
436. AUBE	*394. OPE*
444. AUME	*507. OUPE*

❐

447. AUQUE-OKE-AWK°

GLAUQUE
RAUQUE

tomahawk°
(plante marine) une bauque
les Chauques
(cocaïne, arg.) la coke
(il coïte) il cauque
(à pied palmé) pédauque
la Reine Pédauque
(Francis) Giauque
GLAUQUE
la Mohawk°
cake-walk°
voix RAUQUE
(il feule) il rauque
(pieuvre, rég.) une havetauque

Le vieux crapaud de la nuit **glauque**
Sous la lune de fiel et d'or ;
C'est lui, là-bas dans les roseaux,
La morne bouche à fleur des eaux,
Qui **rauque**.

Émile Verhaeren, « Comme tous les soirs »,
Les Bords de la route

Entouré de rumeurs, d'éclairs,
De ce grand souffle noir et **rauque**,
Je vais aux quatre coins des airs
Effrayant des pingouins **pédauques**…

Maurice Fombeure, « Aux rivages des mers… »,
Pendant que vous dormez…

Puis la fille chantonnait des mots (pour moi) **glauques** :
Il y passait toute la mélancolie de la mer,
Tout un vaste Océan de plus en plus frigide et vert,
De longs sillages luisants, des baies d'***émeraude***,
Crépusculaires dans leurs murailles de ***rocs***
Et d'étroites vallées si humidement vertes…

John-Antoine Nau, « Sunny summer day »,
Hiers bleus

assonances	*contre-assonances*
436. AUBE	*400. OQUE*
438. AUDE	*475. ONQUE*
445. AUNE	*566. UQUE*

❐

448. AUSE-OSE-OZ°

CHOSE
ROSE

(il risque) il **ose**
(glucide) un ose

jambose
thrombose

(origine) il/une **cause**
(il parle) il **cause**
psittacose
ayant cause
(il dénigre, Belg.) il décause
il recause
bicause/because
lycose
silicose
mycose
psychose

métempsychose
toxicose
kolkhoz°/e
narcose
viscose
glucose
sovkhoz°/e

une CHOSE
(machin) un chose
(triste) être tout chose
(un/e) **pas grand chose**

il/une **dose**
Théodose
mucoviscidose
apodose
overdose
lordose
surdose

mononucléose

Le secret de la vie est dans les tombes **closes** :
Ce qui n'est plus n'est tel que pour avoir été ;
Et le néant final des êtres et des **choses**
Est l'unique raison de leur réalité.

Ô vieille Illusion, la première des **causes** !
Pourquoi nous éveiller de notre éternité,
Si, toi-même n'étant que leurre et vanité,
Le secret de la vie est dans les tombes **closes** ?

Hommes, bêtes et Dieux et monde illimité,
Tout cela jaillit, meurt de tes **métamorphoses**.
Dans les siècles, que tu fais naître et **décomposes**,
Ce qui n'est plus n'est tel que pour avoir été.

À travers tous les temps, splendides ou **moroses**,
L'esprit, rapide éclair, en leur vol emporté,
Conçoit fatalement sa propre inanité
Et le néant final des êtres et des **choses**.

……

AUSE-OSE-OZ°

emphytéose
apothéose

cyphose
typhose
anamorphose
il (se)/une
métamorphose

symbiose
grandiose
scoliose
(Hector) Berlioz°
bilharzioze
pluviôse

lauze/lause
alose
Dalloz°
(fermée) **close**
(condition) une clause
enclose
éclose
déclose
mi-close
forclose
gélose
salmonellose
brucellose
il/une **glose**
il s'/une **ankylose**
bacillose
colibacillose
il implose
il **explose**
furonculose
tuberculose
cellulose

ecchymose
il s'/une anastomose
(Jean) Mermoz°
Formose
osmose
endosmose
exosmose

(encombrer, rég.) faire nose
il/la cyanose
mélanose
gnose
diagnose
trichinose
avitaminose
hypovitaminose
hypervitaminose
hallucinose
hypnose
fest-noz°

Booz°

(il place) il **pose**
(repos) il/une pause
il appose
il juxtapose
une/il dépose
il prépose
il antépose

(poser) une/il repose
(repos) il (se) **repose**
il entrepose
adipose
demi-pause
hypotypose
il ré/sur/**impose**
il **oppose**
tropopause
andropause
ménopause
il **propose**
mésopause
stratopause
il **compose**
il (se) **décompose**
il recompose
il photocompose
il superpose
il interpose
il transpose
(bien) être dispose
(il arrange) il **dispose**
il prédispose
il **indispose**
il postpose
il pré/**suppose**
il sur/sous/**expose**

(une) ROSE
(technique) il rose
mont Rose
il **arrose**
saccharose
fibrose
(terrier, rég.) une crose
il se/la **nécrose**
radionécrose
hématidrose
sidérose
laurier-rose
il se/la **sclérose**
artériosclérose
athérosclérose
primerose
couperose
passerose
argyrose
cirrhose
virose
chlorose
morose
amaurose
ostéoporose
la **prose**
(cul, arg.) le proze/prose
(il sodomise, arg.) il emprose
arthrose
dartrose
diarthrose
amphiarthrose
énarthrose
synarthrose
sinistrose
dextrose
névrose
trophonévrose
aponévrose

Oui ! sans toi, qui n'es rien, rien n'aurait existé :
Amour, crimes, vertus, les poisons ni les **roses**.
Le rêve évanoui de tes œuvres **écloses**
Est l'unique raison de leur réalité.

Charles Leconte de Lisle, « Le Secret de la vie »,
Poèmes tragiques

Voulez-vous parlons d'autre **chose**
Il y a des esprits **moroses**
Des ***esquimaux*** des **ecchymoses**

Desnos disait *des maux exquis*
Il neige sur les mots en ski
Chez qui chez qui

On ne meurt plus que de **cirrhose**
On ne lit plus que de la **prose**
On s'en paye une bonne **dose**

Desnos disait que c'est la vie
La prose et peignait au lavis
Ce bel avis

Louis Aragon, « Voulez-vous parlons d'autre chose… »,
Le Roman inachevé

À un an on **prédispose**
à cinq on **dispose**
à dix on **suppose**
à quinze on **pose**
à vingt on s'**oppose**
à vingt-cinq on **propose**
à trente on se **pose**
à quarante on s'**impose**
à cinquante on **compose**
à soixante on **recompose**
à soixante-dix on **transpose**
à soixante-quinze on **dépose**
à quatre-vingts on **indispose**
à quatre-vingt-dix on se **repose**
à cent ans, on **repose**
et l'on se **décompose** !

Luc Estang, « À un an on prédispose »,
D'une nuit noire et blanche. XXVI

C'était un soir d'étranges ***extases***,
Un soir où les **roses** trop **écloses**
Se mouraient d'épanouissement,
Comme meurent les **roses** des ***vases***.

C'était un soir où même les **choses**
Semblaient mourantes étrangement…

Grégoire Le Roy, « Soir intense »,
La Chanson du pauvre

❐ *441 [Jammes] ; 449 [Jacob] ; 454 [Chavée] ; 581 [Laforgue]*

schizose

hématose
fibromatose
myxomatose
dermatose
kératose
ventôse
lactose
fructose
mitose
amitose
leucocytose
phagocytose
parasitose

ptose/ptôse
orthose
exostose

un/e **virtuose**

nivôse

assonances
441. AUGE
449. AUSSE

contre-assonances
67. ASE
581. USE

449. AUSSE-OSSE-OS°

FOSSE
FAUSSE
une/il **hausse**
le Laos°
Archélaos°
naos°
pronaos°
la **Beauce**
Lesbos°
(plateau) un causse
les (Grands) Causses
(île) Cos°
(adorable, arg.) craquos°
Séleucos°
(chic, arg.) chicos°
(musicien, arg.) un musicos°
Antiochos°
blockhaus°
il chausse
des **chausses**
il enchausse
il (se) **déchausse**
bas-de-chausses
haut-de-chausses
il rechausse
dosse
il (s') **adosse**
(cigare, arg.) un crapulados°
(départ.) le Calvados°
(eau-de-vie) **calvados°**
(il revêt) il **endosse**
(épaules, arg.) des endosses
(camembert, arg.) un calendos°
il rendosse
Abydos°
(vite, arg.) rapidos°
(il sodomise, arg.) il encaldosse
(pardessus, arg.) un lardoss°/e
(pardessus, arg.) un pardoss°/e
taconeos°
spéos°
il rehausse
(trou) une FOSSE
(faux) il/être FAUSSE
Paphos°
(il redresse) il défausse
(cartes) une /il se défausse
cul-de-/basse-fosse
(douteux, arg.) craignos°

(il raille) il se **gausse**
(Carl Fr.) Gauss°
(unité) un gauss°
Lagos°
pelagos°
les Galapagos°
azygos°
logos°
Argos°
Burgos°
alios°
Hélios°
amnios°
hydramnios°
Apollonios°
Asclépios°
Darios°
Démétrios°
antihausse
Photios°
(salaud, verl.) un lauss°
Byblos°
(Hugo) Claus°
Délos°
(idiot, arg.) débilos°
Pylos°
(tranquille, arg.) tranquillos°
(chapeau, arg.) un doulos°
Carlos°
Juan Carlos°
Don Carlos°
heimatlos°
spéculaus/spécul(o)os°
(mauvais, arg.) nullos°
(cigare, arg.) un crapulos°
(transistor) un MOS°
(Marcel) Mauss°
Amos°
Samos°
Cadmos°
(émotion, arg.) une émos(s)°
(du calme, arg.) calmos°
(n. dép.) un/e thermos°
cosmos°
Pat(h)mos°
llanos°
(Georges) Bernanos°
Ouranos°
tétanos°
strychnos°
(un/e) albinos°
(domestique, arg.) un larbinos°
(sot) nigaudinos°
(Miguel de) Molinos°
Minos°
mérinos°
Ictinos°
Lemnos°
Kronos°/cronos°
opisthotonos°

Je t'ensevelis pour jamais,
Idole si mièvre et si **fausse** :
Dans l'oubli j'ai creusé la **fosse**
Oblongue et froide où je te mets.

Ne crois pas que sur mes sommets
Jusqu'à moi ton spectre se **hausse** !
Je t'ensevelis pour jamais,
Idole si mièvre et si **fausse**.

Je suis tout seul au monde, mais
Contre moi-même je m'**adosse**,
Et l'ascétisme que j'**endosse**
Me revêtira désormais :
Je t'ensevelis pour jamais.

Maurice Rollinat, « Chanson de l'amant »,
Les Névroses

Lune, Pape abortif à l'amiable, Pape
Des Mormons pour l'art, dans la jalouse **Paphos**
Où l'État tient gratis les fils de la soupape
D'échappement des apoplectiques **Cosmos** !

Jules Laforgue, « La Lune est stérile »,
L'Imitation de Notre-Dame la Lune

Brouillards complotant l'***amaurose***
de ce qui meurt au bord des bois
Brouillards soufrés de cette **Beauce**,
fourreau de squelette et perchoir,
dites-moi quand, dites-moi quand
laisserez passer le printemps.

Max Jacob, « Les deux arbres »,
Ballades

Sont-ce paluds et ***ronces***, ***basses noces***,
Désapparus de tant de vans maudits
Mots ***ponce***, mots poussier que vent n'**exauce**,
Faillis !

Édouard Glissant, « Lors Cestui-ci a hanté sa besace… »,
Les Grands Chaos in *Poèmes complets*

❐ *439 [Renaud]*

le Bauhaus°
Cornélius Nepos°
Atropos°
Pharos°
(Roland) Garros°
stade Roland-Garos°
(île) paros°
(marbre) du Paros°
saros°
(Dieu) **Éros°**
(psychanalyse) l'éros°
anthocéros°
(gros) (une) **grosse**
(copie) une grosse
il engrosse

il dégrosse
Pyrrhos°
couros°/kouros°
albatros°
Antipatros°
(Richard) Strauss°
(Claude) Lévi-Strauss°
intra-muros°
extra-muros°
il surhausse
(société, arg.) la soce
(saucisson, arg.) un sauc'°
une **sauce**
(John R.) Dos Passos
laurier-sauce
(goinfre) fripe-sauce
gâte-sauce

Cnossos°
Ipsos°
Naxos°
Hyksos°
Dionysos°
(il comble) il **exauce**
(il élève) il exhausse
(Dumas) Athos°
mont Athos°
(dieu) **Thanatos°**
(psychanalyse) le thanatos°
(matériel, arg.) du matos°
Pathos°
(gratis, arg.) gra(t)tos°
Xanthos°

AUSSE-OSSE-OS°

ethos°
(rhétorique) un ithos°
(chapeau, arg.) un bitos°
(lyre) un barbitos°
(subitement, arg.) subitos°
les Chiquitos°
Miskitos°/Mosquitos°

benthos°
(lotus) lotos°
Ploutos°
(correction, arg.) une cortausse
(portugais, arg.) un portos(s)°

(cartouche, arg.) une bastos°
(bistrot, arg.) un gastos°
Héphaïstos°
(gros, arg.) gravos°/se
(Raymond) Devos

assonances	*contre-assonances*
448. AUSE	*464. ONCE*
437. AUCHE	*525. OUSSE*

450. AUST°/E-AOST°/E

HOLOCAUSTE

Gold Coast°
HOLOCAUSTE
hypocauste
(personnage) **Faust°**
(de Gœthe) **Faust°**
(fruit) une balauste
(lecteur) un anagnoste
un **toast°**
il toaste

Les satyres et les **pyraustes***
Les égypans les feux follets
Et les destins damnés ou **faustes****
La corde au cou comme à Calais
Sur ma douleur quel **holocauste**

Guillaume Apollinaire, « La Chanson du Mal-Aimé »,
Alcools

* génies ** heureux (vieux)

Que dites-vous ? Que jugez-vous ?
Que parlez-vous
De meurtre et de massacre vandale, vous ***autres*** ?
N'avons-nous donc pas tous les mêmes **holocaustes**,
Les mêmes champs de bataille consommés derrière nous ?

Marcel Thiry, « Prose des forêts mortes »,
Trois longs regrets du lis des champs

Au lieu de timbrer le courrier
Que l'on doit porter à la ***Poste***,
Il écrit des vers chevillés
Inspirés du livret de **Faust** !

Pierre Gripari, « Le robot amoureux »,
Marelles

assonances	*contre-assonances*
452. AUTE	*424. OSTE*
453. AUTRE	*584. USTE*

❐ *424 [Wouters]*

451. AUSTRE

il (se) claustre

captivante captivité captive
cloître cloîtré cloître
claustrale claustration **claustre**

Michèle Métail, « Captivante »,
Cinquante poèmes corpusculaires
in *La Bibliothèque Oulipienne,* Vol.2

assonances	*contre-assonances*
453. AUTRE	*425. OSTRE*
450. AUSTE	*585. USTRE*
452. AUTE	*73. ASTRE*

❐

452. AUTE-ÔTE-OAT°

FAUTE

(hospitalité) un/e **hôte**
(haut) **haute**
(société) la haute
(il retire) il **ôte**
(il regarde, rég.) il abaute
ice-boat°
house-boat°
ferry-boat°
steam-boat°

cat-boat°
(os) **côte**
(pente ; rivage) **côte**
(d'Azur) la Côte
côte à côte
trench-coat°
garde-côte
entrecôte
la **Pentecôte**
à mi-côte
duffle-coat°/duffel-coat°
autocoat°

Le vent brusque à mon seuil souffla ma lampe **haute**,
Mais j'ai vu ton visage et je sais que c'est toi ;
Viens vite sur le lit que deux corps font étroit ;
L'amour va doucement nous coucher **côte à côte**.

Non, ne rallume pas la lampe, ô mon cher **hôte** !
Je sais quel voyageur j'abrite sous mon toit ;
Sois patient, ne gronde point, écoute-moi
Délacer lentement ma sandale que j'**ôte**.

Henri de Régnier, « Philenis et Eucrate »,
Les Médailles d'argile

☞

AUTE-ÔTE-OAT

elle/une FAUTE
sans-faute
(il rit, arg.) il se boyaute
il noyaute
il dénoyaute
(il crache, rég.)
il cramiaute
il dépiaute
il tuyaute
Plaute
un/e océanaute
il panneaute
un/e aquanaute
un/e argonaute
un/e spationaute
un/e **cosmonaute**

un/e aéronaute
un/e **astronaute**
(internet) un/e internaute
il chapeaute
il poireaute
(Nathalie) Sarraute
il terreaute
(il prostitue, arg.)
il maquereaute
une/il **saute**
il tressaute
il ressaute
il sursaute
il biseaute
maltôte

[...] le pré de Jean Poil-de-Lin
Est au bas de la raide **côte**,
Ayant pour crête le moulin ;
La grand' route d'un pont le **saute** ;
Et son ***autre*** bout se **terreaute**
Au mur du cap en terre-plein
Où contre la falaise **haute**
Bat la mer à l'heure du plein.

Jean Richepin, « Jean-Jeannot-la-Jeannotière »,
La Bombarde

Homme pris en **faute**
Homme pris en sa **faute**,
Homme pris en sa ***fraude*** !

Armand Robin, « Homme pris en faute »,
Le Monde d'une voix

Je vous prêtais aussi
ces oreilles ***délicates***
qui, sans ***feinte*** et sans **faute**,
vous donnaient les nouvelles

Pierre Gripari, « Du corps à son âme »,
Les Chants du Nomade

assonances
438. AUDE
453. AUTRE

contre-assonances
355. INTE
477. ONTE

❒

453. AUTRE-ÔTRE

AUTRE

(un/e) AUTRE
cotre
(boue, rég.) la piautre
(il s'embourbe, rég.)
il s'em/piautre
(la/le) **nôtre**
(André) **Le Nôtre**
patenôtre
(congédier)
envoyer au(x) peautre(s)
apôtre
épeautre
(Jean/Antoine) Lepautre
(à vous) la/le **vôtre**
(chien de chasse) un vautre
(il s'étale) il se **vautre**

Si j'avais sous la main un jardin de **Lenôtre**,
Je vous l'arpenterais du soir jusqu'au matin ;
Si j'avais sous la main un vieux psautier latin,
J'y courrais, comme un loup, lire ma **patenôtre** ;

Si j'avais sous la main mon épée ou la **vôtre**,
J'en percerais dix fois ma veste de satin ;
Si j'avais sous la main la maîtresse d'un **autre**,
Je l'aimerais, pour faire enrager ma catin !

Victor Hugo, « Maglia » X,
Théâtre complet. II

Lointain lointain lampe d'**épeautres**
le roi volant la fille en or
le bon drille à la bonne **vôtre**
pas éveillés châle qui dort
et la table du bon **apôtre**
et sous sa chemise d'encores
la lampe nue aux cheveux d'or.

Paul Colinet, « Lointain »,
Les Histoires de la lampe in *Œuvres* I

J'ai tant marché le long de moi sans me ***connaître***
J'ai reconnu mon rêve au visage des **autres**
Devant la mer un homme appela mon ami
Depuis je suis comme un orphelin sans ***royaume***
Plus personne ne sait pourquoi je me souris
Quand les oiseaux et les bateleurs se ***rencontrent***

Charles Le Quintrec, « Les pieds et la poussière »,
Jeunesse de Dieu

assonances
455. AUVRE
452. AUTE

contre-assonances
478. ONTRE
528. OUTRE
77. ATRE

❒ 5 [Gainsbourg]
114 [Cliff] ; 203 [Queneau]

454. AUVE-ÔVE

CHAUVE
ALCÔVE
FAUVE
MAUVE

(un/e) CHAUVE
ALCÔVE
(couleur) (le) FAUVE
(félin) un **fauve**
(peintres) les Fauves
(fable, rég.) une fiauve
la/(le) MAUVE
(plante) **guimauve**
(guitare, arg.) guimauve
(sauf) être sauve
(sauver) il **sauve**
(il s'enfuit) il s'ensauve
Beecher-Stowe

Les homards affamés hurlaient dans leur prison ;
Leurs yeux inquiétants avaient des lueurs **fauves** ;
Leurs compagnes au fond des humides **alcôves**
Semblaient fuir le soleil sanglant à l'horizon ;

Les huitres tressaillaient, en proie au noir frisson,
Les scorpions de mer s'accrochaient aux rocs **chauves**
Et toi, Foi qui toujours nous gardes et nous **sauves**,
Tu te heurtais le front à la sombre cloison.

Albert Glatigny, « Monselet dévoré par les homards »,
Gilles et Pasquins

Perle l'impondérable son
que lui consent en s'effeuillant
la ***rose***
le pétale léger qui tombe et qui se ***pose***
Sur le marbre secret de notre angoisse **mauve**

Achille Chavée, « La nuit la nuit »,
Éphémérides in *À cor et à cri*

Dans la ruelle aux ténèbres **mauves**
Au sol pierreux d'ornières rongé,
Un vieux parfum s'élève et se ***love***
Des soupiraux aux toits ravagés.

Yves-Gérard Le Dantec, « Les Baux »,
Ouranos

assonances
448. AUSE
455. AUVRE
439. AUFFE

contre-assonances
430. OVE
79. AVE
234. EUVE

❒

455. AUVRE

PAUVRE

Comme un cheval, les yeux bandés, qui tourne en rond,
Nous concassons nos jours ainsi qu'un maïs **pauvre**,
Et savons nous passer même de rime en **ôvre**,
Car il sied à ceux-là d'être sans ornements…

Jules Supervielle, « Mélancolies manutentionnaires » III,
Poèmes

J'ai vécu fatigué pour moi et pour les ***autres***
Mais j'ai toujours voulu soulager mes ***épaules***
Et les épaules de mes frères les plus **pauvres**
De ce commun fardeau qui nous mène à la tombe
Au nom de mon espoir je m'inscris contre l'ombre.

Paul Eluard, « Épitaphes » II,
Poésie ininterrompue

Monsieur, nous avons nos **pauvres**,
Nous avons nos morts, Monsieur ;
Laissez nos cœurs à leurs ***œuvres***
Et quêtez sous d'autres cieux.
Ah, oui, c'est bien ennuyeux
Pour Dakar et pour ***Hanovre.***

Géo Norge, « Conjonctures »,
La Belle Saison

assonances
453. AUTRE
440. AUFRE
454. AUVE

contre-assonances
80. AVRE
235. EUVRE
431. OVRE

❒

456.0 ON

(pronom) on
(admiration ; doute) hon!
(avoir) ils **ont**

Quand on vous montre ou vers, ou prose,
Feignant d'y savoir quelque chose
Vous souriez, et faites **hon**,
Mais à contre-temps, c'est le ***bon****.

Marc-Antoine Girard de Saint-Amant, « Le Poëte crotté », *Œuvres*. II [v. 253-256]

* le piquant de l'histoire

sous-rimes voisines
456.1 AON
456.6 ÉON

contre-assonances
91.0 AN
333.0 IN

❒

456.1 AON

PHARAON

kaon
machaon
(roi) Lycaon
(animal) le **lycaon**
(éphèbe) Phaon
Mac-Mahon
Yanaon
PHARAON

– J'ai rencontré un **Lycaon**
Dans l'avenue **Mac-Mahon**.
[...]
– J'ai rencontré un **Lycaon**
Qui venait de **Yanaon**.
[...]
J'ai rencontré un **Lycaon**
Qui arrivait d'***Ispahan***.
[...]
Ça ne rime même pas !
[...]

– J'ai rencontré un **Lycaon**
Dans la ville de ***La-on***.
[...]
– J'ai rencontré un **Lycaon**
Qui était beau comme un ***pa-o***
[...]
J'ai rencontré un **Lycaon**
Noble comme un **pharaon**
Il dévorait un ***fa-on***.
[...]
Pourquoi pas ?

Jacques Roubaud, « Le Lycaon », *Les Animaux de personne*

sous-rimes voisines
456.6 ÉON
456.11 ION

contre-assonances
91.1 AAN
435.1 AO

❒ *305 [Lamarche]*

456.2 BON

BON

(le) BON
cap Bon
(saut) un **bond**
saint Abbon
nauséabond
(pays) le Gabon
(blaguer) (nous) gabons
(un) **vagabond**
(errant) errabond
Strabon
ambon
jambon
coupe-jambon
(Gustave) Le Bon
rebond
(gras, Suisse) des greubons
(Raymond) Sebond
pudibond

gibbon
(un) **moribond**
furibond
(Isaac) Casaubon
(friandise) un **bonbon**
(gonfler) (nous) bombons
(vieux) un **barbon**
(raser) (nous) **barbons**
charbon
(Robert de) Sorbon
(whisky) un bourbon
maison de Bourbon
palais Bourbon
île Bourbon
bubon

+ verbes en -ber
1e pers. pluriel
présent indicatif
et impératif

Mon enfance captive a vécu dans des pierres,
Dans la ville où sans fin, vomissant le **charbon**,
L'usine en feu dévore un peuple **moribond**.
Et pour voir des jardins je fermais les paupières...

J'ai grandi ; j'ai rêvé d'orient, de lumières,
De rivages de fleurs où l'air tiède sent **bon**,
De cités aux noms d'or, et, seigneur **vagabond**,
De pavés florentins où traîner des rapières.

Albert Samain, « Mon enfance captive... », *Le Chariot d'Or*

Cauchemars aux doigts de **charbon**
Démons dansants, aride arête
Des pics noir sur blanc dont la crête
Masque l'abîme que d'un **bond**

L'on franchit pour y choir, **gibbons**
Pendus aux ***gibets***, sales têtes
De folles, viles, molles bêtes
Gluants sansonnets du **Gabon**

Ma cervelle tordue s'entête
À vous chercher, pâles comètes
Aux arômes **nauséabonds**

Boris Vian, « Haute philosophie », *Cent Sonnets*

sous-rime voisine
456.16 PON

contre-assonance
91.2 BAN

❒

456. ON

456.3 CHON

COCHON

Arcachon
(restaurant, rég.) mâchon
patachon
(prénom) Fanchon
(coiffure) une fanchon
(phoque, Can.) blanchon
(Roger) Planchon
manchon
(tête, arg.) bobéchon
bichon
barbichon
(un) godichon
pâlichon
pas **folichon**
(un) drôlichon
(argent, arg.) michon
(enfant, arg.) momichon
nichon
bonichon
cornichon
(un) berrichon
(un) maigrichon
bourrichon
(prêtre, arg.) ratichon
cabochon
(porc) (un) COCHON
(Pierre) Cauchon
queue-de-cochon
(boisson, arg.) rince-cochon

fauchon
reblochon
polochon
(sac, rég.) pochon
(louche, rég.) pochon
crochon
(poupée, rég.) chonchon
(Raoul) Ponchon
(un) **ronchon**
bouchon
(appareil) mâche-bouchon
tire-bouchon
louchon
(Alain) Souchon
(thé du) souchong
reverchon
torchon
fourchon
à **califourchon**
alluchon
ba(l)luchon
(capuchon) coqueluchon
greluchon
capuchon
cruchon
autruchon

+ verbes en -cher 1e pers. pluriel présent indicatif et impératif

sous-rime voisines
456.18 SSON
456.8 GEON

contre-assonances
91.4 CHAN
435.3 CHO

Nous sommes des **cochons**
Pour vouloir des **nichons** !
Nous sommes sans esprit
Pour les vouloir fleuris
Et nous sommes sans cœur
Pour les vouloir vainqueurs !

Raoul **Ponchon**, « Réponse à la Jolie Parisienne »,
La Muse gaillarde

MAURICE BOUCHOR ET RAOUL **PONCHON**
Avec vous j'ai fait Toutes mes retraites.
Un même plaisir Rassemblant nos crêtes,
Rougissant nos nez Au même **cruchon**.

Ivrognes sacrés, Oints du dieu **Bouchon**
Célébrons sa messe, Usons ses burettes,
Et versons en nous Les rouges aigrettes,
Bouchor, mon trésor, **Ponchon**, mon **bichon** !

Jean Richepin, « Sonnet acrostiche et mésostiche »,
Interludes

Belle écuyère allons vite à **califourchon**
Les étrangers sont là Toutes la jambe en l'air
En avant la musique et sautent les **bouchons**
Ladies et Gentlemen on ne veut que vous plaire
Aimez-vous le strip-tease ou le **ciné-cochon**

Louis Aragon, « Paris vingt ans après »,
Le Roman inachevé

❒ 280 [Péguy]

456.4 CON

BALCON

(vulve) un con
(crétin) (un) **con**
qu'on
a(c)con
(Roger) Bacon
flacon
(ville) Mâcon
(vin) un **mâcon**
Dracon
(saumon) tacon
(rapiéçage) tacon
fécond
infécond
interfécond
franchir le Rubicon
(rougeaud) **rubicond**
chicon
(mont) l'Hélicon
(tuba) hélicon
Stilicon
(chapelle) catholicon
salpicon

(n. dép.) amer Picon
(dictionnaire) lexicon
le Satiricon
(inconditionnel, arg.) incon
(nous) vainquons
(nous) convainquons
BALCON
(puanteur, rég.) bocon
cocon
(dernier-né, rég.) recocon
faucon
Montfaucon
flocon
(poisson) boucon
zircon
(un) **gascon**
Tarascon
les Vascons
abscons

+ verbes en -quer 1e pers. pluriel présent indicatif et impératif

Ou temps du bon roi Philène
J'avais riche porcelaine,
Chaude veste à gros **flocon**,
Cravate d'un fin **cocon**.
Pour cent sous d'or au **coq on**
Eût acquit sans longue haleine,
Avec cheval & **faucon**,
Les quatre tours de Villaine,
Ou temps du bon roi Philène.

O son ventre de Silène,
Et la coupe toujours pleine,
Il chantait, le bon **gascon**,
Tandis que sous son **balcon**
Lubin vidait maint **flacon**,
Et dansait à la poulaine,
Ou temps du bon roi Philène.

André Mary, « Du Roi Philène et de son temps »,
Les Rondeaux. XV

Qu'un jour nos académiciens
Boivent quelques gouttes de vin
Ils auront le courage
De définir ce mot **abscons**
……

Qui est tout à leur image
Il rime avec le frais **Mâcon**

Pierre Perret, « Le vin »,
Chansons de toute une vie

Foutre du cul, foutre du **con**,
Foutre du Ciel et de la Terre,
Foutre du diable et du tonnerre,
Et du Louvre et de **Montfaucon**.

Foutre du temple et du **balcon**,
Foutre de la paix, et de la guerre,
Foutre du feu, foutre du verre,
Foutre de l'eau et de l'**Hélicon**.

Claude Le Petit, « Sonnet foutatif »,
Le Bordel des Muses ou les neuf Pucelles putains

sous-rime voisine
456.10 GON

contre-assonance
91.3 CAN

❐ *181 [Verlaine]*

456.5 DON

PARDON

(titre) don/dom
(legs ; génie) un **don**
(fleuve) le Don
(conjonction) donc
(pronom) dont
(Suzanne) Valadon
(amoureux) **Céladon**
vert céladon
espadon
radon
abandon
brandon
saisie-brandon
(anatomie) un tendon
(tendre) nous tendons
le Phédon
boustrophédon
cotylédon
l'Eurymédon
comédon
automédon
bedon
Meudon
(Odilon) Redon
édredon
fredon
ding! ding! dong!
(récipient) un bidon
(truqué) (du) bidon
Didon
dis donc!
Poséidon
guidon
amidon
(médicament) pyramidon
(peuple) les Myrmidons
(nain) un **myrmidon**
Cupidon
bridon

guéridon
Sidon
bastidon
dindon
corindon
(linceul) sindon
saint Odon
codon
pagodon
rigodon/rigaudon
iguanodon
ptéranodon
sphénodon
cyno(r)rhodon
tétrodon
(poisson) chétodon
glyptodon
bondon
dondon
(refrain) faridondon!
(Jean Antoine) Houdon
(Pierre Joseph) Proudhon
bombardon
cardon
chardon
(Edme) Bouchardon
(poisson) un gardon
nous gardons
lardon
PARDON
(François) Girardon
(récompense, arch.)
guerdon
lycoperdon
le Verdon
cordon
(Sébastien) Bourdon
(bâton) bourdon
(insecte) **bourdon**
(cloche) **bourdon**
faux-bourdon
(roulotte, arg.) vurdon

Les vieilles mains d'argent des coutumes locales
– Et carillons et bruits de fête à pleins **bourdons** –
Tendent soudain les longs et torpides **cordons**
À l'horloge de mes douleurs maniacales.

Le sonnant cuivre clair des musiques pascales
Couvre les voix et les sanglots des **abandons** ;
Et me voici : le radieux vers des **pardons**
Ardents et purs, ainsi que des lueurs focales.

Émile Verhaeren, « L'Éveil de Pâques »,
Les Vignes de ma muraille

Qu'il faille leur concours pour gonfler l'**édredon**,
Suspendre les rideaux, dresser les étagères,
Les Dieux sont avec toi, belle Iris, quand tu gères
La chambre et les loisirs dont l'amant te fit **don**.

Psyché sur un tapis pleure son **abandon**,
Le Faune au ciel du lit courtise les bergères
Et, creusant l'acajou de leurs pointes légères,
Les flèches de l'Amour ornent le **guéridon**.

Vincent Muselli, « Intérieur »,
Les Travaux et les Jeux

Devant la femme si complexe
Que sommes-nous ? des **mirmidons**
Voletant comme des **bourdons**
Autour d'elle : mais la coquette
Prend le dessus. Tels des **dindons**,
Elle nous mène à la baguette. [...]

Pour nous prendre, pauvres **gardons**,
Il n'est pas besoin de **Didons** ;
Une servante de guinguette
Nous fait croquer bien des **lardons**…

À l'âge où poussent les **bedons**,
Où le démon de midi guette,
Comme des mangeurs de **chardons**
Elle nous mène à la baguette.

Ernest Rieu, « Ballade du sexe soi-disant faible »,
Douze douzains de ballades françaises. 121

☞

456. ON

DON

+ verbes en -der
-endre *(sauf prendre + comp.)*
-ondre, erdre *et* -ordre

1e pers. pluriel
présent indicatif
et impératif

sous-rime voisine
456.20 TON

contre-assonance
91.5 DAN

❐ 256 [Rostand]
91.5 [Romains]

456.6 ÉON

ACCORDÉON
NAPOLÉON
PANTHÉON

(philosophie) l'éon
chevalier d'Éon
Gédéon
(Paris) l'**Odéon**
(édifice) odéon
ACCORDÉON
orphéon
Léon
pays de Léon
(médicament) magdaléon
saint Pantaléon
(instrument) un pantaléon
nucléon
caméléon
iléon
jéjuno-iléon
Saint-Pol-de-Léon
(Arthur) Saint-Léon

Timoléon
(empereur) NAPOLÉON
(pièce) un napoléon
(cerise) une napoléon
Siméon
néon
(Félix) Fénéon
bandonéon
péon
(roi) Créon
(créer) (nous) créons
Anacréon
(arbuste) mézéréon
(n. dép.) fréon
(d'Alexandrie) Théon
(Paris) le PANTHÉON
(temple) panthéon
Actéon

+ verbes en -éer
1e pers. pluriel
présent indicatif
et impératif

Qui donc n'a pas rêvé d'être un **Napoléon**,
De ceci, de cela, des arts, de l'industrie,
De la Bourse ! Il en est de la moutarderie,
Du journal, de la rampe et de l'**accordéon**.

S'appelât-il **Léon**, voire **Pantaléon**,
Chacun veut qu'en passant la gloire lui sourie.
Les grands hommes sont trop. Tu t'épuises, patrie.
Tu vas faire craquer les murs du **Panthéon**.

Jean Richepin, « Qui donc n'a pas rêvé... »,
Dans les Remous. LXXIV in *Mes Paradis*

Si la mort vient, ferme la porte,
Baisse l'éclairage au **néon**,
Le serpent laisse sa peau morte
Le cœur plie son **accordéon**

– Mon cœur est une rose morte –
Et les paons qui criaient « **Léon** ! »
Dans les villes de places fortes
– C'était à **Saint-Pol-de-Léon** –

Maurice Fombeure, « Peu s'en faut... »,
Les Étoiles brûlées

Il a du bobo **Léon**
Il porte un **bandeau Léon***
[...]

Il a du bobo **Léon**
Il va p't'êt' **canner Léon****

Boby Lapointe, « Bobo Léon »,
Intégrale

* bandonéon ** caméléon

La poésie fout l'camp ***Villon*** !
Y'a qu' du ***néant*** sous du **néon**

Léo Ferré, « La poésie fout l'camp Villon ! »,
La mauvaise graine

sous-rimes voisines
456.11 ION
456.1 AON

contre-assonances
91.6 ÉAN
435.6 ÉO

❐

456.7 FON

PROFOND

(partie basse) un **fond**
(fondre) il **fond**
(capitaux) des fonds
(baptismaux) des fonts
(faire) ils **font**
(nettoyage, Suisse)
faire les à-fonds
bas-fonds
balafon

plafond
carafon
girafon
pa(c)kfung
ils re/**défont**
greffon
tréfonds
(refondre) il refond
(refaire) ils refont
arrière-fond
tire-fond
ils contrefont

Nous n'aurons point de lit qu'adorne une bergère
Ni d'affable divan comme tombeau **profond**,
Mais un grabat vers quoi s'abaisse le **plafond**
Où sévit sans repos la mouche ménagère.

Pour tenir lieu de nymphe une vague mégère
Qui de ses seins mafflus nous offre le **tréfonds**,
Et dont la cuisse ouverte évoque le **siphon**
Aspirant où noyer notre ardeur mensongère.

Luc Decaunes, « L'abord des amants »,
Récréations

☞

FON

456. ON

Haïphong
chiffon
demi-fond
(monstre) un **griffon**
(griffer) (nous) griffons
siphon
thermosiphon
Ctésiphon
(monstre) Typhon
(cyclone) **typhon**
Antiphon
bien-fonds
haut-fond
Xénophon
Bellérophon

PROFOND
il **confond**
(comique) (un) **bouffon**
(bouffer) (nous) bouffons
(parfondre) il parfond
(parfaire) ils parfont
il se **morfond**
(surfaire) ils surfont
ils satisfont
comte de Buffon

+ verbes en -fer
1e pers. pluriel
présent indicatif
et impératif

Après que, d'un style **bouffon**
Pur et net de pédanteries,
J'eus bâti mon pauvre **Typhon***
De cent mille couillonneries,

Avide d'or comme un **griffon**
(D'or, d'argent ou de pierreries),
Je le couvris non d'un **chiffon**,
Mais de chiffres et d'armoiries.

Paul Scarron, « Sonnet »,
Poésies diverses

* œuvre de Scarron

La virginité nous attire,
Mais son mystère nous **confond**,
Car il demeure aussi **profond**
Dans la souillure et le martyre.

Les syllabes qu'on lui soutire
Sont des gouffres à double **fond**.
La virginité nous attire,
Mais son mystère nous **confond**.

Et masque ambigu qui retire
L'aveu que ses rougeurs nous **font**,
Monstre glacé qui nous **morfond**
Et le cauchemar blanc du Satyre,
La virginité nous attire.

Maurice Rollinat, « La Virginité »,
L'Abîme

sous-rime voisine
456.22 VON

contre-assonance
91.8 FAN

❐ 402 [Roux]
95 [Rodenbach]

456.8 GEON

PIGEON

jonc
ajonc
(tonnelle, Suise) quicageon
fromageon
Arpajon
drageon
sauvageon
dudgeon
trudgeon
Dijon
badigeon
un PIGEON
(piger) nous pigeons
gorge-de-pigeon
cœur-de-pigeon

donjon
(plonger) **plongeon**
(oiseau) plongeon
(Jean) Goujon
(poisson) un **goujon**
(haubert) haubergeon
(enfant de chœur) clergeon
(boisson, arg.) gorgeon
bourgeon
écourgeon/escourgeon
surgeon
esturgeon

+ verbes en -ger
1e pers. pluriel
présent indicatif
et impératif

Voici le soir. Au ciel passe un vol de **pigeons**.
Rien ne vaut pour charmer une amoureuse fièvre,
Ô chevrier, le son d'un pipeau sur la lèvre
Qu'accompagne un bruit frais de source entre les **joncs**.

À l'ombre du platane où nous nous **allongeons**
L'herbe est plus molle. Laisse, ami, l'errante chèvre,
Sourde aux chevrotements du chevreau qu'elle sèvre,
Escalader la roche et brouter les **bourgeons**.

José-Maria de Heredia, « La Flûte »,
Les Trophées

Mon liège fait plus d'un **plongeon**
Dans l'onde au lit de sable fin.
Ça mord à tout coup ; mais enfin
Je n'ai pas pris un seul **goujon**.
[...]
Derrière moi, le vieux **donjon** ;
Devant, un horizon sans fin.
Un brochet dort comme un dauphin
À fleur d'eau, près d'un **sauvageon**.
Mon liège fait plus d'un **plongeon**.

Maurice Rollinat, « Le Pêcheur à la ligne »,
Dans les brandes

sous-rimes voisines
456.19 S(Z)ON
456.3 CHON

contre-assonances
91.10 GEAN
333.7 GIN

❐

456.9 GNON

456. ON

COMPAGNON

gnon
l'Alagnon
Cro-Magnon
(oindre) nous oign(i)ons
(+comp.) nous joign(i)ons
moignon
(poindre) nous poign(i)ons
pagnon
COMPAGNON
estagnon
(nous) feign(i)ons
(nous) geign(i)ons
(nous) plaign(i)ons
(nous) dé/re/peign(i)ons
(nous) craign(i)ons
(nous) enfreign(i)ons
(nous) empreign(i)ons
(nous) épreign(i)ons
(nous) étreign(i)ons
(nous) contraign(i)ons
(nous) astreign(i)ons
(nous) restreign(i)ons
(nous) teign(i)ons
(nous) atteign(i)ons
(nous) éteign(i)ons
(nous) déteign(i)ons
(nous) reteign(i)ons
Gueugnon
chignon
(anus, arg.) trou/fignon
guignon
(faction) les **bourguignons**
(un) **bourguignon**

Lignon
salignon
(cocher) collignon
(personnage) Mignon
(un) **mignon**
lumignon
(de maison) **pignon**
(d'une roue) pignon
(graine) pignon
champignon
ville-champignon
quignon
maquignon
dom Pérignon
grignon
hôtel Matignon
Avignon
sauvignon
(rivière) l'Ognon
(bulbe) **oignon**
(coup, rég.) cognon
pognon
(rein) (un) **grognon**
(rogner) (nous) rognons
(un) **rognon**
(un) **trognon**
(nuit, arg.) borgnon
lorgnon
brugnon

+ verbes en -gner
1e pers. pluriel
présent indicatif
et impératif
imparfait indicatif

Je l'ai rencontrée un jour de vendange,
La jupe troussée et le pied **mignon** ;
Point de guimpe jaune et point de **chignon** :
L'air d'une bacchante et les yeux d'un ange.

Suspendue au bras d'un doux **compagnon**,
Je l'ai rencontrée aux champs d'**Avignon**,
Un jour de vendange.

Alphonse Daudet, « Trois jours de vendanges »,
Les Amoureuses

Le ***long*** de la **Mouille-Mougnon**,
En ramassant des **champignons**,
Mignon tu te mouilles,
J'ai rencontré un **maquignon**
Qui recherchait son **compagnon**
À la **Mouille-Mougnon**.

Le ***long*** de la **Mouille-Mougnon**,
C'était un pauvre **Bourguignon**,
Mignon tu te mouilles,
Patraque, quinteux et **grognon**
Qui avait perdu son **lorgnon**
À la **Mouille-Mougnon**.

Le ***long*** de la **Mouille-Mougnon**,
En mâchonnant un vieux **quignon**,
Mignon tu te mouilles,
Il tenait haut son **lumignon**
En pestant contre son **guignon**
À la **Mouille-Mougnon**.

Le ***long*** de la **Mouille-Mougnon**,
Melon, bras ***long***, **brugnon**, **trognon**,
Mignon tu te mouilles,
Je risquais de prendre des **gnons**
Et ce n'était pas mes **oignons**
À la **Mouille-Mougnon**.

Jacques Charpentreau, « Chanson de la rivière
Mouille-Mougnon (Vaud, Suisse) »,
La Poésie dans tous ses états

sous-rimes voisines
456.11 ION
456.14 NON

contre-assonances
91.11 GNAN
435.10 GNO

❐ 489 [Richepin]
435.10 [Réda]

456.10 GON

DRAGON

(unité) gon
(charnière) **gond**
(instrument) gong
glucagon
lagon
(personnage) Harpagon
(avare) un harpagon
(Espagne) l'Aragon
(Louis) Aragon
(monstre) un DRAGON
(soldat) un dragon
(draguer) (nous) draguons
sang(-de)-dragon
fragon
estragon
(Patagonie) (un) patagon
martagon

(fourgon) un **wagon**
(errer) (nous) vaguons
angon
parangon
tangon
l'Oregon
(Jean) Second
(deuxième) (le) **second**
Saïgon/Saigon
digon
perdrigon
les Lestrygons
vessigon
les Lingons
les Dogons
analogon
(plante) andropogon
(grognon, rég.) gongon
(un) **bougon**
argon

Rampant d'argent sur champ de sinople, **dragon**
Fluide, au soleil la Vistule se boursoufle.
Or le roi de Pologne, ancien roi d'**Aragon**,
Se hâte vers son bain, très nu, puissant maroufle.

Les pairs étaient douzaine : il est sans **parangon**.
Son lard tremble à sa marche et la terre à son souffle ;
Pour chacun de ses pas son orteil **patagon**
Lui taille au creux du sable une neuve pantoufle.

Alfred Jarry, « Le Bain du roi »,
Œuvres complètes

Méfiez-vous des **Martagons** !
Quand ils sortent de leurs **gonds**,
C'est le grand décervelage :
Comme les fiers **Lestrygons**,
Ancien peuple anthropophage,
……

GON

456. ON

jargon
Sargon
morgon
(tisonnier) un fourgon
(véhicule) un **fourgon**
(refiler) (nous) fourguons

(individu, arg.) nonce-du-gon

+ verbes en -guer
1e pers. pluriel
présent indicatif
et impératif

Ils cuisinent à l'**estragon**
Et vous servent en potage.
Ou bien comme les **Dogons**,
Qui n'ont pas du tout d'œdipe,
Quand on touche à leurs principes,
Ils se changent en **dragons**.

Pitié pour les **Martagons** !
Il n'est rien qu'ils ne réprouvent
Comme bêtise et **jargon**.
Mais, cette chanson le prouve,
Ce n'sont pas des **Aragon** !

Dominique Noguez, « Chant des Martagons »,
Les Martagons

sous-rime voisine
456.4 CON

contre-assonance
91.9 GAN

❒

456.11 ION

RAYON
PASSION

(héros) Ion
(atome) un ion
un **haillon**
(ailler) (nous) aillons
(bâillonner) un **bâillon**
(de sommeil) (nous) bâillons
(donner) (nous) baillons
(aux corneilles) (nous) bayons
sabayon
des picaillons
avocaillon
médaillon
(enfant, arg.) merdaillon
nous défaill(i)ons
noblaillon
maillon
(loques) des penaillons
nous déchoyons
nous **croy(i)ons**
(que nous) **soyons**
nous (nous) r/assoy(i)ons
nous sursoy(i)ons
nous **voy(i)ons**
nous prévoy(i)ons
nous revoy(i)ons
nous entrevoy(i)ons
nous pourvoy(i)ons
paillon
graillon
(voleur, arg.) tiraillon
moraillon
touraillon
curaillon
nous assaill(i)ons
nous tressaill(i)ons
moussaillon
bataillon
(melon) cavaillon

(bande de terre) cavaillon
écrivaillon

billon
(cabane, rég.) cabion
gabion
Crébillon
(Grande-Bretagne) Albion
plateau d'Albion
barbillon
corbillon
bourbillon
tourbillon

que nous **sachions**

(Chrysostome) Dion
caladion
pendillon
(bras, arg.) bra(n)dillon
raidillon
trombidion
pyramidion
théridion
collodion
modillon
(+comp.) nous fondions
nous pondions
nous répondions
nous correspondions
nous re/tondions
ardillon
(pénis, arg.) dardillon
tardillon
nous re/perdions
manichordion
nous dé/re/mordions
nous dé/re/dis/tordions
ludion

(panneau) un hayon
(avoir) (que nous) **ayons**
layon
clayon
pleyon/playon

La toile, le papier, les pinceaux, les **crayons**,
Et l'affreux chevalet, peintre, pour ton supplice,
Et l'encre renversée au profond du calice
Chû d'un soleil crevé de flèches ; ses **rayons**.

Et tout cet attirail avec cet exercice,
Et tous ces oripeaux qui ne sont que **haillons**
Dont nous saurons vêtir, si nous les **travaillons**,
Psyché nue apportant la lumière et l'esquisse.

André Salmon, « Amour de l'Art »,
Les Étoiles dans l'encrier

Des pêches et des **informations**
des poires et des **considérations**
des cerises et des **approbations**
des fraises et de la **précision**
des raisins et des **arrestations**

Le beau verger
Ô ma mie
le beau marché
la bouse est potagère

Des platanes et des **propositions**
des marronniers et des déboursements
des géraniums et des **augmentations**
des lilas bruns et des emprisonnements

Jean Cayrol, « Petits poèmes captifs »,
Les mots sont aussi des demeures in *Œuvre poétique*

Je suis la grandeur d'âme
Je donne des ***leçons*** de **diction**
Des ***leçons*** de **prédication** de **claudication** de **prédiction** de **malédiction** de **persécution** de **soustraction** de **multiplication** de **bénédiction** de **crucifixion** de **moralisation** de **mobilisation** de **distinction** de **mutilation** d'**autodestruction** et d'**imitation** de Notre-Seigneur Jésus-Christ

Jacques Prévert, « La Gloire »,
Paroles

☞

ON

456. ON

(lumière) RAYON
(rayonnage) rayon
(sillon) rayon
crayon
taille-crayon
porte-crayon
oreillon
(tette) un trayon
(+comp.) (traire)
nous tray(i)ons
(casaque) sayon
(baquet) seillon
nous (nous) r/**assey(i)ons**
l'Érechthéion
bouteillon
réveillon

nous ac/re/**cueill(i)ons**

(cul, arg.) fion
un coup de fion
(se fier) nous nous fions
Amphion
(coiffure) escoffion
troufion

contagion
légion
région
irréligion
religion
(remuant, Belg.) bougillon

(angine) étranguillon

(animal) un **lion**
(zodiaque) le Lion
(ville) **Lyon**
(lier) (nous) lions
(aller) nous **allions**
(s'associer)
nous nous allions
(tirer) nous halions
(bronzer) nous hâlions
Deucalion
galion
Pygmalion
talion
trublion
Héraklion
nous valions
nous prévalions
nous équivalions
hélion
tabellion
rébellion
(mouche du coche) ardélion
néphélion
le Pélion
(sectaire) circoncellion
(lézard) stellion
ganglion
dent-de-lion
pied-de-lion
(Troie) **Ilion**
(anatomie) l'ilion
billion
million
saint-émilion

fourmi-lion/fourmilion
trillion
quatrillion
(chauve-souris) noctilion
quintillion
(moudre) nous moulions
(mouler) nous moulions
(remoudre)
nous remoulions
nous voulions
vespertilion
sextillion
Champollion
plion

camion
sémillon
(roi) Endymion
(jacinthe) un endymion
acromion
fermion
(du) **vermillon**
mirmillon
nous en/ren/dormions
phormion
(marché, arg.) fourmillon

anion
canyon
un **fanion**
nous (nous) fanions
porte-fanion
manillon
moinillon
vanillon
Parménion
(guenille) guenillon
(+comp.) nous **prenions**
(+comp.) nous **tenions**
(+comp.) nous **venions**
dominion
opinion
cornillon
quaternion
union
(signe) trait d'union
(syndicat) trade union
(réunir) une réunion
(île) la Réunion
communion
désunion

(ouir) oyons

un **bouillon**
(bouillir) nous bouill(i)ons
Godefroy de Bouillon
court-bouillon
(un) couillon
(confus) brouillon
(ébauche) un **brouillon**
un/e **souillon**

(surveillant) un pion
(échecs) un **pion**
(physique) un pion
(ivre, arg.) être pion
(nous) pillons
apion

Émotive **irritation**
Verbeuse **vocation**
Pléthorique **imagination**
Incontinente **symbolisation**
Altière **mythification**
Malsaine **légitimation**
Excessive **métaphorisation**
Abrahamique **affabulation**
Évangélique **falsification**
Mahométane **imitation**

Mystique **hystérisation**
Zoophobique **obsession**
Psychotique **expiation**
Exponentielle **abstraction**
Circulaire **idéalisation**
Logomachique **machination**
Romaine **impérialisation**
Tyrannique **vénération**
Superstitieuse **adoration**
Hédonistique **dépravation** [...]

John Gelder, « Émotive irritation… »,
Procès. XII

❐ 355 [Hadjadj] ; 261 [Pottier]
456.6 [Ferré] ; 258.12 [Jarry]

usucapion
(singe) papion
(insecte) **papillon**
grappillon
tra(p)pillon
champion
superchampion
un **lampion**
nous lampions
crampillon
Tartempion
Scipion
(carriériste, Suisse) grimpion
entropion
ectropion
nous rompions
nous interrompions
nous corrompions
goupillon
(commis, arg.) roupion
(sommeil) roupillon
croupion
toupillon
(pied, arg.) arpion
carpillon
(animal) **scorpion**
(zodiaque) le Scorpion
morpion
espion

quillon
tachyon
nous vainquions
nous convainquions
(bûcheron) boquillon
(boiteux, rég.) boquillon
fransquillon
ischion

(ville) Riom
(rillettes) des rillons
(rire) nous **ri(i)ons**
Arion
baryon
carillon

pharillon
Hilarion
(prénom) Marion
(nous) marions
(Camille) Flammarion
nous boirions
nous dé/choirions
nous croirions
nous (nous) r/assoirions
nous prévoirions
nous pourvoirions
hipparion
(mousse) bryon
oscabrion
embryon
ténébrion
vibrion
nous vaincrions
nous convaincrions
Cendrillon
une cendrillon
(+comp.) nous tiendrions
(+comp.) nous viendrions
(+comp.) nous vaudrions
nous coudrions
nous voudrions
nous re/perdrions
nous dé/re/mordrions
nous dé/re/dis/tordrions
nous (nous) r/assiérions
alérion
nous dé/com/plairions
(+comp.) nous trairions
(+comp.) nous tairions
psaltérion
(faucon) un émerillon
nous aimerions
nous serions
nous re/entre/verrions
(+comp.) nous ferions
nous ac/re/cueillerions
un **grillon**
(nous) grillons
agrion
négrillon

taupe-grillon
nous **irions**
(virus) virion
(géant) Orion
(constellation) Orion
(de bastion) un orillon
(coups) des **horions**
(avoir) nous aurions
brimborion
chorion
nous en/clorions
(casque) morion
(canard) morillon
porion
(savoir) nous saurions
(saurer) nous saurions
taurillon
(+comp.) nous cou(r)rions
nous mou(r)rions
nous pourrions
nous souri(i)ons
tourillon
lamprillon
nous romprions
nous interromprions
nous corromprions
(+comp.) nous **battrions**
nous ac/dé/croîtrions
septentrion
(+comp.) nous mettrions
nous re/naîtrions
nous mé/re/connaîtrions
nous re/paîtrions
(+comp.) nous paraîtrions
(roi) Amphitryon
(hôtelier) amphitryon
nous (nous)
contre-/foutrions
histrion
curion
décurion
durillon
nous inclurions
nous occlurions
nous conclurions

ION

456. ON

nous exclurions
La Roche-sur-Yon
turion
centurion
nous re/devrions
nous décevrions
nous recevrions
nous concevrions
nous entr/apercevrions
nous pour/suivrions
nous re/sur/vivrions
nous émouvrions
nous promouvrions

(Jérusalem) **Sion**
(branche) un scion
(scier) (nous) scions
(tranchée) un **sillon**
(ciller) nous cillons
(canidé) un cyon
(si l'on) si on
syllabation
libation
probation
dés/**approbation**
réprobation
improbation
exacerbation
conurbation
perturbation
masturbation
incubation
titubation
intubation
vacation
défécation
déprécation
imprécation
éradication
revendication
abdication
pré/auto/médication
prédication
contre-/indication
claudication
adjudication
ré/**édification**
solidification
humidification
nidification
lapidification
acidification
fluidification
codification
modification
déification
réification
gazéification
lignification
signification
dé/re/dis/qualification
salification
gélification
mellification
amplification
simplification
ramification
momification
planification

panification
vinification
bonification
saponification
personnification
carnification
ré/unification
saccharification
scarification
clarification
tarification
lubrification
éthérification
vérification
aurification
calorification
glorification
caprification
électrification
pétrification
nitrification
dé/vitrification
purification
classification
massification
pacification
opacification
densification
intensification
spécification
dé/re/calcification
falsification
dulcification
ossification
versification
diversification
russification
complexification
dénazification
chosification
béatification
ratification
gratification
stratification
identification
quantification
authentification
sanctification
rectification
fructification
acétification
démythification
notification
certification
désertification
fortification
mortification
plastification
dé/mystification
justification
re/vivification
publication
in/application
réplication
dé/sur/**multiplication**
implication
complication
duplication
réduplication

supplication
explication
fornication
télé/communication
excommunication
prévarication
fabrication
imbrication
intrication
dés/intoxication
dessication
vésication
décortication
urtication
mastication
domestication
sophistication
démoustication
défalcation
inculcation
suffocation
location
allocation
(colocataire) colocation
(linguist.) collocation
écholocation
sous-location
translocation
dislocation
embrocation
vocation
évocation
révocation
invocation
provocation
convocation
troncation
embarcation
démarcation
altercation
bifurcation
confiscation
manducation
ré/**éducation**
dation
gradation
dégradation
rétrogradation
recommandation
exhérédation
prédation
déprédation
sédation
in/validation
consolidation
intimidation
lapidation
dilapidation
trépidation
hybridation
élucidation
sur/oxydation
inféodation
accommodation
auto/fécondation
fondation
inondation
impaludation
dénudation

sudation
transsudation
exsudation
idéation
énucléation
balnéation
re/**création**
récréation
procréation
(+comp.) que nous **fassions**
propagation
divagation
légation
allégation
délégation
relégation
négation
abnégation
dénégation
agrégation
désagrégation
dé/ségrégation
congrégation
obligation
fumigation
irrigation
mitigation
investigation
instigation
fustigation
radio/navigation
circumnavigation
lévigation
promulgation
divulgation
homologation
des rogations
abrogation
subrogation
dérogation
surérogation
interrogation
prorogation
élongation
prolongation
objurgation
purgation
expurgation
ignifugation
imprégnation
indignation
ré/assignation
consignation
désignation
résignation
brachiation
(radier) radiation
(onde) radiation
irradiation
antiradiation
médiation
amodiation
répudiation
filiation
affiliation
humiliation
domiciliation
conciliation
réconciliation

résiliation
dé/ex/foliation
spoliation
ampliation
expiation
variation
sériation
excoriation
appropriation
expropriation
expatriation
striation
dé/glaciation
émaciation
(maths) différentiation
(distinction) in/différenciation
transsubstantiation
consubstantiation
spéciation
appréciation
dépréciation
initiation
propitiation
viciation
négociation
association
dissociation
annonciation
énonciation
dénonciation
renonciation
prononciation
titillation
scintillation
aviation
déviation
abréviation
lixiviation
défluviation
intercalation
lallation
inhalation
spallation
installation
contrevallation
circonvallation
exhalation
ablation
oblation
délation
fellation
flagellation
dé/congélation
surgélation
anhélation
appellation
épellation
coupellation
interpellation
corrélation
constellation
révélation
dénivellation
relation
déflation
stagflation
dés/inflation
insufflation

ION

456. ON

assibilation
jubilation
obnubilation
annihilation
assimilation
dissimulation
d/épilation
horripilation
compilation
oscillation
ventilation
stillation
distillation
installation
auto/**mutilation**
collation
décollation
percolation
violation
immolation
extrapolation
interpolation
insolation
consolation
désolation
isolation
contemplation
translation
législation
af/con/fabulation
stabulation
déambulation
dénébulation
infibulation
tribulation
éjaculation
spéculation
pandiculation
immatriculation
réticulation
dés/articulation
gesticulation
floculation
inoculation
circulation
émasculation
osculation
musculation
adulation
stridulation
dé/**modulation**
ondulation
coagulation
triangulation
strangulation
dé/auto/régulation
ululation
pullulation
émulation
trémulation
simulation
dissimulation
stimulation
formulation
accumulation
annulation
granulation
manipulation
stipulation
copulation
dé/re/sur/**population**
sporulation
des congratulations
capitulation
récapitulation
postulation
ovulation
diffamation
amalgamation
acclamation
déclamation
réclamation
proclamation
exclamation
inflammation
desquamation
dé/programmation
gemmation
crémation
sublimation
collimation
animation
réanimation
décimation
approximation
légitimation
intimation
sur/més/sous-/
estimation
(biologie) somation
(ordre) sommation
(maths) sommation
consommation
automation
affirmation
infirmation
confirmation
formation
déformation
réformation
préformation
dés/**information**
malformation
néoformation
conformation
transformation
inhumation
exhumation
nation
damnation
condamnation
profanation
émanation
trépanation
impanation
oxygénation
dés/aliénation
concaténation
agnation
stagnation
cognation
machination
ordination
in/subordination
coordination
imagination
pagination
évagination
invagination
inclination
dé/contamination
efféminaton
gémination
dissémination
insémination
élimination
des **récriminations**
incrimination
discrimination
culmination
fulmination
abomination
(maîtrise) une domination
(anges) les **Dominations**
nomination
dénomination
germination
pré/in/auto/sur/
détermination
extermination
illumination
rumination
supination
des **pérégrinations**
fascination
lancination
re/vaccination
vaticination
calcination
ratiocination
hallucination
obstination
destination
prédestination
agglutination
déglutination
conglutination
divination
conation
donation
phonation
pronation
détonation
intonation
carnation
ré/dés/incarnation
hibernation
prosternation
consternation
subornation
nous ac/dé/croissions
in/équation
in/adéquation
coéquation
péréquation
liquation
une PASSION
nous passions
mancipation
émancipation
dissipation
anticipation
participation
constipation
palpation
inculpation
disculpation
compassion
extirpation
usurpation
dé/crispation
l'Occupation
ré/**occupation**
préoccupation
inoccupation
ration
déclaration
narration
réparation
im/préparation
séparation
célébration
décérébration
térébration
libration
équilibration
vibration
élucubration
obsécration
consécration
exécration
aération
aberration
libération
délibération
réverbération
fédération
confédération
sidération
dé/**considération**
im/modération
pondération
rudération
prolifération
vocifération
exagération
verbigération
réfrigération
arriération
accélération
décélération
agglomération
conglomération
numération
énumération
génération
dégénération
régénération
vénération
incinération
exonération
rémunération
opération
coopération
exaspération
récupération
vitupération
lacération
dilacération
macération
éviscération
ulcération
ré/dés/**incarcération**
commisération
itération
réitération
allitération
oblitération
altération
adultération
déflagration
conflagration
ré/dés/intégration
migration
émigration
immigration
transmigration
giration
admiration
aspiration
transpiration
respiration
inspiration
conspiration
perspiration
expiration
retiration
élaboration
collaboration
corroboration
décoration
édulcoration
adoration
perforation
amélioration
détérioration
majoration
péjoration
chloration
défloration
dé/coloration
déploration
imploration
exploration
remémoration
commémoration
minoration
évaporation
corporation
incorporation
expectoration
(restaurant) restauration
(réparer) restauration
la Restauration
instauration
fluoration
décentration
dé/concentration
éventration
inter/pénétration
perpétration
filtration
infiltration
exfiltration
auto/castration
fenestration
défenestration
séquestration
ré/orchestration
administration
claustration
prostration
démonstration
lustration
illustration

ION

456. ON

frustration
carburation
procuration
induration
figuration
préfiguration
configuration
transfiguration
fulguration
inauguration
abjuration
adjuration
conjuration
cyanuration
d/épuration
suppuration
mensuration
fissuration
susurration
maturation
dénaturation
sur/saturation
obturation
facturation
dé/re/structuration
trituration
acculturation
déculturation
cassation
passation
condensation
compensation
sensation
cessation
pulsation
tergiversation
malversation
conversation
relaxation
dé/taxation
dés/indexation
vexation
fixation
préfixation
suffixation
luxation
extravasation
arabisation
fascisation
catéchisation
hiérarchisation
candisation
anodisation
clochardisation
standardisation
champagnisation
cannibalisation
globalisation
verbalisation
radicalisation
dé/sur/médicalisation
dé/syndicalisation
lexicalisation
focalisation
localisation
vocalisation
idéalisation
réalisation
déréalisation
égalisation
légalisation
signalisation
mondialisation
dé/matérialisation
dés/**industrialisation**
spatialisation
spécialisation
officialisation
initialisation
socialisation
commercialisation
formalisation
normalisation
banalisation
canalisation
dé/pénalisation
finalisation
marginalisation
nominalisation
régionalisation
nationalisation
rationalisation
professionnalisation
institutionnalisation
dé/personnalisation
opalisation
dé/sacralisation
libéralisation
généralisation
dé/minéralisation
dé/moralisation
dé/centralisation
neutralisation
naturalisation
universalisation
dé/nasalisation
palatalisation
occidentalisation
métallisation
capitalisation
hospitalisation
revitalisation
totalisation
chaptalisation
cristallisation
individualisation
annualisation
mensualisation
sexualisation
visualisation
ré/actualisation
intellectualisation
ritualisation
spiritualisation
conceptualisation
fidélisation
modélisation
évangélisation
caramélisation
parcellisation
satellisation
javellisation
dé/**culpabilisation**
responsabilisation
rentabilisation
dé/stabilisation
dé/in/sensibilisation
dé/mobilisation
immobilisation
lyophilisation
fragilisation
stérilisation
dévirilisation
fossilisation
volatilisation
infantilisation
subtilisation
fertilisation
stylisation
ré/utilisation
civilisation
symbolisation
alcoolisation
créolisation
monopolisation
nébulisation
islamisation
dynamisation
minimisation
optimisation
maximisation
atomisation
scotomisation
uniformisation
urbanisation
mécanisation
américanisation
balkanisation
vulcanisation
européanisation
ré/in/dés/**organisation**
dé/christianisation
romanisation
germanisation
dés/humanisation
galvanisation
hellénisation
pérennisation
déstalinisation
pollinisation
féminisation
hominisation
sinisation
latinisation
crétinisation
divinisation
indemnisation
carbonisation
préconisation
ionisation
dé/**colonisation**
harmonisation
canonisation
dé/synchronisation
intronisation
ozonisation
modernisation
fraternisation
immunisation
précarisation
vulgarisation
scolarisation
dé/polarisation
solarisation
sécularisation
particularisation
régularisation
popularisation
titularisation
prolétarisation
dé/re/militarisation
starisation
tubérisation
polymérisation
numérisation
paupérisation
upérisation
cancérisation
latérisation
caractérisation
éthérisation
cautérisation
pulvérisation
pasteurisation
irisation
arborisation
herborisation
théorisation
météorisation
euphorisation
catégorisation
intériorisation
extériorisation
dé/re/valorisation
mémorisation
in/sonorisation
vaporisation
temporisation
thésaurisation
factorisation
dé/sectorisation
autorisation
motorisation
cicatrisation
électrisation
sécurisation
dé/pressurisation
miniaturisation
francisation
laïcisation
exorcisation
mithridatisation
médiatisation
dramatisation
schématisation
anathématisation
systématisation
stigmatisation
climatisation
aromatisation
somatisation
automatisation
informatisation
fanatisation
démocratisation
bureaucratisation
dératisation
étatisation
privatisation
néantisation
désinsectisation
alphabétisation
budgétisation
dé/magnétisation
dé/monétisation
poétisation
concrétisation
dé/politisation
robotisation
cotisation
érotisation
aseptisation
collectivisation
improvisation
auto/**accusation**
récusation
datation
dilatation
acclimatation
natation
sur/sous-/**exploitation**
dés/hydratation
nitratation
constatation
décantation
fréquentation
incantation
indentation
ré/dés/orientation
dé/re/**plantation**
ré/implantation
transplantation
lamentation
dés/aimantation
cémentation
dé/réglementation
ornementation
fragmentation
segmentation
dé/pigmentation
augmentation
sédimentation
sur/sous-/**alimentation**
expérimentation
cimentation
fomentation
fermentation
documentation
instrumentation
présentation
représentation
tentation
ostentation
sustentation
lactation
tractation
rétractation
dés/**affectation**
délectation
expectation
nictation
éructation
superfétation
végétation
castramétation
interprétation
co/**habitation**
méditation
préméditation
agitation
prestidigitation
cogitation
régurgitation
ingurgitation
ré/habilitation

456. ON

facilitation
imitation
dé/limitation
capitation
décapitation
crépitation
décrépitation
précipitation
palpitation
équitation
irritation
citation
sur/**excitation**
récitation
licitation
félicitation
sollicitation
explicitation
incitation
mussitation
hésitation
valse-hésitation
visitation
anti/gravitation
lévitation
invitation
placentation
saltation
exaltation
occultation
auscultation
consultation
exultation
cotation
dotation
flottation
notation
annotation
dénotation
connotation
rotation
numérotation
votation
confontation
dégoûtation
captation
ré/in/dés/adaptation
coaptation
reptation
in/acceptation
cooptation
in/quartation
dissertation
concertation
déportation
ré/importation
transportation
ré/exportation
exhortation
station
dévastation
contre-/**manifestation**
infestation
gestation
admonestation
arrestation
déforestation
reforestation
prestation

attestation
détestation
protestation
contestation
aérostation
sous-station
gustation
dégustation
incrustation
réfutation
salutation
mutation
commutation
permutation
transmutation
nutation
sternutation
amputation
députation
réputation
imputation
computation
supputation
évacuation
graduation
individuation
évaluation
dévaluation
atténuation
exténuation
insinuation
dis/continuation
menstruation
infatuation
accentuation
ponctuation
fluctuation
perpétuation
habituation
situation
excavation
aggravation
dépravation
sur/**élévation**
in/salivation
dérivation
privation
passivation
ré/in/dés/activation
objectivation
dé/motivation
estivation
ovation
novation
rénovation
innovation
nervation
d/énervation
innervation
in/**observation**
conservation
réservation
préservation
incurvation

scansion
préhension
appréhension
répréhension

in/compréhension
(décor) mansion
(indication) **mention**
dimension
une **pension**
(soigner) nous pansions
(songer) nous pensions
demi-pension
propension
suspension
expansion
une **ascension**
l'Ascension
recension
dissension
une **tension**
(gronder) nous tancions
in/**attention**
obtention
détention
rétention
prétention
bitension
intention
hypotension
sous-tension
contention
hypertension
surtension
abstention
distension
extension
manutention
contravention
subvention
prévention
invention
convention
reconvention
intervention

une **action**
(axer) nous axions
rédaction
réaction
abréaction
anti-réaction
une **faction**
(faxer) nous faxions
rubéfaction
caléfaction
tuméfaction
stupéfaction
liquéfaction
cokéfaction
réfaction
raréfaction
torréfaction
putréfaction
olfaction
in/auto/**satisfaction**
inaction
rétroaction
interaction
fraction
effraction
réfraction
diffraction
infraction

traction
attraction
détraction
rétraction
dé/contraction
abstraction
distraction
soustraction
extraction
transaction
exaction
sanction
dés/**affection**
défection
réfection
primo-/auto-/
sur/dés/**infection**
confection
im/**perfection**
ré/**élection**
pré/**sélection**
intellection
flexion
déflexion
ir/**réflexion**
inflexion
génuflexion
dilection
prédilection
abjection
objection
subjection
éjection
déjection
bijection
injection
projection
introjection
interjection
surjection
collection
récollection
complexion
annexion
dé/inter/connexion
inspection
prospection
introspection
circonspection
rection
érection
co/**direction**
in/hyper/**correction**
surrection
insurrection
résurrection
section
résection
bissection
dissection
trisection
sous-section
vivisection
intersection
télé/détection
sur/**protection**
advection
évection
convection

Ixion
diction
contradiction
malédiction
bénédiction
prédiction
juridiction
indiction
interdiction
une **fiction**
(fixer) nous fixions
préfixion
politique-fiction
science-fiction
crucifixion
transfiction
déréliction
affliction
(uriner) une miction
nous mixions
admixtion
immixtion
friction
antifriction
striction
restriction
constriction
éviction
conviction
distinction
extinction
coction
décoction
onction
fonction
dysfonction
jonction
adjonction
injonction
conjonction
disjonction
extrême-onction
ponction
componction
adduction
traduction
enduction
abduction
subduction
déduction
réduction
séduction
induction
self-induction
circumduction
production
reproduction
coproduction
sous-production
superproduction
surproduction
ré/introduction
conduction
reconduction
fluxion
solifluxion
obstruction
substruction
auto/**destruction**

ION

456. ON

instruction
dé/re/**construction**
succion

profession
confession
sujétion
déplétion
réplétion
nous re/naissions
nous mé/re/connaissions
nous re/paissions
(+comp.) nous paraissions
(paresser) nous paressions
accrétion
sécrétion
concrétion
in/discrétion
excrétion
non-/**agression**
régression
digression
progression
rétrogression
transgression
pression
une dépression
nous déprécions
répression
ré/sur/impression
oppression
dé/sur/compression
bouton-pression
sous-pession
surpression
supression
expression
(vente) cession
(séance) session
nous cessions
obsession
accession
succession
récession
précession
une sécession
guerre de Sécession
jam-session
dé/**possession**
procession
rétrocession
concession
(entremise) intercession
(parlement) intersession

ambition
imbibition
rédhibition
inhibition
prohibition
exhibition
addition
tradition
extradition
ré/co/micro/**édition**
ré/**expédition**
reddition
sédition
audition

condition
perdition
déperdition
érudition
(division) une fission
(faire) que nous fissions
ignition
coalition
abolition
démolition
volition
ébullition
mission
ré/admission
émission
démission
rémission
surémission
omission
sous-/commission
compromission
expromission
intromission
in/**soumission**
permission
intermission
dormition
re/transmission
manumission
inanition
cognition
récognition
finition
définition
monition
admonition
prémonition
munition
auto/**punition**
suspicion
ré/**apparition**
disparition
prétérition
attrition
contrition
dé/mal/sous-/nutrition
parturition
scission
coercition
transition
acquisition
réquisition
une **inquisition**
l'Inquisition
perquisition
position
apposition
juxtaposition
déposition
préposition
pole position
ré/sur/imposition
malposition
opposition
contre-/**proposition**
composition
décomposition
recomposition
photocomposition

superposition
interposition
transposition
disposition
prédisposition
indisposition
sous-/sur/**exposition**
postposition
pré/supposition
dentition
pétition
répétition
compétition
(musique) partition
(partage) bi/tri/partition
répartition
superstition
déglutition
que nous puissions
intuition
(corrompre) nous vicions
(visser) nous vissions
(voir) que nous vissions

(+comp.) que nous tinssions
(+comp.) que nous vinssions

alcyon
mulsion
émulsion
pulsion
répulsion
impulsion
auto/propulsion
compulsion
expulsion
avulsion
évulsion
révulsion
convulsion

caution
acquit-à-caution
précaution
(faucille) un faucillon
(général) Phocion
lotion
motion
émotion
commotion
locomotion
promotion
pré/notion
potion
microsillon
otocyon
dévotion

le Roussillon

rédemption
préemption
péremption
exemption
subreption
acception
déception
réception
conception

préconception
perception
aperception
interception
exception
re/transcription
description
prescription
ré/inscription
proscription
conscription
circonscription
souscription
suscription
option
adoption
assomption
consomption
présomption
ré/absorption
adsorption
désorption
résorption
éruption
interruption
irruption
corruption
disruption

submersion
émersion
immersion
aspersion
dispersion
assertion
ré/insertion
désertion
détersion
version
aversion
extraversion
subversion
animadversion
éversion
réversion
antéversion
diversion
inversion
rétroversion
introversion
re/**conversion**
perversion
interversion
portion
demi-portion
proportion
disproportion
dé/tortion
rétorsion
contorsion
distorsion
extorsion
incursion
excursion

attribution
rétribution
contribution
re/distribution

consécution
persécution
saisie-/in/non-/
exécution
locution
allocution
élocution
circonlocution
hydrocution
électrocution
concussion
percussion
répercussion
discussion
succussion
jussion
fidéjussion
ablution
élution
dilution
dé/anti/**pollution**
solution
absolution
dissolution
ir/résolution
évolution
dévolution
contre-/**révolution**
involution
convolution
circonvolution
diminution
que nous pussions
re/parution
non-/comparution
succion
substitution
destitution
restitution
institution
prostitution
constitution
reconstitution

occasion
chalazion
oisillon
croisillon
abrasion
corrasion
dissuasion
persuasion
une **évasion**
(évaser) nous évasions
invasion
adhésion
lésion
nous dé/plaisions
nous nous complaisions
cohésion
nous (nous) taisions
(+comp.) nous **faisions**
(+comp.) nous **disions**
nous confisions
nous (nous) suffisions
nous gisions
nous lisions
une élision
(ré/élire) nous ré/élisions

ION

456. ON

nous relisions
collision
auto/**dérision**
in/**décision**
rescision
im/**précision**
incision
concision
circoncision
excision
nous re/cuisions
(+comp.) nous déduisions
nous re/luisions
nous nuisions
nous nous entrenuisions
nous détruisions
nous
nous entredétruisions
nous (nous) instruisions
nous re/construisions
vision
télévision
révision
im/**prévision**
sub/in/**division**
mondovision
l'Eurovision
provision
supervision
que nous en/closions
éclosion
implosion
explosion
érosion
anti/corrosion
nous dé/re/cousions
fusion
affusion
effusion
télé/re/radio/diffusion
infusion
profusion
confusion
perfusion
surfusion
transfusion

suffusion
allusion
réclusion
inclusion
occlusion
conclusion
forclusion
exclusion
illusion
désillusion
collusion
intrusion
extrusion
contusion

(+comp.) nous **battions**
(bâter) nous bâtions
cation
Châtillon
nous châtions
(enfant gâté, Suisse) gâtion
tatillon
échantillon
lentillon
amphictyon
nous **étions**
(+comp.) nous mettions
(remuant) frétillon
bottillon
cotillon
nous (nous)
contre/foutions
(Alphonse) Bertillon
portillon
tortillon
bastion
télé/co/auto/**gestion**
ingestion
auto/suggestion
in/digestion
dé/**congestion**
question
postillon
exhaustion
pré/post/combustion
antrustion

(élève, arg.) brution
mixtion
démixtion

nous **fuy(i)ons**
nous nous enfuy(i)ons
Mme Guyon
aiguillon
nous incluions
nous occluions
nous concluions
nous excluions

(François) **Villon**
un **avion**
(avoir) nous **avions**
(niais, arg.) cavillon
un **pavillon**
(paver) nous pavions
hydravion
du gravillon
(graver) nous gravions
giravion
nous **savions**
tavillon
porte-avions
Duchamp-Villon
nous re/**devions**
nous décevions
nous recevions
nous concevions
nous percevions
nous entr/apercevions
(+comp.) nous **écrivions**
nous pour/suivions
nous re/sur/vivions
nous absolvions
nous dissolvions
nous résolvions
bouvillons
écouvillon
nous é/pro/mouvions
nous **pouvions**
nous des/res/servions
nous **buvions**
alluvion

éluvion
colluvion

+ verbes en -er, -ir, -endre *et* -ondre
1e pers. pluriel présent subj., condit.

+ verbes en -ier, -yer *et* -ller
1e pers. pluriel présent indicatif et impératif

+ verbes en -ire, -indre *et* -oudre
1e pers. pluriel présent cond.

sous-rimes voisines
456.9 GNON
456.12 LON
456.6 ÉON

contre-assonances
91.12 IAN
333.9 I EN

456.12 LON

LONG
VALLON
BLOND

(en/de) LONG
l'on

baie d'Along
(aller) nous **allons**
(tirer) nous halons
(bronzer) nous hâlons
(balle) un **ballon**
(montagne) un ballon
(danser) nous ballons
le Grand Ballon
(-sur-Saône) Chalon
(-sur-Marne) Châlons

gonfalon
(grade) **galon**
(mesure) gallon
jalon
(un) wallon
moellon
poêlon
(n. dép.) Dralon
un **salon**
nous salons
Absalon
talon
(personnage) Pantalon
(culotte) un **pantalon**
un **étalon**
nous étalons
un VALLON
(valoir) nous valons
nous nous prévalons

Je veux lisser pour vous, poète, un sonnet **blond**,
Plein d'or, de ciel, d'aurore amoureuse d'un ***songe***,
Où le verbe à sons doux en caresse s'***allonge***,
Et propose à l'esprit quelque chose d'**oblong**.

Je souhaite à mon vers la souplesse du **plomb**,
Qu'au cœur de mon divin son invisible ***plonge***,
Et musicalement jusqu'à vous se ***prolonge***,
Et soit plaisir de tête, ample, haut, large et **long**.

Pierre Albert-Birot, « Deuxième sonnet pour Hélène »,
Les Amusements naturels

Plume, pinceau ni **violon**,
Sans qu'y brillent tes destinées :
D'où victoire, au **long** des journées,
Qui ne soit tienne en tout **salon** !

……

LON

456.ON

nous nous équivalons
banlon
(un) BLOND
chablon
sablon
riblon
oblong
tromblon
houblon
(monnaie) doublon
(répétition) doublon
zyclon
le Belon/Bélon
(piédestal) scabellon
(un) **félon**
Gélon
les Jagellons
grêlon
un/e belon
échelon
(Alain) Delon
Madelon
(fruit) un **melon**
(tas de sel) un meulon
(meuler) nous meulons
chamelon
mamelon
Ganelon
Fénelon
caquelon
Saint-Pierre-et-Miquelon
frelon
selon
(n. dép.) Téflon
flonflon
mouflon
bufflon
sanglon
aiglon
tiglon
onglon
Odilon
(d'Alexandrie) Philon

(mine) un **filon**
(filer) nous filons
(de Crotone) Milon
(n. dép.) **nylon**
(Germain) Pilon
(broyeur) un pilon
marteau-pilon
Chilon
aquilon
diachylon
sidéroxylon
myroxylon
(Christophe) Colomb
(colonie) un colon
(colonel) mon colon
(intestin) un côlon
(coller) nous collons
mégacôlon
dolichocôlon
(Jean-Michel) Folon
(gosier, rég.) corgnolon
un **violon**
nous violons
Apollon
un apollon
Rollon
Solon
stolon
boulon
coulomb
foulon
(re/moudre)
(nous) re/moulons
(re/mouler)
(nous) re/moulons
(émoudre) nous émoulons
(ivrogne, Suisse) soûlon
Toulon
nous re/**voulons**
plomb
aplomb
Simplon
cuproplomb
surplomb
barlong
merlon
(requin) perlon
(fibre) perlon

(n. dép.) orlon
décathlon
biathlon
triathlon
pentathlon
heptathlon
Zabulon
à **reculons**
mulon
épulon
(roussi, Suisse) brûlon

+ verbes en -ler
1e pers. pluriel
présent indicatif
et impératif

Tu foules d'un joyeux **talon**
Les saintes règles étonnées,
Et tes insolentes menées
Font gronder, mais rire **Apollon**.

Vincent Muselli, « Fantasque »,
Les Sonnets à Philis

Voici les seuls Côteaux, voici les seuls **Vallons**
Où Bacchus et Pomone ont établi leur gloire ;
Jamais le riche honneur de ce beau territoire
Ne ressentit l'effort des rudes **Aquilons**.

Les Figues, les Muscats, les Pêches, les **Melons**
Y couronnent ce Dieu qui se délecte à boire ;
Et les nobles Palmiers sacrés à la Victoire,
S'y courbent sous des fruits qu'au Miel nous **égalons**.

Marc-Antoine Girard de Saint-Amant, « L'Automne des Canaries »,
Œuvres. III

La tonnelle en lauriers luisants est verte et noire.
Il y a un banc, au fond, en bois couleur de soir,
et qui est un peu humide, à cause de l'***ombre***,
même l'été quand le soleil est en ***bleu*** **plomb**.

Francis Jammes, « Caügt… »,
De l'Angelus de l'aube à l'Angelus du soir

❐ *320 [Melik] ; 91.14 [Rimbaud]*

sous-rimes voisines
456.11 ION
456.14 NON
456.17 RON

contre-assonances
91.14 LAN
244.10 LEU
333.10 LIN

456.13 MON

MONT
DÉMON
(possessif) **mon**
un MONT
(ils) m'ont
(Dieu) Amon
(Bible) Ammon
en/l'amont
Toutankhamon
Lautréamont

télamon
Mammon
aramon
Pharamond
Gramont
avant-mont
Edmond
(Louis) Hémon
(nous) **aimons**
les Quatre Fils Aymon
DÉMON
(région) le Piémont
(glacier) piémont

Pour patrimoine, il a sept chèvres ;
Quand l'air de l'aube en ses **poumons**
Vibre, on le voit passer par **monts**
Comme un bon dieu la flûte aux lèvres.

Or plus droit qu'if, il a les plèvres
En lui des éternels **limons** ;
Son œil subjugue les **démons**
Et les ours le fuient comme lièvres.

Émile Nelligan, « Pan moderne »,
Poésies complètes

☞

MON

456.ON

palémon
Philémon
Bohémond
goémon
Raimond/Raymond
Damrémont
(café, arg.) cafemon
(Denis) de Rougemont
ichneumon
(en remontant)
(à) contre-mont
Saint-Évremond
comte d'Egmont
phlegmon
(alluvion) le **limon**
(citron) un limon
(brancard) un limon
(nous) limons
(prénom) Florimond
(saint ; prénom) **Simon**
(Michel) Simon
(écrivain) Saint-Simon
(économiste) Saint-Simon
(philosophe) Timon
(technique) un timon
étymon
artimon
(André) Salmon
Chaumont

les Buttes-Chaumont
(un) rodomont
(n. dép.) la Gaumont
Salomon
sceau-de-Salomon
gnomon
dromon
giraumon(t)
un **saumon**
(nous) sommons
Royaumont
poumon
armon
mont Hermon
germon
Clermont
sermon
le Vermont
(nous) en/ren/re/**dormons**
(un) mormon
(Remy de) Gourmont
Sigismond
Santos-Dumont

+ verbes en -mer
1e pers. pluriel
présent indicatif
et impératif

Au bord de l'eau les **goëmons** ;
Le Saxifrage sur les **monts** :
Partout les fleurs que nous **aimons**,
Et de l'air pur à pleins **poumons**.

Albert Mérat,
Avril, mai, juin... XC

Allons ! Allons donc ! Tu commences déjà, mon brave ?
Fort, plus fort encore ! Ah ! tes pauvres petits **poumons**
Ont grand besoin d'air. Libres enfin de toute entrave,
Ils feront des hymnes, des ballades, des **sermons**.

Armand Godoy, « La Peur »,
Aube in *Marcel*

Aimez, mes petits ! Aimez, mes petits ! **Aimons** !
Nous sommes des feux vêtus de **phlegmons**.

Jacques Audiberti, « Raminagrobis »,
Des Tonnes de semence

Au-delà de notre atmosphère s'élève un théâtre
Que construisit le ver Zamir sans ***instrument***
Puis le soleil revint ensoleiller les places
D'une ville marine apparue **contremont**
Sur les toits se reposaient les colombes lasses

Guillaume Apollinaire, « Descendant des hauteurs... »
dans « Le brasier »,
Alcools

sous-rimes voisines
456.14 NON
456.12 LON

contre-assonances
91.15 MAN
333.11 MIN

❒

456.14 NON

NOM

un NOM
(négation) **non**
(ils) n'ont
(âne) un ânon
(généraux) Hannon
cabanon
(artillerie) **canon**
(décret) canon
un **fanon**
(nous) fanons
gonfanon
Organon
le Trianon
Manon
(Antoine) Toinon
tympanon
chaînon
le Couesnon
pennon
crénom!
prénom
les Sénons
xénon
Zénon
le **Parthénon**

(Vivant) Denon
guenon
(chèvre) menon
(Georges) Simenon
penon
(gloire) **renom**
(résiliation, Belg.) renon
(+comp.) (nous) **prenons**
(technique) un tenon
(+comp.) (tenir) (nous) **tenons**
prête-nom
Mme de Maintenon
(maintenir)
(nous) maintenons
(+comp.) (nous) **venons**
binon
Chinon
linon
(minet) minon
Ninon
sinon
Memnon
Agamemnon
Conon
le Donon
phonon
un pronom
(nous) prônons

La vindicte bourgeoise assassinait ***mon*** **nom**
Chinoisement, à coups d'épingle, quelle affaire !
Et la tempête allait plus âpre dans mon verre.
D'ailleurs du *seul* grief, Dieu bravé, pas un **non**,

Pas un oui, pas un mot ! L'Opinion sévère
Mais juste s'en moquait autant qu'une **guenon**
De noix vides. Ce bœuf bavant sur ***son*** **fanon**,
Le Public, mâchonnait ma gloire... encore à faire.

Paul Verlaine, « À Émile Blémont »,
Dédicaces

Je te donne ces vers afin que si ***mon*** **nom**
Aborde heureusement aux époques lointaines,
Et fait rêver un soir les cervelles humaines,
Vaisseau favorisé par un grand ***aquilon***,

Ta mémoire, pareille aux fables incertaines,
Fatigue le lecteur ainsi qu'un **tympanon**,
Et par un fraternel et mystique **chaînon**
Reste comme pendue à mes rimes hautaines...

Charles Baudelaire, « Je te donne ces vers... »,
Les Fleurs du mal

☞

NON

lanternon	+ *verbes en* -ner	Les fruits à la saveur de sable
(sobriquet, rég.) avernom	*1e pers. pluriel*	Les oiseaux qui **n'ont** pas de **nom**
surnom	*présent indicatif*	Les chevaux peints comme un **pennon**
Junon	*et impératif*	Et l'Amour nu mais incassable

Soumis à l'unique **canon**
De cet esprit changeant qui sable
Aux quinquets d'un temps haïssable
Le champagne clair du **canon**

Louis Aragon, « Un air embaumé »,
Le Mouvement perpétuel

sous-rimes voisines	*contre-assonances*
456.9 GNON	*91.16 NAN*
456.12 LON	*333.12 NIN*

❐ *91.16 [Romains]*

456.15 OON

Laocoon
épiloon

sous-rimes voisines	*contre-assonances*
456.11 ION	*1.15 OA*
456.1 AON	*214.14 OÉ*

456.16 PON

RÉPOND

	guipon
	(un) **nippon**
	(un) **fripon**
(pondre) il pond	(rider) (nous) fripons
(ouvrage d'art) un **pont**	typon
(région) le Pont	(sirène) pin-pon!
(un) **capon**	forêt de Paimpont
chapon	(parer) (nous nous) pimpons
(pays) le **Japon**	faux-pont
du (papier) japon	(François) Pompon
(aboyer) (nous) jappons	un **pompon**
(habitant) (un) lapon	(pomper) (nous) pompons
(boire) (nous) lapons	(nous) rompons
trois-ponts	(nous) interrompons
tapon	(nous) corrompons
et ron et ron petit patapon!	coupon
rampon	**poupon**
(un) crampon	croupon
tampon	**harpon**
cache-tampon	tarpon
colin-tampon	l'Hellespont
pépon	il correspond
(répondre) il RÉPOND	(Tartempion) Dupont
(chant) un répons	(Pierre) Dupont
crépon	**jupon**
deux-ponts	
(punk, verlan) keupon	+ *verbes en* -per
(Eubée, île) Nègrepont	*1e pers. pluriel*
entrepont	*présent indicatif*
lave-pont	*et impératif*
ippon	

Le corps enveloppé d'un châle du **Japon**,
Elles vont, la cassie ou la rose à l'oreille,
Promenant sous les cils leur prunelle, pareille
Aux glands de soie et d'or qui bordent leur **jupon**.

Elles passent le long des quais ou sur le **pont**
Qui joint Triana fauve à la blanche Séville.
Leur bouche au seul baiser, muette, se gaspille
Mais le torse interroge et la hanche **répond**.

Pierre Louÿs, « Le corps enveloppé »,
Poèmes divers

Sous le noir fouet de guerre à quadruple **pompon**,
L'étalon belliqueux en hennissant se cabre
Et fait bruire, avec des cliquetis de sabre,
La cuirasse de bronze aux lames du **jupon**.

Le Chef vêtu d'airain, de laque et de **crépon**,
Ôtant le masque à poils de son visage glabre,
Regarde le volcan sur un ciel de cinabre
Dresser la neige où rit l'aurore du **Nippon**.

José-Maria de Heredia, « Le Daïmio »,
Les Trophées

L'orgueil est là que nous **trompons**
ivres-morts comme des **fripons**.
Les pompiers sont au fond du **pont**.

Sans jamais soûler le **pompon**,
nous nous noyons ou nous **pompons**
notre néant de vieux **poupons**.
Le malheur balbutie **pin-pon**.
Le malheur est au fond du **pont**.

Clovis Maërl, « Au fond du pont »,
L'Invisible

sous-rime voisine	*contre-assonance*
456.2 BON	*91.19 PAN*

❐ *333.15 [Romains]*

456. ON

456.17 RON

FRONT

(cercle) (un) **rond**
(rompre) il rompt

(Raymond) Aron
Aaron
(Jacques) Baron
(titre) un **baron**
(fermer) nous barrons
(s'enfuir) nous nous barrons
Charon
macaron
(Paul) Scarron
mascaron
charron
(père, arg.) daron
fanfaron
(ration d'alcool) boujaron
larron
(fruit ; couleur) (le) **marron**
(coup) un marron
(véreux) marron
(être refait) marron
(rire) nous nous marrons
nous boirons
nous dé/choirons
le Coiron
ouaouaron
nous croirons
nous (nous) r/assoirons
nous surseoirons
nous prévoirons
nous pourvoirons
(plaine) le Saron
(pagne) sarong
va(r)ron

membron
Hébron

(n. dép.) dacron
micron
nous vaincrons
nous convaincrons
mucron

hadron
escadron
(jeune fille) un **tendron**
(tendre) nous tendrons
le Cédron
lépidodendron
rhododendron
philodendron
(+comp.) nous **tiendrons**
(+comp.) nous **viendrons**
chaudron
godron
(+comp.) nous **vaudrons**
nous dé/re/coudrons
goudron
nous re/moudrons
nous absoudrons
nous dissoudrons
nous résoudrons
nous re/**voudrons**
nous re/**perdrons**

nous dé/re/mordrons
(+comp.) nous tordrons

(d'Alexandrie) Héron
(oiseau) un **héron**
(nicher) nous airons
(vaguer) nous errons
Aubéron/Obéron
le Lubéron
(enfers) l'Achéron
(+comp.) (acquérir) nous acquérons/acquerrons
interféron
érigéron
nous (nous) r/assiérons
clairon
île d'Oléron
nous dé/plairons
nous nous complairons
le Décaméron
l'Heptaméron
Néron
(d'une maison) le **perron**
(payer) nous paierons
hypéron
opéron
nous brairons
(Élie) Fréron
(+comp.) nous trairons
Cicéron
(taire) nous (nous) tairons
(se terrer) nous (nous) terrons
il **interrompt**
(poisson) un vairon
yeux vairons
(voir) nous **verrons**
(rivière ; dépt) l'Aveyron

biberon
chauffe-biberon
Quiberon
le Luberon
(travailleur) un **tâcheron**
(salir) nous tacherons
(d'une charrue) mancheron
(couture) mancheron
un **moucheron**
nous (nous) moucherons
(un) percheron
nous percherons
bûcheron
laideron
quart-de-rond
(+comp.) nous **ferons**
(gardon, Suisse) vengeron
(un) augeron
longeron
forgeron
bourgeron
vigneron
nous ac/re/cueillerons
cuilleron
paleron
saleron
aileron
fleuron
culeron
fumeron
chaperon

Plage à baisers de père et de vieux maître
ou de tel qui du respect fait **affront**
quand n'aimant plus il ose se permettre
une privauté de mauvais **larron** :

détourné de sa source un baiser traître.
Mais l'amour sait si le désir est **prompt**.
Plage aux labours légers que j'ai vus naître
j'aime rester les lèvres sur ton **front**.

Luc Estang, « Front »,
Corps à cœur. XL

Si tu veux nous nous **aimerons**
Avec tes lèvres sans le dire
Cette rose ne l'**interromps**
Qu'à verser un silence pire
[...]
Muet muet entre les **ronds**
Sylphe dans la pourpre d'empire
Un baiser flambant se déchire
Jusqu'aux pointes des **ailerons**
Si tu veux nous nous **aimerons**

Stéphane Mallarmé, « Si tu veux nous nous aimerons... »,
Poésies

Ensemble, vous plaît-il ? un soir nous **dînerons**...
Et dans l'art décadent des fols Élagabales,
Succulents Lucullus et plus rares **Nérons**,
Nous **unirons** sans nulle écoute des cabales,

Les rites babilleurs aux gestes **biberons**,
Langues d'oiseaux ayant parlé, robes papales,
Avec, pour entremets sucrés et **fanfarons**,
Une cléopatresque infusion d'opales.

Robert de Montesquiou, « Double zéro »,
Les Hortensias bleus. CXII

Ferrée à rouge te voilà devant l'enclume
Bouche au collier de larmes **Forgeron**
Que l'ombre de ton bras lève la femme plume
Et que ton bras lui plante une harpe en plein **front**

Et qu'elle chante avec l'écharpe de bitume
Hyperbole des cils gril où nous **rôtirons**
Sous l'arbre ensanglanté dont elle se parfume
Et nos poumons légers sont là pour le **clairon**

Roger Vitrac, « Cruautés de la nuit » II,
Dés-lyre

Coquillez d'la nuque au ***son*** d'l'**occiputron** !
Allégez vos **membrons** au ***son*** de l'**érectron** !
Faites des entrechats au ***son*** du poil de ***con*** !
Grelottez des osselets au ***son*** du **skeletron** !
Jutez du ***salivon*** au ***son*** du **citron** !
Torsez vos ***colons*** au ***son*** du **colicron** !
Tricotez d'la mouille au ***son*** du **mitron** !
Piquez un sprint au ***son*** du **clairon** !
Réticulez du ***cervellon*** au ***son*** du **conceptron** !
Dérapez léger parmi les **étrons** !

Christian Prigent, « 200 conseils pour un carnaval »,
in *Une erreur de la nature* [171-180]

❒ 323 [Suarès]
325 [Carco]

RON

gaperon
napperon
éperon
coqueron
nous **serons**
maceron
(un) beauceron
mousseron
tierceron
puceron
jaseron
liseron
gra(t)teron
laiteron
glouteron
(petit nombre) quarteron
(métis) quarteron

FRONT
affront
(guignol) Gnafron
néphron
nous offrons
Lycophron
(nous) souffrons

tigron

nous **irons**
Biron
Chiron
(+comp.) nous **dirons**
(confire) nous confirons
(confier) nous confierons
nous suffirons
(au sein) le **giron**
(bien fait) girond
(re/lire) nous re/lirons

(relier) nous re/lierons
nous ré/élirons
Myron
nous **sou/rirons**
(+comp.) nous écrirons
(+comp.) nous inscrirons
nous frirons
ciron
nous circoncirons
des retirons
potiron
nous re/cuirons
(+comp.) nous déduirons
nous re/luirons
nous nuirons
nous détruirons
nous nous instruirons
nous re/construirons
aviron
(autour de) environ
(alentour) les environs
(envier) nous envierons

(rivière) l'Auron
(avoir) nous **aurons**
(âne) maître aliboron
(habitations) un coron
(+comp.) nous clorons
(corrompre) il **corrompt**
gave d'Oloron
nous **saurons**
(chimie) thoron
(cable) toron

ronron

(+comp.) nous **cou(r)rons**
(plante ; souci) du **mouron**

(mourir) nous **mou(r)rons**
touron

prompt
capron
nous romprons
nous interromprons
nous corromprons

tronc
(+comp.) nous **battrons**
natron
nous ac/dé/croîtrons
(saint ; p.d.g.) **patron**
(modèle) patron
(n. dép.) thyratron
bêtatron
bévatron
électron
étron
magnétron
guêtron
(+comp.) nous mettrons
nous re/naîtrons
nous mé/re/connaîtrons
nous paîtrons
(+comp.) nous paraîtrons
(tronche, verlan) chetron
(ivrogne, arg.) pochetron
anti/**neutron**
litron
mitron
citron
presse-citron
quercitron
positron
(un) **poltron**
cryotron

synchro/cyclotron
kénotron
synchrotron
isotron
phytotron
nous (nous) foutrons
nous nous contrefoutrons
plastron
(niais, arg.) cabestron
balestron
fenestron
klystron
cistron

lac Huron
(indien) (un) huron
buron
juron
luron
nous inclurons
nous conclurons
nous exclurons
mûron
paturon
ceinturon

poivron
le Beuvron
chevron
nous re/devrons
levron
nous décevrons
nous recevrons
nous percevrons
nous entr/apercevrons
(+comp.) nous suivrons
nous re/sur/**vivrons**
(nous) ouvrons

(recouvrer)
(nous) recouvrons
(recouvrir)
(nous) recouvrons
nous é/pro/mouvrons
(nous) rouvrons
(nous) entrouvrons/
entr'ouvrons

+ verbes en -re,
1e pers. pluriel
présent indicatif
et impératif

+ verbes en -er, -ir
-endre, -indre, -ondre
1e et 3e pers. pluriel
du futur

sous-rime voisine
456.12 LON

contre-assonance
91.20 RAN

456.18 SSON

CHANSON

(bruit) un **son**
(du blé) le **son**
(possessif) **son**
(être) (ils) **sont**
basson
abat-son(s)
contrebasson
casson
façon
sans-façon
contrefaçon
malfaçon
paillasson
glaçon
(un) mollasson
(métier) un **maçon**
(André) Masson
(massage) (nous) massons
(réunir) (nous) massons
estramaçon
(un) franc-maçon
limaçon
colimaçon
canasson

(bigleux, rég.)
un borgnasson
boisson
moisson
(Pompadour) (Jeanne) Poisson
(animal) un **poisson**
(zodiaque) les Poissons
(engluer) (nous) poissons
(nous) ac/dé/croissons
Soissons
caparaçon
infrason
ultrason
(un) brabançon
(Jacques de) Vaucanson
arcanson
(André) Chamson
une CHANSON
échanson
(petit enfant) enfançon
Briançon
lançon
Alençon
palançon
plançon
l'Armaçon
rançon

Toujours à battre les **buissons**
À dégoiser des gaudrioles
Ils avaient de belles **façons**
Avec les filles mais **passons**

Ils étaient gais comme **pinsons**
Avec un air de gloriole
Faisant honneur à la **boisson**
Hier encore à **Pont-à-Mousson**

Entre Dunkerque et **Vaucresson**
Entre Maubeuge et La Réole
Entre Vesoul et **Besançon**
Entre Néris et **Montluçon**

Pris à la main sans **hameçon**
Les uns à Bourg-Saint-Andéol
Les autres au nord d'**Aubusson**
Vous êtes frits petits **poissons**

On vous a fait dans vos **chaussons**
Démunis de votre auréole
Ça vous a coupé la **chanson**
N'en voilà de jolis **garçons**

Louis Aragon, « Toujours à battre les buissons »,
Le Roman inachevé

SSON

456. ON

charançon
jurançon
Samson
Besançon
tenson
étançon
besson
caisson
(nous) re/naissons
(nous)
mé/re/connaissons
nous re/paissons
(+comp.) (paraître)
(nous) paraissons
(paresser) (nous) paressons
(Robert) Bresson
(Henri) Cartier-Bresson
cresson
Vaucresson
tesson
bande-son
leçon
caleçon
hameçon
séneçon
caveçon
(malédiction) un maudisson
(nous) maudissons
alysson
calisson
palisson
(cochonne, rég.) salisson
(coquin) (un) polisson
(polir) (nous) polissons
(musique) à l'/un unisson
(unir) (nous) unissons
hérisson
frisson
nourrisson
saucisson
(gifle, arg.) pastisson
pâtisson

buisson
cuisson
(bruire ; bruisser)
(nous) bruissons
écoinçon
poinçon
(marque) pinçon
(oiseau) pinson
chausson
(charançon) cosson
(sarment) cosson
(râle, rég.) gorgosson
tronçon
(houx) housson
(vent) la mousson
(mousser) (nous) moussons
Pont-à-Mousson
soupçon
arçon
cheval d'arçons
(Maurice) Garçon
un garçon
(Jean de) Gerson
ourson
courson
Aubusson
écusson
Montluçon
suçon
(n. dép.) klaxon
(paquet, arg.) pacson/paxon
(un) saxon
(un) anglo-saxon
taxon
(bordel, arg.) boxon

+ verbes en -cer, -(s)ser et -xer 1e pers. pluriel, présent indicatif et impératif

La truelle est au **maçon**,
La coupe pour l'**échanson**,
Et la cloche pour le **son** ;
La géline est pour le drille,
Et le choux pour la chenille,
Et l'argent pour qui le pille ;
Le cheval est pour l'étrille,
Et pour le **caparaçon** ;
Le tillac est pour la quille,
La cage pour le **pinson**,
Et l'étang pour le **poisson**,
Et l'ante pour l'**écusson**,
Et l'épi pour la **moisson** ;
Le rocher est pour l'anguille :
La fille est pour le **garçon**.

Claude Le Petit, « Virelai »,
Œuvres libertines

Ah les cornes : c'est un **colimaçon**.
Paresseuse, si vous voulez nous plaire,
Désormais sachez mieux votre **leçon**,

Nous ne sommes plus ces mauvais **garçons**
Ivres à jamais de **boissons** polaires,
Depuis que les flots vivent sans **glaçons**.

Raymond Radiguet, « Déjeuner de soleil »,
Œuvres complètes

Si tu vas en la mer te mêler aux **poissons**
porte une perle blanche aux cheveux de l'ondine
lascivement couchée où Neptune assoit **son**
mythologique cul sur un banc de sardines.
Saumon, rappelle-toi la vase de **Soissons**.
C'est là que tu naquis, tacon. Ta gourgandine
de mère avait péché de toutes les **façons**
de conserve avec des maquereaux.

Karel Logist, « Si tu vas en la mer »,
Le Séismographe, p. 15

sous-rimes voisines
456.19 S(Z)ON
456.3 CHON

contre-assonances
91.21 SSAN
333.18 SSIN

❐ 214.16 [Régnier]
214.4 [Calonne] ; 91.25 [Garampon]

456.19 S(Z)ON

RAISON

(bourdonnement) zon!
ils ont

vers scazon
(herbe) le gazon
(gazer) (nous) gazons
dugazon
(mythologie) Jason
(bavarder) (nous) jasons
(armoiries) un blason
(lasser) (nous) blasons
oison
une/à foison
cloison

pâmoison
une/un poison
contrepoison
antipoison
(pelage) une toison
(d'or) la Toison
(regarder) (nous) toisons
diapason

fauchaison
porchaison
(érection, arg.) bandaison
pendaison
pondaison
frondaison
tondaison
(constipation) échauffaison

Voici les mains vides et tant de bonnes **raisons**
le grand calme sur la mort
les vaisseaux qui rentrent au port
voici les mains vides et vide l'**horizon**.

Voici les mains vides et tant de bonnes **saisons**
les bêtes qui reviennent en pleine peur des bois
la nuit dévorée, l'oiseau de la foi
voici les mains vides et vide ma **maison**.

Voici les mains vides et tant de ***bons*** **poisons**
ceux qui jugent ceux qui réclament ceux qui mentent
le parfum voilé des herbes et des menthes
voici les mains vides et vide ma **prison**.

Jean Cayrol, « Pro domo »,
Poèmes de la nuit et du brouillard

☞

S(Z)ON

harengaison
diphtongaison
cargaison
conjugaison
démangeaison
cueillaison
feuillaison
effeuillaison
défeuillaison
liaison
préfoliaison
épiaison
calaison
des/salaison
(torrent) avalaison
exhalaison
siglaison
(nous) dé/**plaisons**
nous (nous) complaisons
(physique) un méson
(habitation) une **maison**
(semer) semaison
(asile de fous)
les petites-maisons
Rueil-Malmaison
tomaison
fumaison
plumaison
fenaison
grenaison
venaison
re/**combinaison**
déclinaison
inclinaison
terminaison
(boire, rég.) chopinaison
saunaison
entonnaison
lunaison
nouaison
RAISON
paraison
comparaison
déraison
véraison
fleuraison
maqueraison
oraison
floraison
effloraison
défloraison
préfloraison
commémoraison

péroraison
poutraison
livraison
ouvraison
saison
arrière-saison
marchand
des quatre-saisons
morte-saison
demi-saison
intersaison
(nous nous) **taisons**
(battage) battaison
flottaison
montaison
nuaison
crevaison
olivaison
couvaison
cervaison
dé/cuvaison

(+comp.) (nous) **faisons**
peson

trahison
(animal) un **bison**
(embrasser) (nous) bisons
école de Barbizon
(+comp.) (nous) **disons**
(nous) confisons
(nous) suffisons
(nous) gisons
(prénom) Lison
(nous) re/**lisons**
(nous) ré/élisons
garnison
Pison
guérison
(mèche) un frison
(hollandais) (un) frison
(âne) un grison
(Suisse) (un) grison
viande des Grisons
(enivrer) (nous) grisons
horizon
transhorizon
(geôle) une **prison**
(estimer) (nous) prisons
(du tabac) (nous) prisons
(plante) sison
(nous) circoncisons
tison

Le Souvenir avec le Crépuscule
Rougeoie et tremble à l'ardent **horizon**
De l'Espérance en flamme qui recule
Et s'agrandit ainsi qu'une **cloison**
Mystérieuse où mainte **floraison**
– Dahlia, lys, tulipe et renoncule –
S'élance autour d'un treillis, et circule
Parmi la maladive **exhalaison**
De parfums lourds et chauds, dont le **poison**
– Dahlia, lys, tulipe et renoncule –
Noyant mes sens, mon âme et ma **raison**,
Mêle dans une immense **pâmoison**
Le Souvenir avec le Crépuscule.

Paul Verlaine, « Crépuscule du soir mystique »,
Poèmes saturniens

« As-tu préparé le repas
Marie ?…Et reprisé les bas ?
Que fais-tu que je n'entends pas ?
– Je fais ma prière tout bas.

– Va, laisse-là tes **oraisons**,
Va mettre en ordre la **maison**,
Va donner du grain aux **oisons**…
– Ma sœur, ils en ont à **foison**. »

Marie Noël, « Marthe et Marie »,
Chants d'arrière-saison

❒ 471 [Richepin]
207 [Laugier]

(mite, rég.) artison
(nous) re/cuisons
(+comp.) (nous) déduisons
(nous) re/luisons
(nous nous) entre/nuisons
(nous nous)
entre-/détruisons
(nous nous) instruisons
(nous) re/construisons
(animal) un vison
(viser) (nous) visons
(roi) Boson
(physique) un boson
(accroupi, rég.)
à cacabozon

(nous) enclosons
(prison, arg.) une zonzon
nous dé/re/cousons
(veste) un blouson
(tromper) (nous) blousons

Suzon

+ verbes en -s(z)er
1e pers. pluriel
présent indicatif
et impératif

sous-rimes voisines
456.18 SSON
456.8 GEON

contre-assonances
91.22 S(Z)AN
333.19 S(Z)IN

456.20 TON

MENTON
MOUTON

(poisson) un **thon**
(possesif) **ton**
(voix ; teinte) un **ton**
(+ verbe)…**-t-on**?
(tondre) il tond

un **bâton**

(+comp.) (nous) **battons**
(bâter) nous bâtons
(trique) martin-bâton
Caton
qu'a-t-on?
ducaton
(chat) **chaton**
(de bague) chaton
négaton
(capitaine, arg.) frégaton
des **rogatons**
Platon

Elle avait de tout ***petits*** **petons**
Valentine Valentine
Elle avait un tout petit **piton**
Que je ***tâtais*** à **tâtons**
Ton ton ton ton ton taine
Elle avait un tout petit **menton**
[…]
elle était frisée comme un **mouton**

Willemetz-Chevalier et Christiné,
in *350 chansons d'hier et d'aujourd'hui*

☞

TON

456. ON

(gardien, arg.) un maton
(voir, arg.) (nous) matons
(dompter) (nous) matons
(n. dép.) photomaton
Akhenaton
(porcherie, Suisse) boiton
pâton
(pied, arg.) ripaton
(animal) un raton
(tartelette) un raton
(nous) ratons
(bataille) **Marathon**
(course) un marathon
craton
des grattons
qu'en dira-t-on
Straton
(coup, arg.) coup de saton
à **tâtons**
où va-t-on?

(ville) Canton
(région) un **canton**
(physique) un quanton
Danton
fanton/fenton
argenton
planton
un MENTON
(ville) Menton
(mentir) (nous) mentons
(nous) démentons
nous nous repentons
Charenton
(pot-pourri) un centon
(figurine) un santon
(marabout) un santon
(+ comp.) (nous) **sentons**
Melanchton
zoo/phyto/plancton
(individu, arg.) mecton
necton
dicton

(mythologie) Phaéton
(cocher) un phaéton
béton
brise-béton
magnéton
piéton
(alliage) du laiton
(Lettonie) (un) letton
(+comp.) (nous) **mettons**
Manéthon
séton
téton
nous dé/re/vêtons

(cachet, arg.) cacheton
(client, arg.) micheton
(pain, arg.) bricheton
clocheton
(ivrogne, arg.) pocheton
brocheton
deuton
(café, arg.) cafeton
(casse-croûte, arg.) briffeton

jeton

rejeton
mailleton
œilleton
feuilleton
roman-feuilleton
gueuleton
singleton
molleton
(fromage, arg.) frometon
hanneton
banneton
caneton
Jeanneton
maneton
(moinillon) moineton
(panier) paneton
(clé) panneton
un **peton**
peut-on?
à croupetons
(vin, arg.) piqueton
hoqueton
mousqueton
il retond
charreton
(André) Breton
(un) **breton**
île du Cap-Breton
(graisse de porc)
des cretons
vireton
(curé) un cureton
(cureter) (nous) curetons
(un) **teuton**
(naïf, arg.) naveton
(pavé, arg.) paveton
(soldat, arg.) griveton

(billet, arg.) bifton

l'Ilton
(lyre) barbiton
chiton
dit-on?
trichophyton
(mignon, arg.) un giton
(loger) (nous) gîtons
Aristogiton
mirliton
miton
demi-ton
marmiton
(clou) un piton
(mythologie) Python
(serpent) un python
capiton
rhyton
baryton
des fritons
triton
oxyton
pro/paroxyton
positon
zython

(John) Milton

Otton/Othon

Garnier, grand maître du **fronton**,
De l'astragale et du **feston**,
Demain lâchant là mon **Platon**,
Du fond de mon lointain **canton**,
J'arriverai tardif **piéton**,
Aidant mes pas de mon **bâton**,
Et précédé d'un **mirliton**,
Duilius du **feuilleton**,
Prendre part à **ton gueuleton**,
Qu'arrosera le **piqueton**,
Sans gants, sans faux cols en **carton**,
Sans poitrail à la **Benoîton**,
Et sans diamants au **bouton**,
Ce qui serait de mauvais **ton**
Je viendrai porteur d'un **veston**,
Jadis couleur de **hanneton**,
Pour mon plus ancien **hoqueton**
Que ce soit poule au **canneton**,
Perdreaux truffés au **miroton**,
Barbue ou hachis de **mouton**,
Pâté de veau froid ou de **thon**,
Nid d'hirondelles de **Canton**,
Ou gousse d'ail sur un **croûton**,
Pain bis, galette, ou **panaton**,
Fromage à la pie ou **Stilton***,
Cidre ou poule de **Burton***,
Vin de Brie ou **branne-mouton**,
Pédro, Ximenès ou **Corton**,
Chez Lucullus ou chez **Caton**,
Je m'en mettrai jusqu'au **menton**,
Sans laisser un seul **rogaton**
Pour la desserte au **marmiton**.
[…]
Mais c'est trop pousser ce **centon**
À la manière d'**Hamilton***,
Où voulant ne rimer qu'en **ton**
J'ai pris pour Muse **Jeanneton**.
Dans mon fauteuil à **capiton**
Et casaque de **molleton**,
Je m'endors et je signe **ton**

ami : T. Gautier

Théophile Gautier, « Épître à Garnier »,
Poésies complètes

* prononciation francisée

Mirontaine, **mironton**,
Turlututu, turlutaine,
Tonton, tontaine, **tonton**
Et **mironton**, mirontaine.

Robert de Montesquiou, « Rhapsodies »,
Les Hortensias bleus. XLV

Je me souviens ! J'y suis, j'y suis. **Chantons** !
sous la musique, où s'engouffre l'encens des foins ***lointains***…

Francis Jammes,
La Mort du Poète [1re partie]

❒ 145 [Claudel]

TON

(chatouilles, rég.) des grabottons
(ragoût, rég.) du barboton
du **coton**
(évaluer) (nous) cotons
(adjoint, arg.) porte-coton
fulmicoton
jarnicoton!
photon
goton
(libertine) une margoton
peloton
(pieds, rég.) des clapotons
croton
miroton
anti/proton
toton

ponton
esponton

fronton
(cuisine) du mironton
(individu, arg.) un mironton
mirontaine, mironton!
tonton
tontaine, **tonton**!

bouton
presse-bouton
(un) **glouton**
(un) MOUTON
pied-de-mouton
saut-de-mouton
saute-mouton
croûton

lepton
(syllogisme) baralipton
krypton

carton
(pain, arg.) larton
(physique) un parton
(+comp.) (nous) partons
berthon
corton
(nous) res/sortons
avorton

(bagarre, arg.) baston
Gaston
feston
teston
veston
fiston
liston
(gamin, rég.) miston
piston
(capitaine, arg.) capiston
(ville) Boston

(danse) le boston
(testicules, arg.) des roustons

(dieu) **Pluton**
(planète) Pluton
(géologie) le pluton
(gnome, Suisse) nuton

+ verbes en -ter
1e pers. pluriel
présent indicatif
et impératif

sous-rime voisine
456.5 DON

contre-assonances
91.23 TAN
333.20 TIN

456.21 UON

(de Bordeaux) Huon
(nous) huons
gluon
(physique) un muon
(nous) muons
(Maurice) Druon
gruon

+ verbes en -uer
1e pers. pluriel
présent indicatif
et impératif

sous-rime voisine
456.11 ION

contre-assonance
91.24 UAN

456.22 VON

VONT

ils VONT
nous **avons**
(un) esclavon
(un) slavon
du **savon**
(savoir) nous **savons**
porte-savon
(métis) octavon
devon
nous re/devons
élevon
(nous) décevons
(nous) recevons
(nous) percevons
nous entr/apercevons

Yvon
(+comp.) nous écrivons
(nous) pour/**suivons**
(nous) re/sur/**vivons**
(nous) absolvons
(nous) dissolvons
(nous) résolvons
(nous) é/pro/mouvons
(nous) **pouvons**
(nous) re/servons
(table) (nous) desservons
(nuire) (nous) desservons
(nous) **buvons**

+ verbes en -ver
1e pers. pluriel
présent indicatif
et impératif

Quand ils sont chagrins, ils s'en **vont**
– Fragiles bulles de **savon** –
Et l'âme bourrue
Passent dans la rue,
Tristes comme des condamnés,
Les illusionnés.

Gaston Habrekorn, « Les Illusionnés »,
Les Sacrilèges

Et ce ne sera pas leur suprême élégance
Qui nous fera laisser le peu que nous **savons**.
Et ce ne sera pas leur extrême arrogance
Qui nous fera baisser les yeux que nous **avons**.

Charles Péguy, « Les Tapisseries »,
Ève, p. 1124

C'est le beau lys que tous nous **cultivons**
C'est la torche aux cheveux roux que n'éteint pas le ***vent***
C'est le fils pâle et vermeil de la douloureuse mère
C'est l'arbre toujours touffu de toutes les prières

Guillaume Apollinaire, « Zone »,
Alcools

sous-rime voisine
456.7 FON

contre-assonance
91.25 VAN

❐ *95 [Rodenbach]*

457. OMBE-OMB°

TOMBE

(explosif) une **bombe**
(il gonfle) il **bombe**
(il graffite) il bombe
(bombance) faire la bombe
(dérangé, arg.) tocbombe
lance-bombes
(lampe, arg.) une calbombe
superbombe
(maîtresse, arg.)
une lesbombe
(ravin) une **combe**
(Émile) Combes
les **catacombes**
Hautecombe
il incombe
il **succombe**
(ridicule, arg.) domb°
(plateau) la Dombes
des **lombes**

palombe
une **colombe**
(Michel) Colombe
(ville) Colombes
Bois-Colombes
(heure, arg.) une **plombe**
(plomber) il **plombe**
(il cale, Can.) il aplombe
il déplombe
il **surplombe**
(instrument) un rhombe
(aire de vent) un r(h)umb°
(bancale, Belg.) crombe
trombe
strombe
une TOMBE
(il chute) il **tombe**
hécatombe
il retombe
d'outre-tombe
(il bourdonne, rég.)
il vombe/zombe

assonances
459. OMBRE
468. ONDE

contre-assonances
92. AMBE
335. IMBE

Le corbeau devant la **colombe**,
Guerre ou Paix, on se fait à tout,
De la bataille, dix d'atout,
À l'écarté, vive la **tombe** !

Pour tomber, puisqu'il faut qu'on **tombe**,
On peut bien tomber n'importe où ;
La balle perce comme un sou
Hécate éclairant l'**hécatombe**.

André Salmon, « Fumées »,
Les Étoiles dans l'encrier

Luysard estampillait six **plombes**.
Mezigo roulait le trimard,
Et jusqu'au fond du coquemart
Le dardant riffaudait ses **lombes**.

Lubre, il bonnissait aux **palombes** :
« Vous grublez comme un guichemard. »
Puis au sabri : « Birbe camard,
« Comme un ord champignon tu **plombes***. »

Jean Richepin, « Sonnet bigorne (argot classique) »,
La Chanson des Gueux

* tu pues

Le bord usé de glissades sans ***nombre***
Est si facile à franchir qu'on y **tombe**
Sans y penser, c'est seulement après,
Que dis-je après, à la même ***seconde***
Qu'on voit venir l'abîme-couperet.

Henri Thomas, « La Margelle »,
À quoi tu penses

Les mêmes gens d'avant l'exode et les **bombes**,
D'avant les mornes combats et les là-bas,
Frottent leurs plaintes l'une à l'autre, et s'***imbibent***
Du même abêtissement bleu des tabacs.

Marcel Thiry, « Comme des bouches rondes »,
Âges in *Toi qui pâlis au nom de Vancouver…*

❒ *458 [Lamarche] ; 477 [Libbrecht] ; 92 [Romains] ; 335 [Cadou]*

458. OMBLE

COMBLES

omble
(sommet) le **comble**
(rempli) il/être **comble**
(d'un toit) les COMBLES
de fond en comble
Villemomble
(longe de veau) les nombles

assonances
457. OMBE
459. OMBRE
470. ONFLE

contre-assonances
93. AMBLE
3. ABLE
261. IBLE

Enfin, ô **comble** des **combles** !
Ils notèrent sous les **combles**,
Entre autres objets divers,
Tels ceux de la foire au puces,
Emmi des chaussettes russes,
Des tableaux mangés aux vers…

Raoul Ponchon, « Le Vol de la “ Joconde ” »,
La Muse au cabaret

Il faut que ton amour te **comble**.
Il faut qu'il ne soit pas sur ton sein une ***fable***
Ni une ***faible*** langueur.
Dis : « Amour ***ineffable*** ! »
Et tu sentiras la ***Colombe***
Te traverser le cœur.

Gustave Lamarche, « Amour fort »,
Odes et Poèmes in *Œuvres poétiques.* II

❒ *359 [Queneau]*

459. OMBRE

OMBRE
SOMBRE

(poisson) un ombre
il/une OMBRE
il/terre d'ombre
jeu d'**hombre**
il obombre
(chapeau, arg.) un combre
sans/il encombre
il désencombre
des **décombres**
concombre
(poisson) un scombre
il/un **nombre**
il dénombre
pénombre
surnombre
être SOMBRE
(il coule) il **sombre**
(il laboure) il sombre
(il rend grave) il sombre

Dans le bazar bruyant, mystérieux et **sombre**
Qui sent l'huile, le fruit, le cuir et le jasmin,
J'ai marchandé longtemps et touché de la main
Le harnais, le tapis, la figue et le **concombre**.

Grave et chaude, j'ai vu sur toi descendre l'**ombre**,
Damas ! Un soir, le long de ton vieux mur romain
Où le Seigneur frappa saint Paul en son chemin,
J'ai marché lentement sur la route en **décombre**.

Henri de Régnier, « Le Départ »,
Le Médaillier

Les tire-laine dans la nuit, les voleurs crachant leurs poumons,
Les putains des brouillards anglais accostant les passants dans [l'**ombre**,
Les déserteurs qui passaient l'eau happés dans le canot qui [**sombre**,
Les laveurs de chèques truqués, les nègres saouls dans leurs boxons
Les gamins marchands d'explosifs, les terroristes des jours [**sombres**,
Les tueurs des grandes cités serrés par les mouchards sans **nombre**
Avant d'être à nouveau jugés feront la grande Cassation.

Robert Brasillach, « Le Jugement des juges »,
Poèmes de Fresnes

Je **sombre**
de **sombre**
en **sombre**

m'**ombre**
qui t'**ombre**
et s'**ombre**

je suis **sombre**
si **sombre**
absolument
sombre

Sylvain Goudemare,
Mélanolie. 32

J'écrirai donc comme je parle et puis tant pis
Si quelque grammairien surgi de sa **pénombre**
Voulait me condamner avec hargne et dépit
Il est une autre science où je peux le ***confondre***.

Robert Desnos, « Littérature »,
Destinée arbitraire

Verrous ouverts et refermés
Main chaude de l'amour le long des reins de l'**ombre**
quelqu'un dans une ***chambre***
doucement a murmuré

Jacques Prévert, « Volets ouverts »,
Grand bal du printemps

assonances
469. ONDRE
478. ONTRE
462. OMPRE
457. OMBE

contre-assonances
94. AMBRE
336. IMBRE
362. OBRE

❐ 258.22 [Baudelaire]
473 [Tron] ; 462 [Imhauser] ; 336 [Audiberti]

460. OMPE

TROMPE

(cérémonie) la **pompe**
(pompage) il/une **pompe**
(Paris) rue de la Pompe
(chaussures, arg.)
des pompes
(flatteur, arg.)
lèche-pompes
turbopompe
psychopompe
Théopompe
thermopompe
(clystère) un clysopompe
bateau-pompe

N'auriez-vous pu, madame, à mes regards cacher
L'objet dont vous ornez votre chambre à coucher.
Je suis observateur, et, si je ne me **trompe**,
Le bijou dont je parle était un **clysopompe**.

Maurice Mac-Nab, « Le Clysopompe »,
Poèmes incongrus

Devant toi l'Éléphant, dressant en l'air sa **trompe**,
De son phallus géant décalotte la peau ;
Le régiment qui passe agite son drapeau
Et le foutre jaillit comme par une **pompe**.
……

OMPE

autopompe
motopompe
fourgon-pompe
qu'il **rompe**
(bancale, Belg.) crompe
qu'il interrompe
qu'il corrompe
(cor ; organe) une **trompe**
(il dupe) il TROMPE
il détrompe
il/une **estompe**

Tu n'as qu'à faire voir, pour qu'un saint se **corrompe**,
Ta gorge étincelante où tremble un oripeau ;
Des cardinaux romains sous son rouge chapeau
Le vit pontifical se raidit tant qu'il **rompe**.

Théophile Gautier, « À la Présidente »,
Œuvres érotiques

La main qui guide les saisons se **trompe**
Et moi je ***tombe***
Ma raison
glisse
Entre les lames sous le pont
Je vois l'autre côté du ***monde***

Pierre Reverdy, « Bascule »,
Main d'œuvre

Mais le sommeil a donc fini par répondre ; j'écoute
La lune conduire de l'ongle et dénombrer des routes
Qui sondent contre les talus comme un rayon de ***lampe***
Les bonds aboyés des buissons, les distances qui **trompent**
Et le songe devant les pas qui ne tromperont plus.

Jacques Réda, « Mon souffle à travers les monceaux… »,
La Tourne

assonances
457. OMBRE
468. ONDE
477. ONTE

contre-assonances
95. AMPE
337. IMPE
394. OPE

❐ *463 [Beaucarne] ; 337 [Cocteau]*

461. OMPHE-ONF°

TRIOMPHE

(libellule) un gomphe
(gonflé, Alg.) gonfe
il/un TRIOMPHE
(Paris) l'Arc de triomphe
à donf°

Ce fri-fri que demain l'on rasera gratis
Pour peu que l'utopie et la raison **triomphent**
À la barbe et au nez de tous les interdits,
De pisser, de fumer, de baiser, d'exister…
(Me reste qu'à caser une rime à cet « **omphe** »
Qui, rien qu'à l'évoquer, s'oignonne au ratelier…)

André Blavier,
Le Mal du pays ou les travaux forc(en)és [v. 532-537]

Clamons donc aux pavés, en des cris de **triomphe**,
Le blasphème latent dans les water-closets
Qui s'en ira horreur ! les pieds devant, et l'**on fe-**
Ermera la fenêtre en soufflant les quinquets.

Roger Gilbert-Lecomte, « L'Enfantement du Stryge »,
Œuvres complètes. II

Lorsque le soleil tombe lentement derrière l'**arc de Triomphe**
que fit ériger ce vilain traîneur de sabre que fut Napoléon
il semble que cet objet céleste se ***gonfle*** se ***gonfle*** se ***gonfle***
et rougeoie comme braise avant de s'aller coucher du côté de
[Vernon

Raymond Queneau, « Problème de cosmographie »,
Courir les rues

assonance
470. ONFLE

contre-assonances
338. IMPHE

❐ 253 [Berthelot]

462. OMPRE

ROMPRE

ROMPRE
interrompre
corrompre

– C'est assez, dit le rustique ;
Demain vous viendrez chez moi :
Ce n'est pas que je me pique
De tous vos festins de Roi ;

……

OMPRE

Mais rien ne vient m'**interrompre** :
Je mange tout à loisir.
Adieu donc ; fi du plaisir
Que la crainte peut **corrompre**. »

Jean de La Fontaine, « Le rat de ville et le rat des champs », *Fables*. I. IX

Geste à peine meurtri d'être prêt à se **rompre**
Avec un tel épieu de grâce entre les doigts,
Tu abaisses la main vers les tables du ***Nombre***
Pour éprouver ton souffle une seconde fois.

Fernand Imhauser, « Transmission différée », *Le Phoque mâle* in *Œuvres poétiques complètes*

assonances	*contre-assonances*
459. OMBRE	*99. AMPRE*
469. ONDRE	*41. APRE*
478. ONTRE	*396. OPRE*

❐

463. OMPTE-OMPT° [ɔ̃pt]

il dompte
prompt°/e

Toi prostré pieds et poings liés,
L'herminette gît ensanglantée,
Elle si **prompte**
Tu n'sais plus sur quel pied danser,
Tu t'sens totalement à côté
De tes ***pompes***

Julos Beaucarne, « L'homme qui voulait se couper les ongles des pieds », *J'ai 20 ans de chansons*

assonances	*contre-assonances*
460. OMPE	*43. APT-E*
477. ONTE	*174. EPT-E*

❐

464. ONCE-ONS°

RONCE

(poids) une **once**
(félin) une **once**
qu'on se
(café-concert, arg.)
un caf'conc'°
quinconce
sconse/skunks°
absconse
(prénom) Léonce
il **fonce**
il **enfonce**
il renfonce
(il brise) il **défonce**
(délire, arg.) une défonce
Ildefonse
Alphonse
(individu, arg.) un gonce
il engonce
(il dort, arg.) il pionce
il jonce
(ville) Mons°
(monsieur) mons°

il/une **semonce**
Athis-Mons°
nonce
une/il **annonce**
préannonce
bande-annonce
il énonce
il **dénonce**
une/il **renonce**
il **prononce**
internonce
(...Pilate) Ponce
il/pierre **ponce**
(r/ajout, Suisse) r/apponse
(plante) une raiponce
(réplique) une **réponse**
carte-réponse
bulletin-réponse
coupon-réponse
le Cousin Pons°
oponce
RONCE
une/il **fronce**
il défronce
sont-ce

Du premier coup, entendez ma **réponse**,
Fols détracteurs. Mon Maître vous **annonce**
Par moi, qui suis l'un de ses clercs nouveaux,
Que pour rimer ne vous craint deux naveaux*,
Et eussiez-vous de sens encor une **once**.

Si l'épargnez, tous deux je vous **renonce** :
Piquez-le donc mieux que d'épine ou **ronce**,
Lui envoyant des meilleurs et plus beaux
Du premier coup.

Et tenez bon, ensuivant ma **semonce**.
Car si un coup ses deux sourcils il **fronce**,
Et eussiez-vous de rimes et rondeaux
Plein trois barils, voire quatre tonneaux,
Je veux mourir, s'il ne les vous **défonce**
Du premier coup.

Clément Marot, « Du disciple soutenant son maître contre les détracteurs », *L'Adolescence clémentine*

* navets

Bonsoir la ***soc***'. . . . , mon vieux **Alphonse**,
I' vaut p't' êt' mieux qu' ça soy' la fin ;
Ici-bas, quoi qu' j'étais ? un **gonce**...
Là-haut j' s'rai p't' êt' un séraphin.

Aristide Bruant, « Grelotteux », *Dans la Rue*

☞

ONCE-ONS°

C'est au cœur de l'enfant qu'on reconnaît l'***enfance***
Et n'ayant pas changé c'est pourquoi je m'**enfonce**
Dans les salles du temps et les chambres de **ronces**.

René Guy Cadou, « L'enfance et autres lieux »,
Le Cœur définitif

ON SE les calera bien, foi d'Alf
ONSE Allais ! après quoi suivront
CONCERT varié, danses lascives, bref le programme
QU'ON SERT d'habitude dans nos cordiales et
charmantes petites soirées

Alphonse Allais, « Prosodie nouveau jeu »,
in *Les Poètes du Chat Noir*

assonances	*contre-assonances*
470. ONGE	*100. ANCE*
480. ONZE	*340. INCE*

❒ *344 [Rodenbach]*

465. ONCHE-UNCH°

BRONCHE

Conches
il jonche
(motte, rég.) une blonche
forêt de Senonches
ponch°/e-**punch**°
(il rouspète, rég.) il ronche
(il réagit) il BRONCHE
(conduits) des **bronches**
(il trébuche, rég.)
il s'embronche
(ronce ; importun, rég.)
une éronche
(tête, arg.) une **tronche**
(il coïte, arg.) il tronche
(il dévisage, arg.)
il détronche

Tu ne **bronches** pas, ou tu **bronches** ?
Des amis, j'en ai qui sont morts
Et ne le savent pas encor.
Ça siffle toujours dans leurs **bronches**.

Géo Norge, « Les morts vivants »,
Les Quatre Vérités

Ils boivent du vermouth et du **ponch**
avec une paille en bout de ***trompe***
en lissant leurs belles défenses

Au balcon de l'hôtel ils se ***penchent***
pour cueillir quelques pétunias qui trempent
dans la rosée. Ils les fourrent dans leurs ***poches***.

Jacques Roubaud, « Les éléphants roses vont à l'hôtel »,
Les Animaux de tout le monde

assonances	*contre-assonances*
471. ONGE	*101. ANCHE*
480. ONZE	*363. OCHE*

❒

466. ONCLE

ONCLE

ONCLE
(escarboucle) le carboncle
(ver) un siponcle
furoncle
arrière-/grand-oncle
pétoncle

Une fois, il parla de **f[u]roncle**
Pour rimer à Monsieur son **Oncle**,
Et quand il veut rimer à fils,
Il va bien loin chercher Memphis.

Paul Scarron, « Épître »,
Poésies diverses

Le cri de la sirène est douloureux le soir.
Voici les invités de son **oncle**
Réunis loin du port pour pêcher les **pétoncles**.
Ah ! les agrès de voile en forme d'ostensoir !

Max Jacob, « Le capitaine du port au crépuscule »,
La Défense de Tartufe

☞

ONCLE

Les paons jumeaux sont occupés à boire l'or.
Ces animaux ont tant d'amour sur tout leur corps

Que le soleil pâtit sur eux rien qu'à les voir
Et qu'il les meut au jeu divin de concevoir.

Mais eux, crêtes couplées, racinés sur leurs ***ongles***,
Ils ***plongent*** leur bec calme en l'urne de **carboncle**.

Gustave Lamarche, « Les Paons à l'Urne »,
Odes et Poèmes in *Œuvres poétiques.* II

❐

assonances	*contre-assonances*
458. OMBLE	*7. ACLE*
472. ONGLE	*266. ICLE*

467. ONCTE

il disjoncte

assonances	*contre-assonances*
475. ONQUE	*344. INCTE*
477. ONTE	*366. OCTE*

468. ONDE-OND°

MONDE

onde
(James) Bond°
(de tonneau) une bonde
(il bourre) il bonde
il **abonde**
nauséabonde
il/(une) **vagabonde**
(errante) errabonde
il surabonde
il débonde
tire-bonde
(Raymond) Sebonde
pudibonde
(une) moribonde
furibonde
faconde
il/être **féconde**
inféconde
interféconde
rubiconde
Golconde
la **Joconde**
(redondance) il redonde
(fonder) il **fonde**
(fondre) qu'il fonde
qu'il refonde
être **profonde**
(poche, arg.) une profonde
qu'il **confonde**
qu'il se morfonde
(porte, arg.) une gonde
Frédégonde
Radegonde
(second) il/(une) **seconde**
(temps) une **seconde**
(méduse, rég.)
une margonde
il se dévergonde

les Burgondes
(une) **blonde**
le MONDE
(décortique) il monde
(pur) être monde
il émonde
des émondes
mappemonde
Rosemonde
immonde
demi-monde
quart-monde
Termonde/
Dendermonde
tiers-monde
Ormonde
osmonde
il **inonde**
(onde) une micro-onde
(four) un micro-ondes
qu'il ponde
qu'il **réponde**
(Jean de) Sponde
qu'il corresponde
à la/une/être **ronde**
aronde
queue-d'aronde
(arme) une **fronde**
(révolte) il/une **fronde**
(feuille) une fronde
il **gronde**
(bien faite) **gironde**
(estuaire ; départ)
la Gironde
demi-ronde
(il bourdonne, rég.) il vronde
(instrument) il/une **sonde**
île de la Sonde
fusée-sonde
radiosonde
microsonde

Vous vivez lâchement, sans rêve, sans dessein,
Plus vieux, plus décrépits que la terre **inféconde**,
Châtrés dès le berceau par le siècle assassin
De toute passion vigoureuse et **profonde**.

Votre cervelle est vide autant que votre sein,
Et vous avez souillé ce misérable **monde**
D'un sang si corrompu, d'un souffle si malsain,
Que la mort germe seule en cette boue **immonde**.

Charles Leconte de Lisle, « Aux modernes »,
Poèmes barbares

Un monde fou
à ne savoir où
poser sa **mappemonde**
soit dit comme ceux qui **confondent**
la forme plane et la **ronde**.
Drôle de **monde**
que la mort frappe à chaque **seconde**
mais où les naissances **surabondent**
sauf à compter sur les têtes **fécondes**
pour inventer la tête chercheuse du coup
au but, qui fera dans l'immensité ***sombre***
dans cet espace où les épaves **vagabondent**
la terre s'enfoncer comme un vaisseau qui ***sombre***
nef des fous
exterminés comme des poux
sur un crâne chauve.

Luc Estang, « Un monde fou »,
La Laisse du temps

Quoi ? vieux comme le **monde**,
Vieux comme la tête,
Toi qui portes le **nom de**
Poète ?

Robert Mélot du Dy, « Visages »,
Choix de poésies

☞

ONDE-OND°

ballon-sonde
(il bourdonne, rég.) il bzonde
il s'exonde
Trébizonde

qu'il **tonde**
(retondre) qu'il retonde
(commune) Rethondes
rotonde
qu'il surtonde

Il voit briller l'éclair sur les maisons du **monde**,
Les morts en habit noir dans les fêtes de nuit,
Les lâches, les tricheurs, enfermés par la ***honte***,
Que le jour du seigneur trouve nus dans leur lit

Odilon-Jean Périer, « Le Corps fermé »,
Poèmes

Mes yeux soulèvent la ***palissade*** du paragraphe.
Sur l'eau ***placide***,
Comme une **fronde**,
La pensée réveille les **ondes**.
Je suis bossu.
Ma mémoire surprend la sieste de l'***antipode***.

Alfredo Gangotena, « Le Solitaire »,
Poèmes français

assonances
457. OMBE
460. OMPE
477. ONTE

contre-assonances
103. ANDE
345. INDE
367. ODE

❒ 91.8 [Nelligan]
460 [Reverdy] ; 474 [Gilson] ; 103 [Derème]

469. ONDRE

RÉPONDRE

périchondre
hypocondre
fondre
il (s') **effondre**
refondre
confondre
parfondre
se **morfondre**
Londres
(hirondelle, rég.) une alondre
(tancer) semondre
pondre
(r/ajouter, Suisse) r/appondre
RÉPONDRE
correspondre
tondre
retondre
surtondre
(enterrer, rég.) revondre

C'est vrai qu'il pleut à **Londres**
et que les ponts s'ennuient

Le ciel mourant et **hypocondre**
aux nuages noués de suie
[…]
On voyait la ville se **fondre**
comme irréelle comme enfuie

Un peuple imprécis **correspondre**
sous les dômes des parapluies

Nos ***ombres*** allaient se **confondre**
dans l'***ombre*** grise de la pluie

Louis Calaferte, « C'est vrai qu'il pleut à Londres »,
Londoniennes

Notre amour se brisait comme une maison s'**effondre**
Jamais on ne viendrait pour relever ses murs
Jamais des cris d'enfants au milieu des ***décombres***
N'éveilleraient les spectres et leur vague murmure.

Michel Houellebecq, « Ton regard, bien-aimée… »,
La Poursuite du bonheur

Mais le travail est triste, l'effort funeste, la sueur néfaste,
lasse de se **morfondre** et de se ***restreindre***, elle voulut se ***vendre*** !

Nino Ferrer, « Justine »,
Textes ?

assonances
458. OMBRE
478. ONTRE
468. ONDE

contre-assonances
104. ANDRE
346. INDRE
487. OUDRE

❒ 333.15 [Saint-Amant]
473 [Tron] ; 478 [Apollinaire]

470. ONFLE

GONFLE

(repu, rég.) confle
(bulle, rég.) une confle
il GONFLE
(congère, Suisse) une gonfle
il dégonfle
il regonfle
(il ronfle, rég.) il jonfle
il **ronfle**

La matière crise
(grise)
à force de penser
pèse, **gonfle**,

lui donne un air penché
quand il **ronfle**

il la **dégonfle**
pch !

Christian Prigent, « Histoire des actions »,
Peep-show, p. 81

☞

ONFLE

De mes genoux que le poids **gonfle**
se dégrafent mes pesants ***ongles*** :

très doucement je me déplie
comme un habit dans mon grand lit…

Alfred Jarry, « Berceuse du mort pour s'endormir »,
Les Minutes de sable mémorial

L'instant me séduit puis me dédaigne en ***triomphe***.
La bouche du vent pour me consoler se **gonfle**
De libellules et de duvets en dérive.
L'univers est hypothéqué d'expectative.

Jean Grosjean, « Que les anges se prosternent »,
Fils de l'homme

assonances	*contre-assonances*
461. OMPHE	*119. ENFLE*
466. ONCLE	*489. OUFLE*
471. ONGE	*544. UFLE*

❒ *119 [Queneau]*

471. ONGE

SONGE
MENSONGE

conge
re/fonds-je?
confonds-je?
me morfonds-je?
(échine) la longe
(corde) une longe
(il suit) il longe
il **allonge**
(boxe) une allonge
(benne à raisins, rég.) une balonge
une/il rallonge
il élonge
plate-longe
(il titube) il flonge
il **prolonge**
(voiture) une prolonge
la/il **plonge**
il replonge
il forlonge
il surlonge
(Gaspard) Monge
(Paris) place/rue Monge
(Francis) **Ponge**
(pondre) ponds-je?
il/une **éponge**
réponds-je?
serviette-éponge
tissu-éponge
corresponds-je?
il **ronge**
oronge
il/un SONGE
MENSONGE
axonge
re/tonds-je?
la Saintonge

Dans la déconcertante algèbre du **mensonge**
Le menteur se retrouve – ou bien se perd parfois –
Ce n'est pas enfourcher les ***canassons*** du **songe**
La jument-cauchemar qui vous écrase à froid
Mais vous serez sauvés à la fin par vos fois.

Maurice Fombeure, « Déconcertante algèbre »,
Sous les tambours du ciel

J'ai revu le pays natal, mais dans un **songe**.
J'errais le long d'une maison en vétusté,
M'efforçant de saisir au couloir déserté
L'écho des pas de mon père, qui se **prolonge**.

Tout est désert comme la mort, et le ver **ronge**
La plinthe où s'appuyait mon lit, quand me chantait
Ma mère l'oiseau bleu, lorsque le soir d'été
Semblait une forêt d'azur pleine d'**oronges**.

Francis Jammes, « Sonnets pour finir » VI,
La Vierge et les Sonnets

Donc, il faut demeurer ici, pauvre grison
Forcé de paître dans le cercle de ta **longe**.
Sans doute les chardons en fleurs où ton nez **plonge**
Sont doux, et doux aussi les baisers de Lison ;

Mais tu n'en es pas moins à l'attache, en prison ;
Et quand la corde pèse à ton jarret qui **flonge**,
Mélancoliquement tu brais, ton col s'**allonge**,
Et ton regard mouillé se perd à l'horizon.

Jean Richepin, « Vers le mystère »,
Les Blasphèmes

la mort d'or ou ***beige aurige***
descend réjouie je ***loge***
en la rue du Mail-d'**oronges**

m'***allège*** la mort ***dirige***
aux gifles du jeu ***rotsoge***
(les jambes d'azur **éponge**)

Jacques Roubaud, « La mort d'or… »,
∈

assonances	*contre-assonances*
480. ONZE	*105. ANGE*
465. ONCHE	*348. INGE*
	492. OUGE

❒ 214.22 [Vielé-Griffin]
480 [Renaud] ; 105 [Thiry]

472. ONGLE

ONGLE

ONGLE
(il manie) il **jongle**
(végétation) la **jungle**
coupe-ongle(s)
strongle
cure-ongle(s)

Maintenant, ils s'empiffrent de **jungle**.
Ils se gavent de tigres et de tigresses.
Et les nègres, en se rongeant les **ongles**,
Regardent des marigots avec détresse…

Réjean Ducharme,
La Fille de Christophe Colomb. 159

comme des chiens il nous faut repartir
au long de la grand-route froide et ***longue***
et renifler et regratter des **ongles**
sans espérer jamais que ce martyre

obstiné délicieux s'arrête un jour…

William Cliff,
Fête nationale. 22

Alcools compas démonstrations gravées
et chiffres chiffonnés comme rognures d'**ongles**
les cadrans de mica couleur d'oignon cordées
noires engrenages de bois bataillon d'***oncles***

Paul Colinet, « Le sabotier de minuit »,
Œuvres. I

assonances
474. ONGUE
466 . ONCLE
458. OMBLE

contre-assonances
106. ANGLE
349. INGLE
140. ÈGLE

❒ *473 [Verheggen] ; 106 [Romains]*

473. ONGRE

il/(un) **hongre**
congre
Tongres

Pourvu que je t'atteigne, ondine du sacré,
pourvu, mû des rognons du bain que je vaincrai,
que se ***montrent*** ma pique, où se tord, comme un **congre**,
l'emblème, et mon coursier, fertile dans le **hongre**…

Jacques Audiberti, « La sereine accourue… »,
La Pluie sur les boulevards

Et ivres les vendeurs de plumes et d'autruches
Dispersaient le duvet dans les cavernes d'***ombre***
Et dans les eaux les méduses venaient se ***fondre***
Contre les yeux d'étoiles de mouvantes ruches
Qui se faisaient fouetter par les hymnes des **congres** !

Dominique Tron, « Le berger d'amour et l'idole buveuse de sang »,
Bouches de feu, 2e version, in *108 poëmes-clefs*

… Tenaillant sa carne, splendide. Y inscrivant ses ***ongles***.
Son spleen. Y enfonçant sa phobie d'être **hongre**.

Jean-Pierre Verheggen,
Pubères, Putains, première partie, 2

assonances
459. OMBRE
469. ONDRE
471. ONGLE

contre-assonances
350. INGRE
377. OGRE
143. ÈGRE

❒

474. ONGUE-ONG°

LONGUE

sou-chong
(chinois) Dong°
(monnaie) un dông°
Mao Zedong°
le Guangdong°
ding, ding, dong!°
le Shandong°
Haiphong°
K'ai-fong°
gong°
le Song Hong°

Il a les dents très **longues**
– Les dents du mors aux dents –
Ses œillades **oblongues**
Nous gênent cependant

Sans voyelles, **diphtongues**
Leur langage s'entend…

Maurice Fombeure, « D'un vieux cheval »,
À chat petit

☞

ONGUE-ONG°

dugong°
mah-jong°
le Mékong°
King Kong°
Hong(-)Kong°
le Viêt-cong°
LONGUE
(note) une longue
à la longue
baie d'Along°
oblongue
barlongue
Wang Mong°
ping-pong°
sarong°
(Louis) Armstrong°
les Song°
folksong°
tong°
il/une **diphtongue**
triphtongue

Il fait un soleil si grand que de tous les côtés aujourd'hui
Le lavis semble tout déteint dans les vents parlés d'un **mah-jong**
Et la route n'est qu'un bourdon le ciel l'ébranlement d'un **gong**
Il me plaît que mon vers se mette à la taille des chaises **longues**
Et le cheval prenne ce pas où son cavalier le réduit

Louis Aragon, « Une respiration profonde »,
Le Roman inachevé

Dans les annonces du destin
retrouverai-je à temps ma longueur d'***ondes***
Les nuits sans rêve sont trop **longues**
pour se faire conter les jours sans pain

Paul Gilson, « La vie de château »,
L'Arche de Noël

Enfin à **Hong Kong**
joueuse de **gong**
dans un p'tit ***dancing***
je rythmais le ***swing***

Serge Rezvani, « La Joueuse de gong »,
Chansons

assonances	*contre-assonances*
475. ONQUE-ONC	*108. ANG-UE*
468. ONDE	*351. INGUE* [ɛ̃g]
472. ONGLE	*296. ING* [iŋ]

❐ *475 [Noël] ; 472 [Cliff] ; 108 [Delanoë] ; 351 [Leiris]*

475. ONQUE-ONC°

CONQUE
QUELCONQUE

(con, verl.) un onc°
(jamais, arch.)
onc°/on(c)que(s)
(oncle, rég.) mon onque
une CONQUE
abbaye de Conques
quiconque
QUELCONQUE
don(c)ques/**donc**°
(alors, arch.)
adonc°/adonque(s)
(René) Fonck°
jonque
(grotte) une **spélonque**
(George) Mon(c)k°
(Thelonious) Monk°
hic et nunc°
il **tronque**

Prends les ossements de **quiconque** :
Ce tibia a forme de quille
Et ce crâne a forme de **conque**
Les hanches dodues sont coquilles

Jean Grosjean, « La mort » II,
L'Homme de cristal

Et, philosophe ! au fait, comment tous ces monceaux
De tomes, gravement contemplés par les sots,
Pourraient-ils enfanter un résultat **quelconque** ?
Un rien les dépareille ou les brouille ou les **tronque**.
Puis ils se font la guerre entre eux, je te l'ai dit.
Le volume savant hait le tome érudit…

Victor Hugo, « L'âne Patience entre dans le détail »,
L'Âne. III

Emmi les hauts roseaux, les rotangs et les **joncs que**
réfléchit l'étang mauve où nagent les cyprins,
la frêle Hadja-Sari, fille des mandarins
au teint jaune citrin navigue dans sa **jonque**…

Georges Fourest, « Pseudo-sonnet asiatique et littéraire »,
La Négresse blonde

Sonne, sonnez, sonne, allez **donc**,
Mes belles cloches, dig, ding, ***dong*** !

Marie Noël, « Chant de Noël »,
Les Chansons et les Heures

assonances	*contre-assonances*
474. ONG-UE	*111. ANQUE*
464. ONCE	*400. OQUE*

❐

476. ONSTRE

MONSTRE

C'est l'heure du remords et de la ***malencontre***…
Ô pêcheur, si ta barque allait fendre soudain
La ténèbre abyssale où cheminent les **monstres**,
Où l'étoile de mer éclaire le requin.

Maurice Magre, « La Barque de minuit »,
Le Parc des rossignols

Pauvre Hippolyte ! Un marin **monstre**
le trouvant dodu le mangea,
puis le digéra, ce qui **monstre**
(mais on le savait bien déjà !)

qu'on peut suivre, ô bon pédagogue,
avec soin le commandement
quatrième du décalogue
sans vivre pour ça longuement !

Georges Fourest, « Phèdre »,
La Négresse blonde

je ne veux pas qu'on croie que mon père n'était qu'un **monstre**
oui quand j'étais enfant et plus tard et jusqu'à sa mort
il m'a toujours inspiré crainte et répulsion d'abord
à cause de son corps dégageant des odeurs ***immondes***

William Cliff, « Je ne veux pas qu'on croie… »,
Autobiographie. 15

assonances
478. ONTRE
477. ONTE
464. ONCE

contre-assonances
73. ASTRE
203. ESTRE
585. USTRE

❒

477. ONTE

HONTE

HONTE
(Auguste) Comte
(titre) un **comte**
(fiction) il/un **conte**
(calcul) il/un **compte**
acompte
il **raconte**
il/un décompte
mécompte
il/un précompte
il recompte
vicomte
archonte
laissé-pour-compte
il/un **escompte**
il/un réescompte
(pronom avec liaison) dont°
il **dompte**
les créodontes
priodonte
homodonte
(un) anodonte
parodonte
labyrinthodonte
glyptodonte
mastodonte

(matière) la **fonte**
(des neiges) la **fonte**
(fourreaux) des fontes
refonte
Sagonte
la Jonte
la/il **monte**
il démonte
une/il **remonte**
l'Aspromonte
il **surmonte**
Sélinonte
(pondre) la **ponte**
(jeu) un/il ponte
(pontife) un **ponte**
(pont) il ponte
il apponte
Métaponte
éponte
(bancale, Belg.) cronte
dronte
un **géronte/Géronte**
il **affronte**
il confronte
l'Oronte
prompte
Amalasonte
tonte
Amathonte

Ô mon cœur plein d'ennuis, que trop prompt j'arrachai,
Pour immoler à une, hélas, qui n'en fait **compte** !
Ô mes vers douloureux, les courriers de ma **honte**
Dont le cruel Amour ne fut jamais touché !

Ô mon teint pâlissant, devant l'âge séché
Par la froide rigueur de celle qui me **dompte** !
Ô désirs trop ardents d'une jeunesse **prompte** !
Ô mes yeux dont sans cesse un fleuve est épanché !

Philippe Desportes, « Ô mon cœur plein d'ennuis »,
Amours d'Hippolyte. 36

De leur prison se plaignent les pauvrets
Que tient sous clé la reine d'**Amathonte** :
La tour est ***haute***, où barreaux sont de **Honte**,
Murs d'Impossible et fossés de Regrets.
[…]
De s'évader ils ont fait maints essais,
À chaque fois combien qu'eussent **mécompte**.
Seule, étouffant le feu qui les **surmonte**,
La Mort pourra les tirer désormais
De leur prison.

André Mary, « Des amants malheureux »,
Les Rondeaux. X

Ce ne sont ni ***mythes***, ni **contes**,
au carrefour de mes ***rencontres***
où l'on ne revient pas deux fois ;
je suis déjà de l'***Outre-tombe***
où n'existent ni fols, ni Rois,
et la sève éternelle **monte**.

Géo Libbrecht, « Passage sans visa » XI,
Poésie

☞

ONTE

N'aie ***crainte*** de ces **mastodontes**
Binoclés, l'air patelin **dont**
Un pied craintif aborde l'***onde***
Dans l'espoir que leur graisse ***fonde***...

Alfred Dupont, « Gentil poisson... »,
Le Jeu de Bruges et de la Mer

Poussez l'ange malin par la porte ***béante***
le béat, le méat, l'abbé hanté me ***hante***
quand sur la tour rouillée, plantée de mille ***plantes***
coupant l'***ouate*** des nuits il apparaît, la **honte**
de la ***plante*** des pieds à la poitrine **monte**.

Max Jacob, « Hymne au soleil »,
Actualités éternelles

assonances	*contre-assonances*
468. ONDE	*113. ANTE*
457. OMBE	*335. INTE*
478. ONTRE	*452. AUTE*

❐

478. ONTRE

RENCONTRE

il/un/être **contre**
à l'encontre
(malheur) la **malencontre**
il/une RENCONTRE
(blason) un rencontre
basse-contre
un/e haute-contre
ci-contre
un/il surcontre
une **montre**
(exhiber) faire/il **montre**
contre-la-montre
il démontre
bracelet-montre
il remontre
porte-montre

Un troupeau de zèbres processionne à leur **rencontre**.
On admire. C'est beau, leurs rayures, tout de même !
Colombe n'a pas assez de membres et de cris de **haute-contre**
Pour retenir le tigre et le lion, ennemis des carêmes.

Réjean Ducharme,
La Fille de Christophe Colomb. 172

Monde je les connais vos sourires retors
Et vos pièges à loups mais je m'armerai **contre**.
Semblable je veux ***être*** à ces **bracelets-montre**
Simulant une vie au bras des soldats morts.

Jean Cocteau, « Irai-je en vous caché... »,
Clair-obscur. LXXIX

Pendant que l'homme va et vient,
Discernant le mal et le bien,
Avec son air de **malencontre**
Discutant le pour et le **contre**...

Jules Supervielle, « L'Homme »,
Oublieuse mémoire

Un soir de demi-brume à ***Londres***
Un voyou qui ressemblait à
Mon amour vint à ma **rencontre**
Et le regard qu'il me jeta
Me fit baisser les yeux de ***honte***

Guillaume Apollinaire, « La Chanson du Mal-Aimé »,
Alcools

Vint le jour d'une ***autre*** **rencontre** ;
Mais vraiment tout agit **contre** eux :
Elle, fut captive d'un ***autre***.
Lui, fut entouré, cerné.

Charles Vildrac, « En revenant... »,
Livre d'amour

assonances	*contre-assonances*
459. OMBRE	*114. ANTRE*
469. ONDRE	*256. EUTRE*
478. ONTE	*453. AUTRE*

❐ *476 [Magre] ; 256 [Vildrac]*

479. ONX

le Bronx

Un soir que dans le **Bronx**
J'étais on ne peut plus ***anx***
Ieux de retrouver Samantha
Entre Thelonius ***Monk***
Quelques punks aussi **Brons**
Ki beat giclant de mon Aïwa

J'ai dit et je redis **donc s**
Ur le trop tard du **Bronx**
Je recherchais Samantha
S'pointent deux gorilles du **Bronx**
Il est évident **donc c'**
Était mal barré pour moi

Serge Gainsbourg, « You're under arrest »,
Dernières nouvelles des étoiles

assonances
475. ONQUE-ONC
464. ONCE-ONS

contre-assonances
357. INX
432. OX-E

❐

480. ONZE

BRONZE

(un) **onze**
bonze
(il [se] barbouille, rég.)
il (se) barbonze
71/soixante-et-onze
(individu, arg.) un gonze
Louis XI/onze
91/quatre-vingt-onze
du BRONZE
(brunir) il (se) bronze

Votre nom, gravé dans le **bronze**,
(Il me faut la rime de **Bonze**,
Et l'on n'en trouve qu'au Japon ;
Mettons, si vous le trouvez bon,
Au lieu de bronze, airain ou cuivre.)

Paul Scarron, « Rogatum… »,
Poésies diverses [v. 73-77]

Rue, as-tu peur ! de Sèvres **onze**
Subtil logis où rappliqua
Satan tout haut traité de **gonze**
Par Huysmans qu'il nomme J.K.

Stéphane Mallarmé, « Les Loisirs de la poste » XXIV,
Vers de circonstance

1, 2, 3, 4, 5, 6, 7, 8, 9, 10, **11**
12 : minuit sonnait à l'horloge de **bronze** !

cité par Tristan Derème, « Distique »,
Tourments, Caprices et Délices

dans ses yeux, y'a tant d'soleil
que quand elle me regarde, je **bronze**.
Dans son sourire, y'a la mer
et quand elle me parle, je ***plonge***.

Renaud, « Peau aime »,
Le Temps des noyaux

Bœuf
Bis
Bonze
Bouse
Braise
Roupie au nez
Mouch'-toi la ***fraise***.

Henri Pichette, « Bœuf »,
Les Enfances

assonances
464. ONCE
471. ONGE

contre-assonances
199. ÈSE
254. EUSE
524. OUSE

❐ *344 [Rodenbach] ; 254 [Renaud] ; 358 [Jouet]*

481.0 OU-OUE

OÙ
HOUX

(outil) il/une houe°
(rivière) l'Oust
(mois) oût/**août**
(ou bien) ou
(lieu) OÙ
(cri) (hou!) **hou**!
(arbuste) le HOUX

Tumultueuses tourterelles
Chères âmes, piquants du **houx**,
Qui vous survit, dites-moi **où**,
Dites-moi qui blesse vos ailes.

Carlos de Radzitzky, « Pièges »,
Désert secret

Mais les bancs chantants
des poissons volants
fins et transparents
ont posé leurs yeux
dans la main de Dieu,
s'avançant vers **où** ?
- **Hou** ! **Hou** !

Benjamin Fondane, « « Berceuse de l'émigrant »,
Au temps du poème et Poèmes épars in *Le Mal des fantômes*

sous-rimes voisines
481.1 AOU
481.9 IOU

contre-assonances
535.0 U-E
435.0 O

❐ *481.4 [Verlaine] ; 481.18 [Leclerc]*

481.1 AOU

(croquemitaine, rég.)
babaou
racahout
(idiot, rég.) badaou
(miaulement) (un) **miaou**!
la **mi-août**
Oahu

Bientôt bientôt finira ***l'oût***
Reverrai-je mon petit ***Lou***
Mais ***nous*** voici vers la **mi-août**
Ton chat dirait-il **miaou**
En me voyant ou bien **coucou**

Guillaume Apollinaire, « Bientôt bientôt... »,
Poèmes à Lou. LXVI

Les auto fait ***vou-hou***
le métro fait **rraou**
et le nuage, y passe
et le soleil, y dort.

Jean Tardieu, « Six études pour la voix
seule : Étude de voix d'enfant » VI,
Le Fleuve caché

sous-rimes voisines
481.0 OU-E
481.9 IOU

contre-assonances
535.1 AHU
435.1 AO

❐

481.2 BOU-BOUE°

BOUE°
BOUT
DEBOUT
HIBOU

(bourbe) la BOUE°
(peur ; dégoût) bou(h)!
(extrémité) un BOUT
(bouillir) il **bout**
(Edmond) About
(technique) un about
marabout
(un) **tabou**
être/il taboue°
(technique) il emboue°

(extrémité) un embout
bambou
(primitif)
(un/e) topinambou/e°
(Jacques) Godbout
(ôter la boue) il éboue°
il début
oued Sebou
DEBOUT
passe-debout
garde-boue°
(bougeoir) brûle-bout
HIBOU
caribou
boubou
les Toubou(s)
(Albert) Dubout

Et je retourne encor frileux, au jet des bruines,
Par les délabrements du parc d'octobre. Au **bout**
De l'allée où se voit ce grand Jésus **debout**,
Se massent des soupçons de chapelle en ruines.

Je refoule, parmi viornes, vipérines,
Rêveur, le sol d'antan où gîte le **hibou** ;
L'Érable sous le vent se tord comme un **bambou**,
Et je sens se briser mon cœur dans ma poitrine.

Émile Nelligan, « Chapelle ruinée »,
Poésies complètes

Antoinette est un lis que l'on fauche **debout**.
Perles dont les rubis interrompent la ligne,
La blancheur est son lot, la rougeur la désigne ;
Une rose de France orne son **marabout**.

......

BOU-BOUE°

481. OU

Le lait de Trianon s'empourpre à l'autre **bout**.
La Reine voit la Mort – la Bergère se signe ;
Et la femme au calice enfiellé se résigne…
Le lait se caille, le pleur coule, le sang **bout**.

Robert de Montesquiou, « Lis rose »,
Les Perles rouges

Des éléphants adultères
Pullulant sous les **bambous**
Au galop tremblent les terres

Au vent claquent les **hiboux**
Sur vos tours, gros solitaires
Baobabs gainés de **boue**

Maurice Fombeure, « Anathèmes »,
Les Étoiles brûlées

sous-rime voisine	*contre-assonance*
481.14 POU-E	*535.2 BU-E*

❐ *95 [Estang]*

481.3 CHOU-CHOUE°

CHOU	chouchou
	Kyushu
	(éternuer, rég.) faire atchou
CHOU	(avare, rég.) ratchou
cachou	(bébé, Alg.)
Patachou	moutcha(t)chou
il **échoue**°	(un/e) **mandchou/e**°
il déséchoue°	Machu Picchu
coupe-chou(x)	**caoutchouc**
chabichou	(âne, rég.) tchoutchou
Honshu	vertuchou!

sous-rimes voisines	*contre-assonances*
481.10 JOU-E	*535.3 CHU-E*
481.17 S(Z)OU	*435.3 CHO*

Elle qui naquit sous le feutre
Des chevaliers **mandchoux**,
Sa femme a le cœur dans les **choux** :
Dieu punisse le neutre !

Paul-Jean Toulet,
Les Contrerimes. XIII.b

Un hydrolat lacrymal lave
Les cieux **vert-chou** :
Sous l'arbre tendronnier qui bave,
Vos **caoutchoucs**

Arthur Rimbaud, « Mes petites amoureuses »,
Poésies

❐

481.4 COU-COUE°

COU	contrecoup
COUP	il **secoue**°
	casse-cou
	haïku
(coudre) il **coud**	licou
(choc) un COUP	(quéquette, rég.) quicou
(prix) un **coût**	**beaucoup**
un COU	Shikoku
(il attache) il accoue°	sodoku
(saccade) un à-coup	il rocoue°
Bakou	du rocou
(œuf, rég.) un cacou	(il crie, rég.) il coucoue°
nunchaku	(oiseau ; pendule) un **coucou**
gagaku	(fleur) un **coucou**
cariacou	seppuku
Sharaku	torcou
bunraku	surcoût
tout à coup	(imbécile, rég.) flascou
il **découd**	(Mihai) Eminescu
après-coup	**Moscou**
il recoud	**jusqu'où**

De l'or crespé couleur **coucou**
Voit-on que la mer s'exténue
Pour ce frisson d'albe ombre nue
Pantelante et qui se **découd** ?

Surent jamais les dents **jusqu'où**
L'experte flamme s'insinue ?
Les ongles d'or l'ont-ils connue
La paix des bras autour du **cou** ?

Pierre Louÿs, « Chrysis » I,
Iris

C'est du bonheur d'autrui que je suis à l'***écoute***
Et c'est déjà **beaucoup** que d'en payer le **coût**
Ô mon frère à souffrir qu'est-ce que tu redoutes
Acquitte l'avenir du salaire des **coups**
Je te parle tombé sur le bord de la route
Et l'arc-en-ciel est fait des larmes que je **couds**

Louis Aragon, « L'Hiver » III,
Le Fou d'Elsa

Il va rôdant comme un ***loup***
Autour du cœur de **beaucoup**
Et s'élance **tout à coup**

Poussant un sombre ***hou-hou*** !
Soudain le voilà **roucou-**
Lant ramier gonflant son **cou**.

Paul Verlaine, « Prologue »,
Chair

☞

COU-COUE°

J'invoque pour le mal au **cou**
Saint-Maclou couleur de **roucou**,
Saint-Mitrophane de **Moscou**

Laurent Tailhade, « Épître à Dom Cucuphas »,
Poèmes aristophanesques

sous-rimes voisines
481.8 GOU-E

contre-assonances
535.4 CU-E
435.4 CO

❒ *481.8 [Klingsor] ; 435.4 [Genet]*

481.5 DOU-DOUE°

DOUX
(il dote) il **doue°**
(fleuve ; dépt) le Doubs
mois **d'août**
(Gérard) Dou
d'où
(un) DOUX
(René Guy) Cadou
(pêcheur, rég.) pescadou
(bourratif, rég.) estoufadou
gadoue°
des bagadou
(toilettes, rég.) cagadou
(il enjôle) il amadoue°
(substance) l'**amadou**
(ville) Padoue°
(ruban) un padou/e°
saint Antoine de Padoue°
radoub
(urinoir, rég.) pissadou
(frotteur, arg.) frottadou

Katmandou
nandou
Le Lavandou
courir le **guilledou**
(Claude N.) Ledoux
redoux
aigre-doux
scoubidou
le Midou
(Georges) Pompidou
(un/e) (**h**)**indou/e°**
saindoux
(Jean) Giraudoux
(le) **vaudou**
(aimée, rég.) une **doudou**
(lesbienne, arg.)
une goudou
roudoudou
(arbrisseau) roudou
(Victorien) Sardou
Cordoue°
(l') ourdou/e°

Le col ceint d'un mince **padou**,
soit-elle de peau véronèse
comme, du consul, la **doudou**,
et, nave de chaque genèse,
romance de ***tout*** **guilledou**,
me promeuve père bien aise,
dans le temple à peu près **indou**
recélant sa molle fournaise,
du trigle, de l'oiseau **coindou**,
du fumier et du manganèse,
d'où que me viennent ses mains, **d'où**,

je tremble devant ses volutes
obsédant mes loirs et mes flûtes.

Jacques Audiberti, « La Mort »,
Race des hommes

Encor que, d'un accent très **doux**,
elle s'informe : How **do *you* do** ?

Elle lui attire sur la tête
les plus fâcheuses épithètes…

Paul Neuhuys, « L'Anglaise… »,
Le Marchand de sable in *Le Pot-au-feu mongol*

T'as pas, t'as pas, t'as pas ***tout dit***
t'as pas ***tout dit*** à ta **doudou**
T'as ***des doutes*** et t'y ***dis*** pas ***tout***
Et qui c'est qui l'a ***dans*** l'***dos***

Boby Lapointe, « T'as pas, t'as pas tout dit »,
Intégrale

sous-rime voisine
481.18 TOU-E

contre-assonances
535.5 DU-E
435.5 DO

❒ 275 [Montesquiou]

481.6 ÉOU

les Tchéou
Hang-tchéou
(Canton) Kouang-tchéou
Yang-tchéou
le Kouei-tchéou
Kan-tchéou
Lan-tchéou

(ville) Tchen-tchéou
(peintre) Tchen Tchéou
Fou-tchéou
Han-kéou
Guépéou
Papandréou
(voile) le tréou

– Par la Bonne Dame
De **Fou Tchéou**
Tu vas me dire

Ô Zacharie
Vieux sac à riz
Ce qu'elle **fiche et où** ?

Roland Bacri, « Haï-Kaï marseillais »,
Refus d'obtempérer

Rosiers mousseux de **Kan-Chéou**…
Et vous, mes blanches azalées,
Qui débordez dans les allées…
Chrysanthèmes échevelés
Comme des ***fous***…

Sacha Guitry, « Le voyage de Tchang-Li » [3e tableau],
Théâtre, je t'adore

sous-rimes voisines
481.0 OU
481.3 CHOU-E

contre-assonances
435.6 ÉO
456.6 ÉON

❒

481.7 FOU-FOUE°

FOU

(un) FOU
(foutre) il (s'en) **fout**
il **bafoue**°
Edfou
garde-fou
il s'en contrefout
Tchao Mong-fou
kung-fu
Mi F(o)u
alquifoux
Diên Biên Fu
foufou
bakufu
Du Fu/Tou Fou
(excité) tout-fou
(foulard, verlan) larfou
Corfou
gorfou

Je ne suis point jaloux : baise, fille adorée !
Que par trente pénis ta vulve perforée
Dispense à mon désir un étui large et **fou** ;
Que soit d'un nègre en ***feu*** chaque vit qui te **fout**…

Gilbert Lely, « Lady K »,
Kidama Vivila

Les gens me dévisagent
S'apitoient
D'autres au passage
Rient de moi
On me bouscule, on me **bafoue**
Mais je l'***avoue***
Après ***tout*** je m'en **fous**

Charles Aznavour, « Je ne peux pas rentrer chez moi »,
Un homme et ses chansons

Assis
Près du lit ***défait***
L'***enfant*** du ***défunt***
Près de ***feu*** son père
Feint de ***faire*** du ***feu***
Et ***debout***
Près de l'enfant **fou** […]
Un prêtre parle de l'enfer

Jacques Prévert, « Toile de fond »,
Histoires et d'autres histoires

sous-rime voisine
481.19 VOU-E

contre-assonances
91.8 FAN
244.5 FEU

❐ *91.8 [Romains] ; 333.6 [Soupault]*

481.8 GOU-GOUE°

GOÛT

GOÛT
comtesse d'Agoult
(rivière) l'Agout
bagou(t)
(gueux) cagou
(oiseau) cagou
(bêta, rég.) badagou
(ris de veau) fagoue°
ragoût
sagou
il s'engoue°
avant-goût
égout

dégoût
tout-à-l'égout
(Birmanie) Pégou
(gluant, rég.) pégous
Ségou
arrière-goût
(montagne) le Canigou
(pâtée, n. dép.) Canigou
grigou
(chatouilles, rég.) des catigous
quôc-ngu
rio Xingu
Ouagadougou
telugu/télougou

Du pot-au-feu l'odeur est importune
À quelques-uns ; c'est affaire de **goût**.
Moi, je l'estime ; et pourtant j'y mets une
Condition : c'est que rôt et **ragoût**
Escorteront la pièce un peu commune.
Certain quidam, doué d'un fort **bagout**,
Me répétait : « Venez donc, à la brune,
Un de ces jours, dîner à la fortune
Du pot ! »

J'y fus pincé ! Quel dîner de **grigou** !
Sa soupe était une infecte lagune ;
Son bœuf aurait fait pleurer un **cagou**.
Il l'arrosa d'un vin au jus de prune.
Combien j'étais, dans mon triste **dégoût**,
Dupe… oh!

Charles Monselet, « La fortune du pot »,
Poésies complètes

Que Jean Gossart boive un bon ***coup***
De cidre frais ou de vin chaud,
Que Jean Gossart boive un bon ***coup***
Et que ***Margot*** vide la bourse du **grigou**,
Peu me chaut.

Tristan Klingsor, « Jean Gossart »,
Humoresques

sous-rime voisine
481.4 COU-E

contre-assonances
435.11 GO
535.7 GU-E

❐ 398 [Norge]

481.9 IOU

CAILLOU

(vous, angl.) **you**
bayou
CAILLOU
(fantassin, arg.)
un pousse-cailloux
(bricoleur, rég.)
marmaillou
voyou
(juron) cadédiou
(bon Dieu !) boudiou!
happy few
(Louis) Guilloux

mi-août
biniou
barbecue°
les Kikouyou(s)
(canot) youyou
(cri) youyou
(plus) piu
(cri du poussin) piou!
pioupiou
les Ryukyu
(Robert de) Montesquiou
(un/e) **sioux**
(bestiole, rég.) bestiou
interview

Les trois princes ***Pou***, ***Lou*** et **You**,
Ornement de la Chine,
Voyagent. Deux vont à machine,
Mais **You**, c'est en **youyou**.

Il va voir l'Alboche au crin jaune
Qui lui dit : « I love **you**. »
– Elle est Française ! assure **You**.
Mais non, royale béjaune.

Si tu savais ce que c'est, **You** ;
Qu'une Française, et tendre ;
Douce à la main, douce à l'entendre :
Du feu… comme un **caillou**.

Paul-Jean Toulet, « Les trois princes Pou, Lou et You »,
Les Contrerimes. XIII.a

Un peu plus haut, Dieu sous les traits de Déroulède
cherchait, en redingote, une rime à **pioupiou**.
Une balle dumdum l'atteignit à la fesse
par ricochet : en se dégonflant Dieu fit : **Piou** !

Georges Garampon, « Récitation du Médium » VIII,
Le Jeu et la Chandelle

sous-rime voisine
481.0 OU

contre-assonances
244.9 IEUX
456.11 ION

❒

481.10 JOU-JOUE°

JOUE°

une JOUE°
il JOUE°
(attelage) le **joug**
(fort ; vallée de) Joux
ajout
bajoue°
abajoue°
cajou
acajou
kinkajou
carcajou
sajou/**sapajou**
rajout
l'**Anjou**
il déjoue°
il rejoue°
bijou
joujou

Après avoir vendu votre âme
Et mis en gage des **bijoux**
Que jamais plus on ne réclame,
La roulette est un beau **joujou**.
C'est joli de dire : je **joue**.
Cela vous met le feu aux **joues**…

Jean Cocteau, « La Dame de Monte-Carlo »,
Œuvres complètes

Précieux et Royal **Bijou**,
Second Joyau de la Couronne,
Présent du Ciel, beau Duc d'**Anjou**,
Me prendrez-vous, si je me donne ?

Ne me croirez-vous point un ***fou***,
De vous présenter ma personne,
Moi qui suis moins qu'un **sapajou**,
Moi chétif, qui déjà grisonne ?

Paul Scarron, « Au Duc d'Anjou »,
Poésies diverses. II

sous-rimes voisines
481.3 CHOU-E
481.17 S(Z)OU

contre-assonances
244.6 GEUX
256.8 GÉON

❒ 390 [Roubaud]

481.11 LOU-LOUE°

LOUP
JALOUX

(louange) il **loue**°
(location) il loue°
(rivière) la Loue°
(rivière) le Loup
saint Loup
(bête ; masque) un LOUP

(prénom) Lou
il alloue°
(Jules) Dalou
(un) **andalou**
(Louis) Bourdaloue°
(vase de nuit)
un bourdalou(e)°
Falloux
(voyou, rég.) mafalou
(glouton, arg) morfalou
(cigale, rég.) cigalou

Les enfants ont peur des **loups** :
Les loups c'est toutes les choses
Qui vont à pas de **veloux** *
Sur le pas des nuits mal closes.
[…]
Et plus tard, lorsque ces **loups**
Sont envolés avec l'âge,
Et que le sang sous les **clous**
Seul sillonne le sillage,

……

481. OU

LOU-LOUE°

(un) JALOUX
(pas question!, arg.) ouallou!
(melon) un cantaloup
(Cantal) (un/e) cantalou/e°
le Yalu/Ya-lou
(Félix) Dupanloup
Gembloux
(blouson, verlan) zomblou
saint Cloud
il **cloue°**
(pointe) un **clou**
saint Maclou
il encloue°
avant-clou
il décloue°
arrache-clou
tête-de-clou
il recloue°
tire-clou
chasse-clou
(bicyclette, arg.) biclou
Saint-Cloud
gabelou
Pasdeloup
pied-de-loup
gueule-de-loup
(professeur ridicule) pet-de-loup
vesse-de-loup
patte-de-loup
tête-de-loup
saut-de-loup
(relouer) il reloue°
(ennuyeux, arg.) relou
Chanteloup
(il dupe) il floue°
(trouble) (le) **flou**
il affloue°
il renfloue°
igloo/iglou
glouglou
filou
(Gilles, diminutif) Gilou
pilou
chien-loup
(chien) **loulou**
(garçon) loulou
(loubard, arg.) loulou
(Louis/e, diminutif) Loulou
il sous-loue°
(un/e) zoulou/e°
(proxénète, arg.) marlou
il surloue°

sous-rimes voisines
481.12 MOU-E
481.13 NOU-E

contre-assonances
244.10 LEUX
535.9 LU-E

Ce sont encore les **loups**
Qui nous apprêtent l'angoisse
De tous les supplices **flous**
Dont la vie aigre nous froisse. [...]

Tous les ***loups-garous*** **jaloux**
De nos plus dolentes trêves,
Qui recommencent les **loups**
Enfantins, les loups de rêves.

Et nos sangs ont des **glouglous**
De bouteille qui se vide
Devant les suprêmes **loups**
De la mort louve et livide.

Robert de Montesquiou, « Louloups »,
Les Hortensias bleus. XLVI

* velours

Il vivait à ***Honolulu***
Un roi blanc-nègre –
Qui pour châtier l'infidèle **Loulou**
Une femme blanche et maigre
Qu'il connut à Frisco
Lui enleva la peau –

Paul Gustave Vanhecke, « Hawaïian guitars »,
Poèmes

DANAÏS
Puisque tu m'aimes tant gentil Berger **Gilou**,
Que me vouloir nommer ta chère Dana*ïs*
De grâce entretiens-moi, que dit-on à **Saint-Clou**,
D'un guerrier dont on voit aujourd'hui tant de bru*is*.

GILOU
Bergère je te dis, non menteur ni **filou**,
Qu'un Héros lumineux à mes yeux éblou*is*
Fort bien accompagné allait vers **Chantelou**.

DANAÏS
Pourquoi ne l'ai-je vu ? Berger tu m'ébah*is*
Où pouvais-je être alors, tenais-je à colle ou **clou** ?
De n'avoir pas joui de l'heur dont tu jou*is*.

Louis de Neufgermain, « Au Roi, les syllabes du nom LOUIS finissant les vers », *Les Poésies et Rencontres* [2nde partie]
cf. 1.5 [Voiture] ; 510 [La Fontaine] ; 224 [Roubaud]

❐ 91.15 [Cros] ; 413 [Schwob]

481.12 MOU-MOUE°

MOU
MOUE°
REMOUS

(moudre) il **moud**
(grimace) une MOUE°
(jus) du moût
(flasque) (un) MOU
(poumon) du mou
tinamou
(émoudre) il émoud
(émeu) un émou
(remoudre) il remoud
(tourbillon) un REMOUS
pèse-moût
Limoux

sous-rimes voisines
481.11 LOU-E
481.13 NOU-E

contre-assonances
435.15 MO
535.11 MU-E

– Cette nuit-là, mignonne avait l'amour morose...
Ses nénais énervés, languissants, presque **mous**
Se livraient sous ma main à d'étranges **remous**,
Pour ma lèvre effaçant leur double pointe rose.

Hugues Rebell, « Chauvinisme »,
Le Passe-Temps luxurieux

Et le moulin au vol silencieux et **mou**,
Le moulin blond comme le blé qu'il **moud**,
Le moulin qui tournoie en la lumière,
Pareil aux feux
Des cheveux
De la meunière.

Alfred Jarry, *Pieter de Delft,* scène IX

❐

481.13 NOU-NOUE°

NOUS
GENOU

(il lie) il **noue°**
(terre) une noue°
(tuile) une noue°
(pronom) NOUS
Anou
Vishn(o)u
il énoue°
il **dénoue°**
GENOU
il renoue°
(merdeux) brenoux
gnou
(peuple) les Aïnou(s)
(langue) aïnou
minou
Cotonou
nounou
le Bornou
burnous

Le geste au ralenti que fait le discobole
Lance une lune opaque entre l'époque et **nous**
Que de farandoliers pour une farandole
La redoute commence où l'intrigue se **noue**
Où les dominos blancs ressemblent aux **burnous**
Juan Tenorio que poursuivent les folles
Ôte le loup de l'une et reste sans parole
Ce n'est pas pour prier qu'il se jette à **genoux**

Louis Aragon, « La Nuit en plein midi »,
Les Yeux d'Elsa

Cœur de lapin, ventre de porc, nez de gorille,
Incarnation des plus saumâtres **Vichnous**,
Dubut de Laforest qu'une gale essorille,
Étant un pur gaga, rayonne parmi **nous**.

Chez Peter's où le veau de truffe et de morille
S'assaisonne pour les journalistes **brenoux**,
Le jovial idiot Octave Pradels brille
Et le gros Formentin concague ses **genoux**.

Laurent Tailhade, « Gendelettres »,
Poèmes aristophanesques

sous-rimes voisines
481.11 LOU
481.12 MOU

contre-assonances
435. 16 NO
535.12 NU-E

❒ *423 [Godoy]*

481.14 POU-POUE°

POU
ÉPOUX

(mépris) pouh!
(pulsation) le **pouls**
(parasite) un POU
Capoue°
(un/e) **papou/e°**
ÉPOUX
quip(o)u
(corrompu) (un) ripou(x)
des tripous/tripoux
(sein, rég.) poupou

Une punaise chinoise
Hier matin chercha noise
À son amie japonaise
Qui en prenait à son aise
À l'égard de son **époux**
Lequel, bien sûr, était **pou**
Mais d'ascendance **papoue**.

Michel Deville, « Tout petit fait divers rue des Fleurs à Hong-Kong »
Poézies

Pou
Pouacre
Pouah
Poubelle

Pouce !

Eugène Guillevic, « p »,
Lexiquer

sous-rime voisine
481.2 BOU-E

contre-assonance
535.14 PU-E

❒ 390 [Bazin]
95 [Estang]

481.15 ROU-ROUE°

ROUE°
ROUX
COURROUX
TROU

une ROUE°
(il frappe) il roue°
(couleur) (un) ROUX
l'Arroux
(plante) garou

(homme-loup) garou
loup-garou
il (s') **enroue°**
(pousse) brout
(de noix) brou
il rabroue°
il s'ébroue°
Marlborough/
Malbrough
(Armand) Salacrou
(incarcérer) il écroue°
(procès-verbal) un écrou
(d'une vis) un **écrou**

Quand les pastours, aux soirs des crépuscules **roux**
Menant leurs grands boucs noirs aux râles d'or des flûtes,
Vers le hameau natal, de par delà les buttes,
S'en revenaient, le long des champs piqués de **houx** ;

Bohèmes écoliers, âmes vierges de luttes,
Pleines de blanc naguère et de jours sans **courroux**,
En rupture d'étude, aux bois jonchés de **brous**
Nous allions, gouailleurs, prêtant l'oreille aux chutes

Des ruisseaux…

Émile Nelligan, « Rêve de Watteau »,
Poésies complètes

☞

ROU-ROUE°

contre-écrou
mérou
(Jawaharial) Nehru
Pérou
verrou
deux-roues°
(Pierre) Leroux
(Gaston) Leroux
chasse-roue°
bouteroue°
il froue°
frou-frou/froufrou
(Bernadette) Soubirous
Saint-Pol Roux
(Thomas) Gainsborough
Châteauroux
potorou
(colère) du COURROUX
(fleuve ; ville) Kourou

(maladie) le kuru
koudourrou
guru/**gourou**
kangourou
(crabe) tourlourou
(fantassin, arg.) tourlourou
(d'un navire) une **proue**°
peu ou prou
il troue°
un TROU
avant-trou
bouche-trou
(Jean de) Rotrou
Nogent-le-Rotrou
(accoucheur, arg.)
un/e guette-au-trou
trou-trou
(galant, rég.) un galistrou

sous-rime voisine
481.11 LOU-E

contre-assonance
535.15 RU-E

Salut, beau Vaisseau d'Alliance !
Vous avez l'arc-en-ciel en **proue**,
Le Timonier blond tient la **roue**,
Et vous voguez sans défaillance…

Autour de votre confiance
L'ancien Dragon amer s'**ébroue**
Mais l'Ange du bord le **rabroue**
Du fer aiguisé de sa lance…

Gustave Lamarche, « Fœderis Arca »,
Palinods in *Œuvres poétiques.* II

Un moment de pure innocence,
L'absurdité des **kangourous**
Ce soir je n'ai pas eu de chance,
Je suis cerné par les **gourous**.

Michel Houellebecq, « Un moment de pure innocence… »,
Le Sens du combat

❐

481.16 SSOU-SOUE°

SOU
(à cochons) une soue°
(ivre)
tout son/être saoûl/**soûl**
(dessous) **sous**
(monnaie) un SOU
l'Iguaçu
Amaterasu
j'/être **absous**

le/des/être **dessous**
la/ci/au/par/-dessous
sens dessus dessous
un/e sans-le-sou
(un) grippe-sou
(quémandeur) un tire-sou
le Kiang-sou/Jiangsu
je/être **dissous**
(pipi, rég.) un pissou
le Kan-sou/Gansu
shiatsu

sous-rimes voisines
481.17 S(Z)OU
481.3 CHOU

contre-assonances
535.16 SSU-E
456.18 SSON

Vie !… Orde mendiante, œil qui guette en **dessous**,
Rampements de limace ou de chienne qu'on rosse,
Nez qui coule, menton baveux, cheveux en brosse,
Main griffue et jaunie à la sueur des **sous**,

Te voilà ! Mais de tant d'horreurs, moi, je t'**absous**.
Je te veux belle, riche, admirée et féroce,
Et Bucéphale avec Pégase à ton carrosse.
Viens, toi qui fais lever le cœur aux hommes **soûls**…

Jean Richepin, « Exemple »,
Mes Paradis

Madame madame n'ayant plus le **sou**
Je frappe à la porte de vos **dessous**
Faites-moi l'aumône de m'accueillir près de ***vous***
Ouvrez-moi la porte de vos **sens dessus-dessous**

Guy Béart, « Sérénade à Madame »,
Couleurs et Colères du temps

❐

481.17 S(Z)OU-ZOUE°

(parc, angl.) un zoo
(allons!) zou!
je ne sai**s où**
(un/e) **zazou/e**°
rezzou
il **résout**
canezou
vesou
le Lévezou
(Isidore) Isou
bisou
(Gisèle, diminutif) Gisou
(allemand, arg.) frisou
grisou
(zouave, arg.) zouzou

Quand je sens, ***sous*** ton **canezou**,
Pointer tes formes sans pareilles,
Mes doigts, qui cherchent des merveilles,
Ont peur d'aller je ne sais **où**…

Frédéric-Auguste Cazals, « Sonnet à Iris »,
Le Jardin des Ronces

Alors ell' m' dit
T'as pas fini
d'écrir' des idioties
J' connais **Izou***
Et les **zazous**
Et l'écriture ***itou***

Léo Ferré, « Le marché du poète »,
La mauvaise graine

* Isidore Isou

☞

Du Zambèze jusqu'au ***Zoo***
(Je sais : il faut prononcer **Zou** !)
J'ai trop bu de vos tiède*s **eaux***,
Hommes, Ostrogoths ***ou Zoulous*** !

Marc Alyn, « Le zèbre »,
L'Arche enchantée

sous-rimes voisines	*contre-assonances*
481.16 SSOU	*435.22 S(Z)O*
481.10 JOU-E	*535.17 S(Z)U*

❒

481.18 TOU-TOUE°

TOUT
(il hale) il toue°
(bateau) une toue°
(ensemble) **tous**
(l'ensemble) (le) TOUT
(tousser) la **toux**
(deux, angl.) two
atout
Chatou
touche-à-tout
matou
le Vanuatu
le Poitou
(Jean) Patou
(tatouage) il tatoue°
(animal) un tatou
va-tout
(un/e) bantou/e°
Mantoue°
mont Ventoux
Tombouctou
pachtou
fait-tout/faitout
(un) mange-tout

mêle-tout
(bougeoir) brûle-tout
attrape-tout
risque-tout
fourre-tout
brise-tout
itou
mont Balaïtou
(tyrolienne) troulala itou!
manitou
(curé, rég.) ritou
(tout petit, rég.) petitou
antitout
les Hutus
Mobutu
foutou
(baiser, rég.) poutou
toutou
partout
passe-partout
n'importe où
surtout
(affectueux, rég.) amistous
pistou
Coustou

Grand-père plus puissant
que le grand **manitou**
à grands coups de pan, pan
arrangeait **tout**, **tout**, **tout**
Hou, ***hou***, ***hou***, ***hou***, ***hou***…

Félix Leclerc, « Grand-papa panpan »,
Cent chansons

Si j'étais prince d'Aquitaine,
Troulala itaine **Troulala itou**,
J'voudrais être comt' de **Chatou**,
Troulala itou Troulala itaine.

À trop chercher l'on perd sa peine,
Troulala itaine **Troulala itou**,
Et l'on y perd sa joie **itou**,
Troulala itou Troulala itaine.
[…]
Ma belle âme est une âme en peine,
Troulala itaine **Troulala itou**,
Je la retrouve un peu **partout**,
Troulala itou Troulala itaine.

André Salmon, « L'Oratoire »,
Le Manuscrit trouvé dans un chapeau

sous-rime voisine	*contre-assonance*
481.5 DOU-E	*535.18 TU*

❒ 457 [Salmon]
481.5 [Lapointe]

481.19 VOU-VOUE°

VOUS

(consacrer) il (se) **voue**°
(pronom) VOUS
il **avoue**°
Davout
garde-à-vous
il désavoue°
il se **dévoue**°
rendez-vous
Trévoux
entrevous

Connaissez-vous Blois, Metz, Eu, Sens, Toul, Gap, Marmande,
Mende ?
Connaissez-vous Dreux, Laon, Bourg, Digne, Auch, Dax, **Trévoux**,
Vous ?

Amédée Pommier, « Le Voyageur (poème géographique) » III,
Colifichets, Jeux de rimes

Rayons d'un regard d'homme Ô cordes de ma lyre
C'est vous qui résonnez quand je chante c'est **vous**
La cause de l'impossible amour que j'**avoue**
Et qui m'avez donné la force de le dire

Guillaume Apollinaire, « Le Départ »,
Le Guetteur mélancolique

sous-rime voisine	*contre-assonance*
481.7 FOU-E	*535.19 VU-E*

❒ *481.7 [Aznavour]*

482. OUBE-OUB°

(balai, rég.) une escoube
il **adoube**
un radoub°
il radoube
(mortaise) une lioube
(voyou, arg.) un loub°
(nouba, arg.) la noub'°
(fruit) la **caroube**
(clé, arg.) une caroube
(sphinx) un chéroub°
(c'était écrit!, Alg.) mektoub!°

assonances
484. OUBLE
511. OURBE
507. OUPE

contre-assonances
536. UBE
436. AUBE
457. OMBE

L'eunuque a fini les liqueurs ;
Il sommeille sur les **caroubes**,
Appelle-moi : **Kout-al-Kouloube**
Ou bien : Nourriture des Cœurs.

Jean Pellerin, « La Romance du retour »,
Le Bouquet inutile

Notre destin de transparence
la fin méprisant les moyens
l'âme jouant le quitte ou ***double***
l'éternité qui nous **adoube**

Achille Chavée, « Quatrains pour Hélène »,
À cor et à cri

❒

483. OUBLE

DOUBLE
TROUBLE

(il s'empêtre, Suisse)
il s'encouble
il/(un) DOUBLE
(région) la Double
gras-double
il **dédouble**
il **redouble**
rouble
(clé, arg.) il/une caroubIe
chiroubles
il/(un) TROUBLE
(filet) un trouble

– Maudit gibier du sabbat
Tu te moques de mon **trouble**,
Mais tu t'en repentiras !

« La violette **double**, **double**,
La violette doublera ? »
Pour rosser Robin des Bois
Je veux bien donner 100 **roubles**.

Alexandre Vialatte, « Je fus consulter le faune… »,
La Paix des Jardins

Tous les sept ans, mon être se **dédouble**
Sous la souffrance et je vois enfin clair,
Mais je reviens à ce corps qui me **trouble**
D'être mortel et fait de tendre chair.

Robert Sabatier, « L'Identité »,
Les Châteaux de millions d'années

Je veux cette éternelle harmonie
de tes rigueurs et de tes interdits –
une chemise blanche sur mon **trouble** –

afin que cesse, de la terre aux nues
ma quête vaine et qui m'exténue
de l'autre moi, impair, dont je suis ***couple***.

Mioara Créméné, « Ange byzantin »,
Poèmes byzantins

Hans Goldberg, la tête un peu **trouble**,
Touchait du doigt sa croix de fer.
C'est quand on lui brûla ses ***meubles***
Qu'il commença d'y voir plus clair.

Jules Romains, « Le Sergent juif »,
Complaintes in *Choix de poèmes*

assonances
498. OULE
508. OUPLE
489. OUFLE

contre-assonances
537. UBLE
216. EUBLE
93. AMBLE

❒ *489 [Jammes]*

484. OUCHE-OUCH°

BOUCHE
FAROUCHE

(terrain) une ouche
pays d'Ouche
chaouch°
une BOUCHE
(il clôt) il **bouche**
(George) Bush°
(végétation) le bush°
il abouche
babouche
bouche-à-bouche
(un instrument) il embouche
(prairie) une embouche
croquembouche
(il aboutit) il débouche
(il ouvre) il débouche
poire de mouille-bouche
il rebouche
arrière-bouche
rince-bouche
tarbouch°/e
(il foule, rég.) il chouche
il/une **couche**
il **accouche**
il découche
il recouche
multicouche
Hindou(-)Kouch°
sous-couche
il (se)/une **douche**
piédouche
les bains-douches
(il bigle) il **louche**
(suspect) (du) **louche**
(ustensile) une **louche**

(bigleux, rég.) calouche
(grande quantité, rég.) une cacalouche
(Claude) Lelouch°
farlouche/ferlouche
(insecte) une **mouche**
(le nez) il (se) mouche
Scaramouche
gobe-mouche(s)
attrape-mouche
chasse-mouche(s)
oiseau-mouche
bateau-mouche
il/une **escarmouche**
tue-mouche(s)
un/e manouche
Conches-en-Ouche
(plante) une rouche
(Jean) Rouch°
(trèfle, rég.) un farouch°/e
(sauvage) FAROUCHE
il **effarouche**
(sans soins, rég.) à la briche-brouche
(il tombe, rég.) il dérouche
souche
il essouche
(bigleux, Alg.) bisouche
il/une **touche**
polatouche
(jour de paie, arg.) la sainte-touche
Destouches
à touche-touche
il/une retouche
sainte(-)nitouche
(bandit) Cartouche
(projectile) une **cartouche**
(ornement) un cartouche

assonances
492. OUGE
524. OUSE
525. OUSSE

contre-assonances
539. UCHE
363. OCHE
101. ANCHE

… à la fin de votre premier vers, vous avez dit : *qu'aucun sanglot ne* **touche**, j'ai tout de suite pensé à votre esclavage. J'ai songé : quoi que ce soit que M. Decalandre nous veuille dire, nous l'entendrons, dans un instant, proférer : **ouche**. Il nous parlera, et sans qu'il en ait nulle envie, peut-être d'une **mouche**, d'une **souche**, d'une **louche**, d'une **bouche** ; il prétendra qu'il **louche** ou qu'il se **mouche**, ou bien il nous confiera qu'il s'**effarouche** et, s'il le faut même, qu'il **accouche**. **Ouche** ! **Ouche** ! **Ouche** ! vous dis-je.

Tristan Derème, *Le quatorze juillet ou petit art de rimer quand on manque de rimes* [p. 24]

Quand tu peux faire un bon repas,
Bourre-toi comme une **cartouche**,
Mange à ta faim. N'écoute pas
Ces délicats à l'air **farouche**
Qui vous font la petite **bouche**
Devant les larges déjeuners,
Et regardent d'un œil qui **louche**
Dans le trou qu'on a sous le nez.
[…]
Vit-on sans manger ici-bas ?
Aussi bien le bœuf que la **mouche**,
Chacun y trouve des appas.
Le trou bâille, il faut qu'on le **bouche**
Sans jouer la **Sainte-Nitouche**.
Achetez mes rimes, tenez !
Où passera l'or, si j'en **touche** ?
Dans le trou qu'on a sous le nez.

Jean Richepin, « Ballade à manger »,
Mes Paradis

Dans les tristes quartiers balayés d'ombres **louches**
Le petit épicier vend des bonbons gluants ;
C'est là qu'entre le bec de gaz et les **bains-douches**
Les bars clignaient de leurs paupières bleues et ***rouges***…
Vins et liqueurs… Et l'assommoir des « Trois **babouches** »
Découpait sur le pavé gras un cœur sanglant.

Alexandre Vialatte, « Dans les tristes quartiers »,
La Paix des Jardins

Au cœur du coq **couche**
le soleil malade.
Pour lui dans la ***ruche***
bout une tisane
de coquelicot.

Georges Garampon, « Recettes »,
Le Jeu et la Chandelle

❒ 435.20 [Vicaire et Beauclair]
262 [Guérin] ; 263 [Cocteau] ; 82 [Gainsbourg]

485. OUCLE

BOUCLE
ESCARBOUCLE

il/une BOUCLE
il déboucle
il reboucle
(grenat ; anthrax) un carboucle
ESCARBOUCLE
(picarel, poisson) une choucle

Elles avaient piqué des lotus dans leurs **boucles**
Et mouillé leurs cheveux avec des parfums lourds
Leurs flancs souples roulaient des houles de velours
Leurs longs yeux palpitaient comme des **escarboucles**.

Pierre Louÿs, « Les Filles du dieu »,
Astarté

☞

OUCLE

Lorsque paraît la Sœur, un oiseau dans ses **boucles**
Pleine d'enfants, de fleurs tendres à l'avenir
Le miroir du soleil grandit, vient l'éblouir
Un peu plus haut que l'homme, il s'affirme le ***Couple***

Robert Sabatier, « Le Temps d'Amour »,
Les Fêtes solaires

Je suis angle toi **boucle**
tu es biche moi ***bouc***
le paysage ***bouge***
chalumeau tympanon.

Jean Tardieu, « Les Portes de toile » 9,
Le Miroir ébloui

assonances	*contre-assonances*
508. OUPLE	*466. ONCLE*
509. OUQUE-OUC	*364. OCLE*
498. OUL-E	*7. ACLE*

❐

486. OUDE-OUD°

COUDE

l'Oudh°
il **boude**
il/un COUDE
il s'accoude
le Likoud°
le Néfoud°
fast-food°
(bon, angl.) **good**°
(un) flood°
(il se vautre, rég.)
il se bouloude
le Mulud°/Mouloud°
Mahmud°
baroud°
(il joint) il **soude**
(sodium) la **soude**
il dessoude
il ressoude
consoude
batoude
Hollywood°
Wedgwood°
(Clint) Eastwood°

J'ai vécu des saisons de long apprentissage,
Les escaliers rôdés aux tapis et aux **coudes**,
Les palais mesurés à l'angle des grillages,
Les soleils aveuglants des yeux brûlés de **soude**.

Rouben Melik, « Christophe Colomb »,
La Procession

Dans la misère qui les **soude**
On sent que les hameaux se **boudent**,
Qu'entre filles et gars d'amour
La pauvreté découd les alliances
Et que les jours suivant les jours
Chacun des bourgs
Fait son silence avec ses défiances.

Émile Verhaeren, « La Kermesse »,
Les Campagnes hallucinées

Maintenant leurs agneaux à **coups de**
Houlette, et se poussant du **coude**
Pour savoir qui commencerait,
Ils ont, avec des gestes drôles
Plus patoisants que leurs paroles,
Offert le fromage et le lait.

Camille Melloy, « Les Bergers »,
Trois marches pour le temps de Noël

J'ai envie d'croire à notre histoire
Comme dans les vieux films d'**Hollywood**
Même si parfois dans la nuit noire
Je rêve encore à Clint **Eastwood**

Luc Plamondon, « Le playboy de mes rêves »,
in *Diane Dufresne*

S'il advient que tu fasses un bout de ***route***
Avec un homme des chantiers
Et que vous causiez en marchant **coude à coude**,

Pour ne pas le gêner ni l'irriter,
Il faut savoir parler les mots noueux,
Il faut pouvoir montrer des mains ***rudes***…

Charles Vildrac, « Être un homme »,
Livre d'amour

assonances	*contre-assonances*
527. OUTE	*542. UDE*
487. OUDRE	*438. AUDE*
513. OURDE	*468. ONDE*

❐

487. OUDRE

FOUDRE
POUDRE

coudre
prêt-à-coudre
découdre
recoudre
(tonnerre) la FOUDRE
(de guerre) un foudre
(tonneau) un foudre
parafoudre
wagon-foudre
moudre
émoudre
remoudre
il/une POUDRE
il (se) dépoudre
il saupoudre
coton-poudre
absoudre
dissoudre
résoudre

assonances
513. OURDE
528. OUTRE
490. OUFRE
531. OUVRE

contre-assonances
469. ONDRE
104. ANDRE
346. INDRE

Il écrivait des vers à la machine à **coudre**…
Les tic-tac du réveil entrouvraient dans le temps
de petits entonnoirs où il plantait les dents.
Au bout du trou coulait une sorte de **poudre**.

Les rimes défilaient, faciles à **résoudre**…
Bon poète ! sa nuit s'ouvrait sur des étangs
où son âme à moteur puisait, préexistants,
des grains de rêve bleus impossibles à **moudre**.

Thieri Foulc, « Un bon poète »,
Whâââh

Cet éclair qui m'a fait t'entrevoir
Dans le clair et l'obscur de la **foudre** ;
Qui m'a fait t'aimer sans m'y **résoudre**
Et t'a fait l'amour sans le savoir ;

Ce frisson qui nous réduit en **poudre** ;
Cet appel fait de non-recevoir ;
Cet adieu qui n'est qu'un au revoir ;
Ce destin dont l'instant doit **découdre**

Francis Lalanne, « Cet éclair »,
Le Roman d'Arcanie

On grandit dans les eaux, comme une fleur qui ***s'ouvre***
On sent parmi la mer ses lèvres se **dissoudre**,
Ses mains s'***étendre***, et sa chevelure qui fond,
Comme un flot dans l'onde ou comme un long rayon
On se sent une chose immense et qui respire…

Charles Van Lerberghe, « Du fond des eaux, qui nous appelle ? »,
La Chanson d'Ève

Une victoire de Samothrace
Une défaite de sa maîtresse
Neuf neveux de Sam atroces
Un gramme de sel à **moudre**
Un groom, deux ***salamandres***

François Dufrêne, cité par Dominique Noguez
in *L'Arc-en-ciel des humours.* Chap. VI

❐ *490 [Ayguesparse] ; 494 [Corbière] ; 514 [Fondane]*

488. OUFE-OUF°

ÉTOUFFE

(soulagement) (un) **ouf**!°
(fou, verlan) (un) ouf°
(à l'œil, Alg) à ouf°
(il gonfle) il bouffe
(il bâfre) la/il bouffe
opéra **bouffe**
(il épie, arg.) il choufe
(guet, arg.) un chouf°
(panier ; bêtise, rég.)
une couffe
(Robert) Surcouf°
(cuite, Belg.) une doufe
(étouffant, Belg.) douf°
chadouf°
(chiffon, rég.) une fouffe
(prison, arg.) le gn(i)ouf°
(porc, Belg.)
un gnouf-gnouf

un/e **pignouf°/e**
(fou, arg.) (un/e) **louf°/e**
(pet, arg.) un louf°/fe
(il pète, arg.) il lou(f)fe
(allumette, arg.)
une a(l)louf°
(un) plouf!°
(Mouffetard, arg.) la Mouffe
(gifle, rég.) une talmoufe
(drogue, arg.)
la (s)chnouf°/fe
(il se drogue, arg.)
il (se) (s)chnouffe
(il rit) il **pouffe**
(poufiasse, arg.) une pouf°/fe
(chute) pouf!°
(siège) un pouf°
(au hasard, Belg.) à pouf°
(chute) patapouf!°
(gros) un patapouf°
(il s'essoufle) il s'épouffe

Ce très-hilare monsieur **Rouff**
connaît les endroits où l'on **bouffe**.
Puis drapé dans son **Waterproof**
ce très-hilare monsieur **Rouff**
a porté sans même dire : « **Ouf** ! »
à l'*Hydrargyre* un roman **bouffe**.
Ce très-hilare Monsieur **Rouff**
connaît les endroits où l'on **bouffe !**

Georges Fourest, « Autres chers maîtres »,
Le Géranium ovipare

Quand y parle de s'barrer
Sa mère lui dit qu'il est **louf'**
Qu'il est même pas marié
Qu'ses gonzesses sont des **pouf'**

Renaud, « La Mère à Titi »,
Le Temps des noyaux

☞

OUFE-OUF°

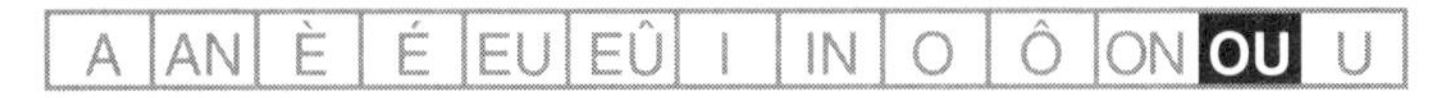

(cabine) un roof°/rouf°
(fessée, rég.) une rouffe
(vacarme, arg.) du barouf°
il/une **esbrouffe**
(à la hâte, Belg.) rouf-rouf°

waterproof°
(anus, arg.) le trouf°
touffe
il ÉTOUFFE

Fait à fait qu'elle tape à **pouf***
Elle te laisse ***paf*** elle est **roufrouf****
Elle prend n'importe quel **pignouf**
Elle joue soldat pas le temps de dire **ouf**
Elle passe la loque à r'loqueter
Sur l'humanité

Julos Beaucarne, « La Mort belge ou Festival du belgicisme »,
Mon terroir c'est les galaxies

* À mesure qu'elle tape au hasard
** Elle te laisse interdit, elle est pressée

Le monde est continuelle image, création
Le monde du néant s'éloigne à chaque ***souffle***
Le monde est inventé du Verbe rose et blond
Beauté cachée que la sueur n'**étouffe**

Pierre Jean Jouve, « Art poétique »,
Hymne in *Poésie* II

En ce moment même la nuit d'automne s'est dépliée.
Entre les trottoirs et les toits doucement elle s'***étoffe***,
elle enveloppe les pas, les voix elle les **étouffe**…

Jacques Réda, « Représentation de Jean Follain »,
Premier livre des reconnaissances

assonances
489. OUFLE
490. OUFRE

contre-assonances
218. EUF
13. AFE

❐ 121.0 [Lamarche]

489. OUFLE

SOUFFLE
PANTOUFLE

(milan ; cerf-volant)
un écoufle
(huilier) une guédoufle
(bouffi, rég.) boudoufle
(gant) une **moufle**
(poulie ; four) un/e moufle
(moelleux, rég.) moufle
il **camoufle**
(lampe, arg.) une camoufle
panoufle
(cabine, rouf)) un roufle
(rouflaquette, arg.)
une roufle
(vacarme, arg.) du baroufle
(fripon) un **maroufle**
(colle) il/une maroufle
il/un SOUFFLE
il essoufle
il **boursoufle**
il/une PANTOUFLE
il **emmitoufle**
(misère, arg.) la **mistoufle**
il époustoufle

Bonjour, ô mignonne **pantoufle**,
Dont l'hôte est encor plus mignon.
Ma bottine a bien du guignon !
Telle, auprès d'un gant, une **moufle**.

Regarde ! on dirait un **maroufle**,
Quelque grand et gros Bourguignon,
Près d'une fille d'Avignon
Svelte et légère comme un **souffle**.

Jean Richepin, « Sonnet madrigal »,
Les Caresses

Spécialiste de la **mistoufle**
Émigrant qui pisse aux visas
Aventurier de la **pantoufle**
Sous la table du Nirvana

Léo Ferré, « Poète… vos papiers ! »,
Poète… vos papiers !

Et je dirai : « Voilà la chambre où tu te plus,
Et voici le miroir qui ne te verras plus,
La table d'acajou, le canapé, le **pouf, le**
Tabouret où le soir tu posais ta **pantoufle**.

Tristan Derème, « Quand tu m'auras quitté… »,
La Verdure dorée. XV

Reviens sur mon cœur, et tais-toi. Laisse hurler mon cœur, ce chien !

S'il hurle, c'est qu'il t'aime bien. Crains plutôt ses petits abois.

Ça vous a comme ça des **souffles** à vous faire croire qu'il ***souffre***.

Paul Fort, « Cœur parlant »,
Ballades du beau hasard

assonances
490. OUFRE
488. OUFE

contre-assonances
470. ONFLE
272. IFLE

❐ 456.10 [Jarry]
488 [Jouve]

490. OUFRE

GOUFFRE
SOUFFRE

(bougre) (un) bouffre!
GOUFFRE
il engouffre
(matière) il/le soufre
(souffrir) il SOUFFRE
il ensoufre

assonances
489. OUFLE
531. OUVRE
487. OUDRE

contre-assonances
15. AFRE
372. OFRE
440. AUFRE

Le poétique **engouffre** et s'**engouffre** en son **gouffre**.
On ne retrouve rien que l'indifférencié.
Et qui s'avise là d'aller mettre le pied,
Il trouve le silence et la mort, il en **souffre**.

Il est des locutions qui dites par des **bouffres**
Semblent solides comme un rocher avarié.
Mais langage de brute ou langage châtié,
Il ne peut que brûler de la rime, du **soufre**.

Claude Ernoult, « Le poétique engouffre... »,
Six sots sonnets et autres textes rimés

Si ***toute route*** mène au **gouffre**,
pourquoi éviter, ô Impair,
l'huître sauvage que l'on ***ouvre***
avec un couteau de chair ?

Benjamin Fondane, « HE »,
L'Exode in *Le Mal des fantômes*

Toute la journée en houppelande de **soufre**
Usant ses doigts de feu à la voûte des Fagnes
Un orage d'été forlongeait la campagne
Et brûlait les buissons d'armoise de sa ***foudre***

Albert Ayguesparse, « Le temps des rossignols »,
Encre couleur de sang in *Œuvre poétique*

Quelque chose qui luit – quelque chose qui **souffre**,
Voilé ;
Et ce qui se refuse, auprès de ce qui s'***offre*** ;
Et Nadir ténébreux sous Zénith étoilé.

Robert de Montesquiou, « Corda »,
Les Chauves-souris. CIX

❐ 489 [Fort]

491. OUFTE-OUFT°

sans qu'il moufte
Tanezrouft°

assonances
488. OUF-E
489. OUFLE

contre-assonances
16. AFT-E
274. IFT-E

492. OUGE

ROUGE

où je
(il remue) il **bouge**
(boui-boui) un **bouge**
(bouillir) bous-je?
il rembouge
dé/re/couds-je?
(il fouille) il fouge
(foutre) fous-je?
m'en contrefous-je?
(fille facile) une **gouge**
(outil) il/un **gouge**
(Olympe de) Gouges
(aussitôt, arg.)
en moins de jouge
mous-je?
(le) ROUGE
carouge
(un) infra-rouge

Un accordéon, dans un **bouge**,
Rythmait, sur un air entraînant,
La rengaine : « C'est toi, ma **gouge** ! »
Que le Grand Paul aux cheveux **rouges**
Fredonnait, en tourbillonnant,
Avec la Gina de **Montrouge**.

Francis Carco, « Un accordéon, dans un bouge... »,
Mortefontaine

Prince et princesse, allez, élus,
En triomphe par la route **où je**
Trime d'ornières en talus.
Mais moi, je vois la vie en **rouge**.

Paul Verlaine, « Ballade de la vie en rouge »,
Parallèlement

☞

OUGE

la Croix-Rouge
le Croissant-Rouge
(il pense, rég.) il brouge
Armée rouge
les Aiguilles-Rouges
place Rouge
fleuve Rouge
le Moulin-Rouge
le Bassin rouge
(un/e) peau-rouge
Montrouge
le Petit Chaperon rouge
mer Rouge
(misère, rég.) la pétouge
vouge

Les assassins portent des armes **rouges**
Où l'œil du peintre est noyé dans le sang.
Et qui boira le vin noir dans les **bouges**,

Si ce n'est moi, le témoin aux cent ***bouches***
Sans une oreille épaisse qui l'entend
Pour arrêter le poing d'ombre qui **bouge** ?

Robert Sabatier, « L'Autophage »,
L'Oiseau de demain

Saint-Jean verveine à travers la couronne **rouge**
nul jamais plus ne bondira nul ne verra
ni l'œil-de-fumée ni l'œil-de-buis n'entendra
en aucune année les flammes du plus long ***jour***

Jacques Roubaud, « Saint-Jean mil neuf cent trente neuf »,
∈

Quel est ce vinaigre **rouge**
qu'on verse sur cette ***éponge*** ?
Quel est ce ***juge*** qui ***songe***
devant ce fléau qui **bouge** ?

Pierre Gamarra, « Sainte Face »,
Romances de Garonne

assonances	*contre-assonances*
484. OUCHE	*471. ONGE*
524. OUSE	*105. ANGE*
530. OUVE	*441. AUGE*

❒ *524 [Jammes] ; 530 [Marteau] ; 105 [Thiry]*

493. OUGNE

(bougnat, arg.) un bougne
(bosse, rég.) une bougne
(il pleure, rég.) il chougne
(il griffonne, rég.) il griffougne
(lesbienne, arg.) une gougne
(souillon, rég.) il/une sangougne
(il remue, rég.) il gigougne
(il saisit, arg.) il argougne
(balourd, Belg.) lougne
(gitan, rég.) un/e cacaramougne
(il griffe, rég.) il escarrougne
(il tiraille, rég.) il tirougne
(il se gave, rég.) il s'entougne
(lessive, arg.) il/la lavougne

Petit-Bénef qui rêve en **crougne**,
Petit-Bénef de Mont Lulu,
L'argousine qui fait **loulougne**
Branquignote ton cumulu.

Paul Colinet, « La berceuse du Petit-Bénef »,
Œuvres. I

assonance	*contre-assonance*
503. OUNE	*376. OGNE*

❒

494. OUGRE

BOUGRE

(un) BOUGRE
lougre

Un petit navire, un **lougre**,
Une galère sur l'eau.
Bougre !
Je crois que c'est un bateau.

Robert Mélot du Dy, « Toi, dans ton petit navire… »,
Diableries

Jésus queu boss d' rir' ! – Timonier, barr' dessous…
Feu tribord, aval' ça ! tout le mond', casse-cou !
Et les Bretons aussi ! – Attrape à en ***découdre*** ! –
Et v'lan ! v'là leur volé* (bonn' Vierg', queu drôl's de **bougres** !)

Tristan Corbière, « La Balancelle »,
Poèmes retrouvés

* licence poétique

assonances	*contre-assonances*
487. OUDRE	*377. OGRE*
531. OUVRE	*473. ONGRE*
516. OURGUE	*143. ÈGRE*

❒ *516 [Brasillach] ; 528 [Brassens]*

495. OUGUE-OUG°

FOUGUE
JOUG°

La Hougue
le Boug°
(ardeur) la FOUGUE
(mât) une fougue
JOUG°
Zoug°
(dorade, Alg.) un bazoug°

assonances
509. OUQUE
492. OUGE

contre-assonances
548. UGUE
378. OGUE

Quel poing cyclopéen, dites, ô roches noires,
Pourra briser la Dent de Morcle en vos mâchoires ?
Quel assembleur de bœufs pourra forger un **joug**
Qui du pic de Glaris aille au piton de **Zoug** ?

Victor Hugo, « Le régiment du baron Madruce » 3,
La Légende des siècles, 1re série

Notre nation mercenaire,
Propre à baiser le cul du ***bouc***,
A ployé le col sous le **joug**
De cet Amant patibulaire…

Paul Scarron, « Réflexions politiques et morales »,
Poésies diverses. II

Il croit en l'air trop vif et respire sa **fougue**,
Il ***fugue*** sur un air, sombrant il croit qu'il ***vogue***
Et au seuil du néant multiplie son entrain.

A. Saint-Amand, « Le vers qui roulé par la vague … »,
La Leçon d'Otilia

❒

496. OUILLE-OUIL°

GRENOUILLE
ROUILLE

(douleur) **ouille**!
(il remplit) il ouille
(charbon) la **houille**

(bouillir) qu'il **bouille**
(hotte) une bouille
(tête) une bonne bouille
(il gaffe, arg.) il gabouille
il écrabouille
il/une carambouille
tambouille
il **scribouille**
(naïf) un **gribouille**
(il griffonne) il gribouille
pot-bouille
la/il **barbouille**
il (s') embarbouille
il (se) débarbouille
bourbouille

il mâchouille
il crachouille

une/des **couille(s)**
(importun, arg.)
(un/e) casse-couilles
(époux, arg.)
un porte-couilles

(cartouche) une **douille**
(il paie, arg.) il douille
(cheveux, arg.) des douilles
il/la gadouille
andouille
(bander peu, arg.)
il bandouille
(traînasse, arg.) il glandouille

il pendouille
(niais) (un/e) niquedouille
(il balbutie) il bredouille
rentrer **bredouille**
il bidouille
(ventre, arg.) la berdouille
(cafouiller) une/il merdouille

il déhouille

(recherche) il/une **fouille**
(poche, arg.) une fouille
il affouille
(il bredouille) il **bafouille**
(lettre, arg.) une bafouille
il cafouille
(il voit, arg.) il gafouille
(il empoche, arg.) il enfouille
il refouille
il trifouille
il **farfouille**

(mare, Suisse) une gouille
il/une magouille
(tourbillon, rég.) un ragouil°
(il s'étrangle, rég.)
il s'estrangouille
il zigouille
il/une **gargouille**

une/il **mouille**
(fesses, arg.) des mouilles
(vulve, arg.) la cramouille
La Trémoille
il remouille
pattemouille

(niais) (une) nouille
(pâtes) des **nouilles**
(Jean) Anouilh°
(sot, arg.) une panouille
fenouil°

Que vous m'embarrassez avec votre **grenouille**,
Qui traîne à ses talons le doux mot d' hypocras !
Je hais des bouts-rimés le puéril fatras,
Et tiens qu'il vaudrait mieux filer une **quenouille**.

La gloire du bel air n'a rien qui me **chatouille** ;
Vous m'assommez l'esprit avec un gros plâtras ;
Et je tiens heureux ceux qui sont morts à Coutras,
Voyant tout le papier qu'en sonnets on **barbouille**.

Molière, « Bouts-rimés commandés sur le bel air »,
Œuvres

J'ignorais tout, alors, du yéti, des nanas
Je ramassais un coquillage ou une **douille**
Surpris que mon butin me fit traiter d'**andouille**
J'avalais des couleuvres, des tranches d'ananas

Il m'arrivait de jouer de l'ocarina
Après le crispant passage de la **patrouille**
Caché sous un saule ou derrière des cannas
C'était la guerre : générale était la **trouille**

Marc Pietri, « 336 pieds en deux sonnets
pour délasser les miens » I,
Le Château de la Reine Blanche

Car tout ce qui **grouille**,
Grenouille,
Scribouille,
Cela n'a aucune importance,
Cela n'a aucune importance.
[…]
Mais tout ce qui **brouille**,
Embrouille,
Pétouille,
Cela n'a aucune importance,
Cela n'a aucune importance.

Et tout ce qui **souille**,
Verrouille,
Bafouille,
Cela n'a aucune importance,
Cela n'a aucune importance.
[…]
Et tout ce qui **pouille**,
Chatouille,
Gazouille,
Cela n'a aucune importance,
Cela n'a aucune importance.

Raymond Lévesque, « Grenouille »,
Chansons in *Quand les hommes vivront d'amour…*

☞

OUILLE-OUIL°

il s'**agenouille**
quenouille
une GRENOUILLE
(il magouille) il grenouille
homme-grenouille
(monnaie, arg.) la monouille
cornouille

(Italie) la/les Pouille(s)
(il reproche) il pouille
(reproches) des pouilles
des papouilles
(guenille, rég.) une frapouille
(il pue, arg.) il tapouille
(récoltes) des empouilles
il épouille
il/une **dépouille**
fripouille
(hâter, rég.) il s'aspouille
(racaille, rég.)
de la raspouille
(laver, arg.)
il se décraspouille

il/la ROUILLE
il/une **brouille**
il/une **embrouille**
la/il (se) **débrouille**
(fâcherie, Belg.)
une bisbrouille
(arabe, inj., arg.) un crouille
(soldes, arg.) la drouille
il/une **vadrouille**
il dérouille
(il ferme) il verrouille
(horizontale)
épée en verrouil°
il déverrouille
(il pullule) il **grouille**
(il se hâte) il se dé/grouille
antirouille
trouille
il/une **patrouille**
(pieuvre, rég.) une satrouille

(il se vautre) il se ventrouille
citrouille
(il étonne, arg.)
il épastrouille
(il ennuie, arg.)
il embistrouille

une/il **souille**
(il radote, rég.) il bassouille
(saleté, arg.) la crassouille
(il barbote, rég.)
il sassouille
(voyou, arg.)
il s'/(un/e) arsouille

il **gazouille**
il vasouille
(paysan, arg.)
un/e pedzouille
(il baise, arg.) il baisouille

(il remue) il touille
(requin, rég.) une touille
il **chatouille**
des chatouilles
il patouille
il se dépatouille
il tripatouille
(raclée) il/une tatouille
ratatouille
(maladie, arg.) la chtouille
(il tarde, Suisse) il pétouille
(poisse, arg.) la pestouille
(café alcoolisé, rég.)
la bistouille
(blague, Belg.)
une carabistouille
(misère, arg.) la mistouille
(il cuisine, Belg.) il fristouille
(il murmure, rég.)
il moustouille

(idiot, rég.) une favouille
(il barbote, rég.) il gavouille

Vous voici désormais parmi tant de **dépouilles**,
Entre le mauvais juif et le mauvais chrétien.
Ils sont tous deux vos fils et se font des **embrouilles**.
Mais quand on avait tout, personne n'avait rien.

Vous voici désormais entre tant de **fripouilles**,
Entre le mauvais juif et le mauvais chrétien.
Ils sont tous deux pareils et se cherchent des **brouilles**.
Mais quand on avait tout, personne n'avait rien. [...]

Ils se querelleront pour des mines de **houilles**.
Ils se querelleront les quatre fers d'un chien.
Ils se querelleront des caves et des **fouilles**.
Mais quand on avait tout, nul ne querellait rien.

Charles Péguy,
Ève, p. 995

c'est un spectacle atroce que tout cet humus qui **grouille**
et ne se reproduit que pour encor se dévorer
pourtant cela fascine et nous voudrions toujours durer
et ne pas quitter cette orgie de mort et cette ***foule***

William Cliff, « C'est un spectacle atroce... »,
Autobiographie. 3

J'ai quitté le village où sous le blanc ***soleil***
les géraniums se **rouillent** ;
où sous sa ***feuille*** rude et velue, la **citrouille**
s'endort sous l'ombre bleue aux siestes de la ***treille***.

Francis Jammes, « Le poète et l'oiseau » scène I,
Le Deuil des Primevères

Pique nique **pouille**
Nique pique **rouille**,
J'ai vu la **grenouille**
Manger une **nouille**
Sur un chou-navet.

...J'ai vu la **gargouille**
Filer la **quenouille**
De mère Piquet.
... Je t'ai vu **gribouille**
Grenouille, **gargouille**,
C'est toi qui y es.

Maurice Carême, « Pique nique pouille »,
[passim] *Pomme de reinette*

assonance
498. OUL-E

contre-assonances
24. AIL-LE
145. EIL-LE

❐ 435.21 [Onffroy]
24 [Romains]

497. OULD°-OULDE

(Bénédict/Achille) Fould°
(Glenn) Gould°
(Chester) Gould°
(chanson de Roland)
Théroulde

Wladimir noble grand duc
– bien caduc ! –
Adresse de son pupitre
Mainte épître
Non pas – à quoi bon ? – aux **Fould** *,
Mais aux **Gould** ** !

Marcel Proust, « Hélas seul de tant d'illustres Ducs et rustres... »,
Poèmes

* banquiers ** millionnaire américain

assonances
486. OUD-E
497. OUL-E

contre-assonances
382. OLD-E
282. ILD-E

❐

498. OULE-OUL°

FOULE

houle
Raoul°
(ébéniste) Boulle
(meuble) (un) boulle
(logicien) Boole
(sphère)il/une **boule**
(boulevard, arg.) un boul'°
(il donne, arg.) il aboule
Kaboul°
(un/e) **maboul°/e**
(allée, rég.) il/une traboule
(il s'habille, arg.) il se saboule
il chamboule
(il rouspète, rég.)
il ramboule
Stamboul°/Istanbul°
il blackboule
il (s') éboule
il tourneboule
il déboule
passe-boule(s)
(...des yeux) il riboule
(fête, arg.) une riboule
(plante) la ciboule
(tête, arg.) une ciboule
le hibou bouboule
La Bourboule
(vêtement) une coule
(couler) il **coule**
(averti) à la coule
(relax) cool°
baba cool°
il **écoule**
il **découle**
Machecoul°
(il choie, rég.) il coucoule
(il se blottit, rég.)
il s'acoucoule
il **roucoule**
(chapeau, arg.) un doul°/e
redoul°
Séoul°
(monde) la FOULE
(il piétine) il **foule**
(poker) un full°
il (se) défoule
il refoule
(il pleurniche, rég.) il gnoule
(inj.) un bougnoul°/e
goule
(il profère, arg.)
il dé/bagoule
(capuchon) **cagoule**
(extrême droite) la Cagoule
il encagoule
(il avale, arg.) il engoule
barigoule
farigoule

(chatouilles, rég.)
des pessigoules
(le) vogoul°/e
il ioule
(il pleure, rég.) il pioule
fuel°/fioul°
le Frioul°
la Sioule
joule
(il se bat, rég.) il s'estrijoule
kilojoule
(modèle) il/un **moule**
(mollusque) une moule
(moudre) qu'il moule
(avoir peur, arg.)
avoir les moules
(un/e) tamoul°/e
il remmoule
(émoudre) qu'il émoule
il démoule
il remoule
(remoudre) qu'il remoule
semoule
(il se blottit, rég.)
il se groumoule
il se vermoule
il/un surmoule
saint Arnoul°
(cocotte) ma/une **poule**
(enjeu) une poule
(police, arg.) la poule
(groupe) un pool°
ampoule
picpoul°
push-pull°
pied-de-poule
nid-de-poule
cul-de-poule
poupoule
Liverpool°
(il déplace) il **roule**
(tronc) un roule
(il dévale, rég.) il débaroule
il **enroule**
(il s'affaisse) il **croule**
(chasse) la croule
il s'**écroule**
Béroul°
il **déroule**
(il crie, rég.) il groûle
(il s'accroupit, rég.)
il s'agroule
il/se/être saoule/**soûle**
pays de Soule
(musique) (le) soul°
il dessaoule/dessoûle
Mossoul°
Vesoul°
Toul°
capitoul°
lambswool°

Elle a perdu l'honneur, et elle est **soûle**.
On l'a jetée avec son rêve mort
Sur les pavés, ombre qui cherche encor
L'ombre d'hier, à tâtons, dans la **foule**.

Un océan d'écueils noirs, une **houle**
De récifs blancs, cruels, et sur le bord
De la marine incertaine, sans port,
Immense, un œil la regarde qui **coule**.

André Salmon, « Le souffrez-vous, étoiles ? »,
Les Étoiles dans l'encrier

C'est l'heure où les robes s'**écroulent**,
Où les cuisses, le ventre rond,
Un sourire sous la **cagoule**,
Les hanches, la ***croupe*** qui **roule**
Vigne promise au vigneron,
Au bain de la nuit qui s'**écoule**
S'abandonnent dans les baisers
Et s'irritent pour s'apaiser.

Robert Desnos, « Hors du manteau... »,
Calixto

Perron d'amour où sommeillent les **poules** !
Jardin doré de vert où le jour **coule** !
Portail fendu d'azur, orné de **boules** !
Toit du grenier où le pigeon **roucoule** !
Oh ! Dites-moi quel est le pays **où le**
bonheur existe et où rien ne le ***trouble*** ?

Francis Jammes, « Jean de Noarrieu » chant troisième,
Le Triomphe de la vie in *Œuvre poétique complète*. I

Le Klan le Klan la **cagoule** [...]
Autour de nous le sang **coule** [...]
À la morgue il y a **foule** [...]
Relax baby be **cool**

Le Klan le Klan la **cagoule** [...]
Tout le monde il est **maboul** [...]
Tous les cons sont fait au **moule** [...]
Relax baby be **cool**

Serge Gainsbourg, « Relax baby be cool »,
Dernières nouvelles des étoiles

Je t'emmènerai voir **Liverpool**
Et ses guirlandes de haddock
Et des pays où y'a des **poules**
Qui chantent aussi haut que les coqs

Pierre Perret, « Mon p'tit loup »,
Chansons de toute une vie

Par les sillages des chemins, la **foule**,
Par les sillages des villages, la **foule houle**
Et dans les cours, les chiens de garde ***ululent***.

– Une ***meule*** qui ***brûle*** ! –

Émile Verhaeren, « Les meules qui brûlent »,
Les Villages illusoires

assonances
507. OUPE
508. OUPLE

contre-assonances
223. EUL-E
381. OL-E
549. UL-E

❐ 121.12 [Richepin] ; 121.21 [Levet]
223 [Romains]

499. OULPE

POULPE

battre sa **coulpe**
POULPE

Trop tard pour battre ta **coulpe**
et dire Je me repens
tu sais bien que tu descends
que tu descends vers les **poulpes**

Ludovic Janvier, « La Mer à boire »,
La Mer à boire

Il y a des aquariums
où ne plongent que les **poulpes**
dont la nage de médiums
allume l'ombre à la ***loupe***.

Jean-Claude Renard, « Dans la feuillée du fablier » 3,
in *La Nouvelle Guirlande de Julie*

peuple (peut-il ne plus être **poulpe** ?).

Michel Leiris, « Peuple »,
Langage tangage ou ce que les mots me disent

assonances
507. OUPE
508. OUPLE

contre-assonances
554. ULPE
31. ALPE

❐

500. OULQUE

houlque
(oiseau) la foulque
(prélat) Foulque(s)
(prénom) Foulques
(comtes) Foulques
(corps de cosaques) un poulque

Faut-il fouler la **foulque**
Ou bien huer la **houlque**
Unir les ***ploucs*** aux **poulques**
Le pape aux comtes **Foulques**
Car on finira **Fou(lc)**

Fou(lc) tant qu'on se **foule**, **qu'**
On refoule en **foule, q**
Ue l'on se **défoule, que**
L'on s'**archicontrefout le**
Cassis de rime en **oulque**

Fou(lc) à polker le ***folk*** –
O Rainer Maria ***Rilke*** –
Un jour fol où je ***calque***
Le dix janvier et ***quelques***
Ces vœux pour Thieri **Foulc**.

Armel Louis, « Vœux pour Thieri Foulc »

assonances
498. OULE
485. OUCLE
509. OUQUE

contre-assonances
32. ALQUE
384. OLK-E
555. ULQUE

❐

501. OULT°-OULTE

moult°
(compensation) une soulte
maréchal Soult°

Davout a résisté à droite contre **moult**
Autrichiens. Pour escalader le plateau, **Soult**
Et ses bonnets à poil mettront quinze minutes :
C'est vous dire, en un mot, l'âpreté de la lutte.

Christophe Barbier,
La guerre de l'Élysée n'aura pas lieu, acte III, scène 4

assonances
498. OUL-E
527. OUT-E

contre-assonances
557. ULT-E
390. OLT-E

502. OUM°-OUME

BOUM!°
(ça va) ça boume
(croissance) un boom°
(explosion) (un) BOUM!°
(surprise-partie) une boum°
badaboum!°
baby-boom°
surboum°

(il flaire, rég.) il choume
(il regarde, arg.) il choume
(Robert) Mitchum°
doum°
balle dum-dum°
(en rogne, rég.) il goume
(armée) un goum°
Bégum°
targum°

Déja deux heures que j'fais l'pet d'vant sa porte comme un **groom**
Elle manque pas d'air celle-là !
Je devais l'emmener souper dans un **grill-room**
En l'attendant je fais des vents des pets des **poums**
[...]
Saint-Tropez c'est rapé pour toi pauvre ***clown***
Elle t'a pété dans la main cette fille-là, **badaboum**
En l'attendant je fais des vents des pets des **poums**

☞

OUM°-OUME

le Fayoum°
(lin) afioume
le Karakoum°
le Kyzylkoum°
rahat-/**lo(u)koum**°
le Saloum°
(acier) un bloom°
(Léon) Blum°
(femme, arg.) une floume
(rustre, arg.) un ploum°
Bamoum°/Moum°
(chute ; pet) (un) poum!°
(chute amortie) patapoum!°
(français, arg.) un roum°
broum!°
(il vole, arg.) il chroume
(crédit, arg.) à/le croum°/e
(il s'endette, arg.)
il s'encroume

(il proteste, arg.) il groume
(d'hôtel) un **groom**°
(il bâcle, rég.) il agroume
dressing-room°
living-room°
grill-room°
show-room°
(bagarre, arg.)
du s(ch)proum!°
vroom°/**vroom**!°
Axoum°/Aksoum°
Oum Kalsoum°
(cinéma) il zoome
(cinéma) un zoom°
(zou!) zoum!°
pantoum°
Khartoum°
Paestum°

assonances
503. OUN-E
498. OUL-E

contre-assonances
559. UME
392. OM-E

Tiens, celui-là était pas mal du tout, il a fait **boum**
Et celui-ci il est parti comme une balle **doom-doom**
En l'attendant je fais des vents des pets des **poums** [...]

Tiens c'lui-ci était bien envoyé, il a fait **voom**
Et celui-là vlan, il a fait **vroom**
En l'attendant je fais des vents des pets des **poums**

> Serge Gainsbourg, « Des vents des pets des poums »,
> *Dernières nouvelles des étoiles*

J'suis venu un soir à ta **surboum**,
avec vingt-trois d'mes potes.
On a piétiné tes **loukoums**
avec nos bottes.

> Renaud, « Adieu minette »,
> *Le Temps des noyaux*

C'est le fruit d'une idylle éclose au Bal ***Wagram***,
Dancing que devant tous la soubrette ***allègre aime***.
Or, s'il rêva longtemps d'être comique-***grime***,
Il n'est rien aujourd'hui que le plus vieux des **grooms**
D'un hôtel de Valence, au pays des ***agrumes***.

> André Salmon, « Suerte »,
> *Vocalises*

❒ *224 [Roubaud]*

503. OUN°-OUNE

CLOWN°

(vulve ; chance, arg.)
la choune
(enfant, rég.)
(un/e) pitchoun°/e
(n. dép.) Cocoon°
(il choie, rég.) il coucoune
(catin, Can.) une guidoune
Ibn Khaldoun°
(veste) une doudoune
(seins, arg.) des doudounes
(vulve, arg.) une foufoune
Rangoon°
Shog(o)un°
l'Argoun°
(chanson, Can.) une quioune
Lou-Siun°
(il vrombit, rég.) il vioune
(cuite, Can.) une balloune
saloon°
CLOWN°
(Tahar) Ben Jelloun°
Kowloon°

(lune, angl.) moon°
(Alain) Mimoun°
simoun°
(poisse, arg.)
la **scoumoune**
(démon, Alg.) un djenoun°
(voyou, rég.) un capoun°
(...al-Rachid) Haroun°
le Cameroun°
(Knut) Hamsun°
(Suisse) Thoune
(chanson, Can.) une toune
(dent, arg.) une ratoune
(pantoum) un pantoun°
(tente, arg.) une guitoune
(guitare, arg.) une guitoune
(il piétine, rég.) il pitoune
(simplet, rég.) titoun°
(tout petit, rég.) petitoune
(il baisote, rég.) il poutoune
(petite grosse, Can.)
une tou/toune
cartoon°
(il tripote, rég.) il tastoune
Béhist(o)un°

assonances
502. OUME
498. OULE

contre-assonances
561. UNE
393. ONE

Aberdeen **Kowloon**
J'ai disjoncté je suis in the **moon***
À la recherche de ce pauvre **clown**
Qui m'a laissée
Aberdeen **Kowloon**
Je sens que je le retrouverai **soon****
Mais dans ma jonque je chante ***Gloom-***
Y Sunday
Aberdeen **Kowloon**
Je rêvais de notre **honey moon**
Lune de miel je sais que **vous n'**
Savez ce que c'est
Aberdeen **Kowloon**
J'ai fait refait tous les **lagoons**
T'es-tu noyé dans un **saloon**

> Serge Gainsbourg, « Aberdeen et Kowloon »,
> *Dernières nouvelles des étoiles*
>
> * dans la lune   ** bientôt

Quand il revient avec le printemps
Il a les poches ben bourrées d'argent,
Il prend un coup et avec une **guidoune**
Il vient chercher mon pèr' pour un' **balloune**.

> Raymond Lévesque, « La Famille »,
> *Quand les hommes vivront d'amour...*

Et tandis que l'oiseau lourd et merveilleux ***plane***,
Dans mon lit une fois encore je me ***tourne***,
Et comme au temps du vieil **Haroun**
Je rêve d'une fine princesse ***persane***
Aux yeux obliques de ***velours***.

> Tristan Klingsor, « L'Oiseau de bois »,
> *Humoresques*

❒ *519 [Souchon]*

504. OUND [und]

(Vilhelm) Ekelund
burial/mound
Dortmund
(Ezra) Pound
compound
round
background
underground
fox-hound

assonances
486. OUDE
505. OUNT

contre-assonances
165. END
296. IND

Ainsi coulent les jours les boxeurs et les belles filles
Voici longtemps j'étais au championnat d'Europe à **Dortmund**
Quand l'adroit Seiss ne fut battu que par un arbitre de pacotille
Et lorsque Olek champion de France s'effondra au septième
[**round**

Robert Goffin, « Faits divers pour la boxe »,
Le Versant noir

underground – dans les dessous, un tonnerre ***gronde***…

Michel Leiris, « Underground »,
Langage tangage ou ce que les mots me disent

❒

505. OUNG [uŋ]

Bandung
(Hans) Baldung
(Carl Gustav) Jung
(Edward) Young
(Lester) Young

l'Anneau du Nibelung
l'Aufklärung
chantoung/shant(o)ung
Mao Tsé-toung
(Hans) Hartung

assonances
502. OUN-E
495. OUG-UE

contre-assonances
296. ING [iŋ]
167. ENG [ɛŋ]

506. OUNT°-OUNTE

un discount°
il discounte
(avion, n. dép.) Viscount°

(cinéma, n. dép.)
Paramount°
Dortmund°

assonances
502. OUN-E
OUT-E

contre-assonances
169. ENT-E [ɛnt]
299. INT-E [int]

Sylvie, Hélène et l'autre Hélène et les Cassandres
Du bleu du ciel, et les dames des Alexandres
Que le Faust anglais fastueusement nomme ***paramours***
Et l'idéalité plane des corps images
Que firent, d'ombre et de rayons mêlant leurs plages,
Naître au mur du fond des grottes les **paramounts**.

Marcel Thiry, « Où Lénore et Sylvie »,
Le Festin d'attente

❒

507. OUPE-OUP°

COUPE
TROUPE
SOUPE

(touffe) une **houppe**
(hop!) et houp!°
Riquet à la houpe
Betty Boop°
(vase) une COUPE
(tranche) une/il **coupe**
une/il **découpe**
coupe-coupe
une/il recoupe
il entrecoupe
soucoupe
une/il surcoupe
scoop°
(il écime) il éhoupe

youp!°
(optique) une **loupe**
(il rate) il loupe
il/une **chaloupe**
(infidélité, arg.)
un galoup°/e
la **Guadeloupe**
(gorgée, rég.) un gloup°
touloupe
il/une entourloupe
sloop°
(il boit, arg.) il schnoupe
poupe
(redingote) une roupe
(testicules, arg.) des roupes
(poil) la taroupe
(derrière) en/une **croupe**
(maladie) un croup°
(famille) Krupp°
(réunion) il/un **groupe**

À la santé du rire ! Et j'élève ma **coupe**,
Et je bois follement comme un rapin joyeux.
Ô le rire ! Ha ! ha! ha! qui met la flamme aux yeux,
Ce vaisseau d'or qui glisse avec l'amour en **poupe** !

Vogue pour la gaîté de **Riquet à la Houppe** !
En bons bossus joufflus gouaillons pour le mieux.
Que les bruits du cristal éveille nos aïeux
Du grand sommeil de pierre où s'entasse leur **groupe**.

Émile Nelligan, « Banquet macabre »,
Poésies complètes

Nous vînmes. C'est nus
Qu'on vint pour des **soupes**,
Goulus, saugrenus
La famine en **croupe**.

On vint pour des **soupes**
Qu'on eut et qu'on but,
Pleine des rebuts
Que jettent les **troupes**.

Géo Norge, « La Soupe »,
Le Gros Gibier

☞

OUPE-OUP°

(sac postal) un group°
il dégroupe
il **regroupe**
sous-groupe
intergroupe

TROUPE
il **attroupe**
il/une SOUPE
il/une **étoupe**
presse-étoupe

Je sais pourtant que tu n'as rien
De l'intrépide sauvagesse
À la chevelure d'**étoupe**
Qu'un cocotier a prise en **croupe**

Accompagnée d'une singesse :
Ton front de nacre qui s'***empourpre***
Imprégné des plus divins sels,

Mis par le vent du large en **poupe**
Sur l'immensité se **découpe**
Enluminure de missel.

Alfred Dupont, « Si le soleil magicien… »,
Le Jeu de Bruges et de la Mer

Et les lunes luisaient dans l'ombre des ***échopes***
Et vers la ville où vaquaient sombres les **touloupes**
Il existait la cave à tuer les tsarines.

Marcel Thiry, « Ekaterinbourg »,
Vie poésie in *Toi qui pâlis au nom de Vancouver…*

assonances
508. OUPLE
520. OURPRE

contre-assonances
562. UPE
394. OPE

❐ *508 [La Tour du Pin] ; 499 [Renard]*

508. OUPLE

COUPLE
SOUPLE

il/une/un COUPLE
une/il **accouple**
il désaccouple
il découple
thermocouple
SOUPLE
ensouple

Vipère affreuse harmonise tes nœuds
Ferme la ***boucle*** – ou méandrez en **couple** :
Deux corps sans chaleur sont rien qu'armes **souples**
Tracé de l'être à son pic vénéneux.

Olivier Larronde, « Vipère affreuse… »,
Rien voilà l'ordre

Simple, de mon être ***double***,
duo royal couronné,
je suis le seul et le **couple**
aux rêveries en carré.

Géo Libbrecht, « Simple, de mon être double »,
Vêtu de ciel in *Poésie*

Je sortais lentement.
Je fus pris dans un beau vent **souple**,
Chaud comme un naseau de jument
Et velouté comme sa ***croupe***.

Patrice de La Tour du Pin, « Amphise »,
Quatrième livre in *Une Somme de poésie.* I

assonances
483. OUBLE
489. OUFLE
498. OULE
507. OUPE

contre-assonances
98. AMPLE
339. IMPLE
302. IPLE
563. UPLE

❐ *485 [Sabatier]*

509. OUQUE-OUC°

BOUC°

(Robert) Hooke
(plante) une houque
(bête ; barbiche) BOUC°
(bookmaker) book°
il embouque
Pernambouc°
flock-book°

stud-book°
herd-book°
il débouque
chibouque/chibouk°
press-book°
(billot) un chouque
(ivre, rég.) tchouc°
(train) tchouc! tchouc!
(pain d'épice) une couque
(James) Cook°

Ma voix les bercera dans des berceaux de passe
Niche-toi mon copain et perches-y ton **bouc**
Moi le berger perdu qui renifle la trace
De mes brebis rasées de frais pour le **new look**

Léo Ferré, « Écoute-moi »,
La mauvaise graine

☞

OUQUE-OUC°

agence Cook°
Panckoucke
haïdouc°/haïdouk°
fondouk°
Mard(o)uk°
(allure) un **look**°
(il regarde, arg.) il louque
felouque
mamel(o)uk°
il relooke
Shilluk°/Chillouk°
new-look°
(Faustin) Soulouque
(un/e) **plouc**°
kalmouk°/e
Norodom Sihanouk°
chinook°
(indicateur, arg.) un pouc°

(sac, rég.) une pouque
(Peter) Brook°
(fossé) un brook°
Hazebrouck°
Malbrough°
Van Ruysbroek°
Innsbruck°
clérouque
Ourouk°
(il rame) il souque
(bazar) un **souk**°
nanzouk°/nansouk°
(il baisote, rég.) il bisouque
bachi-bouzouk°
Mourzouk°
(fût) touque
(fleuve) la Touques

assonances
495. OUG-UE
485. OUCLE
500. OULQUE

contre-assonances
44. AQUE-AC
176. ÈQUE-EC
306. IQUE-IC

Les p'tits babas, les Lubérons et les **ploucs**
Piégés dans le rêve aux tifs trop longs
Le vieux **look**

Alain Souchon, « Lennon Kaput valse »,
C'est déjà tout ça

Adonc le bon rythm'eu de mes vers classiques
entraîne mon stylo patapoum ***patapoum***
et ma cervelle vid'eu s'écoule en musique
exprimant ma cervelle (et ***ad infinitum***)…

Car je suis un métro (euh ?), mon rail ***électrique***
n'empêche pas mes roues de cogner leur **tchouk-tchouk** ;
car je suis un camion (euh ?), mes pneus ***nostalgiques***
ne quittent pas d'un poil la piste de **Mourzouk**.

Thieri Foulc, « Du rythme »,
Whâââh

Ithaque tac tac
Ithique tic tic
Ithouque touc touc.

Pourquoi pas ?

Jean Sénac, « Chant Barbare »,
Dérisions et Vertige

❒ *485 [Tardieu] ; 495 [Scarron]*

510. OUR-OURE°

JOUR
AMOUR

(estrade) un hourd
(cité) Our
giaour
(il remplit) la/il bourre°
(en retard) à la bourre°
(flic, arg.) un bourre°
(village) un **bourg**
(colons) les Boers
Cabourg
un **labour**
il laboure°
(il emplit) il embourre°
Hambourg
(bois) calambour
(jeu de mots) **calembour**
topinambour
(n. dép.) une Kronenbourg
(il remplit) il rembourre°
(rendez-vous, arg.) un rembour/re°
(pommier) un rambour
tambour
(pays ; ville) Luxembourg
jardin du Luxembourg
(Rosa) Luxemburg
il ébourre°
(il vide) il débourre°
(dépenses) des débours

(képi ; flic, arg.) un kébour
(Allemagne) le Brandebourg
(galon) brandebourg
(le)/à **rebours**
tire-bourre°
(pêle-mêle, rég.) fourre-bourre
(ville) Fribourg
(fromage) un fribourg
Édimbourg
Oldenbourg
(Belgique) le Limbourg
(Georges) Limbour
le Mecklembourg
(Ilya) Ehrenbourg
faubourg
La Tour Maubourg
Combourg
Cherbourg
Strasbourg
maison de Habsbourg
Presbourg
Augsbourg
(Serge) Gainsbourg
Saint-Pétersbourg
Salzbourg
(il vole, arg.) il choure°
(courir) qu'il coure°
chasse à courre°
(du roi ; d'école) la **cour**
(d'eau ; leçon) un **cours**
(avenue) un cours
(petit) **court**

Poète de la vie, entends d'un jeune élève
La voix jaillir par ***cœur*** et vibrer dans la **cour**.
Une touffe d'espoirs devant ses yeux se lève.
Les sols, les eaux, les ciels, toute la Terre **accourt**.

Voici le printemps rire au germe de la fève
Et la brise attiser la braise au seuil du **four**.
Leur instinct a guidé les vagues vers la grève…
Ô signes sur le sable… ô chemins… ô **séjour** !

Entends la juste voix d'un homme, qui s'élève
Alors que la sagesse aggrave son **amour** ;
D'un tendre et très vieux chant le refrain le soulève.
La nature a fleuri le christ au **carrefour**.

Belle sylve que pâme une ivresse de sève !
Vigne vierge embrassant la ruine d'une **tour** !
L'iris clair des choucas fixerait-il un rêve ?
Labeur, on met à vif la glèbe du **labour**.

Henri Pichette, « Ode au laboureur »,
Odes à chacun (éd. définitive)

Ce qu'il faudrait de simplicité : peu de **jours**,
Le soir, les buissons de grande aubépine **autour**
D'une fleur de luzerne, un cheval un peu **lourd**,
Une caille, la ***couleur*** d'ombre des **labours.**
Le soir et le silence ordonnent l'ombre **pour**
Que les arbres soient beaux et grands **pour** le **retour**…
Où périt ce pays ? mais il revient **toujours** ;
Il brille dans le ***cœur*** et l'espérance **accourt**
Cœur battant, ah ! perdue dans la grange et les **cours** !

James Sacré, « Ce qu'il faudrait de simplicité… »,
Ancrits

☞

OUR-OURE°

(courir) il **court**
(de tennis) un court
qu'il accoure°
il **accourt**
ultracourt
(encourir) qu'il encoure°
(finance)
un encours/en-cours
(encourir) il encourt
Clignancourt
Senancour
avant-cour
décours
laisser-courre°
qu'il recoure°
je/un recours
arrière-cour
qu'il secoure°
je/un **secours**
basse-cour
Caulaincourt
Azincourt
qu'il concoure°
je/un concours
les frères Goncourt
qu'il parcoure°
je/un **parcours**
qu'il discoure°
je/un **discours**

Adour
(joli, arg.) badour
troubadour
cavalcadour
(médicament)
un mastigadour
(commune) Rocamadour
(fromage) un rocamadour
style/la **Pompadour**
Oradour
(soldat) un pandour

(il met) il fourre°
(housse, Suisse)
une fourre°
(fourneau) un **four**
cul-de-four
carrefour
petit(-)four
chaufour
le Darfour

(engourdi) gourd
(se tromper) il se gou(r)re°
(lac ; rég.) un gour
(buttes) des gour
ouïg(h)our
kieselgu(h)r

brachyoure°
Collioure°

JOUR
il ajoure°
un ajour
abat-jour
les Cent-Jours
séjour
belle-de-jour

contre-jour
demi-jour
bonjour
toujours
bonheur-du-jour

(musique) il/une loure°
(pesant) **lourd**
(un) balourd
(chaleur, rég.) la calour
velours
passe-velours
Saint-Flour
(un) mi-lourd

(Thomas) Moore°
(jeu) la mourre°
AMOUR
(fleuve) l'Amour
djebel Amour
(mal-aimé) le malamour
glamour
des mamours
il s'enamoure°/
s'énamoure°
(proxénète, arg.)
un paramour
désamour
saint-amour
(Jeanne) Seymour
duc de Nemours
Du Pont de Nemours
humour

(un) anoure°
les thysanoures°

(le) **pour**
Chahpour
Singapour
Jayp(o)ur/Jaipur
Yom Kipp(o)ur
Nipp(o)ur

la Ruhr
macroure°

(un) **sourd**
(sourdre) il sourd
Assour
(villages) des ksour
mont des Ksour

(il renverse, rég.) il toure°
(grive ; poisson) un tourd
(rotation ; ruse) un **tour**
(machine) un tour
(bâtiment) une **tour**
(ville) Tours
des **atours**
(Georges de) La Tour
(Quentin de) La Tour
(Henri) Fantin-Latour
Château-Latour
tour à tour
il **entoure°**
(abords) les entours
kommandantur
à l'entour

Peut-être pourrions-nous nous aimer, ma petite,
Et goûter le bonheur charmant d'un tendre **amour** ;
Mais il faut des brillants, des chapeaux **Pompadour**,
Et des mets truffés dans ce monde sybarite.

Si je dis que je t'aime et que mon cœur palpite
Quand je baise ta gorge au gracieux **contour**
Hélas ! je ne suis pas un banquier de **Hambourg**
Et tu me répondras : *que tu t'en bats l'orbite*.

Jean Moréas, « À Maggy »,
in *Les Poètes du Chat Noir*

on voudrait habiter la maison près des fraises
dans les plants de bardane et les **topinambours**
l'on pourrait y rêver comme on arrive au **bourg**
c'est inutile la main qui pèse ne pèse
jamais assez ni l'aurore avec ses **tambours**

et s'il fallait qu'un ange traverse à **rebours**
nos livres et le temps son aile en pure perte
laisserait des couleurs sur la page entrouverte.

Bertrand Degott, « On voudrait quelquefois »,
Éboulements et taillis. V, 6

accordez-moi d'être sans être dans cette ronde des **vautours**
qui tourne sur la chair démantelée de nos ***candeurs***
accordez-moi la paix de vivre comme on ***dort***
pour n'être pas un chien parmi leur chasse à **courre**.

Jean Pérol, « Chasse à courre »,
Pouvoir de l'ombre

Va chez le turc et le so*phi*
Muse, et dis, de Tyr à Ca*lis*
Que, malgré la ligue d'**Augsbourg**,
Monseigneur a pris **PHILISBOURG**.

Tu pourras jurer : « Par ma *fi*,
C'est le digne héritier des *Lis*.
Comment diable ! il prend comme un **bourg**
L'inexpugnable **PHILISBOURG** ! » *

Jean de La Fontaine, « Vers à la manière de Neufgermain,
sur la prise de Philisbourg »,
in *Poésies diverses*

* rime syllabique : soPHI + caLIS + augsBOURG = PHILISBOURG

cf. 214.12 et 481.11 [Neufgermain] ; 1.5 [Voiture] ; 224 [Roubaud] ; 435.19 [Collectif]

❒ 24 [Carême] ; 139 [Laforgue] ; 59 [Baudelaire] ; 258.8 [Estang]

alentour
les alentours
(détourage) il détoure°
un **détour**
Grégoire de Tours
retour
non-retour
compte-tours
demi-tour
(auprès) **autour**
(rapace) un autour
vautour

contour
pourtour
(berger) un/e pastour/e°

Cavour
(Charles) Aznavour
bravoure°
il **savoure°**

assonances
498. OUL-E
487. OUDRE
531. OUVRE

contre-assonances
567. UR-E
401. OR-E
228. EUR-E

511. OURBE

COURBE

bourbe
il (s') **embourbe**
il désembourbe
il débourbe
il/(une) COURBE
Lecourbe
il recourbe
contre-courbe
il/(un/e) **fourbe**
(tourbière) il/la **tourbe**
(populace) la **tourbe**
(misère, arg.) la chtourbe
(causer des ennuis, arg.)
il enchtourbe
(il dérange, rég.) il détourbe

Vous voici désormais dans ***toute*** cette **tourbe**,
Entre le mauvais riche et le mauvais larron,
Entre le mauvais fils et le mauvais baron,
Vous voici désormais dans ***toute*** cette **bourbe**.

Vous voici désormais dans toute cette fange.
Vous voici désormais dans l'oblique et le **courbe**.
Vous voici désormais dans le faux et le **fourbe**.
Vous voici désormais dans la ***bourse*** et le change.

Charles Péguy,
Ève, p. 995

Danseuse pétrifiée oiseau en apparence
Je rends ce corps obscur à l'or tendre des ***sources***
Un arbre monte en ce vide éveillé, il ploie
Ses branchages feuillus sous ma poitrine **courbe**

Pierre Garnier, « Le Voyageur » I,
Les Armes de la terre

Foyer double, – deux étoiles unies
Conjuguant les dessins fraternels de leurs **courbes**
Et, par le double accord en feston de leurs ***orbes***,
Allant vers l'innommé des destinées…

Marcel Thiry, « Soient vos pieds »,
La Mer de la Tranquillité

D'autres périssoires sont là.
D'autres nouvelles que celles de ces journaux de **tourbe**
Où Vénus balafrée **tourb**
Illonne et vient claquer entre tes doigts.

Jean Sénac, « Passage truqué »,
Dérisions et Vertige

assonances	*contre-assonances*
513. OURDE	*568. URBE*
522. OURSE	*402. ORBE*
531. OUVRE	*46. ARBE*

❒ *47 [Cocteau]*

512. OURCHE

FOURCHE

(raccourci, rég.)
une escourche
il/une FOURCHE
il affourche
(carrefour, rég.)
une cafourche
il **enfourche**
(il furète, rég.) il revourche

Il est lubrique de la ***bouche***
sa langue **fourche**
il a un ceveu dechu

Christian Prigent, « Histoire des actions »,
Peep-show, p. 50

C'est un homme, là, qui ***marche***,
Puis un homme, puis un homme.
Mon regard comme une **fourche**
Tient une gerbe de corps.

Ils vivent, ils vont, ils ***cherchent*** ;
Je vois leurs murs et leurs portes.

Jules Romains,
Un être en marche. IV

assonances	*contre-assonances*
484. OUCHE	*48. ARCHE*
522. OURSE	*179. ERCHE*
515. OURGE	*403. ORCHE*

❒

513. OURDE

LOURDE
SOURDE

(il s'enivre, arg.) il s'ourde
(il maçonne) il hourde
bourde
lambourde
(engourdie) **gourde**
(flacon) une **gourde**
(niaise) (une) gourde
(monnaie) une gourde
(potiron, rég.) une cougourde
(il écoute, arg.) il esgourde
(oreilles, arg.) des **esgourdes**
(pesante) LOURDE
(porte, arg.) une lourde
(il licencie, arg.) il lourde
(ville) **Lourdes**
(une) balourde
il débalourde
(fagot, rég.) une falourde
palourde
(il ouvre, arg.) il délourde
(fausse pierre ; leurre) une happelourde
(anémone) une coquelourde
lampourde
(une) SOURDE
(sourdre) qu'il **sourde**
tourde
(rendez-vous, arg.) un vourde

assonances
511. OURBE
523. OURTE
522. OURSE

contre-assonances
50. ARDE
404. ORDE
569. URDE
181. ERDE

La chair a beau crier : l'Angoisse est **lourde**.
Et l'Ange a beau gémir : il est lié.
Qui suis-je ? En quelles paumes oublié ?
Mer repliée au creux de la **palourde**.

Es-tu ici, prière ? Ô grande **sourde** !
Je crie. Le monde me revient crié.
Rien ! Rien que ce sanglot du temps nié
où pèse des soleils la masse **gourde.**

Benjamin Fondane, « La chair a beau crier… »,
L'Exode in *Le Mal des fantômes*

Ô corde-de-pendu de la Planète **lourde** !
Accord éolien hantant l'oreille **sourde** !
– Beau Conteur à dormir debout : conte ta **bourde** ?…
SOMMEIL ! – Foyer de ceux dont morte est la **falourde** !

Tristan Corbière, « Litanie du sommeil »,
Les Amours jaunes

J'ai envie d'être pierre
En éternité **sourde**
Je coule je jaillis
Je suis mer vent et ***poudre***

Mouloudji, « Pays de ma tête »,
Complaintes

Or la ville affaireuse où se font gloutonner
Les homards, les caviars, les pommards, les **palourdes**,
Où l'asphalte, usé de pneus d'or, est jalonné
De fontaines de bock et de Places ***Poulardes***…

Marcel Thiry, « Anabase Platane » II,
Trois longs regrets du lis des champs

❐ *514 [Fondane]*

514. OURDRE

sourdre
(grive, rég.) le/la tourdre

assonances
487. OUDRE
513. OURDE
520. OURPRE

contre-assonances
405. ORDRE
182. ERDRE
51. ARDRE

Je dompte, de mon foie obtenu cathédrale,
de mes poumons venus les orphéons du râle,
de mon derme toujours griffé des désaccords
du double avec le double et de l'asthme et du corps,
la pierre, l'eau, le dur, et le muge, et le **tourdre**,
le ciel prêt à tomber, l'enfer qui voudrait **sourdre**…

Jacques Audiberti, « La sereine accourue… »,
La Pluie sur les boulevards

quelle femme qui me suivrait à l'hôtel
pour dix minutes de caresses ***sourdes*** ?
J'ai tant de vie en moi qui voudrait **sourdre**,
tant de moulins à vent qui voudraient ***moudre***
– j'espérais un pays de choses minérales,
dois-je porter mon nom comme une enseigne usée
de vieille auberge médusée ?

Benjamin Fondane, « Les paysages vus dans les caisses des mers… »,
Ulysse in *Le Mal des fantômes*

❐ *520 [Mikhaël]*

515. OURGE

BOURGES
COURGE

(bourgeois, arg.) (un/e) bourge
(ville) BOURGES
(Élémir) Bourges
une COURGE
(+comp.) (courir) où **cours-je**?
(il nettoie, rég.) il foumourge
(grive, rég.) un tourge
(il bave, rég.) il bavourge

assonances
492. OUGE
522. OURSE
512. OURCHE

contre-assonances
571. URGE
408. ORGE
184. ERGE

Où **cours-je** ?
Dit la **courge**.
Et la neige :
Où vais-je ?

À **Bourges**,
En Norvège.
La petite et la grande ***ourse***
nous y mènent en calège.

Jean-Clarence Lambert, « Appel »,
Le Noir de l'azur

Les dames, les fleurs, les **courges**
Se partagent les émois
De Monsieur Élémir **Bourges**
En Seine-et-Marne, à Samois.

Stéphane Mallarmé, « Littérateurs » XXVI dans « Les Loisirs de la poste »,
Vers de circonstance

❐

516. OURGUE-URG°

(sou, arg.) un bourgue
(château fort) un **burg**°
(Fribourg) Freiburg°
Hamburg°
Limburg°
Oldenburg°
maréchal Hindenburg°
Mecklemburg°
Johannesburg°
Pressburg°

Doesburg°
Augsburg°
(Ratisbonne) Regensburg°
Salzburg°
château de Wartburg°
(Walther von) Wartburg°
(cruche, rég.) dourgue
(il vend) un-e/il **fourgue**
(Michel) Mourgues

assonances
494. OUGRE
495. OUG-UE

contre-assonances
410. ORG-UE
572. URG-UE [yrg]

Quelle muse à rimer en tous lieux disposée
Oserait approcher des bords du Zuiderzée ?
Comment en vers heureux assiéger **Doësbourg***,
Zutphen, Wageninghen, Harderwic, **Knotzembourg*** ?
Il n'est fort, entre ceux que tu prends par centaines,
Qui ne puisse arrêter un rimeur six semaines :
Et partout sur le Whal, ainsi que sur le Leck,
Le vers est en déroute, et le poète à sec.

Nicolas Boileau, « Épître » IV,
Épîtres

* francisé en [ur] ou prononcé [urg]

Bons prisonniers, pauvres bons ***bougres***
Par mille en tas dans les pontons,
Nous regardions passer les **burgs**,
Les usines et les donjons,
Nous voguions vers Brême ou **Hambourg**,
Le ventre creux et le dos rond.

Robert Brasillach, « Arrivée au camp »,
Poèmes de Fresnes

❐

517. OURLE

il **ourle**
(il mugit, rég.) il bourle
(juron, rég.) fan de chichourle!
le Vidourle

assonances
498. OULE
518. OURNE
483. OUBLE

contre-assonances
56. ARLE
187. ERLE
573. URLE

Sois lumineuse et résignée,
Rafraîchis le pied qui te ***foule*** ;
Souris au soleil hostile, **ourle**
Les rosaces des araignées…

Charles Guérin, « Sois pure comme la rosée… »,
Le Cœur Solitaire. XLVIII

❐

518. OURME-URM°

GOURME

(il vole, arg.) il chourme
(il renifle, rég.)
il enchourme
(fromage, rég.) la fourme
(maladie) la gourme
jeter sa GOURME
(il bride un cheval) il gourme
(il [se] bat) il (se) gourme
chiourme
garde-chiourme
(Johannes) Sturm°
Der Sturm°
landsturm°

assonances
503. OUNE
510. OUR-E
519. OURNE

contre-assonances
57. ARME
188. ERME
412. ORME

« Je suis le méchant **garde-chiourme**
qui des braves gens est honni
je suis ***gourmand***, je suis ***gourmet***
de la douleur des prisonniers.

– Je suis l'indulgent **garde-chiourme**
ces garçons-là… des assassins ?
Non ! des jeunes qui jettent leur **gourme**
ou des tempéraments malsains ! »

Max Jacob, « La Geôlière »,
Actualités éternelles

Tout l'équipage est au pied de la **chiourme** :
On crie, on pleure, on sanglote, on se **gourme** :
– *Meâ culpâ* ! mon père ! mon mignon !
Ce n'est pas moi ! c'était mon compagnon !

Alexis Piron, « Le Moine défroqué »,
Contes in *Œuvres.* VIII

Coqs d'Écosse aux rougeoyantes crêtes
Jetant leur **gourme**,
Brochets volants aux piquantes arêtes,
Éclats de flammes et de fonte,
C'est un feu d'artifice en plein ***jour***,
C'est un orage dans l'air pur ;
Tout claque et ***tourne***…

Tristan Klingsor, « Est-ce un triangle de cigognes dans le ciel »,
Jean de Hodan. XL

❐

519. OURNE

TOURNE

Libourne
Melbourne
Eastbourne
(il se terre, rég.)
il se racafourne
(il se blottit, rég.)
il s'encafourne
il **enfourne**
il défourne
(journée, arg.) une journe
il **ajourne**
il **séjourne**
il TOURNE
(altération) la tourne
(il pare) il atourne
(gifle, rég.) une chatourne
il chantourne
il **détourne**
une/il **retourne**
il **contourne**
il bistourne
il/une ristourne
Livourne

Sous ce large peuplier par trois fois trois je **tourne**,
J'y bâtis un autel de trois fois trois gazons,
J'y apporte du feu de trois fois trois tisons,
Et trois fois trois grillons pour y brûler j'**ajourne** :

Par trois fois trois encor y verser je **retourne**
Trois fois trois pots de lait, trois fois trois poils grisons
Je croise tout autour, trois fois trois oraisons
Par trois fois trois encor barboter j'y **contourne**.

Salomon Certon, « M »,
Premier alphabet lipogrammatique in *Vers lipogrammes*

J'ai mon fémur ! j'ai mon fémur ! j'ai mon fémur !
C'est cela que depuis quarante ans je **bistourne**
Sur le bord de ma chaise aimée en noyer dur ;
L'impression du bois ***pour toujours*** y **séjourne**…

Arthur Rimbaud, « La Plainte du vieillard monarchiste »,
Œuvres complètes

Regardez-les souffrir, comme un esclave **tourne**
La meule et suit
L'orbe sans terme où le pas aveugle erre **pour ne**
Choir qu'à la nuit…

Yves-Gérard Le Dantec, « Nénie »,
Ouranos

Manivelle **tourne** un drôle de ***cartoon***
Manivelle **tourne** mais c'est ma vraie vie qui **tourne**
……

OURNE

Manivelle **tourne** combien d'années encore
Manivelle **tourne** déjà j'aime plus mon corps

Alain Souchon, « Manivelle »,
C'est déjà tout ça

La matière se fait ***terne***,
la forme est répétitive
puisqu'il n'est de pires ***sourds***
que nous sous nos interdits.
À peine le corps se **tourne***

Jacques Jouet, « Le bon rêve »,
Le Chantier

* rime berrychonne : TeRNE + sOUrds = TOURNE

assonances
503. OUNE
513. OURDE

contre-assonances
575. URNE
413. ORNE
189. ERNE

❐ *503 & 518 [Klingsor]*

520. OURPRE

POURPRE

le/la/être POURPRE
il (s') empourpre

Le ciel, ce soir, est un rideau de fière **pourpre**
Et d'or féroce et d'orageuses broderies.
Écoute ! au delà des champs on entend ***sourdre***
Je ne sais quel bruit de magiques cavaleries.

Ephraïm Mikhaël, « Le ciel, ce soir… »,
Poèmes en vers et en prose

Tu vomis le feu par ta bouche
minuit livré aux furies **pourpres**
étincelles remous de mouches
lèvres d'enfer qui se ferment et qui s'***ouvrent***

Jean Cayrol, « Cantique du feu »,
Larmes publiques in *Œuvre poétique*

L'orgueil t'***accoutre***
Comme un vêtement ;
Le mensonge te fait mentir à toi-même – tu mens !
La colère t'**empourpre**,
Maintenant !

Francis Vielé-Griffin, « Phocas le jardinier »,
Deuxième tableau

assonances
507. OUPE
528. OUTRE
531. OUVRE
514. OURDRE

❐ *507 [Dupont]*

521. OURQUE-OURQ°

(navire) une hourque
canal de/l'Ourcq°
(sou, arg.) un bourque
(cruche, rég.) une dourque
(chapelet d'oignons, rég.) un fourc°

Entre les peupliers, brillez encore, **lourds**
Casques* roulés sanglants aux rivages de l'**Ourcq**,
Emportant sous les eaux disertes qui varient
La gloire et l'avenir de la cavalerie.

Jacques Réda, « L'Ourcq »,
Hors les murs

* rime enjambée

Et nous nous resterons sur la terre
Qui est quelquefois si jolie
Avec ses mystères de ***New York***
Et puis ses mystères de Paris
Qui valent bien celui de la Trinité
Avec son petit canal de l'**Ourcq**

Jacques Prévert, « Pater Noster »,
Paroles

assonances
516. OURGUE-URG
509. OUQUE-OUC
500. OULQUE

contre-assonances
414. ORQUE-ORK
60. ARQUE-ARC
577. URQUE-URC

❐

522. OURSE

COURSE
SOURCE

(rivière) l'Ource
une **ourse**
(un) ours°
grand lac de l'Ours°
chaource
(porte-monnaie) **bourse**
(marché public) la **Bourse**
(il encaisse) il embourse
il rembourse
il débourse
(voleur) coupe-bourse
(revêche) rebourse
il/une COURSE
(galerie) une accource
(il poursuit, rég.) il accourse
à mi-course
la **Grande Ourse**
(il harcèle, rég.) il pidource
nounours
(parce que) (...que) pour ce
SOURCE
radiosource
il (se)/une **ressource**
la Petite Ourse

Tu es née, à minuit, du baiser de deux **sources**,
Alceste, et l'univers ne t'offre que reflets,
Lueurs, lampe allumée au lointain, feux follets
Et dans le ciel les sept flambeaux de la **Grande Ourse**.

Il fait noir et, partant au signal de la **course**,
Tu ne soupçonnes pas que la nuit se soumet
Et se dissout quand le soleil, sur les sommets,
Par le chant des oiseaux répand l'or de sa **bourse**.

Robert Desnos, « La Nymphe Alceste »,
Contrée

Au moyen âge pour la femelle, ange ou **pource**,
Il fallait un gaillard de solide grément ;
Même un Kléber, d'après la culotte qui ment
Peut-être un peu, n'a pas dû manquer de **ressource**.

Arthur Rimbaud, « Les Anciens Animaux »,
Les Stupra

La Seine a de la chance
Elle n'a pas de soucis
Elle se la coule ***douce***
Le jour comme la nuit

Et elle sort de sa **source**
Tout doucement sans bruit
Et sans se faire de ***mousse***
Sans sortir de son lit

Jacques Prévert, « Aubervilliers : chanson de la Seine» III,
Spectacle

où sommes-nous depuis que la clarté tomba
(avec, dans notre sang, la fatigue des loups)
– à la recherche de quels ***commerces*** ?
– aux racines de quelles **sources** ?

Benjamin Fondane, « ...et l'Argentine... »,
Ulysse in *Le Mal des fantômes*

assonances	*contre-assonances*
525. OUSSE	*415. ORSE*
512. OURCHE	*61. ARSE*
515. OURGE	*192. ERSE*

❐ *511 [Garnier] ; 515 [Lambert]*

523. OURTE-OURT°

COURTE

yaourt°
COURTE
ultracourte
il écourte
Erfurt°
yog(h)ourt°
Touggourt°
iourte/yourte
l'Oust-Iourt°
col de la Schlucht°
les Oudmourtes
tourte

Vieux chambellan gâteux en culotte **courte**
Vous offrit, sur un plat d'argent, de la **tourte**,
Avec un madrigal suranné, Græfin...

Jean Moréas, « Bouquet à la Græfin »,
Les Syrtes

C'est ainsi dit-elle pour en finir une fois pour ***toutes***
Que j'ai dû saupoudrer un peu de cyanure dans son **yaourt**
Je ne suis pas rancunière monsieur croyez-le bien
Car je l'ai enterré moi-même et de mes propres mains

Pierre Perret, « Le bouillon de canard »,
Chansons de toute une vie

Derrière-toi on marche sur tes jeux brisés
On referme la ***porte***
Et les heures sont comptées
Mais la vie la plus **courte**
Est souvent la meilleure

René Guy Cadou, « La part de Dieu »,
Poésie la vie entière

assonances	*contre-assonances*
527 . OUTE	*417. ORTE*
528. OUTRE	*194. ERTE*

❐

524. OUSE-OUZ°

JALOUSE
ÉPOUSE

bouse
(tuer, arg.)
il ébouze/ébouse
arbouse
barbouze
pauchouse/pochouse
qu'il **couse**
(sac à main, arg.)
un sacouse
qu'il **découse**
qu'il recouse
(piqûre, arg.)
une piquouze/piquouse
(marque, arg.)
il/une marquouse
12/**douze**
(rivière) la Douze
Charles XII/Douze
72/soixante-douze
92/quatre-vingt-douze
(un) in-douze
(Naguib) Mahfouz°
(bague, arg.)
une bagouze/bagouse
(gluante, rég.) pégouse
(force, arg.) la vigouse
toungouze/toungouse
news°
(poche, arg.) une fouillouse
(une) **andalouse**
il/(une) JALOUSE
(il abandonne, arg.)
il mallouse
(il abandonne, arg.)
il valouse
(vêtement) il/une **blouse**
(billard)) il/une blouse
(musique) le **blues**
(fellagha, arg.)
un felouze/felouse
pelouse
(argent, arg.)
du flouze/flouse

(il pète, arg.) il flouse
Toulouse
farlouse
(rusée, arg.) marlouse
(perle, arg.)
une perlouze/perlouse
Mulhouse
Tamm(o)uz°
(limace, arg.) une limouse
(gifle, arg.)il/ une talmouse
(barbe, arg.)
une marmouse
(slip, arg.) une minouse
(il salit, rég.) il bernouse
(il pue, arg.) il tapouse
il/une ÉPOUSE
coépouse
(gare, arg.) une garouse
cambrouse
Elbrouz°
anacrouse
Pérouse
comte de La Pérouse
grouse
(prison, arg.)
une centrouse
(femme, arg.) une zouz°
(limonade, Alg.)
une gazouze
(beau, arg.) bathouse
(vente de tissus, arg.)
faire la batouse
(il regarde, arg.) il matouse
(homo, arg.)
une tantouze/tantouse
ventouse
(langue, arg.)
une languetouse
(argent, arg.) une galetouse
(La Villette, arg.)
la Villetouse
(cravate, arg.)
une cravetouse
il/une partouze/partouse
(affectueuse, rég.)
amistouse

assonances
524. OUSSE
492. OUGE

contre-assonances
581. USE
67. ASE

Le v'la parti… Les vers et les rimes s'**épousent** :
« Un, deux, trouès, quat', cinq, six, sept, huit, neuf, dix, onz', **douze** !
Agriculture et préfectur'… ; France et Vaillance !… »
Si ses rim's sont pas rich's, rich's, rich's : a' sont d'conv'nance !
Si ses vers n'ont pas d'aile, i's ont ben douze pieds !
Douz' pieds pour mieux sauter par-dessus vous souffrances

Gaston Couté, « Alcide Piédallu »,
La Chanson d'un gâs qu'a mal tourné. Volume 1

Hein ? tu me sens faiblir, déjà tu es l'**épouse** :
Ne t'ai-je pas souri deux matins en passant ?
Et tantôt, contre moi serrée, et m'embrassant,
N'as-tu pas dégrafé les crochets de ma **blouse** ?

Tes yeux chantent partout ta conquête **jalouse**.
Non, chère, tu veux rire. Éloigne-toi. Tu sens
Le son fade de l'auge et le lait surissant,
Et même quand tu sors de la plaine, la **bouse** !

Charles Boulen, « La pintade »,
Sonnets pour la Servante

Quand au ciel il arriva
L'Empire State il retrouva
Les anges lisaient le **Daily News**
En disant : Sacré Bon **Dious**…

Charles Trenet, « Grand'maman c'est New York »,
Tombé du ciel

Le poète et l'ami ***causent***. Une **pelouse**
entre deux hauts coteaux rend graves leurs pensées.
C'est l'heure où la palombe lisse aux pattes ***rouges***
choisit le chêne noir où son vol est bercé.

Francis Jammes, « L'Église habillée de feuilles » 22,
Clairières dans le Ciel

Un **blues** calibre **douze**
est braqué dans mes reins,
dans la banlieue de **Toulouse**
où j'attends mon destin. […]

« To **blues** or not to **blues** »,
telle était la question
d'un très vieux **blues** en ***dièse***,
en vrac et d'occasion.

Nino Ferrer, « L'homme qui a vu l'homme
qui a vu l'homme qui a vu le blues »,
Textes ?

❐ *199 [Verhaeren] ; 480 [Pichette]*

525. OUSSE-OUS°

DOUCE

(gaine) il/une **housse**
(il nettoie) il housse
(gros, arg.) ma(h)ous°/se
Mickey Mouse
(dehors!, arg.) raousse!
drap-house
il **éclabousse**
secousse
à la **rescousse**

couscous°
(une) DOUCE
taille-douce
aigre-douce
(d'ail) **gousse**
(lesbienne, arg.) gousse
gargousse
(pingre, rég.)
(un/e) rapaillousse
blousse
il **glousse**
(émoussé) mousse

Midi. C'est dans la cour ; j'écris : un fumier **glousse**,
Un chien jappe, un frelon rit, deux scieurs de long
Font un grincement brun sous un grincement blond :
Et c'est une harmonie étrange et pourtant **douce**.

Ce matin, – mes souliers sont encor verts de **mousse** –
J'ai couru par le bois en déclamant Villon ;
Et j'ai vu des terreurs blanches de papillon
Pour ma coiffe trouée et pour ma pipe **rousse**.

Germain Nouveau, « Midi. C'est dans la cour… »,
Premiers poèmes

☞

OUSSE-OUS°

(marin) un mousse
(écume) il/la **mousse**
(plante) une **mousse**
il (s') **émousse**
il se **trémousse**
pamplemousse
frimousse
(barbe, arg.)
une marmousse
Frayssinous°
burnous°
(doigt) un **pouce**
une/il **pousse**
quart-de-pouce
(regain) une/il repousse
(écarter) il **repousse**
pousse-pousse
lac Peïpous°
Tom Pouce
cyclopousse
vélopousse
(rouquine) (une) **rousse**
(police) la rousse
(beuverie) une ca(r)rousse
(gare, arg.) une garousse
(gosier, arg.)
la gargarousse

jarousse
(Pierre) Larousse
(n. dép.) un Larousse
la Croix-Rousse
(végétation) la **brousse**
(fromage, rég.) une brousse
cambrousse
(défricher, Afr.)
il débrousse
il rebrousse
taxi-brousse
Veracruz°
Santa-Cruz°
Barberousse
frousse
il (se) **courrouce**
(poche) une **trousse**
(il relève) il trousse
(poursuivre)
aux/à ses **trousses**
il **détrousse**
il **retrousse**
(tousser) il **tousse**
(tout) tous°
(lesbienne, arg.)
une gavousse

assonances
484. OUCHE
524. OUSE
522. OURSE

contre-assonances
583. USSE
201. ESSE
100. ANCE

Petit nègre dans la **brousse**
Jouant tam-tam et balafon
Pour à jamais chasser la **frousse**
Des visages de charbon,

Petit nègre, la lune est **rousse** :
Les cosmonautes vont roussir.
Leurs femmes ***courent*** à leurs **trousses**
Pour leur donner un élixir.

René de Obaldia, « Tam-tam et balafon »,
Innocentines

J'ai fait chibis. J'avais la **frousse**
Des préfectanciers de Pantin.
À Pantin, mince de potin !
On y connaît ma **gargarousse**,

Ma fiole, mon pif qui **retrousse**,
Mes calots de mec au gratin.
Après mon dernier barbotin
J'ai flasqué du poivre à la **rousse**.

Jean Richepin, « Autre sonnet bigorne » (argot moderne),
La Chanson des Gueux

Je ne vis plus que de citrons,
D'oranges et de **pamplemousses**.
Et quand je vois un négrillon
Qui s'est égaré dans la **brousse**,
Immobile comme une ***souche***,
J'écoute chanter les grillons.

Maurice Carême, « Le Vieil Alligator »,
Pigeon vole

Minerve pleure
sa dent de ***sagesse*** **pousse**
et la guerre ***recommence*** sans ***cesse***.

Jacques Prévert, « La Sagesse des nations »,
Histoires et d'autres histoires

❒ *522 [Prévert] ; 423 [Lapointe] ; 201 [Romains]*

526. OUSTE-OUST°

ouste!/**oust**!°
(dehors!, arg.) raouste!
(Johann) Fust°
Famagouste
langouste
(animal) **mangouste**
(fruit) mangouste
(il expulse, rég.)
il campouste
(râclée, arg.) une rouste
(Henri) Labrouste
(Marcel) **Proust**°
(il tape, arg.) il touste
monastère de Yuste

Mais à toi la **langouste**, ô **Proust**,
Marcel **Proust** à toi la **langouste** !
Dorgelès ? on va lui dire : « **Oust** ! »
Mais à toi la **langouste**, ô **Proust** !
Pour trouver une rime en **roust**
j'irais bien jusqu'à **Famagouste** :
mais à toi la **langouste**, ô **Proust**,
Marcel **Proust**, à toi la **langouste** !

Georges Fourest, « Quelques prix Goncourt »,
Le Géranium ovipare

Le jet d'eau boite ***éclabousse***
Un massif de bégonias
On dirait que dans l'herbe il y a
Des morceaux mouillés de **langouste**

Jean Cocteau, « Bégonias »,
Correspondance Cocteau/Apollinaire

☞

OUSTE-OUST

À l'ombre de la Chapelle Blanche
dans la jungle de fer de briques et de planches
Un charmeur au regard de **mangouste**
marchande un cobra
La bête ne fait pas un ***geste***

Jacques Prévert, « À l'ombre de la Chapelle Blanche »,
Charmes de Londres

assonances	*contre-assonances*
524. OUS-SE	*584. UST-E*
526. OUT-E	*202. EST-E*

❐

527. OUTE-OUT°

ROUTE

août°
out°
runabout°
black-out°
il lockoute/lock-oute°
un lockout°/lock-out°
(un) **knock-out°**
acting-out°
le Hadramaout°
(il sodomise, arg.)
il empapa(h)oute
raout°
il boute
il aboute
il raboute
(envoûter, Afr.) il maraboute
il (s') arc-boute
il éboute
il déboute
il reboute
(il soutient) il contre-boute
snow-boot°
(ma mignonne) ma choute
(tire ; drogue) il shoote
(tir ; drogue) un shoot°
il/une chouchoute
il caoutchoute
il **coûte**
(milice) tonton macoute
(il entend) une/il **écoute**
(cordage) une écoute
il réécoute
coûte que coûte
scout°/e
boy-scout°
il/sans/un **doute**
(il craint) il **redoute**
(fortin) une redoute
(n. dép.) La Redoute
(l') aléoute
(foutre) qu'il (s'en) **foute**
(sport) le foot°
qu'il se contrefoute
baby-foot°
(d'eau) il/une **goutte**
n'y voir goutte
(maladie) la goutte
(il savoure) il **goûte**
goutte à goutte
(appareil)
un goutte-à-goutte

(fillette, arg.)
marie-pisse-trois-gouttes
(plaire) il ragoûte
il égoutte
(il suinte) il dégoutte
(il répugne) il **dégoûte**
compte-gouttes
stilligoutte
il cailloute
voyoute
il/une **joute**
une/il **ajoute**
il rajoute
il surajoute
(fille, arg.) une loute
il cloute
il (se) **veloute**
il **glougloute**
il filoute
louloute
un **mammouth°**
(n. dép.) Mammouth°
(plouc, rég.)
un pique-moute
(rouquin, arg.)
(un/e) rouquemoute
Plymouth°
moumoute
vermout(h)°
Portsmouth°
(roi) Knut°
(fouet) un knout°
(tué, arg.) capout°
input
output
il/une ROUTE
maroute
grand'route
il **broute**
il/une **croûte**
il (s') encroûte
il écroûte
il/un **casse-croûte**
choucroute
Beyrouth°
il/une **déroute**
il ferroute
banqueroute
faire fausse route
(médecine)
une fausse-route
il **froufroute**
(pénis, arg.) une biroute
(un) railroute

De ce moment particulièrement
Lumineux, il ne restera sans **doute**
Qu'un souvenir assez faible étant
Donné l'enchevêtrement de la **route**
Et la ténuité des sentiments
Profonds, certes, mais somme **toute**
Bien malaisés à se définir quand
On songe que rien ne fut dit. J'**ajoute**
Que l'embarras des bagages, l'élan
Vers la sortie et les soudaines **gouttes**,
Les grosses gouttes, le pavé glissant
Ne permirent ni le signe ni l'**écoute**
D'un mot ! Donc, cet incroyable moment
Fut un regard. Et c'est la clé de **voûte**
De leur vie, un seul regard simplement
Dans une rencontre aussitôt **dissoute**…
Et voilà qu'ils mourront probablement
De ce regard de ciel et de **déroute**,
De ce regard particulièrement
Lumineux…

Géo Norge, « Lumineux… »,
Les Coq-à-l'âne

Descends. Là-haut l'éclair a clos ta **route**.
Chétif, entends rouler l'orage aux **voûtes**.
Rien n'est capable en toi de jouer nos **joutes**.
Bien tard ton cœur comprend ce qu'il en **coûte**.
Mon moindre ébat met ton âme en **déroute** :
Il faut t'enfuir. Ma ***botte***, Adam, te **boute**
Hors d'Éden, ***éclatante***.

Jean Grosjean, « L'Aire humaine »,
Majestés et passants

Seigneur, je me lèverai, j'écarterai les bras dans la brise.
L'azur aura la fragilité d'une vitre qui se brise.
Et l'ombre qui me poursuit sera sur la terre, une nuit d'**août**,
les bras en croix, les bras en croix, Seigneur, comme un boxeur
[**knock-out**.

Georges Garampon, « Confession de Barnaby Brough »,
Le Jeu et la chandelle

Il n'y avait rien,
rien que la poussière des **routes**,
rien que les routes de misère,
rien que des reines mortes clouées à des ***poutres***.

René Daumal, « L'Abandon »,
Le Contre-ciel

☞

OUTE-OUT°

arrow-root°
autoroute
(n. dép.) restoroute
pont-route
(pet) prout!
(se fâcher, arg.) il proute
soute
(une) absoute
dissoute
du **mazout°**
il dé/mazoute
résoute
toute
stout°
il (se)/une **voûte**
il envoûte
il désenvoûte

assonances
486. OUDE
523. OURTE
528. OUTRE

contre-assonances
586. UTE
113. ANTE
477; ONTE

Ils commandent deux **vermouths** :
Les spahis sont gastronomes
Et pour distraire le **raout**
Ils me parlent de **Beyrouth**
Et du grand sultan ***Mahmoud***.

Max Jacob, « Apéritif »,
Poèmes épars

Voyez le sang qui **dégoutte**,
Il est, il est en **déroute**,
Ce lâche et sobre Démon,
Et je veux bien qu'on me ***berne***,*
S'il n'en a dans le poumon.

Marc-Antoine Girard de Saint-Amant, « La Crevaille »,
Œuvres. II

* qu'on me foute (rime cryptée)

❐ 121.14 [Rostand]

528. OUTRE

OUTRE
FOUTRE

(récipient) une OUTRE
il/en/passer/**outre**
boutre
coutre
il (s') accoutre
(il répare, rég.) il raccoutre
du/se/FOUTRE!
jean-foutre
se contrefoutre
loutre
(de part en part)
d'outre en outre
poutre
le **Brahmapoutre**
bipoutre
(juif, inj.) (un/e) youtre

assonances
527. OUTE
494. OUGRE
523. OURTE

contre-assonances
453. AUTRE
256. EUTRE
478. ONTRE
327. ITRE

Quand Février s'amuse à défoncer ses **outres**
Et que, vingt jours de suite, il inonde, têtu,
Les prés sursaturés et les labours sans **coutres**,
Boiteuse et lasse accourt Dame Cache-Fétu.

Ô rivulet poussif, tes ponts n'ont qu'une **poutre**.
Trois cailloux libertins retroussent ta vertu,
Et tes berges jamais n'ont ensablé la **loutre**
Qui revient de la chasse, un moignon abattu.

Charles Boulen, « Ma Cache-Fétu »,
Sonnets pour la Servante

Je jette avec grâce mon **foutre**,
J'***empapaoute*** qui je veux !
Vous ne voulez pas ? Je passe **outre**
Et vous baiserai avant peu !
[...]
Il me manque une rime en **outre**...
J'en tire une par les cheveux :
Le Gange ni le **Brahmapoutre**,
Fleuves divins, ne feront que
Je renonce à planter mon nœud
Dans votre pertuis minuscule...

Pierre Gripari, « Ballade du duel »,
L'Enfer de poche

cf. 256 [Rostand]

Sans oublier les jarnicotons,
Les scrogneugneus et les bigre' et les ***bougre***',
Les saperlott's, les cré nom de nom,
Les peste, et pouah, ***diantre***, fichtre et **foutre**...

Georges Brassens, « La ronde des jurons »,
Poèmes et chansons

❐ *527 [Daumal] ; 520 [Vielé-Griffin] ; 207 [Perros]*

529. OUTSE-OUTZ°

(bottes) des boots°
(Dierick) Bouts°
kibboutz°
Vaduz°
(idiot, Alg.) cougoutse
(baiser, rég.) un chmoutse
(juif, arg.) (s)chmoutz°
(nettoyer, Suisse) il poutse

OUTSE-OUTZ°

assonances	*contre-assonances*
527. OUT-E	*78. ATZ*
525. OUS-SE	*208. ETS*
526. OUST-E	*328. TZ*

530. OUVE

LOUVE
TROUVE
RETROUVE

il **couve**
(il s'accroupit, rég.) il s'accouve
(fossé) **douve**
(ver) douve
(voyou, verl.) un youve
il interviewe
(Pierre Jean) Jouve
(loup) une LOUVE
(levier) il/une louve
flouve
(il bouge, Can.) il mouve
il **prouve**
il **approuve**
il désapprouve
il **éprouve**
il réprouve
il TROUVE
il RETROUVE

Dieu ! J'ai dit Dieu. Pourquoi ? Qui le voit ? Qui le **prouve** ?
C'est le vivant qu'on cherche et le cercueil qu'on **trouve**.

Victor Hugo, « L'Océan d'en haut » II,
Dieu

C'est de vous que j'ai pris l'ombre qui vous **éprouve**.
Qui s'égare en soi-même aussitôt me **retrouve**.
Dans l'obscur de la vie où se perd le regard,
Le temps travaille, la mort **couve**,
Une Parque y songe à l'écart.

Paul Valéry, « Le Philosophe et *La Jeune Parque* »,
Pièces diverses

Enfin, enfin je te **retrouve**
Toi qui n'avais jamais été
Qu'absente comme jeune **louve**
Où l'eau dormante au fond des **douves**
S'échappant au soleil d'été

Jean Ferrat, « C'est toujours la première fois »,
12 chansons

À quiconque a perdu ce qui ne se **retrouve**
Jamais ! jamais ! à ceux qui s'abreuvent de pleurs
Et tettent la Douleur comme une bonne **louve** ;
Aux maigres orphelins séchant comme des fleurs !

Charles Baudelaire, « Le Cygne » II,
Les Fleurs du Mal. LXXXIX

J'aime quand les grands ciels s'inclinent sur la **flouve**,
Et qu'il fait de la brise. On est en juin : l'air
Dans l'eau reproduit les nuages. Tout est clair :
On voit dans les cerisiers les cerises ***rouges***…

Robert Marteau, « J'aime quand les grands ciels… »,
Louange

sans fin je renverse mes ***rêves***
la neige s'envole au ciel
infiniment je la **retrouve**
avec ses ailes sauvages

Jean-Claude Pirotte, « Air de la neige et des miroirs »,
La Vallée de Misère

❒

assonances	*contre-assonances*
531. OUVRE	*454. AUVE*
492. OUGE	*234. EUVE*
488. OUFE	*209. ÈVE*

531. OUVRE

OUVRE

(ouvrir) il OUVRE
(ouvrer) il ouvre
il **couvre**
il **découvre**
il redécouvre
(recouvrir) il recouvre
(récupérer) il recouvre
Douvres
le **Louvre**

OK on se ***retrouve*** au quai
Au bistroquet du **Louvre**
Répète un perroquet de **Douvres**
Victime d'un hoquet
Qui lui fait dire OK
Dès que le bistrot **ouvre**

Roland Topor,
Pense-bêtes, p. 134

☞

OUVRE

(chêne) un **rouvre**
(rouvrir) il **rouvre**
il **entrouvre/entr'ouvre**
la Touvre

Jadis plus d'un amant, aux jardins de Bourgueil,
A gravé plus d'un nom dans l'écorce qu'il **ouvre**,
Et plus d'un cœur, sous l'or des hauts plafonds du **Louvre**,
À l'éclair d'un sourire a tressailli d'orgueil.

Qu'importe ? Rien n'a dit leur ivresse ou leur deuil ;
Ils gisent tout entiers entre quatre ais de **rouvre**
Et nul n'a disputé, sous l'herbe qui les **couvre**,
Leur inerte poussière à l'oubli du cercueil.

José-Maria de Heredia, « Sur le Livre des Amours
de Pierre de Ronsard »,
Les Trophées

À chaque flacon que j'**ouvre**
Une belle me saute au cou
Aussi vive qu'un coup de ***foudre***,
Mirage qui ressemble à vous.

Julos Beaucarne, « Anaïs »,
J'ai 20 ans de chansons

Alors je dépose le Vase, je **découvre**
La cendre encore incandescente, et c'est mon ***œuvre***
De faire, dans le soir, aux yeux las de l'armée,
Monter la fleur narrative de la fumée.

Marcel Thiry, « J'ai porté à travers vos batailles »,
Âges in *Toi qui pâlis au nom de Vancouver...*

assonances	*contre-assonances*
530. OUVE	*235. EUVRE*
490. OUFRE	*80. AVRE*
487. OUDRE	*210. ÈVRE*

❐ *490 [Fondane]*

532. OUXTE

(près de) jouxte
il jouxte

Jouxte les neiges éternelles
Nous verrons sans nul ***doute***
Le mois ***d'août*** en campanules

Georges-Emmanuel Clancier, « Chanson lunaire »,
Chansons sur porcelaine in *Le Paysan céleste*

assonances	*contre-assonances*
526. OUSTE	*212. EXTE*
527. OUTE	*332. XTE*

❐

533. ULF [ulf]

(Virginia) Woolf
Cynewulf
lai de Beowulf

assonances	*contre-assonances*
498. OUL-E	*153. ELFE*
488. OUF-E	*286. ILPHE*
489. OUFLE	*383. OLF-E*

534. UTSCH°-OUTCHE

(raie ; vulve, Alg.)
un/e tchoutche
(idiot, Alg.) (un/e) tchoutche
putsch°
(bigleux, Alg.) bisoutche

assonances	*contre-assonances*
484. OUCHE	*74. ATCH-E*
512. OURCHE	*324. ITCH-E*
527. OUTE	*426. OTCH-E*

535.0 U

(avoir) **eu/e°**
(cheval) **hue**!
(conspuer ; crier) il **hue°**
des us
(avoir) qu'il eût/il eut
(lettre) un U

Le chameau blatère
Et le hibou **hue**
Râle la panthère
Et craque la ***grue***

Serge Gainsbourg, « Sois belle et tais-toi »,
Dernières nouvelles des étoiles

Y'a des p'tits « **Hus** »
Y'a des gros « **Hus** »
Mais une chose qui s'est ***sue***
Et qui ne s'est jamais ***perdue***
C'est bien qu'il existe des « **Hus** ».
Il y en a qui sont ***joufflus***,
Des ***crochus***, ***touffus*** ou ***dodus***,
Ou d'autres qui ont des ***verrues***,
Mais la plupart seront ***poilus***.

Raymond Lévesque, « Le *Hu* »,
Chansons de cabaret
in *Quand les hommes vivront d'amour…*

sous-rimes voisines
535.1 AHU
535.13 OHU

contre-assonances
481.0 OU
244.0 EU

❐

535.1 AHU

CHAHUT

il **a eu**
bahut
CHAHUT
dahu
(tuer un complice, arg.)
escarper à la capahut
copahu
Ésaü
(boisson forte, arg.) du tahu
(cordage) cartahu

Quel **chahut**
On **a eu**
Pour déplacer le **bahut**
On en discutait encore
Lorsque soudain comme je l'avais ***prévu***
Dans un grand **chahut-bahut**
Le revoici qui traverse le plafond
Et tranche la discussion

Guy Béart, « Chahut-Bahut »,
Couleurs et Colères du temps

Des candidats au **copahu**,
Des jeun's genss' qui fait dans l'Commerce
Et qui s' sont dit : « Faut qu'on s'exerce
À la grand' noce, au grand **chahut** ! »

Jehan Rictus, « Songe-mensonge » I,
Les Soliloques du Pauvre

sous-rimes voisines
535.0 U
535.13 OHU

contre-assonances
481.1 AOU
456.1 AON

❐ *535.13 [Ferré]*

535.2 BU-BUE°

BU

(boire) BU/E°
(boire) il **but**
(boire) qu'il bût
(objectif) un **but**
abus
(un) chou **cabus**
(voile) il embue°
(terne) embu/e°
(sport) un en-but
il désembue

début
zébu
(reboire) rebu/e°
(reboire) il rebut
(déchet) un **rebut**
(impôt) un **tribut**
(clan) une tribu
il attribue°
un **attribut**
il rétribue°
il contribue°
il **distribue°**
il redistribue°

On a bonn' trogne
Quand on a **bu** :
Viv' la Pologne
Et l' Père **Ubu** !
Bu bu bu, bu bu bu !

Alfred Jarry, « Chanson polonaise »,
Ubu sur la butte, acte II, scène III

☞

BU-BUE°

imbu/e°
obus
il écobue°
(poisson) une barbue°
(barbe) (un/e) **barbu/e°**
(terre) une (h)erbue°
(herbe) **herbu/e°**
fourbu/e°
Mère/Père **Ubu**
urubu

La rime, l'ode et la sainte parole
font l'amour avec moi. Le mot **fourbu**
me sodomise encore : je suis folle,
de boire un livre que j'ai déjà **bu**.

Alain Bosquet, « Fille de ce poème… »,
Bourreaux et acrobates

Berger ! prends garde
Aux boucs **barbus** !
L'un d'eux regarde
Mes choux **cabus**.

Il ne musarde
Pour d'autres **buts**…
Ni ne s'attarde
À des **rebuts**…

Louis Roux, « Priape »,
Les Siècles d'Or

sous-rime voisine
535.14 PU-E

contre-assonance
481.2 BOU-E

❐ 144 [Hugo]

535.3 CHU-CHUE°

DÉCHU
chu/e°
il chut
qu'il chût
C.H.U.
(voûté, rég.) bachu/e°
moustachu/e°
branchu/e°
échu/e°
il échut
qu'il échût
qu'il déchût
DÉCHU/E°
il déchut
barbichu/e°
(foutu) bien/mal fichu/e°
(foulard) un **fichu**
contrefichu/e°
infichu/e°
(grincheux) grinchu/e°
crochu/e°
général Trochu
(ébréché, rég.) berchu/e°
fourchu/e°

Mon âme était pareille aux ruines antiques,
Débris désespérés des monuments **déchus** ;
Le lierre y cramponnait ses mille doigts **crochus**,
Et des chœurs de serpents sifflaient sous les portiques.

On voyait s'accroupir dans les ravins **branchus**
La sorcière attentive à d'infâmes pratiques,
Et des démons pareils à des épileptiques
Crevassaient la muraille avec leurs pieds **fourchus**.

Catulle Mendès, « La Ruine »,
Philoméla

T'as ton **fichu**
Qu'est tout **fichu**
La gueuse
Ton bonnet
Tout délavé
Ton cœur qui bat pour le malheur

Léo Ferré, « La gueuse »,
La mauvaise graine

sous-rimes voisines
535.16 SSU-E
535.8 JU

contre-assonances
481.3 CHOU-E

❐

535.4 CU-CUE°

VÉCU/E°
(derrière) un cu/**cul**
(lettre) un Q
(avoir) qu'eut
(parc à huîtres) acul
(accumulateurs) des accus
bacul
(tomber, rég.)
faire un patacul
il évacue°
(pharmacien) flûtencul
(bouclier ; monnaie) **écu**
(monnaie europ.) **écu**
pécu/P.Q./papier cul
(Sécurité sociale) la sécu
VÉCU/E°
il vécut
qu'il vécût
revécu/e°
il revécut
qu'il revécût
survécu/e°
il survécut
qu'il survécût
lèche-cul
torche-cul

Ka-Ka-Doi, mandarin militaire, et **Ku-Ku**,
Auteur d'un million et quelques hémistiches,
Causent en javanais sur le bord des potiches :
Monosyllabiquant d'un air très **convaincu**.

Vers l'an cent mil et trois, ces magots ont **vécu**
À ***Nangazaki qui*** vend des cheveux postiches :
C'étaient d'honnêtes gens qui portaient des fétiches
Sérieux ; mais, hélas ! ***chacun*** d'eux fut **cocu**.

Émile Goudeau, « Extrême-Orient »,
Poèmes à dire

☞

CU-CUE°

535. U

peigne-cul
tape-cul/tapecul
casse-cul
(dancing, arg.) un pince-cul
gratte-cul
incus
vaincu/e°
invaincu/e°
convaincu/e°
cocu/e°
(poids lourd, arg.) gros-cul
tire-au-cul
promiscue°
cucu/cucul
(imbécile, arg.) trou-du-cul
(Saint-Glinglin, arg.)
Saint-trou-du-cul

Pauvre joueur de ***bilboquet***
À quoi penses-***tu***
Je pense aux filles aux mille ***bouquets***
Je pense aux filles aux mille ***beaux* culs**.

Jacques Prévert, « Rêverie »,
Histoires et d'autres histoires

sous-rime voisine
535.7 GU-E

contre-assonance
481.4 COU-E

❒ 536 [Delanoë]

535.5 DU-DUE°

PERDU
(devoir) (un) **dû/due°**
(devoir) qu'il dût/il dut
(article) du
il gradue°
fendu/e°
(cul, arg.) le fendu
défendu/e°
refendu/e°
pourfendu/e°
(individu, arg.) un glandu
(un/e) **pendu/e°**
appendu/e°
(pomme) capendu
épandu/e°
dépendu/e°
répandu/e°
rependu/e°
(pomme) court-pendu
suspendu/e°
(un) **rendu/e°**
compte(-)rendu
re/**descendu/e°**
condescendu/e°
tendu/e°
attendu/e°
(motifs) des attendus
(vu que) (...que) attendu
inattendu/e°
entendu/e°
malentendu
(un) sous-entendu/e°
une **étendue°**
étendu/e°
détendu/e°
inétendu/e°
prétendu/e°
retendu/e°
(un/e) hypotendu/e°
sous-tendu/e°
(un/e) hypertendu/e°
distendu/e°
(un/e) **vendu/e°**
revendu/e°
(un) invendu/e°
survendu/e°
(minable, arg.) (un) locdu/e°
(chômage, arg.) chômedu
redû/redue°
(imbécile, arg.) un lavedu
qu'il redût/il redut
(naïf, arg.) un navedu
assidu/e°
décidu/e°
résidu
individu
(un) indu/e°
dodu/e°
(d'accord, arg.) ligodu
(plat) une fondue°
(fondre) fondu/e°
(cinéma) un fondu
refondu/e°
confondu/e°
parfondu/e°
morfondu/e°
surfondu/e°
pondu/e°
appondu/e°
répondu/e°
correspondu/e°
(un/e) **tondu/e°**
retondu/e°
ardu/e°
(policier, arg.) un lardu
(commissaire, arg.) un nardu
PERDU/E°
mont Perdu
éperdu/e°
reperdu/e°
(un/e) **mordu/e°**
démordu/e°
remordu/e°
(un/e) **tordu/e°**
détordu/e°
retord/e°
distordu/e°

Tu t'éloignes, cher être, et mon cœur **assidu**
Surveille ta présence, au lointain scintillante ;
Te souviens-***tu* du** temps où, les regards **tendus**
Vers l'espace, ma main entre tes mains gisante,
J'exigeai de régner sur la mer de Lépante,
Dans quelque baie heureuse, aux parfums **suspendus**,
Où l'orgueil et l'amour halètent **confondus** ?

À présent, épuisée, immobile ou errante,
J'abdique sans effort le destin qui m'est **dû**.
Quel faste comblerait une âme indifférente ?

Je n'ai besoin de rien, puisque je t'ai **perdu**...

Anna de Noailles, « Tu t'éloignes, cher être... »,
L'Offrande

Prenez dans chaque main de l'homme
Tourmenté par un soin **ardu**
De savoir ce qu'il vous faut, **du**
Bouton de rose ou de la pomme.

Pour chasser le **malentendu**,
En lui disant que c'est tout comme
Prenez dans chaque main de l'homme
Tourmenté par un soin **ardu**.

Si, damoisel ou majordome,
Il a, près de vous, **confondu**
La fleur qu'on respire **éperdu**
Et le fruit qui ne se consomme,
Prenez dans chaque main de l'homme.

Stéphane Mallarmé, « Rondel »,
Poésies

Le jour, le point, mille fois **attendu**
L'heure, et la nuit, mille fois **attendue**,
M'ont désormais entre les bras **rendu**
D'une qui s'est entre mes bras **rendue**.

D'âme, et d'esprit, je suis tout **éperdu** !
D'âme, et d'esprit, elle est toute **éperdue** !
Ô jour luisant ! ô soulas **prétendu** !
Ô doux ébat ! ô joye **prétendue** !

Jean de La Gessée, « Le jour, le point... »,
Les Premières Œuvres françaises

sous-rime voisine
535.18 TU-E

contre-assonance
481.5 DOU-E

❒ 200 [O'Neddy] ; 330 [Gilkin] ; 307 [Du Bois]

535.6 FU-FUE°

FUS

(être) il FUT/je FUS
(tonnneau) un **fût**
affût
raffut
(fumier, verl.) miéfu
refus
diffus
griffu/e°
infus
profus
confus
touffu/e°

De cette fenêtre où je **fus**,
Je vous vis, choyée et choisie,
Plier à votre fantaisie
Mille et mille hommages **confus**.

Hé ! de vous qui tenez **infus**
Science, amour et poësie,
Qu'espérait donc la courtoisie,
Avoir qu'un indulgent **refus** !

Vincent Muselli, « Fête au parc… »,
Les Sonnets à Philis

Tu réveilles en moi des souvenirs **confus**.
Je t'ai vu, n'est-ce pas ? moins triste et moins modeste.
Ta tête sous l'orage avait un noble geste,
Et l'amour se cachait dans tes rameaux **touffus**.

D'autres, autour de toi, comme des riches **fûts**,
Poussaient leurs troncs noueux vers la voûte céleste.
Ils sont tombés, et rien de leur beauté ne reste :
Et toi-même, aujourd'hui, sait-on ce que tu **fus** ?

Pamphile Le May, « À un vieil arbre »,
Les Gouttelettes

sous-rime voisine
535.19 VU-E

contre-assonances
481.7 FOU-E
244.5 FEU-E

❐ *535.19 [Rimbaud]*

535.7 GU-GUË°

AIGU
CIGUË

(bavard, rég.) langu/ë°
AIGU/Ë°
bégu/ë°
subaigu/ë°
suraigu/ë°
bisaiguë°/besaiguë°
(ville) Montaigu
(Jean de) Montaigu
(équivoque) **ambigu/ë°**
(mélange) un ambigu
théâtre de l'Ambigu
CIGUË°
contigu/ë°
exigu/ë°
il arguë

Je sucerai, pour noyer ma rancœur,
Le népenthès et la bonne **ciguë**
Aux bouts charmants de cette gorge **aiguë**,
Qui n'a jamais emprisonné de cœur.

Charles Baudelaire, « Le Léthé »,
Les Épaves

L'air amolli
S'est empli
De ton parfum subtil, obsesseur et complexe,

Philtre **ambigu**,
Suraigu,
Fleur tiède épanouie au soleil de ton sexe.

Albert Samain, « Musique confidentielle »,
Au Jardin de l'Infante

sous-rime voisine
535.4 CU-E

contre-assonances
481.8 GOU-E
244.8 GUEUX

❐ *280 [Allais]*

535.8 JU

j'eus
jus
(Georges) Franju
(mouchoir, arg.) tire-jus
verjus
court-jus

Verts de vent verts de ciel vert bouteille vert mort
Véronèse vert d'eau verdoyance **verjus**
Vermeils et vieil Armor
Comment dire ? Enfin **verts**
J'eus
en ce temps tant d'ors
Orthodoxes ou pas

Louis Calaferte, « Silex » 23,
Rag-time

sous-rimes voisines
535.3 CHU
535.17 SU [zy]

contre-assonances
481.10 JOU
244.6 JEU

❐ 120 [Brassens]
535.17 [Gripari]

535.9 LU-LUE°

535. U

PLUS

je l'eus
lu/e°
il **lut**
qu'il lût
(aluminium) alu
(durillon) un calus
chalut
il a **fallu**
il fallut
qu'il fallût
(velu) **poilu/e°**
(soldat) un poilu
(marais) palud/palus
(paludisme) palu
il **salue°**
un **salut**
îles du Salut
Armée du Salut
(n. dép.) port-salut
(terrain) un **talus**
(bot) pied talus
valu/e°
il **valut**
qu'il valût
il évalue°
il dévalue°
il réévalue°
prévalu/e°
il prévalut
qu'il prévalût
revalu/e°
il surévalue°
il sous-évalue°
équivalu
il équivalut
qu'il équivalût
moins-value°
plus-value°
(laver) il s'ablue°
(râblé) râblu/e°
(un) **reclus**
(Élisée) Reclus
(il cloître) il reclut
inclus
il inclut
ci-inclus
occlus
il occlut
conclu/e°
il **conclut**
perclus
exclu/e°
il **exclut**
(un/e) **élu/e°**
il **élut**
qu'il élût
réélu/e°
il réélut
qu'il réélût
farfelu/e°
(vaniteux) goguelu/e°
mamelu/e°
(poilu) pelu/e°
(crêpelé) crêpelu/e°
(hypocrite)
un/e patte(-)pelu/e°

relu/e°
il relut
qu'il relût
(fossette) fosselu/e°
velu/e°
chevelu/e°
il flue°
un **flux**
il afflue°
un afflux
mafflu/e°
il reflue°
un **reflux**
melliflu/e°
il influe°
un influx
il conflue°
joufflu/e°
superflu/e°
glu
il (s') **englue°**
il désenglue°
il déglue°
(satisfait, rég.) goglu/e°
(oiseau, Can.) un goglu
il **dilue°**
(n. dép.) un petit Lu
il pollue°
il dépollue°
(pur) **impollu/e°**
(l')**absolu/e°**
dissolu/e°
résolu/e°
il résolut
qu'il résolût
(un/e) **irrésolu/e°**
tolu
il évolue°
(acquis) dévolu/e°
jeter son dévolu
révolu/e°
(un/e) **goulu/e°**
moulu/e°
il moulut
émoulu/e°
il émoulut
remoulu/e°
il remoulut
vermoulu/e°
re/**voulu/e°**
il re/voulut
qu'il revoulût
(plaire) plu/e°
ne… PLUS
(pleuvoir) il a **plu**
qu'il plût
(pleuvoir) il plut
(plaire) il **plut**
qu'il plût
déplu/e°
il déplut
qu'il déplût
il a replu
il replut
qu'il replût
complu/e°
il (se) complut
qu'il se complût
au/un surplus

Douleur, sainte douleur, oh ! toi, ne reviens **plus**.
Il suffit à mes destinées
Des deux leçons si durement données
Et qu'aux yeux de mon père et ma mère je **lus**.
J'ai compris comme tu **voulus**.
D'autres enseignements y seraient **superflus**.
À tes îles d'or noir, de cyprès couronnées,
Puissent mes séjours être **révolus** !
Douleur, je ne veux pas être un de tes **élus**.
Frappe, tant qu'il te plaît, mes membres **résolus**
De tes flèches forcenées,
Fais-leur la chasse à telles randonnées
Qu'ils en tombent **perclus**.
Mais épargne-moi les **reflux**
Par qui mes futures années
Sous un vent de deuil seraient ramenées
Vers tes îles d'or noir aux funèbres **talus**
Fleuris de solanées.
Douleur du cœur, Douleur aux mains empoisonnées,
Douleur dont les poisons sont aussi des **saluts**,
Je te bénis ; que te soient pardonnées
Ces épouvantables journées !
Oui, je vaux mieux après qu'avant je ne **valus**.
Mais puisque j'ai compris ainsi que tu **voulus**,
Mais puisque j'ai compris, Douleur, ne reviens **plus** !

Jean Richepin, « Ô Douleur, hydre bicéphale… »,
Les Îles d'or. LI in *Mes Paradis*

Muse d'automne, fleur des amours vespérales,
Toi dont les doigts, en rêve, ont erré sur le **luth**
Et, vivant pour eux seuls un mystère où se **plut**
Psappha la Kitharède, ont décuplé son râle,

La langueur de ta voix, sœurs des flûtes natales,
Faussait étrangement des accents **révolus** :
Mais ta douleur d'amante érigée en vestale
Garda jusqu'à la mort ses foyers **impollus**.

Yves-Gérard Le Dantec, « À Renée Vivien »,
Ouranos

Celui-là seul saura sourire, s'il a **plu**
À la Muse elle-même, institutrice et Mère,
De former, lui ouvrant la Lettre et la Grammaire,
Sa lèvre au vers exact et au Mot **absolu**.

La sécurité de l'office qui l'**élut**
Rit que rien d'éternel comme rien d'éphémère
N'échappe à la mesure adéquate et sommaire
De la voix qui finit où le verbe **conclut**.

Paul Claudel, « Celui-là seul saura sourire »,
Premiers vers in *Œuvre poétique*

Et je voudrais que tu me lusses,
boniche, petite sœur de sainte Luce,
je voudrais que vous me lussiez,
épiciers, calicots, clercs d'huissiers ;
dût-on me traîter d'**hurluberlu**,
en vérité, je voudrais être **lu**
jusque dans **Honolulu**.

Georges Fourest, « Rêve de gloire »,
Le Géranium ovipare

☞

LU-LUE°

(bateau) barlu
avoir la berlue°
il éberlue°
hurluberlu
merlu
(téléphone, arg.) le turlu
(refrain; refus) lanturlu

lulu
Honolulu

+ verbes en -clure,
+ moudre et comp.
3e pers sing.
imparf. du subj.

sous-rimes voisines
535.12 NU-E
535.11 MU-E

contre-assonances
481.11 LOU-E
244.10 LEU-E

C'était un plaisant **goguelu**,
Que ce petit Roi **mamelu**
Qui fit tant le mutin et n'était qu'un gravache [...]

Claude Le Petit, « Madrid ridicule » XXXIII,
Œuvres libertines

❐ 290 [Banville] ; 30 [Louÿs]
481.11 [Vanhecke]

535.10 LLU-LLUE° [jy]

(un) feuillu/e°

sous-rime voisine
535.9 LU-E

contre-assonance
244.9 IEU-E

On sent la sève ardente aller sous leur écorce,
Sous leur tronc que le vent d'hiver ne courbe ***plus*** ;
Et je les aime bien, se dressant dans leur force,
Les vieux Titans nerveux aux bras noirs et **feuillus**.

Ephraïm Mikhaël, « Étude d'arbres »,
Œuvres complètes. I

❐

535.11 MU-MUE°

ÉMU

(changement) il/la **mue**°
(mouvoir) **mû/mue**°
(mouvoir) il mut
qu'il mût
(lettre) le mu
(Albert) Camus
(aplati) camus
(Charles F.) Ramuz
le S.A.M.U.
(musique, verl.) zicmu
ÉMU/E°
il émut
qu'il émût
le P.M.U.
Raimu
il **remue**°
(transhumance) une remue°
il commue°
(un/e) promu/e°
il promut
qu'il promût
il transmue°

sous-rimes voisines
535.12 NU-E
535.9 LU-E

contre-assonances
481.12 MOU-E
244.11 MEUX

Le silence des nuits panse l'âme blessée ;
Des philtres sont penchés des calices **émus**
Et, vers les abandons de l'amour délaissée,
D'invisibles baisers lentement se sont **mus**.

Robert de Montesquiou, « Laus Noctis »,
Les Chauves-souris. XXII

La barque à l'amarre
Dort au mort des mares
Dans l'ombre qui **mue**

Feuillards et ***ramures***
La fraîcheur ***murmure***
Et rien ne **remue**

Louis Aragon, « Le long pour l'un pour l'autre est court »,
Le Roman inachevé

❐

535.12 NU-NUE°

NU
INCONNU

(ciel) la **nue**°
(nuancer) il nue°
(nudité) (un) NU-E°
(lettre) le nu

canut

il se dénue°
(un/e) **ingénu/e**°
O.N.U.
ténu/e°
il **atténue**°
il (s') **exténue**°

chenu/e°
(mince) **menu/e**°
(liste) un menu
trotte-menu
porte-menu

J'avais décoré le coin aimé pour ta **venue**
Des trois vieilles roses qui soupirent dans mon âme :
Celle à moitié morte et celle, pâle, et l'**inconnue**,
La sonore rose, plus brillante qu'une flamme,

Qui parfume l'ombre, le soleil, la mer, la **nue**,
L'humide regard de la Pitié, la Haine infâme ;
Trop pleine d'ardeur, pour ta timide main **menue**,
Trop subtile, hélas ! pour émouvoir ton cœur de femme.

Armand Godoy,
Du Cantique des Cantiques au Chemin de la Croix. XX

☞

NU-NUE°

535. U

grenu/e°
microgrenu/e°
saugrenu/e°
(allure) une tenue°
(tenir) **tenu/e°**
obtenu/e°
(un/e) détenu/e°
un/e codétenu/e°
(réserve) une **retenue°**
(discret) **retenu/e°**
entretenu/e°
maintenu/e°
(maîtrisé) **contenu/e°**
(teneur) le **contenu**
soutenu/e°
appartenu/e°
abstenu/e°
(arrivée) la venue°
(venir) **venu/e°**
(allée) une **avenue°**
(inexistant)
nul et non avenu/e°
obvenu/e°
subvenu/e°
advenu/e°
(un/e) prévenu/e°
devenu/e°
redevenu/e°
(gain) un revenu
(revenir) **revenu/e°**
(pousse) une revenue°
contrevenu/e°
(Fulgence) Bienvenüe°
(le/la) **bienvenu/e°**
malvenu/e°

provenu/e°
convenu/e°
déconvenue°
circonvenu/e°
disconvenu/e°
re/souvenu/e°
(un/e) **parvenu/e°**
intervenu/e°
survenu/e°
une survenue°

il diminue°
il sinue°
il **insinue°**
il **continue°**
(en) **continu/e°**
il discontinue°
(le) discontinu/e°

connu/e°
il connut
qu'il connût
méconnu/e°
il méconnut
qu'il méconnût
reconnu/e°
il reconnut
qu'il reconnût
(un/e) INCONNU/E°

charnu/e°
il éternue°
(alambic) une cornue°
(corne) **cornu/e°**
biscornu/e°

C'est un air las dont la tristesse s'**atténue**,
Dont l'amertume se dégrade par nuances ;
Enfin sa mort qui nous dorlote de silence
Et sans qu'on sache d'où la caresse est **venue**.

Peut-être aussi les glaces ternes dont l'eau **nue**
Refermant son cristal sur la langueur des lampes
Mire au bout d'une longue enfilade de chambres
Un songe gris qui s'indécise et **diminue**.

Charles Guérin, « Lointain passé »,
Le Sang des crépuscules in *Premiers et derniers vers*

Elle fuyait par l'**avenue**,
Je la suivais ***illuminé***,
Ses yeux disaient : « J'ai ***deviné***
Hélas ! que tu m'as **reconnue** ! »

Je la suivis ***illuminé*** !
Yeux désolés, bouche **ingénue**,
Pourquoi l'avais-je **reconnue**,
Elle, loyal rêve ***mort-né*** ?

Yeux trop mûrs, mais bouche **ingénue** ;
Œillet blanc, d'azur trop ***veiné*** ;
Oh ! oui, rien qu'un rêve ***mort-né***,
Car, défunte elle est **devenue**.

Gis, œillet, d'azur trop ***veiné***,
La vie humaine **continue**
Sans toi, défunte **devenue**.
– Oh ! je rentrerai sans ***dîner*** !

Vrai, je ne l'ai jamais **connue**.

Jules Laforgue, « Complainte de la bonne défunte »,
Les Complaintes

sous-rimes voisines
539.9 LU-E
535.11 MU-E

contre-assonances
481.13 NOU-E
244.12 NEUX

❒ 481.4 [Louÿs]
244.14 [Audiberti]

535.13 OHU-OHUE°

TOHU-BOHU
COHUE°

Sous la racineuse consonne où le **tobu-bohu**
Se bouscule en claquant des dents et frémissant des lèvres,
J'entendais fleurir (antérieure aux **A**, **E**, **I**, **O**, **U**)
La voyelle incolore et pure où boivent tous les livres.

Jacques Réda, « Ici Armand Robin »,
Premier livre des reconnaissances

Ils s'amusent parfois des riches cabrioles
Que font vertigineusement sur la **cohue**
Tes inscctes maçons qui perdent la boussole

Peuple d'enfants éclos dans un **tohu-bohu**
Germe d'un premier lit d'une Europe malade
Tes races dans les milk-bazars font du ***chahut***

Léo Ferré, « Visa pour l'Amérique »,
Poète... vos papiers !

sous-rimes voisines
535.0 U
535.1 AHU

contre-assonances
1.15 OA
214.14 OÉ

❒

535.14 PU-PUE°

535. U

PU

(puer) il **pue°**
(sanie) du **pus**
(plus, pop.) pus
(pouvoir) il put
qu'il pût
(pouvoir) PU
trapu/e°
crépu/e°
(rassasié) **repu/e°**
(repaître) il (se) reput
(repaître) qu'il se repût
lippu/e°
préciput
(putain, verl.) une tanpu
(populaire) popu
rompu/e°
interrompu/e°
ininterrompu/e°
corrompu/e°
incorrompu/e°
il **conspue°**

Nul bruit qu'un roulement lointain de chariot,
Nulle crainte que d'un rêve **interrompu** ;
Et nul regret de ce que l'on n'a **pu**
– Un roulement lointain de chariot –

Francis Vielé-Griffin, « Par la roseraie »,
Joies

Je vis une charogne abjecte,
Foyer de miasmes **corrompus**,
Empire normal de l'insecte,
Tas fourmillant de vers **repus**.

Chacun d'eux se gorgeait de **pus**
Comme un viveur qui se délecte.
Fourche en main, du mieux que je **pus**
J'éloignai cette masse infecte.

Eugène Pottier, « La Charogne »,
Œuvres complètes

Dans l'étui, l'ardente Mongole,
Ventre court et buste **trapu**,
Entière contre moi se colle,
M'assène son baiser **lippu**.

André Berry, « Lai d'Anarkik amante »,
L'Amant de la Terre

Le Général a dit : « ***Au pas*** ! »
Le Général a dit : « ***Épée*** ! »
Le Général a dit : « ***Impôt*** ! »
Pouvais-je, moi, ***impie***,
Crier : « **A pus** » ?

Roland Bacri, « Le Général a dit… »,
Refus d'obtempérer

sous-rime voisine
535.2 BU-E

contre-assonance
481.14 POU-E

❒ 1.10 [Audiberti]

535.15 RU-RUE°

RUE°

(voie) une RUE°
(plante) une rue°
(ruer) il (se) **rue°**
(ruisseau) un ru
(vallée) un ruz
charrue°
paru/e°
il parut
ré/**apparu/e°**
il ré/apparut
reparu/e°
il reparut
re/comparu/e°
il re/comparut
transparu/e°
il transparut
(un/e) **disparu/e°**
il disparut
grand-rue°
bru
membru/e°
(montée) une crue°

(crudité) **cru/e°**
(croire) **cru/e°**
(croître) crû/crue°
(croire) il crut
qu'il crût
(croître) il crût
qu'il crût
(vignoble) un cru
(extension) une accrue°
(accroître) **accru/e°**
(accroître) il accrut
qu'il accrût
(rejeton) un accru
(à même) à cru
écru/e°
(lessiver) il décrue°
(baisse) une **décrue°**
(décroître) décru/e°
(décroître) il **décrut**
qu'il décrût
(conscrit) une recrue°
(las) recru/e°
(recroître) recrû/recrue°
(recroître) il recrut
qu'il recrût

À six heures comme partout la ville **tonitrue**.
Un flot sombre d'émeute roule entre les chapiteaux
Et colonnes d'une timide Athènes. Des motos,
Des voitures, des autobus, à tous les coins de **rue**,

Ronflent devant la foule impatiente qui se **rue** –
Beaux yeux et visages blafards de ceux qui rentrent aux
Mornes faubourgs. On lit d'indéchiffrables écriteaux
Gaéliques en attendant que vienne la **décrue**.

Jacques Réda, « Carrefour »,
L'Incorrigible

La lune ombre de sang l'acier de son croissant.
Le stupre aux ongles tous deux nous marchons chassant
Devant nous les lampadaires en vol de **grues**
Par l'horizon ***tendu*** de noir des mortes **rues**.

Images de Saintes, vos paupières **férues**
Dans la chambre, de l'Acte à taire, applaudissant
Ironiques en clins éternels, noircissant
L'œil par l'***étendue*** des **rues parcourues**.

Alfred Jarry, « Haldernablou » acte II, scène VI
Les Minutes de sable mémorial

☞

RU-RUE°

535. U

(pousse) le recrû
Lustucru
dru/e°
(Henri) Landru
féru/e°
verrue°
(fort, rég.) cœuru/e°
Villerupt
(goulu, rég.) yafru/e°
(oiseau ; putain) **grue°**
(machine) grue°
(Charles) Pichegru
coquecigrue°
congru/e°
incongru/e°
ponton-grue°
jabiru
morue°
queue-de-morue°
(renfrogné) **bourru/e°**
lait, vin bourru
couru/e°
il courut
accouru/e°
il accourut
encouru/e°

il encourut
recouru/e°
il recourut
secouru/e°
il secourut
concouru/e°
il concourut
parcouru/e°
il parcourut
discouru/e°
il discourut
il **mourut**
qu'il mourût
sprue°
ventru/e°
il **tonitrue°**
intrus
un/e **malotru/e°**
les **menstrues°**
abstrus
il dés/obstrue°
(hirsute, rég.) huru/e°

+ verbes paraître, courir *et composés 3e pers. sing. imparf. subj.*

Dans son beau salon de la **rue**
Bleue où crève un anthocéras
madame cause : une **verrue**
fleurit son doigt bagué d'un strass ;

elle parle de ses **menstrues**,
du temps, du Pape et de Maurras,
dit comment on cuit la **morue**
chez ses cousins de Carpentras [...]

Georges Fourest, « Salon où l'on cause »,
Le Géranium ovipare

Au chapitre des hautes sphères de la ***vertu***
Gardons-nous de céder aux miasmes dogmatiques ;
Leurs règles, on le sait, relèvent de vices antiques
Engendrés par le venin de mystagogues **ventrus**.

John Gelder, « Au chapitre des hautes sphères... »,
Procès. XXXVI

Le boulevard m'aime ***trop***.
Je m'en vais prendre la **rue**
Qui, entre les maisons raides,
Se hausse d'un coup de ***reins***.

Elle ne m'a pas ***souri*** ;
Tous les pavés semblent ***froids***
Comme des racines **crues** ;
Les deux ruisseaux luisent ; ***rien***
Qui me flaire ou me désire.

Il faut que j'y marche ***heureux***.

Jules Romains,
Un être en marche. IV

sous-rimes voisines
535.12 NU-E
535.18 TU-E

contre-assonances
481.15 ROU-E
244.16 REUX

❒ 333.11 [Le Petit]

535.16 SU-SSUE°

DÉÇU
DESSUS

(Eugène) Sue°
(suer) il **sue°**
(savoir) **su/e°**
(en plus) en sus
(savoir) il sut
qu'il sût
massue°
pansu/e°
sangsue°
(un/e) DÉÇUE
il déçut
fessu/e°
(le) DESSUS
là-dessus
(réclamation, arg.)
un saute-dessus
ci-dessus
au-dessus
un pardessus
par-dessus

(recourt) **reçu/e°**
(il suinte) il ressue°
(recevoir) il reçut
(récépissé) un reçu
issu/e°
une **issue°**
(tissé) tissu/e°
un **tissu**
à l'insu
lato sensu
stricto sensu
ossu/e°
(un/e) **bossu/e°**
(il cabosse) il bossue°
cossu/e°
conçu/e°
il conçut
préconçu/e°
moussu/e°
perçu/e°
il perçut
aperçu/e°
il aperçut
(vue) un aperçu
inaperçu/e°

J'ai mis sur ma machine un poème à écrire
Comme on place les fils pour tisser un **tissu**.
Le mot vient. On ne sait pas d'où il est **issu**
Mais sans trop de travail il se laisse transcrire.

J'offrirais au lecteur une machine à lire
Avec bien du plaisir, et le poème en **sus**.
Mais la machine est là, le poème **dessus** :
L'alexandrin est plus machine que la lyre !

Claude Ernoult, « J'ai mis sur ma machine... »,
Six sots sonnets et autres textes rimés

Mon âme a son secret, ma vie a son mystère,
Un amour éternel en un moment **conçu** :
Le mal est sans espoir, aussi j'ai dû le taire,
Et celle qui l'a fait n'en a jamais rien **su**.

Hélas ! j'aurai passé près d'elle **inaperçu**,
Toujours à ses côtés, et pourtant solitaire.
Et j'aurai jusqu'au bout fait mon temps sur la terre,
N'osant rien demander et n'ayant rien **reçu**.

Félix Arvers, « Sonnet imité de l'italien »,
Mes heures perdues

☞

SU-SUE°

535. U

entraperçu/e°
moins-perçu
trop-perçu
jiu-jitsu

+ verbes en -avoir
3e pers. sing.
imparf. subj.

Mon homme a son secret, ma vie a son mister*
Un amour bienséant en un moment **conçu**.
Le mâle est sans espoir aussi z'ai dû lui taire
Le goût qu'à son endroit… ** ze suis **déçu déçu** !

Hélas ! z'aurai passé cent fois **inaperçu**
Cil battant et le vent en poupe pour Cythère
Et z'aurai zusqu'au bout hésité sur la terre
À lui offrir mon siège ou à m'asseoir **dessus**.

Roland Bacri, « Le garçonnet d'à revers »,
Refus d'obtempérer

* " Un Anglais dans le texte " (note de l'auteur)
** licence poétique : le sens est inverti (note de l'auteur)

Il y a un petit cordonnier naïf et **bossu**
qui travaille devant de douces vitres vertes.
Le Dimanche il se lève et se lave et met ***sur***
lui du linge propre et laisse la fenêtre ouverte.

Francis Jammes, « Il y a un petit cordonnier… »,
De l'Angelus de l'aube à l'Angelus du soir

sous-rime voisine
535.17 S(Z)U-E [zy]
535.3 CHU-E

contre-assonances
481.16 SSOU-E
244.17 SSEUX

❐ *535.17 [Perros]*

535.17 S(Z)U-SUE° [zy]

JÉSUS

pa**s eu**/e°
de**s us**
(morveux, rég.) nasu/e°
JÉSUS
du (papier) jésus
(saucisson) un jésus
bizuth
de visu
cousu/e°
décousu/e°
recousu/e°

Profils de camélia blanc
Sur les vitres des portières armoriées,
On les prendrait pour de petites mariées
Qui vont faire semblant
D'aimer et d'***épouser*** **Jésus**
En ***disant*** des prières un peu **décousues**…

Georges Rodenbach, « Les Premières Communiantes » V,
Le Miroir du ciel natal

Tu pratiquais jadis et naguère **ces us**,
Content de ***reposer*** à l'ombre de **Jésus**,
Y pansant de vin, d'huile et de lin tes blessures […]

Paul Verlaine, « Un scrupule qui m'a l'air sot… »,
Bonheur. XXII

Les regards se dirigèrent
Tous ensemble vers **Jésus**,
Lequel, d'un air débonnaire,
Lentement buvait son ***jus***.

Pierre Gripari, « La Cène »,
L'Enfer de poche

et me tenant l'un par le cou
l'autre par la taille par terre
me retiraient culotte et slip
pour me prendre et tirer ***dessus***
mon malheureux petit **jésus**

Georges Perros, « L'école était rue Libergier… »,
Une vie ordinaire

sous-rimes voisines
535.16 SSU-E
535.8 JU

contre-assonances
244.18 S(Z)EUX
481.17 S(Z)OU-E

❐

535.18 TU-TUE°

TU
VERTU

(tuer) il **tue**°
(taire) **tu/e**°
(taire) il (se) tut
(taire) qu'il se tût
(pronom) (-)TU
(battre) **battu/e**°
(chasse) une battue°
abattu/e°
rabattu/e°
embattu/e°
ébattu/e°
débattu/e°
rebattu/e°
contrebattu/e°
combattu/e°
courbatu/e°
il s'infatue°
pattu/e°
(sculpture) une **statue**°
(il décide) il statue°
(situation) un statut
(un/e) hors-statut
il accentue°
pentu/e°
pends-tu?
obtus
il effectue°
il ponctue°
un **fétu**
fais-tu?
(incapable) cogne-fétu
une **laitue**°
l'es-tu?
il perpétue°
(vigoureux, rég.) rêtu/e°
têtu/e°
vêtu/e°

dévêtu/e°
revêtu/e°
court-vêtu/e°
on s'entre-tue°
il (s') **habitue**°
il réhabitue°
il (se) déshabitue°
détritus
il situe°
in situ
(il remplace) il substitue°
(magistrat) un substitut
il destitue°
il restitue°
(il établit) il institue°
(établissement) un **institut**
palais de l'/Institut
il prostitue°
il constitue°
il reconstitue°
pointu/e°
(il s'agite) il tumultue°
(poisson) un hotu
(individu, arg.) un hotu
contus
foutu/e°
contrefoutu/e°
infoutu/e°
impromptu/e°
un impromptu
VERTU
il s'**évertue**°
une **tortue**°
île de la Tortue°
(tortueux) tortu/e°
(vin, arg.) du tortu
(Mutualité) la Mutu
(jupe) un **tutu**
(vin, arg.) un tutu(t)
(téléphone, arg.) un tutu(t)
(copeau, rég.) un rututu
turlututu

Même tout seul l'oiseau au fort
Du massacre ne s'est pas **tu**
Nous aurons ***chanté*** **combattu**
Ma belle amour mais où es-**tu**
Porteurs d'animaux et d'amphores
Voici venir doux et **têtus**
Les champs de Mai pleins de **laitues**
Comme à l'église les **statues**
Des saints pèlerins zoophores
Peintes de toutes les **vertus**

Louis Aragon, « Le poème interrompu »,
Le Crève-cœur

Vous nous avez fait voir les miracles du tir,
Le prestige des bois, l'ardeur de la **battue** ;
L'air obscurci d'oiseaux qu'avec grâce l'on **tue**
Et qui mettent en croix leurs ailes pour partir.

J'ai vu le faisan roux, admirable martyr,
Qui si docilement à mourir s'**habitue** ;
Et tout ce dont la chasse experte s'**évertue**
Pour varier, charmer, enseigner, divertir.

Robert de Montesquiou, « Venatio »,
Les Hortensias bleus. CL

Ayant coiffé son casque à mèche et **revêtu**
Le frac des troubadours qu'illustre une giberne,
Perrossier, Némorin compliqué de baderne,
S'escrime après Zola d'un braquemart **pointu**.

Jéhanne d'Arc, il préconise ta **vertu**
Et, chez les bons gagas des jeux Floraux, lanterne,
Cueille des fleurs en papier peint, puis, très moderne,
Sur leur vieux mirliton, siffle « **turlututu** » !

Laurent Tailhade, « Mainteneur ès jeux Floraux »,
Poèmes aristophanesques

C'était vraiment un endroit où la terre
Était malade et pauvrement **vêtue** :
Chemins de mâchefer et tas de pierres
Et fondrières aveuglées d'***orties***.

Charles Vildrac, « Paysage »,
Livre d'amour

sous-rime voisine
535.5 DU-E

contre-assonance
481.18 TOU-E

❒ 199 [Fondane] ; 353 [Desnos]
535.15 [Gelder]

535.19 VU-VUE°

VUE°
VU
IMPRÉVU

la VUE°
(voir) VU/E°
(vu que) vu
(dialecte chinois) le wu
garde à vue°
déjà-vu
bévue°
prévu/e°
IMPRÉVU/E°
un **imprévu**
point de vue°
garde-vue°
longue-vue°
(à la va-vite) à la boulevue°
(parade ; magazine)
une **revue**°

Magazines gazettes **revues**
Ma voisine guette l'**imprévu**
Il lui faut toujours des héros
L'amour au prochain numéro

Guy Béart, « Magazines »,
Couleurs et Colères du temps

Tu es toujours mon beau visage
l'amour te prend au **dépourvu**
plus grave qu'il n'était **prévu**
quand je t'en montre le ravage.

Luc Estang, « Visage toujours »,
Corps à cœur

☞

VU-VUE°

535. U

(revoir) revu/e°
(entretien) une entrevue°
(entrevoir) **entrevu/e°**
brise-vue°
carte-vue°
pourvu/e°
il (se) pourvut
qu'il (se) pourvût
(pourvu que) pourvu
dépourvu/e°
il se dépourvut
qu'il (se) dépourvût
au dépourvu
repourvu/e°
un/e **m'as-tu-vu**

Nos fesses ne sont pas les leurs. Souvent j'ai **vu**
Des gens déboutonnés derrière quelque haie,
Et, dans ces bains sans gêne où l'enfance s'égaie,
J'observais le plan et l'effet de notre ***cul***.

Plus ferme, blême en bien des cas, il est **pourvu**
De méplats évidents que tapisse la claie
Des poils ; pour elles, c'est seulement dans la raie
Charmante que fleurit le long satin ***touffu***.

Arthur Rimbaud, « Nos fesses ne sont pas les leurs »,
Les Stupra

sous-rime voisine
535.6 FU-E

contre-assonance
481.9 VOU-E

❒

536. UBE-UB°

CUBE

(pustule) une bube
il/un CUBE
Hécube
(élève, arg.) un archicube
(il couve) il incube
(démon) un incube
(démon) un succube
jujube
(assemblée) club°
(avoir peur, arg.)
avoir les flubes
le **Danube**
la **pub°**
marrube
il/un **tube**
(il dupe, arg.) il entube
il retube
il **titube**

Les fous ne savent pas que la Terre est un **cube**
ils croient au glissement à la fraîcheur des nuits
au cœur tzigane au fil de caressants **Danubes**
à la coulée obéissante de l'ennui

Michel Calonne, « Les Fous »,
Un silex à la mer

La Parole est au bord du ciel. Elle passa
Par des échelles verticales. En deçà
Des lèvres que le fard décore, ou bien le **bube**,
Dans l'éblouissement, soudain, elle **titube**.

Jacques Audiberti, « Traînant des génitifs… »,
L'Empire et la Trappe

Ils renquillent au guinch' des poteaux
Où la ziziqu' châble à pleins **tubes** ;
L'pot d'fer, sûr de ses biscotteaux,
Le pot de terre ayant les **flubes**.

Anonyme, « Le pot de terre et le pot de fer »,
Fables de La Fontaine en argot

On m'a volé ma ***solitude***
Je suis ruiné, violé, vaincu
Et tout dégoulinant de **pub**
Emballée dans du papier-cul

Pierre Delanoë, « On m'a volé ma solitude »,
Paroles à lire ou poèmes à chanter

La Terre apparaît pâle et blette elle mugit
distillant les gruaux qui gloussent dans le **tube**
où s'aspirent les crus des croûtes de la nuit
gouttes de la microbienne entrée au sourd puits
la Terre apparaît pâle et blette elle s'***imbibe***
de la sueur que vomit la fièvre des orages

Raymond Queneau, « Premier chant » v. 1-6,
Petite cosmogonie portative

assonances
542. UDE
537. UBLE
562. UPE

contre-assonances
457. OMBE
436. AUBE
92. AMBE
260. IBE

❒ *537 [Jacob] ; 266 [Béart]*

537. UBLE

AFFUBLE
CHASUBLE

il (s') AFFUBLE
soluble
insoluble
dissoluble
indissoluble
liposoluble
hydrosoluble
résoluble
truble
CHASUBLE

Ils font avec la honte un pacte **indissoluble**
Sous ces arceaux croulants qui n'ont plus de voussoirs !
L'un, d'une dalmatique, en titubant, s'**affuble**,
Et l'autre, dans une **chasuble**,
Empaquette les ostensoirs.

Edmond Rostand, « L'Église »,
Le Vol de la Marseillaise

Toutes les questions tombent dans l'**insoluble**
Un dogme est du néant vêtu d'une **chasuble**.

Victor Hugo,
Dieu (Fragments) I. cote 106.46

à la naissance de Merlin chez une sainte
Satan l'alchimiste des **trubles**
chez cette fille au mont Ossa poussa
le terrible monstre : l'***Incube***

Max Jacob, « Naissance de l'enchanteur Merlin »,
L'Homme de cristal

assonances	*contre-assonances*
536. UBE	*483. OUBLE*
538. UBRE	*3. ABLE*
544. UFLE	*261. IBLE*
549. ULE	*93. AMBLE*

❒

538. UBRE

LUGUBRE

il **élucubre**
LUGUBRE
salubre
insalubre
(Celtes) les Insubres

C'était au fond d'un rêve obsédant de regrets.
J'errais seul au milieu d'un pays **insalubre**.
Disque énorme, une lune éclatante et **lugubre**
Émergeant à demi des herbes d'un marais.

Jean Lorrain, « Visionnaire »,
L'Ombre ardente

Rougissant le ciel noir de flamboîments **lugubres**,
À l'horizon, brûlaient les villages **Insubres** ;
On entendait au loin barrir un éléphant [...]

José-Maria de Heredia, « La Trebbia »,
Les Trophées

Décoration folle, et falote, et **lugubre** ;
Et cocasse et sinistre, odieux rigolo
Qu'***équilibre*** un cirier, qu'un merlan **élucubre**,
Où se puisse mirer le Sire comme en l'eau.

Robert de Montesquiou, « Lunebourg »,
Les Chauves-souris. CI

Alem Garcia est marié,
après un temps d'union ***libre***.
Il est bâtard et d'avoir
rencontré son père ***fut***
tout sauf un incident froid.
Premier livre ***lu***, **salubre**,

c'est le *Journal* d'Anne Franck.

Jacques Jouet, « Alem Garcia »,
107 âmes

* rime berrychonne : LiBRE + fUt = saLUBRE

assonances	*contre-assonances*
536. UBE	*459. OMBRE*
537. UBLE	*4. ABRE*
567. URBE	*124. ÈBRE*
564. UPRE	*362. OBRE*

❒

539. UCHE

RUCHE

(coffre) une **huche**
(il appelle) il huche
(il engueule, rég.) il ahuche
(elle suce, arg.)
elle gamahuche
(de bois) une **bûche**
(il travaille) il bûche
embûche
il (se) rembuche
il **débuche**
il **trébuche**
il (se) **juche**
il déjuche
faluche
(galon, arg.) un galuche
(cigarette, arg.)
une galuche
(main, arg.) une paluche
(caresse, arg.) il paluche
il/une **peluche**
coqueluche
(houppe) une freluche
fanfreluche
greluche
(dollar, arg.) un dolluche
(cigarette, arg.)
une gauluche
(il bouloche) il pluche
(épluchures) des pluches
il **épluche**
(prison, arg.) une carluche

(camarade, arg.)
un camarluche
(morue) une merluche
(femme, arg.)
une merluche
(américain, arg.)
(un/e) amerluche
trucmuche
(Ménilmontant, arg.)
Ménilmuche
(argot, arg.) l'argomuche
(femme, arg.) une fatmuche
(guenon, arg.)
une guenuche
(une) nunuche
(filet, rég.) une puche
capuche
(à poil, arg.) à loilpuche
une RUCHE
(techn.) il ruche
bruche
lambruche
(pichet) (une) **cruche**
(niaise) une cruche
baudruche
perruche
(conifère, Can.) une pruche
(il mendie) il truche
(Paris, arg.) Pantruche
autruche
(policier, arg.) un matuche
(dé à jouer, arg.)
un matuche

assonances
545. UGE
544. USE
583. USSE

contre-assonances
484. OUCHE
363. OCHE
263. ICHE

Bavardes comme des **perruches**,
Elles cheminent vers le puits
Qui bâille au milieu des grands buis.
– Les abeilles rentrent aux **ruches**.

En grignotant le pain des **huches**,
Elles font des haltes, et puis,
Bavardes comme des **perruches**,
Elles cheminent vers le puits.

Elles vont balançant leurs **cruches**,
Et moi, des yeux, tant que je puis,
Dans le crépuscule je suis
Ces diseuses de **fanfreluches**,
Bavardes comme des **perruches**.

Maurice Rollinat, « Les Babillardes »,
Dans les brandes

Eh ! les loupeurs, eh ! les catins
De Pantin et de **Ménilmuche** !
Qu'est-ce qu'ils racont'nt ces crétins
De gros journaliss' en **baudruche** ?
Ça fait du pétard dans la **ruche** ;
J'aim' pas lir' leurs récitatifs.
Bon sang d' bon Dieu ! quel sal' **trucmuche** !
Mince, on démolit les fortifs.

Les balochards, claquepatins,
Les ceuss qui n'ont ni pain ni **huche**,
Le mec aux métiers clandestins,
Où veut-on que tout ça se **juche** ?
Ma marmit', la môm' **Fanfreluche**
Ne f'ra plus les michés tardifs…
Dommag' ! c'était eun' bath **merluche**
Mince, on démolit les fortifs.

On n' verra plus – gentils lutins –
Sur les gazons doux comm' la **p'luche**,
Des goss's am'ner des roquentins.
Moi qui fus toujours la **coq'luche**
Des femm's, j'deviens bêt' comme eun' **cruche**
Et j'prends des airs rébarbatifs !
De quoi ! Faudra-t-il que je **truche** ?
Mince, on démolit les fortifs.

Ernest Rieu, « Ballade en argot »,
Douze douzains de ballades françaises. 128

Médisant cesse de parler
Des grimaces de la **guenuche** :
Tu voudrais bien pour l'enfiler
Avoir trois mois la **coqueluche**.

François de Malherbe, « Quatrain »,
Poésies libres

Bon nègre, ce qui vous ***effarouche,***
C'est de croire madame nue en plein air ;
Or c'est sont éventail en plumes d'**autruches**
Que vous prenez pour l'écume de mer.

L'océan n'est pas un troupeau d'**autruches**,
Bien qu'il mange des cailloux, des algues ;
Ce serait facile de devenir ***riches***
En arrachant toutes les plumes des vagues.

Jean Cocteau, « Baigneuse »,
Vocabulaire

❒

540. UCRE

SUCRE

lucre
(oiseau) un volucre
involucre
(moisi, rég.) (le) mucre
(odeur de moisi, rég.)
le remucre
il/du SUCRE
(monnaie) le sucre
le Pain de Sucre

Rose enroulée comme oreillers,
Les serpents et les **involucres**,
Rustique sous les cornouillers,
Éclatante au reflet du **lucre**.
Rose qui va sans joie ni **mucre**
Des savetiers aux financiers,
Aussi bonne aux yeux que le **sucre**
– Aux sergents et aux épiciers –

Maurice Fombeure, « Les Roses parmi »,
Pendant que vous dormez…

Ainsi les empennés vermeils
Habitent l'arche des sommeils
Exempts de **lucres**
Et la neige sainte, les Ors
Impollus dorent de trésors
Tous ces **volucres***.

Laurent Tailhade, « Oiseaux » (d'après la manière de Pappahydrargyropoulos,
Poèmes aristophanesques

* oiseaux

Comme un limaçon noir entre son **involucre**,
L'homme appelé Lazare était dans son ***sépulcre***,
Et déjà se rompait en ses vieux éléments
(Car l'homme redevient de cendre et d'excréments…)

Gustave Lamarche, « La Résurrection de Lazare »,
La Réalité in *Œuvres poétiques*. I

Il regarde, il la voit de linon découverte
il s'émeut tendrement, marche vers sa conquête
et la pointe d'un sein sur son globe de ***nacre***
qu'à peine un pli de voile assombrit d'un ton ***ocre***
fait naître dans sa bouche un goût de crème et **sucre**

Bertrand d'Astorg, « Les Fruits de l'amour : Fraise »,
D'Amour et d'Amitié

assonances	*contre-assonances*
538. UBRE	*8. ACRE*
567. UR-E	*365. OCRE*
551. ULCRE	*102. ANCRE*
577. URQUE	*343. INCRE*

❒ *564 [Carfort]*

541. UCTE

oviducte
il éructe

assonances	*contre-assonances*
557. ULTE	*9. ACTE*
586. UTE	*130. ECTE*
566. UQUE	*267. ICTE*
565. UPTE	*366. OCTE*

542. UDE-UD°

SOLITUDE

(Dietrich) Buxtehude
saint Jude
(basane) une alude
palude
il **élude**
il/un **prélude**

interlude
le **Talmud**°
les **Bermudes**
(Maxime) Planude
il **dénude**
(François) Rude
rude
(un/e) **prude**
Gertrude

Balance entre mes bras, pesanteur à mon flanc
t'en ferai-je une à toi, chère **habitude** ?

Plus que les cornets bleus ou blancs
d'abondance ou d'**incertitude** :
un papillon de métal tremblant
s'envole et vrille l'**altitude** ;
plus que la halte où les volets
……

UDE-UD°

il extrude	finitude
(le) **Sud°/sud°**	infinitude
il transude	**décrépitude**
la Croix du Sud°	turpitude
les Orcades du Sud°	négritude
la Corée du Sud°	**lassitude**
l'Afrique du Sud°	**sollicitude**
la Géorgie du Sud°	vicissitude
il exsude	**attitude**
Latude	**béatitude**
étude	**latitude**
hébétude	**platitude**
quiétude	gratitude
inquiétude	**ingratitude**
complétude	**exactitude**
incomplétude	inexactitude
assuétude	rectitude
mansuétude	**altitude**
désuétude	foultitude
habitude	**multitude**
inhabitude	**promptitude**
longitude	**aptitude**
magnitude	inaptitude
similitude	**certitude**
dissimilitude	**incertitude**
SOLITUDE	vastitude
amplitude	**servitude**
plénitude	cistude

de la maison de **quiétude**
dévoilent un matin de lait ;
plus que les sceaux de **solitude**
rompus au bout du corridor [...]

Luc Estang, « Surprise »,
Prise du temps in *Les Quatre Éléments*

La **vastitude**
De mon **étude**
Est le **prélude**
Que nul n'**élude**
Avant la **rude**
Inquiétude
Des **latitudes**
Et **longitudes**
Où se ***conjuguent***
Vers les **Bermudes**
La **promptitude**
Et l'**habitude**
Des **solitudes**
Quand l'**attitude**
Des **hébétudes**
Que l'on dit **prudes**
Fait qu'on **exsude**
Des **multitudes**
Dans l'**amplitude**
D'une **aptitude**
À la **béatitude**
(Ouf !...)

Luc Bérimont, « La Vastitude »,
L'Esprit d'enfance

Sortirons-nous vivants de l'avenir
Vaste est la nuit où chaque nuit je ***lutte***
La mer s'ouvre aux filles des **multitudes**
Peuples, pays ne font pas un empire.

Charles Le Quintrec, « L'autre sommeil »,
Jeunesse de Dieu

Nuit dure étoiles ***froides*** **croix du Sud**...
Mais cette odeur de pluie : où donc était-ce ?
Voyons : Marseille ? Gênes ? ***Port-Saïd*** ?

Benjamin Fondane, « De cette vie... »,
Le Mal des fantômes. IV

assonances	*contre-assonances*
586. UTE	*486. OUDE*
536. UBE	*10. ADE*
569. URDE	*268. IDE*

❐ 233 [Saint-Pol Roux]
536 [Delanoë] ; 548 [Jouve] ; 486 [Vildrac]

543. UFE-UF°

TRUFFE	(mufle, rég.) un muffe
TARTU(F)FE	(éditeur, n. dép.) les P.U.F.°
	(pub mensongère) un puff°
	il/une TRUFFE
	tuf°
	(un) TARTU(F)FE

Il faut sur son alcôve un chant de séraphin,
Le nectar à sa soif, l'ambroisie à sa faim ;
De nos jours, ce progrès est goûté de **Tartuffe**,
Le nectar est sauterne et l'ambroisie est **truffe** [...]

Victor Hugo, « Esca »,
Les Quatre Vents de l'esprit. II, 4

Cité j'ai ri de tes palais tels que des **truffes**
Blanches au sol fouillé de clairières bleues
Or mes désirs s'en vont tous à la queue leu leu
Ma migraine pieuse a coiffé sa **cucuphe***

Guillaume Apollinaire, « L'ermite »,
Alcools

* bonnet à double fond contenant des poudres pharmaceutiques

Enlève-nous des **muffes**,
Des cochons, des **tartufes**,
Prends-nous ces choléras,
Les magistrats.

Raoul Ponchon, « La Peste »,
La Muse frondeuse

assonances	*contre-assonances*
544. UFLE	*488. OUFE*
587. UVE	*370. OFE*

❐

544. UFLE

BUFFLE

un BUFFLE
(il polit) un/il buffle
crapaud-buffle
(museau) un **mufle**
(goujat) (un) **mufle**
il **insuffle**

assonances
543. UFE
549. ULE
563. UPLE

contre-assonances
489. OUFLE
272. IFLE
138. ÈFLE

Ainsi souvent une buse belle
déchirant l'air de décibels
jette un pauvre zébu au rebut

sous prétexte qu'il n'est qu'un **mufle**
mais comment, sans **mufle**, être **buffle** ?

Jacques Roubaud, « Buse et zébu »,
Les Animaux de tout le monde

Vergers, – soyez oiseaux,
soyez fables et **buffles**
beaux arbres dans mes os
quand les fées s'y **insufflent**.

Jean-Claude Renard, « Vignes »,
Fable

Ni les roses, ni l'air morose que tu ***siffles***
Sous les ifs en gardant ces chèvres et ces **buffles**
Au ***crépuscule***, vieux berger, joueur de ***flûte***,
Sous la lune que frôle un ibis insolite [...]

Tristan Derème, « Ni les roses… »,
La Verdure dorée. LXV

❒ *570 [Franc-Nohain]*

545. UGE

JUGE
DÉLUGE

eus-je?
bus-je?
grabuge
dé/chus-je?
re/sur/vécus-je?
re/dus-je?
fus-je?
refuge
il/(un) ignifuge
(un) **vermifuge**
(un) ténifuge
apifuge
(un) fébrifuge
il/(un) calorifuge
il/force **centrifuge**
calcifuge
(un) lucifuge
il/(un) hydrofuge
subterfuge
un/e transfuge
il/un JUGE
il adjuge
il se déjuge
il méjuge
il préjuge
il rejuge
il/une **luge**
(avoir) l'eus-je?

(lire) lus-je?
pré/re/équi/valus-je?
inclus-je?
occlus-je?
conclus-je?
exclus-je?
élus-je?
DÉLUGE
relus-je?
é/re/moulus-je?
re/voulus-je?
dé/com/plus-je?
mé/re/connus-je?
(poisson) un muge
(mouvoir) é/pro/mus-je?
pus-je?
(+comp.) parus-je?
Bruges
Zébruges
(croire) crus-je?
(croître) ac/dé/crûs-je?
(être énervé)
avoir les druges
il **gruge**
il égruge
courus-je?
mourus-je?
sus-je?
déçus-je?
reçus-je?
conçus-je?
a/perçus-je?
pourvus-je?

assonances
581. USE
539. UCHE
571. URGE

contre-assonances
492. OUGE
471. ONGE
18. AGE

Les sots t'ont définie, ô Conscience : un **juge**
Au fond de l'âme assis, dont les yeux rigoureux
Regardent fixement nos secrets ténébreux
Et qu'on ne peut tromper par aucun **subterfuge**.

Que t'importe l'erreur de ces benêts qu'on **gruge** ?
Tu suggères la ***ruse*** à l'assassin peureux,
Tu donnes le courage au gredin vigoureux,
Ô toi, des malfaiteurs le plus certain **refuge** !

Iwan Gilkin, « La Conscience »,
La Nuit

Astre lavé par d'inouïs **déluges**,
Qu'un de tes chastes rayons **fébrifuges**,

Ce soir, pour inonder mes draps, dévie,
Que je m'y lave les mains de la vie !

Jules Laforgue, « Clair de lune »,
L'Imitation de Notre-Dame la Lune

À peine **fus-je** en toi l'ombre d'un **subterfuge**
Et je retourne à ce ***mensonge*** d'autrefois
Où j'étais à peine et ne serais plus mais **fus-je**
Celui que je croyais être et qui ne fut pas

Robert Goffin, « Le feu qui brûlait »,
Quatre fois vingt ans

La nuit lourde **égruge**
Ses cristaux de sel,
Dans les mains du **Juge**
que nous sommes seuls ! [...]
…un peu de sang ***rouge***
dans les mains du **Juge**.

Benjamin Fondane, « Vae solis »,
Au temps du poème et Poèmes épars in *Le Mal des fantômes*

❒ *571 [Queneau] ; 105 [Thiry]*

546. UGLE

BUGLE
REMUGLE

(instrument) le BUGLE
(plante) la bugle
REMUGLE

Ce n'est pas Jean-Sébastien
qui m'apprit l'art de la **fugue**
je m'en fus un beau matin
traquer le coq au ***Chanturgues*** *

et les hautbois et les **bugles**
fignolaient un contrepoint
champêtre aux gazeux **remugles**
qui marcottent les chemins

Jean-Claude Pirotte, « Passe-tout-grain de Marsannay »,
La Vallée de Misère

* vin

Les trois dames qui jouent du **bugle**
Tard dans leur salle de bains
Ont pour maître un certain ***mufle***
Qui n'est là que le matin.
[...]
Cœur des Muses, tu m'***aveugles***
C'est moi qu'on voit jouer du **bugle**
Au pont d'Iéna le dimanche
Un écriteau sur la manche.

Max Jacob, « Jouer du bugle »,
Le Laboratoire central

assonances	*contre-assonances*
548. UGUE	*220. EUGLE*
544. UFLE	*106. ANGLE*
549. ULE	*472. ONGLE*
563. UPLE	*276. IGLE*

❒ *106 [Césaire] ; 276 [Neuhuys]*

547. UGNE

RÉPUGNE

(beignet, rég.) une bugne
(bêta, rég.) (une) bugne
(il heurte, rég.) il embugne
(il farfouille, rég.) il fugne
il RÉPUGNE
(il critique) il impugne
Urrugne

La voiture fit halte à l'église d'**Urrugne**,
Nom rauque, dont le son à la rime **répugne**,
Mais qui n'en est pas moins un village charmant,
Sur un sol montueux perché bizarrement.

Théophile Gautier, « L'Horloge »,
España

D'abord et d'une, femme, il faut qu'on lui redonne
De la gaîté, puisqu'il est à bas, m'a-t-on dit.
Puis je verrai si j'ai toujours quelque crédit
Chez maître Pierre et s'il est toujours aussi **bugne** *.
Mais avant tout, le gars joyeux ! Il y **répugne** ?
Bah ! Je lui trouverai des mots encourageants.
N'est-ce pas mon métier, moi, d'égayer les gens… ?

Jean Richepin,
Le Chemineau, acte III, scène XVII

* bugne : beignet lyonnais ; au figuré, benêt

Ô sourire de la ***lune***…
J'ai mordillé la feuille amère et savoureuse
Qui tente et qui **répugne**…
La nuit m'a semblé moins peureuse [...]

Francis Vielé-Griffin, « Pour un bouton de rose »,
Trois chansons françaises in *Œuvres*

assonance	*contre-assonances*
561. UNE	*376. OGNE*
	20. AGNE

❒

548. UGUE-UG°

FUGUE

(saint/roi) **Hugues**
(Clovis) Hugues
(fuite) il/une FUGUE
(musique) une **fugue**
contre-fugue
il enjugue
il **subjugue**
il **conjugue**
Vénus de Lespugue
thug°
stawug°

Parbleu ! Quand je rendrai compte à Dieu de mes **fugues**,
J'aurai pour défenseur auprès de lui Saint **Hugues**
Que j'ai tant invoqué, là-bas, dans mes hoquets.
Vous rappelez-vous, hein ! comme je l'invoquais,
Saint **Hugues** ? Riez-en de bon cœur. C'était drôle.

Jean Richepin,
Don Quichotte, 8e tableau, scène III

Ta taille de roseau balance ton bassin,
Ton cul à mettre sur un autel de **Lespugue***.
Pour sculpter ton genou, les siècles se **conjuguent**.
Quelle sève titube aux caves de tes seins ?

Louis Montalte, « Les Innomés »,
Roses de sable

* cf. Vénus de Lespugue, statuette préhistorique

Tes doigts spirituels dans un Art de la **Fugue**
Assemblaient par miracle un impossible nombre
De pensers absolus où la chaleur s'***élude***,
Des doigts spirituels sortis de la chair sombre
Tu jouais inhumain tout un Art de la **Fugue**

Pierre Jean Jouve, « Le Musicien mort »,
La Vierge de Paris in *Poésie*. II

Études : chimie, arts, ***langues***,
dessin, peinture murale…
En ce temps sans ***revenus***,
artiste de son état.
L'Amazonie la **subjugue**.*

Jacques Jouet, « Marcela Torres »,
107 âmes

* rime berrychonne : lanGUES + revenUs = subjUGUE

assonances
566. UQUE
542. UDE

contre-assonances
108. ANGUE
495. OUGUE

❐

549. UL°-ULE

RIDICULE
CRÉPUSCULE

Saül°

(lettre) une bulle
(d'air) une **bulle**
(il paresse) il bulle
du (papier) bulle
(bulldozer) un bull°
il fabule
il affabule
(il converse) il confabule
conciliabule
il tintinnabule
acétabule
il déambule
préambule
(un/e) **somnambule**
un/e **funambule**
il/(un/e) **noctambule**
il dénébule

mandibule
fibule
il infibule
Thrasybule
Tibulle
il démantibule
vestibule
(rossignol) un bulbul°
John Bull°
Cléobule
lobule
globule
Aristobule
barbule
(il ulule) il bubule
tubule
microtubule

(il recule) il cule
(anc. prononc.) un cul°
il accule
(impasse) un accul°
abacule
facule

Tu me **jugules**, **Gudule**
Importante **créatule**
Dont le sourcil noir **pullule**
Jusqu'au bout des **tentacules**.

Non c'est non quand tu **stipules**
Au lieu du piot, la **frangule** ;
Oui, c'est oui quand tu **strangules**
Sans me dorer la **pilule**.

Tu **bouscules**, tu **circules**,
Ô ma ***lune*** **majuscule**,
Tu m'**écules**, tu m'**annules**
Je ne suis que ta **lunule**.

Aspiré par tes **glandules**,
Ma reine à douze **valvules**,
Tout mon plexus **capitule**
Sous tes muqueuses **férules**.

Adieu, forte **canicule**,
Je fonds, je suis ton **Jujules**,
Ton expirante **virgule**
Ton **Jujules** et ton **Nunule**.

Je suis…, je fus, ô **Gudule**,
– Pense à moi dans tes
[**crépuscules**.

Géo Norge, « Gudule. À l'aise dans tes pustules »,
La Langue verte

« Quant à *Moi !* », dit la **Virgule**,
J'**articule** et je **module** ;
Minuscule, mais je **régule**
Les mots qui s'emportaient !
……

UL°-ULE

il éjacule
il/une macule
karakul°/caracul°
saccule
(chuter, rég.) il baratacule
tentacule
il encule
il écule
il/la fécule
macro/**molécule**
pécule
il spécule
il **recule**
un **recul**°
radicule
édicule
pédicule
(le) RIDICULE
il/un **véhicule**
forficule
calicule
canalicule
pellicule
silicule
follicule
canicule
le Janicule
(botanique) une panicule
(anatomie) un pannicule
sanicule
adminicule
funicule
(petit prince)
un principicule
spicule
fébricule
auricule
cicatricule
(petit théâtre)
un théâtricule
matricule
il immatricule
ventricule
utricule
les Sicules
fascicule
(petit vers) un versicule
il graticule
denticule
lenticule
(petit groupe)
un conventicule
(sac à main) un réticule
(chimie) il réticule
monticule
(il prononce) il **articule**
(il s'assemble) il s'articule
particule
antiparticule
il désarticule
diverticule
il gesticule
testicule
cuticule
onguicule
clavicule
navicule
il **calcule**
(arithmétique) un **calcul**°

(concrétion) un calcul°
il recalcule
animalcule
il flocule
il **inocule**
pédoncule
homuncule/
homoncule
renoncule
caroncule
Hercule
un hercule
tubercule
opercule
il désopercule
il **circule**
scull°
il/une **bascule**
pont-bascule
il émascule
oscule
il **bouscule**
(un peu dur) duriuscule
(une) **majuscule**
(une) **minuscule**
CRÉPUSCULE
opuscule
groupuscule
corpuscule
cuculle

il **adule**
(petite glande)
une glandule
(balancier) il/un pendule
(horloge) une **pendule**
(une) filipendule
crédule
incrédule
cédule
bidule
ridule
il **stridule**
il acidule
un/e camaldule
(mélodie) il **module**
(gabarit) un module
il démodule
micromodule
nodule
hiérodule
Théodule
il **ondule**
Gudule

(Étienne) Méhul°

infule
scrofule

il **coagule**
propagule
il triangule
il strangule
(alliage) il/un régule
(il règle) il régule
il dérégule
ligule
fuliguie

J'ai la forme d'une **Péninsule** ;
À mon signe, la phrase **bascule**.
Avec grâce, je **granule**
Le moindre petit **opuscule**.

Quant au Point !
Cette tête de **mule**
Qui se prétend mon cousin !

Voyez comme il se **coagule**,
On dirait une **pustule**,
Au mieux : un grain de sarrasin.

Andrée Chedid, « Pavane de la virgule »,
Fêtes et lubies

Assez de **ridicule**, –
Consomme le pire,
Oui, meurs d'avoir **perdu le**
Sourire [...]

Robert Mélot du Dy, « Visages »,
Choix de poésies

La chouette **ulule** et le hibou **bubule** :
Écoute dans la nuit leurs sons qui font des **bulles**.
[...]
La ***cigale*** **stridule** et le coucou ***coucoule,***
Non loin, le geai ***cajole*** et la ***huppe*** **pupule**.

Marc Alyn, « Nommer les chants d'oiseaux »,
L'Arche enchantée

❒ 456.20 [Verlaine] ; 244.19 [Tailhade] ; 322 [Lambert]
381 [Laffay]

mergule
spergule
il/une **virgule**
(il donne, arg.) il virgule
point-virgule
il **jugule**

(fils d'Énée) Iule
(mille-pattes) un iule
anguillule

(prénom) **Jules**
(mec) un jules

(Raymond) Lulle
libellule
ombellule
gélule
cellule
micro/**pilule**
il (h)**ulule**
il **pullule**

(animal) une **mule**
(pantoufle) une **mule**
squamule
il/un,e **émule**
gemmule
il trémule
limule

il **simule**
il dissimule
il **stimule**
il/une **formule**
il reformule
il **cumule**
un **cumul**°
il accumule
non-cumul°
plumule

(un/e) **nul**°/**le**
il **annule**
(tuyau) une canule
(il ennuie) il canule
campanule
(grain) il/un granule
(astronomie) une granule
veinule
inule
pinnule
il zinzinule
lunule

pull°
papule
crapule
(il manie) il **manipule**
(étoffe) un manipule
(enseigne) un manipule

tipule
(il précise) il **stipule**
(botanique) une stipule
(il coïte) il copule
(linguistique) une copule
sous-pull°
serpule
cupule
scrupule

(il jacasse) il garrule
il re/**brûle**
(il grelotte, rég.) il crûle
les Hérules
(Pierre de) Bérulle
férule
un/e mérule
glomérule
(il grelotte, rég.)
il rengrule
il sporule
curule

péninsule
consul°
vice-consul°
préconsul°
il/une **capsule**
il décapsule
Ursule

UL°-ULE

russule

clausule
luzule
(ville) **Tulle**
(tissu) du tulle
Catulle
linguatule
spatule
térébratule
serratule
(féliciter) il se gratule
il **congratule**

plantule
tarentule
noctule
(il se rend) il **capitule**
(inflorescence) un capitule
il récapitule
il **intitule**
notule
rotule
sportule
ergastule
fistule
la Vistule
il postule

Romulus Augustule
pustule
mutule
les Rutules

valvule
il/un **ovule**
uvule

assonances	*contre-assonances*
559. UME	*498. OUL-E*
561. UNE	*223. EUL-E*

550. ULBE-ULB°

(d'étrave) un bulb°/e
(botanique ; anatomie)
un **bulbe**

flamme d'eau la langue invente ses fièvres
vante au palais, lui clame haut debout
les succulences d'où chantent des **bulbes**.

Du pire et du meilleur la gourmandise ***inculpe***
la manne que les mains sont prêtes à saisir…

Luc Estang, « Les sens apprennent » IV,
Les Quatre Éléments

– Chaque chose à sa place chaque poil en son **bulbe**
Chaque goutte de sang baignant dans son plasma
Et dans chaque cervelle un coup de clair de ***lune*** –

Jacques Baron, « Les Quatre Temps » I,
L'Allure poétique

assonances	*contre-assonances*
554. ULPE	*26. ALBE*
536. UBE	*149. ELBE*
537. UBLE	

❐

551. ULCRE

SÉPULCRE

SÉPULCRE
le Saint-Sépulcre
ordre du Saint-Sépulcre

Occupe-toi un peu de la Poésie,
Écoute par exemple la plainte infinie
Des vers en ourpre et en **ulchre**,
En ouitre et en omphe […]

Alain Bosquet de Thoran, « Occupe-toi un peu… »,
Petite contribution à un art poétique

Elle était **pulchre***
Et formose**, mais nègre, ô chatte du **Sépulcre**,
Ô chatte de minuit, ô chatte de Sabbat,
Tu meurs ! quel deuil, sorcière, à ton pâle grabat !

Victor Hugo, « Les Mômes »,
Comédies cassées

* belle (latin *pulchra*) ** gracieuse (*formosa*)

[…] Comme un miraculé, qui s'est fait au **sépulcre**,
Sent la clarté devant ses yeux obscurs pâlir.
Au passage on entend « J'ai pris ce petit **pull***
Crevette, je… » – le vent balaye sans mollir
Les mots et les émois du samedi **crapule***,
Creux, hanté de grands sacs crevés…

Jacques Réda, « Pâques à Vélizy »,
Hors les murs

* rime enjambée

☞

ULCRE

Le vent te roule à ton tour au **sépulcre**,
Troupeau de gueux qui gouvernais le monde.
Piteux butin délaissé que vos ***lucres,***
Quand vos soleils sont couchés dans leur tombe !

Jean Grosjean, « Le Reflux du malheur »,
Majestés et passants

Avançons-nous dans le lourd ***crépuscule,***
Allons vers la honte du **sépulcre**…

Gustave Lamarche, « Le Tombeau »,
Palinods in *Œuvres poétiques.* II

assonances
540. UCRE
567. URE
577. URQUE
549. ULE

❐

552. ULGUE

il **divulgue**
il promulgue

Nul dieu de marbre ne **divulgue**
l'amour, de mise ici parmi
l'huileuse clarté que **promulgue**
l'homme par la femme accompli

Jacques Audiberti, « Huit ans »,
La Beauté de l'amour

De tes yeux nus où la nuit ***diffuse***
Éclaircit un peu d'air vespéral
Où vaguement s'exalte et ***fulgure***
Un reste de gloire et d'or lilas
Reflets errants que le noir **divulgue** […]

Pierre Louÿs, « La Nuit »,
Astarté

Poète et marin
Versez-moi du vin
Versez ! versez ! Je **divulgue**
Le secret des ***algues***.

Max Jacob, « Passé et présent »,
Le Laboratoire central

assonances
548. UGUE
549. ULE
557. ULTE

contre-assonance
29. ALGUE

❐

553. ULM

(reddition ; rue d') Ulm°

Certains font la rue d'**Ulm**
d'autres de l'***U.L.M.***… *

Anonyme du XXe siècle, « Icare et Castor »,
Rimes et Rhumes

* rime à l'œil et pour l'œil

assonances
559. UME
549. ULE

contre-assonances
30. ALM-E
285. ILM-E

❐

554. ULPE

PULPE

il **inculpe**
il **disculpe**
il insculpe
PULPE
il dépulpe

Qu'il ne reste rien de cet arbre
Dont la mort est vivante encore,
La pourriture dans le marbre
Est la veine qui le décore,

Rien qui ne soit le fruit en forme
Où le couteau tranche la **pulpe**.
……

Les yeux ouverts qu'il ne s'endorme
Le bûcheron que l'on **inculpe**.

Rouben Melik, « Arbre »,
Saisons souterraines in *La Procession*

Mes dieux, la femme est seule apte à vos ***cultes***,
Faciès des dieux que votre envers **disculpe** !
Ô libation de la chair dite infâme,
Tu ne m'as pas privée des rapts de l'âme.

Jean Grosjean, « Le Salaire des seigneurs »,
Majestés et passants

[...] où, comme des œufs sur des vasques,
se jonglent des parfums frais, inconnus et troubles ;
où, se disputant une **pulpe**
juteuse, des oiseaux d'or s'ébattent par ***couples***
et font s'épanouir leurs ***huppes***...

Jean-Joseph Rabearivelo, « Et toi, chère SAHONDRA... »,
Chants pour Abéone in *Poèmes*

assonances
562. UPE
563. UPLE
550. ULBE
557. ULTE

contre-assonances
31. ALPE
499. OULPE

❐ *550 [Estang]*

555. ULQUE-ULC°

(cul, verl.) un ulc°
il **inculque**
(il opprime) il conculque
(halage) un chamulque
(au pied fourchu) bisulque
(à trois sabots) trisulque

Mes tendresses, sous la rigueur
que tu m'**inculques**,
n'infléchirent vers moi, mon chœur !
tes chars **bisulques**.

Jacques Audiberti, « Les Poètes et Dieu »,
Des Tonnes de semence

assonances
566. UQUE
549. ULE
552. ULGUE

contre-assonances
32. ALQUE
384. OLKE
500. OULQUE

❐

556. ULSE-ULS°

(Max) Ophuls°
(ville) Banyuls°
(vin) un banyuls°
il pulse
il impulse
il **propulse**
il s'autopropulse
il **compulse**
il **expulse**
(au pied fourchu) bisulce
(à trois pointes) trisulce
il (se) **révulse**
Trivulce
il (se) **convulse**

Lorsque l'analyse **compulse**
Les nuits, gouffre béant,
Dans ma révolte se **convulse**
La fureur d'un géant.

Renée Vivien, « La Nuit latente »,
La Vénus des Aveugles in *Œuvre poétique complète*

Le Chèvre-pied lascif qui tremble sur ses pattes
Étreint le corps flexible, arborescent et frais.

Il le courbe, et la nymphe hostile se **révulse**,
Quand le frémissement fugitif des cyprès
Répond au frisson bref de l'Ægipan **bisulce**.

Pierre Louÿs, « Les Hamadryades » II,
La Forêt des Nymphes

Les plus braves ont peur ; le maréchal **Trivulce**
Devant un diablotin en mourant se **convulse** ;
Mais moi, je n'ai jamais tremblé que de désir.

Edmond Rostand,
La Dernière Nuit de Don Juan, 1re partie, scène 3

assonances
583. USSE
588. UXE

contre-assonances
33. ALSE
158. ELSE

❐

557. ULTE-ULT°

CULTE
TUMULTE

CULTE
inculte
il/être **occulte**
il **sculpte**
il ausculte
(un/e) **adulte**
indult°
TUMULTE
il/une **catapulte**
il/une **insulte**
il consulte
(assemblée) une consulte
jurisconsulte
sénatus-consulte
il résulte
il **exulte**

Et voici le printemps de notre amour. **Exulte**
Dans ton sang et jubile au bout de ta douleur,
Quand même tu n'aurais à cueillir d'autre fleur
Que le héros jailli de la racine **occulte**.

« Sonnerai l'olifant », dit l'Ancêtre. Ô **tumulte**
De tes chênes ! Ô vent de l'immense clameur !
Hauts sont tes puys, tes vaux profonds. On meurt, on meurt ;
Et chacun de tes mots dans ta beauté se **sculpte** !

Gabriele d'Annunzio, « Quatre sonnets d'amour pour la France » IV,
in *Sonnets d'hier et d'aujourd'hui*

Écho partout résonne et la Montagne **exulte** :
Le brillant Souverain de tous les échansons
Emplit l'une de vigne et l'autre de chansons,
Car du Chant et du Vin toute gloire **résulte**.

Triomphe ta puissance et fleurisse ton **culte** !
Toi par qui portent fruits les stériles buissons
Et par qui, Grand Bacchos, les plus riches moissons,
Si tel est ton plaisir, dorent le sol **inculte**.

Louis Roux, « Io Bacché ! »,
Les Siècles d'Or

Passy-Bourse, autobus, **tumulte** ;
On se couche au petit matin ;
Lyrisme et besognes, **cumul**, **te**
Dis-je, sous un ciel incertain.

Tristan Derème, « Destin, caprice, ô loterie… »,
L'Enlèvement sans clair de lune, p. 123

Le jeu gemmal de l'oiseau bleu disperse et ***flûte***
Une suprême opale opaline et pâlie
Où bleuit comme un reflet mort de ***lune*** **occulte**,

Et la Dame en tristesse a cueillie l'ancolie !

Henri de Régnier, « Le Songe de la forêt »,
Poèmes anciens et romanesques

assonances
586. UTE
584. USTE
549. ULE

contre-assonances
34. ALTE
160. ELTE
390. OLTE

❐ *554 [Grosjean]*

558. ULVE

ulve
vulve

La garce qui se fait de sa gorge une **vulve**
Tandis que le michet, galant, lui broute l'**ulve** […]

André Blavier,
Le Mal du pays ou les travaux forc(en)és, v. 882-883

le diam et la perlouze ont pas même origine
l'un c'est du minéral appliqué scolastique
s'efforçant vers de purs concepts géométriques
l'autre c'est l'animal souffrant d'une diahrrée
qui lui exalte une hypocrite maladie
pour en sublimer un complexe ***monovalve***
en cette sphère indue indurée en la **vulve**
de l'hermaphrodite très obscur joaillier

Raymond Queneau, « Deuxième chant » v. 138-145,
Petite cosmogonie portative

assonances
587. UVE
549. ULE
579. URVE

contre-assonances
35. ALVE
289. ILVE
391. OLVE

❐

559. UME

PLUME
(humer) il **hume**
(avoir) nous eûmes
nous bûmes
nous dé/chûmes
Cumes
il/une **écume**
nous re/sur/vécûmes
nous dûmes
(fumer) il **fume**
(être) nous **fûmes**
il dés/enfume
il **parfume**
légume
nous lûmes
il **allume**
il **rallume**
(+comp.) nous valûmes
enclume
(+comp.) nous conclûmes
nous ré/élûmes
nous relûmes
glume
volume
nous é/re/moulûmes
nous re/voulûmes
il/une PLUME
(lit, arg.) il se/un plume
(plaire) nous plûmes
il r/emplume
(déplumer) il déplume
(déplaire) nous déplûmes
porte-plume
nous nous complûmes
nous é/pro/mûmes
il inhume
nous mé/re/connûmes
nous pûmes
(bave écumeuse) la spume
rhume
(+comp.) nous parûmes
il (s') enrhume
il/la **brume**
il embrume
(croire) nous crûmes
(ac/dé/croître)
nous ac/dé/crûmes
grume
agrume
(+comp.) nous courûmes
nous mourûmes
strume
nous sûmes
il **assume**
il subsume
nous déçûmes
nous reçûmes
(consumer) il **consume**
(concevoir) nous conçûmes
nous perçûmes
nous entr/aperçûmes
il transhume
il **résume**
il **présume**
il exhume
il/du **bitume**
coutume
il ré/dés/accoutume
amertume
il/un **costume**
posthume
(tumeur) apostume
nous pourvûmes

Seigneur Dieu, qui forgeas nos gorges et nos **plumes**
Pour câliner la nuit, pour iriser le jour,
Pour montrer à Tes fleurs quel azur les **parfume**,
Pour apprendre aux jets d'eau les accents de l'amour,

Fais-nous guider aussi l'homme et ses **amertumes**
Vers cet humble sentier, le plus droit, le plus court,
Où le cuisant remords des ronces se **consume**
Sous le baiser clément de Tes pieds de velours !

Fais-nous guider la mer, ses tourbillons d'**écume**,
Vers Ton lac innocent sans fièvre et sans détours,
Et la future angoisse et les désirs **posthumes**,

Le tigre et le serpent, le loup et le vautour
Vers Ta sainte colline où la pierre s'**allume**
Comme un charbon ardent qui veut chanter toujours !

Armand Godoy, « Prière des petits oiseaux »,
Bréviaire

Le ciel s'est couvert de boue et de **brume**
L'asphalte pâlit Tous les pieds sont noirs
Un cerceau jaillit propageant l'**écume**
Le ruisseau s'étend face au boulevard

Le ciel s'est couvert de pluie et d'**enclumes**
L'asphalte verdit Tous les troncs sont noirs
L'abeille alertée a soigné son **rhume**
Ça cocotte un peu près de l'urinoir
[…]
Le ciel s'est couvert de pus d'**apostume**
Le ciel a fondu Tous les trous sont noirs
Une fille embrasse un aimé jeune **hume**
Un vendeur veut vendre un journal du soir

Raymond Queneau, « Le Ciel s'est couvert »,
L'Instant fatal. IV

Clame le cri d'aveugle, ô mer, dans les vitrines !
Avec quel art impératif tu nous **résumes**
En blancheur et fiefs le temps des ***cimes***.
L'appareillage survole la ***solitude*** des ***dunes***.

Alfredo Gangotena, « Christophorus : Le Feu… »,
Poèmes français

Sommes-nous ***hommes*** et ***femmes***
De ces enfants que nous **fûmes**

Paul Eluard, « L'Âge de la vie » IV,
Poésie ininterrompue

assonances
561. UNE
549. ULE
542. UDE

contre-assonances
36. AME
162. ÈME
290. IME

❐ 214.18 [Verlaine] ; 222 [Moréas]
502 [Salmon]

560. UMNE

(dieu des jardins) Vertumne
(dieu des ports) Portumne

à un moment j'ai pris mon ***porte-plume***
et ouvert sur mon genou mon cahier
sans avoir rien à écrire la ***lune***
ne s'étant pas levée dans mes halliers
et me mettant à écrire en **alumne***
aride qui veut pourtant travailler
je vis soudain couchée dans l'herbe verte
la chair de deux épaules découvertes

William Cliff, « Je suis assis comme un sage chinois… »,
Fête nationale. 33

* latin *alumnus* : élève, disciple

assonances
559. UME
561. UNE

contre-assonances
163. EMNE
291. IMNE

❐

561. UNE

LUNE

(mât) la hune
(la) **une**
tribune
chacune
lacune
rancune
pécune
quelqu'une
aucune
dune
lagune
Rodogune
la LUNE
l'une
il alune
il falune
Pampelune
(une) demi-lune
poisson-lune
immune
auto-immune
(commun) commune
(ville) une commune
(histoire) la Commune
(massif) la Rhune
(alphabet) une rune
maréchal Brune
(brun) (une) **brune**
(crépuscule) la **brune**
(fruit) une **prune**
(coup, arg.) il/une prune
(argent, arg.) la/une **t(h)une**
(tunisien, arg.) (un/e) tune
(ville) Béthune
(rivière) la Béthune
il pétune
Neptune
(divinité) Fortune
la **fortune**
infortune
portune
il/(une) **importune**
opportune
inopportune

La folle qui parlait sept langues
Sans se reconnaître en **aucune**.

La folle qu'éclairaient sept lampes,
En plein jour au clair de la **lune**.

La folle qui lavait sept langes
Pour les enfants de sa **rancune**.

La folle traversant sept landes
Sur des échasses de **fortune**.

La folle qu'attaquaient sept lentes
Au secret de sa toison **brune**.

La folle du fer de sept lances
Poussée à la fosse **commune**.

André Salmon, « Sept joies, sept douleurs, sept gloires, et la suite »,
Les Étoiles dans l'encrier

Armel dormait les yeux ouverts et sans ciller
Ombreux les feux de camp de la lampe **commune**
Balançaient sur son front les goëmons bouclés
Que glanent les flamants là-bas dans les **lagunes**.
Désert du dernier jour les tranchées sous la **lune**,
L'aigre-doux des bourgeons d'avril prêts à percer
Clouait au gel des mots le corbeau des **tribunes**,
Armel, ô martelé d'épines, émerveillé.

André Rémy-Néris, « Les Bourgeons »,
Armel ou mon enfance

Une ***plume*** de la **lune**
lutine le vers qui luit
elle ***allume*** pour **chacune**
la ***lunule*** **brune** et fuit.
Avec l'***ut*** du ***luth tu luttes***
pure **lune** sans appui
et les ***flutes*** que vous ***fûtes***,
roseaux, ***annulent*** l'ennui.

Georges Libbrecht, « Une plume de la lune… »,
Mon orgue de Barbarie in *Poésie*

Dans ***Sagone*** où dort un ***âne***
Immobile sous la **lune**,
Ne cherchez pas les ***gitanes***,
J'ai rêvé cette **infortune**.

Henri Thomas, « Sagone »,
Nul désordre

assonances	*contre-assonances*
559. UME	*38. ANE*
549. ULE	*295. INE*
575. URNE	*393. ONE*

❒ 481.8 [Monselet] ; 214.4 [Richepin]
575 [Régnier] ; 435.15 [Fombeure]

562. UPE-UP°

DUPE
JUPE

huppe
il **occupe**
il réoccupe
il préoccupe
il/(une) DUPE
(chute d'eau) une catadupe
JUPE
minijupe
pupe
(il rouspète, rég.) il rupe
(riche, arg.) (un) rup°

L'épine a déchiré ta **jupe**,
Fille espiègle aux yeux trop ardents :
J'ai vu Pierre, une rose aux dents,
Sortir du clos ! Suis-je une **dupe** ?
Écoute le merle moqueur :
Il siffle de tout son cœur :
Il dit et redit quel souci t'**occupe**…

Philéas Lebesgue, « Le Merle »,
Les Chansons de Margot in *Choix de poèmes*

☞

UPE-UP°

drupe
géotrupe
(il gobe, rég.) il supe
une Z.U.P.°/ZUP°
(drogue, arg.) du stup°
brigade anti-stup°

assonances
536. UBE
586. UTE
554. ULPE

contre-assonances
507. OUPE
301. IPE
390. OPE

Ah ! cette fois, c'est bien l'été !
Les fraises ont pointé du nez,
Les cerises gonflent leur **jupe**,
Le soleil grossit, le vent ***jute***,
Le ciel vole comme un ramier.

Maurice Carême, « L'Été »,
Le Mât de cocagne

Quel feu par le bas flambe et vous gonfle les **jupes**
Effrayante poupée un supplice espagnol
Peut-être de sorcière inadmise du sol
Dont vous allez partir sous forme de ***tulipe***.

Jean Cocteau, « Second hommage à Velasquez »,
Clair-obscur

❒ *554[Rabearivelo] ; 576 [Franc-Nohain] ; 301 [Gainsbourg]*

563. UPLE

il/(un) décuple
(par 12) (il) duodécuple
(il) nonuple
il/(un) quadruple
il/(un) centuple
il/(un) octuple
il/(un) quintuple
il/(un) vingtuple
il/(un) septuple
il/(un) sextuple

assonances
562. UPE
554. ULPE
549. ULE

contre-assonances
508. OUPLE
302. IPLE
98. AMPLE
339. IMPLE

Il allait recevoir la ville aux sept collines
Comme il avait reçu le chandelier **septuple**.
Il allait recevoir les villes orphelines
Et leur donner un père et un maître **centuple**.

Charles Péguy,
Suite d'Ève, p. 1535

foin des miroirs **indissoluples**
simple double **triple quadruple**
taïaut aux complaintes qui **ruplent**
quintuple sextuple septuple

peste aux fantômes **insoluples**
octuple nonuple décuple
hourrah pour les mouroirs du **stuple**
vingtuple centuple milluple [...]

pif paf les camouflets **quintuplent**
cinq pour cent de **malentenduple**
quadruple truple duple suple
tes protestations te **pertuplent**

Clovis Maërl, « pfff »,
Glossolalie, glace aux lilas

❒

564. UPRE

STUPRE

assonances
562. UPE
567. URE
576.URPE
563. UPLE

contre-assonances
462. OMPRE
396. OPRE
41. APRE
172. ÈPRE

Sainte guérisseuse de **stupres**,
À nos lèvres saignantes qu'arde
La soif des voluptés ***impures***,
Versez la fraîcheur de vos palmes.

Charles Guérin, « Notre-Dame du Crépuscule »,
Le Sang des crépuscules in *Premiers et derniers vers*

Clocqués champignons drus, sur un torse les beaux **stupres** !
Et ce torchon de ***pourpre*** étrangleur de Caliban
Cher Pharaon moderne, architecte du Liban
Langue civilisée, eh , touille-les tes bons ***sucres*** !

Simone de Carfort, « L'Altesse en terre »,
Blanche Nuit

❒ *568 [Louÿs]*

565. UPT°-UPTE

abrupt/e°
Villerupt°

Le siège des dieux les plus hauts ressemble au pays que je ***scrute***.
Il n'est que de songer pour être transporté sur une côte **abrupte**.
Des oiseaux bougent près des maisons, des buissons, des récifs.
J'appelle la tempête et m'enfuis sous les chênes massifs.

Pierre Oster, « Dix-septième poème : Le ciel sur les hauteurs »,
La Grande Année

Soyez béni, mon Dieu, pour nous donner le ***stupre***,
Ce tunnel méandreux qui parfois mène au ciel !
Nous aurions renaclé devant la porte **abrupte** ;
Nous nous serions heurtés aux rocs essentiels.

Louis Montalte, « La grâce »,
Roses de sable

Les effondrements **abrupts**. Les cabanes. Les ***cahutes***.
Les grouillements pantelants ou parturients. Friands.

Jean-Pierre Verheggen,
Pubères, Putains. Première partie. I

assonances
586. UT-E
557. ULT-E
564. UPRE

contre-assonances
43. APT-E
174. EPT-E
305. IPTE
398. OPTE

❐

566. UQUE-UC°

NUQUE
(cu[l], verl.) un uc°
(heurter, arg.) il (se) buque
(Pearl) Buck°
sambuque
Habacuc°
duc°
caduc°/caduque
viaduc°
grand-duc°
il **éduque**
(fantassin) un heiduque
il rééduque
Bois-le-Duc°
Viollet-le-Duc°
Bar-le-Duc°
aqueduc°
archiduc°
bolduc°
oléoduc°
stéréoduc°
crapauduc°
gazoduc°
(arbrisseau) un bonduc°
(imbécile, arg.) un trouduc°
saint Luc°
(cul, verl.) le luc°
(ville) Lucques
Jean-Luc°
(Louis) Delluc°

il **reluque**
(Christoph Willibald) Gluck°
(chance, arg.) du gluc(k)°
(une) noctiluque
les Moluques
Mon(t)luc°
ulluque
NUQUE
il s'énuque
eunuque
couvre-nuque
(personnage) Puck°
volapuk°
Sarrebruck°
Ravensbrück°
Innsbruck°
galéruque
perruque
(machin) un **truc°**
(il triche) il **truque**
(chariot) un truc(k)°
suc°
(il abrutit, arg.) il ensuque
(emploi) un tuc°
(bonnet) une tuque
(morceau, arg.)
un chtuc°
fétuque
du **stuc°**
il stuque
pourvu que

Ils sont ainsi mauvais parce qu'ils sont **eunuques**
Et que celle que j'aime a des yeux sans pareils,
Pleins d'abîmes, de mers, de déserts, de soleils,
Qui font vibrer d'amour les moelles et les **nuques**.

Renée Vivien, « Elle demeure en son palais... »,
Flambeaux éteints

vos poèmes d'amour portent **perruque**
et leurs douleurs n'ont rien de naturel.
On s'y regarde à peine, on s'y **reluque** :
l'artifice y remplace le réel.

Alain Bosquet, « Pourquoi, Monsieur, cet emploi de la rime... »,
Bourreaux et acrobates

Sous les villosités violettes des tartres
Les blancs Olympiens ont pris des tons **caducs**.
Et, des arbres sans sève, et des plantes sans **sucs**
L'automne qui descend les vêt comme des martres.

L'ombre et la vétusté les rouillent de leurs dartres,
Ces dieux à qui les rois voulaient des airs de **ducs** ;
Et le soleil mourant qui fuse sur les **stucs**,
Y verse les joyaux des verrières de Chartres.

Robert de Montesquiou, « Sous les villosités violettes »,
Les Perles rouges

je te verrai toujours dans ce jardin d'hiver
parmi la soie des fleurs aux noms ***mythologiques***
relever tes cheveux et présenter ta **nuque**
d'ivoire à mon baiser grisé d'effluves verts
[...]
ah que j'ose épeler l'enivrant vétiver
décrire un geste souple ainsi qu'un **viaduc**
sans avoir peur des mots lancés comme des ***briques***
sur les carreaux cassés du vieux jardin d'hiver

Jean-Claude Pirotte, « Je te verrai toujours... »,
Élégies cantonales in *Il est minuit depuis toujours*

☞

UQUE-UC°

Quoi ! dans ce bois où **vola Puck**,
On entendrait le **Volapuk** ?

Auguste de Villiers de l'Isle-Adam, « Poèmes pour assassiner le temps : I Gémissements », in *Les Poètes du Chat Noir*

assonances
548. UGUE
572. URGUE-URG
577. URQUE-URC

contre-assonances
44. AQUE-AC
176. ÈQUE-EC
306. IQUE-IC
400. OQUE-OC

❐ *577 [Neuhuys] ; 176 [Apollinaire]*

567. UR°-URE

NATURE

(bison) un ure
(tête) une **hure**
(cité) Ur°
(avoir) ils **eurent**

(vêtement) une **bure**
(boire) ils **burent**
saburre
Tibur°
(vite, arg.) à toute vibure
ébarbure
plombure
il/du **carbure**
il décarbure
hydrocarbure
garbure
re/**courbure**
fourbure

(choir) ils churent
il/une **hachure**
(techn.) il/une mâchure
(il barbouille) il mâchure
emmanchure
(d/échoir) ils d/échurent
enfléchure
ébréchure
enguichure
guillochure
effilochure
brochure
trochure
bavochure
enchevauchure
embouchure
mouchure
écorchure
enfourchure
épluchure

(traitement) une **cure**
(ne pas se soucier) n'avoir **cure**
(presbytère) une cure
(il nettoie) il cure
(rivière) la Cure
sinécure
il r/écure
ils re/sur/vécurent
piqûre
Épicure
surpiqûre
(il fournit) il **procure**

(procureur) une procure
arcure
(dieu) Mercure
(planète) Mercure
(métal) du **mercure**
obscur°/e
clair-obscur°
les Dioscures
postcure
manucure

(durer) il **dure**
(durement) à la dure
(dureté) (un/e) **dur°/e**
(devoir) ils durent
l'Estrémadure
froidure
il endure
procédure
vidure
évidure
il indure
iodure
soudure
il perdure
verdure
ordure
une **bordure**
(il expulse) il bordure
vide-ordures

(...et à mesure) au fur°
(être) ils **furent**
(profit, arg.) il/une a(f)fure
coiffure
biffure
griffure
il/un sulfure
il désulfure
phosphure

encoignure
des peignures
égratignures
rognure

regur°
comtesse de Ségur°
Montségur°
il (se)/une **figure**
il défigure
il préfigure
il **transfigure**
(peuple) les Ligures
(Ligurie) (un/e) ligure
étalingure

Qu'est-ce de Pape et de ses Cardinaux ?
Qu'est-ce de Gens chargés de **prélature** ?
Qu'est-ce Empereurs et Rois et leurs joyaux ?
Qu'est-ce être Prince ou Duc selon **nature** ?
Qu'est-ce un Seigneur de haute **géniture** ?
Qu'est-ce un Gendarme et ses habits divers ?
Qu'est-ce une Dame ayant plaisant **figure** ?
Qu'est-ce à la fin de nous qu'un sac de Vers ?
[...]
Qu'est-ce de ceux qui suivent les Bourdeaux ?
Qu'est-ce un Prodigue, ou un qui vit d'**Usure** ?
Qu'est-ce des gens qu'aiment tous les jeux nouveaux ?
Qu'est-ce un Chichart qui plaint sa **nourriture** ?
Qu'est-ce un pauvre homme à qui faut la **pâture** ?
Qu'est-ce d'un prêtre, ou d'un moine ou convers ?
Qu'est-ce une Abbesse et Nonnain de **clôture** ?
Qu'est-ce à la fin de nous qu'un sac de Vers ?

Qu'est-ce (mon Dieu) de nous que **pourriture** ?
Qu'est-ce que Mort nous met tout à l'envers ?
Qu'est-ce pour vrai de toute **Créature** ?
Qu'est-ce à la fin de nous qu'un sac de Vers ?

Eustorg de Beaulieu, « Ballade de ce que toute créature devient à la fin de ses jours », *Les Divers Rapports*

Les instruments de **torture**
Étaient déjà préparés
Lorsque la **magistrature**
Entra, rouge de santé.
L'accusé dont l'**ossature**
Savait les réalités
Trembla. De quelle **froidure** !
Mais quand le fer fut planté
Dans son œil droit qui **fulgure**,

Mais quand le feu fut jeté
Comme un cri dans sa **figure**,
Ô sereine étrangeté,
On vit grandir sa **stature**,
Monter, grandir et monter,
Brisant plafonds et **clôtures**
Et ce visage enchanté
Répandit sur la **nature**
Un sourire ensanglanté.

Géo Norge, « Fer et feu », *Les Quatre Vérités*

J'ai lu tes vers, dont je n'eus **cure**
Dès que j'en vis la **couverture** :
C'était un drap de **sépulture**
Qui me semblait de triste **augure**.
Aussitôt je fis **conjecture**
Que ces vers seraient la **pâture**
De ceux qui sous la tombe **dure**
N'épargnent nulle **créature** ;
Mais quand j'en eus fait la **lecture**,
Il me fut force de **conclure**
Que cette plaisante **écriture**
Fait rire les gens sans **mesure**.
Que si ta belle humeur te **dure**,
Tu feras descendre **Voiture**
Du Pégase à la corne **dure**
......

UR°-URE

kieselgu(h)r°
il fulgure
il/un **augure**
il inaugure
envergure

écaillure
maillure
émaillure
à la revoyure
éraillure
chiure
des balayures
rayure
enrayure
dérayure
feuillure
ophiure
liure
paliure
demi-/**reliure**
pliure
surliure
séléniure
arséniure
mouillure
rouillure
souillure
striure
sciure
siliciure
oxyure
dasyure

il **jure**
gageure
mangeure
il abjure
il adjure
injure
bringeure
il **conjure**
il/un **parjure**
vergeure

montagne de Lure
(lire) ils **lurent**
allure
écalure
(chapeau, arg.) un galure
voilure
salure
dessalure
talure
(+comp.) ils valurent
encablure
râblure
entablure
criblure
doublure
râclure
(cloîtrer) reclure
inclure
ils inclurent
occlure
ils occlurent
conclure
ils conclurent
sarclure

exclure
ils excluront
ils ré/élurent
il délure
fêlure
niellure
des démêlures
engrêlure
ensellure
tellure
barbelure
gelure
engelure
grumelure
(frisure) annelure
cannelure
crénelure
pelure
chapelure
crêpelure
craquelure
(relire) ils relurent
(rengaine) (une) turelure
bosselure
ciselure
des ratelures
dentelure
mantelure
encastelure
(femme mûre, arg.)
une ravelure
gravelure
tavelure
chevelure
grivelure
éraflure
enflure
soufflure
boursouflure
réglure
effilure
faufilure
silure
collure
encolure
bariolure
molure
échauboulure
coulure
foulure
il/une **moulure**
(é/re/moudre)
ils é/re/moulurent
vermoulure
roulure
ils re/voulurent
ils dé/com/plurent
triplure
(illusion, arg.)
il se/une berlure
il peinturlure
tubulure
vermiculure
brûlure

(murer) il mure
(mûrier) une **mûre**
(maturité) **mûr**°/**e**
(muraille) un **mur**°

Et ne saurais à la **Couture**
Trouver de plus fine **monture**.
Mais prends garde, je te **conjure**,
Qu'il ne t'affole la **fressure**
Ou fasse au chef une **blessure**
Qui soit de difficile **cure** :
Car il est gai de sa **nature**,
Fringant, délicat d'**embouchure**,
Et ce n'est pas chose trop **sûre**
Que d'y monter à l'**aventure**.
Si tu le domptes, je t'**assure**
Qu'un jour chez la race **future**
Tu seras en bonne **posture** ;
Mais diable, c'est la l'**enclouure**.

Jean de La Fontaine, « À Monsieur Galien »,
Poésies diverses

A
méricaine apprenant
la
pein
tu
re
la **sculp**
ture la **gra**
vure la **couture**
l'**architecture**
la **caricature**
l'**agriculture**
la **littérature**
et faisait mille **con**
jectures sur la
na tu
re

Guillaume Apollinaire, « Montparnasse »,
Poèmes retrouvés

le nain ***nonagénaire***
dans un dernier ***murmure***
de grâce au moins la ***bière***
grandeur **nature**

Samuel Beckett, « Mirlitonnades »,
Poèmes

❒ 381 [Jacob] ; 1.2 [Nelligan] ; 333.21 [Régnier] ; 435.10 et 12 [Foulc]
228 [Jouve]

(rivière) la Mur°
(mouvoir) ils murent
il/une amure
Namur°
ramure
(coupure) entamure
étamure
il emmure
ils **émurent**
fémur°
(fantôme) lémure
(maki) lémur°
il (se) **claquemure**

palmure
Réaumur°
paumure
empaumure
bromure
ils promurent
(eau salée) il/une saumure
(ville) Saumur°
armure
il/un **murmure**
fumure

effanure

il/du **cyanure**
glanure
panure
vannure
ménure
il/une rainure
cœnure/cénure
veinure
grenure
engrenure
tenure
chinure
enluminure

UR°-URE

ruinure
ils mé/re/connurent
léonure
zonure
(chair) la charnure
écornure
tournure
entournure
lunure

enclouure
nouure

(un/e) **pur°/e**
(pouvoir) ils purent
il apure
râpure
tapure
étampure
(ville) Jodhpur°
(pantalons) des jodhpurs°
il/une **épure**
il dépure
crêpure
guipure
impur°/e
coupure
découpure
jaspure
il **suppure**

carrure
bigarrure
chamarrure
moirure
une **parure**
(+comp.)
(paraître) ils parurent
cambrure
membrure
zébrure
marbrure
(croire) ils **crurent**
(ac/croître) ils ac/crûrent
échancrure
ils décrûrent
madrure
hydrure
ferrure
déferrure
glairure
serrure
gaufrure
épaufrure
déchirure
virure
borure
dorure
mordorure
forure
il/du chlorure
il déchlorure
fluorure
r/embourrure
(+comp.) ils coururent
fourrure
ils **moururent**
diaprure
enchevêtrure

il/du nitrure
il carbonitrure
couvrure
givrure

(rivière) la Sure
(aigre) sur°/e
(certain) **sûr°/e**
(dessus) **sur°**
(savoir) ils surent
il **assure**
cassure
il réassure
enlaçure
matelassure
glaçure
plaçure
damassure
il rassure
il/la **censure**
il s'/une autocensure
ils déçurent
blessure
fressure
il pressure
ils reçurent
arrondissure
il/une fissure
bouffissure
salissure
plissure
commissure
vomissure
finissure
brunissure
épissure
flétrissure
meurtrissure
scissure
chancissure
roussissure
noircissure
moisissure
tissure
blettissure
(sale individu, arg.)
une tartissure
sertissure
pinçure
rinçure
embossure
chaussure
(Ferdinand de) Saussure
ils conçurent
enfonçure
il/une tonsure
éclaboussure
arrière-/voussure
gerçure
ils perçurent
ils entr/aperçurent
morsure
il **sussure**
flexure
luxure

il **azure**
(l') **azur°**
la Côte d'Azur°

masure
brasure
embrasure
ébrasure
évasure
fraisure
il/la présure
il emprésure
césure
il/une **mesure**
démesure
télémesure
contre-mesure
demi-mesure
creusure
brisure
frisure
incisure
enclosure
décousure
usure

batture
il/une **courbature**
cubature
judicature
il/une **caricature**
cléricature
sulcature
troncature
arcature
mandature
candidature
il déléature
un deleatur°
linéature
créature
il/une ligature
signature
il/une villégiature
appo(g)giature
miniature
nonciature
tablature
nomenclature
prélature
filature
colature
alcoolature
législature
maculature
musculature
(maturité) mature
(mâts) une **mâture**
immature
imprimatur°
palmature
armature
NATURE
il dénature
modénature
emboîture
exequatur°
droiture
toiture
(Vincent) Voiture
il/une **voiture**
il/une **pâture**
il/une **rature**

(horlogerie) cadrature
(géométrie) quadrature
température
littérature
grattture
magistrature
il sature
ossature
il sursature
dictature
stature
enture
denture
kommandantur°
rudenture
argenture
emplanture
parementure
penture
tenture
il (s') /une aventure
Bonaventure
mésaventure
devanture
il obture
(style) la facture
(note) il/une facture
il/une manufacture
il/une fracture
il/une contracture
préfecture
sous-préfecture
projecture
il/une **conjecture**
il/une **lecture**
relecture
il/une **architecture**
conjoncture
ignipuncture/
igniponcture
acupuncture/
acuponcture
il/une **structure**
infrastructure
il déstructure
il restructure
technostructure
microstructure
superstructure
forfaiture
ne varietur°
préture
propréture
rentraiture
fortraiture
il portraiture
vêture
tacheture
moucheture
des vergetures
vigneture
fermeture
des baquetures
déchiqueture
tiqueture
(ivresse, arg.)
il/se/une bi(t)ture
confiture
déconfiture

(origine ; enfants) géniture
primogéniture
progéniture
garniture
fourniture
(Bible) les Écritures
télé/ré/**écriture**
friture
il/une fioriture
nourriture
pourriture
il triture
tessiture
des battitures
investiture
jointure
pointure
empointure
il/une **peinture**
il/une **ceinture**
teinture
désinvolture
culture
il acculture
aquaculture
contre-culture
oléiculture
ostréiculture
trufficulture
céréaliculture
saliculture
conchyculture
capilliculture
mytiliculture
polyculture
pomiculture
agrumiculture
salmoniculture
apiculture
carpiculture
lombriculture
puériculture
agriculture
arboriculture
floriculture
héliciculture
pisciculture
sériciculture
riziculture
viticulture
horticulture
aviculture
sylviculture
inculture
hémoculture
monoculture
motoculture
sculpture
il/une **sépulture**
il/une **clôture**
roture
azoture
monture
tonture
il/une bouture
couture
égoutture
mouture
pouture

UR°-URE

il/une **capture**
lepture
rupture
Arthur°
général MacArthur°
aperture
ouverture
couverture
réouverture
Toussaint Louverture
il/une **torture**
questure
posture
imposture
angusture

il/une texture
contexture
mixture
futur°/e
le **futur°**
il/une suture
(bouteille, arg.) une tuture
(il boit, arg.) il tuture

bavure
il ébavure
lavure
emblavure
gravure
engravure

similigravure
héliogravure
pyrogravure
photogravure
rotogravure
levure
enlevure
gélivure
enjolivure
rivure
il/une **nervure**
ils pourvurent

assonances	*contre-assonances*
549. UL-E	*45. AR-E*
538. UBRE	*177. ÈRE-ER*
575. URNE	*228. EUR-E*
	510. OUR-E

568. URBE

(ville, arch.) une urbe
enquête par turbe
il **perturbe**
il **masturbe**

penser c'est ronfler un peu quand les rombières **perturbent**
ronfler c'est railler un peu quand la raillerie ***embourbe***
railler c'est rosser un peu quand les rosières **masturbent**
rosser c'est rimer un peu quand le rimailleur est ***fourbe***

Clovis Maërl, « Indéfinitions »,
Glossolalie, glace aux lilas

Mes mains, sous ton genou par-derrière… oh ! serrantes
En levier ta cuisse dans mes fesses errantes
Comme des lèvres qui baisent, et qui **masturbent**

Ta rotule, et qui masturbent toute ta jambe
Et s'affolent, et se désespèrent de ***stupre***
Sans pouvoir téter du sperme hors de ta jambe.

Pierre Louÿs, « Le Croisement des jambes »,
La Femme

les ***imberbes*** à ***barbe***
descendent de la **suburbe***
vers le bus Palladium

Raymond Queneau, « Les imberbes à barbe… »,
Poèmes écartés de "Courir les rues" in *Œuvres complètes*

* banlieue (cf. suburbain)

assonances	*contre-assonances*
536. UBE	*511. OURBE*
538. UBRE	*46. ARBRE*
576. URPE	*178. ERBE*
564. UPRE	*402. ORBE*

❐

569. URDE-URD°

ABSURDE

Sigurd°
(un/e) **kurde**
(l') ABSURDE

Au son d'une musique **absurde**,
Nous verrons défiler les **Kurdes**,
Le fils du banquier Capulet
Amoureux fou de Juliette,
Et, si le livret est trop bête,
Les décors ne seront pas laids.

Max Jacob, « Printemps et cinématographe mêlés »,
La Défense de Tartufe

Cela s'appelle un monde, paraît-il ?
Ça, un monde d'amour et de ***béatitude*** !
La prétention des hommes est **absurde**,
Et ceux qui la célèbrent sont puérils.

Patrice de La Tour du Pin, « Le Livre de Swanter » V,
Sixième livre in *Une Somme de poésie*. I

☞

URDE-URD°

Me voici seul sous le portail **absurde**.
Je suis fouaillé par les félins ***nocturnes***.
Le serpent du froid monte à mes vertèbres.
Le vent m'arrache et m'emporte aux ténèbres.

Jean Grosjean, « Délateur des principes »,
Majestés et passants

assonances	*contre-assonances*
542. UDE	*513. OURDE*
575. URNE	*50. ARDE*
568. URBE	*404. ORDE*

❒

570. URF°-URFE

(chic, arg.) **urf°/fe**
turf°
(presse, n.dép.) Paris-turf°

Du valseur trimbalant son service-trois-pièces
Avecque le dandysme et les ***tournures*** **urf**
D'un accoutumé de Longchamp et autres **turfs**,
Qui se contraindrait à n'envoyer la purée
Dans son calebar puce, un cadeau de sa nièce.

André Blavier,
Le Mal du pays ou les travaux forc(en)és, v.1692-1696

En vérité, je vous envie
La douce maritime vie
Que vous passez en si beaux bras ;
Je trouve que c'est chouette et **urfe**
Car, entre nous, mon cher **tarturfe**,
Vous ne naviguez que pour ça.

Valery Larbaud, « Épître à mon éditeur »,
Les Poésies de A.O. Barnabooth

J'en sais des gants, j'en sais qui ***furent***
Lancés à travers des ***figures***,
– Au café, ou bien au cercle, ou sur le **turf**, –
De messieurs qu'on traitait de ***mufles***...

Franc-Nohain, « Gants »,
Dites-nous quelque chose

assonances	*contre-assonances*
567. URE	*52. ARF*
544. UFLE	*183. ORPHE-ORF*
579. URVE	*240. URF-E* [œʀf]

❒

571. URGE

PURGE

ça **urge**
sainte Walburge
démiurge
(il sort, arg.) il démurge
Panurge
il/une PURGE
épurge
il expurge
il s'**insurge**
un/e **dramaturge**
(un) **thaumaturge**

Paris s'**insurge**.
À ses arcs triomphaux répond la barricade ;
Paris boira son sang comme à la régalade,
Paris se **purge**.

Le tribun aujourd'hui se connaît **dramaturge**
Lorsque le chansonnier debout sur une estrade
De pavés déclame l'Iliade
Des moutons de **Panurge.**

André Salmon, « Les Révolutions de Paris »,
Les Étoiles dans l'encrier

– Piètre historien ?
Maigre **dramaturge** ?
– Suis-je un **démiurge**
pour créer de rien ?

Benjamin Fondane, « Tristan et Yseut » X,
Au temps du poème et Poèmes épars in *Le Mal des fantômes*

☞

URGE

en buvant la tisane, en croquant l'aspirine,
en avalant le ***fébrifuge***,
en oignant le cérat, en piquant la morphine,
en dégustant la fade **purge**.

Raymond Queneau, « Assis dans un fauteuil… »,
Chêne et chien. I

Déjà sur les pavés tombent les gouttes ***larges***.
Je me suis réfugié sous l'auvent d'une ***auberge***,
tout en haut de la rue de l'Épée : le vent ***forge***
dans son étroit couloir un tuyau qui s'**insurge**.

Paul Fort, « Pontoise ou la Folle Journée »,
Repos de l'âme au bois de l'Hautil in *Ballades françaises*

assonances	*contre-assonances*
545. UGE	*53. ARGE*
539. UCHE	*184. ERGE*
567. URE	*408. ORGE*
	515. OURGE

❐

572. URGUE-URG°

(perche, rég.) une burgue
(château) un burg°
maréchal Hindenburg°
Johannesburg°
Pittsburg°
Lycurgue
(il blâme) il objurgue
(résidus de gras, rég.)
des salurgues

assonances	*contre-assonances*
548. URGE	*55. ARGUE*
577. URQUE-URC	*186. ERG-UE*
552. ULGUE	*410. ORG-UE*
546. UGLE	*516. OURGUE-URG*

Toujours devant son nez quelque épicier **Lycurgue**
Qui vous fait les gros yeux, vous tance et vous **objurgue** […]

Amédée Pommier,
Colères

Un champ de foire avec son arène athlétique […]
Ses figures de cire et ses têtes de ***turc*** ;
Ses murs de pain d'épice hauts comme ceux d'un **burg**
Et l'affiche alléchante : Allez voir – ô l'allure
De sphinx ! – la Bébida, seule femme silure ! –

Robert de Montesquiou, « Tréteaux »,
Les Hortensias bleus. CXXIV

❐ *546 [Pirotte]*

573. URLE

HURLE

il HURLE
(il tempête, rég.) il burle
(moquerie, arch.)
il se/une burle
(rouet) un curle

Fausse est la promesse
Noire la détresse
Au verso du **mur le**
grand chien qui **hurle**

Pierre Reverdy, « Bande de souvenirs »,
Main d'œuvre

Ces mots qu'on dit ou qu'on **hurle**
les promesses sont du papier
que l'on froisse ou que l'on ***brûle***
à la flamme des chandeliers

Philippe Soupault, « Arc-en-ciel »,
Poèmes et Poésies

Derniers vivants, sans casques, sans ***armures***
Sur le chemin déchiré de nos corps
Nous revenons dans ce pays qui **hurle**
Pour conquérir un dernier château-fort.

Robert Sabatier, « Les Conquérants »,
Les Fêtes solaires

assonances	*contre-assonances*
549. ULE	*56. ARLE*
567. URE	*187. ERLE*
575. URNE	*230. EURLE*
537. UBLE	*517. OURLE*

❐

574. URM°-URME

(troupe decavaliers)
une turme
(… und Drang) Sturm°
(Charles) Sturm°
(glaciation) le würm°

assonances
575. URNE
559. UME

contre-assonances
412. ORME
518. OURME

575. URNE

NOCTURNE
TACITURNE

urne
(couilles, arg.) des **burnes**
(mollusque) une éburne
(raseur, arg.)
(un/e) casse-burnes
(navire) une liburne
(Algernon Ch.) Swinburne
Furnes
diurne
(chambre, arg.)
une thurne/**turne**
NOCTURNE
(dieu) **Saturne**
(planète) Saturne
(plomb) le saturne
TACITURNE
(cité romaine) Minturnes
(dieu) Vulturne
cothurne

Soupir de l'éternel dans l'éther **taciturne**,
Écho du dieu muet dans le silence d'or,
Ton murmure redit la sibylle d'Endor
Et scelle sur ses plombs la fille de **Saturne**.

La danse du néant ne rythme que tes pas,
Tes crotales sans voix étouffent ton **cothurne** ;
Le lait du ciel te suit dans l'infini **nocturne**
Et le monde est pour toi comme s'il n'était pas.

André Suarès, « Fatalité de la grâce »,
Antiennes du Paraclet

Un cirrus est si rose à son faîte renflé
que ruisselle de lui, dans l'heure encor **diurne**,
une douce grisaille où cède, **taciturne**,
le dôme fabuleux de saint Papabilé.

Vers la pierre ordonnée autour de l'ample clé
de plus en plus le soir courbe, lente, son **urne**,
et le mauve, pleuvant, se flatte que l'**azur ne**
retournera jamais aux rives du délai.

Jacques Audiberti, « À la Brunisma »,
Race des hommes

Tandis que je relis *le Bourgmestre de* **Furnes**,
Pieds au chaud, sous la lampe et, de Fargue, **Vulturne**

André Blavier,
Le Mal du pays ou les travaux forc(en)és, v. 295-296

Ma Mason, v'là tout, ma Mason,
[…]
Loin des Magistrats de mes **…** *
Qu'ont l' cœur de vous foute en prison
Quand qu'on a pus l' rond et pus d' **turne**.

Jehan Rictus, « La Maison des Pauvres »,
Les Soliloques du Pauvre

* burnes (rime cryptée)

Que tes pierres, hélas ! s'écroulent ***une*** à ***une***,
De soirs en soirs,
Et que la Nuit ***séjourne*** à jamais **taciturne**,
Muette et pour toujours en deuil du passé noir…

Henri de Régnier, « La Demeure »,
Tel qu'en songe

assonances
561. UNE
567. URE

contre-assonances
519. OURNE
189. ERNE

❒ *569 [Grosjean] ; 189 [Brauquier]*

576. URPE-URP°

(succion) slurp!°
il **usurpe**

Les gendarmes, ici, dites-vous, vont venir ?...
Les gendarmes !... Allons ! Le rêve doit finir !...
Vous ne sauriez être plus longtemps ***dupe***
Du personnage que j'**usurpe**.

Franc-Nohain, « La Belle éveillée »,
Fables

Car, vois, Hélène,
Ceux-ci, tes prêtres, que la honte ***empourpre***,
Ceux-ci, qui te voulurent vaine
Selon leur âme d'enfant sénile,
Ceux-ci, dont la trop triste orgie **usurpe**
La tiare de ton culte impérieux
Leur âme est vile,
Sous les grands cieux !

Francis Vielé-Griffin, « Deuxième chanson »,
Les Cygnes

❐

assonances	*contre-assonances*
562. UPE	*59. ARPE*
554. ULPE	*190. ERPE*
564. UPRE	*311. IRPE*

577. URQUE-URC°

TURC°/TURQUE

les Cadurques
il **bifurque**
(Joseph) Lesurques
(mazurka) il/la mazurke
(un/e) TURC°/TURQUE
Atatürk°
un/e jeune-turc°/
jeune-turque

Mon amour, je veux prendre ici
Sur un tapis de couleur **turque**
Votre bouche et le point précis
Où votre svelte corps **bifurque**.

Pierre Louÿs, « Réponse »,
Pervigilium Mortis

nomme ***azur ce que***
la dame **mazurke**
je t'**assure que**
cette dame est **turque**
nomade

Max Jacob, « Intérimes »,
Ballades

Et puisqu'il faut trinquer,
ouzo grec, raki **turc**,
viens sous les aréquiers
trinquer avec ces ***trucs***.

Paul Neuhuys, « Amuse-gueule »,
Septentrion

❐ *572 [Montesquiou] ; 191 [Ferrer]*

assonances	*contre-assonances*
566. UQUE-UC	*60. ARQUE-ARC*
581. USQUE-USC	*191. ERQUE-ERK*
540. UCRE	*414. ORQUE-ORK*
555. ULQUE	*521. OURQUE*

578. URSE-URSS°

l'U.R.S.S./URSS°
saint Tiburce
(François) Accurse
Quinte-Curce

Fils unique, exempleu du déclin de la France,
je suçais des bonbons
pendant que mes parents aux prospères finances
accumulaient des bons
de Panama, du trois pour cent, de l'Emprunt ***russe***
et du Crédit Foncier,
préparant des revers conséquences de l'**U.R.S.S.**
et du quat'sous-papier.

Raymond Queneau, « Je naquis au Havre... »,
Chêne et chien. I

❐

assonances	*contre-assonances*
580. US-SE	*522. OURS-E*
567. UR-E	*61. ARS-E*
588. UX-E	*415. ORS-E*

579. URVE

il (s') incurve
(voiture, verl.) une turve

assonances
587. UVE
558. ULVE

contre-assonances
197. ERVE
419. ORVE

580. USCLE

il/un **muscle**
(orage, rég.) un ruscle

assonances
582. USQUE
549. ULE
546. UGLE
563. UPLE

La maison où je l'ai connue
Abrite un cuistre chauve et gras.
Où est la courbe de ses bras ?
Où est sa gorge dure et nue ?
[...]
Cuistre adorable (*hic, hæc, hoc*),
Son amant fleure-t-il le **musc**, **le**
Corylopsis ? Tend-il le **muscle**
Du mollet comme un jeune coq ?

Tristan Derème, « La maison où je l'ai connue… »,
La Verdure dorée. XIX

❒

581. USE-UZ°

MUSE
il **use**
(rapace) une **buse**
(tuyau) une buse
(échec, Belg.) il/une buse
il **abuse**
Mabuse
(il radote, rég.) il rabuse
il désabuse
cambuse
il/une **arquebuse**
il **accuse**
(il dénonce, Belg.)
il raccuse
Syracuse
on s'entraccuse
loméchuse
il récuse
(une) incuse
(Paul) Bocuse
(Herbert) Marcuse
il/une **excuse**
Vaduz°
(mythologie) **Méduse**
(animal) une **méduse**
(il stupéfie) il méduse
Créüse
il **fuse**
il **refuse**
(diffus) diffuse
il re/diffuse
il télédiffuse
il radiodiffuse
(innée) infuse
(infusion) il infuse
profuse
confuse
il perfuse
il transfuse

Raguse
(il ébahit, rég.)
il ébarbluse
cluse
il/une **écluse**
(il boit, arg.) il écluse
(une) **recluse**
ci-/incluse
le Vaucluse
la Sorgue de Vaucluse
percluse
Péluse
Saint-Jean-de-Luz°
(illusion, arg.) une illuse
les MUSES/la MUSE
(il flâne) il **muse**
(il bourdonne, Belg.) il muse
il **amuse**
camuse
cornemuse
Hormuz°/Ormuz°
(s'amuser) faire mumuse
canuse
hypoténuse
les Arginuses
empuse
il/une **ruse**
les Abruzzes
Veracruz°
Santa Cruz°
il décruse
les Druses/Druzes
céruse
(une) **intruse**
abstruse
(ville) Suse
(liqueur, n. dép.) une Suze
il mésuse
obtuse
éthuse/æthuse
contuse

Juge, tu m'**accuses**.
Mon âme **refuse**
D'avouer des torts.

Ta vieille **arquebuse**
Et ton château fort,
Quels sales décors !

Tu feins : tu t'**abuses**,
C'est pas pour de l'or
Qu'elle geint, ma **muse**.

Si la lyre **amuse**
Quatre mirliflores,
Pour moi, c'est à mort.

Pour moi, c'est à mort
Que s'ouvre l'**écluse**
Où mon fleuve sort.

Me faut des **excuses**
Quand ta **cornemuse**
Beugle un peu trop fort.

Car cette outre **abuse**
D'***extases*** **percluses**
Et de faux transports. [...]

Tes angoisses **rusent**,
Et moi, si j'en **use**,
Vraiment, c'est à mort.

Géo Norge, « À mort »,
Famines

C'est une écume de toute race, un troupeau
Carnassier de soudards chrétiens, de Juifs, de **Druses**,
Et d'Arabes qui n'ont que les os et la peau.

L'un descend du Taurus ou des gorges **abstruses**
De l'Horeb, celui-ci du Liban, celui-là
Des coteaux du vieux Rhin, cet autre des **Abruzzes.**

Charles Leconte de Lisle, « Le Lévrier de Magnus » II,
Poèmes tragiques

Le zèbu rencontre la **buse**
dans une soirée où l'on se ***croise***
quand il voit la **buse** il la ***toise***
c'est vous la **buse** si je ne m'**abuse**

La **buse** qui n'a pas de **ruse**
trouvant le zébu beau mais ***obèse***
lui crie toi mon gros pas de ***bise*** !
le zébu, déçu, boit de la **Suze**

Jacques Roubaud, « Buse et zébu »,
Les Animaux de tout le monde

☞

Non, non, ma pauvre **cornemuse**,
Ta complainte est pas si ***oiseuse*** ;
Et Tout est bien une ***méprise***,
Et l'on peut la trouver ***mauvaise*** ;

Et la Nature est une ***épouse***
Qui nous carambole d'***extases***,
Et puis, nous occit, peu ***courtoise***,
Dès qu'on se permet une ***pause***.

Jules Laforgue, « Air de biniou »,
Des Fleurs de bonne volonté

assonances
583. USSE
545. UGE

contre-assonances
524. OUSE
254. EUSE
67. ASE
199 ÈSE

❐

582. USQUE-USC°

BRUSQUE

(de corset) un **busc**°
(il s'arque) il (se) busque
il (s') **embusque**
il débusque
il (s') **offusque**
jusque
mollusque
du **musc**°
(il parfume) il (se) musque
il/être BRUSQUE
lambrusque
les Chérusques
des **frusques**
(un/e) **étrusque**

Je veux m'éluder dans les rires,
Dans des tourbes de gaîté **brusque**,
Oui, je voudrais me tromper **jusque**
En des ouragans de délires.

Pitié ! quels monstrueux vampires
Vont suçant mon cœur qui s'**offusque** !
Ô je veux être fou, ne **fût-ce que**
Pour narguer mes Détresses pires !

Émile Nelligan, « Je veux m'éluder… »,
Poésies complètes

Ce n'est pas tout un végétal un **mollusque**
sont loin de constituer les éléments de **frusque**
que revêt notre terre en ses instants d'oubli

Il faut également pour que son nez se **busque**
Qu'elle retrouve la tradition **étrusque**
Alors elle sera couronnée sans souci

Raymond Queneau, « Quand la nature se vêt »,
Sonnets écartés in *Œuvres complètes*

Un chemin qui serpente, une hirondelle **brusque**
Au ras du sol, de l'eau qui suinte, des **lambrusques**
Au pignon des maisons de tuile et de torchis,
De grands ormes où le soleil couchant s'**embusque** :
Voilà tout mon pays.

Philéas Lebesgue, « L'irrésistible charme »,
Œuvres poétiques. I

Sa poitrine ***robuste*** et souple,
Libre de corset et de **busc**,
À sa large épaule s'accouple ;
L'odeur du foin lui sert de **musc**.

Albert Glatigny, « Maritorne »,
Les Flèches d'or

Pourquoi qu'ils ont des trains royaux ?
Qu'ils éclabouss' avec leur **lusque***
Les conseillers municipaux
Qui peut pas s' payer des bell' **frusques** ?

Maurice Mac-Nab, « L'Expulsion »,
Poèmes incongrus

* luxe

assonances
566. UQUE
588. UXE
577. URQUE

contre-assonances
70. ASQUE
200. ESQUE
320. ISQUE

❐ 588 [Grosjean]

583. USSE°-US

VÉNUS

(avoir) que j'eusse°
(usage) un **us**
(Jan) Hus

Emmaüs

(boire) que je busse°
(autobus) un bus
le Syllabus/syllabus
(Apollon) Phœbus/
Phébus
(style obscur) le phébus
trolleybus
rébus
mont Erebus
(babiole) bibus
pedibus
gibus
(frère, arg.) frangibus
(nu) in naturalibus
minibus
omnibus
(bus, arg.) un ronibus
(fortune, arg.) du quibus
(n. dép.) abribus
oribus
rasibus
in partibus
(mort, arg.) mortibus
cumulo/nimbus
(litre de vin, arg.) kilbus
jacobus
bibliobus
microbus
Probus
autobus
Columbus
thrombus
(n. dép.) airbus
(Diane) Arbus
choléra morbus

qu'ils échussent°
que je déchusse°

Bacchus
Cacus
Gracchus
Spartacus
vulgum pecus
que je re/sur/vécusse°
mordicus
ficus
Germanicus
Britannicus
tylenchus
protococcus
diplodocus
(un) autofocus
locus
blocus
crocus
Lupercus
hibiscus
fucus
mucus

que je dusse°
gradus
bifidus
l'Indus
(nodosité) nodus
fundus

(dieu, lat.) deus
nucléus
iléus
(plante) coléus
hippeus
aureus
uræus

(être) que je fusse°
(être) **fût-ce**°
(Alfred) Dreyfus
typhus
tophus

gus/se°
nothofagus
pagus
asparagus
tragus
aberdeen-angus
négus
pemphigus
cunnilingus
(Charlie) Mingus
valgus
fongus
Longus
(mythologie) Argus
(espion) un argus
gugus/se°

il laïusse°
un **laïus**
Fabius
ruban de Möbius
Arcadius
radius
médius
(démagogue) Clodius
(politique) Claudius
Manlius
Héraclius
(Jean) Sibelius
mont Caelius
Vitellius
Lucilius
nauplius
Mummius
Ennius
Jansénius
Arminius
Licinius
Arius
Darius
Marius
(luthier) Stradivarius
(violon) un **stradivarius**
(original) un **olibrius**
(empereur) Olybrius
Sirius
phtirius

L'échine est un peu rouge, et le tout sent un goût
Horrible étrangement ; on remarque surtout
Des singularités qu'il faut voir à la loupe…

Les reins portent deux mots gravés : *Clara* **Venus** ;
– Et tout ce corps remue et tend sa large croupe
Belle hideusement d'un ulcère à l'**anus**.

Arthur Rimbaud, « Vénus Anadyomène »,
Poésies

Belle « à damner les saints », à troubler sous l'**aumusse**
Un vieux juge ! Elle marche impérialement,
Elle parle – et ses dents font un miroitement –
Italien, avec un léger accent **russe**.

Ses yeux froids où l'émail sertit le bleu de **Prusse**
Ont l'éclat insolent et dur du diamant.
Pour la splendeur du sein, pour le rayonnement
De la peau, nulle reine ou courtisane, **fût-ce**

Cléopâtre la lynce ou la chatte Ninon,
N'égale sa beauté patricienne, non !

Paul Verlaine, « Une grande dame »,
Poèmes saturniens

Et ce ne sera pas ces parfaits nettoyeurs
Qui viendront nous chercher parmi les **détritus**.
Et ce ne sera pas ces maîtres fossoyeurs
Qui nous réciteront notre dernier **Agnus**.

Et ce ne sera pas ces auteurs délicats
Qui viendront nous chercher dans nos derniers **humus**.
Et ce ne sera pas ces savants candidats
Qui nous réciteront notre dernier **Deus**.

Et ce ne sera pas ces robes d'avocats
Qui viendront nous chercher dans nos derniers **humus**.
Et ce ne sera pas ces parfaits renégats
Qui forceront pour nous les portes du **blocus**.

Charles Péguy,
Ève, p. 1130

dis-moi ce qui détruit l'**us**,
l'**us** de la dive bouteille,
bulle de frère **Bacchus**
et du Pape **Philocus** ?
Qui dame l'**us** de la treille ?
alors que bien malgré nous
nous nous mettons à genoux
et que notre oreille écoute
un – **Te deum laudamus** * ?
j'aime mieux quoiqu'il m'en coûte
t'aider, homme : l'eau dame us.
ouf !!!

Alfred de Vigny, « Romance du Roman de la Rose »,
Fantaisies

* « Dieu nous te louons » (hymne)

Heureux les amoureux
Sur les montagnes **russes**
Heureuse la fille ***rousse***
Sur son cheval blanc

Jacques Prévert, « Fête foraine »,
Paroles

❐ 59 [Fourest]

USSE°-US

Honorius
risorius
Sertorius
Nestorius
Dion Cassius
Apicius
Mencius
degré Celsius
Confucius
Photius
Naevius

Fréjus
de cujus

sainte Luce°
(+comp.) (lire) que je lusse°
phallus
malus
(+comp.) que je valusse°
Proclus
(+comp.)
que je conclusse°
comte de Caylus
angélus
vitellus
aspergillus
embolus
(en fraude, rég.)
à l'aulusse°
carolus
(+comp.) que je moulusse°
que je re/voulusse°
(davantage) (le) **plus**
(+comp.) que je plusse°
oculus
Lucullus
Regulus
stimulus
Romulus
cirro/strato/alto/
cumulus
tumulus
volvulus
convolvulus

(il cache) il musse°
(+comp.) (mouvoir)
que je musse°
Nostradamus

thalamus
hypothalamus
Ramus
hemigrammus
Remus
orémus
nystagmus
vidimus
thymus
aumusse°
trismus
humus

anus
pandanus
Janus
(Alde) Manuce°
(mythologie) Uranus
(planète) Uranus
Brennus
(planète) Vénus
(divinité) VÉNUS
(beauté) une vénus
cheveu-de-Vénus
sabot-de-Vénus
(agnus dei) **agnus**
Sabinus
un/e **minus**
terminus
Quirinus
sinus
acinus
cosinus
Latinus
bonus
que je mé/re/connusse°
clonus
(énergie) du tonus
(massif) le Taurus
tournus
Turnus
prunus

Antinoüs

(insecte) une **puce**°
(pouvoir) que je pusse°
capuce°
campus
il épuce°

prépuce°
opus
artocarpus
corpus
habeas corpus
Americ Vespuce°
lupus

(un/e) **russe**°
acarus
(+comp.) que je parusse°
(général) Varus
(pied-bot) (un) varus
Robert Bruce°
(croire) que je crusse°
(croître) que je crûsse°
que j'accrusse°
que je décrusse°
humérus
utérus
Verus
xérus
Fleurus
victoire à la **Pyrrhus**
papyrus
(nuage) un cirrus
(roi) Cyrus
virus
arbovirus
cytomégalovirus
rétrovirus
Horus
chorus
(un/e) biélorusse°
Florus
thésaurus
le Taurus
(+comp.) que je courusse°
que je mourusse°
la Prusse°
bleu de Prusse°
(cul, arg.) le pétrus
citrus
œstrus
urus
Burr(h)us

(sucer) il **suce**°
(savoir) que je susse°
(en plus) en sus

(Roland de) Lassus
Crassus
borassus
que je déçusse°
tunique de Nessus
processus
que je reçusse°
byssus
consensus
cossus
que je conçusse°
lapsus
collapsus
prolapsus
que je perçusse°
que j'entr/aperçusse°
versus
cursus
(digression) excursus
plexus
amphioxus

rhésus
(roi) **Crésus**
(riche) un crésus
numerus clausus
usus
abusus

que je tusse°
hiatus
Cincinnatus
épicanthus
nimbo/cirro/alto/
stratus
cactus
échinocactus
tractus sanctus
prospectus
(apoplexie) ictus
(monogramme) ichthus
(Jehan) Rictus
(sourire) un **rictus**
cunnilinctus
infarctus
fructus
fœtus
habitus
cubitus
décubitus

quitus
détritus
Titus
Balthus
(Thomas R.) Malthus
lotus
motus
raptus
eucalyptus
Artus
astuce°
agnus-castuce°
(épingle, Suisse) un sixtus
Plutus
Brutus

(trompette) lituus

favus
nævus
que je pourvusse°

assonances
539. UCHE
582. USE

contre-assonances
525. OUS-SE
71. AS-SE
201. ES-SE

584. USTE-UST°

JUSTE

buste
il **tarabuste**
il/la **flibuste**
robuste
arbuste
(empoisonneuse) Locuste
(criquet) une locuste
Procuste
(brûlé) aduste
il **déguste**
(empereur) **Auguste**

(prénom) Auguste
(noble) auguste
(clown) un auguste
Frédéric-Auguste
Philippe Auguste
Ernest-Auguste
(un) JUSTE
(sculpteurs) Juste
il **ajuste**
il réajuste
il rajuste
il désajuste
injuste
Saint-Just°

Victoire aux calmes yeux qui combats pour les **justes**,
Toi dont la main roidie a traversé l'enfer,
Malgré le sang versé, malgré les maux soufferts
Par les corps épuisés que tu prenais **robustes**,
Malgré le persistant murmure des chemins
Où la douleur puissante en tous les points s'**incruste**,
Je te proclamerais divine, sainte, **auguste**,
Si je ne voyais pas dans ta seconde main,
Comme un lourd médaillier à jamais sombre et **fruste**,
Le grand effacement des visages humains…

Anna de Noailles, « Victoire aux calmes yeux… »,
Les Forces éternelles

☞

USTE-UST°

Salluste
(gracieuse) vénuste
il **incruste**
il désincruste

Procruste
fruste
vétuste

J'ai mis mes mains dans les mains des **frustes**
Croyant moudre un grain plus chenu
Mais ceux qui reboutent les **arbustes**
Ne travaillent plus les mains nues
[…]
J'ai mis mes yeux dans les yeux des ***rustres***
Croyant voir les larmes passer
Oui mais les pleurs depuis bien des ***lustres***
N'éclosent plus dans l'œil blessé
[…]
Alors mon cœur dans le cœur des **bustes**
Dans le granit s'est enclavé
Dans les tavernes de la **flibuste**
Corps à corps je vais dépravé

Guy Béart, « Les Pas des justes »,
Couleurs et Colères du temps

Tout ça est bien **injuste**
Tout ça me **tarabuste**
Tout ça me rend très **truste**

Boris Vian, « Cantate des boîtes »,
Cantilènes en gelée

assonances
585. USTRE
586. UTE
557. ULTE

contre-assonances
322. ISTE
202. ESTE
72. ASTE

❒ *588 [Grosjean]*

585. USTRE

LUSTRE
ILLUSTRE

(brillant ; plafonnier)
il/un LUSTRE
(cinq ans) un **lustre**
balustre
palustre
il délustre
flustre
il/être ILLUSTRE
(poupe) un aplustre
(un) **rustre**
il **frustre**

Tout pour l'art et la volupté !
Qu'il s'écriait, le peintre **illustre**.
Servez chaud ! Allumez le **lustre** ;
Sur l'hiver les feux de l'été,

Sous la menace d'un **palustre**
Complexe d'infériorité.
Tout pour l'art et la volupté !
Qu'il s'écriait, le peintre **illustre**.

Cœur de fer de sang piqueté
Comme une rose de **balustre**,
Crains que la rouille ne te **frustre**
De la dernière vanité.
Tout pour l'art et la volupté !

André Salmon, « Rondel du doctrinal chanceux »,
Les Étoiles dans l'encrier

Fais sculpter sur ton arc, Imperator **illustre**,
Des files de guerriers barbares, de vieux chefs
Sous le joug, des tronçons d'armures et de nefs,
Et la flotte captive et le ***rostre*** et l'**aplustre**.

Quel que tu sois, issu d'***Ancus*** ou né d'un **rustre**,
Tes noms, familles, honneurs et titres, longs ou brefs,
Grave-les dans la frise et dans les bas-reliefs
Profondément, de peur que l'avenir te **frustre**.

José-Maria de Heredia, « À un Triomphateur »,
Les Trophées

Que les muses, les arts, toujours d'un nouveau **lustre**
Embellissent tous ses travaux ;
Et que, cédant à peine à son vingtième **lustre**,
De son tombeau la pierre **illustre**
S'élève radieuse entre tous les tombeaux !

André Chénier, « Mon frère, que jamais… »,
Iambes. IV in *Poésies*

☞

USTRE

Soleil triste, mairie obscure, ô jours amers !
Un poulet bat de l'aile et crie, et, sur les murs,
Fades gravures : *la Herse, Cité* **Lacustre**
Ou Palafitte ; et, sur la table, le ***registre***
Des mariages…

Tristan Derème, « Soleil triste… »,
La Verdure dorée. CXLI

assonances
584. USTE
586. UTE

contre-assonances
73. ASTRE
323. ISTRE
425. OSTRE

❐ *584 [Béart] ; 425 [Montesquiou]*

586. UTE-UT°

LUTTE
(cabane) une **hutte**
(avoir) vous **eûtes**
(note) un ut°
il transbahute
cahute
il **chahute**
(flamand, arg.) un flahute
(il tue, arg.) il capahute
(il marche, arg.)
il crapaüte/crapahute
(il trébuche) il bute
(il tue) il bute
il/être en/une **butte**
(boire) vous bûtes
(objectif) un **but**°
(il change, arg.)
il cambute
(il part, arg.) il décambute
il **débute**
Belzébuth°
haquebute
il **rebute**
il contrebute
comices tributes
(caleçon, arg.) un calbute
il/une **culbute**
scorbut°
(tomber) une **chute**
(choir) vous chûtes
(silence!) **chut**!°
il/un parachute
vous déchûtes
il/une rechute
il **persécute**
vous re/sur/vécûtes
il **exécute**
(fleuve ; État)
le Connecticut°
il électrocute
il charcute
il percute
il répercute
uppercut°
il re/**discute**
cuscute
(il coïte, arg.) il troducute
vous dûtes
(pantalon, arg.) un fute
(être) vous **fûtes**
il affûte
il enfûte
il raffûte
il **réfute**
(malin, arg.) fute-fute
(il dénigre, arg.) il maufute
(mépris) pfut!°
gomme-gutte
catgut°
(fibre) la jute
(jus) il jute
(peuple) les Jutes
ajut°
il verjute
(il enduit) il lute
(combat) il/une LUTTE
(lyre) un **luth**°
(+comp.) (lire) vous lûtes
(enduit) un lut°
(+comp.) vous valûtes
il blute
(+comp.) vous conclûtes
il délute
il/une **flûte**
anacoluthe
volute
vous é/re/moulûtes
vous re/voulûtes
(+comp.) vous plûtes
(il éblouit, rég.) il aberlute
(fellation, arg.)
il/une turlute
(pêche) une turlutte
(il déplace) il mute
(techn.) il mute
(+comp.)
(mouvoir) vous mûtes
(il tue, arg.) il azimute
(astronomie) un azimut°
il commute
il co/permute
il transmute
bismuth°
(temps) il/une **minute**
(droit) des minutes
(n. dép.) cocotte-minute
vous mé/re/connûtes
les Carnutes
(putain) une pute
(pouvoir) vous pûtes
il ampute
il députe
il répute
cajeput°
occiput°
préciput°
sinciput°
il impute

Morne esprit, autrefois amoureux de la **lutte**,
L'Espoir, dont l'éperon attisait ton ardeur,
Ne veut plus t'enfourcher ! Couche-toi sans pudeur,
Vieux cheval dont le pied à chaque obstacle **butte**.

Résigne-toi, mon cœur ; dors ton sommeil de **brute**.

Esprit vaincu, fourbu ! Pour toi, vieux maraudeur,
L'amour n'a plus de goût, non plus que la **dispute ;**
Adieu donc, chants du cuivre et soupirs de la **flûte** !
Plaisirs, ne tentez plus un cœur sombre et boudeur !

Le Printemps adorable a perdu son odeur !

Et le Temps m'engloutit **minute** par **minute**,
Comme la neige immense un corps pris de roideur ;
Je contemple d'en haut le globe en sa rondeur
Et je n'y cherche plus l'abri d'une **cahute**.

Avalanche, veux-tu m'emporter dans ta **chute** ?

Charles Baudelaire, « Le Goût du néant »,
Les Fleurs du mal

Solo
Qu'**exécute** la **flûte** qui **affûte**
Le baiser.
Volume qui se **répercute**
Sur des lèvres ouvrées ou **brutes**
Minutes brèves qu'on **ampute**
Aux chants, des heures blessées [...]

Augustin Mabilly, « Orchestre »,
Poèmes sans mesures

À nulle meute en cris tu n'offriras curée
Pierre à bâtir les autres ont au cœur un **luth**
Laisse-leur tout chants et douleur prends la durée
Ô toi qui n'attends rien des gros seins d'une **Ruth**

Pierre Albert-Birot, « Vivant »,
Miniatures

Encore elle elle a
sur les flancs du sang
divisé en filaments
comme de la ***bavette***
d'l'onglet ***échalote***
il se dit je ***note***
ça mais **flûte**
pas de ***plume***

Christian Prigent, « Histoire des actions »,
Peep-show, p. 79

❐ *542 [Le Quintrec] ; 561 [Libbrecht] ; 587 [Guérin] ; 205 [Réda]*

UTE-UT°

comput°
il/une **dispute**
il suppute
(Bible) Ruth°
(en chaleur) un **rut**°
(+comp.) vous parûtes
(brutal) une **brute**
(naturel) brut°/e
(croire) vous crûtes
(croître)
vous ac/dé/crûtes
il **recrute**
il **scrute**

il grute
(+comp.) vous courûtes
vous mourûtes
contre-ut°
vous sûtes
(+comp.) vous déçûtes
hirsute
zut!°
(il brime) il bizute
(novice) un bizut(h)°
(il suce, rég.) il tute
(taire) vous tûtes
(klaxon) tut!/tut!°

(il tète, rég.) une/il tute
(il boit, arg.) il tutute
(bouteille) une tutute
(putain, arg.) une pavute
vous pourvûtes

assonances	*contre-assonances*
542. UDE	*527. OUTE*
584. USTE	*205. ÈTE*
557. ULTE	*427. OTE*

587. UVE

CUVE

il/une CUVE
il encuve
il décuve
réduve
effluve
interfluve
pédiluve
(bain de mains) maniluve
Vitruve
le **Vésuve**
il/une **étuve**

assonances	*contre-assonances*
582. USQUE	*530. OUVE*
583. USSE	*234. EUVE*
584. USTE	*454. AUVE*

Sur le rare décor pompéien de l'**étuve**
Aux murs de mosaïque, un mois de Sextilis
Lourd, écœuré, torride, engourdissant, **Vésuve**
De touffeurs, a groupé dans ses marbres polis

Deux femmes. Pédisèque en proie à l'âpre **effluve**
Soporifique de maints calices pâlis,
À la surface au ras de terre d'une **cuve**
Où sa compagne meut ses geste amollis [...]

Robert de Montesquiou, « Peignoir - baignoire »,
Les Hortensias bleus. XCI

Quand il veut prendre un bain, ou même un **pédiluve**,
Pour mettre ce grand corps ou ces pieds seulement,
Il faut un tel bassin, une si large **cuve**,
Qu'on prendrait ce vaisseau pour l'œuvre d'un **Vitruve**,
Et qu'on croit voir un cirque, un temple, un monument.

Amédée Pommier, « Le Géant »,
Colifichets, jeux de rimes

Bercé par le soupir des eaux vives, un pâtre
Dont la lune argentait le visage rêva
Que d'invisibles doigts se posaient sur sa ***flûte***.
La terre près des cieux était paisible et pâle,
Et dans une vapeur de ***brumes*** et d'**effluves**
La mer proche faisait sonner sa grande voix.

Charles Guérin, « Les rossignols chantaient... »,
Le Cœur Solitaire. XL

❐

588. UX°-UXE

LUXE

le LUXE
(il disloque) il luxe
(animateur) (Guy) Lux°
(unité) le lux°
le Benelux°
Castor et Pollux°
("que la lumière soit")
fiat lux°

C'étaient pas des amis de **lux**',
Des petits Castor et **Pollux**,
Des gens de Sodome et Gomorrh' [...]

Georges Brassens, « Les copains d'abord »,
Poèmes et chansons

Un de ces quatre matins, on d'viendra des pop stars,
à nous les hit-parades et puis à nous Guy **Lux**.
Même si on est mauvais, on garde quand même l'espoir
de connaître la gloire, la fortune et le **luxe**.

Renaud, « Chtimi rock »,
Le Temps des noyaux

☞

UX°-UXE

Jésus, c'est mieux que tout ça.
Jésus, c'est du **rabiuxe***
Jésus, c'est en **pluxe**
Jésus, c'est du **luxe**

Boris Vian,
L'Arrache-cœur, 2e partie, chapitre V

* rabiot

Qu'un roi t'enchaîne à ses labeurs de **luxe**,
Si tu n'es pas plus fort, bédouin, sois ***brusque***
À fuir le temple et les palais d'***Auguste***.
Mieux peu de beurre, eau rare et harde à ***puces***,
Mais le front fier devant ta tente ***illustre***
Que souillé de vaine œuvre.

Jean Grosjean, « Réfractaire aux règnes »,
Majestés et passants

assonances	*contre-assonances*
582. USQUE	*71. AXE*
583. USSE	*331. IX-E*
584. USTE	*432. OX-E*

❐

ANNEXES

TABLE DES 588 RUBRIQUES

En capitales : RIMES PRINCIPALES (à occurrence forte)
En caractères gras : **rimes fréquentes** (à occurrence moyenne)
En caractères maigres : rimes rares (à occurrence faible)

A (page 1)

AN (page 97)

È (page 154)

É (page 244)

EU (page 300)

EÛ (page 322)

I (page 348)

ON (page 568)

OU (page 604)

U (page 641)

BIBLIOGRAPHIE

Au-delà des indications bibliographiques d'usage, on a tenté, dans la mesure du possible, de préciser les copyrights des œuvres citées, quand elles n'appartiennent pas au domaine public.

I. OUVRAGES DE RÉFÉRENCE

Album zutique (éd. Pascal Pia), Slatkine, 1981.

M. AQUIEN, *Dictionnaire de poétique,* Le Livre de Poche, L.G.F., 1993.

G. ARÈS, *Parler suisse, parler français,* Éditions de l'Aire, 1994 (Vevey).

L'Art de conjuguer, le nouveau Bescherelle, Hatier, 1980.

P. AUGÉ (dir.), *Larousse du XXe siècle,* 6 volumes, Librairie Larousse, 1928.

W. BAL, A. DOPPAGNE, A. GOOSSE, J. HANSE, M. LENOBLE-PINSON, J. POHL, L. WARNANT, *Belgicismes. Inventaire des particularités lexicales du français en Belgique,* Duculot, 1994.

Bibliothèque Oulipienne, volumes 1 et 2, © Seghers, 1990.

A. BLANCHARD, *Poésie baroque et précieuse,* Seghers, 1985.

Ph. BLANCHET, *Dictionnaire du français régional de Provence,* Bonneton, 1991.

J. BOISGONTIER, *Dictionnaire du français régional des Pays aquitains,* Bonneton, 1991; *Dictionnaire du français régional du Midi toulousain et pyrénéen,* Bonneton, 1992.

J.-Cl. BOULANGER (dir.), *Dictionnaire québécois d'aujourd'hui,* Dicorobert Inc., 1992.

Ch. CAMPS, *Dictionnaire du français régional du Languedoc,* Bonneton, 1991; *Dictionnaire du français régional du Roussillon,* Bonneton, 1991.

F. CARADEC, *N'ayons pas peur des Mots; Dictionnaire du français argotique et populaire,* Larousse, 1988.

M. CAZENAVE, *Anthologie de la poésie de langue française du XIIe au XXe siècle,* Hachette, 1994.

N. CELEYRETTE-PIETRI, *Les Dictionnaires des poètes,* P.U. Lille, 1985.

J. CELLARD, A. REY, *Dictionnaire du français non conventionnel,* Hachette, 1980.

A. CHEVRIER, *Le Sexe des rimes,* Les Belles Lettres, 1996.

J.-P. COLIN, J.-P. MÉVEL, *Dictionnaire de l'argot,* Larousse, 1990.

L. DECAUNES, *La Poésie parnassienne,* Seghers, 1977.

B. DELVAILLE, *Mille et cent ans de poésie française,* Bouquins, Laffont, 1991; *La Poésie symboliste,* Seghers, 1971.

T. DERÈME, *Le Quatorze Juillet ou petit art de rimer quand on manque de rimes,* Émile-Paul Frères, 1925.

Dictionnaire des mots croisés, Larousse, 1988.

P. DUBUISSON, M. BONIN, *Dictionnaire du français régional du Berry-Bourbonnais,* Bonneton, 1993.

M. et G. DUCHET-SUCHAUX, *Dictionnaire du français régional de Franche-Comté,* Bonneton, 1993.

J. DUCLOS, *Dictionnaire du français d'Algérie,* Bonneton, 1992.

Cl. FRÉCHET, J.-B. MARTIN, *Dictionnaire du français régional du Velay,* Bonneton, 1993.

A. GAGNY, *Dictionnaire du français régional de Savoie,* Bonneton, 1993.

J.-P. GOUDAILLIER, *Comment tu tchatches! Dictionnaire du français contemporain des cités,* Maisonneuve et Larose, 1997.

F. GOYET (notices), *Traités de poétique et de rhétorique de la Renaissance,* Le Livre de Poche, L.G.F., 1990.

P. GUIRAUD, *Dictionnaire érotique,* Payot, 1978.

A. JUILLAND, *Dictionnaire inverse de la langue française,* Mouton & Co, 1965 (La Haye).

L. LALANNE, *Curiosités littéraires,* Adolphe Delahays, 1857.

J. LANHER, A. LITAIZE, *Dictionnaire du français régional de Lorraine,* Bonneton, 1994.

R. LEPELLEY, *Dictionnaire du français régional de Normandie,* Bonneton, 1993.

G. A. MARKS, Ch. B. JOHNSON, *Harrap's Slang; Dictionnaire d'argot Anglais-Français/Français-Anglais,* Harrap's, 1993.

Ph. MARTINON, *Dictionnaire des rimes françaises,* Larousse, 1962 (1re édition, 1905).

J. MAZALEYRAT, *Éléments de métrique française,* A. Colin, 1974.

H. MESCHONNIC, *La rime et la vie,* Verdier, 1990.

Le Nouveau Petit Robert 1, Dictionnaires Le Robert, 1993.

La Nouvelle Guirlande de Julie, Éditions Ouvrières, 1981.

Le Petit Larousse, Larousse, 1995.

Le Petit Robert des noms propres, Dictionnaires Le Robert, 1994.

P. RÉZEAU, *Dictionnaire du français régional de Poitou-Charentes et de Vendée,* Bonneton, 1991.

J. ROUBAUD, *Soleil du soleil: Le Sonnet français de Marot à Malherbe,* P.O.L., 1990.

G.-L. SALMON, *Dictionnaire du français régional du Lyonnais,* Bonneton, 1995.

J.-P. SIMON, M.-R. SIMONI-AUREMBON, *Dictionnaire du français régional de Touraine,* Bonneton, 1995.

J. SUBERVILLE, *Histoire et théorie de la versification française,* École, 1965.

M. TAMINE, *Dictionnaire du français régional de Champagne,* Bonneton, 1993; *Dictionnaire du français régional des Ardennes,* Bonneton, 1992.

G. TAVERDET, D. NAVETTE-TAVERDET, *Dictionnaire du français régional de Bourgogne,* Bonneton, 1991.

J.-Cl. TRAIT, Y. DULUDE, *Le Dictionnaire des bruits,* Éditions de l'Homme, 1989 (Québec).

Trésor de la langue française, 16 volumes, C.N.R.S., 1971-1994.

A. VELTER, *Les Poètes du Chat Noir,* Gallimard, 1996.

A.-M. VURPAS, Cl. MICHEL, *Dictionnaire du français régional du Beaujolais,* Bonneton, 1992.

L. WARNANT, *Dictionnaire des rimes orales et écrites,* Larousse, 1992 (1re édition, 1973).

L. WARNANT, *Dictionnaire de la prononciation française dans sa norme actuelle,* Duculot, 1987.

L. WOUTERS, *Ça rime et ça rame. Anthologie thématique des poètes francophones de Belgique,* Labor, 1988.

L. WOUTERS, A. BOSQUET, *La poésie francophone de Belgique,* t. 1: 1804-1884 (1985); t. 2: 1885-1900 (1987), Éditions Traces (Bruxelles); t. 3: 1903-1926 (1992); t. 4: 1928-1962 (1992), Académie royale de langue et de littérature française (Bruxelles).

II. CORPUS DES CITATIONS

Pierre ALBERT-BIROT, *Aux trente-deux vents*, Sic/Petithory, 1970; *Les Amusements naturels, Miniatures*, Rougerie, 1983.

Maxime ALEXANDRE, *Circonstances de la poésie*, Rougerie, 1976.

Alphonse ALLAIS, *Rimes riches à l'œil* in *Le Sourire* du 7 déc. 1901; *Le Captain Cap, Ne nous frappons pas, Le Parapluie de l'escouade* in *Œuvres anthumes*, Bouquins, Laffont, 1991; in A. VELTER, *Les Poètes du Chat Noir* (voir I, ci-dessus).

Marc ALYN, *Le Chemin de la parole*, L'Harmattan, 1994; *Le Temps des autres*, Seghers, 1956; *L'Arche enchantée*, Éditions Ouvrières, 1979.

Anonyme du XXe siècle, *Rimes et Rhumes*, Éditions du Courant d'air (s.d.).

Guillaume APOLLINAIRE, *Œuvres*, La Pléiade, Gallimard, 1984.

Louis ARAGON, *Mes caravanes...* (1954), *En étrange pays dans mon pays lui-même* (1965), *Les Yeux d'Elsa* (1995), © Seghers; *Les Adieux*, Messidor/Temps actuels, 1982; *Le Crève-cœur, Le Fou d'Elsa* (1980), *Le Nouveau Crève-cœur* (1986), *Les Poètes* (1992), *Feu de joie, Le Mouvement perpétuel, Le Roman inachevé* (1993), © Éditions Gallimard.

Guy d'ARCANGUES, *Madame, petit soldat*, A. De Rache, 1975.

Antonin ARTAUD, *L'Ombilic des limbes*, Gallimard, 1968.

Félix ARVERS, *Mes heures perdues*, Slatkine, 1973.

Bertrand d'ASTORG, *D'amour et d'amitié*, © Éditions du Seuil, 1953.

Agrippa d'AUBIGNÉ, *Les Tragiques*, La Pléiade, Gallimard, 1969.

Jacques AUDIBERTI, *Race des hommes* (1937), *Des Tonnes de semence* (1941), *Toujours* (1943), *La Beauté de l'amour* (1955), *L'Empire et la Trappe* (1969), *La Nouvelle Origine, Rempart* (1981), *Ange aux entrailles, La Pluie sur les boulevards* (1995), © Éditions Gallimard.

Albert AYGUESPARSE, *Œuvre poétique*, L'Arbre à paroles, 1994; *Poèmes*, Éditions Universitaires, 1961.

Charles AZNAVOUR, *Des mots à l'affiche*, © le cherche midi éditeur, 1991. *Un homme et ses chansons*, Édition°1, 1994; © Éditions Musicales Djanik; © Raoul Breton.

Roland BACRI, *Le Petit Lettré illustré*, Balland, 1971; *Refus d'obtempérer*, © J.-J. Pauvert, 1959/SNE Pauvert, 1979.

Théodore de BANVILLE, *Œuvres complètes*, Slatkine, 1972.

Didier BARBELIVIEN, *Poetic Graffiti*, Fixot, 1997.

Jacques BARON, *L'Allure poétique*, © Éditions Gallimard, 1974.

Guillaume de Salluste du BARTAS, *La Sepmaine ou la Création du Monde*, Actes Sud, 1988.

Jean BASTIA, *L'Humour* in *Trésors du pastiche*, François Caradec, Horay, 1971.

Henry BAUCHAU, *La Reine en Amont* in *L'Arbre fou*, Les Éperonniers, 1995; *Poésie*, © Éditions Gallimard, 1986.

Charles BAUDELAIRE, *Œuvres complètes*, La Pléiade, Gallimard, 1975.

Hervé BAZIN, *Œuvre poétique*, © Éditions du Seuil, 1992.

Guy BÉART, *Couleurs et Colères du temps*, Seghers, 1976; © Éditions Espace.

Julos BEAUCARNE, *J'ai 20 ans de chansons*, Didier Hatier/Vents d'Ouest, 1987; *Mon terroir c'est les galaxies*, Louise Hélène France, 1980.

Henri BEAUCLAIR et Gabriel VICAIRE, *Les Déliquescences d'Adoré Floupette*, Nizet, 1984.

Christofle de BEAUJEU, *Les Amours* in *Entouré de silence*, La Différence, 1995.

Eustorg de BEAULIEU, *Les Divers Rapports* in J. ROUBAUD, *Soleil du soleil* (voir I, ci-dessus).

Samuel BECKETT, *Poèmes*, Éditions de Minuit, 1978.

Joachim du BELLAY, *Les Antiquités de Rome, Les Regrets*, Droz/Minard, 1960; *L'Olive, Œuvre de l'invention de l'auteur*, Garnier, 1993.

René BELLETO, *Loin de Lyon, XLVII Sonnets*, © P.O.L., 1986.

Jacques BENS, *Le Retour au pays*, Gallimard, 1968.

Émile BERGERAT, *Ballades et Sonnets*, E. Fasquelle, 1910.

Luc BÉRIMONT, *L'Esprit d'enfance*, Éditions Ouvrières, 1980.

Jean-Marc BERNARD, *Œuvres*, Le Divan, 1923.

André BERRY, *L'Amant de la Terre*, Julliard, 1965.

Philippe BERTHELOT, *Alexandrie à Persépolis* in BECHTEL et CARRIÈRE, *Dictionnaire de la bêtise*, Laffont, 1983.

Aloysius BERTRAND, *Œuvres poétiques*, Gallimard, 1980.

André BLAVIER, *Le Mal du pays ou les travaux forc(en)és*, Yellow Now, 1993.

Jeanne BLUTEAU, *Les Chemins de Lannion*, P.U. de Bretagne, 1970.

Roger BODART, *La Longue Marche*, A. De Rache, 1975.

Nicolas BOILEAU, *Épîtres, L'Art poétique*, Gallimard, 1985.

Édith BOISSONNAS, *L'Embellie*, Gallimard, 1966.

Pascal BONETTI, *Choix de poésies*, Firmin-Didot, 1960.

Petrus BOREL, *Poésies diverses* in *Rhapsodies*, Slatkine, 1967.

Alain BOSQUET, *Poésies complètes, 1945-1994*, © Éditions Gallimard, 1996.

Alain BOSQUET DE THORAN, *Petite contribution à un art poétique* in L. WOUTERS, *Ça rime et ça rame* (voir I, ci-dessus).

Stanislas Jean de BOUFFLERS, in Ludovic LALANNE, *Curiosités littéraires* (voir I, ci-dessus).

Pierre BOUJUT, in *La Nouvelle Guirlande de Julie* (voir I, ci-dessus).

Charles BOULEN, *Voyages à travers la Couleur Locale* (1906), *Sonnets pour la Servante* (1921), Librairie Normande.

Joë BOUSQUET, *La Connaissance du soir*, © Éditions Gallimard, 1981.

Paul BRAFFORT, *Mes Hypertropes* in *La Bibliothèque Oulipienne* (voir I, ci-dessus).

Robert BRASILLACH, *Poèmes de Fresnes*, Plon, 1983.

Georges BRASSENS, *Poèmes et chansons*, Éditions du Seuil, 1991. © Éditions Musicales 57: *Oncle Archibald* et *Les Lilas* (1957), *Le Vieux Léon* (1958), *La Ballade des cimetières* (1962), *La Non-demande en mariage* et *Le Vieux Fossile* (1966), *Entre la rue Didot et la rue de Vanves* et *Clairette et la fourmi* (1982); © 1996 Polygram Éditions. *Le Vent*, © Intersong.

Thomas BRAUN, *Poésie 1898-1948*, Mercure de France, 1950.

Louis BRAUQUIER, *Poésies complètes*, La Table ronde, 1994.

Jacques BREL, *Œuvre intégrale*, Laffont, 1982; © Éditions Prosadis/Pouchenel, S.E.M.I./Pouchenel.

Auguste BRIZEUX, *Marie*, A. Lemerre (s.d.).

Edmond BRUA, *La Parodie du Cid*, Balland, 1972.

Aristide BRUANT, *Dans la Rue*, Éditions d'Aujourd'hui, 1976; *Sur la Route*, Aristide Bruant auteur-éditeur, Château de Courtenay, Loiret, Imprimerie E. Charaire (1897).

Michel BULTEAU, *Masques et modèles*, La Différence, 1989.

Marc Claude de BUTTET, *L'Amalthée* in J. ROUBAUD, *Soleil du soleil* (voir I, ci-dessus).

René Guy CADOU, *Hélène ou le Règne Végétal, La Vie rêvée, Le Cœur définitif*, in *Poésie la vie entière, Œuvres poétiques complètes* (1991), © Seghers.

Louis CALAFERTE, *Londoniennes*, Le Tout sur le Tout, 1985; *Rag-time*, Gallimard, 1996.

Michel CALONNE, *Un silex à la mer*, © Éditions Gallimard, 1991.

Francis CARCO, *Mortefontaine* (1949), *La Bohème et mon cœur* (1950), © Éditions Albin Michel.

Maurice CARÊME, *La Cage aux grillons* (1959), *Pomme de reinette* (1965), *À Cloche-pied, La Lanterne magique* (1968), *Fleurs de soleil* (1971), *Pigeon vole* (1972), Bourrelier et Colin; *Femme* (1972), Roger Wastiau; *Brabant* (1976), Éditions Ouvrières; *Mer du Nord* (1979), Nathan. © Fondation Maurice Carême.

Simone de CARFORT, *Blanche Nuit, Ermarindor*, Éditions du Rocher, 1991.

Jean-Claude CARRIÈRE, *Cent un limericks français*, La Bougie du sapeur, 1988.

Jean CASSOU, *33 sonnets composés au secret*, © Éditions Gallimard, 1995.

Jules CASTIER, voir Rudyard KIPLING.

Jean-Roger CAUSSIMON, *Mes chansons des quatre saisons,* Le Castor astral, 1994 (1re éd. Plasma, 1981). © B.M.G. Music Publishing; © J.-R. Caussimon; © J.-R. Caussimon/É. Robrecht; © J.-R. Caussimon/G. Roussel.

Jean CAYROL, *Poèmes de la nuit et du brouillard,* © Éditions du Seuil, 1995.

Fréderic-Auguste CAZALS, *Le Jardin des Ronces,* Éditions La Plume, 1902; reprint Somogy, 1995.

Blaise CENDRARS, *Poésies complètes,* Denoël, 1963.

Salomon CERTON, *Vers lipogrammes* in J. ROUBAUD, *Soleil du soleil* (voir I, ci-dessus).

Aimé CÉSAIRE, *La Poésie,* Éditions du Seuil, 1994.

Philippe CHABANEIX, *Musiques des jours et des nuits,* Rombaldi, 1945.

René CHAR, *Les Cloches sur le cœur,* Gallimard, 1995.

Jacques CHARPENTREAU, *Poésie en jeu* (1981), *La Poésie dans tous ses états* (1984), Éditions Ouvrières.

Jean-Baptiste CHASSIGNET, *Le Mépris de la vie et consolation contre la mort,* Droz, 1967.

Achille CHAVÉE, *À cor et à cri,* Labor, 1985.

Andrée CHEDID, *Fêtes et lubies,* Flammarion, 1973.

André CHÉNIER, *Iambes* in *Poésies,* Gallimard, 1993.

CHRISTINÉ, in *350 chansons d'hier et d'aujourd'hui,* Proteau, 1993.

Jean CLAIR, *Onze chansons puériles,* L'Échoppe, 1990.

Georges-Emmanuel CLANCIER, *Le Paysan céleste,* © Éditions Gallimard, 1984; in *La Nouvelle Guirlande de Julie,* Éditions Ouvrières, 1981.

Paul CLAUDEL, *Œuvre poétique,* La Pléiade, © Éditions Gallimard, 1985.

William CLIFF, *Écrasez-le* (1976), *America* (1983), *Fête nationale* (1992), © Éditions Gallimard; *Conrad Detrez* (1990), Le Dilettante; *Autobiographie* (1993), La Différence.

Claude Michel CLUNY, *Œuvre poétique,* La Différence, 1991.

Jean COCTEAU, *Opéra,* Stock, 1927; *Correspondance Cocteau/Apollinaire,* J.-M. Place, 1991; *Œuvres complètes,* Marguerat, 1947; *Clair-obscur,* L.G.F., 1994; *Cérémonial espagnol du Phénix* (1961), *Le Requiem* (1962), *Poèmes 1916-1955* et *Vocabulaire* (1983), *Léone* (1989), © Éditions Gallimard.

Gabrielle de COIGNARD, *Œuvres chrétiennes* in J. ROUBAUD, *Soleil du soleil* (voir I, ci-dessus).

Paul COLINET, *Œuvres* I, Leeber Hossmann, 1987-1989.

Guillaume COLLETET, *Poésies diverses* in B. DELVAILLE, *Mille et cent ans...* (voir I, ci-dessus).

François COPPÉE, *Poésies complètes,* A. Lemerre, 1906.

Tristan CORBIÈRE, *Les Amours jaunes,* Gallimard, 1981; *Poèmes retrouvés,* Bouquins, Laffont, 1980.

Pierre CORNEILLE, *Œuvres complètes,* La Pléiade, Gallimard, 1980-1987.

Gaston COUTÉ, *La Chanson d'un gâs qu'a mal tourné,* Éditions Le Vent du ch'min, 5 volumes, 1976-1980.

Mioara CRÉMÉNÉ, *Poèmes byzantins,* Le Méridien, 1977.

René CREVEL, *Poèmes,* J.-J. Pauvert, 1974.

Charles CROS, *Œuvres complètes,* Bouquins, Laffont, 1980.

Alexis CURVERS, *Cahier de poésies,* François Bernouard, 1949.

Savinien de CYRANO DE BERGERAC, *Le Pédant joué* in *Œuvres complètes,* Belin, 1977.

Pierre DAC, *Mon maître soixante-trois,* F. Bourin, 1972.

Jean-Paul de DADELSEN, *Jonas,* © Éditions Gallimard, 1986.

Gabriele D'ANNUNZIO, in *Sonnets d'hier et d'aujourd'hui,* Tiranty, 1949.

Alphonse DAUDET, *Les Amoureuses,* A. Lemerre, 1887.

René DAUMAL, *Le Contre-ciel,* Gallimard, 1990.

Luc DECAUNES, *Récréations,* Rougerie, 1977.

Alain DEFOSSÉ, *Reflets* (fonds personnel).

Bertrand DEGOTT, *Éboulements et taillis,* Gallimard, 1996.

Pierre DELANOË, *Les Comptines d'Églantine,* Hemma, 1995; in *Les Transports poétiques* (1994), *Paroles à lire ou poèmes à chanter* (1996), © le cherche midi éditeur.

Jacques DELILLE, *L'Homme des champs,* Lefèvre, 1844.

Joseph DELTEIL, *Choléra,* Grasset, 1983.

Bernard DELVAILLE, *Poëmes,* Seghers, 1982.

Tristan DERÈME, *La Verdure dorée* et *L'Enlèvement sans clair de lune* (1925), *Le Ballet des Muses, Poèmes des Colombes* et *Patachou petit garçon* (1929), Émile-Paul Frères; *Poèmes des Griffons,* Grasset, 1938; *Tourments, Caprices et Délices,* Aubanel, 1941; *Derémania* (éd. Noël Ruet), Éditions du Prisme, 1925.

Paul DÉROULÈDE, *L'Hetmann,* Calmann-Lévy, 1877.

Marc-Antoine DÉSAUGIERS, *Chansons et poésies diverses.*

Marceline DESBORDES-VALMORE, *Poésies en patois, Poésies inédites,* P.U. de Grenoble, 1974.

Nel DESCHAMPS, *La Flamme Secrète,* R. Girard, 1947.

Robert DESNOS, *Corps et biens* (1930), *Calixto* et *Contrée* (1962), *Destinée arbitraire* et *Fortunes* (1990), © Éditions Gallimard; *Chantefables et Chantefleurs,* Gründ, 1995.

Philippe DESPORTES, *Amours d'Hippolyte* in *Premières poésies,* Droz, 1963; *Cléonice,* La Différence, 1989.

Michel DEVILLE, *Poézies* (1990), *Mots en l'air* (1993), © le cherche midi éditeur.

Paul DEWALHENS, *Abécédaire pour saxophone,* chez l'auteur, 1965-1966.

Léon DIERX, *Poésies complètes,* A. Lemerre, 1890.

Jean DIWO, *Rétro-Rimes,* Denoël, 1987.

Maurice DONNAY, *Autour du Chat Noir,* Grasset, 1996.

Roland DUBILLARD, *Je dirai que je suis tombé,* © Éditions Gallimard, 1966; *La Boîte à outils,* L'Arbalète, 1985.

Hélène DU BOIS, *Patience d'Orphée,* A. Silvaire, 1957.

Réjean DUCHARME, *La Fille de Christophe Colomb,* Gallimard, 1969.

François DUFRÊNE, *La Musique lettriste,* La Revue musicale, 1971; in D. NOGUEZ, *L'Arc-en-ciel des humours,* Hatier, 1996.

Maurice DU PLESSYS, *Odes Olympiques,* François Bernouard, 1922.

Alfred DUPONT, *Le Jeu de Bruges et de la Mer,* A. De Rache, 1966.

Marie-Jeanne DURRY, *Orphée,* Flammarion, 1976.

Yves DUTEIL, *Les mots qu'on n'a pas dits,* Nathan, 1990.

Jean EFFEL, *Ce crapaud de granit bavant du goémon,* Gallimard, 1971.

Max ELSKAMP, *À la louange de la vie,* Mercure de France, 1898; *Sous les tentes de l'exode, Aegri somnia,* Labor, 1987.

Paul ELUARD, *Poésie ininterrompue,* © Éditions Gallimard, 1969.

Claude ERNOULT, *Six sots sonnets et autres textes rimés,* Éditions des Moires, 1991.

Luc ESTANG, *Les Quatre éléments* (1956), *D'une nuit noire et blanche* (1962), *La Laisse du temps* (1977), *Corps à cœur* (1982), © Éditions Gallimard.

Louis ÉVRARD DES MILLIÈRES, *Grand Erre,* Rougerie, 1976.

François FABRE, *Némésis médicale* in *Bouquet poétique des médecins,* L'Écritoire, 1933.

Pierre FERRAN, in *La Nouvelle Guirlande de Julie,* Éditions Ouvrières, 1981.

Jean FERRAT, *Chansons,* Éditions du Seuil, 1967; © 1980 Productions Alleluia, © 1965 Productions Gérard Meys.

Léo FERRÉ, *La mauvaise graine* (1993), *Poète... vos papiers!* (1994), Édition°1; *Testament phonographe,* Edizioni Gufo Del Tremonto.

Nino FERRER, *Textes?,* © Les Belles Lettres, Paris, 1994.

Alexandre FLAN, *Rhythmes impossibles et Jardin des Racines françaises,* Charles Grou, 1867.

Jean-Pierre Claris de FLORIAN, *Fables,* Nigel Gauvin, 1991.

Maurice FOMBEURE, *À dos d'oiseau* (1942), *Arentelles* (1943), *Les Étoiles brûlées* (1950), *Pendant que vous dormez...* (1953), *Sous les tambours du ciel* (1959), *Quel est ce cœur?* (1963), *À chat petit* (1967), © Éditions Gallimard.

Benjamin FONDANE, *Le Mal des fantômes,* Éditions Paris-Méditerranée, 1996 (1re éd. Plasma, 1980).

André FONTAINAS, *Crépuscules* in B. DELVAILLE, *Mille et cent ans...* (voir I, ci-dessus).

Paul FORT, *Ballades françaises* (1981), *Ballades du beau hasard* (1985), Flammarion.

Thieri FOULC, *17 sonnets écrasiâstiques + 1 sonnet alchimique,* P.J. Balbo, 1969; *Le Lunetier aveugle,* Plein chant, 1986; *Sonnets non recueillis précédemment,* Éditions A.M., 1996; *Whâââh,* Temps mêlés, 1972.

Georges FOUREST, *La Négresse blonde* (1977), *Le Géranium ovipare* (1984), José Corti.

Anatole FRANCE, *Idylles et Légendes,* A. Lemerre, 1873.

FRANC-NOHAIN, *Dites-nous quelque chose,* Stock, 1930; *Fables,* Grasset, 1931; *Flûtes,* La Revue Blanche, 1898; *Nouvelles fables,* Spes, 1933.

André FRÉNAUD, *Depuis toujours déjà* (1970), *La Sainte Face* (1985), © Éditions Gallimard.

Serge GAINSBOURG, *Dernières nouvelles des étoiles,* Plon, 1994. *Sensuelle et sans suite, Pamela popo* et *Des vents, des pets, des poums* (1974), *Éva* et *Yellow star* (1975), *L'homme à la tête de chou, Marilou reggae* et *Variations sur Marilou* (1977), *Melo melo* (1978), *Relax baby be cool* (1979), *Strike* (1982), *Le moi et le je* (1987), *Aberdeen et Kowloon* et *Maxim's* (1989), *Un amour peut en cacher un autre* et *32 Farenheit* (1990), auteur-compositeur S. Gainsbourg, © Melody Nelson Publishing. *Ford Mustang,* © 1969 Warner Chappell Music France (ex-Tutti) et Melody Nelson Publishing.

Pierre GAMARRA, *Le Sorbier des oiseaux,* E.F.R., 1976; *Romances de Garonne,* Messidor, 1994.

Alfredo GANGOTENA, *Poèmes français* (1991), *Poèmes français* II (1992), La Différence.

Georges GARAMPON, *Le Jeu et la Chandelle,* © Éditions Gallimard, 1981.

Pierre GARNIER, *Le Jardin japonais,* André Silvaire, 1978; *Les Armes de la terre,* Librairie les Lettres, 1954.

Théophile GAUTIER, *Émaux et Camées,* Gallimard, 1981; *España,* Vuibert, 1929; *Poésies complètes,* Charpentier, 1877; *Premières poésies* et *Sonnets à Marie Mattei* in *Sonnets d'hier et d'aujourd'hui,* Tiranty, 1949; *Œuvres érotiques,* La Bartavelle, 1997.

John GELDER, *Procès,* Parc, 1996.

Jean GENET, *Poèmes,* L'Arbalète, 1986.

Rosemonde GÉRARD, *Les Pipeaux* (1923), *L'Arc-en-ciel* (1926), Fasquelle.

René GHIL, *Le Vœu de vivre,* A. Lemerre, 1891.

Roger GILBERT-LECOMTE, *Œuvres complètes,* © Éditions Gallimard, 1977.

Iwan GILKIN, *La Nuit,* Mercure de France, 1911.

Paul GILSON, *Le Grand Dérangement* (1954), *L'Arche de Noël* (1960), © Seghers.

Albert GLATIGNY, *Gilles et Pasquins* et *Les Flèches d'or,* A. Lemerre, 1879.

Édouard GLISSANT, *Poèmes complets,* Gallimard, © Éditions du Seuil, 1994.

Armand GODOY, *Du Cantique des Cantiques...* (1934), *Sonnets pour l'Aube* (1949), *Bréviaire* (1954), *Dulcinée* (1957), *De Vêpres à Matines* et *Le Drame de la Passion* (1960), Grasset; *Marcel* et *Monologue de la Tristesse,* Émile-Paul Frères, 1928; *Mon Fils! Mon Fils!,* Egloff, 1946.

Robert GOFFIN, *Corps combustible,* Nizet, 1964; *Le Versant noir,* Flammarion, 1967; *Patrie de la poésie,* Éditions de l'Arbre (s.d.); *Quatre fois vingt ans,* J. Brémond, 1979.

Jean Ogier de GOMBAULD, *Poésies* in M. CAZENAVE, *Anthologie...* (voir I, ci-dessus).

Émile GOUDEAU, *Poèmes à dire* in A. VELTER, *Les Poètes du Chat Noir* (voir I, ci-dessus).

Sylvain GOUDEMARE, *Mélanolie,* Le Dilettante, 1985.

Jean GOUDEZKI, *Hercule ou la vertu récompensée* in A. VELTER, *Les Poètes du Chat Noir* (voir I, ci-dessus).

Remy de GOURMONT, *Lettres à Sixtine,* Mercure de France, 1921.

Xavier GRALL, *Genèse et derniers poèmes,* Calligrammes, 1982.

Fernand GREGH, *Le Mot du Monde,* Nagel, 1957.

Pierre GRIPARI, *Le Solilesse* (1975), *L'Enfer de poche* (1981), *Les Chants du Nomade* (1982), *Fables et confidences* (1995), L'Âge d'Homme; *Marelles,* Grasset, 1996.

Jean GROSJEAN, *Fils de l'homme* et *Le Livre du Juste* (1953), *Majestés et passants* (1956), © Éditions Gallimard.

Charles GUÉRIN, *Le Cœur Solitaire* (1921), *Premiers et derniers vers* (1923), Mercure de France.

Jean GUIDONI, *Vertigo,* © Polygram.

Pernette du GUILLET, *Rymes* in Louise LABÉ, *Œuvres poétiques,* Gallimard, 1983.

Eugène GUILLEVIC, *Lexiquer,* La Tuilerie tropicale, 1986.

Sacha GUITRY, *Et puis, voici des vers,* Solar, 1954; *L'Amour masqué* in *Théâtre, je t'adore,* © Omnibus, 1996.

Lucien GUMPEL, in *Anthologie des écrivains morts au front,* Edgar Malfère, 1924.

Gaston HABREKORN, *Les Sacrilèges,* E. Figuière, 1914.

Fabrice HADJADJ, in *Objet Perdu,* Lachenal & Ritter/Parc, 1995.

Edmond HARAUCOURT, *L'Âme nue,* Tiranty, 1949.

André HARDELLET, *La Cité Montgol,* Seghers, 1977.

José-Maria de HEREDIA, *Les Trophées, Autres sonnets et Poésies diverses,* Les Belles Lettres, 1984.

Louise HERLIN, *L'Amour exact,* La Différence, 1990.

André-Ferdinand HÉROLD, *Chevaleries sentimentales* in B. DELVAILLE, *La Poésie symboliste* (voir I, ci-dessus).

Ernest d'HERVILLY, *La Lanterne en vers de couleur* et *Les Baisers,* A. Lemerre, 1872; *Les Bêtes à Paris* in L. DECAUNES, *La Poésie parnassienne* (voir I, ci-dessus).

Michel HOUELLEBECQ, *La Poursuite du bonheur,* Flammarion, 1997 (1re éd. La Différence, 1991); *Le Sens du combat,* Flammarion, 1996.

Victor HUGO, *Œuvres,* La Pléiade, Gallimard, 1982; Flammarion, 1985; Bouquins, Laffont, 1985-1989.

Fernand IMHAUSER, *Œuvres poétiques complètes,* Temps mêlés, 1971.

Isidore ISOU, in *La Musique lettriste,* La Revue musicale, 1970.

Philippe JACCOTTET, *L'Ignorant,* © Éditions Gallimard, 1958.

Max JACOB, *Poèmes épars* (1994), *Actualités éternelles* (1996), La Différence; *La Défense de Tartufe* (1964), *Ballades* (1970), *Derniers poèmes* (1982), *Le Laboratoire central* (1991), *L'Homme de cristal* (1996), © Éditions Gallimard.

François JACQMIN, *Camera obscura,* Temps mêlés, 1976.

Francis JAMMES, *Clairières dans le Ciel* (1980), *De l'Angelus de l'aube à l'Angelus du soir* (1991), © Éditions Gallimard; *Le Deuil des Primevères, La Mort du Poète* et *La Vierge et les Sonnets* in *Œuvre poétique,* Mercure de France, 1921; *Œuvre poétique complète,* J & D Éditions, 1995.

Ludovic JANVIER, *La Mer à boire,* © Éditions Gallimard, 1987.

Alfred JARRY, *Œuvres complètes,* La Pléiade, Gallimard, 1988.

Jean-Pierre JOBLIN, *Luxe, Bordel et Voluptés,* © Moby Dick/Média 7, 1995.

Étienne JODELLE, *Les Œuvres et Mélanges poétiques,* La Différence, 1991.

Jacques JOUET, *107 âmes,* © Seghers, 1991; *Le Chantier,* Éditions du Limon, 1993.

Pierre Jean JOUVE, *Diadème,* Gallimard, 1970; *Hymne, La Vierge de Paris, Mélodrame,* in *Poésie,* Mercure de France, 1966-1967.

Louis-Philippe KAMMANS, *Inventaire, Poisons des profondeurs* in *Poèmes choisis,* Académie Royale de langue et littérature française, 1992 (Bruxelles).

Frédéric KIESEL, *Nous sommes venus prendre des nouvelles des cerises,* Éditions Ouvrières/Dessain & Tolra/Vie ouvrière, 1982.

Rudyard KIPLING, *Poèmes* (trad. Jules Castier), Laffont, 1949.

Tristan KLINGSOR, *Humoresques,* Edgar Malfère, 1921; *Jean de Hodan,* L'Amitié par le livre, 1970.

Louise LABÉ, *Œuvres poétiques,* Gallimard, 1983.

Jean de LA CEPPÈDE, *Les Théorèmes sur le sacré mystère de notre rédemption,* S.T.F.M., 1988.

Claire LAFFAY, *Pour tous vivants,* Debresse, 1977.

Henri-René LAFON, *Plantes bêtes choses, etc.,* Institut Français d'Athènes, 1961.

Jean de LA FONTAINE, *Fables* et *Poésies diverses* in *Œuvres complètes,* L'Intégrale, Éditions du Seuil, 1990.

Jules LAFORGUE, *Des Fleurs de bonne volonté, Les Complaintes, L'Imitation de Notre-Dame la Lune, Premiers poèmes,* in *Œuvres complètes,* L'Âge d'Homme, 1986-1995.

Jean de LA GESSÉE, *Les premières œuvres françaises* in J. ROUBAUD, *Soleil du soleil* (voir I, ci-dessus).

Francis LALANNE, *Le roman d'Arcanie, Les Carnets de Lucifer,* © Les Belles Lettres, Paris, 1993.

Gustave LAMARCHE, *Œuvres poétiques,* P.U. Laval, 1972; © Les Clercs de Saint-Viateur du Canada.

Alphonse de LAMARTINE, *Œuvres poétiques complètes,* La Pléiade, Gallimard, 1991.

Jean-Clarence LAMBERT, *Le Noir de l'Azur* (1980), *Poésie en jeu* (1986), Galilée.

Daniel LANDER, *Temps majeur,* Saint-Germain-des-Prés, 1974; *Les Choses comme elles sont,* Vie ouvrière, 1986.

Jacques LANZMANN, *Chansons,* Tchou, 1968.

Boby LAPOINTE, *Intégrale Boby Lapointe: chansons, poèmes, inédits,* Domens, 1994. *La rime a ri,* © Ticha et Jacky Lapointe; *Lena,* © 1963 Warner Chappell Music France (ex-Éditions Musicales Intersong).

Valery LARBAUD, *Les Poésies de A.O. Barnabooth,* © Éditions Gallimard, 1991.

Olivier LARRONDE, *Les Barricades mystérieuses* et *Rien voilà l'ordre,* Arbalète, 1990.

Patrice de LA TOUR DU PIN, *Une somme de poésie* et *Petite somme de poésie,* Gallimard, 1967.

Jean LAUGIER, *Dans la main du monde,* Caractères, 1994.

Philéas LEBESGUE, *Œuvres poétiques,* Éditions du Thelle, 1950-1952; *Triptolème ébloui,* Perrin, 1930; *Les Chansons de Margot* in *Choix de poèmes,* E. Figuière, 1933.

Louis LE CARDONNEL, in Tristan DERÈME, *Le Quatorze Juillet...* (voir I, ci-dessus).

Félix LECLERC, *Cent chansons,* Bibliothèque québécoise, 1988.

Pierre-Robert LECLERCQ, *Do Mi Bémol Sol,* La Bartavelle, 1993.

Charles LECONTE DE LISLE, *Poèmes barbares* et *Poèmes tragiques,* A. Lemerre (s.d.).

Yves-Gérard LE DANTEC, *Josaphat,* P. Gaudin, 1959; *Ouranos,* Firmin-Didot, 1954.

Jean-Jacques LEFRANC DE POMPIGNAN, *Voyage de Languedoc et de Provence* in L. LALANNE, *Curiosités littéraires* (voir I, ci-dessus).

Michel LEIRIS, *Haut mal* et *Autres lancers* (1969); *Langage tangage ou ce que les mots me disent* (1985), Gallimard.

Gilbert LELY, *Poésies complètes,* Mercure de France, 1990; *Kidama Vivila,* La Différence, 1977.

Maurice LEMAÎTRE, *Œuvres poétiques et musicales...,* Centre de créativité, 1972.

Pamphile LE MAY, *Les Gouttelettes,* Fides, 1990.

Philippe LÉOTARD, *Portrait de l'artiste au nez rouge,* Balland/Égée, 1988; *Pas un jour sans une ligne,* © Les Belles Lettres, Paris, 1992.

Claude LE PETIT, *Œuvres libertines,* Slatkine, 1968.

Yann LE PICHON (trad.), *Le Cantique des cantiques,* Droguet et Ardant/Mercure de France (1993).

Charles LE QUINTREC, *Jeunesse de Dieu,* © Éditions Albin Michel, 1975.

Grégoire LE ROY, *La Chanson du pauvre,* Mercure de France, 1907.

Jean LESCURE, *Treize poèmes,* © Éditions Gallimard, 1960; in *La Nouvelle Guirlande de Julie,* Éditions Ouvrières, 1981; *Ultra crepidam* in *La Bibliothèque Oulipienne* (voir I, ci-dessus).

Raymond LÉVESQUE, *Quand les hommes vivront d'amour...,* © Montréal, Éditions TYPO, 1989.

Henry Jean-Marie LEVET, *Cartes postales,* © Éditions de La Table ronde, 1993.

Géo LIBBRECHT, *Poésie,* Éditions Universitaires, 1963; *Trois longs couloirs du château* et *Mon orgue de Barbarie,* Seghers, 1966.

Karel LOGIST, *Le Séismographe,* Les Éperonniers, 1988; *Force d'inertie,* © le cherche midi éditeur, 1996.

Jean LORRAIN, *L'Ombre ardente* et *Modernités,* Fasquelle, 1897.

Armel LOUIS, *Vœux à Thieri Foulc* (fonds personnel); in *Objet Perdu,* Lachenal & Ritter/Parc, 1995.

Pierre LOUŸS, *Poésies,* Pauvert et compagnie, 1988.

Augustin MABILLY, *Poèmes sans mesures,* Le Rouge et le Noir, 1929.

Maurice MAC-NAB, *Poèmes mobiles* (1886), *Poèmes incongrus* (1887), Léon Vanier; in *Les Transports poétiques,* © le cherche midi éditeur, 1994.

Pierre MAC ORLAN, *Poèmes retrouvés,* Gallimard.

Clovis MAËRL, *Acrostiches postiches; Glossolalie, glace aux lilas; L'Invisible,* S.E.D. (s.d.).

Maurice MAGRE, *Le Parc des rossignols,* Fasquelle, 1940.

François de MALHERBE, *Poésies,* Gallimard, 1982.

Stéphane MALLARMÉ, *Poésies,* Flammarion, 1983.

Robert MALLET, *L'Espace d'une fenêtre,* Gallimard, 1986.

Pierre de MARBEUF, *Recueil des vers* in J. ROUBAUD, *Soleil du soleil* (voir I, ci-dessus).

Daniel MARMIÉ, *De la reine à la tour, Cent poèmes holorimes,* De Fallois, 1995.

Clément MAROT, *L'Adolescence clémentine,* Gallimard, 1987.

Robert MARTEAU, *Louange,* Champ Vallon, 1996.

Gabriel MARTIN, *Poésies fantaisistes,* A. Lemerre, 1903.

Marietta MARTIN, *Adieu Temps,* Les Cahiers du Rhône, 1947.

André MARY, *Les Rondeaux,* « Quelque part sur la terre » éditeur, Firmin-Didot imprimeur, 1924.

Guy de MAUPASSANT, *Des Vers,* P. Ollendorf, 1909.

Rouben MELIK, *La Procession,* Messidor/Temps actuels/Rougerie, 1984; *L'Ordinaire du jour,* Motus, 1989.

Camille MELLOY, *Trois marches pour le temps de Noël* in L. WOUTERS, *Ça rime et ça rame* (voir I, ci-dessus).

Robert MÉLOT DU DY, *Choix de poésies,* Éditions Universitaires, 1960.

Catulle MENDÈS, *Les Braises du cendrier, Hespérus, Intermède, Philoméla, Soirs moroses,* Le Dentu, 1887.

Albert MÉRAT, *Avril, mai, juin...* (1863), *Les Chimères* (1866), A. Faure; *Poèmes de Paris,* A. Lemerre, 1880.

Stuart MERRILL, *Poèmes,* Mercure de France, 1897.

Jean MESCHINOT, *Les Lunettes des Princes* in M. CAZENAVE, *Anthologie...* (voir I, ci-dessus).

Michèle MÉTAIL, in *La Bibliothèque Oulipienne* (voir I, ci-dessus); *Compléments de noms* (fonds personnel).

Ephraïm MIKHAËL, *Œuvres complètes,* Droz, 1994.

Oscar Vladislas de Lubicz-MILOSZ, *Poésies* I et II, © Éditions André Silvaire, 1981, 1989.

Claude MINIÈRE, *Difficulté passagère,* TXT, 1988.

MOLIÈRE, in M. CAZENAVE, *Anthologie...* (voir I, ci-dessus).

Jean MOLINET, in *Fatrasies* (trad. J.-P. Foucher), G.L.M., 1964.

Raoul MONIER, *Reliquiæ* in *Œuvres de Jean-Marc Bernard,* Le Divan, 1923.

Charles MONSELET, *Poésies complètes,* Le Dentu, 1880.

Louis MONTALTE, *Roses de sable,* Montalte, 1976.

Robert de MONTESQUIOU, *Les Hortensias bleus,* Fasquelle, 1896; *Les Chauves-souris,* G. Richard, 1907; *Les Perles rouges,* Mercure de France, 1913; *Les Offrandes blessées,* Sansot, 1916.

Henry de MONTHERLANT, *Encore un instant de bonheur,* © Éditions Gallimard, 1954.

Jean MORÉAS, *Énone au clair visage* et *Sylves, Les Cantilènes, Les Syrtes,* Mercure de France, 1923.

Hégésippe MOREAU, *Le Myosotis,* P. Masgana, 1857.

Marcel MOREAU, *Chants de la tombée des jours,* Cadex, 1992.

Paul MORIN, *Œuvres poétiques,* Fides, 1961.

MOULOUDJI, *Complaintes,* Seghers, 1975; © Alpha, © L'Arbalète, © Carroussel.

Georges MOUSTAKI, *En ballades* 1 et 2, Ch. Pirot, 1996; © Paille Musique.

Vincent MUSELLI, *L'Œuvre poétique,* Points et Contrepoints, 1957.

Alfred de MUSSET, *Œuvres complètes,* La Pléiade, Gallimard, 1993.

John-Antoine NAU, *Hiers bleus* in L. DECAUNES, *La Poésie parnassienne* (voir I, ci-dessus).

Émile NELLIGAN, *Poésies complètes,* Bibliothèque québécoise, 1992.

Gérard de NERVAL, *Les Chimères, Odelettes, Poésies diverses,* in *Poésies et Souvenirs,* Gallimard, 1992.

Louis de NEUFGERMAIN, *Les Poésies et rencontres,* seconde partie, 1637.

Paul NEUHUYS, *Le Pot-au-feu mongol,* Belfond, 1980; *La Joueuse d'ocarina, Septentrion,* in *On a beau dire,* Labor, 1984.

Anna de NOAILLES, *Le Cœur innombrable,* Grasset, 1957; *Les Éblouissements* et *L'Ombre des jours,* Calmann-Lévy (s.d.); *Les Forces éternelles* (1920), *Poème de l'amour* (1924), Fayard; *L'Offrande,* La Différence, 1996.

Charles NODIER, *Histoire du roi de Bohême et de ses sept châteaux,* Plasma, 1979.

Marie NOËL, *L'Œuvre poétique,* Stock, 1975; *Les Chansons et les Heures: le Rosaire des joies,* © Éditions Gallimard, 1983.

Dominique NOGUEZ, *Les Martagons,* © Éditions Gallimard, 1995; *Les trente-six photos que je croyais avoir prises à Séville,* Maurice Nadeau, 1993; in *Objet Perdu,* Lachenal & Ritter/Parc, 1995. Voir Pseudo Noguez.

Géo NORGE, *Les Quatre Vérités* (1950), *La Langue verte* (1954), *Les Coq-à-l'âne* (1985), *Le Stupéfait* (1988), *Bal masqué parmi les comètes* et *La Belle Saison* (1990), © Éditions Gallimard; *Dynasties*, G. Oberlé, 1972; *Le Gros Gibier* (1953), *Souvenir de l'enchanté* (1978), Seghers; *Eux, les anges*, Flammarion, 1978; *Famines*, Stols, 1985.

Pierre NOTHOMB, *Clairières* in L. WOUTERS, A. BOSQUET, *La poésie francophone de Belgique* (voir I, ci-dessus); *L'Été d'octobre*, A. De Rache, 1964.

Claude NOUGARO, *Nougaro sur paroles*, Flammarion, 1997.

Germain NOUVEAU, *Œuvres complètes*, La Pléiade, Gallimard, 1988.

René de OBALDIA, *Innocentines*, Grasset, 1991.

Philothée O'NEDDY, *Poésies posthumes*, Slatkine, 1968.

François ONFFROY, *Le Chant après la Conquête*, A. Lemerre, 1930.

Charles d'ORLÉANS, *Ballades et Rondeaux*, L.G.F., 1992.

Pierre OSENAT, *Cantate à l'île de Sein* (1970), *Cantate à l'île d'Ouessant* (1977), G. Grès.

Pierre OSTER, *La Grande Année*, © Éditions Gallimard, 1964.

Marc PAPILLON DE LASPHRISE, *Les Amours de Théophile* (1979), *Diverses poésies* (1988), Droz.

Suzanne PARADIS, *La Malebête*, Garneau, 1970.

Henri PARISOT (trad.), *73 comptines et chansons. Nursery Rhymes*, Aubier, 1978.

Louis PAUWELS, *Dix ans de silence*, Grasset, 1989.

Pierre-Louis PÉCLAT, *Midi, un Caméléon*, Hanc, 1965.

Charles PÉGUY, *Œuvres poétiques*, La Pléiade, Gallimard, 1975.

Jean PELLERIN, *Le Bouquet inutile*, © Éditions Gallimard, 1923.

Jean-Victor PELLERIN, *Pièces détachées*, Les Arcades, 1935.

Odilon-Jean PÉRIER, *Poèmes*, Les Éperonniers, 1979.

Jean PÉROL, *Pouvoir de l'ombre*, La Différence, 1989.

Pierre PERRET, *Chansons de toute une vie*, Plon, 1993; © Éditions Adèle.

Georges PERROS, *Papiers collés* (1960), *Une vie ordinaire* (1988), Gallimard.

Henri PICHETTE, *Poèmes offerts* (1982), *Les Enfances* (1995), Granit; *Odes à chacun*, © Éditions Gallimard, 1988; *Les Revendications*, Mercure de France, 1958.

Marc PIETRI, *Le Château de la Reine Blanche*, © le cherche midi éditeur, 1996.

Antoine-Pierre-Augustin de PIIS, *Chansons, Mélanges, L'Harmonie imitative de la Langue française*, Brasseur Aîné, 1810.

Alexis PIRON, *Œuvres*, F. Guillot, 1930.

Jean-Claude PIROTTE, *La Vallée de Misère*, Le temps qu'il fait, 1987; *Il est minuit depuis toujours*, La Table ronde, 1993.

Luc PLAMONDON, in Geneviève BEAUVARLET, *Diane Dufresne*, Seghers, 1984; © Sidonie.

Amédée POMMIER, *Colères* et *Colifichets, jeux de rimes*, Garnier Frères, 1860.

Raoul PONCHON, in *Almanach des lettres françaises*, G. Crès, 1924; *La Muse au cabaret* (1920), *La Muse gaillarde* (1937), *La Muse vagabonde* (1947) et *La Muse frondeuse* (1971), Fasquelle; *Toute la Muse de Ponchon*, Éditions de La Tournelle, 1938.

Louis POTERAT, in *L'Hymne à l'amour*, Le Livre de Poche, 1994; © S.E.M.I.

Eugène POTTIER, *Œuvres complètes*, F. Maspero, 1966.

Catherine POZZI, *Poèmes*, © Éditions Gallimard, 1987; *Œuvre poétique*, La Différence, 1988.

Jacques PRÉVERT, *Œuvres complètes*, La Pléiade, © Éditions Gallimard, 1992.

Jean PRÉVOST, *Derniers poèmes*, Gallimard, 1990.

Gérard PRÉVOT, *Europe maigre*, Gallimard, 1960.

Christian PRIGENT, *Voilà les sexes*, Luneau Ascot, 1982; *Peep-show*, Cheval d'attaque, 1984; *Écrit au Couteau* (1993), *Une erreur de la nature* (1996), © P.O.L.

Alexandre PRIVAT D'ANGLEMONT in Ch. BAUDELAIRE, *Œuvres complètes* I, p. 1269, La Pléiade, Gallimard, 1975.

Marcel PROUST, *Poèmes*, Gallimard, 1982.

PSEUDO NOGUEZ, *Le Gratte-ciel de mamours*, Au publimane (s.d.).

Raymond QUENEAU, *Œuvres complètes*, La Pléiade, © Éditions Gallimard, 1989.

Jean QUEVAL, *En somme*, Gallimard, 1970.

Jean-Joseph RABEARIVELO, *Poèmes*, Hatier, 1990.

François RABELAIS, *Œuvres complètes*, La Pléiade, Gallimard, 1970.

Jean RACINE, *Phèdre*, Nathan, 1984.

Raymond RADIGUET, *Œuvres complètes*, Stock, 1993.

Carlos de RADZITZKY, *Désert secret* (1965), *Le Commun des mortels* (1973), A. de Rache.

Jean RAINE, *Œuvre poétique*, La Différence, 1994.

Marquis de RAMBOUILLET, *Les poésies et rencontres du Sieur de Neufgermain* in B. DELVAILLE, *Mille et cent ans...* (voir I, ci-dessus).

Hugues REBELL, *Le Passe-Temps luxurieux*, Se vend ici ou ailleurs, 1984.

Jacques RÉDA, *La Tourne* (1975), *Hors les murs* (1982), *Recommandations aux promeneurs* (1988), *Le sens de la marche* (1990), *Lettre sur l'univers et autres discours en vers français* (1991), *L'Incorrigible* (1995), © Éditions Gallimard; *Premier livre des reconnaissances*, Fata Morgana, 1985.

Henri de RÉGNIER, *Ariane et autres poèmes, La Cité des eaux, Les Jeux rustiques et divins, Les Médailles d'argile, Le Médaillier, Poèmes anciens et romanesques, Premiers poèmes, Tel qu'en songe, Vestigia flammæ*, Mercure de France, 1890-1922.

Mathurin RÉGNIER, *Œuvres complètes*, Éditions d'Aujourd'hui, 1984.

André RÉMY-NÉRIS, *Armel ou mon enfance*, Librairie du Carrefour, 1968.

Jean-Claude RENARD, in *La Nouvelle Guirlande de Julie*, Éditions Ouvrières, 1981; *Fable*, Seghers, 1952; *La Terre du sacre*, J. Corti, 1989.

RENAUD, *Le Temps des noyaux*, Éditions du Seuil, 1988; © Mino Music, 1982 pour *Mon Beauf*, 1988 pour *L'Auto-stoppeuse*, *Où c'est qu'j'ai mis mon flingue?* et *Peau aime*.

Pierre REVERDY, *Main d'œuvre*, Mercure de France, 1989.

Serge REZVANI, *Chansons*, Deyrolle, 1994.

Georges RIBEMONT-DESSAIGNES, *Ecce Homo*, Gallimard, 1987.

Jean RICHEPIN, *Les Caresses*, M. Dreyfous, 1882; *Mes Paradis*, Charpentier/Fasquelle, 1894; *La Bombarde* et *La Chanson des Gueux* (1902), *Le Chemineau* et *Les Blasphèmes* (1922), *Don Quichotte* (s.d.), Fasquelle; *Interludes*, Flammarion, 1923.

Jehan RICTUS, *Les Soliloques du pauvre* (1919), *Le Cœur populaire* (1934), E. Rey.

Ernest RIEU, *Douze douzains de ballades françaises*, Les Gémeaux, 1929.

Rainer Maria RILKE, *Vergers*, Gallimard, 1992.

Arthur RIMBAUD, *Œuvres complètes*, La Pléiade, Gallimard, 1972.

Gabriel ROBERT, *Le Violier des Muses* in J. ROUBAUD, *Soleil du soleil* (voir I ci-dessus).

Armand ROBIN, *Le Monde d'une voix* (1968), *Ma vie sans moi* (1970), © Éditions Gallimard.

Georges RODENBACH, *Le Miroir du ciel natal*, Mercure de France, 1925.

Maurice ROLLINAT, *L'Abîme* (1886); *Dans les brandes, Les Névroses*, Minard, 1971-1972.

Jules ROMAINS, *Choix de poèmes*, © Éditions Gallimard, 1948; *L'Homme blanc* (1937), *Pierres levées* (1957), *Un être en marche* et *Maisons* (1967), Flammarion.

Pierre de RONSARD, *Amours de Cassandre* (1974), *Sonnets pour Hélène* (1979), *Les Quatre Saisons* (1985), Gallimard.

Edmond ROSTAND, *Chantecler* (1916), *Le Vol de la Marseillaise* (1920), *La Dernière Nuit de Don Juan* (1921), *Le Cantique de l'Aile* (1922), *Les Musardises* (1954), Fasquelle; *Cyrano de Bergerac*, Gallimard, 1983.

Jacques ROUBAUD, in *Bibliothèque Oulipienne* (voir I, ci-dessus); *Les Animaux de tout le monde* (1990), *Les Animaux de personne* (1991), Seghers; ∈, © Éditions Gallimard, 1967.

Jean ROUSSELOT, *Les Moyens d'existence, œuvre poétique 1934-1974*, Seghers, 1976.

Louis ROUX, *Les Siècles d'Or*, La Jeune Académie, 1930.

Claude ROY, *Les Pas du silence* (1970), *Poésies* (1993), © Éditions Gallimard.

Noël RUET, voir Tristan DERÈME.

Robert SABATIER, *Les Fêtes solaires* (1955), *Les Châteaux de millions d'années* (1969), *L'Oiseau de demain* (1981), © Éditions Albin Michel.

James SACRÉ, *Ancrits*, Thierry Bouchard, 1982.

A. SAINT-AMAND, *La Leçon d'Otilia,* La Différence, 1995.

Marc-Antoine Girard de SAINT-AMANT, *Œuvres,* 5 volumes, M. Didier, 1967-1979.

Melin de SAINT-GELAIS, *Œuvres complètes,* Kraus Reprint, 1970.

SAINT-POL ROUX, *Choix de textes,* Rougerie, 1967.

Pierre SAKKA, voir Nino FERRER.

André SALMON, *Créances* (1926), *Les Étoiles dans l'encrier* (1952), *Carreaux* (1986), © Éditions Gallimard; *Le Manuscrit trouvé dans un chapeau,* Fata Morgana, 1983; *Vocalises,* Seghers, 1957.

Albert SAMAIN, *Le Chariot d'or,* Mercure de France, 1905; *Au Jardin de l'Infante,* Éditions du Panthéon, 1945.

Camille SANTERRE, *La Chanson de mon Automne,* E. Sansot.

Paul SCARRON, *Poésies diverses,* Librairie Marcel Didier, 1947.

Georges SCHEHADÉ, *L'Écolier sultan,* Gallimard, 1973.

Marcel SCHWOB, *Écrits de jeunesse,* F. Bérouard, 1927.

Anne SEGALEN (collaboration avec J. LANZMANN), *Chansons,* Tchou, 1968.

Victor SEGALEN, *Odes, Thibet,* Gallimard, 1985.

Jean SÉNAC, *Dérisions et Vertige,* © Actes Sud, 1983.

Charles-Timoléon de SIGOGNE, *Le Cabinet satyrique* in M. CAZENAVE, *Anthologie...* (voir I, ci-dessus).

Alain SOUCHON, *C'est déjà tout ça,* Éditions du Seuil, 1993; © BMG Music Publishing.

Philippe SOUPAULT, *Poèmes et poésies,* Grasset, 1987; *Poèmes retrouvés* (1982), *Poésies pour mes amis les enfants* (1983), Lachenal & Ritter.

Jean de SPONDE, *Les Amours* in *Œuvres poétiques,* Stock, 1945.

André SUARÈS, *Antiennes du Paraclet,* Rougerie, 1976; *Caprices,* Éditions Minard, 1977.

Jules SUPERVIELLE, *Œuvres poétiques complètes,* La Pléiade, © Éditions Gallimard, 1996.

Laurent TAILHADE, *Poèmes aristophanesques* et *Poèmes élégiaques,* Mercure de France, 1923.

Jean TARDIEU, *Le Fleuve caché, Margeries* et *Le Miroir ébloui,* © Éditions Gallimard, 1986.

Marcel THIRY, *Toi qui pâlis au nom de Vancouver...,* Seghers, 1975.

Henri THOMAS, *Nul désordre* (1950), *À quoi tu penses* (1980), *Trézeaux* (1989), © Éditions Gallimard.

Roland TOPOR, *Pense-bêtes,* © le cherche midi éditeur, 1992.

Julien TORMA, *Le Grand Troche,* Allia, 1988; *Premiers Écrits,* Collège de Pataphysique, 1957.

Paul-Jean TOULET, *Œuvres complètes,* Bouquins, Laffont, 1986.

Charles TRENET, *Tombé du ciel,* Plon, 1993; © Éditions Raoul Breton, © Éditions Rozon.

Gilbert TROLLIET, *Visites,* L'Âge d'Homme, 1973.

Dominique TRON, *108 poëmes-clefs,* La Bartavelle, 1993.

Léon VALADE, in *Album zutique* (voir I, ci-dessus).

Paul VALÉRY, *Œuvres,* La Pléiade, © Éditions Gallimard, 1987.

Paul Gustave VANHECKE, *Poèmes 1920-1923,* Sélection, 1924.

Charles VAN LERBERGHE, *La Chanson d'Ève,* Mercure de France, 1952.

Jean VASCA, *Solos solaires,* © le cherche midi éditeur, 1992.

André VELTER, *Du Gange à Zanzibar,* Gallimard, 1993.

Émile VERHAEREN, *Les Campagnes hallucinées* et *Les Villes tentaculaires,* Gallimard, 1987; *Les Villages illusoires,* Labor, 1985; *Les Apparus dans mes chemins, Belle Chair, Les Flammes hautes, Petites légendes* et *Les Rythmes souverains,* Mercure de France (1913-1939); *Les Bords de la route* et *Les Vignes de ma muraille* in *Choix de poèmes,* Renaissance du livre, 1982.

Jean-Pierre VERHEGGEN, *Stabat Mater* (1986), *Porches, Porchers* (1991), *Pubères, Putains* (1994), Labor; in *Objet Perdu,* Lachenal & Ritter/Parc, 1995.

Paul VERLAINE, *Œuvres poétiques complètes,* La Pléiade, Gallimard, 1968; *Femmes, Hombres,* Le Livre à venir, 1985.

Jules VERNE, *Poésies inédites,* © le cherche midi éditeur, 1989.

Louis VEUILLOT, *Cara* in *Sonnets d'hier et d'aujourd'hui,* Tiranty, 1949.

Alexandre VIALATTE, *La Paix des Jardins,* La Différence, 1990.

Boris VIAN, *Cantilènes en gelée, L'Arrache-cœur* et *Cent Sonnets,* Ch. Bourgois, 1990; *Textes et chansons,* Julliard, © Majestic.

Théophile de VIAU, *Les Œuvres* in A. BLANCHARD, *Poésie baroque et précieuse* (voir I, ci-dessus).

Gabriel VICAIRE, voir Henri BEAUCLAIR.

Francis VIELÉ-GRIFFIN, *L'Amour sacré, Chansons à l'ombre, Les Cygnes, Deuxième tableau, Le Domaine royal, Joies,* Mercure de France, 1923-1927; *Œuvres,* Slatkine, 1977.

Alfred de VIGNY, *Œuvres poétiques,* Garnier-Flammarion, 1978.

Charles VILDRAC, *Livre d'amour,* © Seghers, 1980.

Auguste de VILLIERS DE L'ISLE-ADAM, in A. VELTER, *Les Poètes du Chat Noir* (voir I, ci-dessus).

François VILLON, *Le Testament,* Flammarion, 1965.

Louise de VILMORIN, *Poèmes* (1970), *Solitude, ô mon éléphant* (1972), © Éditions Gallimard.

Roger VITRAC, *Dés-lyre,* © Éditions Gallimard, 1964; in *Le Grand Jeu,* J.-M. Place, 1977.

Renée VIVIEN, *Œuvre poétique complète,* Régine Desforges, 1986.

Vincent VOITURE, *Poésies,* S.T.F.M., 1971.

VOLTAIRE, *Mélanges,* Gallimard, 1961.

WATRIQUET DE COUVIN, *Fatrasies* (trad. J.-P. Foucher), G.L.M., 1964.

WILLEMETZ-CHEVALIER, in *350 chansons d'hier et d'aujourd'hui,* Proteau, 1993.

Liliane WOUTERS, *L'Aloès,* Luneau Ascot, 1983.

Marguerite YOURCENAR, *Les Charités d'Alcippe,* © Éditions Gallimard, 1984.

TABLE DES MATIÈRES